令和6年度　1級土木施工管理技……析

第一次検定は四肢択一のマーク……須問題5問，選択問題（61問中）……Bは必須問題35問が出題され，昨年度より出題数が５問増えました。

■問題Ａ――新規出題の「工学基礎」は深追い無用。「土木一般」や「法規」の頻出知識を確実に押さえることを優先しよう！

令和６年度の問題Ａは，必須問題として新たに「工学基礎」に関する５問が出題されました。構造力学や水理学など，全く馴染みのない問題が出題されて面食らった受検者も多かったことと推察します。しかし，従来から出題されている「土木一般」「専門土木」「法規」の出題数や解答数に変更はなく，合格基準も問題数増に応じて引き上げられたわけではありません。つまり，万が一「工学基礎」で１点も取れなかったとしても，他の出題分野で挽回することは十分に可能ですので，慌てる必要は全くありません。

「工学基礎」については，必要以上の深追いをせずにまずは令和６年度の過去問（余裕があれば同年度の２級土木の問題）で要求された知識を確認する程度に留め，「土木一般」や「法規」を中心に，頻出知識をしっかり押さえることを優先するのが合格点獲得の近道と肝に銘じて下さい。

No. ６～No.20（土木一般分野の土工，コンクリート，基礎工）では，過去問題をアレンジした問題が主体で，全体としては直近５年程度の過去問題の知識を押さえることで，合格点の確保が可能な内容でした。

No.21～No.54の専門土木分野も，No.45「ケーソンの製作・進水方式」や，No.48「鉄道の営業線近接工事における保安対策」など，詳細な知識を問う問題が一部に散見されるものの，全体としては過去問対策で十分対応可能な内容でした。

No.55～No.66の法規分野は，技術者制度（主任技術者，監理技術者）に関する問題は本年度も出題されませんでしたが，令和３年まで５年連続で出題されています。今後も繰り返し出題される可能性が高いため，専任技術者設置の要件や改正後の下請代金総額の数値も含めてしっかり押さえる必要があります。

問題Ａは，これらの出題傾向をよく分析して，効率よく学ぶことで高得点が期待できます。選択問題であることを考えると，難問を避け，過去問題で頻出の知識で解ける問題を確実に押さえるという意識が必要になってきます。

■問題Ｂ――土木一般，専門土木の重複問題も出題

問題Ｂでは，例年どおり過去問題をアレンジした問題が多く出題されました。共通工学，施工管理の一般的な知識に加え，No.15「品質管理（路床・路盤の品質管理に用いる試験）」やNo.34「品質管理（鉄筋の継手）」など，問題Ａの土木一般や専門土木分野の知識が問われる問題も多く見られました。また，今年度も，問題ＡのNo.8に加え，No.33「情報化施工（TS・GNSSを用いた盛土の締固め管理）」でも情報化施工の知識が問われる問題が出題されました。今後も繰り返し出題される可能性がありますのでしっかり押さえておきましょう。

令和３年度より新設されたNo.21～No.35「施工管理法（応用能力）」ですが，令和５年度から，４つの記述の正誤の組合せや正文の数を答えさせる形式の問題が導入され，より正確な知識が問われるようになりました。ただし，これまでの過去問題で問われた知識を押さえておけば十分に対応が可能です。

すべての問題に答えなければならない問題Ｂではありますが，施工現場での知識が重視される傾向は，今後とも続いていくものと考えられます。

なお，第一次検定の合格の発表は令和６年８月15日に行われ，合格基準は，70問のうち42問以上の正解，かつ施工管理法（応用能力）の15問のうち９問以上の正解で合格となりました。合格率は前年対比－5.1ポイントの44.4％となりました。

詳解 1 級土木施工 管理技術検定
過去 5 年問題集 '25 年版

CONTENTS

本書の特色と利用にあたっての注意

■令和６年 10 月１日現在の法改正等に準拠

本書は，令和７年7月に実施される予定の「１級土木施工管理技術検定」に向けて編集された過去問題集で，**令和６年 10 月１日現在の法改正等の内容**を盛り込んでいます。本書では，以下の記号を用いています。

〈記号〉

☆：問題文の正誤に影響はありませんが，関連する事項に法改正等のあった問題です。問題編では，法改正等によって問題文が変更される部分に下線をひき，問題文（選択肢）の末尾に（☆）をつけました。また，正答・解説編では，法改正等の変更箇所に下線をひき，☆印のあとに改正等により変更となった後の表記について記しました。

※令和６年 12 月中旬に公布・施行予定の建設業法施行令・同施行規則の改正により、本書の記載内容に変更が生じる場合には、下記の本書専用ブログでフォローいたします。

■検定５回分を制限時間内で挑戦しよう

本書は，公表されている第一次検定・学科試験の問題を**令和２年度から最新の令和６年度までの５回分**を全問掲載しています。各回は問題Ａ 61 問，問題Ｂ 35 問（令和６年度は，問題Ａ 66 問，問題Ｂ 35 問）で構成されています。実際の検定では，問題Ｂは必須なので全問解答しなければなりませんが，問題Ａは，必須問題が５問，選択問題が 30 問の構成になっていますので，自分がどういう問題を選択するのかを事前に検討しながら取り組んでください。

また，制限時間内で終わらせるためには，令和６年度の場合，見直しの時間を残したいと考えると，１問にかけられる時間は平均すると問題Ａでは約３分（見直し 40 分），問題Ｂでは3分（見直し 15 分）です。**本冊の巻末には解答用紙**も掲載していますので，実際の検定同様に限られた時間の中で解いていく練習もしておきましょう。

なお，本書の正答・解説編は**取り外し可能**で２色構成となっており，正答やキーワードを**付属の赤シート**で隠しながら，効率よく学習することができます。

＊令和６年度の第二次検定の問題・解答用紙・解答例・解説は，下記の本書専用ブログに令和７年４月上旬頃掲載予定です。

http://www.s-henshu.info/1dskm2410/

1級土木施工管理技術検定
ガイダンス（例年）

1級土木施工管理技術検定は，建設業法第 27 条に基づいて実施されている国家試験です。一般財団法人全国建設研修センターが国土交通大臣の指定を受けて指定試験機関となっています。第一次検定，第二次検定の両方に合格すると，1級土木施工管理技士となることができ，建設業法に定められている土木一式工事の許可に際して必要となる主任技術者または監理技術者となることができます。

注意）P.4 ～ 5 の情報は原則として令和 6 年 10 月 1 日現在の情報に基づいています。変更される場合がありますので，受検される方は事前に必ずご自身で試験実施機関の発表内容を確認してください。

■試験日

第一次検定：7 月
第二次検定：10 月

■合格発表日

第一次検定：8 月
第二次検定：検定翌年 1 月

■受検手数料

第一次検定：10,500 円
第二次検定：10,500 円

■試験地

札幌，釧路，青森，仙台，東京，新潟，名古屋，大阪，岡山，広島，高松，福岡，鹿児島，那覇の 14 地区　※第二次検定の試験地は，上記より鹿児島を除く 13 地区

■試験時間と試験内容

第一次検定　択一式

	問題 A	問題 B
試験時間	2 時間 30 分	2 時間
出題形式	必須（5 問） 選択（61 問中 30 問）	必須（35 問）
出題分野	工学基礎知識　5 問解答 土木一般　15 問中 12 問解答 専門土木　34 問中 10 問解答 法規　12 問中 8 問解答	共通工学　4 問解答 施工管理　31 問解答

第二次検定　記述式

試験時間	2 時間 45 分
出題分野	施工管理法

受検申込から資格取得までの流れ

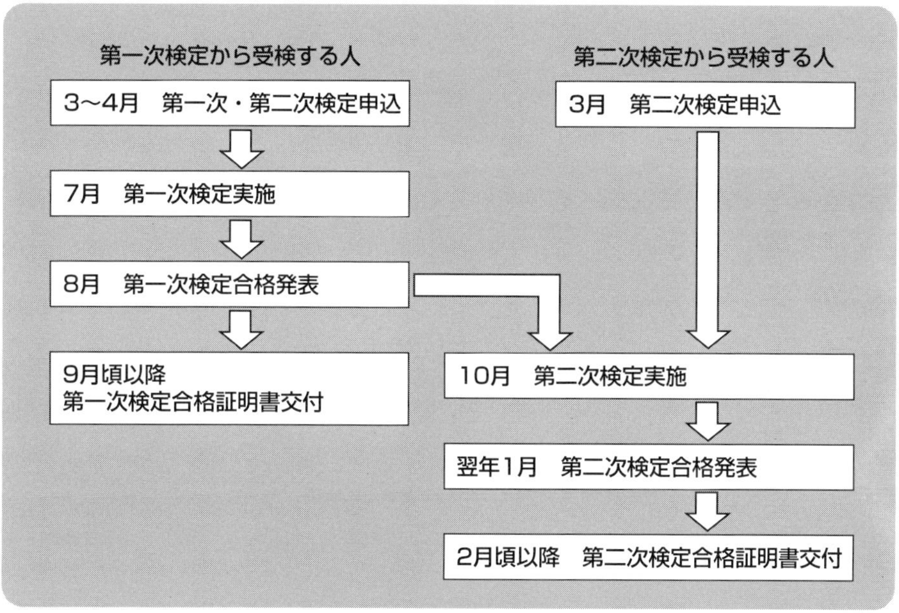

▪ 土木施工管理技術検定に関する問合せ先

〒 187 － 8540
東京都小平市喜平町 2 － 1 － 2
一般財団法人　全国建設研修センター　試験事務局　土木試験部
TEL：042（300）6860　HP アドレス：https://www.jctc.jp/

出題傾向分析表

試験攻略のためには，出題傾向を知ることが大切です。ここでは過去５年間に出題された項目・出題頻度がひとめでわかるように，表にまとめました。出題頻度の高い◎印・○印の項目を中心に学習をするとよいでしょう。

問題Ａ

出題頻度　◎非常に高い　○高い

工学基礎知識（R6年　No.1～5）令和6年度に新設		R6
	土の密度	☆
	土の粒径加積曲線と三角座標	☆
	構造力学（曲げモーメント値）	☆
	構造力学（台形の図心）	☆
	水理学（流体力学）	☆

土工　No.1～5（R6年 No.6～10）		R2	R3	R4	R5	R6
	原位置試験	☆				
◎	土質調査		☆	☆	☆	☆
	土量の変化率	☆				
	盛土の施工			☆		
○	建設発生土	☆	☆			☆
○	法面保護工の施工		☆	☆	☆	
◎	軟弱地盤対策工法	☆	☆	☆	☆	☆
◎	情報化施工	☆	☆	☆	☆	☆
○	道路土工の施工				☆	☆

コンクリート　No.6～11（R6年 No.11～16）		R2	R3	R4	R5	R6
◎	コンクリート用骨材およびセメントの特性	☆	☆	☆	☆	☆
	コンクリート用骨材の試験方法					☆
◎	コンクリートの配合	☆	☆	☆		☆
	コンクリートの品質			☆		
○	混和材	☆	☆		☆	
◎	コンクリートの養生	☆	☆	☆		☆
○	寒中・暑中コンクリートの施工			☆	☆	☆
◎	コンクリートの打込み，締固め	☆	☆	☆	☆	
○	鉄筋の継手		☆		☆	
○	鉄筋の加工・組立	☆	☆			
	型枠及び支保工					☆

基礎工　No.12～15（R6年 No.17～20）		R2	R3	R4	R5	R6
◎	既製杭の施工	☆	☆	☆	☆	☆
◎	各種場所打ち杭の施工法・特徴	☆	☆	☆	☆	☆
○	直接基礎の施工			☆		
◎	土留め壁・土留め支保工の施工	☆	☆	☆	☆	☆
◎	基礎工の種類と特徴	☆	☆		☆	☆

構造物　No.16～20（R6年 No.21～25）		R2	R3	R4	R5	R6
◎	コンクリート構造物の劣化	☆	☆	☆	☆	☆
○	耐候性鋼材	☆		☆		
○	鋼橋の溶接		☆	☆		☆
◎	高力ボルト	☆	☆		☆	☆
◎	コンクリート構造物の補修・補強工法	☆	☆	☆		☆
◎	鋼道路橋の架設作業	☆	☆	☆	☆	☆

河川・砂防　No.21 ～ 26（R6 年 No.26 ～ 31）		R2	R3	R4	R5	R6
◎	河川堤防の施工	☆	☆	☆	☆	☆
○	河川堤防の軟弱地盤対策工	☆	☆			
◎	河川護岸の設計・施工	☆	☆	☆	☆	☆
○	堤防開削工事			☆	☆	☆
◎	砂防堰堤の施工	☆		☆	☆	☆
○	地すべり防止工の施工	☆	☆			☆
◎	急傾斜地崩壊防止工	☆	☆	☆	☆	☆
	砂防工事の施工		☆			
○	渓流保全工の施工			☆	☆	

道路・舗装　No.27 ～ 32（R6 年 No.32 ～ 37）		R2	R3	R4	R5	R6
○	アスファルト混合物の舗設	☆		☆		☆
○	各種アスファルト舗装の特徴		☆		☆	
◎	アスファルト舗装における路床の施工	☆	☆	☆	☆	☆
◎	アスファルト舗装における路盤の施工	☆	☆	☆	☆	☆
◎	アスファルト舗装における表層・基層の施工	☆	☆	☆	☆	☆
○	コンクリート舗装の施工	☆		☆		☆
◎	アスファルト舗装の補修	☆	☆	☆	☆	☆
○	コンクリート舗装の補修		☆		☆	

ダム・トンネル　No.33 ～ 36（R6 年 No.38 ～ 41）		R2	R3	R4	R5	R6
◎	ダムの基礎処理	☆	☆	☆	☆	☆
◎	ダムコンクリート	☆	☆	☆	☆	☆
○	トンネルの山岳工法の掘削の施工	☆		☆		☆
○	トンネルの山岳工法の支保工の施工		☆		☆	
	トンネルの山岳工法の覆工コンクリートの施工	☆				

	トンネルの山岳工法の施工時の観察・計測				☆	
○	トンネルの山岳工法の補助工法		☆	☆		☆

海岸・港湾　No.37～40（R6年 No.42～45）		R2	R3	R4	R5	R6
○	海岸堤防の施工	☆		☆		☆
	海岸護岸の施工		☆			
	離岸堤の施工				☆	
○	潜堤・人工リーフ	☆		☆		☆
○	養浜の施工		☆		☆	
○	防波堤の施工			☆		☆
	港湾構造物の基礎捨石の施工		☆			
○	ケーソンの施工	☆		☆		☆
○	浚渫工事の事前調査		☆		☆	
	浚渫船の特徴	☆				
	水中コンクリート				☆	

鉄道・地下構造物・鋼橋塗装　No.41～45（R6年 No.46～50）		R2	R3	R4	R5	R6
◎	鉄道の軌道の維持管理・保安設備	☆	☆	☆	☆	☆
	鉄道の路床の施工			☆		
◎	鉄道の路盤の施工	☆	☆		☆	☆
◎	営業線近接工事の保安対策	☆	☆	☆	☆	☆
◎	シールド工法	☆	☆	☆	☆	☆
○	鋼橋・鋼構造物の防食	☆		☆	☆	
	鋼構造物塗装		☆			☆

上下水道・薬液注入　No.46～49（R6年No.51～54）		R2	R3	R4	R5	R6
◎	上下水道管および付属設備の施工	☆	☆	☆	☆	☆
◎	小口径管推進工法の施工	☆	☆	☆	☆	☆
	下水道の管きょの基礎	☆				☆
○	下水道管きょの更生工法		☆	☆	☆	
◎	薬液注入工事	☆	☆	☆	☆	☆

<table>
<tr><th>法規　No.50～61（R6年No.55～66）</th><th>R2</th><th>R3</th><th>R4</th><th>R5</th><th>R6</th></tr>
<tr><td>労働基準法</td><td colspan="5">2題</td></tr>
<tr><td>労働安全衛生法</td><td colspan="5">1～2題</td></tr>
<tr><td>建設業法</td><td colspan="5">1～2題</td></tr>
<tr><td>道路法・車両制限令</td><td colspan="5">1題</td></tr>
<tr><td>河川法</td><td colspan="5">1題</td></tr>
<tr><td>建築基準法</td><td colspan="5">1題</td></tr>
<tr><td>火薬類取締法</td><td colspan="5">0～1題</td></tr>
<tr><td>騒音規制法</td><td colspan="5">1題</td></tr>
<tr><td>振動規制法</td><td colspan="5">1題</td></tr>
<tr><td>港則法</td><td colspan="5">1題</td></tr>
</table>

問題B

出題頻度　◎非常に高い　○高い

※出題頻度を表すマークは，問題B No.21～35の施工管理法（令和3年度に新設。p.13～14参照）の問題の出題内容を含めた出題頻度となっています。

測量・設計・契約　No.1～4		R2	R3	R4	R5	R6
◎	トータルステーションによる測量	☆	☆	☆	☆	☆
◎	公共工事標準請負契約約款	☆	☆	☆	☆	☆

◎	配筋図，設計図等		☆	☆	☆	☆
	マスカーブ	☆				
○	建設機械の特性	☆			☆	
○	電気設備		☆	☆		☆

施工計画　No.5 ～ 9（R3 年以降 No.5，21 ～ 24）		R2	R3	R4	R5	R6
◎	施工計画の立案・作成	☆	☆	☆	☆	☆
	施工計画における事前調査				☆	
	底面掘削の破壊現象			☆		
◎	建設機械の施工計画	☆	☆	☆		☆
	資材・機械の調達計画				☆	
○	原価管理	☆	☆		☆	
○	施工体制台帳	☆	☆	☆		
○	関係機関への届出等	☆	☆			☆
○	仮設工事			☆		☆
	土留め工の施工					☆
	施工管理体制				☆	

工程管理　No.10 ～ 13（R3 年以降 No.6，25 ～ 27）		R2	R3	R4	R5	R6
○	工程管理における品質・工程・原価			☆		☆
◎	工程表の種類と特徴	☆	☆	☆	☆	☆
◎	ネットワーク式工程表	☆	☆	☆	☆	☆
○	工程管理曲線（バナナ曲線）				☆	☆
○	バーチャート工程表	☆	☆			
◎	工程管理一般	☆	☆	☆	☆	

安全管理　No.14～24（R3以降年 No.7～13，28～31）		R2	R3	R4	R5	R6
○	元方事業者の講ずべき義務	☆		☆	☆	☆
○	建設業の安全衛生管理体制		☆		☆	☆
○	型枠支保工の安全対策	☆	☆			
◎	掘削工事の安全対策	☆	☆	☆	☆	☆
◎	墜落・飛来・落下災害の防止のための措置	☆	☆	☆	☆	☆
◎	労働災害を防止するための措置	☆	☆	☆		☆
◎	建設機械の安全対策	☆	☆	☆	☆	☆
○	足場の安全対策			☆	☆	☆
○	労働者の健康管理	☆	☆			
◎	移動式クレーンの安全対策	☆	☆	☆	☆	☆
○	異常気象時の安全対策	☆	☆		☆	
◎	構造物の解体作業	☆	☆	☆	☆	☆
	保護具や親綱等の使用			☆		
◎	埋設物・架空線近接工事の安全管理	☆	☆	☆	☆	☆
○	酸素欠乏のおそれのある工事の安全対策			☆	☆	☆

品質管理　No.25～31（R3年 以降 No.14～16，32～35）		R2	R3	R4	R5	R6
◎	品質管理一般	☆	☆	☆	☆	
◎	盛土の品質管理	☆	☆	☆	☆	☆
◎	鉄筋の品質管理	☆	☆		☆	☆
◎	アスファルト舗装の品質管理	☆	☆	☆	☆	☆
○	路床・路盤の品質管理			☆	☆	☆
◎	レディーミクストコンクリートの品質管理	☆	☆	☆	☆	☆
○	コンクリート構造物の検査・試験	☆		☆		☆

	コンクリートの施工の品質管理			☆		
○	プレキャストコンクリート構造物の施工		☆		☆	
○	品質管理における試験と品質特性	☆	☆			
	管理図					☆

環境保全　No.32 ～ 33（R3 年以降 No.17 ～ 18）		R2	R3	R4	R5	R6
○	騒音および振動対策	☆	☆	☆		
○	水質汚濁対策	☆			☆	
○	土壌汚染対策			☆		☆
	近接施工での周辺環境対策				☆	
	環境保全対策					☆
	情報化施工と環境負荷低減への取組み		☆			

建設副産物　No.34 ～ 35（R3 年以降 No.19 ～ 20）		R2	R3	R4	R5	R6
◎	廃棄物処理法	☆	☆	☆	☆	☆
◎	建設リサイクル法	☆	☆	☆	☆	☆

※出題頻度を表すマークは，問題 B No.1 ～ 20 の施工管理法以外の問題の出題内容を含めた出題頻度となっています。

施工管理法（応用能力）R3 年以降 No.21 ～ 35		R3	R4	R5	R6
◎	施工計画 / 施工計画の立案・作成	☆		☆	
	施工計画 / 底面掘削の破壊現象		☆		
◎	施工計画 / 建設機械の施工計画	☆	☆		☆
	施工計画 / 資材・機械の調達計画			☆	
○	施工計画 / 原価管理	☆		☆	
○	施工計画 / 施工体制台帳	☆	☆		
	施工計画 / 関係機関への届出等				☆
○	施工計画 / 仮設工事		☆		☆

	施工計画 / 土留め工の施工				☆
	施工計画 / 施工管理体制			☆	
○	工程管理 / 工程管理における品質・工程・原価		☆		☆
◎	工程管理 / 工程表の種類と特徴	☆	☆	☆	☆
○	工程管理 / 工程管理曲線（バナナ曲線）			☆	☆
○	工程管理 / バーチャート工程表	☆			
◎	工程管理 / 工程管理一般	☆	☆	☆	
◎	安全管理 / 建設機械の安全対策	☆	☆	☆	☆
○	安全管理 / 労働者の健康管理	☆			
◎	安全管理 / 移動式クレーンの安全対策	☆	☆	☆	☆
◎	安全管理 / 埋設物・架空線近接工事の安全管理	☆	☆	☆	☆
○	安全管理 / 酸素欠乏のおそれのある工事の安全対策		☆	☆	☆
◎	品質管理 / 品質管理一般	☆	☆	☆	
◎	品質管理 / 盛土の品質管理	☆	☆	☆	☆
◎	品質管理 / 鉄筋の品質管理	☆	☆	☆	☆
	品質管理 / コンクリート構造物の検査・試験				☆
	品質管理 / コンクリートの施工の品質管理		☆		
○	品質管理 / プレキャストコンクリート構造物の施工	☆		☆	
	品質管理 / 管理図				☆

1 級土木施工管理技術検定

令和６年度問題

年　度		受検者数（人）	合格者数（人）	合格率（%）
令和６年度	第一次	51,193	22,705	44.4
	第二次	※	※	※
令和５年度	第一次	32,931	16,311	49.5
	第二次	27,304	9,060	33.2
令和４年度	第一次	38,672	21,097	54.6
	第二次	24,462	7,032	28.7
令和３年度	第一次	37,726	22,851	60.6
	第二次	26,558	9,732	36.6
令和２年度	学科	29,745	17,885	60.1
	実地	24,204	7,499	31.0

※本書編集時点では未公表

● P.259の解答用紙をコピーしてお使いください。

令和6年度

第一次検定　問題A（必須・選択問題）

試験時間　150分

※問題番号《もんだいばんごう》No.1～No.5までの5問題《もんだい》は，**必須問題《ひっすもんだい》**ですから**全問題《ぜんもんだい》**を**解答《かいとう》**してください。

No. 1　下図《かず》の土《つち》の構成《こうせい》を表《あらわ》した模式図《もしきず》の記号《きごう》を用《もち》いて，「湿潤密度《しつじゅんみつど》ρt」と「飽和度《ほうわど》$S\gamma$」を求《もと》める式《しき》の次《つぎ》の組合《くみあわ》せのうち，**適当《てきとう》なもの**はどれか。

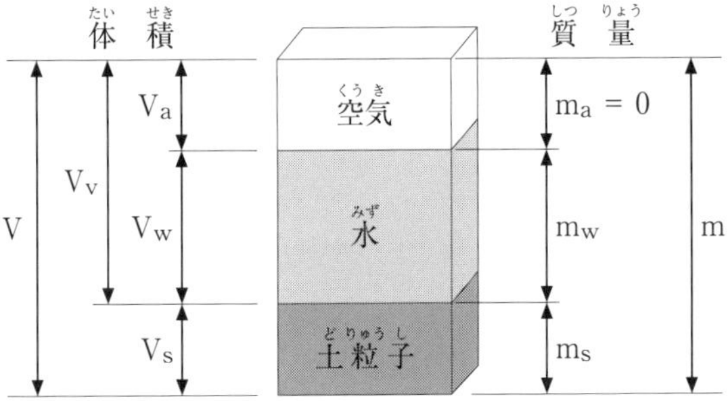

	［湿潤密度《しつじゅんみつど》］	［飽和度《ほうわど》］
1	$\rho t = \frac{m_W}{V}$	$S\gamma = \frac{V_W}{V_V} \times 100$
2	$\rho t = \frac{m_W}{V}$	$S\gamma = \frac{V_W}{V} \times 100$
3	$\rho t = \frac{m}{V}$	$S\gamma = \frac{V_W}{V} \times 100$
4	$\rho t = \frac{m}{V}$	$S\gamma = \frac{V_W}{V_V} \times 100$

No. 2　下図《かず》の土《つち》の粒径加積曲線《りゅうけいかせききょくせん》と三角座標《さんかくざひょう》に関《かん》する下記《かき》の文章中《ぶんしょうちゅう》の［　　］の（イ），（ロ）に当《あ》てはまる語句《ごく》の次《つぎ》の組合《くみあわ》せのうち，**適当《てきとう》なもの**はどれか。

土《つち》の粒径加積曲線《りゅうけいかせききょくせん》

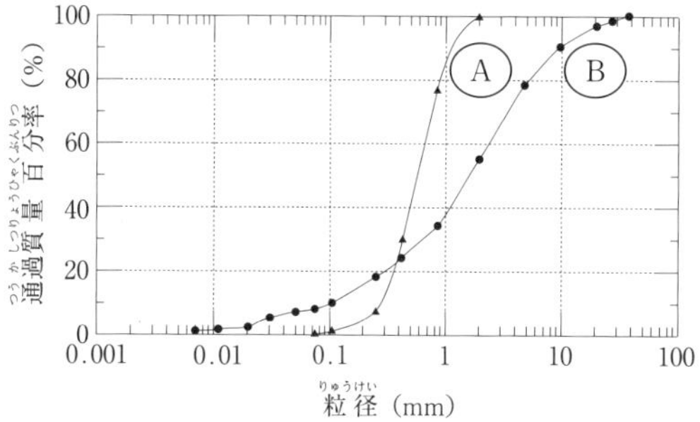

三角座標《さんかくざひょう》

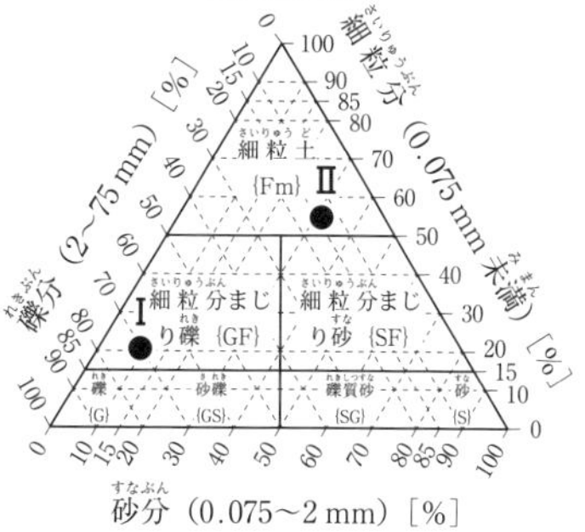

・土《つち》の粒径加積曲線《りゅうけいかせききょくせん》Ⓐの土質《どしつ》は，粒径加積曲線《りゅうけいかせききょくせん》Ⓑの土質《どしつ》に比《くら》べて，砂《すな》の割合《わりあい》は［　（イ）　］。

・三角座標《さんかくざひょう》による土《つち》の分類《ぶんるい》において，Ⅰの土質《どしつ》は，Ⅱの土質《どしつ》に比《くら》べて，細粒分《さいりゅうぶん》の割合《わりあい》は［　（ロ）　］。

	（イ）		（ロ）
1	多《おお》い	…………………	多《おお》い
2	多《おお》い	…………………	少《すく》ない
3	少《すく》ない	……………	多《おお》い
4	少《すく》ない	……………	少《すく》ない

正答　別冊P.1

No. 3

下図《かず》の単純梁《たんじゅんばり》に集中荷重《しゅうちゅうかじゅう》Ｐが作用《さよう》した場合《ばあい》の，最大《さいだい》の曲《ま》げモーメント値《ち》（M）を求《もと》める次《つぎ》の式《しき》のうち，**正《ただ》しいもの**はどれか。
ただし，梁《はり》の自重《じじゅう》は考慮《こうりょ》しないものとする。

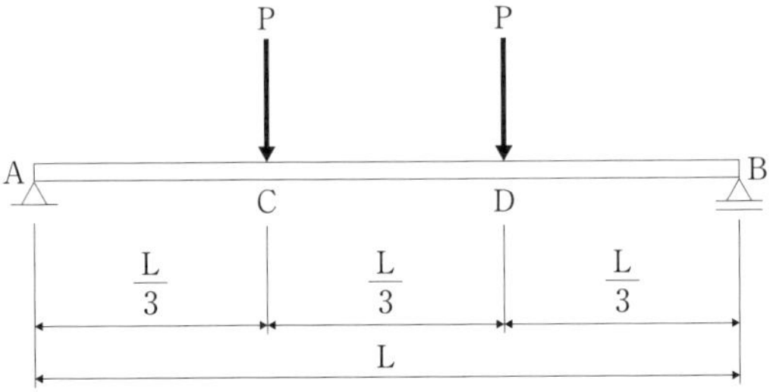

1　$M = \frac{PL}{2}$

2　$M = \frac{PL}{3}$

3　$M = \frac{PL}{6}$

4　$M = \frac{PL}{9}$

No. 4 下図《かず》の台形《だいけい》の図心《ずしん》Gに関《かん》する次《つぎ》の記述《きじゅつ》のうち，**適当《てきとう》でないもの**はどれか。
ただし，図形《ずけい》の密度《みつど》及《およ》び厚《あつ》さは均一《きんいつ》なものとする。

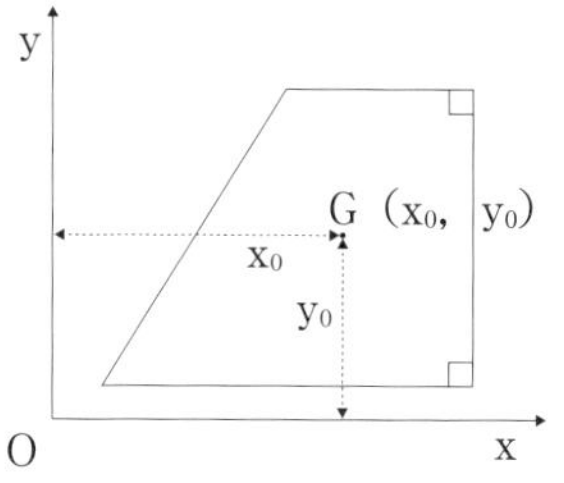

1　図心《ずしん》Gとは，その図形《ずけい》の重心《じゅうしん》の位置《いち》を表《あらわ》すものであり，座標《ざひょう》G（x_0，y_0）で表《あらわ》すことができる。

2　図心《ずしん》Gを求《もと》める場合《ばあい》，単純《たんじゅん》な形《かたち》の図形《ずけい》の組合《くみあわ》せによる断面一次《だんめんいちじ》モーメントは，中心《ちゅうしん》があきらかな断面《だんめん》に分割《ぶんかつ》し，それぞれの断面一次《だんめんいちじ》モーメントを求《もと》めて足《た》し合《あわ》せる。

3　断面一次《だんめんいちじ》モーメントは，分割《ぶんかつ》した断面《だんめん》ごとに断面積《だんめんせき》に座標値《ざひょうち》をかけ合《あ》わせた和《わ》と定義《ていぎ》されている。

4　図心《ずしん》は，x軸《じく》，y軸《じく》に関《かん》する断面一次《だんめんいちじ》モーメントが，ともに0以外《いがい》の値《あたい》となる直交軸《ちょっこうじく》の交点《こうてん》といえる。

正答　別冊 P.1

No. 5

下図《かず》の定常流《ていじょうりゅう》の流《なが》れの管《かん》において，断面《だんめん》①（直径《ちょっけい》 d_1）を通過《つうか》する水《みず》の流速《りゅうそく》が v_1 であるとき，断面《だんめん》②（直径《ちょっけい》 d_2）の「流速《りゅうそく》 v_2」及《およ》び「流量《りゅうりょう》 Q_2」を求《もと》める式《しき》の次《つぎ》の組合《くみあわ》せのうち，**適当《てきとう》なもの**はどれか。

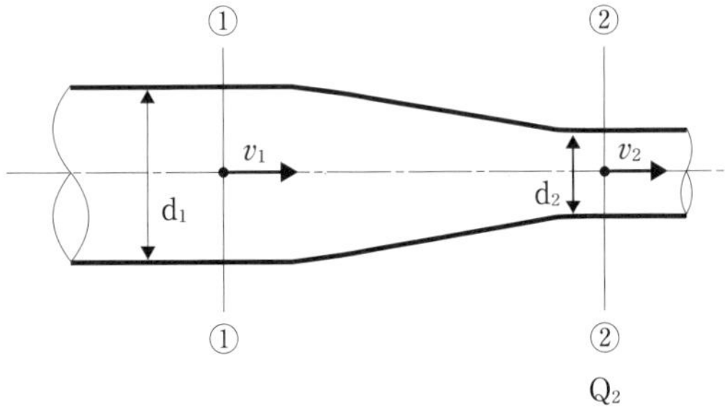

	流速《りゅうそく》	流量《りゅうりょう》
1	$v_2 = \left(\frac{d_1}{d_2}\right)^2 \times v_1$	$Q_2 = \frac{\pi \times d_1^2}{4} \times v_1$
2	$v_2 = \left(\frac{d_1}{d_2}\right)^2 \times v_1$	$Q_2 = \frac{\pi \times d_2^2}{4} \times v_1$
3	$v_2 = \left(\frac{d_2}{d_1}\right)^2 \times v_1$	$Q_2 = \pi \times d_1^2 \times v_1$
4	$v_2 = \left(\frac{d_2}{d_1}\right)^2 \times v_1$	$Q_2 = \pi \times d_2^2 \times v_1$

※問題番号《もんだいばんごう》No.6～No.20までの15問題《もんだい》のうちから12問題《もんだい》を選択《せんたく》し解答《かいとう》してください。

No. 6 土質試験《どしつしけん》における「試験《しけん》の名称《めいしょう》」,「試験結果《しけんけっか》から求《もと》められるもの」及《およ》び「試験結果《しけんけっか》の利用《りよう》」の組合《くみあわ》せとして，次《つぎ》のうち**適当《てきとう》なもの**はどれか。

	［試験《しけん》の名称《めいしょう》］	［試験結果《しけんけっか》から求《もと》められるもの］	［試験結果《しけんけっか》の利用《りよう》］
1	土《つち》の粒度試験《りゅうどしけん》	流動曲線《りゅうどうきょくせん》	建設材料《けんせつざいりょう》としての適性《てきせい》の判定《はんてい》
2	突固《つきかた》めによる土《つち》の締固《しめかた》め試験《しけん》	締固《しめかた》め曲線《きょくせん》	施工時含水比《せこうじがんすいひ》の決定《けってい》
3	土《つち》の透水試験《とうすいしけん》	透水係数《とうすいけいすう》	軟弱層《なんじゃくそう》の厚《あつ》さの推定《すいてい》
4	土《つち》の三軸圧縮試験《さんじくあっしゅくしけん》	強度定数《きょうどじょうすう》	地盤沈下量《じばんちんかりょう》の推定《すいてい》

No. 7 現場発生土《げんばはっせいど》を道路《どうろ》の盛土材料《もりどざいりょう》として使用《しよう》する場合《ばあい》の留意点《りゅういてん》に関《かん》する次《つぎ》の記述《きじゅつ》のうち，**適当《てきとう》でないもの**はどれか。

1　支持力《しじりょく》や施工性《せこうせい》が確保《かくほ》できない材料《ざいりょう》は，現場内《げんばない》で発生《はっせい》する他《た》の材料《ざいりょう》と混合《こんごう》したり，セメントや石灰《せっかい》による安定処理《あんていしょり》を行《おこな》って使用《しよう》する。

2　高含水比《こうがんすいひ》の材料《ざいりょう》は，なるべく薄《うす》く敷《し》き均《なら》した後《あと》，十分《じゅうぶん》な放置期間《ほうちきかん》をとり，ばっ気乾燥《きかんそう》を行《おこな》うか，処理材《しょりざい》を混合調整《こんごうちょうせい》し使用《しよう》する。

3　盛土《もりど》の安定《あんてい》や沈下等《ちんかなど》が問題《もんだい》となる材料《ざいりょう》は，盛土《もりど》の下層部《かそうぶ》になるべく厚《あつ》く敷《し》き均《なら》すか，法肩等《のりかたなど》に使用《しよう》する。

4　透水性《とうすいせい》の良《よ》い砂質土等《さしつどなど》の材料《ざいりょう》は，排水材料《はいすいざいりょう》に使用《しよう》し，岩塊《がんかい》や礫質土《れきしつど》は，排水処《はいすいしょ》理《り》と安定性向上《あんていせいこうじょう》のため，法尻《のりじり》に使用《しよう》する。

正答　別冊P.2

No. 8

TS（トータルステーション）・GNSS（全球測位衛星《ぜんきゅうそくいえいせい》システム）を用《もち》いた盛土《もりど》の情報化施工《じょうほうかせこう》に関《かん》する次《つぎ》の記述《きじゅつ》のうち，**適当《てきとう》でないもの**はどれか。

1　盛土《もりど》の締固《しめかた》め管理《かんり》システムの位置把握《いちはあく》にTSとGNSSのいずれかを採用《さいよう》するかは，地形条件《ちけいじょうけん》や電波障害《でんぱしょうがい》の有無等《うむなど》から検討《けんとう》し，双方《そうほう》の適用《てきよう》が困難《こんなん》な範囲《はんい》では従来《じゅうらい》の品質管理方法《ひんしつかんりほうほう》を用《もち》いる。

2　盛土材料《もりどざいりょう》のまき出《だ》しは，所定《しょてい》の仕上《しあが》り厚《あつ》となるようなまき出《だ》し厚《あつ》が試験施工《しけんせこう》において求《もと》められており，盛土施工範囲全面《もりどせこうはんいぜんめん》にわたって，このまき出《だ》し厚以下《あついか》となるように作業《さぎょう》を実施《じっし》し，その結果《けっか》を確認《かくにん》する。

3　試験施工《しけんせこう》と同様《どうよう》の土質《どしつ》，含水比《がんすいひ》の盛土材料《もりどざいりょう》を使用《しよう》し，試験施工《しけんせこう》で決定《けってい》したとおりのまき出《だ》し厚《あつ》，締固《しめかた》め回数等《かいすうなど》で施工《せこう》した盛土《もりど》は，所定《しょてい》の締固《しめかた》め度《ど》を確保《かくほ》していると言《い》える。

4　盛土材料《もりどざいりょう》を締《し》め固《かた》める際《さい》には，試験施工《しけんせこう》で決定《けってい》した締固《しめかた》め回数《かいすう》を確保《かくほ》するよう，車載《しゃさい》パソコンのモニタに表示《ひょうじ》される締固《しめかた》め回数分布図《かいすうぶんぷず》において，盛土範囲《もりどはんい》で設定《せってい》した代表地点《だいひょうちてん》が規定回数《きていかいすう》だけ締《し》め固《かた》めたことを示《しめ》す色《いろ》になるまで締《し》め固《かた》める。

No. 9

建設発生土《けんせつはっせいど》を工作物《こうさくぶつ》の埋戻《うめもど》しに利用《りよう》する際《さい》の留意点《りゅういてん》に関《かん》する次《つぎ》の記述《きじゅつ》のうち，**適当《てきとう》でないもの**はどれか。

1　埋戻《うめもど》しに用《もち》いる土《つち》は，道路供用開始後《どうろきょうようかいしご》に工作物《こうさくぶつ》との間《あいだ》に隙間《すきま》や段差《だんさ》が生《しょう》じないように圧縮性《あっしゅくせい》の大《おお》きい材料《ざいりょう》を用《もち》いる。

2　泥土《でいど》や取扱《とりあつか》いの難《むずか》しい高含水比《こうがんすいひ》の粘性土《ねんせいど》は，当該土《とうがいど》に自硬性《じこうせい》をもたせる等《など》の機《き》能《のう》を付加《ふか》することにより埋戻《うめもど》し材《ざい》として利用《りよう》できる。

3　埋戻《うめもど》しに用《もち》いる土《つち》は，地震時《じしんじ》の液状化防止《えきじょうかぼうし》や道路《どうろ》の路盤《ろばん》・路床《ろしょう》と同等《どうとう》の支持力《しじりょく》を要求《ようきゅう》される場合《ばあい》もあるので，使用場所《しようばしょ》に応《おう》じた材料《ざいりょう》を選定《せんてい》する必要《ひつよう》がある。

4　埋戻《うめもど》しに用《もち》いる土《つち》をセメント及《およ》び石灰《せっかい》による安定処理《あんていしょり》で改良《かいりょう》する際《さい》には，改良《かいりょう》対象《たいしょう》の土質《どしつ》により所定《しょてい》の強度《きょうど》が得《え》られないことがあるので，事前《じぜん》の試験《しけん》で性状《せいじょう》を把握《はあく》する必要《ひつよう》がある。

No. 10

軟弱地盤対策工法《なんじゃくじばんたいさくこうほう》に関《かん》する次《つぎ》の記述《きじゅつ》のうち，**適当《てきとう》でないもの**はどれか。

1　緩速載荷工法《かんそくさいかこうほう》は，できるだけ軟弱地盤《なんじゃくじばん》の処理《しょり》を行《おこな》わない代《か》わりに，圧密《あつみつ》の進行《しんこう》に合《あ》わせ時間《じかん》をかけてゆっくり盛土《もりど》することで，地盤《じばん》の強度増加《きょうどぞうか》を進行させて安定《あんてい》を図《はか》るものである。

2　サンドドレーン工法《こうほう》は，透水性《とうすいせい》の高《たか》い砂《すな》を用《もち》いた砂柱《さちゅう》を地盤中《じばんちゅう》に鉛直《えんちょく》に造成《ぞうせい》し，水平方向《すいへいほうこう》の排水距離《はいすいきょり》を短《みじか》くして圧密《あつみつ》を促進《そくしん》することで，地盤《じばん》の強度増加《きょうどぞうか》を図《はか》るものである。

3　ディープウェル工法《こうほう》は，地盤中《じばんちゅう》の地下水位《ちかすいい》を低下《ていか》させることにより，それまで受《う》けていた浮力《ふりょく》に相当《そうとう》する荷重《かじゅう》を下層《かそう》の軟弱層《なんじゃくそう》に載荷《さいか》して，地盤《じばん》の強度増加《きょうどぞうか》を図《はか》るものである。

4　高圧噴射攪拌工法《こうあつふんしゃかくはんこうほう》は，原位置《げんいち》の軟弱土《なんじゃくど》と固化材《こかざい》を攪拌翼《かくはんよく》を用《もち》いて強制的《きょうせいてき》に攪拌《かくはん》混合《こんごう》することにより，安定処理土《あんていしょりど》を形成《けいせい》し，すべり抵抗《ていこう》の増加《ぞうか》を図《はか》るものである。

No. 11

コンクリート用粗骨材《ようそこつざい》に関《かん》する次《つぎ》の記述《きじゅつ》のうち，**適当《てきとう》でないもの**はどれか。

1　粗骨材《そこつざい》は，5mm 網《あみ》ふるいにかけたときに質量《しつりょう》で 85% 以上留《いじょうとど》まる骨材《こつざい》である。

2　粗骨材《そこつざい》として用《もち》いる砂利《じゃり》は，一般《いっぱん》に絶乾密度《ぜっかんみつど》が 2.5g/cm^3 以上《いじょう》である。

3　JIS に規定《きてい》されるコンクリート用再生粗骨材《ようさいせいそこつざい》 H は，通常《つうじょう》の骨材《こつざい》とほぼ同様《どうよう》の品質《ひんしつ》を有《ゆう》しているため，レディーミクストコンクリート用骨材《ようこつざい》として使用《しよう》することが可能《かのう》である。

4　砕石《さいせき》を用《もち》いた場合《ばあい》は，ワーカビリティーの良好《りょうこう》なコンクリートを得《え》るために，砂利《じゃり》を用《もち》いた場合《ばあい》と比《くら》べて単位水量《たんいすいりょう》を小《ちい》さくする必要《ひつよう》がある。

No. 12

コンクリート用骨材《ようこつざい》の試験方法《しけんほうほう》に関《かん》する次《つぎ》の記述《きじゅつ》のうち，**適当《てきとう》でないもの**はどれか。

1　骨材《こつざい》の粒形《りゅうけい》の良否《りょうひ》は，粒形判定実積率試験《りゅうけいはんていじっせきりつしけん》によって判定《はんてい》することができる。

2　凍結融解《とうけつゆうかい》の繰返《くりかえ》しに対《たい》する骨材品質《こつざいひんしつ》の適否《てきひ》は，ロサンゼルス試験機《しけんき》による粗骨材《そこつざい》のすり減《へ》り試験《しけん》によって判定《はんてい》する。

3　砂《すな》に含《ふく》まれる有機不純物《ゆうきふじゅんぶつ》は，細骨材《さいこつざい》の有機不純物試験方法《ゆうきふじゅんぶつしけんほうほう》によって判定《はんてい》する。

4　骨材《こつざい》のアルカリシリカ反応性《はんのうせい》は，骨材《こつざい》のアルカリシリカ反応性試験方法《はんのうせいしけんほうほう》（化学《かがく》法《ほう》）によって判定《はんてい》することができる。

正答　別冊 P.3

No. 13

コンクリートの配合《はいごう》に関《かん》する次《つぎ》の記述《きじゅつ》のうち，**適当《てきとう》なもの**はどれか。

1　締固《しめかた》め作業高《さぎょうたか》さを考慮《こうりょ》してスランプを設定《せってい》する場合《ばあい》，締固《しめかた》め作業高《さぎょうたか》さが 2m と 0.5m では，2m の方《ほう》のスランプの値《あたい》を大《おお》きく設定《せってい》する。
2　高性能《こうせいのう》AE 減水剤《げんすいざい》を用《もち》いたコンクリートは，水《みず》セメント比《ひ》及《およ》びスランプが同《おな》じで，通常《つうじょう》の AE 減水剤《げんすいざい》を用《もち》いたコンクリートに比較《ひかく》して，細骨材率《さいこつざいりつ》を 1 ～ 2％小《ちい》さく設定《せってい》する。
3　スランプは，運搬《うんぱん》，打込《うちこ》み，締固《しめかた》め等《など》の作業《さぎょう》に適《てき》する範囲内《はんいない》で，できるだけ大《おお》きくなるように設定《せってい》する。
4　圧送《あっそう》において管内閉塞《かんないへいそく》を生《しょう》じることなく円滑《えんかつ》な圧送《あっそう》を行《おこな》うためには，できるだけ単位粉体量《たんいふんたいりょう》を減《へ》らす必要《ひつよう》がある。

No. 14

寒中《かんちゅう》コンクリート及《およ》び暑中《しょちゅう》コンクリートの施工《せこう》に関《かん》する次《つぎ》の記述《きじゅつ》のうち，**適当《てきとう》でないもの**はどれか。

1　寒中《かんちゅう》コンクリートでは，保温養生《ほおんようじょう》あるいは給熱養生終了後《きゅうねつようじょうしゅうりょうご》に急《きゅう》に寒気《かんき》にさらすと，表面《ひょうめん》にひび割《わ》れが生《しょう》じる恐《おそ》れがあるので，適当《てきとう》な方法《ほうほう》で保護《ほご》し表面《ひょうめん》の急冷《きゅうれい》を防止《ぼうし》する。
2　暑中《しょちゅう》コンクリートでは，練混《ねりま》ぜ後《ご》できるだけ早《はや》い時間《じかん》に打《う》ち込《こ》まなければならないことから，練混《ねりま》ぜ開始《かいし》から打《う》ち終《お》わるまでの時間《じかん》は 1.5 時間以内《じかんいない》を原則《げんそく》とする。
3　暑中《しょちゅう》コンクリートでは，コールドジョイントの発生防止《はっせいぼうし》のため，減水剤《げんすいざい》，AE 減水剤《げんすいざい》については，遅延形《ちえんがた》のものを用《もち》いると良《よ》い。
4　コンクリートの施工時《せこうじ》，日最低気温《にちさいていきおん》が 4℃以下《いか》になることが予想《よそう》される場合《ばあい》は，寒中《かんちゅう》コンクリートとしての施工《せこう》を行《おこな》わなければならない。

No. 15

コンクリートの養生《ようじょう》に関《かん》する次《つぎ》の記述《きじゅつ》のうち，**適当《てきとう》でないもの**はどれか。

1　マスコンクリートの養生《ようじょう》では，コンクリート部材内外《ぶざいないがい》の温度差《おんどさ》が大《おお》きくならないように，コンクリート温度《おんど》をできるだけ緩《ゆる》やかに外気温《がいきおん》に近《ちか》づけることが必要《ひつよう》である。
2　高流動《こうりゅうどう》コンクリートは，プラスティック収縮《しゅうしゅく》ひび割《わ》れが発生《はっせい》しやすい傾向《けいこう》があり，表面《ひょうめん》の乾燥《かんそう》を防《ふせ》ぐ対策《たいさく》を行《おこな》う。
3　混合《こんごう》セメント B 種《しゅ》を用《もち》いたコンクリートの養生《ようじょう》では，普通《ふつう》ポルトランドセメン

トを用《もち》いたコンクリートより湿潤養生期間《しつじゅんようじょうきかん》が短《みじか》くなる。

4　膨張《ぼうちょう》コンクリートは，所要《しょよう》の強度発現及《きょうどはつげんおよ》び膨張力《ぼうちょうりょく》を得《え》るために，打込《うちこ》み後《ご》，湿《しつ》潤状態《じゅんじょうたい》に保《たも》つことがきわめて重要《じゅうよう》である。

No. 16

施工条件《せこうじょうけん》が同《おな》じ場合《ばあい》に，型枠《かたわく》に作用《さよう》するフレッシュコンクリートの側《そく》圧《あつ》に関《かん》する次《つぎ》の記述《きじゅつ》のうち，**適当《てきとう》でないもの**はどれか。

1　コンクリートの温度《おんど》が高《たか》いほど，側圧《そくあつ》は大《おお》きく作用《さよう》する。

2　コンクリートの単位重量《たんいじゅうりょう》が大《おお》きいほど，側圧《そくあつ》は大《おお》きく作用《さよう》する。

3　コンクリートの打上《うちあ》がり速度《そくど》が速《はや》いほど，側圧《そくあつ》は大《おお》きく作用《さよう》する。

4　コンクリートのスランプが大《おお》きいほど，側圧《そくあつ》は大《おお》きく作用《さよう》する。

No. 17

道路橋下部工《どうろきょうかぶこう》における各種基礎形式《かくしゅきそけいしき》に関《かん》する次《つぎ》の記述《きじゅつ》のうち，**適当《てきとう》でないもの**はどれか。

1　杭基礎《くいきそ》のうち摩擦杭基礎《まさつぐいきそ》は，長期的《ちょうきてき》な鉛直変位《えんちょくへんい》について十分《じゅうぶん》な検討《けんとう》を行《おこな》い，所《しょ》要《よう》の支持力《しじりょく》を摩擦力《まさつりょく》によって得《え》られるように根入《ねい》れ深《ふか》さを確保《かくほ》する必要《ひつよう》がある。

2　杭基礎《くいきそ》のうち支持杭基礎《しじぐいきそ》においては，杭先端《くいせんたん》の支持層《しじそう》への根入《ねい》れ深《ふか》さを設計《せっけい》では少《すく》なくとも杭径程度確保《くいけいていどかくほ》することが基本《きほん》となる。

3　直接基礎《ちょくせつきそ》のフーチング底面《ていめん》は，支持地盤《しじじばん》に密着《みっちゃく》させることにより，滑動抵抗《かつどうていこう》を十分《じゅうぶん》に期待《きたい》できるように地盤《じばん》に応《おう》じた処理《しょり》が必要《ひつよう》である。

4　直接基礎《ちょくせつきそ》においては，基礎《きそ》が滑動《かつどう》する際《さい》のせん断面《だんめん》が基礎《きそ》の床付《とこづ》け面《めん》の深《ふか》い箇《か》所《しょ》に生《しょう》じることから，施工時《せこうじ》に地盤《じばん》に過度《かど》の乱《みだ》れを生《しょう》じさせないことが基本《きほん》となる。

No. 18

打込《うちこ》み杭工法《ぐいこうほう》による鋼管杭基礎《こうかんぐいきそ》の施工《せこう》に関《かん》する次《つぎ》の記述《きじゅつ》のうち，**適当《てきとう》なもの**はどれか。

1　ヤットコを使用《しよう》したり，地盤状況等《じばんじょうきょうなど》から偏打《へんだ》を起《お》こす恐《おそ》れのある場合《ばあい》には，鋼《こう》管杭《かんぐい》の板厚《いたあつ》を薄《うす》くする。

2　支持杭基礎《しじぐいきそ》の打止《うちど》め管理《かんり》は，根入《ねい》れ深《ふか》さ，打止《うちど》め時一打当《じいちだあ》たりのリバウンド量《りょう》等《など》により，試験杭《しけんぐい》と同程度《どうていど》であることを確認《かくにん》して打《う》ち止《ど》める。

3　硬質地盤《こうしつじばん》への打込《うちこ》みを容易《ようい》にするには，鋼管《こうかん》の先端外側《せんたんそとがわ》の補強《ほきょう》バンドを取《と》り外《はず》す。

4　打撃力《だげきりょく》により杭頭部《くいとうぶ》に座屈《ざくつ》が生《しょう》じる恐《おそ》れがある場合《ばあい》は，適切《てきせつ》なハンマの選定《せんてい》で打撃力《だげきりょく》を小《ち》さくするか，鋼管杭《こうかんぐい》の断面積《だんめんせき》を小《ち》さくすることにより座屈《ざくつ》を防止《ぼうし》する。

正答　別冊P.6

No. 19

場所《ばしょ》打《う》ち杭工法《ぐいこうほう》における施工《せこう》に関《かん》する次《つぎ》の記述《きじゅつ》のうち，**適当《てきとう》でないもの**はどれか。

1　リバース工法《こうほう》では，安定液《あんていえき》のように粘性《ねんせい》のあるものを使用《しよう》しないため，一次孔《いちじこう》底処理《ていしょり》により泥水中《でいすいちゅう》のスライムはほとんど処理《しょり》できる。

2　オールケーシング工法《こうほう》では，掘削孔全長《くっさくこうぜんちょう》にわたってケーシングチューブを用《もち》いて孔壁《こうへき》を保護《ほご》し，適切《てきせつ》な施工《せこう》を行《おこな》えば，孔壁崩壊《こうへきほうかい》の懸念《けねん》はほとんどない。

3　リバース工法《こうほう》では，表層地盤《ひょうそうじばん》の崩落防止《ほうらくぼうし》のためにスタンドパイプを使用《しよう》し，スタンドパイプ下端《かたん》は安定性《あんていせい》の高《たか》い粘性土層《ねんせいどそう》に根入《ねい》れするのが良《よ》い。

4　オールケーシング工法《こうほう》では，コンクリート打込《うちこ》み完了後《かんりょうご》に，ケーシングチューブを引《ひ》き抜《ぬ》くことにより，コンクリート天端《てんば》が下《さ》がることはない。

No. 20

各種土留《かくしゅどど》め工《こう》の特徴《とくちょう》に関《かん》する次《つぎ》の記述《きじゅつ》のうち，**適当《てきとう》でないもの**はどれか。

1　切梁式土留《きりばりしきどど》めは，切梁《きりばり》，腹起《はらおこ》し等《など》の支保工《しほこう》と掘削側《くっさくがわ》の地盤《じばん》の抵抗《ていこう》により土留《どど》め壁《へき》を支持《しじ》する工法《こうほう》で，掘削面積《くっさくめんせき》が広《ひろ》い場合《ばあい》には支保工《しほこう》が増《ふ》える。

2　アンカー式土留《しきどど》めは，土留《どど》めアンカーと掘削側《くっさくがわ》の地盤《じばん》の抵抗《ていこう》によって土留《どど》め壁《へき》を支持《しじ》する工法《こうほう》で，掘削面内《くっさくめんない》に切梁《きりばり》がないので掘削《くっさく》が容易《ようい》である。

3　自立式土留《じりつしきどど》めは，土留《どど》め壁《へき》の剛性《ごうせい》によって抵抗《ていこう》する工法《こうほう》で，土留《どど》め壁《へき》の変形《へんけい》が小《ちい》さく，掘削面内《くっさくめんない》に支保工《しほこう》がないために掘削《くっさく》は容易《ようい》である。

4　控《ひか》え杭《ぐい》タイロッド式土留《しきどど》めは，控《ひか》え杭《ぐい》と土留《どど》め壁《へき》をタイロッドでつなげ，これと地盤《じばん》の抵抗《ていこう》により土留《どど》め壁《へき》を支持《しじ》する工法《こうほう》で，比較的良質《ひかくてきりょうしつ》な地盤《じばん》で浅《あさ》い掘削《くっさく》に適《てき》する。

※問題番号《もんだいばんごう》No.21～No.54までの34問題《もんだい》のうちから10問題《もんだい》を選択《せんたく》し解答《かいとう》してください。

No. 21

鋼道路橋《こうどうろきょう》の架設上《かせつじょう》の留意事項《りゅういじこう》に関《かん》する次《つぎ》の記述《きじゅつ》のうち，**適当《てきとう》でないもの**はどれか。

1　架設部材《かせつぶざい》を横方向《よこほうこう》に移動《いどう》する場合《ばあい》には，その両端《りょうたん》における作業誤差《さぎょうごさ》が生《しょう》じやすいため，移動量及《いどうりょうおよ》び移動速度《いどうそくど》が計画量《けいかくりょう》に適合《てきごう》しているかを施工段階《せこうだんかい》ごとに確認《かくにん》しながら行《おこな》う。

2　架設部材《かせつぶざい》を縦方向《たてほうこう》に移動《いどう》する場合《ばあい》には，送出《おくりだ》し作業《さぎょう》の安全性《あんぜんせい》を高《たか》めるため，送《おくり》出《だ》し勾配《こうばい》は，下《くだ》り勾配《こうばい》にすることが望《のぞ》ましい。

3　曲線桁橋《きょくせんげたきょう》を吊《つ》り上《あ》げる際《さい》には，架設《かせつ》の各段階《かくだんかい》において，ねじれ，傾《かたむ》き及《およ》び転倒《てんとう》等《など》が生《しょう》じないように重心位置《じゅうしんいち》を把握《はあく》し，ベント等《など》の反力《はんりょく》を検討《けんとう》する。

4　トラス橋《きょう》は，架設《かせつ》の最終段階《さいしゅうだんかい》でのそりの調整《ちょうせい》が難《むずか》しいため，架設《かせつ》の各段階《かくだんかい》における上《あ》げ越《こ》し量《りょう》の確認《かくにん》を入念《にゅうねん》に行《おこな》う。

No. 22

鋼道路橋《こうどうろきょう》における溶接施工上《ようせつせこうじょう》の留意事項《りゅういじこう》に関《かん》する次《つぎ》の記述《きじゅつ》のうち，**適《てき》当《とう》でないもの**はどれか。

1　組立溶接《くみたてようせつ》は，一般《いっぱん》に，一部又《いちぶまた》は大部分《だいぶぶん》が本溶接内《ほんようせつない》に残留《ざんりゅう》することが多《おお》いので，組立溶接《くみたてようせつ》に従事《じゅうじ》する溶接作業者《ようせつさぎょうしゃ》は本溶接《ほんようせつ》に従事《じゅうじ》する溶接作業者《ようせつさぎょうしゃ》と同《おな》じ資格《しかく》を有《ゆう》していなければならない。

2　アンダーカットは，応力集中《おうりょくしゅうちゅう》の主因《しゅいん》となり腐食《ふしょく》の促進《そくしん》にもつながるので，疲労《ひろう》の影響《えいきょう》を受《う》けないと考《かんが》えられる継手《つぎて》においても，あってはならない。

3　溶接《ようせつ》ビード表面《ひょうめん》のピットは，異物《いぶつ》や水分《すいぶん》の存在《そんざい》によって発生《はっせい》したガスの抜《ぬ》け穴《あな》であり，断面《だんめん》に考慮《こうりょ》する突合《つきあわ》せ溶接継手《ようせつつぎて》では，ビード表面《ひょうめん》にピットがあってはならない。

4　開先溶接及《かいさきようせつおよ》び主桁《しゅげた》のフランジと腹板《ふくばん》のすみ肉溶接《にくようせつ》は，原則《げんそく》としてエンドタブを取《と》り付《つ》け，溶接《ようせつ》の始端及《したんおよ》び終端《しゅうたん》が溶接《ようせつ》する部材上《ぶざいじょう》に入《はい》らないようにしなければならない。

正答　別冊P.8

No. 23

鋼道路橋《こうどうろきょう》における高力《こうりょく》ボルトの締付《しめつ》け作業《さぎょう》に関《かん》する次《つぎ》の記述《きじゅつ》のうち，**適当《てきとう》なもの**はどれか。

1　高力《こうりょく》ボルトの締付《しめつ》けは，連結板《れんけつばん》の中央《ちゅうおう》のボルトから順次端部《じゅんじたんぶ》のボルトに向《む》かって行《おこな》い，二度締《にどじ》めを行《おこな》うものとする。

2　曲《ま》げモーメントを主《しゅ》として受《う》ける部材《ぶざい》のフランジ部《ぶ》と腹板部《ふくばんぶ》とで，溶接《ようせつ》と高力《こうりょく》ボルト摩擦接合《まさつせつごう》をそれぞれ用《もち》いるような場合《ばあい》には，高力《こうりょく》ボルトの締付《しめつ》け完了後《かんりょうご》に溶接《ようせつ》するのを原則《げんそく》とする。

3　回転法《かいてんほう》により締《し》め付《つ》けた高力《こうりょく》ボルトは，全数《ぜんすう》についてマーキングによる外観検《がいかんけん》査《さ》を行《おこな》い，回転角《かいてんかく》が不足《ふそく》するものについては，新《あたら》しいボルトに取《と》り換《か》えて締《し》め直《なお》す。

4　トルク法《ほう》により締《し》め付《つ》けたトルシア形高力《がたこうりょく》ボルトは，各《かく》ボルト群《ぐん》の半分《はんぶん》のボルト本数《ほんすう》を標準《ひょうじゅん》として，ピンテールの切断《せつだん》の確認《かくにん》とマーキングによる外観検査《がいかんけんさ》を行《おこな》う。

No. 24

コンクリート構造物《こうぞうぶつ》の補強工法《ほきょうこうほう》に関《かん》する次《つぎ》の記述《きじゅつ》のうち，**適当《てきとう》でないもの**はどれか。

1　鋼板接着工法《こうはんせっちゃくこうほう》は，補強後《ほきょうご》に防食等《ぼうしょくなど》に関《かん》する維持管理《いじかんり》が必要《ひつよう》である。

2　プレストレス導入工法《どうにゅうこうほう》は，適用《てきよう》する部材《ぶざい》のコンクリート強度《きょうど》の照査《しょうさ》が必要《ひつよう》である。

3　連続繊維接着工法《れんぞくせんいせっちゃくこうほう》は，人力《じんりき》で施工《せこう》が可能《かのう》である。

4　免震工法《めんしんこうほう》は，地震時《じしんじ》の部材《ぶざい》の変位《へんい》を小《ちい》さくすることが可能《かのう》である。

No. 25

コンクリート構造物《こうぞうぶつ》の中性化《ちゅうせいか》による劣化《れっか》とその特徴《とくちょう》に関《かん》する次《つぎ》の記述《きじゅつ》のうち，**適当《てきとう》でないもの**はどれか。

1　大気中《たいきちゅう》の二酸化炭素《にさんかたんそ》による中性化《ちゅうせいか》は，乾燥《かんそう》・湿潤《しつじゅん》が繰《く》り返《かえ》される場合《ばあい》と比《くら》べて常時乾燥《じょうじかんそう》している場合《ばあい》の方《ほう》が中性化速度《ちゅうせいかそくど》は速《はや》い。

2　中性化《ちゅうせいか》と水《みず》の浸透《しんとう》に伴《ともな》う鉄筋腐食《てっきんふしょく》は，乾燥《かんそう》・湿潤《しつじゅん》が繰《く》り返《かえ》される場合《ばあい》と比《くら》べて常時滞水《じょうじたいすい》している場合《ばあい》の方《ほう》が腐食速度《ふしょくそくど》は遅《おそ》い。

3　コンクリートの中性化深《ちゅうせいかふか》さは，一般的《いっぱんてき》に構造物完成後《こうぞうぶつかんせいご》の供用年数《きょうようねんすう》の二乗《にじょう》に比例《ひれい》すると考《かんが》えて良《よ》い。

4　コンクリートの中性化深《ちゅうせいかふか》さを調査《ちょうさ》する場合《ばあい》は，フェノールフタレイン溶液《ようえき》をコンクリート割裂面《かつれつめん》に噴霧《ふんむ》し，コンクリート表面《ひょうめん》から，発色《はっしょく》が認《みと》められない範囲《はんい》までの深《ふか》さを測定《そくてい》する。

No. 26

河川堤防《かせんていぼう》の盛土施工《もりどせこう》に関《かん》する次《つぎ》の記述《きじゅつ》のうち，**適当《てきとう》なもの**はどれか。

1　築堤盛土《ちくていもりど》の施工開始《せこうかいし》にあたっては，基礎地盤《きそじばん》と盛土《もりど》の一体性《いったいせい》を確保《かくほ》するために地盤《じばん》の表面《ひょうめん》を乱《みだ》さないようにして盛土材料《もりどざいりょう》の締固《しめかた》めを行《おこな》う。

2　築堤盛土《ちくていもりど》の施工《せこう》では，降雨《こうう》による法面浸食防止《のりめんしんしょくぼうし》のため適当《てきとう》な間隔《かんかく》で仮排水路《かりはいすいろ》を設《もう》けて降雨《こうう》を流下《りゅうか》させたり，降水《こうすい》の集中《しゅうちゅう》を防《ふせ》ぐため堤防横断方向《ていぼうおうだんほうこう》に排水勾配《はいすいこうばい》を設《もう》ける。

3　築堤盛土《ちくていもりど》の締固《しめかた》めは，堤防法線《ていぼうほうせん》に直角《ちょっかく》に行《おこな》うことが望《のぞ》ましく，締固《しめかた》めに際《さい》しては締固《しめかた》め幅《はば》が重複《ちょうふく》するように常《つね》に留意《りゅうい》して施工《せこう》する。

4　既設《きせつ》の堤防《ていぼう》に腹付《はらづ》け盛土《もりど》を行《おこな》う場合《ばあい》は，新旧法面《しんきゅうのりめん》をなじませるため段切《だんぎ》りを行《おこな》い，一般的《いっぱんてき》にその大《おお》きさは堤防締固《ていぼうしめかた》め一層仕上《いっそうしあ》り厚程度《あつていど》とすることが多《おお》い。

No. 27

河川護岸前面《かせんごがんぜんめん》に設置《せっち》する根固工《ねがためこう》に関《かん》する次《つぎ》の記述《きじゅつ》のうち，**適当《てきとう》でないもの**はどれか。

1　根固工《ねがためこう》は,大《おお》きな流速《りゅうそく》の作用《さよう》する場所《ばしょ》に設置《せっち》されるため,流体力《りゅうたいりょく》に耐《た》える重量《じゅうりょう》で,護岸基礎前面《ごがんきそぜんめん》に洗掘《せんくつ》を生《しょう》じさせない敷設量《ふせつりょう》であること。

2　捨石工《すていしこう》の施工《せこう》は，土砂《どしゃ》の吸出《すいだ》し防止《ぼうし》のために表層《ひょうそう》に大《おお》きな石《いし》を用《もち》い，内側《うちがわ》に栗《ぐり》石又《いしまた》は砂礫《されき》を目《め》つぶしとして用《もち》いる。

3　かご系《けい》の根固工《ねがためこう》は，屈撓性《くっとうせい》があり多孔質《たこうしつ》であるため，河床変動《かしょうへんどう》を抑制《よくせい》すると共《とも》に水際《みずぎわ》の多様化《たようか》にも適《てき》している。

4　異形《いけい》コンクリートブロックの乱積《らんづ》みの施工《せこう》は，河床整正《かしょうせいせい》を行《おこな》って積《つ》み上《あ》げるので，水深《すいしん》が深《ふか》くなると施工《せこう》は困難《こんなん》となる。

No. 28

河川堤防《かせんていぼう》の開削工事《かいさくこうじ》に関《かん》する次《つぎ》の記述《きじゅつ》のうち，**適当《てきとう》でないもの**はどれか。

1　樋門《ひもん》・樋管《ひかん》を施工《せこう》する場合《ばあい》は，取付《とりつ》け盛土等《もりどなど》が容易《ようい》に施工《せこう》できるよう既設堤防《きせつていぼう》の開削《かいさく》は大《おお》きくすることが望《のぞ》ましく，河川管理《かせんかんり》の観点《かんてん》からも同様《どうよう》である。

2　出水期《しゅっすいき》を避《さ》けて非出水期間中《ひしゅっすいきかんちゅう》に施工《せこう》する時《とき》の仮締切《かりしめき》り工《こう》の高《たか》さは，施工期間中《せこうきかんちゅう》の設計対象水位《せっけいたいしょうすいい》に余裕高《よゆうたか》さを加《くわ》えた高《たか》さを確保《かくほ》する。

3　仮締切《かりしめき》り工《こう》は，開削《かいさく》する堤防《ていぼう》と同等《どうとう》の機能《きのう》が要求《ようきゅう》されるものであり，天端高《てんばだか》さ，堤体《ていたい》の強度《きょうど》の確保《かくほ》はもとより，法面《のりめん》や河床《かしょう》の洗掘対策《せんくつたいさく》を行《おこな》うことが必要《ひつよう》である。

4　樋門工事《ひもんこうじ》を行《おこな》う場合《ばあい》の床付《とこづ》け面《めん》は，堤防開削《ていぼうかいさく》による荷重《かじゅう》の除去《じょきょ》に伴《ともな》って緩《ゆる》むことが多《おお》いので，乱《みだ》さないで施工《せこう》すると共《とも》に転圧《てんあつ》によって締《し》め固《かた》めることが望《のぞ》ましい。

正答　別冊 P.10

No. 29 砂防堰堤《さぼうえんてい》の施工《せこう》に関《かん》する次《つぎ》の記述《きじゅつ》のうち，**適当《てきとう》でないもの**はどれか。

1　基礎地盤《きそじばん》は，安全性等《あんぜんせいなど》から岩盤《がんばん》が原則《げんそく》であるが，計画上《けいかくじょう》やむを得《え》ず砂礫盤《されきばん》とする場合《ばあい》は，できる限《かぎ》り堰堤高《えんていだか》を 15m 未満《みまん》に抑《おさ》えると共《とも》に，原則《げんそく》として均一《きんいつ》な地層《ちそう》を選定《せんてい》しなければならない。

2　砂礫基礎上《されききそじょう》にコンクリートを打設《だせつ》する場合《ばあい》は，打設前《だせつまえ》に転石《てんせき》の泥《どろ》を洗浄《せんじょう》すると共《とも》に，漏水《ろうすい》や湧水《ゆうすい》の処理《しょり》を十分《じゅうぶん》に行《おこな》う必要《ひつよう》がある。

3　砂防堰堤《さぼうえんてい》における間詰《まづ》めは，一般《いっぱん》に掘削部《くっさくぶ》において行《おこな》い，基礎掘削部《きそくっさくぶ》が岩盤《がんばん》の場合《ばあい》は砂礫《されき》で間詰《まづ》めを行《おこな》う。

4　基礎《きそ》の根入《ねい》れは，一般《いっぱん》に所定《しょてい》の強度《きょうど》が得《え》られる地盤《じばん》であっても，基礎《きそ》の不均質《ふきんしつ》性《せい》や風化《ふうか》の速度《そくど》を考慮《こうりょ》して，岩盤《がんばん》の場合《ばあい》は 1m 以上《いじょう》，砂礫盤《されきばん》の場合《ばあい》は 2m 以上行《いじょうおこな》う。

No. 30 地《じ》すべり防止工《ぼうしこう》に関《かん》する次《つぎ》の記述《きじゅつ》のうち，**適当《てきとう》なもの**はどれか。

1　アンカー工《こう》は，斜面《しゃめん》から不動地盤《ふどうじばん》にテンドン（鋼材等《こうざいなど》）を挿入《そうにゅう》し，基盤内《きばんない》に定《てい》着《ちゃく》させた鋼材《こうざい》の引張強《ひっぱりつよ》さを利用《りよう》して斜面《しゃめん》を安定化《あんていか》させる工法《こうほう》で，締付《しめつ》け効果《こうか》を期《き》待《たい》するものと引《ひ》き止《と》め効果《こうか》を利用《りよう》するものがある。

2　アンカーの定着長《ていちゃくちょう》は，地盤《じばん》とグラウトとの間及《あいだおよ》びテンドン（鋼材等《こうざいなど》）とグラウトの間《あいだ》の付着長《ふちゃくちょう》について比較《ひかく》を行《おこな》い，それらのうち短《みじか》いほうを採用《さいよう》する。

3　杭工《くいこう》は，杭《くい》をすべり面《めん》を貫《つらぬ》いて不動土塊《ふどうどかい》まで挿入《そうにゅう》することによって，移動土塊《いどうどかい》の滑動力《かつどうりょく》に対《たい》して直接抵抗《ちょくせつていこう》する工法《こうほう》で，杭《くい》の根入《ねい》れ部《ぶ》となる基盤《きばん》が弱《よわ》く，地盤反《じばんはん》力《りょく》が期待《きたい》できない場所《ばしょ》に用《もち》いられる。

4　杭工《くいこう》に用《もち》いられる杭材《くいざい》は，鋼管杭《こうかんぐい》，H 型鋼杭《がたこうぐい》，RC 杭《ぐい》，PC 杭等《ぐいなど》があり，杭《くい》の配《はい》列《れつ》は地《じ》すべりの運動方向《うんどうほうこう》に対《たい》して概《おおむ》ね平行《へいこう》とし，杭《くい》の間隔《かんかく》は等間隔《とうかんかく》とする。

No. 31 急傾斜地崩壊防止工《きゅうけいしゃちほうかいぼうしこう》に関《かん》する次《つぎ》の記述《きじゅつ》のうち，**適当《てきとう》でないもの**はどれか。

1　排水工《はいすいこう》は，斜面《しゃめん》の安定《あんてい》を損《そこ》なう可能性《かのうせい》のある地表水《ちひょうすい》，地下水《ちかすい》の斜面《しゃめん》への流入《りゅうにゅう》を防止《ぼうし》することにより，斜面《しゃめん》の安定性《あんていせい》を高《たか》めることを目的《もくてき》に設《もう》けられる。

2　現場打《げんばう》ちコンクリート枠工《わくこう》は，切土法面《きりどのりめん》の安定勾配《あんていこうばい》が取《と》れない場合等《ばあいなど》に用《もち》いられ，桁《けた》の構造《こうぞう》は一般《いっぱん》に無筋《むきん》コンクリートが用《もち》いられる。

3　落石対策工《らくせきたいさくこう》のうち落石予防工《らくせきよぼうこう》は，斜面上《しゃめんじょう》の転石《てんせき》の除去等《じょきょなど》により落石《らくせき》の発生《はっせい》を未《み》然《ぜん》に防《ふせ》ぐものであり，落石防護工《らくせきぼうごこう》は，落下《らっか》してくる落石《らくせき》を斜面下部《しゃめんかぶ》や中部《ちゅうぶ》で止《と》め

るものである。

4　待受式《まちうけしき》コンクリート擁壁工《ようへきこう》は，斜面下部《しゃめんかぶ》より離《はな》して設置《せっち》した擁壁《ようへき》で崩壊土砂《ほうかいどしゃ》を待《ま》ち受《う》ける工法《こうほう》であり，一般《いっぱん》に擁壁天端《ようへきてんば》には落石防護柵《らくせきぼうごさく》（ストーンガード）を設《せっ》置《ち》する。

No. 32　道路《どうろ》のアスファルト舗装《ほそう》における路床《ろしょう》の施工《せこう》に関《かん》する次《つぎ》の記述《きじゅつ》のうち，**適当《てきとう》なもの**はどれか。

1　盛土路床《もりどろしょう》は，使用《しよう》する盛土材《もりどざい》の性質《せいしつ》をよく把握《はあく》したうえで均一《きんいつ》に敷《し》き均《なら》し，過《か》転圧《てんあつ》による強度低下《きょうどていか》を招《まね》かないように十分《じゅうぶん》に締《し》め固《かた》めて仕上《しあ》げる。

2　切土路床《きりどろしょう》は，路床面下《ろしょうめんか》1m以内《いない》に木根《もっこん》，転石等《てんせきなど》といった路床《ろしょう》の均一性《きんいつせい》を損《そこ》なうものがあれば，これらをすべて取《と》り除《のぞ》いてから仕上《しあ》げる。

3　安定処理《あんていしょり》による構築路床《こうちくろしょう》は，必《かなら》ず中央《ちゅうおう》プラント方式《ほうしき》で行《おこな》い，現状路床土《げんじょうろしょうど》と安定《あんてい》材《ざい》を均一《きんいつ》に混合《こんごう》して，所定《しょてい》の締固《しめかた》め度《ど》を得《え》られることが確認《かくにん》できれば全厚《ぜんあつ》を1層《そう》で仕上《しあ》げる。

4　置換《おきか》え工法《こうほう》による路床《ろしょう》は，原地盤《げんじばん》を所定《しょてい》の深《ふか》さまで掘削《くっさく》し，さらに掘削面以下《くっさくめんいか》の層《そう》をしっかりと掻《か》きほぐしながら良質土《りょうしつど》を敷《し》き均《なら》し，締《し》め固《かた》めて仕上《しあ》げる。

No. 33　道路《どうろ》のアスファルト舗装《ほそう》における上層路盤《じょうそうろばん》の施工《せこう》に関《かん》する次《つぎ》の記述《きじゅつ》のうち，**適当《てきとう》でないもの**はどれか。

1　石灰安定処理路盤《せっかいあんていしょりろばん》の施工《せこう》で，安定処理材料《あんていしょりざいりょう》を均一《きんいつ》に敷《し》き均《なら》した後《のち》，締《し》め固《かた》めて仕上《しあ》げるときは，最適含水比《さいてきがんすいひ》よりやや湿潤状態《しつじゅんじょうたい》で締《し》め固《かた》めると良《よ》い。

2　加熱《かねつ》アスファルト安定処理路盤《あんていしょりろばん》の施工《せこう》で，ブルドーザやモータグレーダ等《など》，アスファルトフィニッシャ以外《いがい》で敷《し》き均《なら》す場合《ばあい》は，材料《ざいりょう》の分離《ぶんり》に留意《りゅうい》する。

3　シックリフト工法《こうほう》による加熱《かねつ》アスファルト安定処理路盤《あんていしょりろばん》の施工《せこう》で，側方端部《そくほうたんぶ》を拘束《こうそく》するものがない場合《ばあい》は，振動《しんどう》ローラ等《など》の大型《おおがた》の締固《しめかた》め機械《きかい》で締《し》め固《かた》めると良《よ》い。

4　セメント安定処理路盤《あんていしょりろばん》の施工《せこう》で，縦方向《たてほうこう》の施工継目《せこうつぎめ》を新《あたら》しい材料《ざいりょう》で打《う》ち継《つ》ぐ場合《ばあい》は，日時《にちじ》をおくと施工継目《せこうつぎめ》にひび割《わ》れを生《しょう》じることがあるため，できるだけ早《はや》い時期《じき》に打《う》ち継《つ》ぐことが望《のぞ》ましい。

正答　別冊P.12

No. 34

道路《どうろ》のアスファルト舗装《ほそう》における基層《きそう》・表層《ひょうそう》の施工《せこう》に関《かん》する次《つぎ》の記述《きじゅつ》のうち，**適当《てきとう》でないもの**はどれか。

1　タックコート面《めん》を保護《ほご》し，乳剤《にゅうざい》による施工現場周辺《せこうげんばしゅうへん》の汚《よご》れを防止《ぼうし》するために，運搬車両《うんぱんしゃりょう》や舗設機械《ほせつきかい》のタイヤに付着《ふちゃく》しにくい乳剤《にゅうざい》を使用《しよう》する。

2　表層《ひょうそう》の縦継目《たてつぎめ》の位置《いち》は，原則《げんそく》としてレーンマークの位置《いち》とはずらし，既設舗装《きせつほそう》の補修《ほしゅう》・拡幅《かくふく》の場合《ばあい》を除《のぞ》いて，下層《かそう》の継目《つぎめ》の上《うえ》に上層《じょうそう》の継目《つぎめ》を重《かさ》ねないようにする。

3　夏期《かき》や夜間作業等《やかんさぎょうなど》で作業時間《さぎょうじかん》に制約《せいやく》がある場合《ばあい》には，舗装冷却機械等《ほそうれいきゃくきかいなど》による強《きょう》制的《せいてき》な冷却《れいきゃく》による温度低下《おんどていか》の方法《ほうほう》や，中温化技術《ちゅうおんかぎじゅつ》の適用等《てきようなど》について検討《けんとう》する。

4　ローラへの混合物《こんごうぶつ》の付着防止《ふちゃくぼうし》に軽油《けいゆ》を使用《しよう》すると，アスファルト混合物《こんごうぶつ》をカットバックする性質《せいしつ》を持《も》っているため，必要《ひつよう》に応《おう》じて非石油系《ひせきゆけい》の付着防止剤《ふちゃくぼうしざい》を使用《しよう》する。

No. 35

道路《どうろ》のアスファルト舗装《ほそう》における各種補修工法《かくしゅほしゅうこうほう》に関《かん》する次《つぎ》の記述《きじゅつ》のうち，**適当《てきとう》でないもの**はどれか。

1　表面処理工法《ひょうめんしょりこうほう》は，路面《ろめん》の老化《ろうか》やひび割《わ》れ，摩耗等《まもうなど》が生《しょう》じた場合《ばあい》や予防保全《よぼうほぜん》の観《かん》点《てん》から，既設舗装上《きせつほそうじょう》に薄《うす》い封《ふう》かん層《そう》を設《もう》ける工法《こうほう》で，舗装《ほそう》の表面《ひょうめん》を再生《さいせい》することで舗装《ほそう》の機能《きのう》を回復《かいふく》・向上《こうじょう》させる。

2　切削工法《せっさくこうほう》は応急的《おうきゅうてき》な処置《しょち》であり，舗装表面《ほそうひょうめん》に連続的《れんぞくてき》あるいは断続的《だんぞくてき》に凹凸《おうとつ》が発《はっ》生《せい》して平坦性《へいたんせい》が極端《きょくたん》に悪《わる》くなった場合《ばあい》にその部分《ぶぶん》を機械《きかい》によって削《けず》り取《と》る工法《こうほう》で，早期《そうき》に凹凸《おうとつ》が再発《さいはつ》する恐《おそ》れがある。

3　オーバーレイ工法《こうほう》は，既設舗装上《きせつほそうじょう》にアスファルト混合物《こんごうぶつ》の層《そう》を重《かさ》ねる工法《こうほう》で，わだち掘《ぼ》れが生《しょう》じている路面《ろめん》に適用《てきよう》するときは，事前《じぜん》にシール材注入《ざいちゅうにゅう》やリフレクションクラック対策《たいさく》を行《おこな》う。

4　打換《うちか》え工法《こうほう》は，既設舗装《きせつほそう》のアスファルト混合物層《こんごうぶつそう》を全層及《ぜんそうおよ》び路盤《ろばん》の一部《いちぶ》，又《また》は既設舗装《きせつほそう》すべてを打《う》ち換《か》える工法《こうほう》で，路盤《ろばん》や基層《きそう》の転圧《てんあつ》では縁部《ふちぶ》や隅角部《ぐうかくぶ》の転圧《てんあつ》が不十分《ふじゅうぶん》になりやすい。

No. 36

ポーラスアスファルト混合物《こんごうぶつ》の施工《せこう》に関《かん》する次《つぎ》の記述《きじゅつ》のうち，**適当《てきとう》なもの**はどれか。

1　ポーラスアスファルト混合物《こんごうぶつ》は，密粒度系《みつりゅうどけい》の混合物《こんごうぶつ》を用《もち》いる場合《ばあい》よりも温度《おんど》の低下《ていか》が早《はや》いため，温度管理《おんどかんり》に十分注意《じゅうぶんちゅうい》して敷《し》き均《なら》して，できるだけ速《すみ》やかに初転《しょてん》圧《あつ》を行《おこな》う。

2　ポーラスアスファルト混合物《こんごうぶつ》の締固《しめかた》めにあたっては，初転圧《しょてんあつ》と二次転圧《にじてんあつ》にはタイヤローラによる締固《しめかた》めで所定《しょてい》の締固《しめかた》め度《ど》を確保《かくほ》することが望《のぞ》ましい。

3　タックコートは，原則《げんそく》として浸透用《しんとうよう》アスファルト乳剤《にゅうざい》PK-3 を使用《しよう》し，所定量《しょていりょう》を均一《きんいつ》に散布《さんぷ》し養生《ようじょう》することで，舗設《ほせつ》する混合物層《こんごうぶつそう》とその下層《かそう》の接着《せっちゃく》を良《よ》くするために行《おこな》う。

4　既設舗装《きせつほそう》を切削《せっさく》してポーラスアスファルト混合物《こんごうぶつ》を舗設《ほせつ》する場合《ばあい》は，切削溝《せっさくみぞ》が排水《はいすい》の障害《しょうがい》を起《お》こしやすいため，できるだけ凹凸《おうとつ》が大《おお》きくなるように切削《せっさく》する必《ひつ》要《よう》がある。

No. 37

道路《どうろ》のコンクリート舗装《ほそう》の施工《せこう》に関《かん》する次《つぎ》の記述《きじゅつ》のうち，**適当《てきとう》でないもの**はどれか。

1　普通《ふつう》コンクリート版《ばん》の施工《せこう》をセットフォーム工法《こうほう》で行《おこな》う場合《ばあい》は，ボルトで連結《れんけつ》されたレールを走行《そうこう》する舗設機械《ほせつきかい》の重量《じゅうりょう》に耐《た》えられる堅牢《けんろう》な型枠《かたわく》を用《もち》いなければならない。

2　普通《ふつう》コンクリート版《ばん》の施工《せこう》をスリップフォーム工法《こうほう》で行《おこな》う場合《ばあい》は，履帯走行位《りたいそうこうい》置《ち》の平坦性《へいたんせい》と支持力《しじりょく》の確保《かくほ》も重要《じゅうよう》である。

3　連続鉄筋《れんぞくてっきん》コンクリート版《ばん》の施工《せこう》をスリップフォーム工法《こうほう》で行《おこな》う場合《ばあい》は，舗設後《ほせつご》の出来形《できがた》や品質《ひんしつ》を確保《かくほ》するため，センサラインが正《ただ》しく設置《せっち》されていることを確《かく》認《にん》しておく。

4　連続鉄筋《れんぞくてっきん》コンクリート版《ばん》の施工《せこう》をセットフォーム工法《こうほう》で行《おこな》う場合《ばあい》は，コンクリートの敷均《しきなら》し，締固《しめかた》め，荒仕上《あらしあ》げ，平坦仕上《へいたんしあ》げを一台《いちだい》の施工機械《せこうきかい》で行《おこな》う。

No. 38

ダムの基礎処理《きそしょり》として行《おこな》われるグラウチングに関《かん》する次《つぎ》の記述《きじゅつ》のうち，**適当《てきとう》でないもの**はどれか。

1　ダム基礎《きそ》グラウチングの施工法《せこうほう》であるステージ注入工法《ちゅうにゅうこうほう》は，下位《かい》から上位《じょうい》のステージに向《む》かって削孔《さっこう》と注入《ちゅうにゅう》を交互《こうご》に行《おこな》っていく工法《こうほう》である。

2　重力式《じゅうりょくしき》コンクリートダムのコンソリデーショングラウチングは，着岩部付近《ちゃくがんぶふきん》において，遮水性《しゃすいせい》の改良《かいりょう》，基礎地盤弱部《きそじばんじゃくぶ》の補強《ほきょう》を目的《もくてき》として行《おこな》う。

3　ダム基礎地盤《きそじばん》の透水性《とうすいせい》は，通常《つうじょう》ボーリング孔《こう》を利用《りよう》した水《みず》の圧入《あつにゅう》によるルジオンテストにより調査《ちょうさ》され，ルジオン値《ち》（Lu）で評価《ひょうか》される。

4　グラウチングのセメントミルクの配合《はいごう》は，水《みず》セメント比《ひ》（W/C）で表《あら》わされ，一般《いっぱん》に濃度《のうど》の薄《うす》い配合《はいごう》から濃《こ》い配合《はいごう》へ順次切替《じゅんじきりか》え注入《ちゅうにゅう》していく。

正答　別冊 P.14

No. 39

ダムのコンクリートの打込《うちこ》みに関《かん》する次《つぎ》の記述《きじゅつ》のうち，**適当《てきとう》でないもの**はどれか。

1　柱状《ちゅうじょう》ブロック工法《こうほう》でコンクリート運搬用《うんぱんよう》のバケットを用《もち》いてコンクリートを打《う》ち込《こ》む場合《ばあい》は，バケットの下端《かたん》が打込《うちこ》み面上《めんじょう》2mに達《たっ》するまで下《お》ろし，コンクリートを放出《ほうしゅつ》する。

2　RCD用《よう》コンクリートの練混《ねりま》ぜから締固《しめかた》めまでの許容時間《きょようじかん》は，ダムコンクリートの材料《ざいりょう》や配合《はいごう》，気温《きおん》や湿度等《しつどなど》によって異《こと》なるが，夏季《かき》では3時間程度《じかんていど》，冬季《とうき》では4時間程度《じかんていど》を標準《ひょうじゅん》とする。

3　横継目《よこつぎめ》は，貯水池《ちょすいち》からの漏水経路《ろうすいけいろ》となるため，横継目《よこつぎめ》の上流端付近《じょうりゅうたんふきん》には主副《しゅふく》2枚《まい》の止水板《しすいばん》を設置《せっち》する。

4　降雨時《こううじ》のダムコンクリートの打込《うちこ》みは，品質《ひんしつ》に悪影響《あくえいきょう》を及《およ》ぼすため，一般《いっぱん》に，RCD用《よう》コンクリートの場合《ばあい》は1時間当《じかんあ》たり2mm以上《いじょう》の降雨強度《こううきょうど》のときは打込《うちこ》みを中止《ちゅうし》する。

No. 40

トンネルの山岳工法《さんがくこうほう》における掘削工法《くっさくこうほう》に関《かん》する次《つぎ》の記述《きじゅつ》のうち，**適当《てきとう》でないもの**はどれか。

1　補助《ほじょ》ベンチ付《つ》き全断面工法《ぜんだんめんこうほう》は，ベンチを付《つ》けて切羽《きりは》の安定《あんてい》を図《はか》ると共《とも》に，掘削《くっさく》効率《こうりつ》の向上《こうじょう》を図《はか》るために，上部半断面《じょうぶはんだんめん》と下部半断面《かぶはんだんめん》の同時施工《どうじせこう》を行《おこな》う。

2　ベンチカット工法《こうほう》は，一般《いっぱん》に上部半断面《じょうぶはんだんめん》と下部半断面《かぶはんだんめん》に分割《ぶんかつ》して掘削《くっさく》する工法《こうほう》であり，地山《じやま》が不良《ふりょう》な場合《ばあい》にはベンチ長《ちょう》を長《なが》くする。

3　導坑先進工法《どうこうせんしんこうほう》は，導坑《どうこう》をトンネル断面内《だんめんない》に設《もう》ける場合《ばあい》には，前方《ぜんぽう》の地質確認《ちしつかくにん》や水抜《みずぬ》き等《など》の効果《こうか》があり，導坑設置位置《どうこうせっちいち》によって，頂設導坑《ちょうせつどうこう》，中央導坑《ちゅうおうどうこう》，底設導坑《ていせつどうこう》等《など》がある。

4　中壁分割工法《なかかべぶんかつこうほう》は，大断面掘削《だいだんめんくっさく》の場合《ばあい》に多《おお》く用《もち》いられ，左右《さゆう》どちらか片側半断面《かたがわはんだんめん》を先進掘削《せんしんくっさく》し，反対側半断面《はんたいがわはんだんめん》を遅《おく》れて掘削《くっさく》する。

No. 41

トンネルの山岳工法《さんがくこうほう》における補助工法《ほじょこうほう》に関《かん》する次《つぎ》の記述《きじゅつ》のうち，**適当《てきとう》でないもの**はどれか。

1　地表面沈下対策《ちひょうめんちんかたいさく》は，地表面《ちひょうめん》の沈下《ちんか》による地表《ちひょう》や地中《ちちゅう》の構造物《こうぞうぶつ》への影響抑制《えいきょうよくせい》のために実施《じっし》するもので，長尺《ちょうじゃく》フォアパイリング，パイプルーフ等《など》がある。

2　地下水対策《ちかすいたいさく》は，地下水《ちかすい》による切羽《きりは》の不安定化防止対策《ふあんていかぼうしたいさく》として実施《じっし》するもので，水抜《みずぬ》きボーリング，止水注入工法等《しすいちゅうにゅうこうほうなど》がある。

3　脚部《きゃくぶ》の安定対策《あんていたいさく》は，脚部沈下《きゃくぶちんか》と沈下《ちんか》に伴《ともな》う地山《じやま》の緩《ゆる》み抑制《よくせい》のために実施《じっし》するも

ので，仮《かり》インバート，鏡《かがみ》ボルト等《など》がある。
4　天端部《てんばぶ》の安定対策《あんていたいさく》は，天端《てんば》の崩落防止対策《ほうらくぼうしたいさく》として実施《じっし》するもので，充填式《じゅうてんしき》フォアポーリング，注入式《ちゅうにゅうしき》フォアポーリング等《など》がある。

No. 42

海岸《かいがん》の潜堤《せんてい》・人工《じんこう》リーフの機能《きのう》や特徴《とくちょう》に関《かん》する次《つぎ》の記述《きじゅつ》のうち，**適当《てきとう》でないもの**はどれか。

1　潜堤《せんてい》・人工《じんこう》リーフは，捨石等《すていしなど》の材料《ざいりょう》を用《もち》いた没水構造物《ぼつすいこうぞうぶつ》であり，景観《けいかん》を損《そこ》なうことなく，波浪《はろう》の静穏化《せいおんか》，沿岸漂砂《えんがんひょうさ》の制御機能《せいぎょきのう》を有《ゆう》する。
2　潜堤《せんてい》・人工《じんこう》リーフは，海上《かいじょう》からは見《み》えないことから，船舶《せんぱく》の航行《こうこう》，漁船《ぎょせん》の操業《そうぎょう》等《など》の安全《あんぜん》に配慮《はいりょ》する。
3　潜堤《せんてい》・人工《じんこう》リーフは，天端水深《てんばすいしん》，天端幅《てんばはば》により，堤体背後《ていたいはいご》への透過波《とうかは》が変化《へんか》し，波高《はこう》の小《ちい》さい波浪《はろう》はほとんど透過《とうか》し，大《おお》きな波浪《はろう》を選択的《せんたくてき》に減衰《げんすい》させる。
4　潜堤《せんてい》・人工《じんこう》リーフは，一般的《いっぱんてき》に離岸堤《りがんてい》や消波堤《しょうはてい》と比較《ひかく》して反射波《はんしゃは》が大《おお》きく，堤《てい》体背後《たいはいご》の堆砂機能《たいさきのう》は離岸堤《りがんてい》と比較《ひかく》して少《すく》ない。

No. 43

海岸堤防《かいがんていぼう》の施工《せこう》に関《かん》する次《つぎ》の記述《きじゅつ》のうち，**適当《てきとう》でないもの**はどれか。

1　堤防建設位置《ていぼうけんせついち》は制約《せいやく》を受《う》けることが多《おお》く，強度《きょうど》の低《ひく》い地盤《じばん》に施工《せこう》せざるをえない場合《ばあい》には，必要《ひつよう》に応《おう》じて押《おさ》え盛土《もりど》，地盤改良等《じばんかいりょうなど》を考慮《こうりょ》する。
2　堤体《ていたい》の盛土材料《もりどざいりょう》には，原則《げんそく》として多少粘土《たしょうねんど》を含《ふく》む砂質又《さしつまた》は砂礫質《されきしつ》のものを用《もち》い，締固《しめかた》めは，土質《どしつ》や使用機械《しようきかい》の種類《しゅるい》に応《おう》じ，適当《てきとう》な含水量《がんすいりょう》の状態《じょうたい》で，各層《かくそう》，全面《ぜんめん》にわたり均等《きんとう》に行《おこな》う。
3　表法被覆工《おもてのりひふくこう》でコンクリートを場所《ばしょ》打ちする際《さい》，特《とく》に緩傾斜《かんけいしゃ》の場合《ばあい》には，施工継《せこうつぎ》手《て》はクラックを生《しょう》じさせないように水平打《すいへいう》ち継《つ》ぎとする。
4　海上工事《かいじょうこうじ》となる場合《ばあい》には，波浪《はろう》，潮汐《ちょうせき》，潮流《ちょうりゅう》の影響《えいきょう》を強《つよ》く受《う》け，作業時間《さぎょうじかん》が制《せい》限《げん》される場合《ばあい》もあるため，施工条件《せこうじょうけん》に対《たい》する考慮《こうりょ》が重要《じゅうよう》である。

正答　別冊P.16

No. 44 港湾《こうわん》の防波堤《ぼうはてい》の施工《せこう》に関《かん》する次《つぎ》の記述《きじゅつ》のうち，**適当《てきとう》でないもの**はどれか。

1　傾斜堤《けいしゃてい》は，施工設備《せこうせつび》が簡単《かんたん》であり，工程《こうてい》が単純《たんじゅん》で，施工管理《せこうかんり》が容易《ようい》であるが，直立堤《ちょくりつてい》より施工時《せこうじ》に波《なみ》の影響《えいきょう》を受《う》けやすい。

2　ブロック式《しき》の直立堤《ちょくりつてい》は，施工《せこう》が確実《かくじつ》，容易《ようい》であり，施工設備《せこうせつび》も簡単《かんたん》であるが，海上作業期間《かいじょうさぎょうきかん》は一般《いっぱん》に長《なが》くなり，ブロック数《すう》の多《おお》い場合《ばあい》，広《ひろ》い製作用地《せいさくようち》を必要《ひつよう》とする。

3　ケーソン式《しき》の直立堤《ちょくりつてい》は，本体製作《ほんたいせいさく》をドライワークで行《おこな》うことができるため，施《せ》工《こう》が確実《かくじつ》であるが，荒天日数《こうてんにっすう》の多《おお》い場所《ばしょ》では施工日数《せこうにっすう》に著《いちじる》しく制限《せいげん》を受《う》ける。

4　混成堤《こんせいてい》は，石材等《せきざいなど》の資材《しざい》の入手《にゅうしゅ》の難易度《なんいど》や価格等《かかくなど》を比較《ひかく》して捨石部《すていしぶ》と直立部《ちょくりつぶ》の高《たか》さの割合《わりあい》を決《き》め経済的《けいざいてき》な断面《だんめん》にすることができるが，施工法及《せこうほうおよ》び施工設備《せこうせつび》が多《た》様《よう》となる。

No. 45 港湾工事《こうわんこうじ》におけるケーソンヤードでのケーソンの製作《せいさく》・進水方式《しんすいほうしき》に関《かん》する次《つぎ》の記述《きじゅつ》のうち，**適当《てきとう》でないもの**はどれか。

1　斜路《しゃろ》（滑路《かつろ》）方式《ほうしき》は，ケーソンを自重《じじゅう》で降下進水《こうかしんすい》させるため，製作函台部《せいさくかんだいぶ》に勾《こう》配《ばい》があり延長《えんちょう》を長《なが》くすると奥側《おくがわ》のケーソンの降下速度《こうかそくど》が大《おお》きくなり危険《きけん》である。

2　ドライドック方式《ほうしき》のケーソン進水《しんすい》は，ドック内《ない》に注水《ちゅうすい》したのち，引《ひ》き出《だ》す方法《ほうほう》のため安全性《あんぜんせい》に富《と》んでおり，規模《きぼ》が大《おお》きく長期的《ちょうきてき》な利用《りよう》が可能《かのう》な場合《ばあい》に有利《ゆうり》で，初期投資《しょきとうし》は小《ちい》さい。

3　ドルフィンドック方式《ほうしき》は，ケーソン製作《せいさく》や進水時《しんすいじ》に船体全体《せんたいぜんたい》を水面下《すいめんか》に沈《しず》めるため，クレーン及《およ》び注水排水設備《ちゅうすいはいすいせつび》，発電設備等《はつでんせつびなど》は別途《べっと》，陸上《りくじょう》や付属船《ふぞくせん》に装備《そうび》される。

4　吊《つ》り降《おろ》し方式《ほうしき》は，護岸《ごがん》の背後等《はいごなど》でケーソンを製作《せいさく》し，大型起重機船《おおがたきじゅうきせん》で吊《つ》り降《おろ》すため，製作時《せいさくじ》にケーソンの自重《じじゅう》により既設構造物《きせつこうぞうぶつ》に影響《えいきょう》を及《およ》ぼす場合《ばあい》があり，事《じ》前《ぜん》に安定《あんてい》の確認《かくにん》が必要《ひつよう》である。

No. 46 鉄道《てつどう》のコンクリート路盤《ろばん》の施工《せこう》に関《かん》する次《つぎ》の記述《きじゅつ》のうち，**適当《てきとう》でないもの**はどれか。

1　コンクリート路盤《ろばん》の施工《せこう》は，盛土自身《もりどじしん》の沈下等《ちんかなど》による路盤《ろばん》や軌道《きどう》の変状《へんじょう》の影響《えいきょう》を極力少《きょくりょくすく》なくするために，盛土施工後《もりどせこうご》に速《すみ》やかに実施《じっし》する。

2　コンクリート路盤相互《ろばんそうご》の連結部《れんけつぶ》となる伸縮目地《しんしゅくめじ》は，列車荷重等《れっしゃかじゅうなど》によるせん断力《だんりょく》の伝達《でんたつ》を円滑《えんかつ》に行《おこな》い，目違《めちが》いの生《しょう》じない構造《こうぞう》としなければならない。

3　コンクリートの打込《うちこ》みは，横流《よこなが》しを避《さ》け，傾斜部《けいしゃぶ》にコンクリートを打《う》ち込《こ》む場《ば》

合《あい》，低《ひく》い方《ほう》から高《たか》い方《ほう》へ打《う》ち込《こ》む。

4　鉄筋《てっきん》コンクリート版《ばん》の鉄筋《てっきん》は，コンクリートの打込《うちこ》みの際《さい》に移動《いどう》しないように鉄筋相互《てっきんそうご》を十分堅固《じゅうぶんけんご》に組《く》み立《た》て，スペーサを介《かい》して型枠《かたわく》に接《せっ》する状態《じょうたい》となっていることを原則《げんそく》とする。

No. 47　鉄道《てつどう》の軌道《きどう》における維持管理《いじかんり》に関《かん》する次《つぎ》の記述《きじゅつ》のうち，**適当《てきとう》でないもの**はどれか。

1　道床《どうしょう》バラストには，吸水率《きゅうすいりつ》が小《ちい》さく，強固《きょうこ》で靭性《じんせい》に富《と》み，適当《てきとう》な粒径《りゅうけい》と粒度《りゅうど》を持《も》つ材料《ざいりょう》を用《もち》いることが適当《てきとう》である。

2　軌道狂《きどうぐる》いは，軌道《きどう》が列車荷重《れっしゃかじゅう》の繰返《くりかえ》し荷重《かじゅう》を受《う》けて次第《しだい》に変形《へんけい》し，車両走行面《しゃりょうそうこうめん》の不整《ふせい》が生《しょう》ずるものである。

3　レールは温度変化《おんどへんか》によって伸縮《しんしゅく》を繰《く》り返《かえ》すため，レールの継目部《つぎめぶ》に遊間《ゆうかん》を設《もう》けることで処理《しょり》し，遊間《ゆうかん》の整正《せいせい》は夏期及《かきおよ》び冬期《とうき》に行《おこな》うのが適当《てきとう》である。

4　PC マクラギは，木《き》マクラギに比《くら》べ，初期投資《しょきとうし》は多額《たがく》となるが，耐用年数《たいようねんすう》が長《なが》いことによる交換《こうかん》の軽減《けいげん》，保守費《ほしゅひ》の削減《さくげん》が可能《かのう》である。

No. 48　鉄道《てつどう》（在来線《ざいらいせん》）の営業線及《えいぎょうせんおよ》びこれに近接《きんせつ》して工事《こうじ》を施工《せこう》する場合《ばあい》の保《ほ》安対策《あんたいさく》に関《かん》する次《つぎ》の記述《きじゅつ》のうち，**適当《てきとう》でないもの**はどれか。

1　き電停止《でんていし》の手続《てつづ》きを行《おこな》う場合《ばあい》は，その手続《てつづ》きを工事管理者《こうじかんりしゃ》が行《おこな》うこととし，使《し》用間合《ようまあい》，時間《じかん》，作業範囲《さぎょうはんい》，競合作業等《きょうごうさぎょうなど》について，あらかじめ監督員等《かんとくいんなど》と十分打合《じゅうぶんうちあわ》せを行《おこな》う。

2　建設用大型機械《けんせつようおおがたきかい》の留置場所《りゅうちばしょ》は，直線区間《ちょくせんくかん》の建築限界《けんちくげんかい》の外方《がいほう》1m 以上離《いじょうはな》れた場所《ばしょ》で，かつ列車《れっしゃ》の運転保安及《うんてんほあんおよ》び旅客公衆等《りょきゃくこうしゅうなど》に対《たい》し安全《あんぜん》な場所《ばしょ》とする。

3　可搬式特殊信号発光機《かはんしきとくしゅしんごうはっこうき》の設置位置《せっちいち》は，作業現場《さぎょうげんば》から 800m 以上離《いじょうはな》れた位置《いち》まで列車《れっしゃ》が進来《しんらい》したときに，列車《れっしゃ》の運転士《うんてんし》が明滅《めいめつ》を確認《かくにん》できる建築限界内《けんちくげんかいない》を基本《きほん》とする。

4　線路閉鎖工事手続及《せんろへいさこうじてつづきおよ》び保守作業手続《ほしゅさぎょうてつづき》による作業等《さぎょうなど》のときは，列車見張員等《れっしゃみはりいんなど》の配置《はいち》を省略《しょうりゃく》することができる。

正答　別冊 P.18

No. 49 シールド工法《こうほう》の施工管理《せこうかんり》に関《かん》する次《つぎ》の記述《きじゅつ》のうち，**適当《てきとう》でないもの**はどれか。

1　密閉型《みっぺいがた》シールドでは，土圧《どあつ》，排土量《はいどりょう》，シールドジャッキ推力等《すいりょくなど》の計測値《けいそくち》に急激《きゅうげき》な変動《へんどう》があった場合《ばあい》は，切羽《きりは》の崩壊《ほうかい》や土砂《どしゃ》の取《と》り込《こ》み過多等《かたなど》の発生《はっせい》が考《かんが》えられる。

2　土圧式《どあつしき》シールド工法《こうほう》において，粘着力《ねんちゃくりょく》が大《おお》きい土層《どそう》を掘削《くっさく》する場合《ばあい》には，カッターチャンバ内《ない》に水《みず》を注入《ちゅうにゅう》することにより掘削土砂《くっさくどしゃ》の塑性流動性《そせいりゅうどうせい》を高《たか》めることが必要《ひつよう》である。

3　泥水式《でいすいしき》シールド工法《こうほう》の泥水処理《でいすいしょり》については，土砂《どしゃ》を分離《ぶんり》した余剰泥水《よじょうでいすい》は水《みず》や粘《ねん》土《ど》，ベントナイト，増粘剤等《ぞうねんざいなど》を加《くわ》えて比重《ひじゅう》，濃度《のうど》，粘性等《ねんせいなど》を調整《ちょうせい》して切羽《きりは》に再循《さいじゅん》環《かん》される。

4　テールボイド沈下《ちんか》（隆起《りゅうき》）は，シールドテールが通過《つうか》した直後《ちょくご》にテールボイドの発生《はっせい》による応力解放《おうりょくかいほう》や過大《かだい》な裏込《うらご》め注入圧等《ちゅうにゅうあつなど》が原因《げんいん》で発生《はっせい》する。

No. 50 鋼構造物塗装《こうこうぞうぶつとそう》の施工管理《せこうかんり》に関《かん》する次《つぎ》の記述《きじゅつ》のうち，**適当《てきとう》でないもの**はどれか。

1　塗料《とりょう》は，製造後長時間経過《せいぞうごちょうじかんけいか》すると密封《みっぷう》した缶内《かんない》でも品質《ひんしつ》に変化《へんか》が生《しょう》じることになるので，開缶時《かいかんじ》に固化等《こかなど》の変状《へんじょう》の有無《うむ》を確認《かくにん》する必要《ひつよう》がある。

2　多液形塗料《たえきがたとりょう》や高粘度塗料《こうねんどとりょう》の攪拌《かくはん》は，塗料《とりょう》を均一化《きんいつか》させ乾《かわ》きむらを防止《ぼうし》するため攪拌機《かくはんき》を用《もち》いることが望《のぞ》ましい。

3　塗装《とそう》を塗《ぬ》り重《かさ》ねる場合《ばあい》の塗装間隔《とそうかんかく》は，付着性《ふちゃくせい》を良《よ》くし良好《りょうこう》な塗膜《とまく》を得《え》るために重要《じゅうよう》な要素《ようそ》であり，塗料《とりょう》ごとに定《さだ》められている。

4　塗料《とりょう》の乾燥《かんそう》が不十分《ふじゅうぶん》のうちに次層《じそう》の塗料《とりょう》を塗《ぬ》り重《かさ》ねると，下層塗膜中《かそうとまくちゅう》の溶剤《ようざい》の蒸発《じょうはつ》によって上層塗膜《じょうそうとまく》ににじみが生《しょう》じることがある。

No. 51 軟弱地盤《なんじゃくじばん》や液状化《えきじょうか》の恐《おそ》れがある地盤《じばん》における上水道管布設《じょうすいどうかんふせつ》に関《かん》する次《つぎ》の記述《きじゅつ》のうち，**適当《てきとう》なもの**はどれか。

1　軟弱層《なんじゃくそう》が深《ふか》く予想沈下量《よそうちんかりょう》が大《おお》きい地盤《じばん》に管《かん》を布設《ふせつ》する場合《ばあい》は，伸縮可撓性《しんしゅくかとうせい》が小《ちい》さく，かつ離脱防止性能《りだつぼうしせいのう》を持《も》った継手《つぎて》を適所《てきしょ》に用《もち》いることが望《のぞ》ましい。

2　砂質地盤《さしつじばん》で地下水位《ちかすいい》が高《たか》く，地震時《じしんじ》に間隙水圧《かんげきすいあつ》の急激《きゅうげき》な上昇《じょうしょう》による液状化《えきじょうか》の可《か》能性《のうせい》が高《たか》いと判定《はんてい》される場所《ばしょ》では，適切《てきせつ》な管径《かんけい》を選定《せんてい》するほか必要《ひつよう》に応《おう》じ地盤改《じばんかい》良等《りょうなど》を行《おこな》う。

3　軟弱層《なんじゃくそう》が浅《あさ》い地盤《じばん》に管《かん》を布設《ふせつ》する場合《ばあい》は，管《かん》の重量《じゅうりょう》，管内水重《かんないすいじゅう》，埋戻《うめもど》し土圧等《どあつなど》を考慮《こうりょ》して管底部《かんていぶ》での土圧増加分等《どあつぞうかぶんなど》を計算《けいさん》し，沈下量《ちんかりょう》を推定《すいてい》した上《うえ》で管径《かんけい》を選定《せんてい》

する。

4　軟弱層《なんじゃくそう》が深《ふか》い地盤《じばん》に管《かん》を布設《ふせつ》する場合《ばあい》は，薬液注入工法《やくえきちゅうにゅうこうほう》，サンドドレーン工法《こうほう》等《など》により地盤改良《じばんかいりょう》を行《おこな》うことが必要《ひつよう》である。

No. 52

下水道《げすいどう》に用《もち》いられる剛性管渠《ごうせいかんきょ》の基礎《きそ》の種類《しゅるい》に関《かん》する次《つぎ》の記述《きじゅつ》のうち，**適当《てきとう》でないもの**はどれか。

1　コンクリート及《およ》び鉄筋《てっきん》コンクリート基礎《きそ》は，地盤《じばん》が軟弱《なんじゃく》な場合《ばあい》や管渠《かんきょ》に作用《さよう》する外圧《がいあつ》が小《ちい》さい場合《ばあい》に採用《さいよう》し，管渠《かんきょ》の底部《ていぶ》をコンクリートで巻《ま》き立《た》てて管渠《かんきょ》を支《し》持《じ》する。

2　砂又《すなまた》は砕石基礎《さいせききそ》は，比較的地盤《ひかくてきじばん》が良《よ》い場所《ばしょ》に採用《さいよう》し，砂又《すなまた》は細《こま》かい砕石等《さいせきなど》を管《かん》渠外周《きょがいしゅう》（下部《かぶ》）に満遍《まんべん》なく密着《みっちゃく》するように締《し》め固《かた》めて管渠《かんきょ》を支持《しじ》する。

3　はしご胴木基礎《どうぎきそ》は，地盤《じばん》が軟弱《なんじゃく》な場合《ばあい》や，土質《どしつ》や上載荷重《じょうさいかじゅう》が不均質《ふきんしつ》な場合《ばあい》に採《さい》用《よう》し，まくら木《ぎ》の下部《かぶ》に管渠《かんきょ》と平行《へいこう》に縦木《たてぎ》をはしご状《じょう》に設置《せっち》して管渠《かんきょ》を支持《しじ》する。

4　鳥居基礎《とりいきそ》は，極軟弱地盤《ごくなんじゃくじばん》でほとんど地耐力《ちたいりょく》を期待《きたい》できない場合《ばあい》に採用《さいよう》し，はしご胴木《どうぎ》の下部《かぶ》を杭《くい》で支《ささ》えて管渠《かんきょ》を支持《しじ》する。

No. 53

下水道工事《げすいどうこうじ》における小口径管推進工法《しょうこうけいかんすいしんこうほう》の施工《せこう》に関《かん》する次《つぎ》の記述《きじゅつ》のうち，**適当《てきとう》でないもの**はどれか。

1　滑材《かつざい》の注入《ちゅうにゅう》にあたっては，滑材吐出口《かつざいとしゅつぐち》の位置《いち》が先導体後部及《せんどうたいこうぶおよ》び発進坑口止水器《はっしんこうぐちしすいき》部《ぶ》に限定《げんてい》されるので，推進開始《すいしんかいし》から推進力《すいしんりょく》の推移《すいい》をみながら厳密《げんみつ》に管理《かんり》して滑材《かつざい》注入《ちゅうにゅう》を行《おこな》わなければならない。

2　推進管理測量《すいしんかんりそくりょう》を行《おこな》う際《さい》に，水平方向《すいへいほうこう》については，先導体《せんどうたい》と発進立坑《はっしんたてこう》の水位差《すいいさ》で管理《かんり》する液圧差《えきあつさ》レベル方式《ほうしき》を用《もち》いることで，リアルタイムに比較的高精度《ひかくてきこうせいど》の位置《いち》管理《かんり》が可能《かのう》となる。

3　先導体《せんどうたい》を曲進《きょくしん》させる際《さい》には，機構《きこう》を簡易《かんい》なものとするために全断面《ぜんだんめん》を掘削《くっさく》し，外径《がいけい》を大《おお》きくする方法《ほうほう》を採用《さいよう》するのが一般的《いっぱんてき》である。

4　先導体《せんどうたい》の到達《とうたつ》にあたっては，先導体《せんどうたい》の位置《いち》を確認《かくにん》し，地山《じやま》の土質《どしつ》，補助工法《ほじょこうほう》の効果《こうか》の状況《じょうきょう》，湧水《ゆうすい》の状態等《じょうたいなど》に留意《りゅうい》し，その対策《たいさく》を施《ほどこ》してから到達《とうたつ》の鏡切《かがみき》りを行《おこな》わなければならない。

正答　別冊 P.20

No. 54

下水道工事《げすいどうこうじ》における，薬液注入工法《やくえきちゅうにゅうこうほう》の注入効果《ちゅうにゅうこうか》の確認方法《かくにんほうほう》に関《かん》する次《つぎ》の記述《きじゅつ》のうち，**適当《てきとう》でないもの**はどれか。

1　現場透水試験《げんばとうすいしけん》の評価《ひょうか》は，注入改良地盤《ちゅうにゅうかいりょうじばん》で行《おこな》った現場透水試験《げんばとうすいしけん》の結果《けっか》に基《もと》づき，透水性《とうすいせい》に関《かん》する目標値《もくひょうち》，設計値《せっけいち》，得《え》られた透水係数《とうすいけいすう》のばらつき等《など》から総合的《そうごうてき》に評《ひょう》価《か》する。

2　砂地盤《すなじばん》の強度《きょうど》の増加《ぞうか》を室内《しつない》の三軸圧縮試験《さんじくあっしゅくしけん》により確認《かくにん》する場合《ばあい》は，地盤《じばん》の粘着《ねんちゃく》力《りょく》の値《あたい》は変化《へんか》しないといわれていることから，内部摩擦角《ないぶまさつかく》の変化《へんか》で判断《はんだん》する。

3　標準貫入試験結果《ひょうじゅんかんにゅうしけんけっか》の評価《ひょうか》はＮ値《ち》の増減《ぞうげん》を見《み》て行《おこな》い，評価《ひょうか》を行《おこな》う際《さい》には同一地層《どういつちそう》でＮ値《ち》を平均《へいきん》する等《など》の簡易的《かんいてき》な統計処理《とうけいしょり》を実施《じっし》する。

4　アルカリ系薬液《けいやくえき》の浸透状況《しんとうじょうきょう》を直接確認《ちょくせつかくにん》する場合《ばあい》は，薬液注入《やくえきちゅうにゅう》を行《おこな》った箇所周辺《かしょしゅうへん》を掘削《くっさく》し，フェノールフタレイン試薬《しやく》を散布《さんぷ》して薄《うす》い赤色《あかいろ》に変色《へんしょく》することを確認《かくにん》する。

※問題番号《もんだいばんごう》No.55～No.66までの12問題《もんだい》のうちから8問題《もんだい》を選択《せんたく》し解答《かいとう》してください。

No. 55

常時《じょうじ》10人以上《にんいじょう》の労働者《ろうどうしゃ》を使用《しよう》する使用者《しようしゃ》が，就業規則《しゅうぎょうきそく》に必《かなら》ず記載《きさい》しなければならない次《つぎ》の事項《じこう》のうち，労働基準法上《ろうどうきじゅんほうじょう》，**正《ただ》しいもの**はどれか。

1　表彰及《ひょうしょうおよ》び制裁《せいさい》の種類及《しゅるいおよ》び程度《ていど》に関《かん》する事項《じこう》

2　安全及《あんぜんおよ》び衛生《えいせい》に関《かん》する事項《じこう》

3　職業訓練《しょくぎょうくんれん》に関《かん》する事項《じこう》

4　賃金《ちんぎん》（臨時《りんじ》の賃金等《ちんぎんとう》を除《のぞ》く）の支払《しはらい》の時期《じき》に関《かん》する事項《じこう》

No. 56

労働時間《ろうどうじかん》，休憩及《きゅうけいおよ》び休日《きゅうじつ》に関《かん》する次《つぎ》の記述《きじゅつ》のうち，労働基準法上《ろうどうきじゅんほうじょう》，**誤《あやま》っているもの**はどれか。

1　使用者《しようしゃ》は，労働者《ろうどうしゃ》に，休憩時間《きゅうけいじかん》を除《のぞ》き1週間《しゅうかん》について40時間《じかん》を超《こ》えて，1週間《しゅうかん》の各日《かくじつ》については休憩時間《きゅうけいじかん》を除《のぞ》き1日《にち》について8時間《じかん》を超《こ》えて，労働《ろうどう》させてはならない。

2　使用者《しようしゃ》は，労働者《ろうどうしゃ》の過半数《かはんすう》で組織《そしき》する労働組合《ろうどうくみあい》と協定《きょうてい》した場合《ばあい》でも，通常予見《つうじょうよけん》される時間外労働《じかんがいろうどう》の範囲内《はんいない》においては，原則《げんそく》として，1箇月《かげつ》について50時間及《じかんおよ》び1年《ねん》について360時間《じかん》を超《こ》えて労働時間《ろうどうじかん》を延長《えんちょう》してはならない。

3　使用者《しようしゃ》は，その雇入《やとい》れの日《ひ》から起算《きさん》して6箇月間継続勤務《かげつかんけいぞくきんむ》し，全労働日《ぜんろうどうび》の8割《わり》以上出勤《いじょうしゅっきん》した労働者《ろうどうしゃ》に対《たい》して，継続《けいぞく》し，又《また》は分割《ぶんかつ》した10労働日《ろうどうび》の有給休暇《ゆうきゅうきゅうか》を与《あた》

えなければならない。

4　使用者《しようしゃ》は，労働者《ろうどうしゃ》に対《たい》して，労働時間《ろうどうじかん》が6時間《じかん》を超《こ》える場合《ばあい》においては少《すく》なくとも45分《ふん》，8時間《じかん》を超《こ》える場合《ばあい》においては少《すく》なくとも1時間《じかん》の休憩時間《きゅうけいじかん》を労働時《ろうどうじ》間《かん》の途中《とちゅう》に，原則《げんそく》として一斉《いっせい》に与《あた》えなければならない。

No. 57

事業者《じぎょうしゃ》が統括安全衛生責任者《とうかつあんぜんえいせいせきにんしゃ》に統括管理《とうかつかんり》させなければならない次《つぎ》の事《じ》項《こう》のうち，労働安全衛生法上《ろうどうあんぜんえいせいほうじょう》，**誤《あやま》っているもの**はどれか。

1　作業間《さぎょうかん》の連絡及《れんらくおよ》び調整《ちょうせい》を行《おこな》うこと。

2　協議組織《きょうぎそしき》の設置及《せっちおよ》び運営《うんえい》を行《おこな》うこと。

3　衛生管理者《えいせいかんりしゃ》が行《おこな》う労働者《ろうどうしゃ》の安全又《あんぜんまた》は衛生《えいせい》のための教育《きょういく》に対《たい》する指導及《しどうおよ》び援助《えんじょ》を行《おこな》うこと。

4　作業場所《さぎょうばしょ》の巡視《じゅんし》をすること。

No. 58

高《たか》さが5m以上《いじょう》のコンクリート造《ぞう》の工作物《こうさくぶつ》の解体等《かいたいとう》の作業《さぎょう》における危《き》険《けん》を防止《ぼうし》するために，事業者又《じぎょうしゃまた》はコンクリート造《ぞう》の工作物《こうさくぶつ》の解体等作《かいたいとうさ》業主任者《ぎょうしゅにんしゃ》（以下《いか》，解体等作業主任者《かいたいとうさぎょうしゅにんしゃ》という。）が行《おこな》わなければならない事項《じこう》に関《かん》する次《つぎ》の記述《きじゅつ》のうち，労働安全衛生法令上《ろうどうあんぜんえいせいほうれいじょう》，**誤《あやま》っているもの**はどれか。

1　解体等作業主任者《かいたいとうさぎょうしゅにんしゃ》は，強風《きょうふう》，大雨《おおあめ》，大雪等《おおゆきとう》の悪天候《あくてんこう》のため，作業《さぎょう》の実施《じっし》について危険《きけん》が予想《よそう》されるときは，当該作業《とうがいさぎょう》を中止《ちゅうし》させなければならない。

2　解体等作業主任者《かいたいとうさぎょうしゅにんしゃ》は，作業《さぎょう》の方法及《ほうほうおよ》び労働者《ろうどうしゃ》の配置《はいち》を決定《けってい》し，作業《さぎょう》を直接指揮《ちょくせつしき》しなければならない。

3　事業者《じぎょうしゃ》は，外壁《がいへき》，柱等《はしらとう》の引倒《ひきたお》し等《とう》の作業《さぎょう》を行《おこな》うときは，引倒《ひきたお》し等《とう》について一定《いってい》の合図《あいず》を定《さだ》め，関係労働者《かんけいろうどうしゃ》に周知《しゅうち》させなければならない。

4　事業者《じぎょうしゃ》は，コンクリート造《ぞう》の工作物《こうさくぶつ》の解体等作業主任者技能講習《かいたいとうさぎょうしゅにんしゃぎのうこうしゅう》を修了《しゅうりょう》した者《もの》のうちから，解体等作業主任者《かいたいとうさぎょうしゅにんしゃ》を選任《せんにん》しなければならない。

正答　別冊P.23

No. 59 元請負人《もとうけおいにん》の義務《ぎむ》に関《かん》する次《つぎ》の記述《きじゅつ》のうち，建設業法上《けんせつぎょうほうじょう》，**誤《あやま》っているもの**はどれか。

1　元請負人《もとうけおいにん》は，前払金《まえばらいきん》の支払《しはらい》を受《う》けたときは，下請負人《したうけおいにん》に対《たい》して，資材《しざい》の購入《こうにゅう》，労働者《ろうどうしゃ》の募集《ぼしゅう》その他建設工事《たけんせつこうじ》の着手《ちゃくしゅ》に必要《ひつよう》な費用《ひよう》を前払金《まえばらいきん》として支払《しはら》うよう適切《てきせつ》な配慮《はいりょ》をしなければならない。

2　元請負人《もとうけおいにん》は，その請《う》け負《お》った建設工事《けんせつこうじ》を施工《せこう》するために必要《ひつよう》な工程《こうてい》の細目《さいもく》，作《さ》業方法《ぎょうほうほう》その他元請負人《たもとうけおいにん》において定《さだ》めるべき事項《じこう》を定《さだ》めようとするときは，あらかじめ，下請負人《したうけおいにん》の意見《いけん》をきかなければならない。

3　元請負人《もとうけおいにん》は，検査《けんさ》によって下請負人《したうけおいにん》の請《う》け負《お》った建設工事《けんせつこうじ》の完成《かんせい》を確認《かくにん》した後《のち》，下請負人《したうけおいにん》が申《もう》し出《で》たときは，特約《とくやく》がされている場合《ばあい》を除《のぞ》いて，当該申《とうがいもう》し出《で》を受《う》けた日《ひ》から１月以内《つきいない》に当該建設工事《とうがいけんせつこうじ》の目的物《もくてきぶつ》の引渡《ひきわた》しを受《う》けなければならない。

4　元請負人《もとうけおいにん》は，請負代金《うけおいだいきん》の出来形部分《できがたぶぶん》に対《たい》する支払《しはらい》を受《う》けたときは，施工《せこう》した下《した》請負人《うけおいにん》に対《たい》して，下請代金《したうけだいきん》の一部《いちぶ》を，当該支払《とうがいしはらい》を受《う》けた日《ひ》から１月以内《つきいない》で，かつ，できる限《かぎ》り短《みじか》い期間内《きかんない》に支払《しはら》わなければならない。

No. 60 建設工事《けんせつこうじ》の請負契約《うけおいけいやく》に関《かん》する次《つぎ》の記述《きじゅつ》のうち，建設業法上《けんせつぎょうほうじょう》，**誤《あやま》っているもの**はどれか。

1　建設工事《けんせつこうじ》の請負契約《うけおいけいやく》の当事者《とうじしゃ》は，契約《けいやく》の締結《ていけつ》に際《さい》して，価格等《かかくとう》の変動若《へんどうも》しくは変更《へんこう》に基《もと》づく請負代金《うけおいだいきん》の額又《がくまた》は工事内容《こうじないよう》の変更《へんこう》に関《かん》する事項等《じこうとう》を書面《しょめん》に記載《きさい》し，署名又《しょめいまた》は記名押印《きめいおういん》をして相互《そうご》に交付《こうふ》しなければならない。(☆)

2　注文者《ちゅうもんしゃ》は，自己《じこ》の取引上《とりひきじょう》の地位《ちい》を不当《ふとう》に利用《りよう》して，その注文《ちゅうもん》した建設工事《けんせつこうじ》を施《せ》工《こう》するために通常必要《つうじょうひつよう》と認《みと》められる原価《げんか》に満《み》たない金額《きんがく》を請負代金《うけおいだいきん》の額《がく》とする請《うけ》負契約《おいけいやく》を締結《ていけつ》してはならない。

3　建設業者《けんせつぎょうしゃ》は，建設工事《けんせつこうじ》の請負契約《うけおいけいやく》を締結《ていけつ》するに際《さい》して，工事内容《こうじないよう》に応《おう》じ，工事《こうじ》の種別《しゅべつ》ごとの材料費《ざいりょうひ》，労務費《ろうむひ》その他《た》の経費《けいひ》の内訳並《うちわけなら》びに工事《こうじ》の工程《こうてい》ごとの作業及《さぎょうおよ》びその準備《じゅんび》に必要《ひつよう》な日数《にっすう》を明《あき》らかにして，建設工事《けんせつこうじ》の見積《みつも》りを行《おこな》うよう努《つと》めなければならない。

4　注文者《ちゅうもんしゃ》は，建設工事《けんせつこうじ》の請負契約《うけおいけいやく》を締結《ていけつ》する以前《いぜん》，又《また》は入札《にゅうさつ》を行《おこな》う以前《いぜん》に，工事《こうじ》内容《ないよう》，請負代金《うけおいだいきん》の額《がく》，工事着手《こうじちゃくしゅ》の時期及《じきおよ》び工事完成《こうじかんせい》の時期等《じきとう》についてできる限《かぎ》り具体的《ぐたいてき》な内容《ないよう》を提示《ていじ》しなければならない。

No. 61 道路占用工事《どうろせんようこうじ》における道路《どうろ》の掘削《くっさく》に関《かん》する次《つぎ》の記述《きじゅつ》のうち，道路法令《どうろほうれい》上《じょう》，**誤《あやま》っているもの**はどれか。

1　舗装道《ほそうどう》の舗装《ほそう》の部分《ぶぶん》の切断《せつだん》は，のみ又《また》は切断機《せつだんき》を用《もち》いて，原則《げんそく》として直線《ちょくせん》に，かつ，路面《ろめん》に垂直《すいちょく》に行《おこな》うこと。

2　掘削部分《くっさくぶぶん》に近接《きんせつ》する道路《どうろ》の部分《ぶぶん》には，占用《せんよう》のために掘削《くっさく》した土砂《どしゃ》をたい積《せき》しないで余地《よち》を設《もう》け，当該土砂《とうがいどしゃ》が道路《どうろ》の交通《こうつう》に支障《ししょう》を及《およ》ぼすおそれのある場合《ばあい》は，他《た》の場所《ばしょ》に排出《はいしゅつ》すること。

3　わき水又《みずまた》はたまり水《みず》の排出《はいしゅつ》にあたっては，いかなる場合《ばあい》でも道路《どうろ》の排水施設《はいすいしせつ》や路面《ろめん》に排出《はいしゅつ》しないこと。

4　道路《どうろ》の掘削面積《くっさくめんせき》は，道路《どうろ》の交通《こうつう》に著《いちじる》しい支障《ししょう》を及《およ》ぼすことのないよう覆工《ふっこう》を施《せ》工《こう》する等《とう》の措置《そち》をした場合《ばあい》を除《のぞ》き，当日中《とうじつちゅう》に復旧可能《ふっきゅうかのう》な範囲《はんい》とすること。

No. 62 河川管理者以外《かせんかんりしゃいがい》の者《もの》が，河川区域内《かせんくいきない》（高規格堤防特別区域《こうきかくていぼうとくべつくいき》を除《のぞ》く）で工事《こうじ》を行《おこな》う場合《ばあい》の手続《てつづ》きに関《かん》する次《つぎ》の記述《きじゅつ》のうち，河川法令上《かせんほうれいじょう》，**誤《あやま》っているもの**はどれか。

1　河川管理者《かせんかんりしゃ》の許可《きょか》を受《う》けて設置《せっち》されている排水施設《はいすいしせつ》の機能《きのう》を維持《いじ》するために排《はい》水口《すいこう》付近《ふきん》の土砂等《どしゃとう》の撤去《てっきょ》は，河川管理者《かせんかんりしゃ》の許可《きょか》を受《う》ける必要《ひつよう》はない。

2　河川管理者《かせんかんりしゃ》が管理《かんり》する河川区域内《かせんくいきない》の土地《とち》に工作物《こうさくぶつ》の新築等《しんちくとう》の許可《きょか》を受《う》ける者《もの》は，河川管理者《かせんかんりしゃ》から土地《とち》の占用許可《せんようきょか》も受《う》ける必要《ひつよう》がある。

3　河川区域内《かせんくいきない》の上空《じょうくう》を通過《つうか》する電線《でんせん》や通信《つうしん》ケーブルを設置《せっち》する場合《ばあい》は，河川管理《かせんかんり》者《しゃ》の許可《きょか》を受《う》ける必要《ひつよう》はない。

4　河川区域内《かせんくいきない》において土地《とち》の掘削《くっさく》，盛土等土地《もりどとうとち》の形状《けいじょう》を変更《へんこう》する行為《こうい》は，民有地《みんゆうち》においても河川管理者《かせんかんりしゃ》の許可《きょか》を受《う》ける必要《ひつよう》がある。

正答　別冊P.25

No. 63

建築基準法令《けんちくきじゅんほうれい》に関《かん》する次《つぎ》の記述《きじゅつ》のうち，**誤《あやま》っているもの**はどれか。

1　建築物《けんちくぶつ》は，土地《とち》に定着《ていちゃく》する工作物《こうさくぶつ》のうち，屋根《やね》及《およ》び柱《はしら》若《も》しくは壁《かべ》を有《ゆう》するもの，これに附属《ふぞく》する門《もん》若《も》しくは塀《へい》又《また》は地下《ちか》若《も》しくは高架《こうか》の工作物内《こうさくぶつない》に設《もう》ける事務所《じむしょ》，店舗《てんぽ》，倉庫《そうこ》等《とう》をいい，建築設備《けんちくせつび》を含《ふく》むものとする。

2　都市計画区域《としけいかくくいき》において，工事《こうじ》を施工《せこう》するために現場《げんば》に仮設事務所《かせつじむしょ》を建築《けんちく》しようとする場合《ばあい》は，当該工事《とうがいこうじ》に着手《ちゃくしゅ》する前《まえ》にその計画《けいかく》が建築基準関係規定《けんちくきじゅんかんけいきてい》等《とう》に適合《てきごう》するか確《たし》かめるため，確認申請書《かくにんしんせいしょ》を提出《ていしゅつ》しなければならない。

3　原則《げんそく》として，建築物《けんちくぶつ》の敷地《しきち》は，これに接《せっ》する道《みち》の境《さかい》より高《たか》くなければならず，建築物《けんちくぶつ》の地盤面《じばんめん》は，これに接《せっ》する周囲《しゅうい》の土地《とち》より高《たか》くなければならない。

4　建築物《けんちくぶつ》の建築面積《けんちくめんせき》は，建築物《けんちくぶつ》の外壁又《がいへきまた》はこれに代《か》わる柱《はしら》の中心線《ちゅうしんせん》で囲《かこ》まれた部分《ぶぶん》の水平投影面積《すいへいとうえいめんせき》，敷地面積《しきちめんせき》は敷地《しきち》の水平投影面積《すいへいとうえいめんせき》による。

No. 64

振動規制法令上《しんどうきせいほうれいじょう》，指定地域内《していちいきない》で行《おこな》う次《つぎ》の建設作業《けんせつさぎょう》のうち，特定建設作業《とくていけんせつさぎょう》に**該当《がいとう》するもの**はどれか。
ただし，当該作業《とうがいさぎょう》がその作業《さぎょう》を開始《かいし》した日《ひ》に終《お》わるものを除《のぞ》く。

1　舗装版破砕機《ほそうばんはさいき》を用《もち》いた舗装版《ほそうばん》の破砕作業《はさいさぎょう》で，1日《にち》の移動距離《いどうきょり》が50mを超《こ》えない作業《さぎょう》

2　手持《ても》ち式《しき》ブレーカを用《もち》いた擁壁《ようへき》の取《と》り壊《こわ》し作業《さぎょう》で，1日《にち》の移動距離《いどうきょり》が50mを超《こ》えない作業《さぎょう》

3　振動《しんどう》ローラを用《もち》いた路体《ろたい》の締固《しめかた》め作業《さぎょう》

4　圧入式杭打《あつにゅうしきくいう》ち機《き》を用《もち》いた鋼矢板《こうやいた》の打込《うちこ》み作業《さぎょう》

No. 65

特定建設作業《とくていけんせつさぎょう》を伴《ともな》う建設工事《けんせつこうじ》を施工《せこう》しようとする者《もの》が行《おこな》う，届出《とどけで》に関《かん》する次《つぎ》の記述《きじゅつ》のうち，騒音規制法令上《そうおんきせいほうれいじょう》，**誤《あやま》っているもの**はどれか。

1　特定建設作業《とくていけんせつさぎょう》とは，建設工事《けんせつこうじ》として行《おこな》われる作業《さぎょう》のうち，当該作業《とうがいさぎょう》がその作業《さぎょう》を開始《かいし》した日《ひ》に終《お》わるものを除《のぞ》き，著《いちじる》しい騒音《そうおん》を発生《はっせい》する作業《さぎょう》であって政令《せいれい》で定《さだ》めるものをいい，作業《さぎょう》の実施《じっし》にあたっては市町村長《しちょうそんちょう》に届出《とどけで》が必要《ひつよう》である。

2　指定地域内《していちいきない》において，特定建設作業《とくていけんせつさぎょう》を伴《ともな》う建設工事《けんせつこうじ》を施工《せこう》しようとする者《もの》は，当該特定建設作業《とうがいとくていけんせつさぎょう》の開始《かいし》の日《ひ》の七日前《なにちまえ》までに，環境省令《かんきょうしょうれい》で定《さだ》めるところにより，市町村長《しちょうそんちょう》に届《とど》け出《で》なければならない。

3　指定地域内《していちいきない》において，特定建設作業《とくていけんせつさぎょう》の施工者《せこうしゃ》が行《おこな》う市町村長《しちょうそんちょう》への実施《じっし》の届出《とどけで》は，災害《さいがい》その他非常《たひじょう》の事態《じたい》の発生《はっせい》により特定建設作業《とくていけんせつさぎょう》を緊急《きんきゅう》に行《おこな》う必要《ひつよう》がある場合《ばあい》

は，工事完成後《こうじかんせいご》に完了届《かんりょうとどけ》を提出《ていしゅつ》すれば足《た》りる。

4　指定地域内《していちいきない》において，特定建設作業《とくていけんせつさぎょう》の施工者《せこうしゃ》が行《おこな》う市町村長《しちょうそんちょう》への特定建設作業《とくていけんせつさぎょう》の実施《じっし》の届出《とどけで》は，当該特定建設作業《とうがいとくていけんせつさぎょう》の場所《ばしょ》の附近《ふきん》の見取図《みとりず》その他環境省令《たかんきょうしょうれい》で定《さだ》める書類《しょるい》を添附《てんぷ》しなければならない。

No. 66　港長《こうちょう》の許可《きょか》に関《かん》する次《つぎ》の記述《きじゅつ》のうち，港則法令上《こうそくほうれいじょう》，**誤《あやま》っているもの**はどれか。

1　特定港内又《とくていこうないまた》は特定港《とくていこう》の境界附近《きょうかいふきん》で工事又《こうじまた》は作業《さぎょう》をしようとする者《もの》は，港長《こうちょう》の許《きょ》可《か》を受《う》けなければならない。

2　船舶《せんぱく》は，特定港内又《とくていこうないまた》は特定港《とくていこう》の境界付近《きょうかいふきん》において危険物《きけんぶつ》を運搬《うんぱん》しようとするときは，港長《こうちょう》の許可《きょか》を受《う》けなければならない。

3　船舶《せんぱく》は，特定港《とくていこう》に入港《にゅうこう》したとき又《また》は特定港《とくていこう》を出港《しゅっこう》しようとするときは，港長《こうちょう》の許可《きょか》を受《う》けなければならない。

4　船舶《せんぱく》は，特定港《とくていこう》において危険物《きけんぶつ》の積込《つみこみ》，積替又《つみかえまた》は荷卸《におろし》をするには，港長《こうちょう》の許可《きょか》を受《う》けなければならない。

正答　別冊P.27

令和6年度　第一次検定　問題B（必須問題）

試験時間　120分

※問題番号《もんだいばんごう》No.1～No.20までの20問題《もんだい》は，必須問題《ひっすもんだい》ですから全問題《ぜんもんだい》を解答《かいとう》してください。

No. 1　TS（トータルステーション）を用《もち》いて行《おこな》う測量《そくりょう》に関《かん》する次《つぎ》の記述《きじゅつ》のうち，**適当《てきとう》でないもの**はどれか。

1　TSでの観測《かんそく》の記録《きろく》は，データコレクタを用《もち》いるが，これを用《もち》いない場合《ばあい》には観測手簿《かんそくしゅぼ》に記載《きさい》するものとする。
2　TSでの距離測定《きょりそくてい》に伴《ともな》う気象《きしょう》の測定《そくてい》において，1級《きゅう》及《およ》び2級基準点測量《きゅうきじゅんてんそくりょう》は，標準《ひょうじゅん》大気圧《たいきあつ》を用《もち》いて気象補正《きしょうほせい》を行《おこな》うことができる。
3　TSでの距離測定《きょりそくてい》に伴《ともな》う気象《きしょう》の測定《そくてい》は，距離測定《きょりそくてい》の開始直前《かいしちょくぜん》，又《また》は終了直後《しゅうりょうちょくご》に行《おこな》うものとする。
4　TSでは，1級基準点測量《きゅうきじゅんてんそくりょう》における水平角観測《すいへいかくかんそく》の必要対回数《ひつようついかいすう》の2対回《ついかい》に合《あわ》せ，取《しゅ》得《とく》された鉛直角観測値及《えんちょくかくかんそくちおよ》び距離測定値《きょりそくていち》はすべて採用《さいよう》し，その平均値《へいきんち》を用《もち》いることができる。

No. 2　工事目的物《こうじもくてきぶつ》の引渡《ひきわた》し等《とう》に関《かん》する次《つぎ》の記述《きじゅつ》のうち，公共工事標準請負契約約款上《こうきょうこうじひょうじゅんうけおいけいやくやっかんじょう》，**誤《あやま》っているもの**はどれか。

1　工事目的物《こうじもくてきぶつ》の引渡《ひきわた》し前《まえ》に，受注者《じゅちゅうしゃ》が，災害防止等《さいがいぼうしとう》のためにとった臨機《りんき》の措置《そち》に要《よう》した費用《ひよう》は，受注者《じゅちゅうしゃ》が請負代金額《うけおいだいきんがく》の範囲《はんい》において負担《ふたん》することが適当《てきとう》でないと認《みと》められる部分《ぶぶん》については発注者《はっちゅうしゃ》が負担《ふたん》する。
2　工事目的物《こうじもくてきぶつ》の引渡《ひきわた》し前《まえ》に，天災等《てんさいとう》の不可抗力《ふかこうりょく》により，工事目的物《こうじもくてきぶつ》，仮設物又《かせつぶつまた》は工事現場《こうじげんば》に搬入済《はんにゅうず》みの工事材料《こうじざいりょう》に生《しょう》じた損害《そんがい》による費用《ひよう》のうち，保険等《ほけんとう》によりてん補《ぽ》されなかった部分《ぶぶん》については，発注者《はっちゅうしゃ》に請求《せいきゅう》することができない。
3　工事《こうじ》の施工《せこう》に伴《ともな》い通常避《つうじょうさ》けることができない騒音《そうおん》，振動《しんどう》，地盤沈下《じばんちんか》，地下水《ちかすい》の断絶等《だんぜつとう》の理由《りゆう》により第三者《だいさんしゃ》に損害《そんがい》を及《およ》ぼしたときは，原則《げんそく》として，発注者《はっちゅうしゃ》がその損害《そんがい》を負担《ふたん》しなければならない。
4　引《ひ》き渡《わた》された工事目的物《こうじもくてきぶつ》が種類又《しゅるいまた》は品質《ひんしつ》に関《かん》して契約不適合《けいやくふてきごう》であるときは，発《はっ》注者《ちゅうしゃ》は受注者《じゅちゅうしゃ》に対《たい》し，目的物《もくてきぶつ》の修補又《しゅうほまた》は代替物《だいたいぶつ》の引渡《ひきわた》しによる履行《りこう》の追完《ついかん》を請求《せいきゅう》

することができるが，過分《かぶん》の費用《ひよう》を要《よう》するときは，発注者《はっちゅうしゃ》は履行《りこう》の追完《ついかん》を請求《せいきゅう》することができない。

No. 3

下図《かず》は，ボックスカルバートの配筋図《はいきんず》を示《しめ》したものである。この図《ず》における配筋《はいきん》に関《かん》する次《つぎ》の記述《きじゅつ》のうち，**適当《てきとう》でないもの**はどれか。

頂　版《ちょう　ばん》

A－A

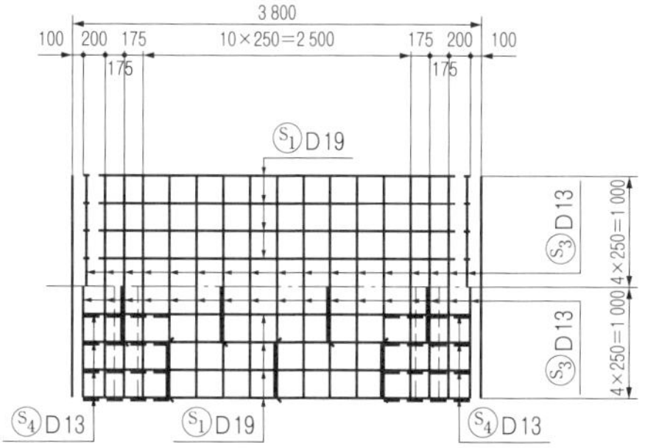

B－B

断　面《だん　めん》

C－C

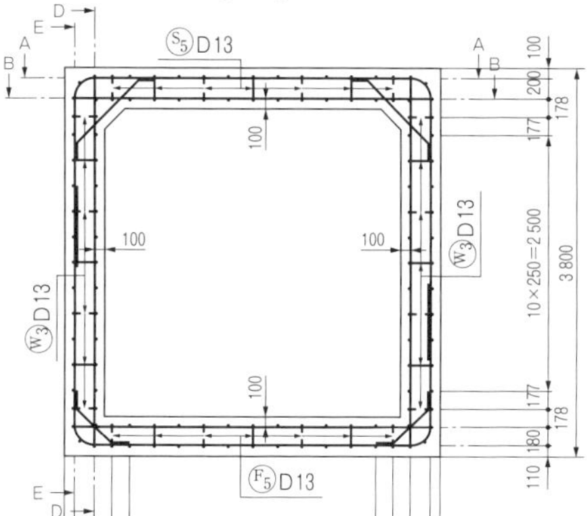

側　壁《そく　へき》

D－D　E－E

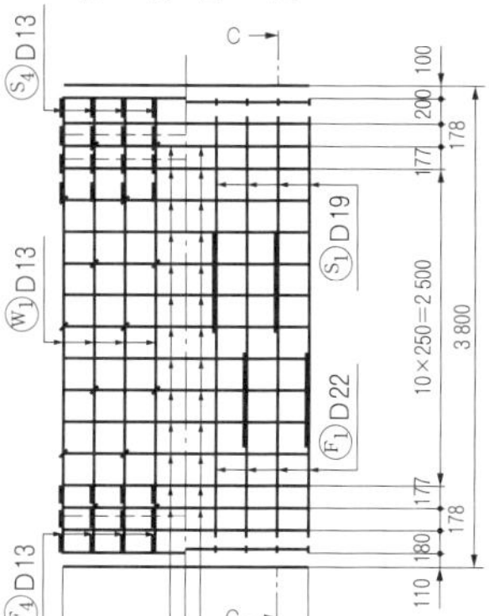

1　側壁《そくへき》の外面主鉄筋《がいめんしゅてっきん》の間隔《かんかく》は，ボックスカルバート軸方向《じくほうこう》に250mmで配置《はいち》されている。

2　頂版《ちょうばん》の下面主鉄筋《かめんしゅてっきん》の間隔《かんかく》は，ボックスカルバート軸方向《じくほうこう》に250mmで配置《はいち》されている。

3　側壁《そくへき》の内面主鉄筋《ないめんしゅてっきん》は，径《けい》22mmの異形棒鋼《いけいぼうこう》である。

4　頂版《ちょうばん》の上面主鉄筋《じょうめんしゅてっきん》は，径《けい》19mmの異形棒鋼《いけいぼうこう》である。

No. 4

建設工事《けんせつこうじ》における電気設備等《でんきせつびとう》に関《かん》する次《つぎ》の記述《きじゅつ》のうち，労働安全衛生《ろうどうあんぜんえいせい》規則上《きそくじょう》，**誤《あやま》っているもの**はどれか。

1　水等《みずとう》で濡《ぬ》れている場所《ばしょ》や鉄板上《てっぱんじょう》で使用《しよう》する移動式若《いどうしきも》しくは可搬式《かはんしき》の電動機械器《でんどうきかいき》具《ぐ》は，漏電《ろうでん》による感電防止《かんでんぼうし》のため自動電撃防止装置《じどうでんげきぼうしそうち》を取《と》り付《つ》ける。

2　電気機械器具《でんききかいきぐ》の操作《そうさ》を行《おこな》う場合《ばあい》には，感電《かんでん》や誤《あやま》った操作《そうさ》による危険《きけん》を防止《ぼうし》するために操作部分《そうさぶぶん》に必要《ひつよう》な照度《しょうど》を保持《ほじ》する。

3　仮設《かせつ》の配線《はいせん》を通路面《つうろめん》で使用《しよう》する場合《ばあい》は，配線《はいせん》の上《うえ》を車両等《しゃりょうとう》が通過《つうか》すること等《とう》によって絶縁被覆《ぜつえんひふく》が損傷《そんしょう》するおそれのないような状態《じょうたい》で使用《しよう》する。

4　アーク溶接等《ようせつとう》（自動溶接《じどうようせつ》を除《のぞ》く。）の作業《さぎょう》に使用《しよう》する溶接棒等《ようせつぼうとう》のホルダーについては，感電《かんでん》の危険《きけん》を防止《ぼうし》するため，必要《ひつよう》な絶縁効力及《ぜつえんこうりょくおよ》び耐熱性《たいねつせい》を有《ゆう》するものを使《し》用《よう》する。

No. 5

建設工事《けんせつこうじ》における施工計画立案《せこうけいかくりつあん》に関《かん》する次《つぎ》の記述《きじゅつ》のうち，**適当《てきとう》でないもの**はどれか。

1　資機材《しきざい》の輸送《ゆそう》では，輸送《ゆそう》ルートの道路状況《どうろじょうきょう》や交通規制等《こうつうきせいなど》を把握《はあく》し，不明《ふめい》な点《てん》がある場合《ばあい》は，道路管理者《どうろかんりしゃ》や所轄警察署《しょかつけいさつしょ》に相談《そうだん》して解決《かいけつ》しておくことが重要《じゅうよう》である。

2　発注者《はっちゅうしゃ》から示《しめ》される工程《こうてい》は，経済的《けいざいてき》な最適工期《さいてきこうき》となっていることから，工程計《こうていけい》画《かく》はこれをもとに作成《さくせい》する。

3　下請負業者《したうけおいぎょうしゃ》の選定《せんてい》にあたっての調査《ちょうさ》では，技術力《ぎじゅつりょく》，過去《かこ》の実績《じっせき》，信用度《しんようど》，労働《ろうどう》力《りょく》の供給《きょうきゅう》，安全管理能力等《あんぜんかんりのうりょくなど》について調査《ちょうさ》することが重要《じゅうよう》である。

4　工事内容《こうじないよう》を十分把握《じゅうぶんはあく》するためには，契約書類《けいやくしょるい》を正確《せいかく》に理解《りかい》し，工事数量《こうじすうりょう》，仕様《しよう》(規格《きかく》)のチェックを行《おこな》う。

No. 6

下図《かず》のネットワーク式工程表《しきこうていひょう》に関《かん》する次《つぎ》の記述《きじゅつ》のうち，**適当《てきとう》でないもの**はどれか。
ただし，図中《ずちゅう》のイベント間《かん》のＡ～Ｋは作業内容《さぎょうないよう》，数字《すうじ》は作業日数《さぎょうにっすう》を示《しめ》す。

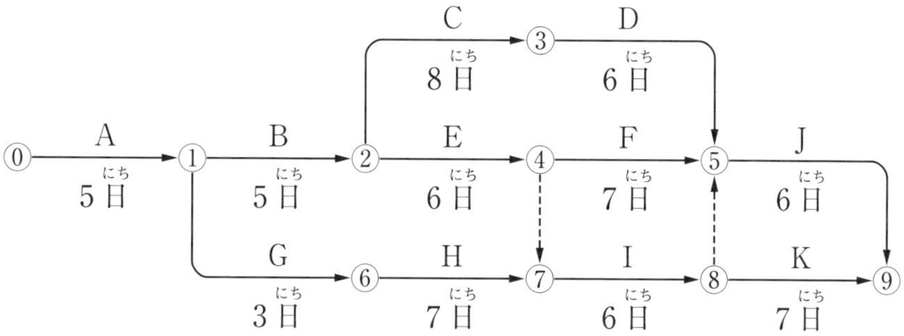

1　クリティカルパスは，⓪→①→②→③→⑤→⑨である。
2　作業《さぎょう》Ｋの最早開始時刻《さいそうかいしじこく》は，工事開始後《こうじかいしご》23 日目《にちめ》である。
3　工事開始《こうじかいし》⓪から工事完了《こうじかんりょう》⑨までの必要日数《ひつようにっすう》（工期《こうき》）は 30 日《にち》である。
4　作業《さぎょう》Ｆが 2 日遅《かおく》れると工期《こうき》は当初工期《とうしょこうき》より 1 日遅《にちおく》れる。

No. 7

特定元方事業者《とくていもとかたじぎょうしゃ》が，その労働者及《ろうどうしゃおよ》び関係請負人《かんけいうけおいにん》の労働者《ろうどうしゃ》の作業《さぎょう》が同一《どういつ》の場所《ばしょ》において行《おこな》われることによって生《しょう》ずる労働災害《ろうどうさいがい》を防止《ぼうし》するために講《こう》ずべき措置等《そちとう》に関《かん》する次《つぎ》の記述《きじゅつ》のうち，労働安全衛生法令上《ろうどうあんぜんえいせいほうれいじょう》，**誤《あやま》っているもの**はどれか。

1　工程《こうてい》に関《かん》する計画並《けいかくなら》びに主要《しゅよう》な機械《きかい》，設備及《せつびおよ》び作業用《さぎょうよう》の仮設《かせつ》の建設物《けんせつぶつ》の配置《はいち》に関《かん》する計画《けいかく》を関係請負人《かんけいうけおいにん》に作成《さくせい》させること。
2　当該作業場所《とうがいさぎょうばしょ》の巡視《じゅんし》を毎作業日《まいさぎょうび》に行《おこな》うこと。
3　関係請負人《かんけいうけおいにん》が行《おこな》う労働者《ろうどうしゃ》の安全又《あんぜんまた》は衛生《えいせい》のための教育《きょういく》に対《たい》する指導及《しどうおよ》び援助《えんじょ》を行《おこな》うこと。
4　発破《はっぱ》が行《おこな》われる場合《ばあい》，火災《かさい》が発生《はっせい》した場合《ばあい》，土砂《どしゃ》の崩壊等《ほうかいとう》が発生《はっせい》した場合又《ばあいまた》は発生《はっせい》するおそれのある場合《ばあい》に行《おこな》う警報《けいほう》を統一的《とういつてき》に定《さだ》めること。

正答　別冊Ｐ.31

No. 8

安全衛生管理体制《あんぜんえいせいかんりたいせい》に関《かん》する次《つぎ》の記述《きじゅつ》のうち，労働安全衛生法令上《ろうどうあんぜんえいせいほうれいじょう》，**誤《あやま》っているもの**はどれか。

1　特定元方事業者《とくていもとかたじぎょうしゃ》は，関係請負人《かんけいうけおいにん》の労働者《ろうどうしゃ》を含《ふく》め，常時《じょうじ》40 人以上《にんいじょう》となる事業場《じぎょうじょう》（ずい道等《どうとう》の建設《けんせつ》，圧気工法《あっきこうほう》による作業《さぎょう》，一定《いってい》の橋梁《きょうりょう》の建設《けんせつ》は除《のぞ》く）では，統括安全《とうかつあんぜん》衛生責任者《えいせいせきにんしゃ》を選任《せんにん》する。

2　労働者数《ろうどうしゃすう》が常時《じょうじ》20 人以上《にんいじょう》となる事業場《じぎょうじょう》（ずい道等《どうとう》の建設《けんせつ》，圧気工法《あっきこうほう》による作《さ》業《ぎょう》，一定《いってい》の橋梁《きょうりょう》の建設《けんせつ》，鉄骨造等《てっこつぞうとう》の建築物《けんちくぶつ》の建設《けんせつ》に限《かぎ》る）で，統括安全衛生責任《とうかつあんぜんえいせいせきにん》者《しゃ》を選任《せんにん》しない事業場《じぎょうじょう》では，店社安全衛生管理者《てんしゃあんぜんえいせいかんりしゃ》を選任《せんにん》する。

3　統括安全衛生責任者《とうかつあんぜんえいせいせきにんしゃ》が選任《せんにん》された事業場《じぎょうじょう》では，元方安全衛生管理者《もとかたあんぜんえいせいかんりしゃ》を選任《せんにん》する。

4　統括安全衛生責任者《とうかつあんぜんえいせいせきにんしゃ》が選任《せんにん》された事業場《じぎょうじょう》の下請事業場《したうけじぎょうじょう》では，安全衛生責任者《あんぜんえいせいせきにんしゃ》を選任《せんにん》する。

No. 9

建設工事《けんせつこうじ》の労働災害防止対策《ろうどうさいがいぼうしたいさく》に関《かん》する次《つぎ》の記述《きじゅつ》のうち，**適当《てきとう》でないもの**はどれか。

1　足場《あしば》，鉄骨等物体《てっこつとうぶったい》の落下《らっか》しやすい高所《こうしょ》には物《もの》を置《お》かないこととするが，やむを得《え》ず足場上《あしばじょう》に材料等《ざいりょうとう》を集積《しゅうせき》する場合《ばあい》には，集中荷重《しゅうちゅうかじゅう》による足場《あしば》のたわみ等《とう》の影響《えいきょう》に留意《りゅうい》する。

2　飛来落下《ひらいらっか》の防止措置《ぼうしそち》として，構造物《こうぞうぶつ》の出入口《でいりぐち》と外部足場《がいぶあしば》が交差《こうさ》する場所《ばしょ》の出入《でいり》口上部《ぐちじょうぶ》には，ネット，シート等《とう》による防護対策《ぼうごたいさく》を講《こう》じる。

3　工事現場《こうじげんば》の周囲《しゅうい》は，必要《ひつよう》に応《おう》じて鋼板《こうはん》，シート又《また》はガードフェンス等《とう》の立入防《たちいりぼう》止施設《ししせつ》を設置《せっち》し，作業員及《さぎょういんおよ》び第三者《だいさんしゃ》に対《たい》して工事区域《こうじくいき》を明確《めいかく》にする。

4　土留《どどめ》・支保工内《しほこうない》の掘削《くっさく》において，切梁《きりばり》，腹起《はらおこ》し等《とう》の部材上《ぶざいじょう》を通路《つうろ》として使用《しよう》する際《さい》は，あらかじめ通路《つうろ》であることを表示《ひょうじ》する。

No. 10

足場《あしば》，作業床《さぎょうゆか》の組立《くみた》て等《とう》に関《かん》する次《つぎ》の記述《きじゅつ》のうち，労働安全衛生法令《ろうどうあんぜんえいせいほうれい》上《じょう》，**誤《あやま》っているもの**はどれか。

1　事業者《じぎょうしゃ》は，高《たか》さ 2m 以上《いじょう》の足場《あしば》（一側足場及《ひとかわあしばおよ》びつり足場《あしば》を除《のぞ》く）で作業《さぎょう》を行《おこな》う場合《ばあい》は，作業床《さぎょうゆか》の床材間《ゆかざいかん》の隙間《すきま》は 5cm 以下《いか》としなければならない。

2　事業者《じぎょうしゃ》は，高《たか》さ 2m 以上《いじょう》の足場《あしば》（一側足場及《ひとかわあしばおよ》びつり足場《あしば》を除《のぞ》く）の床材《ゆかざい》は，転《てん》位《い》し，又《また》は脱落《だつらく》しないように二以上《にいじょう》の支持物《しじぶつ》に取《と》り付《つ》けなければならない。

3　事業者《じぎょうしゃ》は，高《たか》さ 2m 以上《いじょう》の足場組立《あしばくみた》て等《とう》の作業《さぎょう》において，足場材《あしばざい》の緊結《きんけつ》，取《と》り外《はず》し，受渡《うけわた》し等《とう》を行《おこな》うときは，原則《げんそく》，作業床《さぎょうゆか》を設《もう》けなければならない。

4　事業者《じぎょうしゃ》は，高《たか》さ 2m 以上《いじょう》の足場組立《あしばくみた》て等《とう》の作業《さぎょう》において，材料《ざいりょう》，器具《きぐ》，工具等《こうぐとう》

を上《あ》げ，又《また》は下《おろ》すときは，原則《げんそく》，つり綱《つな》，つり袋等《ぶくろとう》を労働者《ろうどうしゃ》に使用《しよう》させなければならない。

No. 11

土工工事《どこうこうじ》における明《あか》り掘削《くっさく》の作業《さぎょう》にあたり事業者《じぎょうしゃ》が講《こう》じなければならない措置《そち》に関《かん》する次《つぎ》の記述《きじゅつ》のうち，労働安全衛生法令上《ろうどうあんぜんえいせいほうれいじょう》，**誤《あやま》っているもの**はどれか。

1　地山《じやま》の崩壊等《ほうかいとう》により労働者《ろうどうしゃ》に危険《きけん》を及《およ》ぼすおそれのあるときは，あらかじめ，土止《どど》め支保工《しほこう》や防護網《ぼうごもう》を設置《せっち》し，労働者《ろうどうしゃ》の立入禁止等《たちいりきんしとう》の措置《そち》を講《こう》じなければならない。(☆)

2　運搬機械《うんぱんきかい》，掘削機械《くっさくきかい》，積込機械《つみこみきかい》の運行経路及《うんこうけいろおよ》び土石《どせき》の積卸《つみおろ》し場所《ばしょ》への出入《でいり》の方《ほう》法《ほう》をあらかじめ定《さだ》めて，これを関係労働者《かんけいろうどうしゃ》に周知《しゅうち》させなければならない。

3　掘削機械《くっさくきかい》，積込機械等《つみこみきかいとう》の使用《しよう》による地中電線路等《ちちゅうでんせんろとう》の損壊《そんかい》により労働者《ろうどうしゃ》に危険《きけん》を及《およ》ぼすおそれのあるときは，これらの機械《きかい》を十分《じゅうぶん》に注意《ちゅうい》して使用《しよう》しなければならない。

4　地山《じやま》の崩壊等《ほうかいとう》による労働者《ろうどうしゃ》の危険《きけん》を防止《ぼうし》するため，点検者《てんけんしゃ》を指名《しめい》してその日《ひ》の作業開始前《さぎょうかいしまえ》，大雨《おおあめ》や中震《ちゅうしん》（震度《しんど》4）以上《いじょう》の地震《じしん》の後《あと》，浮石及《うきいしおよ》びき裂等《れつとう》の状態《じょうたい》を点《てん》検《けん》させなければならない。

No. 12

建設工事《けんせつこうじ》における墜落災害《ついらくさいがい》の防止《ぼうし》に関《かん》する次《つぎ》の記述《きじゅつ》のうち，事業者《じぎょうしゃ》が講《こう》じなければならない措置《そち》として，労働安全衛生法令上《ろうどうあんぜんえいせいほうれいじょう》，**正《ただ》しいもの**はどれか。

1　高《たか》さ 1.5m の作業床《さぎょうゆか》の端《はし》，開口部等《かいこうぶとう》で墜落《ついらく》により労働者《ろうどうしゃ》に危険《きけん》を及《およ》ぼすおそれのある箇所《かしょ》には，囲《かこ》い等《とう》を設《もう》けなければならない。

2　高《たか》さ 1.5m の箇所《かしょ》で囲《かこ》い等《とう》の設置《せっち》が困難又《こんなんまた》は作業上《さぎょうじょう》，囲《かこ》いを取《と》りはずすときは，防網《ぼうもう》を張《は》り，労働者《ろうどうしゃ》に要求性能墜落制止用器具《ようきゅうせいのうついらくせいしようきぐ》を使用《しよう》させなければならない。

3　高《たか》さ 1.5m をこえる箇所《かしょ》での作業《さぎょう》で，労働者《ろうどうしゃ》に要求性能墜落制止用器具等《ようきゅうせいのうついらくせいしようきぐとう》を使用《しよう》させるときは，要求性能墜落制止用器具等《ようきゅうせいのうついらくせいしようきぐとう》の取付設備等《とりつけせつびとう》を設《もう》け，異常《いじょう》の有無《うむ》を随《ずい》時点検《じてんけん》しなければならない。

4　高《たか》さ 1.5m をこえる箇所《かしょ》での作業《さぎょう》では，原則《げんそく》として，労働者《ろうどうしゃ》が安全《あんぜん》に昇降《しょうこう》するための設備等《せつびとう》を設《もう》けなければならない。

正答　別冊P.32

No. 13 コンクリート構造物《こうぞうぶつ》の解体《かいたい》作業《さぎょう》に関《かん》する次《つぎ》の記述《きじゅつ》のうち，**適当《てきとう》でないもの**はどれか。

1　ワイヤソーによる取壊《とりこわ》しでは，切断《せつだん》の進行《しんこう》に合《あ》わせ，適宜《てきぎ》，切断面《せつだんめん》へのキャンバー打《う》ち込《こ》み，ずれ止《ど》めを設置《せっち》する。

2　圧砕機《あっさいき》，大型《おおがた》ブレーカによる取壊《とりこわ》しでは，建設機械《けんせつきかい》と作業員《さぎょういん》の接触《せっしょく》を防止《ぼうし》するため，誘導員《ゆうどういん》を適切《てきせつ》な位置《いち》に配置《はいち》する。

3　カッタによる取壊《とりこわ》しでは，ブレード，防護《ぼうご》カバーを確実《かくじつ》に設置《せっち》し，特《とく》にブレード固定用《こていよう》ナットは十分《じゅうぶん》に締《し》め付《つ》ける。

4　転倒方式《てんとうほうしき》による取壊《とりこわ》しでは，解体《かいたい》する構造物《こうぞうぶつ》に対《たい》して複数本《ふくすうほん》の引《ひ》きワイヤを堅《けん》固《ご》に取付《とりつ》け，引《ひ》きワイヤで加力《かりょく》する際《さい》は，繰《く》り返《かえ》して荷重《かじゅう》をかけるようにして行《おこな》う。

No. 14 道路《どうろ》のアスファルト舗装《ほそう》の品質管理《ひんしつかんり》に関《かん》する次《つぎ》の記述《きじゅつ》のうち，**適当《てきとう》でないもの**はどれか。

1　作業員《さぎょういん》や施工機械等《せこうきかいなど》の組合《くみあわ》せを変更《へんこう》する場合《ばあい》は，試験《しけん》の頻度《ひんど》を増《ま》し，新《あら》たな組《くみ》合《あわ》せによる品質《ひんしつ》の確認《かくにん》を行《おこな》う。

2　管理《かんり》の合理化《ごうりか》を図《はか》るために，密度《みつど》や含水比等《がんすいひなど》を非破壊《ひはかい》で測定《そくてい》する機器《きき》を用《もち》いたり，作業《さぎょう》と同時《どうじ》に管理《かんり》できる敷均《しきなら》し機械《きかい》や締固《しめかた》め機械等《きかいなど》を活用《かつよう》することが望《のぞ》ましい。

3　各工程《かくこうてい》の進捗《しんちょく》に伴《ともな》い，管理《かんり》の限界《げんかい》を十分満足《じゅうぶんまんぞく》できることが明確《めいかく》になれば，品質《ひんしつ》管理《かんり》に関《かん》する試験項目《しけんこうもく》を減《へ》らすことができる。

4　管理結果《かんりけっか》を工程能力図《こうていのうりょくず》にプロットし，その結果《けっか》が管理《かんり》の限界《げんかい》をはずれた場合《ばあい》，あるいは一方《いっぽう》に片寄《かたよ》っている等《など》の結果《けっか》が生《しょう》じた場合《ばあい》，直《ただ》ちに試験頻度《しけんひんど》を増《ふ》やして異常《いじょう》の有無《うむ》を確認《かくにん》する。

No. 15 路床《ろしょう》や路盤《ろばん》の品質管理《ひんしつかんり》に用《もち》いられる試験方法《しけんほうほう》に関《かん》する次《つぎ》の記述《きじゅつ》のうち，**適当《てきとう》でないもの**はどれか。

1　平板載荷試験《へいばんさいかしけん》は，地盤支持力係数《じばんしじりょくけいすう》K 値《ち》を求《もと》め，路床《ろしょう》や路盤《ろばん》の支持力《しじりょく》を把握《はあく》することを目的《もくてき》として実施《じっし》する。

2　修正《しゅうせい》CBR 試験《しけん》は，所要《しょよう》の締固《しめかた》め度《ど》における路盤材料《ろばんざいりょう》の強度特性《きょうどとくせい》を知《し》り，材料選《ざいりょうせん》定《てい》の指標《しひょう》として利用《りよう》することを目的《もくてき》として実施《じっし》する。

3　プルーフローリング試験《しけん》は，施工時《せこうじ》の転圧機械《てんあつきかい》と同等以上《どうとういじょう》のもので締固《しめかた》めの施《せ》工途中《こうとちゅう》に数回走行《すうかいそうこう》し，目視《もくし》でたわみ量《りょう》をチェックして，不良箇所《ふりょうかしょ》を調《しら》べることを

目的《もくてき》として実施《じっし》する。

4　RIによる密度《みつど》の測定《そくてい》は，現場《げんば》における締《し》め固《かた》められた路床《ろしょう》・路盤材料《ろばんざいりょう》の密度及《みつどおよ》び含水比《がんすいひ》を求《もと》めることを目的《もくてき》として実施《じっし》する。

No. 16　JIS A 5308に準拠《じゅんきょ》したレディーミクストコンクリートの受入《うけい》れ検査《けんさ》に関《かん》する次《つぎ》の記述《きじゅつ》のうち，**適当《てきとう》なもの**はどれか。

1　スランプ試験《しけん》を行《おこな》ったところ，スランプ12.0 cmの指定《してい》に対《たい》して14.5 cmであったため，合格《ごうかく》と判定《はんてい》した。

2　空気量試験《くうきりょうしけん》を行《おこな》ったところ，空気量《くうきりょう》4.5％の指定《してい》に対《たい》して6.5％であったため，合格《ごうかく》と判定《はんてい》した。

3　塩化物含有量《えんかぶつがんゆうりょう》の検査《けんさ》を行《おこな》ったところ，塩化物《えんかぶつ》イオン（Cl^-）量《りょう》として1.2 kg/m^3であったため，合格《ごうかく》と判定《はんてい》した。

4　アルカリシリカ反応抑制対策《はんのうよくせいたいさく》について，コンクリート中《ちゅう》のアルカリ総量《そうりょう》が4.0kg/m^3であったため，合格《ごうかく》と判定《はんてい》した。

No. 17　建設工事《けんせつこうじ》に伴《ともな》う環境保全対策《かんきょうほぜんたいさく》に関《かん》する次《つぎ》の記述《きじゅつ》のうち，**適当《てきとう》でないもの**はどれか。

1　建設工事周辺地域《けんせつこうじしゅうへんちいき》の生活環境《せいかつかんきょう》を損《そこ》なわないように，住民《じゅうみん》の生活《せいかつ》に影響《えいきょう》の少《すく》ない時間帯《じかんたい》を作業時間《さぎょうじかん》とすることや，建設機械《けんせつきかい》の整備《せいび》や取扱《とりあつか》いを適正《てきせい》にする。

2　工事用車両《こうじようしゃりょう》による沿道交通《えんどうこうつう》への障害《しょうがい》を防止《ぼうし》するためには，工事現場周辺《こうじげんばしゅうへん》の道路《どうろ》における交通量《こうつうりょう》，通学路等《つうがくろなど》の有無《うむ》，迂回路《うかいろ》の状況《じょうきょう》について事前《じぜん》に十分調査《じゅうぶんちょうさ》する。

3　遮音壁《しゃおんへき》は，音《おと》が直進《ちょくしん》する性質《せいしつ》を利用《りよう》して騒音低減《そうおんていげん》を図《はか》ろうとするもので，遮音《しゃおん》壁《へき》の設置《せっち》長《なが》さに関係《かんけい》なく効果《こうか》がある。

4　土砂《どしゃ》を運搬《うんぱん》する時《とき》は，飛散《ひさん》を防止《ぼうし》するために荷台《にだい》のシート掛《が》けを行《おこな》うと共《とも》に，作業場《さぎょうば》から公道《こうどう》に出《で》る際《さい》には土砂《どしゃ》の散逸防止《さんいつぼうし》に努《つと》める。

No. 18　建設工事《けんせつこうじ》における土壌汚染対策《どじょうおせんたいさく》に関《かん》する次《つぎ》の記述《きじゅつ》のうち，**適当《てきとう》でないもの**はどれか。

1　地盤汚染対策工事《じばんおせんたいさくこうじ》においては，汚染土壌対策《おせんどじょうたいさく》の作業《さぎょう》エリアを区分《くぶん》し，作業《さぎょう》エリアと場外《じょうがい》の間《あいだ》に除洗区域《じょせんくいき》を設置《せっち》し，作業服等《さぎょうふくなど》の着替《きが》えを行《おこな》う。

2　地盤汚染対策工事《じばんおせんたいさくこうじ》においては，工事車両《こうじしゃりょう》のタイヤ等《など》に汚染土壌《おせんどじょう》が付着《ふちゃく》し，場外《じょうがい》に出《で》ることのないように，車両《しゃりょう》の出口《でぐち》にタイヤ洗浄装置及《せんじょうそうちおよ》び車体《しゃたい》の洗浄施設《せんじょうしせつ》を備《そな》える。

正答　別冊P.35

3　地盤《じばん》汚染《おせん》対策《たいさく》工事《こうじ》における屋外《おくがい》掘削《くっさく》の場合《ばあい》，飛散《ひさん》防止《ぼうし》ネットを設置《せっち》し，散水《さんすい》して飛散《ひさん》を防止《ぼうし》する。

4　汚染《おせん》土壌《どじょう》の運搬《うんぱん》の過程《かてい》において，汚染《おせん》土壌《どじょう》から岩《いわ》，コンクリートくずその他《た》の物《もの》を分別《ぶんべつ》する。

No. 19

「建設《けんせつ》工事《こうじ》に係《かか》る資材《しざい》の再資源化等《さいしげんかとう》に関《かん》する法律《ほうりつ》」（建設《けんせつ》リサイクル法《ほう》）に関《かん》する次《つぎ》の記述《きじゅつ》のうち，**誤《あやま》っているもの**はどれか。

1　再資源化《さいしげんか》とは，分別解体等《ぶんべつかいたいとう》に伴《ともな》って生《しょう》じた建設《けんせつ》資材《しざい》廃棄物《はいきぶつ》について，資材《しざい》や原材料《げんざいりょう》又《また》は燃焼《ねんしょう》により熱《ねつ》を得《え》ることに利用《りよう》することができる状態《じょうたい》にする行為《こうい》をいう。

2　伐採木《ばっさいぼく》，抜根材《ばっこんざい》，梱包材《こんぽうざい》は，建設《けんせつ》リサイクル法《ほう》による分別解体等《ぶんべつかいたいとう》・再資源化等《さいしげんかとう》の義務付《ぎむづ》けの対象《たいしょう》となる。

3　都道府県《とどうふけん》は，建設《けんせつ》廃棄物《はいきぶつ》のリサイクルが十分《じゅうぶん》に推進《すいしん》できない地域《ちいき》が存在《そんざい》する場合《ばあい》，対象《たいしょう》建設《けんせつ》工事《こうじ》の規模《きぼ》の基準《きじゅん》について，条例《じょうれい》により上乗《うわの》せ基準《きじゅん》を設定《せってい》することができる。

4　解体《かいたい》工事《こうじ》における技術《ぎじゅつ》管理者《かんりしゃ》は，分別解体《ぶんべつかいたい》の機械《きかい》操作等《そうさとう》について，解体《かいたい》工事《こうじ》の施工《せこう》に従事《じゅうじ》する他《た》の者《もの》の監督《かんとく》を行《おこな》わなければならない。

No. 20

「廃棄物《はいきぶつ》の処理《しょり》及《およ》び清掃《せいそう》に関《かん》する法律《ほうりつ》」に関《かん》する次《つぎ》の記述《きじゅつ》のうち，**誤《あやま》っているもの**はどれか。

1　廃棄物《はいきぶつ》が地下《ちか》にある土地《とち》で，指定《してい》区域《くいき》として指定《してい》された土地《とち》の形質《けいしつ》を変更《へんこう》しようとする者《もの》は，原則《げんそく》として市町村長《しちょうそんちょう》に届《とど》け出《で》なければならない。

2　建設業《けんせつぎょう》に係《かか》るコンクリートの破片《はへん》（石綿《せきめん》含有《がんゆう》産業《さんぎょう》廃棄物《はいきぶつ》を除《のぞ》く。）の再生《さいせい》を行《おこな》う処理《しょり》施設《しせつ》において，保管《ほかん》できる当該《とうがい》産業《さんぎょう》廃棄物《はいきぶつ》の数量《すうりょう》は，当該《とうがい》施設《しせつ》の処理《しょり》能力《のうりょく》により決《き》まる。

3　事業者《じぎょうしゃ》は，一連《いちれん》の処理《しょり》が適正《てきせい》に行《おこな》われるように，当該《とうがい》産業《さんぎょう》廃棄物《はいきぶつ》の処理《しょり》の状況《じょうきょう》に関《かん》する確認《かくにん》を行《おこな》わなければならない。

4　建設《けんせつ》工事《こうじ》に伴《ともな》い生《しょう》ずる産業《さんぎょう》廃棄物《はいきぶつ》について，当該《とうがい》建設《けんせつ》工事《こうじ》の下請負人《したうけおいにん》が行《おこな》う保《ほ》管《かん》に関《かん》しては，当該《とうがい》下請負人《したうけおいにん》も事業者《じぎょうしゃ》とみなされる。

※問題番号《もんだいばんごう》No.21～No.35までの15問題《もんだい》は，**施工管理法《せこうかんりほう》（応用能力《おうようのうりょく》）の必須問題《ひっすもんだい》**ですから全問題《ぜんもんだい》を解答《かいとう》してください。

No. 21

仮設工事計画立案《かせつこうじけいかくりつあん》の留意事項《りゅういじこう》に関《かん》する下記《かき》の文章中《ぶんしょうちゅう》の［　　］の（イ）～（ニ）に当《あ》てはまる語句《ごく》の組合《くみあわ》せとして，**適当《てきとう》なもの**は次《つぎ》のうちどれか。

・仮設工事計画《かせつこうじけいかく》では，取扱《とりあつか》いが容易《ようい》で［（イ）］を心《こころ》がけると共《とも》に，作業員不足《さぎょういんぶそく》を考慮《こうりょ》し，省力化《しょうりょくか》が図《はか》れる計画《けいかく》とする。
・仮設工事計画《かせつこうじけいかく》では，材料《ざいりょう》は［（ロ）］を使用《しよう》し，可能《かのう》な限《かぎ》り［（ハ）］を統一《とういつ》する。また，他工事《たこうじ》にも転用《てんよう》できるような計画《けいかく》とする。
・仮設工事計画《かせつこうじけいかく》では，仮設物《かせつぶつ》の運搬《うんぱん》，設置《せっち》，運用《うんよう》，メンテナンス，撤去等《てっきょなど》の面《めん》から［（ニ）］に考慮《こうりょ》する。

	（イ）	（ロ）	（ハ）	（ニ）
1	分散化《ぶんさんか》	市販品《しはんひん》	納期《のうき》	部分的《ぶぶんてき》
2	分散化《ぶんさんか》	特注品《とくちゅうひん》	規格《きかく》	部分的《ぶぶんてき》
3	ユニット化《か》	特注品《とくちゅうひん》	納期《のうき》	総合的《そうごうてき》
4	ユニット化《か》	市販品《しはんひん》	規格《きかく》	総合的《そうごうてき》

No. 22

工事《こうじ》の施工《せこう》に伴《ともな》う関係機関《かんけいきかん》への届出及《とどけでおよ》び許可《きょか》に関《かん》する下記《かき》の①～④の記述《きじゅつ》のうち，**適当《てきとう》なものの数《かず》**は次《つぎ》のうちどれか。

①打設《だせつ》しようとするコンクリート構造物《こうぞうぶつ》において，型枠支保工《かたわくしほこう》の支柱高《しちゅうたか》さが3.5m以上《いじょう》の場合《ばあい》は，所轄《しょかつ》の労働基準監督署長《ろうどうきじゅんかんとくしょちょう》に工事《こうじ》の計画《けいかく》を届《とど》け出《で》なければならない。
②道路上《どうろじょう》に工事用板囲《こうじよういたがこい》，足場《あしば》，詰所《つめしょ》その他《た》の工事用施設《こうじようしせつ》を設置《せっち》し，継続《けいぞく》して道路《どうろ》を使用《しよう》する者《もの》は，道路管理者《どうろかんりしゃ》から道路占用許可《どうろせんようきょか》を受《う》けなければならない。
③特殊《とくしゅ》な車両《しゃりょう》にあたる自走式建設機械《じそうしきけんせつきかい》を通行《つうこう》させようとする者《もの》は，所轄《しょかつ》の警察署長《けいさつしょちょう》に申請《しんせい》し，特殊車両《とくしゅしゃりょう》の通行許可《つうこうきょか》を受《う》けなければならない。
④つり足場又《あしばまた》は張出《はりだ》し足場以外《あしばいがい》の足場《あしば》で，高《たか》さが10m以上《いじょう》，組立《くみた》てから解体《かいたい》までの期間《きかん》が60日以上《にちいじょう》の場合《ばあい》は，市町村長《しちょうそんちょう》に工事《こうじ》の計画《けいかく》を届《とど》け出《で》なければならない。

1　1つ
2　2つ
3　3つ
4　4つ

正答　別冊P.37

No. 23 土留《どど》め工《こう》の施工《せこう》に関《かん》する下記《かき》の文章中《ぶんしょうちゅう》の［　　　］の（イ）～（ニ）に当《あ》てはまる語句《ごく》の組合《くみあわ》せとして，**適当《てきとう》なもの**は次《つぎ》のうちどれか。

・親杭横矢板壁《おやぐいよこやいたかべ》は，壁面《へきめん》に［　(イ)　］がないため，地下水《ちかすい》の状況《じょうきょう》に注意《ちゅうい》を払《はら》い，必要《ひつよう》に応《おう》じて地下水位低下工法等《ちかすいいていかこうほうなど》の検討《けんとう》を行《おこな》う。
・鋼杭《こうぐい》の現場継手《げんばつぎて》を溶接《ようせつ》で行《おこな》う場合《ばあい》，原則《げんそく》として［　(ロ)　］を用《もち》いる。
・油圧圧入工法《ゆあつあつにゅうこうほう》を硬質地盤《こうしつじばん》に適用《てきよう》する場合《ばあい》で，ウォータジェット等《など》を併用《へいよう》する際《さい》には，［　(ハ)　］に注意《ちゅうい》する。
・親杭及《おやぐいおよ》び鋼矢板《こうやいた》の割付《わりつ》けは，隅角部《ぐうかくぶ》の［　(ニ)　］や隅矢板等《すみやいたなど》の形状《けいじょう》を考慮《こうりょ》して計画《けいかく》を行《おこな》う。

	(イ)	(ロ)	(ハ)	(ニ)
1	止水性《しすいせい》	アーク溶接《ようせつ》	地盤《じばん》の緩《ゆる》み	杭配置《くいはいち》
2	透水性《とうすいせい》	アーク溶接《ようせつ》	騒音《そうおん》・振動《しんどう》	杭深度《くいしんど》
3	透水性《とうすいせい》	加圧溶接《かあつようせつ》	騒音《そうおん》・振動《しんどう》	杭深度《くいしんど》
4	止水性《しすいせい》	加圧溶接《かあつようせつ》	地盤《じばん》の緩《ゆる》み	杭配置《くいはいち》

No. 24 施工計画《せこうけいかく》における建設機械《けんせつきかい》の選定《せんてい》に関《かん》する下記《かき》の①～④の４つの記述《きじゅつ》のうち，**適当《てきとう》なもののみを全《すべ》てあげている組合《くみあわ》せ**は次《つぎ》のうちどれか。

①組合《くみあわ》せ建設機械《けんせつきかい》の選定《せんてい》においては，従作業《じゅうさぎょう》の施工能力《せこうのうりょく》は主作業《しゅさぎょう》の施工能力《せこうのうりょく》と同等《どうとう》，あるいは幾分高《いくぶんたか》めにする。
②組合《くみあわ》せ建設機械《けんせつきかい》の選定《せんてい》においては，主要機械《しゅようきかい》の能力《のうりょく》を最大限《さいだいげん》に発揮《はっき》させるため作《さ》業体系《ぎょうたいけい》を並列化《へいれつか》する。
③建設機械《けんせつきかい》の選定《せんてい》においては，作業量《さぎょうりょう》をできるだけ平滑化《へいかつか》し，施工期間中《せこうきかんちゅう》の使用機《しようき》械《かい》の必要量《ひつようりょう》が大《おお》きく変動《へんどう》しないように計画《けいかく》するのが原則《げんそく》である。
④建設機械《けんせつきかい》の選定《せんてい》においては，機械《きかい》の能力《のうりょく》・性能《せいのう》，作業場《さぎょうば》の面積等《めんせきなど》により最《もっと》も適《てき》したものを選定《せんてい》し，その機械《きかい》が平均能率《へいきんのうりつ》を発揮《はっき》できる施工法《せこうほう》を選定《せんてい》する。

1　①②
2　③④
3　①②③
4　②③④

No. 25

工程管理《こうていかんり》に用《もち》いる工程表《こうていひょう》に関《かん》する下記《かき》の①～④の４つの記述《きじゅつ》のうち，**適当《てきとう》なものの数《かず》**は次《つぎ》のうちどれか。

①ガントチャート及《およ》びバーチャートは，一般《いっぱん》に広《ひろ》く用《もち》いられている横線式《よこせんしき》の工程表《こうていひょう》であり，バーチャートはガントチャートから発展《はってん》したものである。

②ガントチャートは，各作業《かくさぎょう》を施工《せこう》の順序《じゅんじょ》に矢印《やじるし》で左《ひだり》から右《みぎ》に結《むす》び，工事全体《こうじぜんたい》を網状《もうじょう》の矢線図《やせんず》で表《あらわ》したもので，工程遅延《こうていちえん》の処置《しょち》ではどの作業《さぎょう》を早《はや》めたら良《よ》いかを的確《てきかく》に判断《はんだん》できる。

③バーチャートは，作業《さぎょう》の流《なが》れが左《ひだり》から右《みぎ》に移行《いこう》していくことで，進捗度合《しんちょくどあ》いがわかるが，各作業《かくさぎょう》の所要日数《しょようにっすう》がわからない。

④バーチャートの作成《さくせい》には，全作業《ぜんさぎょう》が工期内《こうきない》に完成《かんせい》できるように，各作業《かくさぎょう》の所要時間《しょようじかん》と施工期間《せこうきかん》，施工順序《せこうじゅんじょ》を勘案《かんあん》のうえ，各作業《かくさぎょう》を工程表《こうていひょう》に割《わ》り付《つ》ける。

1　1つ
2　2つ
3　3つ
4　4つ

No. 26

工程管理《こうていかんり》を行《おこな》う上《うえ》で，品質《ひんしつ》・工程《こうてい》・原価《げんか》に関《かん》する下記《かき》の文章中《ぶんしょうちゅう》の［　　］の（イ）～（ニ）に当《あ》てはまる語句《ごく》の組合《くみあわ》せとして，**適当《てきとう》なもの**は次《つぎ》のうちどれか。

・品質《ひんしつ》と原価《げんか》との関係《かんけい》は，悪《わる》い品質《ひんしつ》のものは一般的《いっぱんてき》に安《やす》くでき，良《よ》い品質《ひんしつ》のものは原価《げんか》が［　(イ)　］なる。
・品質《ひんしつ》と工程《こうてい》との関係《かんけい》は，品質《ひんしつ》の良《よ》いものは一般的《いっぱんてき》に時間《じかん》がかかり，施工《せこう》を速《はや》めて突貫作業《とっかんさぎょう》をすると品質《ひんしつ》は［　(ロ)　］なる。
・工程《こうてい》と原価《げんか》との関係《かんけい》は，施工《せこう》を速《はや》めていくと原価《げんか》は段々安《だんだんやす》くなるが，さらに施工《せこう》を速《はや》めて突貫作業《とっかんさぎょう》を行《おこな》うと原価《げんか》は［　(ハ)　］なる。
・品質《ひんしつ》・工程《こうてい》・原価《げんか》との間《あいだ》には相反《あいはん》する性質《せいしつ》があり，［　(ニ)　］して計画《けいかく》することが大切《たいせつ》である。

	（イ）	（ロ）	（ハ）	（ニ）
1	高《たか》く	悪《わる》く	逆《ぎゃく》に高《たか》く	これらを良《よ》く調整《ちょうせい》
2	さらに安《やす》く	良《よ》く	ますます安《やす》く	これらを良《よ》く調整《ちょうせい》
3	高《たか》く	悪《わる》く	逆《ぎゃく》に高《たか》く	原価《げんか》を最《もっと》も優先《ゆうせん》
4	さらに安《やす》く	良《よ》く	ますます安《やす》く	原価《げんか》を最《もっと》も優先《ゆうせん》

正答　別冊 P.39

No. 27

工程管理曲線《こうていかんりきょくせん》（バナナ曲線《きょくせん》）を用《もち》いた工程管理《こうていかんり》に関《かん》する下記《かき》の①～④の４つの記述《きじゅつ》のうち，**適当《てきとう》なもののみを全《すべ》てあげている組合《くみあわ》せ**は次《つぎ》のうちどれか。

①予定工程曲線《よていこうていきょくせん》が許容限界内《きょようげんかいない》に入《はい》っているときは，Ｓ形工程曲線《がたこうていきょくせん》の中期《ちゅうき》における工《こう》程《てい》をできるだけ急《きゅう》な勾配《こうばい》になるように工程《こうてい》を調整《ちょうせい》する。
②実施工程曲線《じっしこうていきょくせん》が予定工程曲線《よていこうていきょくせん》の下方限界《かほうげんかい》に接近《せっきん》しているときは，できるだけこの状態《じょうたい》を維持《いじ》するように工程《こうてい》を進行《しんこう》させる。
③予定工程曲線《よていこうていきょくせん》が許容限界《きょようげんかい》からはずれるときには，一般《いっぱん》に不合理《ふごうり》な工程計画《こうていけいかく》と考《かんが》えられるので，再検討《さいけんとう》を要《よう》する。
④実施工程曲線《じっしこうていきょくせん》がバナナ曲線《きょくせん》の上方限界《じょうほうげんかい》を超《こ》えたときは，工程《こうてい》が進《すす》み過《す》ぎているので，必要以上《ひつよういじょう》に大型機械《おおがたきかい》を入《い》れている等《など》，不経済《ふけいざい》になっていないか検討《けんとう》する。

1　①②
2　①③
3　②④
4　③④

No. 28

車両系建設機械《しゃりょうけいけんせつきかい》を用《もち》いる作業《さぎょう》の安全確保《あんぜんかくほ》のために事業者《じぎょうしゃ》が講《こう》じなければならない措置《そち》に関《かん》する下記《かき》の①～④の４つの記述《きじゅつ》のうち，労働安全《ろうどうあんぜん》衛生法令上《えいせいほうれいじょう》，**正《ただ》しいものの数《かず》**は次《つぎ》のうちどれか。

①車両系建設機械《しゃりょうけいけんせつきかい》は路肩《ろかた》や傾斜地等《けいしゃちとう》における転倒又《てんとうまた》は転落《てんらく》に備《そな》え，転倒時保護構造《てんとうじほごこうぞう》を有《ゆう》し，かつ，シートベルトを備《そな》えたもの以外《いがい》の機械《きかい》を使用《しよう》しないように努《つと》めなければならない。
②車両系建設機械《しゃりょうけいけんせつきかい》のうち，コンクリートポンプ車《しゃ》における輸送管等《ゆそうかんとう》の組立《くみた》てや解体《かいたい》では，作業方法《さぎょうほうほう》や手順《てじゅん》を定《さだ》めて労働者《ろうどうしゃ》に周知《しゅうち》させ，かつ，作業主任者《さぎょうしゅにんしゃ》を指名《しめい》して直接指揮《ちょくせつしき》にあたらせなければならない。
③車両系建設機械《しゃりょうけいけんせつきかい》のブーム，アーム等《とう》を上《あ》げ，その下《した》で修理《しゅうり》や点検等《てんけんとう》の作業《さぎょう》を行《おこな》うときは，不意《ふい》な降下防止《こうかぼうし》のため，労働者《ろうどうしゃ》に安全支柱《あんぜんしちゅう》や安全《あんぜん》ブロック等《とう》を使用《しよう》させなければならない。
④車両系建設機械《しゃりょうけいけんせつきかい》の運転《うんてん》について誘導者《ゆうどうしゃ》を置《お》くときは，一定《いってい》の合図《あいず》を定《さだ》め，誘導者《ゆうどうしゃ》に当該合図《とうがいあいず》を行《おこな》わせなければならない。

1　1つ
2　2つ

3　3つ

4　4つ

No. 29　移動式《いどうしき》クレーンの安全確保《あんぜんかくほ》に関《かん》する措置《そち》のうち，下記《かき》の文章中《ぶんしょうちゅう》の［　　　］の（イ）～（ニ）に当《あ》てはまる語句《ごく》の組合《くみあわ》せとして，クレーン等安全規則上《とうあんぜんきそくじょう》，**正《ただ》しいもの**は次《つぎ》のうちどれか。

・クレーン機能付《きのうつ》き油圧《ゆあつ》ショベルを小型移動式《こがたいどうしき》クレーンとして使用《しよう》する場合《ばあい》，車両《しゃりょう》系建設機械《けいけんせつきかい》の運転技能講習《うんてんぎのうこうしゅう》を修了《しゅうりょう》している者《もの》を，クレーン作業《さぎょう》の運転者《うんてんしゃ》として従《じゅう》事《じ》させることが［　(イ)　］。

・移動式《いどうしき》クレーンの定格荷重《ていかくかじゅう》とは，フックやグラブバケット等《とう》のつり具《ぐ》の重量《じゅうりょう》を［　(ロ)　］荷重《かじゅう》をいい，ブームの傾斜角《けいしゃかく》や長《なが》さにより変化《へんか》する。

・移動式《いどうしき》クレーンを用《もち》いて作業《さぎょう》を行《おこな》うときは，［　(ハ)　］に，巻過防止装置《まきすぎぼうしそうち》，過負荷《かふか》警報装置等《けいほうそうちとう》の機能《きのう》について点検《てんけん》を行《おこな》わなければならない。

・移動式《いどうしき》クレーンを用《もち》いる作業《さぎょう》においては，移動式《いどうしき》クレーンの運転者《うんてんしゃ》が単独《たんどく》で作業《さぎょう》する場合《ばあい》を除《のぞ》き，［　(ニ)　］を行《おこな》うものを指名《しめい》しなければならない。

	(イ)	(ロ)	(ハ)	(ニ)
1	できる	含《ふく》む	その作業《さぎょう》の前日《ぜんじつ》まで	合図《あいず》
2	できない	含《ふく》む	その日《ひ》の作業《さぎょう》を開始《かいし》する前《まえ》	監視《かんし》
3	できる	含《ふく》まない	その作業《さぎょう》の前日《ぜんじつ》まで	監視《かんし》
4	できない	含《ふく》まない	その日《ひ》の作業《さぎょう》を開始《かいし》する前《まえ》	合図《あいず》

No. 30　建設工事《けんせつこうじ》における埋設物《まいせつぶつ》ならびに架空線等上空施設《かくうせんなどじょうくうしせつ》の保安措置《ほあんそち》に関《かん》する下記《かき》の①～④の４つの記述《きじゅつ》のうち，**適当《てきとう》なもののみを全《すべ》てあげている組合《くみあわ》せ**は次《つぎ》のうちどれか。

①施工者《せこうしゃ》は，管理者《かんりしゃ》の不明《ふめい》な埋設物《まいせつぶつ》を発見《はっけん》した場合《ばあい》，必要《ひつよう》に応《おう》じて専門家《せんもんか》の立会《たちあ》いを求《もと》め，埋設物《まいせつぶつ》に関《かん》する調査《ちょうさ》を再度行《さいどおこな》い，安全《あんぜん》を確認《かくにん》した後《のち》に措置《そち》しなければならない。

②架空線等上空施設《かくうせんなどじょうくうしせつ》に近接《きんせつ》して工事《こうじ》を行《おこな》う場合《ばあい》は，必《かなら》ず発注者《はっちゅうしゃ》に施工方法《せこうほうほう》の確認《かくにん》や立会《たちあ》いを求《もと》める。

③架空線等上空施設《かくうせんなどじょうくうしせつ》に近接《きんせつ》した工事《こうじ》の施工《せこう》にあたっては，架空線等《かくうせんなど》と機械《きかい》，工具《こうぐ》，材料等《ざいりょうなど》について安全《あんぜん》な離隔《りかく》を確保《かくほ》する。

④施工者《せこうしゃ》は，試掘等《しくつなど》によって埋設物《まいせつぶつ》を確認《かくにん》した場合《ばあい》においては，その位置《いち》（平面《へいめん》・深《ふか》さ）や周辺地質《しゅうへんちしつ》の状況等《じょうきょうなど》の情報《じょうほう》を埋設物《まいせつぶつ》の管理者等《かんりしゃなど》に報告《ほうこく》しなければならない。

正答　別冊 P.40

1　①②

2　②③

3　①③④

4　②③④

No. 31

酸素欠乏等《さんそけつぼうとう》のおそれのある工事《こうじ》を行《おこな》う際《さい》，事業者《じぎょうしゃ》が講《こう》じなければならない措置《そち》に関《かん》する下記《かき》の①～④の４つの記述《きじゅつ》のうち，酸素欠乏症等防《さんそけつぼうしょうとうぼう》止規則上《しきそくじょう》，**正《ただ》しいものの数《かず》**は次《つぎ》のうちどれか。

①第一種酸素欠乏危険作業《だいいっしゅさんそけつぼうきけんさぎょう》に係《かか》る業務《ぎょうむ》に労働者《ろうどうしゃ》を就《つ》かせるときは，作業指揮者《さぎょうしきしゃ》に対《たい》し，酸素欠乏症《さんそけつぼうしょう》の防止等《ぼうしとう》に関《かん》する特別《とくべつ》の教育《きょういく》を行《おこな》わなければならない。

②硫化水素《りゅうかすいそ》の発生《はっせい》のおそれがある第二種酸素欠乏危険作業《だいにしゅさんそけつぼうきけんさぎょう》に係《かか》る作業場《さぎょうば》では，酸素《さんそ》濃度及《のうどおよ》び硫化水素濃度《りゅうかすいそのうど》を測定《そくてい》した上《うえ》で作業《さぎょう》に着手《ちゃくしゅ》しなければならない。

③労働者《ろうどうしゃ》が酸素欠乏症等《さんそけつぼうしょうとう》にかかって転落《てんらく》するおそれがあるときは，労働者《ろうどうしゃ》に要求性《ようきゅうせい》能墜落制止用器具《のうついらくせいしようきぐ》その他《た》の命綱《いのちづな》を使用《しよう》させなければならない。

④労働者《ろうどうしゃ》が酸素欠乏症等《さんそけつぼうしょうとう》にかかったときは遅滞《ちたい》なく，その旨《むね》を当該作業《とうがいさぎょう》を行《おこな》う場所《ばしょ》を管轄《かんかつ》する労働基準監督署長《ろうどうきじゅんかんとくしょちょう》に報告《ほうこく》しなければならない。

1　1つ

2　2つ

3　3つ

4　4つ

No. 32

品質管理《ひんしつかんり》の測定値《そくていち》をプロットしたときの管理図《かんりず》の点《てん》の並《なら》び方《かた》に関《かん》する下記《かき》の①～④の記述《きじゅつ》のうち，**適当《てきとう》なもののみを全《すべ》てあげている組合《くみあわ》せ**は次《つぎ》のうちどれか。

①点《てん》が管理限界線内《かんりげんかいせんない》の範囲《はんい》にあり，中心線《ちゅうしんせん》の近《ちか》くに全《すべ》ての点《てん》が集《あつ》まる場合《ばあい》は，品質《ひんしつ》が安定《あんてい》しているので改善《かいぜん》の必要《ひつよう》はない。

②点《てん》が管理限界線内《かんりげんかいせんない》の範囲《はんい》にあっても，管理限界線《かんりげんかいせん》に接近《せっきん》してしばしば現《あら》われたら，工程《こうてい》に異常《いじょう》があったと考《かんが》えられる。

③点《てん》が管理限界線内《かんりげんかいせんない》の範囲《はんい》にあり，連続《れんぞく》して上昇又《じょうしょうまた》は下降《かこう》するような傾向《けいこう》がない場《ば》合《あい》は，品質《ひんしつ》が安定《あんてい》しているので改善《かいぜん》の必要《ひつよう》はない。

④点《てん》が管理限界線内《かんりげんかいせんない》の範囲《はんい》にあっても，中心線《ちゅうしんせん》に対《たい》して，上下《じょうげ》どちらか一方《いっぽう》の側《がわ》に並《なら》んでいた場合《ばあい》は，工程《こうてい》に異常《いじょう》があったと考《かんが》えられる。

1　①②
2　②④
3　①③④
4　②③④

No. 33

情報《じょうほう》化《か》施工《せこう》におけるTS（トータルステーション）・GNSS（全球測位《ぜんきゅうそくい》衛星《えいせい》システム）を用《もち》いた盛土《もりど》の締固《しめかた》め管理《かんり》に関《かん》する下記《かき》の文章中《ぶんしょうちゅう》の［　　］の（イ）～（ニ）に当《あ》てはまる語句《ごく》の組合《くみあわ》せとして，**適当《てきとう》なもの**は次《つぎ》のうちどれか。

・TS・GNSSを用《もち》いて締固《しめかた》め機械《きかい》の走行記録《そうこうきろく》をもとに，盛土《もりど》の締固《しめかた》め管理《かんり》をする方法《ほうほう》は，［（イ）］の一《ひと》つである。
・TS・GNSSを用《もち》いた盛土《もりど》の締固《しめかた》め管理《かんり》は，締固《しめかた》め機械《きかい》の走行位置《そうこういち》をリアルタイムに計測《けいそく》し，［（ロ）］を確認《かくにん》する。
・盛土材料《もりどざいりょう》をまき出《だ》す際《さい》は，盛土施工範囲《もりどせこうはんい》の全面《ぜんめん》にわたって，試験施工《しけんせこう》で決定《けってい》したまき出《だ》し厚《あつ》［（ハ）］のまき出《だ》し厚《あつ》となるように管理《かんり》する。
・盛土材料《もりどざいりょう》を締《し》め固《かた》める際《さい》は，盛土施工範囲《もりどせこうはんい》の全面《ぜんめん》にわたって，［（ニ）］だけ締《し》め固《かた》めたことを示《しめ》す色《いろ》が車載《しゃさい》パソコンのモニタに表示《ひょうじ》されるまで締《し》め固《かた》める。

	（イ）	（ロ）	（ハ）	（ニ）
1	品質規定方式《ひんしつきていほうしき》	締固《しめかた》め度《ど》	以上《いじょう》	規定回数《きていかいすう》
2	工法規定方式《こうほうきていほうしき》	締固《しめかた》め回数《かいすう》	以下《いか》	規定時間《きていじかん》
3	品質規定方式《ひんしつきていほうしき》	締固《しめかた》め度《ど》	以上《いじょう》	規定時間《きていじかん》
4	工法規定方式《こうほうきていほうしき》	締固《しめかた》め回数《かいすう》	以下《いか》	規定回数《きていかいすう》

No. 34

鉄筋《てっきん》の継手《つぎて》に関《かん》する下記《かき》の①～④の４つの記述《きじゅつ》のうち，**適当《てきとう》なものの数《かず》**は次《つぎ》のうちどれか。

①重《かさ》ね継手《つぎて》における重《かさ》ね合《あ》わせ長《なが》さは，鉄筋《てっきん》の径《けい》に関《かか》わらず一定《いってい》とする。
②重《かさ》ね継手《つぎて》では，焼《やき》なまし鉄線《てっせん》を長《なが》く巻《ま》くほど継手《つぎて》の強度《きょうど》が向上《こうじょう》する。
③ガス圧接継手《あっせつつぎて》では，径《けい》が少《すこ》しでも異《こと》なる鉄筋同士《てっきんどうし》は，接合《せつごう》してはならない。
④モルタル充填継手《じゅうてんつぎて》では，施工後《せこうご》にモルタルが排出孔《はいしゅつこう》から排出《はいしゅつ》していることを確認《かくにん》する。

1　1つ
2　2つ

正答　別冊P.42

3　3つ
4　4つ

No. 35　微破壊《びはかい》・非破壊試験《ひはかいしけん》によるコンクリート構造物《こうぞうぶつ》の強度測定《きょうどそくてい》に関《かん》する下《か》記《き》の①～④の４つの記述《きじゅつ》のうち，**適当《てきとう》なもののみを全《すべ》てあげている組《くみ》合《あわ》せ**は次《つぎ》のうちどれか。

①リバウンドハンマによるコンクリート表層《ひょうそう》の反発度《はんぱつど》は，コンクリートの含水状態《がんすいじょうたい》や中性化等《ちゅうせいかなど》の影響《えいきょう》を受《う》けることもあり，一定以上《いっていいじょう》の材齢《ざいれい》が経過《けいか》したコンクリートの圧縮強度《あっしゅくきょうど》を精度《せいど》良《よ》く推定《すいてい》することは困難《こんなん》である。
②超音波法《ちょうおんぱほう》によるコンクリートの強度推定《きょうどすいてい》は，構造物中《こうぞうぶつちゅう》の鉄筋《てっきん》の影響《えいきょう》を受《う》けないので，配筋状況《はいきんじょうきょう》によらず任意《にんい》の位置《いち》で実施《じっし》することができる。
③衝撃弾性波法《しょうげきだんせいはほう》でコンクリートの強度《きょうど》を精度《せいど》良《よ》く推定《すいてい》するためには，強度《きょうど》を推定《すいてい》しようとするコンクリートごとに，伝播《でんぱ》する弾性波《だんせいは》の速度《そくど》と強度《きょうど》の関係《かんけい》を事前《じぜん》に求《もと》めておく必要《ひつよう》がある。
④圧縮強度試験《あっしゅくきょうどしけん》を小径《しょうけい》コア（ϕ50mm 以下《いか》として）で行《おこな》うときには，通常《つうじょう》用《もち》いられているϕ 100mm コアに対《たい》する強度補正方法《きょうどほせいほうほう》が確立《かくりつ》されている方法《ほうほう》で行《おこな》う。

1　①②
2　②④
3　①③④
4　②③④

＊令和６年度の第二次検定の問題・解答用紙・解答例・解説は，下記の本書専用ブログに令和７年４月上旬頃掲載予定です。

http://www.s-henshu.info/1dskm2410/

正答　別冊 P.44

1 級土木施工
管理技術検定

令和５年度問題

年　度		受検者数（人）	合格者数（人）	合格率（%）
令和６年度	第一次	51,193	22,705	44.4
	第二次	※	※	※
令和５年度	第一次	32,931	16,311	49.5
	第二次	27,304	9,060	33.2
令和４年度	第一次	38,672	21,097	54.6
	第二次	24,462	7,032	28.7
令和３年度	第一次	37,726	22,851	60.6
	第二次	26,558	9,732	36.6
令和２年度	学科	29,745	17,885	60.1
	実地	24,204	7,499	31.0

※本書編集時点では未公表

● P.260 と p.261 ～ p.268 の解答用紙をコピーしてお使いください。

令和5年度 第一次検定 問題A（選択問題）

試験時間　150分

※問題番号《もんだいばんごう》No.1～No.15までの15問題《もんだい》のうちから12問題《もんだい》を選択《せんたく》し解答《かいとう》してください。

No. 1

土質試験結果《どしつしけんけっか》の活用《かつよう》に関《かん》する次《つぎ》の記述《きじゅつ》のうち，**適当《てきとう》でないもの**はどれか。

1　土《つち》の含水比試験結果《がんすいひしけんけっか》は，土粒子《どりゅうし》の質量《しつりょう》に対《たい》する間隙《かんげき》に含《ふく》まれる水《みず》の質量《しつりょう》の割合《わりあい》を表《あらわ》したもので，土《つち》の乾燥密度《かんそうみつど》との関係《かんけい》から締固《しめかた》め曲線《きょくせん》を描《えが》くのに用《もち》いられる。

2　CBR 試験結果《しけんけっか》は，供試体表面《きょうしたいひょうめん》に貫入《かんにゅう》ピストンを一定量貫入《いっていりょうかんにゅう》させたときの荷重強《かじゅうつよ》さを標準荷重強《ひょうじゅんかじゅうつよ》さに対《たい》する百分率《ひゃくぶんりつ》で表《あらわ》したもので，地盤《じばん》の許容支持力《きょようしじりょく》の算定《さんてい》に用《もち》いられる。

3　土《つち》の圧密試験結果《あつみつしけんけっか》は，求《もと》められた圧密係数《あつみつけいすう》や体積圧縮係数等《たいせきあっしゅくけいすうなど》から，飽和粘性土《ほうわねんせいど》地盤《じばん》の沈下量《ちんかりょう》と沈下時間《ちんかじかん》の推定《すいてい》に用《もち》いられる。

4　土《つち》の一軸圧縮試験結果《いちじくあっしゅくしけんけっか》は，求《もと》められた自然地盤《しぜんじばん》の非排水《ひはいすい》せん断強《だんつよ》さから，地盤《じばん》の土圧《どあつ》，斜面安定等《しゃめんあんていなど》の強度定数《きょうどじょうすう》に用《もち》いられる。

No. 2

法面保護工《のりめんほごこう》の施工《せこう》に関《かん》する次《つぎ》の記述《きじゅつ》のうち，**適当《てきとう》でないもの**はどれか。

1　植生土《しょくせいど》のう工《こう》は，法枠工《のりわくこう》の中詰《なかづめ》とする場合《ばあい》には，施工後《せこうご》の沈下《ちんか》やはらみ出《だ》しが起《お》きないように，土《ど》のうの表面《ひょうめん》を平滑《へいかつ》に仕上《しあ》げる。

2　種子散布工《しゅしさんぷこう》は，各材料《かくざいりょう》を計量《けいりょう》した後《のち》，水《みず》，木質材料《もくしつざいりょう》，浸食防止材《しんしょくぼうしざい》，肥料《ひりょう》，種子《しゅし》の順序《じゅんじょ》でタンクへ投入《とうにゅう》し，十分攪拌《じゅうぶんかくはん》して法面《のりめん》へムラなく散布《さんぷ》する。

3　モルタル吹付工《ふきつけこう》は，吹付《ふきつ》けに先立《さきだ》ち，法面《のりめん》の浮石《うきいし》，ほこり，泥等《どろなど》を清掃《せいそう》した後《のち》，一般《いっぱん》に菱形金網《ひしがたかなあみ》を法面《のりめん》に張《は》り付《つ》けてアンカーピンで固定《こてい》する。

4　ブロック積擁壁工《づみようへきこう》は，原則《げんそく》として胴込《どうご》めコンクリートを設《もう》けない空積《からづみ》で，水平《すいへい》方向《ほうこう》の目地《めじ》が直線《ちょくせん》とならない谷積《たにづみ》で積《つ》み上《あ》げる。

No. 3　TS（トータルステーション）・GNSS（全球測位衛星《ぜんきゅうそくいえいせい》システム）を用《もち》いた盛土《もりど》の情報化施工《じょうほうかせこう》に関《かん》する次《つぎ》の記述《きじゅつ》のうち，**適当《てきとう》でないもの**はどれか。

1　盛土《もりど》の締固《しめかた》め管理《かんり》システムは，締固《しめかた》め判定《はんてい》・表示機能《ひょうじきのう》，施工範囲《せこうはんい》の分割機能等《ぶんかつきのうなど》を有《ゆう》するものとしシステムを選定《せんてい》する段階《だんかい》でカタログその他《ほか》によって確認《かくにん》する。

2　TS・GNSS を施工管理《せこうかんり》に用《もち》いる時《とき》は，現場内《げんばない》に設置《せっち》している工事基準点等《こうじきじゅんてんなど》の座《ざ》標既知点《ひょうきちてん》を複数箇所《ふくすうかしょ》で観測《かんそく》し，既知座標《きちざひょう》と TS・GNSS の計測座標《けいそくざひょう》が合致《がっち》していることを確認《かくにん》する。

3　まき出《だ》し厚《あつ》さは，まき出《だ》しが完了《かんりょう》した時点《じてん》から締固《しめかた》め完了《かんりょう》までに仕上《しあが》り面《めん》の高《たか》さが下《さ》がる量《りょう》を試験施工《しけんせこう》により確認《かくにん》し，これを基《もと》に決定《けってい》する。

4　現場密度試験《げんばみつどしけん》は，盛土材料《もりどざいりょう》の品質《ひんしつ》，まき出《だ》し厚及《あつおよ》び締固《しめかた》め回数等《かいすうなど》が，いずれも規定通《きていどお》りとなっている場合《ばあい》においても，必《かなら》ず実施《じっし》する。

No. 4　道路土工《どうろどこう》における地下排水工《ちかはいすいこう》に関《かん》する次《つぎ》の記述《きじゅつ》のうち，**適当《てきとう》でないもの**はどれか。

1　しゃ断排水層《だんはいすいそう》は，降雨《こうう》による盛土内《もりどない》の浸透水《しんとうすい》を排水《はいすい》するため，路盤《ろばん》よりも下方《かほう》に透水性《とうすいせい》の極《きわ》めて高《たか》い荒目《あらめ》の砂利《じゃり》，砕石《さいせき》を用《もち》い，適切《てきせつ》な厚《あつ》さで施工《せこう》する。

2　水平排水層《すいへいはいすいそう》は，盛土内部《もりどないぶ》の間隙水圧《かんげきすいあつ》を低下《ていか》させて盛土《もりど》の安定性《あんていせい》を高《たか》めるため，透水性《とうすいせい》の良《よ》い材料《ざいりょう》を用《もち》い，適切《てきせつ》な排水勾配及《はいすいこうばいおよ》び層厚《そうあつ》を確保《かくほ》し施工《せこう》する。

3　基盤排水層《きばんはいすいそう》は，地山《じやま》から盛土《もりど》への水《みず》の浸透《しんとう》を防止《ぼうし》するため，地山《じやま》の表面《ひょうめん》に砕石《さいせき》又《また》は砂等《すななど》の透水性《とうすいせい》が高《たか》く，せん断強《だんつよ》さが大《おお》きい材料《ざいりょう》を用《もち》い，適切《てきせつ》な厚《あつ》さで施工《せこう》する。

4　地下排水溝《ちかはいすいこう》は，主《おも》に盛土内《もりどない》に浸透《しんとう》してくる地下水《ちかすい》や地表面近《ちひょうめんちか》くの浸透水《しんとうすい》を排水《はいすい》するため，山地部《さんちぶ》の沢部《さわぶ》を埋《う》めた盛土《もりど》では，旧沢地形《きゅうさわちけい》に沿《そ》って施工《せこう》する。

No. 5　軟弱地盤上《なんじゃくじばんじょう》における道路盛土《どうろもりど》の施工《せこう》に関《かん》する次《つぎ》の記述《きじゅつ》のうち，**適当《てきとう》でないもの**はどれか。

1　盛土荷重《もりどかじゅう》の載荷《さいか》による軟弱地盤《なんじゃくじばん》の変形《へんけい》は，非排水《ひはいすい》せん断変形《だんへんけい》による沈下及《ちんかおよ》び隆《りゅう》起《き》・側方変位《そくほうへんい》と，圧密《あつみつ》による沈下《ちんか》とからなる。

2　盛土《もりど》は，現地条件等《げんちじょうけんなど》を把握《はあく》したうえで，工事《こうじ》の進捗状況《しんちょくじょうきょう》や地盤《じばん》の挙動《きょどう》，土工構《どこうこう》造物《ぞうぶつ》の品質《ひんしつ》，形状《けいじょう》・寸法《すんぽう》を確認《かくにん》しながら施工《せこう》を行《おこな》う必要《ひつよう》がある。

3　盛土《もりど》の施工中《せこうちゅう》は，雨水《うすい》の浸透《しんとう》を防止《ぼうし》するため，施工面《せこうめん》に数《すう》％の横断勾配《おうだんこうばい》をつけて，表面《ひょうめん》を平滑《へいかつ》に仕上《しあ》げる。

正答　別冊 P.46

4　サンドマット施工時《せこうじ》や盛土高《もりどだか》が低《ひく》い間《あいだ》は，局部破壊《きょくぶはかい》を防止《ぼうし》するため，盛土中央《もりどちゅうおう》から法尻《のりじり》に向《む》かって施工《せこう》する。

No. 6　コンクリート用骨材《ようこつざい》に関《かん》する次《つぎ》の記述《きじゅつ》のうち，**適当《てきとう》でないもの**はどれか。

1　異《こと》なる種類《しゅるい》の細骨材《さいこつざい》を混合《こんごう》して用《もち》いる場合《ばあい》の吸水率《きゅうすいりつ》については，混合後《こんごうご》の試料《しりょう》で吸水率《きゅうすいりつ》を測定《そくてい》し規定《きてい》と比較《ひかく》する。

2　凍結融解《とうけつゆうかい》の繰返《くりかえ》しに対《たい》する骨材品質《こつざいひんしつ》の適否《てきひ》の判定《はんてい》は，硫酸《りゅうさん》ナトリウムによる骨《こつ》材《ざい》の安定性試験方法《あんていせいしけんほうほう》によって行《おこな》う。

3　砕石《さいせき》を用《もち》いた場合《ばあい》にワーカビリティーの良好《りょうこう》なコンクリートを得《え》るためには，砂利《じゃり》を用《もち》いた場合《ばあい》に比《くら》べて単位水量《たんいすいりょう》を大《おお》きくする必要《ひつよう》がある。

4　粗骨材《そこつざい》は，清浄《せいじょう》，堅硬《けんこう》，劣化《れっか》に対《たい》する抵抗性《ていこうせい》を持《も》ったもので，耐火性《たいかせい》を必要《ひつよう》とする場合《ばあい》には，耐火的《たいかてき》な粗骨材《そこつざい》を用《もち》いる。

No. 7　コンクリートに用《もち》いるセメントに関《かん》する次《つぎ》の記述《きじゅつ》のうち，**適当《てきとう》でないもの**はどれか。

1　普通《ふつう》ポルトランドセメントは，幅広《はばひろ》い工事《こうじ》で使用《しよう》されているセメントで，小規《しょうき》模工事《ぼこうじ》や左官用《さかんよう》モルタルでも使用《しよう》される。

2　早強《そうきょう》ポルトランドセメントは，初期強度《しょききょうど》を要《よう》するプレストレストコンクリート工事等《こうじなど》に使用《しよう》される。

3　中庸熱《ちゅうようねつ》ポルトランドセメントは，水和熱《すいわねつ》を抑制《よくせい》することが求《もと》められるダムコンクリート工事等《こうじなど》に使用《しよう》される。

4　耐硫酸塩《たいりゅうさんえん》ポルトランドセメントは，製鉄所《せいてつじょ》から出《で》る高炉《こうろ》スラグの微粉末《びふんまつ》を混合《こんごう》したセメントで，海岸《かいがん》など塩分《えんぶん》が飛来《ひらい》する環境《かんきょう》に使用《しよう》される。

No. 8　コンクリート用混和材料《ようこんわざいりょう》に関《かん》する次《つぎ》の記述《きじゅつ》のうち，**適当《てきとう》でないもの**はどれか。

1　フライアッシュを適切《てきせつ》に用《もち》いると，コンクリートのワーカビリティーを改善《かいぜん》し単位水量《たんいすいりょう》を減《へ》らすことができることや水和熱《すいわねつ》による温度上昇《おんどじょうしょう》の低減等《ていげんなど》の効果《こうか》を期《き》待《たい》できる。

2　膨張材《ぼうちょうざい》を適切《てきせつ》に用《もち》いると，コンクリートの乾燥収縮《かんそうしゅうしゅく》や硬化収縮等《こうかしゅうしゅくなど》に起因《きいん》するひび割《わ》れ発生《はっせい》を低減《ていげん》できる。

3　石灰石微粉末《せっかいせきびふんまつ》を用《もち》いると，ブリーディングの抑制《よくせい》やアルカリシリカ反応《はんのう》を抑制《よくせい》

する等《など》の効果《こうか》がある。

4　高性能《こうせいのう》 AE 減水剤《げんすいざい》を用《もち》いると，コンクリート温度《おんど》や使用材料等《しようざいりょうなど》の諸条件《しょじょうけん》の変化《へんか》に対《たい》して，ワーカビリティー等《など》が影響《えいきょう》を受《う》けやすい傾向《けいこう》にある。

No. 9

寒中《かんちゅう》コンクリート及《およ》び暑中《しょちゅう》コンクリートの施工《せこう》に関《かん》する次《つぎ》の記述《きじゅつ》のうち，**適当《てきとう》でないもの**はどれか。

1　コンクリートの施工時《せこうじ》，日平均気温《にちへいきんきおん》が，4℃以下《いか》になることが予想《よそう》される場合《ばあい》は，寒中《かんちゅう》コンクリートとしての施工《せこう》を行《おこな》わなければならない。

2　寒中《かんちゅう》コンクリートでは，保温養生《ほおんようじょう》あるいは給熱養生終了後《きゅうねつようじょうしゅうりょうご》に急《きゅう》に寒気《かんき》にさらすと，表面《ひょうめん》にひび割《わ》れが生《しょう》じるおそれがあるので，適当《てきとう》な方法《ほうほう》で保護《ほご》し表面《ひょうめん》の急冷《きゅうれい》を防止《ぼうし》する。

3　日平均気温《にちへいきんきおん》が 25℃を超《こ》える時期《じき》にコンクリートを施工《せこう》することが想定《そうてい》される場《ば》合《あい》には，暑中《しょちゅう》コンクリートとしての施工《せこう》を行《おこな》うことを標準《ひょうじゅん》とする。

4　暑中《しょちゅう》コンクリートでは，コールドジョイントの発生防止《はっせいぼうし》のため，減水剤《げんすいざい》，AE 減水剤《げんすいざい》については，促進形《そくしんがた》のものを用《もち》いる。

No. 10

コンクリートの打込《うちこ》み・締固《しめかた》めに関《かん》する次《つぎ》の記述《きじゅつ》のうち，**適当《てきとう》なもの**はどれか。

1　コンクリート打込《うちこ》み時《じ》にシュートを用《もち》いる場合《ばあい》は，斜《なな》めシュートを標準《ひょうじゅん》とする。

2　打《う》ち込《こ》んだコンクリートの粗骨材《そこつざい》が分離《ぶんり》してモルタル分《ぶん》が少《すく》ない部分《ぶぶん》があれば，その分離《ぶんり》した粗骨材《そこつざい》をすくい上《あ》げてモルタルの多《おお》いコンクリートの中《なか》に埋《う》め込《こ》んで締《し》め固《かた》める。

3　型枠内《かたわくない》に打《う》ち込《こ》んだコンクリートは，材料分離《ざいりょうぶんり》を防《ふせ》ぐため，棒状《ぼうじょう》バイブレータを用《もち》いてコンクリートを横移動《よこいどう》させながら充填《じゅうてん》する。

4　コールドジョイント発生《はっせい》を防《ふせ》ぐための許容打重《きょよううちかさ》ね時間間隔《じかんかんかく》は，外気温《がいきおん》が高《たか》いほど長《なが》くなる。

No. 11

鉄筋《てっきん》の継手《つぎて》に関《かん》する次《つぎ》の記述《きじゅつ》のうち，**適当《てきとう》でないもの**はどれか。

1　重《かさ》ね継手《つぎて》は，所定《しょてい》の長《なが》さを重《かさ》ね合《あわ》せて，直径《ちょっけい》0.8mm 以上《いじょう》の焼《やき》なまし鉄線《てっせん》で数箇《すうか》所緊結《しょきんけつ》する。

2　重《かさ》ね継手《つぎて》の重《かさ》ね合《あ》わせ長《なが》さは，鉄筋直径《てっきんちょっけい》の 20 倍以上《ばいいじょう》とする。

3　ガス圧接継手《あっせつつぎて》における鉄筋《てっきん》の圧接端面《あっせつたんめん》は，軸線《じくせん》に傾斜《けいしゃ》させて切断《せつだん》する。

正答　別冊 P.48

4　手動《しゅどう》ガス圧接《あっせつ》の場合《ばあい》，直近《ちょっきん》の異《こと》なる径《けい》の鉄筋《てっきん》の接合《せつごう》は，可能《かのう》である。

No. 12　道路橋《どうろきょう》で用《もち》いられる基礎形式《きそけいしき》の種類《しゅるい》とその特徴《とくちょう》に関《かん》する次《つぎ》の記述《きじゅつ》のうち，**適当《てきとう》でないもの**はどれか。

1　ケーソン基礎《きそ》の場合《ばあい》，鉛直荷重《えんちょくかじゅう》に対《たい》しては，基礎底面地盤《きそていめんじばん》の鉛直地盤反力《えんちょくじばんはんりょく》のみで抵抗《ていこう》させることを原則《げんそく》とする。
2　支持杭基礎《しじぐいきそ》の場合《ばあい》，水平荷重《すいへいかじゅう》は杭《くい》のみで抵抗《ていこう》させ，鉛直荷重《えんちょくかじゅう》は杭《くい》とフーチング根入《ねい》れ部分《ぶぶん》で抵抗《ていこう》させることを原則《げんそく》とする。
3　鋼管矢板基礎《こうかんやいたきそ》の場合《ばあい》，圧密沈下《あつみつちんか》が生《しょう》じると考《かんが》えられる地盤《じばん》への打設《だせつ》は，負《ふ》の周面摩擦力等《しゅうめんまさつりょくなど》による影響《えいきょう》を考慮《こうりょ》して検討《けんとう》しなければならない。
4　直接基礎《ちょくせつきそ》の場合《ばあい》，通常《つうじょう》，フーチング周面《しゅうめん》の摩擦抵抗《まさつていこう》はあまり期待《きたい》できないので，鉛直荷重《えんちょくかじゅう》は基礎底面地盤《きそていめんじばん》の鉛直地盤反力《えんちょくじばんはんりょく》のみで抵抗《ていこう》させなければならない。

No. 13　既製杭《きせいくい》の支持層《しじそう》の確認《かくにん》，及《およ》び打止《うちど》め管理《かんり》に関《かん》する次《つぎ》の記述《きじゅつ》のうち，**適《てき》当《とう》でないもの**はどれか。

1　打撃工法《だげきこうほう》では，支持杭基礎《しじくいきそ》の場合《ばあい》，打止《うちど》め時一打当《じいちだあ》たりの貫入量及《かんにゅうりょうおよ》びリバウンド量等《りょうなど》が，試験杭《しけんくい》と同程度《どうていど》であることを確認《かくにん》する。
2　中掘《なかぼ》り杭工法《ぐいこうほう》のセメントミルク噴出攪拌方式《ふんしゅつかくはんほうしき》では，支持層付近《しじそうふきん》で掘削速度《くっさくそくど》を極《きょく》力一定《りょくいってい》に保《たも》ち，掘削抵抗値《くっさくていこうち》を測定《そくてい》・記録《きろく》することにより確認《かくにん》する。
3　プレボーリング杭工法《ぐいこうほう》では，積分電流値《せきぶんでんりゅうち》の変化《へんか》が試験杭《しけんぐい》とは異《こと》なる場合《ばあい》，駆動《くどう》電流値《でんりゅうち》の変化《へんか》，採取《さいしゅ》された土《つち》の状態《じょうたい》，事前《じぜん》の土質調査《どしつちょうさ》の結果《けっか》や他《た》の杭《くい》の施工状況《せこうじょうきょう》等《など》により確認《かくにん》する。
4　回転杭工法《かいてんぐいこうほう》では，回転速度《かいてんそくど》，付加《ふか》する押込《おしこ》み力《りょく》を一定《いってい》に保《たも》ち，回転《かいてん》トルク（回《かい》転抵抗値《てんていこうち》）とＮ値《ち》の変化《へんか》を対比《たいひ》し，支持層上部《しじそうじょうぶ》よりも回転《かいてん》トルクが減少《げんしょう》していることにより確認《かくにん》する。

No. 14　場所《ばしょ》打《う》ち杭工法《ぐいこうほう》の施工《せこう》に関《かん》する次《つぎ》の記述《きじゅつ》のうち，**適当《てきとう》でないもの**はどれか。

1　オールケーシング工法《こうほう》の掘削《くっさく》では，孔壁《こうへき》の崩壊防止等《ほうかいぼうしなど》のために，ケーシングチューブの先端《せんたん》が常《つね》に掘削底面《くっさくていめん》より上方《じょうほう》にあるようにする。
2　オールケーシング工法《こうほう》では，鉄筋《てっきん》かごの最下端《さいかたん》には軸方向鉄筋《じくほうこうてっきん》が自重《じじゅう》により孔《こう》底《てい》に貫入《かんにゅう》することを防《ふせ》ぐため，井桁状《いげたじょう》に組《く》んだ底部鉄筋《ていぶてっきん》を配置《はいち》するのが一般的《いっぱんてき》である。

3　リバース工法《こうほう》では，トレミーによる孔底処理《こうていしょり》を行《おこな》うことから，鉄筋《てっきん》かごを吊《つ》った状態《じょうたい》でコンクリートを打《う》ち込《こ》むのが一般的《いっぱんてき》である。

4　リバース工法《こうほう》では，安定液《あんていえき》のように粘性《ねんせい》があるものを使用《しよう》しないため，一次孔《いちじこう》底処理《ていしょり》により泥水中《でいすいちゅう》のスライムはほとんど処理《しょり》できる。

No. 15

土留《どど》め支保工《しほこう》の施工《せこう》に関《かん》する次《つぎ》の記述《きじゅつ》のうち，**適当《てきとう》なもの**はどれか。

1　ヒービングに対《たい》する安定性《あんていせい》が不足《ふそく》すると予測《よそく》された場合《ばあい》には，掘削底面下《くっさくていめんか》の地《じ》盤改良《ばんかいりょう》を行《おこな》い，強度《きょうど》の増加《ぞうか》をはかる。

2　盤《ばん》ぶくれに対《たい》する安定性《あんていせい》が不足《ふそく》すると予測《よそく》された場合《ばあい》には，地盤改良《じばんかいりょう》により不《ふ》透水層《とうすいそう》の層厚《そうあつ》を薄《うす》くするとよい。

3　ボイリングに対《たい》する安定性《あんていせい》が不足《ふそく》すると予測《よそく》された場合《ばあい》には，水頭差《すいとうさ》を大《おお》きくするため，背面側《はいめんがわ》の地下水位《ちかすいい》を上昇《じょうしょう》させる。

4　土留《どど》め壁又《へきまた》は支保工《しほこう》の応力度《おうりょくど》，変形《へんけい》が許容値《きょようち》を超《こ》えると予測《よそく》された場合《ばあい》には，切《きり》ばりのプレロードを解除《かいじょ》するとよい。

※問題番号《もんだいばんごう》No.16〜No.49までの34問題《もんだい》のうちから10問題《もんだい》を選択《せんたく》し解答《かいとう》してください。

No. 16

鋼道路橋《こうどうろきょう》の架設上《かせつじょう》の留意事項《りゅういじこう》に関《かん》する次《つぎ》の記述《きじゅつ》のうち，**適当《てきとう》でないもの**はどれか。

1　供用中《きょうようちゅう》の道路《どうろ》に近接《きんせつ》するベントと架設橋桁《かせつきょうげた》は，架設橋桁受《かせつきょうけたう》け点位置《てんいち》でズレが生《しょう》じないよう，ワイヤーロープや固定治具《こていじぐ》で固定《こてい》するのが有効《ゆうこう》である。

2　箱形断面《はこがただんめん》の桁《けた》は，重量《じゅうりょう》が重《おも》く吊《つ》りにくいので，吊《つ》り状態《じょうたい》における安全性《あんぜんせい》を確認《かくにん》するため，吊《つ》り金具《かなぐ》や補強材《ほきょうざい》は現場《げんば》で取《と》り付《つ》ける必要《ひつよう》がある。

3　曲線桁橋《きょくせんげたはし》の桁《けた》を，横取《よこど》り，ジャッキによるこう上又《じょうまた》は降下等《こうかなど》，移動《いどう》する作業《さぎょう》を行《おこな》う場合《ばあい》は，必要《ひつよう》に応《おう》じてカウンターウエイト等《など》を用《もち》いて重心位置《じゅうしんいち》の調整《ちょうせい》を行《おこな》う。

4　トラス橋《きょう》の架設《かせつ》においては，最終段階《さいしゅうだんかい》でのそりの調整《ちょうせい》は部材《ぶざい》と継手《つぎて》の数《かず》が多《おお》く難《むずか》しいため，架設《かせつ》の各段階《かくだんかい》における上《あ》げ越《こ》し量《りょう》の確認《かくにん》を入念《にゅうねん》に行《おこな》う必要《ひつよう》がある。

No. 17

鋼道路橋《こうどうろきょう》の鉄筋《てっきん》コンクリート床版《しょうばん》におけるコンクリート打込《うちこ》みに関《かん》する次《つぎ》の記述《きじゅつ》のうち，**適当《てきとう》でないもの**はどれか。

1　打継目《うちつぎめ》は，一般《いっぱん》に，床版《しょうばん》の主応力《しゅおうりょく》が橋軸方向《きょうじくほうこう》に作用《さよう》し，打継目《うちつぎめ》の完全《かんぜん》な一体化《いったいか》

が困難《こんなん》なことから，橋軸方向《きょうじくほうこう》に設《もう》けた方《ほう》がよい。

2　片持部床版《かたもちぶしょうばん》の張出《はりだ》し量《りょう》が大《おお》きくなると，コンクリート打込《うちこ》み時《じ》の振動《しんどう》による影《えい》響《きょう》や型枠《かたわく》のたわみが大《おお》きくなるので，十分《じゅうぶん》に堅固《けんご》な型枠支保工《かたわくしほこう》を組《く》み立《た》てることが重要《じゅうよう》である。

3　床版《しょうばん》に縦断勾配及《じゅうだんこうばいおよ》び横断勾配《おうだんこうばい》が設《もう》けられている場合《ばあい》は，コンクリートが低《ひく》い方《ほう》に流動《りゅうどう》することを防《ふせ》ぐため，低《ひく》い方《ほう》から高《たか》い方《ほう》へ向《む》かって打《う》ち込《こ》むのがよい。

4　連続桁《れんぞくげた》では，ある径間《けいかん》に打《う》ち込《こ》まれたコンクリート重量《じゅうりょう》により桁《けた》がたわむことで，他径間《たけいかん》が持《も》ち上《あ》げられることがあるので，床版《しょうばん》への引張力《ひっぱりりょく》が小《ちい》さくなるよう打込《うちこ》み順序《じゅんじょ》を検討《けんとう》する。

No. 18　鋼道路橋《こうどうろきょう》における高力《こうりょく》ボルトの施工《せこう》に関《かん》する次《つぎ》の記述《きじゅつ》のうち，**適当《てきとう》なもの**はどれか。

1　ボルト，ナットについては，原則《げんそく》として現場搬入時《げんばはんにゅうじ》にその特性及《とくせいおよ》び品質《ひんしつ》を保証《ほしょう》する試験《しけん》，検査《けんさ》を行《おこな》い，規格《きかく》に合格《ごうかく》していることを確認《かくにん》する。

2　継手《つぎて》の中央部《ちゅうおうぶ》からボルトを締《し》め付《つ》けると，連結版《れんけつばん》が浮《う》き上《あ》がり，密着性《みっちゃくせい》が悪《わる》くなる傾向《けいこう》があるため，外側《そとがわ》から中央《ちゅうおう》に向《む》かって締《し》め付《つ》け，2度締《どじ》めを行《おこな》う。

3　回転法又《かいてんほうまた》は耐力点法《たいりょくてんほう》によって締《し》め付《つ》けたボルトに対《たい》しては，全数《ぜんすう》についてマーキングによって所要《しょよう》の回転角《かいてんかく》があるか否《いな》かを検査《けんさ》する。

4　ボルトの軸力《じくりょく》の導入《どうにゅう》は，ボルトの頭部《とうぶ》を回《まわ》して行《おこな》うのを原則《げんそく》とし，やむを得《え》ずナットを回《まわ》して行《おこな》う場合《ばあい》は，トルク係数値《けいすうち》の変化《へんか》を確認《かくにん》する。

No. 19　塩害《えんがい》を受《う》けた鉄筋《てっきん》コンクリート構造物《こうぞうぶつ》への対策《たいさく》や補修《ほしゅう》に関《かん》する次《つぎ》の記《き》述《じゅつ》のうち，**適当《てきとう》でないもの**はどれか。

1　劣化《れっか》が顕在化《けんざいか》した箇所《かしょ》に部分的《ぶぶんてき》に断面修復工法《だんめんしゅうふくこうほう》を適用《てきよう》すると，断面修復箇所《だんめんしゅうふくかしょ》と断面修復《だんめんしゅうふく》しない箇所《かしょ》の境界部付近《きょうかいぶふきん》においては腐食電流《ふしょくでんりゅう》により防食《ぼうしょく》される。

2　表面処理工法《ひょうめんしょりこうほう》の適用後《てきようご》からの残存予定供用期間《ざんぞんよていきょうようきかん》が長《なが》い場合《ばあい》には，表面処理材《ひょうめんしょりざい》の再塗布《さいとふ》を計画《けいかく》しておく必要《ひつよう》がある。

3　電気防食工法《でんきぼうしょくこうほう》を適用《てきよう》する場合《ばあい》には，陽極《ようきょく》システムの劣化《れっか》や電流供給《でんりゅうきょうきゅう》の安定性《あんていせい》について考慮《こうりょ》しておく必要《ひつよう》がある。

4　脱塩工法《だつえんこうほう》では，工法適用後《こうほうてきようご》に残存《ざんぞん》する塩化物《えんかぶつ》イオンの挙動《きょどう》が，補修効果《ほしゅうこうか》の持続《じぞく》期間《きかん》に大《おお》きく影響《えいきょう》する。

No. 20

下図《かず》に示《しめ》す（1）～（4）のコンクリート構造物《こうぞうぶつ》のひび割《わ》れのうち，水和熱《すいわねつ》に起因《きいん》する温度応力《おんどおうりょく》により**施工後《せこうご》の比較的早《ひかくてきはや》い時期《じき》に発生《はっせい》すると考《かんが》えられるもの**は，次《つぎ》のうちどれか。

1

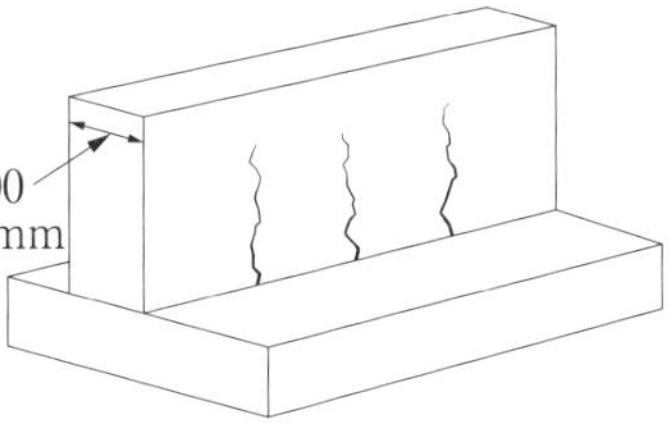

2

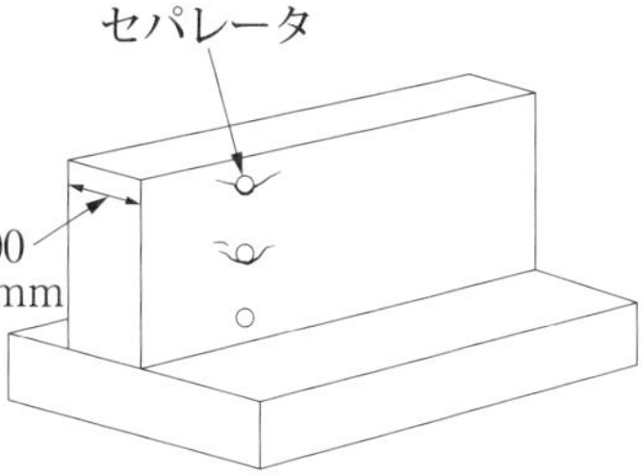

3

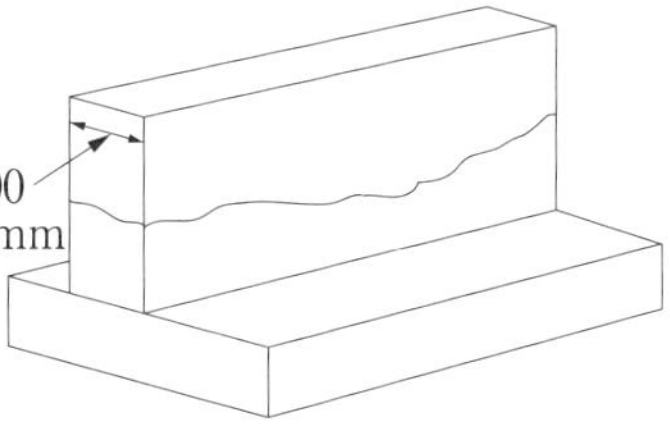

4

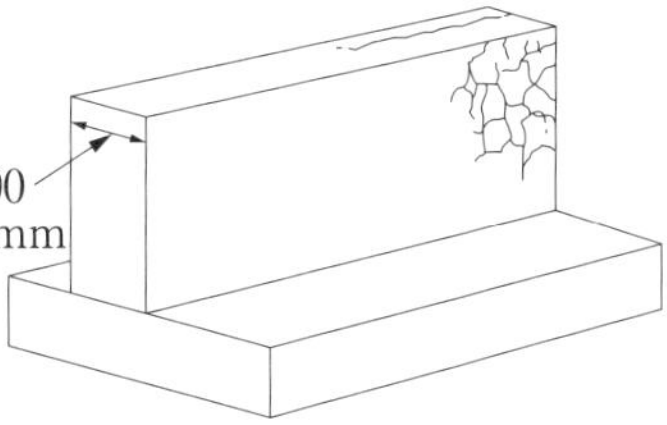

No. 21

河川堤防《かせんていぼう》の盛土《もりど》施工《せこう》に関《かん》する次《つぎ》の記述《きじゅつ》のうち，**適当《てきとう》でないもの**はどれか。

1　築堤盛土《ちくていもりど》の締固《しめかた》めは，堤防法線《ていぼうほうせん》に平行《へいこう》に行《おこな》うことが望《のぞ》ましく，締固《しめかた》めに際《さい》しては締固《しめかた》め幅《はば》が重複《ちょうふく》するように常《つね》に留意《りゅうい》して施工《せこう》する必要《ひつよう》がある。
2　築堤盛土《ちくていもりど》の施工中《せこうちゅう》は，法面《のりめん》の一部《いちぶ》に雨水《うすい》が集中《しゅうちゅう》して流下《りゅうか》すると法面侵食《のりめんしんしょく》の主要因《しゅよういん》となるため，堤防横断方向《ていぼうおうだんほうこう》に3～5%程度《ていど》の勾配《こうばい》を設《もう》けながら施工《せこう》する。
3　既設《きせつ》の堤防《ていぼう》に腹付《はらづ》けを行《おこな》う場合《ばあい》は，新旧法面《しんきゅうのりめん》をなじませるため段切《だんぎ》りを行《おこな》い，一般《いっぱん》にその大《おお》きさは堤防締固《ていぼうしめかた》め1層仕上《そうしあが》り厚《あつ》の倍《ばい》の20～30cm程度《ていど》とすることが多《おお》い。
4　高含水比粘性土《こうがんすいひねんせいど》を盛土材料《もりどざいりょう》として使用《しよう》する際《さい》は，わだち掘《ぼ》れ防止《ぼうし》のために接地圧《せっちあつ》の小《ち》さいブルドーザによる盛土箇所《もりどかしょ》までの二次運搬《にじうんぱん》を行《おこな》う。

No. 22

河川護岸《かせんごがん》に関《かん》する次《つぎ》の記述《きじゅつ》のうち，**適当《てきとう》でないもの**はどれか。

1　法覆工《のりおおいこう》に連節《れんせつ》ブロック等《など》の透過構造《とうかこうぞう》を採用《さいよう》する場合《ばあい》は，裏込《うらご》め材《ざい》の設置《せっち》は不要《ふよう》

となるが，背面土砂《はいめんどしゃ》の吸出《すいだ》しを防《ふせ》ぐため，吸出《すいだ》し防止材《ぼうしざい》の布設《ふせつ》が代《か》わりに必要《ひつよう》となる。

2　石張《いしば》り又《また》は石積《いしづ》みの護岸工《ごがんこう》の施工方法《せこうほうほう》には，谷積《たにづ》みと布積《ぬのづ》みがあるが，一般《いっぱん》には強度《きょうど》の強《つよ》い谷積《たにづ》みが用《もち》いられる。

3　かごマット工《こう》では，底面《ていめん》に接《せっ》する地盤《じばん》で土砂《どしゃ》の吸出《すいだ》し現象《げんしょう》が発生《はっせい》するため，これを防止《ぼうし》する目的《もくてき》で吸出《すいだ》し防止材《ぼうしざい》を施工《せこう》する。

4　コンクリートブロック張工《ばりこう》では，平板《へいばん》ブロックと控《ひか》えのある間知《けんち》ブロックが多《おお》く使《つか》われており，平板《へいばん》ブロックは，流速《りゅうそく》が大《おお》きいところに使用《しよう》される。

No. 23　堤防《ていぼう》を開削《かいさく》する場合《ばあい》の仮締切工《かりしめきりこう》の施工《せこう》に関《かん》する次《つぎ》の記述《きじゅつ》のうち，**適当《てきとう》でないもの**はどれか。

1　堤防《ていぼう》の開削《かいさく》は，仮締切工《かりしめきりこう》が完成《かんせい》する以前《いぜん》に開始《かいし》してはならず，また，仮締切工《かりしめきりこう》の撤去《てっきょ》は，堤防《ていぼう》の復旧《ふっきゅう》が完了《かんりょう》，又《また》はゲート等代替機能《などだいたいきのう》の構造物《こうぞうぶつ》ができた後《あと》に行《おこな》う。

2　鋼矢板《こうやいた》の二重仮締切内《にじゅうかりしめきりない》の掘削《くっさく》は，鋼矢板《こうやいた》の変形《へんけい》，中埋《なかう》め土《ど》の流出《りゅうしゅつ》，ボイリング・ヒービングの兆候《ちょうこう》の有無《うむ》を監視《かんし》しながら行《おこな》う必要《ひつよう》がある。

3　仮締切工《かりしめきりこう》の撤去《てっきょ》は，構造物《こうぞうぶつ》の構築後《こうちくご》，締切《しめき》り内《ない》と外《そと》との土圧《どあつ》，水圧《すいあつ》をバランスさせつつ撤去《てっきょ》する必要《ひつよう》があり，流水《りゅうすい》の影響《えいきょう》がある場合《ばあい》は，上流側《じょうりゅうがわ》，下流側《かりゅうがわ》，流水《りゅうすい》側《がわ》の順《じゅん》で撤去《てっきょ》する。

4　鋼矢板《こうやいた》の二重仮締切工《にじゅうかりしめきりこう》に用《もち》いる中埋《なかう》め土《ど》は，壁体《へきたい》の剛性《ごうせい》を増《ま》す目的《もくてき》と鋼矢板等《こうやいたなど》の壁体《へきたい》に作用《さよう》する土圧《どあつ》を低減《ていげん》するために，良質《りょうしつ》の砂質土《さしつど》とする。

No. 24　砂防堰堤《さぼうえんてい》の施工《せこう》に関《かん》する次《つぎ》の記述《きじゅつ》のうち，**適当《てきとう》でないもの**はどれか。

1　基礎地盤《きそじばん》の透水性《とうすいせい》に問題《もんだい》がある場合《ばあい》は，グラウト等《など》の止水工《しすいこう》により改善《かいぜん》を図《はか》り，また，パイピングに対《たい》しては，止水壁《しすいへき》や水抜《みずぬ》き暗渠《あんきょ》を設《もう》けて改善《かいぜん》を図るのが一般《いっぱん》的《てき》である。

2　砂防堰堤《さぼうえんてい》の基礎《きそ》は，一般《いっぱん》に所定《しょてい》の強度《きょうど》が得《え》られる地盤《じばん》であっても，基礎《きそ》の不均《ふきん》質性《しつせい》や風化《ふうか》の速度《そくど》を考慮《こうりょ》し，一定以上《いっていいじょう》の根入《ねい》れを確保《かくほ》する必要《ひつよう》がある。

3　基礎掘削《きそくっさく》によって緩《ゆる》められた岩盤《がんばん》を取《と》り除《のぞ》く等《など》の岩盤清掃《がんばんせいそう》を行《おこな》うとともに，湧《ゆう》水《すい》や漏水《ろうすい》の処理《しょり》を行《おこな》った後《あと》に，堤体《ていたい》のコンクリートを打《う》ち込《こ》む必要《ひつよう》がある。

4　砂礫基礎《されききそ》で所要《しょよう》の強度《きょうど》を得《え》ることができない場合《ばあい》は，堰堤《えんてい》の底幅《そこはば》を広《ひろ》くして応《おう》力《りょく》を分散《ぶんさん》させたり，基礎杭工法《きそぐいこうほう》やセメントの混合《こんごう》による土質改良等《どしつかいりょうなど》により改善《かいぜん》を図《はか》る方法《ほうほう》がある。

No. 25

渓流保全工《けいりゅうほぜんこう》に関《かん》する次《つぎ》の記述《きじゅつ》のうち，**適当《てきとう》でないもの**はどれか。

1　渓流保全工《けいりゅうほぜんこう》は，山間部《さんかんぶ》の平地《へいち》や扇状地《せんじょうち》を流下《りゅうか》する渓流等《けいりゅうなど》において，縦断勾配《じゅうだんこうばい》の規制《きせい》により渓床《けいしょう》や渓岸《けいがん》の侵食等《しんしょくなど》を防止《ぼうし》することを目的《もくてき》とした施設《しせつ》である。

2　渓流保全工《けいりゅうほぜんこう》は，多様《たよう》な渓流空間《けいりゅうくうかん》，生態系《せいたいけい》の保全及《ほぜんおよ》び自然《しぜん》の土砂調節機能《どしゃちょうせつきのう》の観点《かんてん》から，拡幅部《かくふくぶ》や狭窄部等《きょうさくぶなど》の自然《しぜん》の地形《ちけい》を活《い》かして計画《けいかく》することが求《もと》められる。

3　護岸工《ごがんこう》は，渓岸《けいがん》の侵食《しんしょく》や崩壊《ほうかい》の防止《ぼうし》，山脚《さんきゃく》の固定等《こていなど》を目的《もくてき》に設置《せっち》され，湾曲部《わんきょくぶ》外湾側《がいわんがわ》では河床変動《かしょうへんどう》が大《おお》きいことから，根固工《ねがためこう》を併用《へいよう》する等《など》の検討《けんとう》が求《もと》められる。

4　床固工《とこがためこう》は，渓床《けいしょう》の縦侵食防止《たてしんしょくぼうし》，河床堆積物《かしょうたいせきぶつ》の再移動防止《さいいどうぼうし》により河床《かしょう》を安定《あんてい》させるとともに，護岸工等《ごがんこうなど》の工作物《こうさくぶつ》の上流《じょうりゅう》に設置《せっち》することにより，工作物《こうさくぶつ》の基礎《きそ》を保《ほ》護《ご》する機能《きのう》も有《ゆう》する。

No. 26

急傾斜地崩壊防止工《きゅうけいしゃちほうかいぼうしこう》に関《かん》する次《つぎ》の記述《きじゅつ》のうち，**適当《てきとう》なもの**はどれか。

1　コンクリート張工《ばりこう》は，斜面《しゃめん》の風化《ふうか》，侵食及《しんしょくおよ》び崩壊等《ほうかいなど》を防止《ぼうし》することを目的《もくてき》とし，比較的勾配《ひかくてきこうばい》の急《きゅう》な斜面《しゃめん》に用《もち》いられ，設計《せっけい》においては土圧《どあつ》を考慮《こうりょ》する必要《ひつよう》がある。

2　もたれ式《しき》コンクリート擁壁工《ようへきこう》は，斜面崩壊《しゃめんほうかい》を直接抑止《ちょくせつよくし》することが困難《こんなん》な場合《ばあい》に，斜面脚部《しゃめんきゃくぶ》から離《はな》して擁壁《ようへき》を設置《せっち》する工法《こうほう》で，斜面地形《しゃめんちけい》の変化《へんか》に対《たい》し比較的適応性《ひかくてきてきおうせい》がある。

3　切土工《きりどこう》は，斜面勾配《しゃめんこうばい》の緩和《かんわ》，斜面上《しゃめんじょう》の不安定《ふあんてい》な土塊《どかい》や岩石《がんせき》の一部又《いちぶまた》は全部《ぜんぶ》を除《じょ》去《きょ》するもので，切土《きりど》した斜面《しゃめん》の高《たか》さにかかわらず小段《こだん》の設置《せっち》を必要《ひつよう》としない工法《こうほう》である。

4　重力式《じゅうりょくしき》コンクリート擁壁工《ようへきこう》は，小規模《しょうきぼ》な斜面崩壊《しゃめんほうかい》を直接抑止《ちょくせつよくし》するほか，押《お》さえ盛土《もりど》の安定《あんてい》，法面保護工《のりめんほごこう》の基礎等《きそなど》として用《もち》いられる工法《こうほう》であり，排水《はいすい》に対《たい》して特《とく》に留意《りゅうい》する必要《ひつよう》がある。

No. 27

道路《どうろ》のアスファルト舗装《ほそう》における路床《ろしょう》の施工《せこう》に関《かん》する次《つぎ》の記述《きじゅつ》のうち，**適当《てきとう》でないもの**はどれか。

1　盛土路床《もりどろしょう》は，施工後《せこうご》の降雨排水対策《こううはいすいたいさく》として，縁部《えんぶ》に仮排水溝《かりはいすいこう》を設《もう》けておくことが望《のぞ》ましい。

2　凍上抑制層《とうじょうよくせいそう》は，凍結深《とうけつふか》さから求《もと》めた必要《ひつよう》な置換《おきか》え深《ふか》さと舗装《ほそう》の厚《あつ》さを比較《ひかく》し，舗装《ほそう》の厚《あつ》さが大《おお》きい場合《ばあい》に，路盤《ろばん》の下《した》にその厚《あつ》さの差《さ》だけ凍上《とうじょう》の生《しょう》じにくい材料《ざいりょう》で置《お》き換《か》える。

正答　別冊P.55

3　安定処理土《あんていしょりど》は，セメント及《およ》びセメント系安定材《けいあんていざい》を使用《しよう》する場合《ばあい》，六価《ろっか》クロムの溶出量《ようしゅつりょう》が所定《しょてい》の土壌環境基準《どじょうかんきょうきじゅん》に適合《てきごう》していることを確認《かくにん》して施工《せこう》する。

4　構築路床《こうちくろしょう》は，現状路床《げんじょうろしょう》の支持力《しじりょく》を低下《ていか》させないよう，所定《しょてい》の品質《ひんしつ》，高《たか》さ及《およ》び形状《けいじょう》に仕上《しあ》げる。

No. 28

道路《どうろ》のアスファルト舗装《ほそう》における路盤《ろばん》の施工《せこう》に関《かん》する次《つぎ》の記述《きじゅつ》のうち，**適当《てきとう》でないもの**はどれか。

1　アスファルトコンクリート再生骨材《さいせいこつざい》を多《おお》く含《ふく》む再生路盤材料《さいせいろばんざいりょう》は，締《し》め固《かた》めにくい傾向《けいこう》にあるので，使用《しよう》するローラの選択《せんたく》や転圧《てんあつ》の方法等《ほうほうなど》に留意《りゅうい》して施工《せこう》するとよい。

2　セメント安定処理路盤《あんていしょりろばん》を締固《しめかた》め直後《ちょくご》に交通開放《こうつうかいほう》する場合《ばあい》は，含水比《がんすいひ》を一定《いってい》に保《たも》つとともに，表面《ひょうめん》を保護《ほご》する目的《もくてき》で必要《ひつよう》に応《おう》じてアスファルト乳剤等《にゅうざいなど》を散布《さんぷ》するとよい。

3　粒状路盤材料《りゅうじょうろばんざいりょう》が乾燥《かんそう》しすぎている場合《ばあい》は，施工中《せこうちゅう》に適宜散水《てきぎさんすい》して，最適含水比《さいてきがんすいひ》付近《ふきん》の状態《じょうたい》で締《し》め固《かた》めるとよい。

4　シックリフト工法《こうほう》による加熱《かねつ》アスファルト安定処理路盤《あんていしょりろばん》は，早期交通開放《そうきこうつうかいほう》すると初期《しょき》わだち掘《ぼ》れが発生《はっせい》しやすいので，舗設後《ほせつご》に加熱《かねつ》するとよい。

No. 29

道路《どうろ》のアスファルト舗装《ほそう》における基層《きそう》・表層《ひょうそう》の施工《せこう》に関《かん》する次《つぎ》の記述《きじゅつ》のうち，**適当《てきとう》でないもの**はどれか。

1　タックコート面《めん》の保護《ほご》や乳剤《にゅうざい》による施工現場周辺《せこうげんばしゅうへん》の汚《よご》れを防止《ぼうし》する場合《ばあい》は，乳剤散布装置《にゅうざいさんぷそうち》を搭載《とうさい》したアスファルトフィニッシャを使用《しよう》することがある。

2　アスファルト混合物《こんごうぶつ》の敷均《しきなら》し作業中《さぎょうちゅう》に雨《あめ》が降《ふ》り始《はじ》めた場合《ばあい》は，敷均《しきなら》し作業《さぎょう》を中止《ちゅうし》するとともに，敷《し》き均《なら》した混合物《こんごうぶつ》を速《すみ》やかに締《し》め固《かた》めて仕上《しあ》げる。

3　施工《せこう》の終了時又《しゅうりょうじまた》はやむを得《え》ず施工《せこう》を中断《ちゅうだん》した場合《ばあい》は，道路《どうろ》の縦断方向《じゅうだんほうこう》に縦継目《たてつぎめ》を設《もう》け，縦継目《たてつぎめ》の仕上《しあが》りの良否《りょうひ》が走行性《そうこうせい》に直接影響《ちょくせつえいきょう》を与《あた》えるので平坦《へいたん》に仕上《しあ》げるように留意《りゅうい》する。

4　振動《しんどう》ローラにより転圧《てんあつ》する場合《ばあい》は，転圧速度《てんあつそくど》が速《はや》すぎると不陸《ふりく》や小波《こなみ》が発生《はっせい》し，遅《おそ》すぎると過転圧《かてんあつ》になることがあるので，転圧速度《てんあつそくど》に注意《ちゅうい》する。

No. 30

道路《どうろ》のアスファルト舗装《ほそう》の補修工法《ほしゅうこうほう》に関《かん》する次《つぎ》の記述《きじゅつ》のうち，**適当《てきとう》でないもの**はどれか。

1　オーバーレイ工法《こうほう》は，既設《きせつ》の舗装上《ほそうじょう》にアスファルト混合物《こんごうぶつ》の層《そう》を重《かさ》ねる工法《こうほう》で，

既設舗装《きせつほそう》の破損《はそん》が著《いちじる》しく，その原因《げんいん》が路床《ろしょう》や路盤《ろばん》の欠陥《けっかん》によると思《おも》われるときは局部的《きょくぶてき》に打《う》ち換《か》える。

2　表層《ひょうそう》・基層打換《きそううちか》え工法《こうほう》は，既設舗装《きせつほそう》を表層又《ひょうそうまた》は基層《きそう》まで打《う》ち換《か》える工法《こうほう》で，コンクリート床版《しょうばん》に不陸《ふりく》があって舗装厚《ほそうあつ》が一定《いってい》でない場合《ばあい》，床版《しょうばん》も適宜切削《てきぎせっさく》して不陸《ふりく》をなくしておく。

3　路上表層再生工法《ろじょうひょうそうさいせいこうほう》は，現位置《げんいち》において既設《きせつ》アスファルト混合物層《こんごうぶつそう》を新《あたら》しい表層《ひょうそう》として再生《さいせい》する工法《こうほう》で，混合物《こんごうぶつ》の締固《しめかた》め温度《おんど》が通常《つうじょう》より低《ひく》いため，能力《のうりょく》の大《おお》きな締固《しめかた》め機械《きかい》を用《もち》いるとよい。

4　打換《うちか》え工法《こうほう》は，既設舗装《きせつほそう》のすべて又《また》は路盤《ろばん》の一部《いちぶ》まで打《う》ち換《か》える工法《こうほう》で，路盤《ろばん》以下《いか》の掘削時《くっさくじ》は，既設埋設管等《きせつまいせつかんなど》の占用物《せんようぶつ》の調査《ちょうさ》を行《おこな》い，試掘《しくつ》する等《など》して破損《はそん》しないように施工《せこう》する。

No. 31　道路《どうろ》の各種《かくしゅ》アスファルト舗装《ほそう》に関《かん》する次《つぎ》の記述《きじゅつ》のうち，**適当《てきとう》なもの**はどれか。

1　グースアスファルト舗装《ほそう》は，グースアスファルト混合物《こんごうぶつ》を用《もち》いた不透水性《ふとうすいせい》やたわみ性等《せいなど》の性能《せいのう》を有《ゆう》する舗装《ほそう》で，一般《いっぱん》にコンクリート床版《しょうばん》の橋面舗装《きょうめんほそう》に用《もち》いられる。

2　大粒径《だいりゅうけい》アスファルト舗装《ほそう》は，最大粒径《さいだいりゅうけい》の大《おお》きな骨材《こつざい》をアスファルト混合物《こんごうぶつ》に用《もち》いる舗装《ほそう》で，耐流動性《たいりゅうどうせい》や耐摩耗性等《たいまもうせいなど》の性能《せいのう》を有《ゆう》するため，一般《いっぱん》に鋼床版舗装等《こうしょうばんほそうなど》の橋面舗装《きょうめんほそう》に用《もち》いられる。

3　フォームドアスファルト舗装《ほそう》は，加熱《かねつ》アスファルト混合物《こんごうぶつ》を製造《せいぞう》する際《さい》に，アスファルトを泡状《あわじょう》にして容積《ようせき》を増大《ぞうだい》させて混合性《こんごうせい》を高《たか》めて製造《せいぞう》した混合物《こんごうぶつ》を用《もち》いる舗装《ほそう》である。

4　砕石《さいせき》マスチック舗装《ほそう》は，細骨材《さいこつざい》に対《たい》するフィラーの量《りょう》が多《おお》い浸透用《しんとうよう》セメントミルクで粗骨材《そこつざい》の骨材間隙《こつざいかんげき》を充填《じゅうてん》したギャップ粒度《りゅうど》のアスファルト混合物《こんごうぶつ》を用《もち》いる舗装《ほそう》である。

No. 32　道路《どうろ》のコンクリート舗装《ほそう》の補修工法《ほしゅうこうほう》に関《かん》する次《つぎ》の記述《きじゅつ》のうち，**適当《てきとう》なもの**はどれか。

1　注入工法《ちゅうにゅうこうほう》は，コンクリート版《ばん》と路盤《ろばん》との間《あいだ》にできた空隙《くうげき》や空洞《くうどう》を充填《じゅうてん》し，沈下《ちんか》を生《しょう》じた版《ばん》を押《お》し上《あ》げて平常《へいじょう》の位置《いち》に戻《もど》す工法《こうほう》である。

2　粗面処理工法《そめんしょりこうほう》は，コンクリート舗装面《ほそうめん》を粗面《そめん》に仕上《しあ》げることによって，舗装版《ほそうばん》の強度《きょうど》を回復《かいふく》させる工法《こうほう》である。

3　付着《ふちゃく》オーバーレイ工法《こうほう》は，既設《きせつ》コンクリート版《ばん》とコンクリートオーバーレイと

が一体《いったい》となるように，既設版表面《きせつばんひょうめん》に路盤紙《ろばんし》を敷《し》いたのち，コンクリートを打《う》ち継《つ》ぐ工法《こうほう》である。

4　バーステッチ工法《こうほう》は，既設《きせつ》コンクリート版《ばん》に発生《はっせい》したひび割《わ》れ部《ぶ》に，ひび割《わ》れと平行《へいこう》に切《き》り込《こ》んだカッタ溝《みぞ》に異形棒鋼等《いけいぼうこうなど》の鋼材《こうざい》を埋設《まいせつ》する工法《こうほう》である。

No. 33

ダムの基礎処理《きそしょり》として行《おこな》うグラウチングに関《かん》する次《つぎ》の記述《きじゅつ》のうち，**適《てき》当《とう》でないもの**はどれか。

1　重力式《じゅうりょくしき》コンクリートダムのコンソリデーショングラウチングは，着岩部付近《ちゃくがんぶふきん》において，遮水性《しゃすいせい》の改良《かいりょう》，基礎地盤弱部《きそじばんじゃくぶ》の補強《ほきょう》を目的《もくてき》として行《おこな》う。

2　グラウチングは，ルジオン値《ち》に応《おう》じた初期配合及《しょきはいごうおよ》び地盤《じばん》の透水性状等《とうすいせいじょうなど》を考慮《こうりょ》した配合切換《はいごうきりか》え基準《きじゅん》に従《したが》って，濃度《のうど》の濃《こ》いものから薄《うす》いものへ順《じゅん》に注入《ちゅうにゅう》を行《おこな》う。

3　カーテングラウチングの施工位置《せこういち》は，コンクリートダムの場合《ばあい》は上流《じょうりゅう》フーチング又《また》は堤内通廊《ていないつうろう》から行《おこな》うのが一般的《いっぱんてき》である。

4　グラウチング仕様《しよう》は，当初計画《とうしょけいかく》を日々《ひび》の施工《せこう》の結果《けっか》から常《つね》に見直《みなお》し，必要《ひつよう》に応《おう》じて修正《しゅうせい》していくことが効率的《こうりつてき》かつ経済的《けいざいてき》な施工《せこう》のために重要《じゅうよう》である。

No. 34

重力式《じゅうりょくしき》コンクリートダムで各部位《かくぶい》のダムコンクリートの配合区分《はいごうくぶん》と必要《ひつよう》な品質《ひんしつ》に関《かん》する次《つぎ》の記述《きじゅつ》のうち，**適当《てきとう》なもの**はどれか。

1　着岩《ちゃくがん》コンクリートは，所要《しょよう》の水密性《すいみつせい》，すりへり作用《さよう》に対《たい》する抵抗性《ていこうせい》や凍結融解《とうけつゆうかい》作用《さよう》に対《たい》する抵抗性《ていこうせい》が要求《ようきゅう》される。

2　外部《がいぶ》コンクリートは，水圧等《すいあつなど》の作用《さよう》を自重《じじゅう》で支《ささ》える機能《きのう》を持《も》ち，所要《しょよう》の単位容《たんいよう》積質量《せきしつりょう》と強度《きょうど》が要求《ようきゅう》され，発熱量《はつねつりょう》が小《ちい》さく，施工性《せこうせい》に優《すぐ》れていることが必要《ひつよう》である。

3　内部《ないぶ》コンクリートは，岩盤《がんばん》との付着性及《ふちゃくせいおよ》び不陸《ふりく》のある岩盤《がんばん》に対《たい》しても容易《ようい》に打《う》ち込《こ》めて一体性《いったいせい》を確保《かくほ》できることが要求《ようきゅう》される。

4　構造用《こうぞうよう》コンクリートは，鉄筋《てっきん》や埋設構造物《まいせつこうぞうぶつ》との付着性《ふちゃくせい》，鉄筋《てっきん》や型枠等《かたわくなど》の狭隘部《きょうあいぶ》への施工性《せこうせい》に優《すぐ》れていることが必要《ひつよう》である。

No. 35

トンネルの山岳工法《さんがくこうほう》における支保工《しほこう》の施工《せこう》に関《かん》する次《つぎ》の記述《きじゅつ》のうち，**適当《てきとう》でないもの**はどれか。

1　吹付《ふきつ》けコンクリートは，防水《ぼうすい》シートの破損《はそん》や覆工《ふっこう》コンクリートのひび割《わ》れを防《ぼう》止《し》するために，吹付《ふきつ》け面《めん》をできるだけ平滑《へいかつ》に仕上《しあ》げなければならない。

2　吹付《ふきつ》けコンクリートは，吹付《ふきつ》けノズルを吹付《ふきつ》け面《めん》に斜《なな》め方向《ほうこう》に保《たも》ち，ノズルと

吹付《ふきつ》け面《めん》との距離《きょり》及《およ》び衝突速度《しょうとつそくど》が適正《てきせい》になるように行《おこな》わなければならない。

3　鋼製支保工《こうせいしほこう》は，一般《いっぱん》に地山条件《じやまじょうけん》が悪《わる》い場合《ばあい》に用《もち》いられ，一次吹付《いちじふきつ》けコンクリート施工後《せこうご》すみやかに建《た》て込《こ》まなければならない。

4　鋼製支保工《こうせいしほこう》は，十分《じゅうぶん》な支保効果《しほこうか》を確保《かくほ》するために，吹付《ふきつ》けコンクリートと一体《いったい》化《か》させなければならない。

No. 36

トンネルの山岳工法《さんがくこうほう》における施工時《せこうじ》の観察《かんさつ》・計測《けいそく》に関《かん》する次《つぎ》の記述《きじゅつ》のうち，**適当《てきとう》でないもの**はどれか。

1　観察《かんさつ》・計測《けいそく》の目的《もくてき》は，施工中《せこうちゅう》に切羽《きりは》の状況《じょうきょう》や既施工区間《きせこうくかん》の支保部材《しほぶざい》，周辺地山《しゅうへんじやま》の安全性《あんぜんせい》を確認《かくにん》し，現場《げんば》の実情《じつじょう》にあった設計《せっけい》に修正《しゅうせい》して，工事《こうじ》の安全性《あんぜんせい》と経済性《けいざいせい》を確保《かくほ》することである。

2　観察《かんさつ》・計測《けいそく》の項目《こうもく》には，坑内《こうない》からの切羽《きりは》の観察調査《かんさつちょうさ》，内空変位測定《ないくうへんいそくてい》，天端沈下《てんばちんか》測定《そくてい》や，坑外《こうがい》からの地表等《ちひょうなど》の観察調査《かんさつちょうさ》，地表面沈下測定等《ちひょうめんちんかそくていなど》がある。

3　観察調査結果《かんさつちょうさけっか》や変位計測結果《へんいけいそくけっか》は，施工中《せこうちゅう》のトンネルの現状《げんじょう》を把握《はあく》して，支保《しほ》パターンの変更等施工《へんこうなどせこう》に反映《はんえい》するために，速《すみ》やかに整理《せいり》しなければならない。

4　変位計測《へんいけいそく》の測定頻度《そくていひんど》は，地山《じやま》と支保工《しほこう》の挙動《きょどう》の経時変化《けいじへんか》ならびに経距変化《けいきょへんか》が把《は》握《あく》できるように，掘削前後《くっさくぜんご》は疎《そ》に，切羽《きりは》が離《はな》れるに従《したが》って密《みつ》になるように設定《せってい》しなければならない。

No. 37

海岸保全施設《かいがんほぜんしせつ》の養浜《ようひん》の施工《せこう》に関《かん》する次《つぎ》の記述《きじゅつ》のうち，**適当《てきとう》でないもの**はどれか。

1　養浜材《ようひんざい》に浚渫土砂等《しゅんせつどしゃなど》の混合粒径土砂《こんごうりゅうけいどしゃ》を効果的《こうかてき》に用《もち》いる場合《ばあい》や，シルト分《ぶん》による海域《かいいき》への濁《にご》りの発生《はっせい》を抑《おさ》えるためには，あらかじめ投入土砂《とうにゅうどしゃ》の粒度組成《りゅうどそせい》を調整《ちょうせい》することが望《のぞ》ましい。

2　投入《とうにゅう》する土砂《どしゃ》の養浜効果《ようひんこうか》には投入土砂《とうにゅうどしゃ》の粒径《りゅうけい》が重要《じゅうよう》であり，養浜場所《ようひんばしょ》にある砂《すな》よりも粗《そ》な粒径《りゅうけい》を用《もち》いた場合《ばあい》，その平衡勾配《へいこうこうばい》が小《ちい》さいため沖合部《おきあいぶ》の保全効果《ほぜんこうか》が期《き》待《たい》できる。

3　養浜《ようひん》の施工《せこう》においては，陸上《りくじょう》であらかじめ汚濁《おだく》の発生源《はっせいげん》となるシルト，有機物《ゆうきぶつ》，ゴミ等《など》を養浜材《ようひんざい》から取《と》り除《のぞ》く等《など》の汚濁《おだく》の発生防止《はっせいぼうし》に努《つと》める必要《ひつよう》がある。

4　養浜《ようひん》の陸上施工《りくじょうせこう》においては，工事用車両《こうじようしゃりょう》の搬入路《はんにゅうろ》の確保《かくほ》や，投入《とうにゅう》する養浜砂《ようひんすな》の背後地《はいごち》への飛散等《ひさんなど》，周辺《しゅうへん》への影響《えいきょう》について十分検討《じゅうぶんけんとう》し施工《せこう》する。

正答　別冊 P.60

No. 38

離岸堤《りがんてい》の施工《せこう》に関《かん》する次《つぎ》の記述《きじゅつ》のうち，**適当《てきとう》でないもの**はどれか。

1　開口部《かいこうぶ》や堤端部《ていたんぶ》は，施工後《せこうご》の波浪《はろう》によってかなり洗掘《せんくつ》されることがあり，計画《けいかく》の１基分《きぶん》はなるべくまとめて施工《せこう》する。

2　離岸堤《りがんてい》を砕波帯付近《さいはたいふきん》に設置《せっち》する場合《ばあい》は，沈下対策《ちんかたいさく》を講《こう》じる必要《ひつよう》があり，従来《じゅうらい》の施工例《せこうれい》からみれば捨石工《すていしこう》よりもマット，シート類《るい》を用《もち》いる方《ほう》が優《すぐ》れている。

3　離岸堤《りがんてい》を大水深《だいすいしん》に設置《せっち》する場合《ばあい》は，沈下《ちんか》の影響《えいきょう》は比較的《ひかくてき》少《すく》ないが，荒天時《こうてんじ》に一《いっ》気《き》に沈下《ちんか》する恐《おそ》れもあるので，容易《ようい》に補強《ほきょう》や嵩上《かさあ》げが可能《かのう》な工法《こうほう》を選《えら》ぶ等《など》の配慮《はいりょ》が必要《ひつよう》である。

4　離岸堤《りがんてい》の施工順序《せこうじゅんじょ》は，侵食区域《しんしょくくいき》の上手側《かみてがわ》（漂砂供給源《ひょうさきょうきゅうげん》に近《ちか》い側《がわ》）から設置《せっち》すると下手側《しもてがわ》の侵食《しんしょく》の傾向《けいこう》を増長《ぞうちょう》させることになるので，下手側《しもてがわ》から着手《ちゃくしゅ》し，順次《じゅんじ》上《かみ》手《て》に施工《せこう》する。

No. 39

港湾《こうわん》における浚渫工事《しゅんせつこうじ》のための事前調査《じぜんちょうさ》に関《かん》する次《つぎ》の記述《きじゅつ》のうち，**適《てき》当《とう》でないもの**はどれか。

1　浚渫工事《しゅんせつこうじ》の浚渫能力《しゅんせつのうりょく》が，土砂《どしゃ》の硬《かた》さや強《つよ》さ，締《しま》り具合《ぐあい》や粒《つぶ》の粗《あら》さ等《など》に大《おお》きく影《えい》響《きょう》することから，土質調査《どしつちょうさ》としては，一般《いっぱん》に粒度分析《りゅうどぶんせき》，平板載荷試験《へいばんさいかしけん》，標準貫入《ひょうじゅんかんにゅう》試験《しけん》を実施《じっし》する。

2　水深《すいしん》の深《ふか》い場所《ばしょ》での深浅測量《しんせんそくりょう》は音響測深機《おんきょうそくしんき》による場合《ばあい》が多《おお》く，連続的《れんぞくてき》な記録《きろく》が取《と》れる利点《りてん》があるが，海底《かいてい》の状況《じょうきょう》をよりきめ細《こま》かく測深《そくしん》する場合《ばあい》には未測深幅《みそくしんはば》を狭《せま》くする必要《ひつよう》がある。

3　水質調査《すいしつちょうさ》の目的《もくてき》は，海水汚濁《かいすいおだく》の原因《げんいん》が，バックグラウンド値《ち》か浚渫《しゅんせつ》による濁《にご》りか確認《かくにん》するために実施《じっし》するもので，事前及《じぜんおよ》び浚渫中《しゅんせつちゅう》の調査《ちょうさ》が必要《ひつよう》である。

4　磁気探査《じきたんさ》を行《おこな》った結果《けっか》，一定値以上《いっていちいじょう》の磁気反応《じきはんのう》を示《しめ》す異常点《いじょうてん》がある場合《ばあい》は，その位置《いち》を求《もと》め潜水探査《せんすいたんさ》を実施《じっし》する。

No. 40

水中《すいちゅう》コンクリートに関《かん》する次《つぎ》の記述《きじゅつ》のうち，**適当《てきとう》でないもの**はどれか。

1　水中《すいちゅう》コンクリートの打込《うちこ》みは，水《みず》と接触《せっしょく》する部分《ぶぶん》のコンクリートの材料分離《ざいりょうぶんり》を極力少《きょくりょくすく》なくするため，打込《うちこ》み中《ちゅう》はトレミー及《およ》びポンプの先端《せんたん》を固定《こてい》しなければならない。

2　水中不分離性《すいちゅうふぶんりせい》コンクリートは，水中落下《すいちゅうらっか》させても信頼性《しんらいせい》の高《たか》い性能《せいのう》を有《ゆう》しているが，トレミー及《およ》びポンプの筒先《つつさき》は打込《うちこ》まれたコンクリートに埋《う》め込《こ》んだ状態《じょうたい》で

打《う》ち込《こ》むことが望《のぞ》ましい。

3　水中不分離性《すいちゅうふぶんりせい》コンクリートをポンプ圧送《あっそう》する場合《ばあい》は，通常《つうじょう》のコンクリートに比《くら》べて圧送圧力《あっそうあつりょく》は小《ちい》さく，打込《うちこ》み速度《そくど》は速《はや》くなるので注意《ちゅうい》を要《よう》する。

4　水中《すいちゅう》コンクリートの打込《うちこ》みは，打上《うちあ》がりの表面《ひょうめん》をなるべく水平《すいへい》に保《たも》ちながら所《しょ》定《てい》の高《たか》さ又《また》は水面上《すいめんじょう》に達《たっ》するまで，連続《れんぞく》して打《う》ち込《こ》まなければならない。

No. 41

鉄道《てつどう》のコンクリート路盤《ろばん》の施工《せこう》に関《かん》する次《つぎ》の記述《きじゅつ》のうち，**適当《てきとう》でないもの**はどれか。

1　粒度調整砕石層《りゅうどちょうせいさいせきそう》の締固《しめかた》めは，ロードローラ又《また》は振動《しんどう》ローラ等《など》にタイヤローラを併用《へいよう》し，所定《しょてい》の密度《みつど》が得《え》られるまで十分《じゅうぶん》に締《し》め固《かた》める。

2　プライムコートの施工《せこう》は，粒度調整砕石層《りゅうどちょうせいさいせきそう》を仕上《しあ》げた後《あと》，速《すみ》やかに散布《さんぷ》し，粒《りゅう》度調整砕石《どちょうせいさいせき》に十分《じゅうぶん》に浸透《しんとう》させ砕石部《さいせきぶ》を安定《あんてい》させる。

3　鉄筋《てっきん》コンクリート版《ばん》の鉄筋《てっきん》は，正《ただ》しい位置《いち》に配置《はいち》し鉄筋相互《てっきんそうご》を十分堅固《じゅうぶんけんご》に組《く》み立《た》て，スペーサーを介《かい》して型枠《かたわく》に接《せっ》する状態《じょうたい》とする。

4　鉄筋《てっきん》コンクリート版《ばん》のコンクリートは，傾斜部《けいしゃぶ》は高《たか》い方《ほう》から低《ひく》い方《ほう》へ打《う》ち込《こ》み，棒状《ぼうじょう》バイブレータを用《もち》いて十分《じゅうぶん》に締《し》め固《かた》める。

No. 42

鉄道《てつどう》の軌道《きどう》における維持管理《いじかんり》に関《かん》する次《つぎ》の記述《きじゅつ》のうち，**適当《てきとう》でないもの**はどれか。

1　スラブ軌道《きどう》は，プレキャストコンクリートスラブを堅固《けんご》な路盤《ろばん》に据《す》え付《つ》け，スラブと路盤《ろばん》との間《あいだ》に填充材《てんじゅうざい》を注入《ちゅうにゅう》したものであり，敷設位置《ふせついち》の修正《しゅうせい》が困難《こんなん》である。

2　水準変位《すいじゅんへんい》は，左右《さゆう》のレールの高《たか》さの差《さ》のことであり，曲線部《きょくせんぶ》では内側《うちがわ》レールが沈《しず》みやすく，一様《いちよう》に連続《れんぞく》した水準変位《すいじゅんへんい》が発生《はっせい》する傾向《けいこう》がある。

3　PC マクラギは，木《き》マクラギに比《くら》べ初期投資《しょきとうし》は多額《たがく》となり，重量《じゅうりょう》が大《おお》きく交換《こうかん》が困難《こんなん》であるが，耐用年数《たいようねんすう》が長《なが》いことから保守費《ほしゅひ》の削減《さくげん》が可能《かのう》である。

4　軌道変位《きどうへんい》の増大《ぞうだい》は，脱線事故《だっせんじこ》にもつながる可能性《かのうせい》があるため，軌道変位《きどうへんい》の状態《じょうたい》を常《つね》に把握《はあく》し不良箇所《ふりょうかしょ》は速《すみ》やかに補修《ほしゅう》する必要《ひつよう》がある。

No. 43

鉄道《てつどう》（在来線《ざいらいせん》）の営業線及《えいぎょうせんおよ》びこれに近接《きんせつ》して工事《こうじ》を施工《せこう》する場合《ばあい》の保《ほ》安対策《あんたいさく》に関《かん》する次《つぎ》の記述《きじゅつ》のうち，**適当《てきとう》でないもの**はどれか。

1　既設構造物等《きせつこうぞうぶつなど》に影響《えいきょう》を与《あた》える恐《おそ》れのある工事《こうじ》の施工《せこう》にあたっては，異常《いじょう》の有無《うむ》を検測《けんそく》し，これを監督員等《かんとくいんなど》に報告《ほうこく》する。

2　建設用大型機械《けんせつようおおがたきかい》は，直線区間《ちょくせんくかん》の建築限界《けんちくげんかい》の外方《がいほう》1m 以上離《いじょうはな》れた場所《ばしょ》で，かつ列《れっ》

正答　別冊 P.62

車《しゃ》の運転《うんてん》保安《ほあん》及《およ》び旅客公衆等《りょかくこうしゅうなど》に対《たい》し安全《あんぜん》な場所《ばしょ》に留置《りゅうち》する。

3　列車見張員《れっしゃみはりいん》は，作業等《さぎょうなど》の責任者及《せきにんしゃおよ》び従事員《じゅうじいん》に対《たい》して列車接近《れっしゃせっきん》の合図《あいず》が可能《かのう》な範《はん》囲内《いない》で，安全《あんぜん》が確保《かくほ》できる離《はな》れた場所《ばしょ》に配置《はいち》する。

4　工事管理者《こうじかんりしゃ》は，線閉責任者《せんぺいせきにんしゃ》に列車又《れっしゃまた》は車両《しゃりょう》の運転《うんてん》に支障《ししょう》がないことを確認《かくにん》するとともに，自《みずか》らも作業区間《さぎょうくかん》における建築限界内支障物《けんちくげんかいないししょうぶつ》の確認《かくにん》を行《おこな》う。

No. 44

シールド工法《こうほう》の施工《せこう》に関《かん》する次《つぎ》の記述《きじゅつ》のうち，**適当《てきとう》でないもの**はどれか。

1　掘進《くっしん》にあたっては，土質《どしつ》，土被《どかぶ》り等《など》の変化《へんか》に留意《りゅうい》しながら，掘削土砂《くっさくどしゃ》の取《と》り込《こ》み過《す》ぎや，チャンバー内《ない》の閉塞《へいそく》を起《お》こさないように切羽《きりは》の安定《あんてい》を図《はか》らなければならない。

2　セグメントの組立《くみた》ては，所定《しょてい》の内空《ないくう》を確保《かくほ》するために正確《せいかく》かつ堅固《けんご》に施工《せこう》し，セグメントの目開《めびら》きや目違《めちが》い等《など》の防止《ぼうし》について，精度《せいど》の高《たか》い管理《かんり》を行《おこな》う。

3　裏込《うらご》め注入工《ちゅうにゅうこう》は，セグメントからの漏水《ろうすい》の防止《ぼうし》，トンネルの蛇行防止等《だこうぼうしなど》に役立《やくだ》つため，シールド掘進後《くっしんご》に周辺地山《しゅうへんじやま》が安定《あんてい》してから行《おこな》わなければならない。

4　地盤変位《じばんへんい》を防止《ぼうし》するためには，掘進《くっしん》に伴《ともな》うシールドと地山《じやま》との摩擦《まさつ》を低減《ていげん》し，周辺地山《しゅうへんじやま》をできるかぎり乱《みだ》さないように，ヨーイングやピッチング等《など》を少《すく》なくして蛇行《だこう》を防止《ぼうし》する。

No. 45

鋼橋《こうきょう》の防食法《ぼうしょくほう》に関《かん》する次《つぎ》の記述《きじゅつ》のうち，**適当《てきとう》でないもの**はどれか。

1　塗装《とそう》は，鋼材表面《こうざいひょうめん》に形成《けいせい》した塗膜《とまく》が腐食《ふしょく》の原因《げんいん》となる酸素《さんそ》と水《みず》や，塩類等《えんるいなど》の腐《ふ》食《しょく》を促進《そくしん》する物質《ぶっしつ》を遮断《しゃだん》し鋼材《こうざい》を保護《ほご》する防食法《ぼうしょくほう》である。

2　耐候性鋼《たいこうせいこう》では，鋼材表面《こうざいひょうめん》における緻密《ちみつ》な錆層《さびそう》の生成《せいせい》には，鋼材《こうざい》の表面《ひょうめん》が大気中《たいきちゅう》にさらされ適度《てきど》な乾湿《かんしつ》の繰返《くりかえ》しを受《う》けることが必要《ひつよう》である。

3　電気防食《でんきぼうしょく》は，鋼材《こうざい》に電流《でんりゅう》を流《なが》して表面《ひょうめん》の電位差《でんいさ》をなくし，腐食電流《ふしょくでんりゅう》の回路《かいろ》を形《けい》成《せい》させない方法《ほうほう》であり，流電陽極方式《りゅうでんようきょくほうしき》と外部電源方式《がいぶでんげんほうしき》がある。

4　金属溶射《きんぞくようしゃ》は，加熱溶融《かねつようゆう》された微細《びさい》な金属粒子《きんぞくりゅうし》を鋼材表面《こうざいひょうめん》に吹《ふ》き付《つ》けて皮膜《ひまく》を形《けい》成《せい》する方法《ほうほう》であり，得《え》られた皮膜《ひまく》の表面《ひょうめん》は粗《あら》さがなく平滑《へいかつ》である。

No. 46

上水道《じょうすいどう》の配水管《はいすいかん》の埋設位置及《まいせついちおよ》び深《ふか》さに関《かん》する次《つぎ》の記述《きじゅつ》のうち，**適当《てきとう》でないもの**はどれか。

1　配水管《はいすいかん》は，維持管理《いじかんり》の容易性《よういせい》への配慮《はいりょ》から，原則《げんそく》として公道《こうどう》に布設《ふせつ》するもので，

この場合《ばあい》は道路法及《どうろほうおよ》び関係法令《かんけいほうれい》によるとともに，道路管理者《どうろかんりしゃ》との協議《きょうぎ》による。

2　道路法施行令《どうろほうせこうれい》では，土被《どかぶ》りの標準《ひょうじゅん》は1.2mと規定《きてい》されているが，土被《どかぶ》りの標準又《ひょうじゅんまた》は規定値《きていち》までとれない場合《ばあい》は道路管理者《どうろかんりしゃ》と協議《きょうぎ》して0.6mまで減少《げんしょう》できる。

3　配水管《はいすいかん》を他《ほか》の地下埋設物《ちかまいせつぶつ》と交差又《こうさまた》は近接《きんせつ》して布設《ふせつ》するときは，維持補修《いじほしゅう》や漏水《ろうすい》による加害事故発生《かがいじこはっせい》の恐《おそ》れに配慮《はいりょ》し，少《すく》なくとも0.2m以上《いじょう》の間隔《かんかく》を保《たも》つものとする。

4　地下水位《ちかすいい》が高《たか》い場合又《ばあいまた》は高《たか》くなることが予想《よそう》される場合《ばあい》には，管内空虚時《かんないくうきょじ》に配《はい》水管《すいかん》の浮上防止《ふじょうぼうし》のため最小土被《さいしょうどかぶ》りを確保《かくほ》する。

No. 47

下水道管渠《げすいどうかんきょ》の更生工法《こうせいこうほう》に関《かん》する次《つぎ》の記述《きじゅつ》のうち，**適当《てきとう》なもの**はどれか。

1　製管工法《せいかんこうほう》は，熱《ねつ》で硬化《こうか》する樹脂《じゅし》を含浸《がんしん》させた材料《ざいりょう》をマンホールから既設管渠内《きせつかんきょない》に加圧《かあつ》しながら挿入《そうにゅう》し，加圧状態《かあつじょうたい》のまま樹脂《じゅし》が硬化《こうか》することで更生管渠《こうせいかんきょ》を構築《こうちく》する。

2　形成工法《けいせいこうほう》は，硬化性樹脂《こうかせいじゅし》を含浸《がんしん》させた材料《ざいりょう》や熱可塑性樹脂《ねつかそせいじゅし》で形成《けいせい》した材料《ざいりょう》をマンホールから引込《ひきこ》み，加圧《かあつ》し，拡張及《かくちょうおよ》び圧着後《あっちゃくご》，硬化《こうか》や冷却固化《れいきゃくこか》することで更生《こうせい》管渠《かんきょ》を構築《こうちく》する。

3　反転工法《はんてんこうほう》は，既設管渠《きせつかんきょ》より小《ちい》さな管径《かんけい》で工場製作《こうじょうせいさく》された二次製品《にじせいひん》をけん引挿入《いんそうにゅう》し，間隙《かんげき》にモルタル等《など》の充填材《じゅうてんざい》を注入《ちゅうにゅう》することで更生管渠《こうせいかんきょ》を構築《こうちく》する。

4　さや管工法《かんこうほう》は，既設管渠内《きせつかんきょない》に硬質塩化《こうしつえんか》ビニル樹脂材等《じゅしざいなど》をかん合《ごう》し，その樹脂《じゅし》パイプと既設管渠《きせつかんきょ》との間隙《かんげき》にモルタル等《など》の充填材《じゅうてんざい》を注入《ちゅうにゅう》することで更生管渠《こうせいかんきょ》を構築《こうちく》する。

No. 48

下水道工事《げすいどうこうじ》における小口径管推進工法《しょうこうけいかんすいしんこうほう》の施工《せこう》に関《かん》する次《つぎ》の記述《きじゅつ》のうち，**適当《てきとう》でないもの**はどれか。

1　圧入方式《あつにゅうほうしき》は，誘導管推進《ゆうどうかんすいしん》の途中《とちゅう》で中断《ちゅうだん》し時間《じかん》をおくと，土質《どしつ》によっては推進管《すいしんかん》が締《し》め付《つ》けられ推進《すいしん》が不可能《ふかのう》となる場合《ばあい》があるため，推進中《すいしんちゅう》に中断《ちゅうだん》せず一気《いっき》に到達《とうたつ》させなければならない。

2　オーガ方式《ほうしき》は，高地下水圧《こうちかすいあつ》に対抗《たいこう》する装置《そうち》を有《ゆう》していないので，地下水位以下《ちかすいいいか》の粘性土地盤《ねんせいどじばん》に適用《てきよう》する場合《ばあい》は，取《と》り込《こ》み土量《どりょう》に特《とく》に注意《ちゅうい》しなければならない。

3　ボーリング方式《ほうしき》は，先導体前面《せんどうたいぜんめん》が開放《かいほう》しているので，地下水位以下《ちかすいいいか》の砂質土地盤《さしつどじばん》に適用《てきよう》する場合《ばあい》は，補助工法《ほじょこうほう》の使用《しよう》を前提《ぜんてい》とする。

4　泥水方式《でいすいほうしき》は，掘進機《くっしんき》の変位《へんい》を直接制御《ちょくせつせいぎょ》することができないため，変位《へんい》の小《ちい》さなうちに方向修正《ほうこうしゅうせい》を加《くわ》えて掘進軌跡《くっしんきせき》の最大値《さいだいち》が許容値《きょようち》を超《こ》えないようにする。

正答　別冊P.64

No. 49

薬液注入工事《やくえきちゅうにゅうこうじ》の施工管理《せこうかんり》に関《かん》する次《つぎ》の記述《きじゅつ》のうち，**適当《てきとう》でないもの**はどれか。

1　薬液《やくえき》の注入量《ちゅうにゅうりょう》が500kℓ以上《いじょう》の大型《おおがた》の工事《こうじ》では，水《みず》ガラスの原料《げんりょう》タンクと調合槽《ちょうごうそう》との間《あいだ》に流量積算計《りゅうりょうせきさんけい》の設置《せっち》が義務《ぎむ》づけられているので，これにより水《みず》ガラスの使《し》用量《ようりょう》を確認《かくにん》する。

2　削孔時《さっこうじ》の施工管理項目《せこうかんりこうもく》は，深度《しんど》，角度及《かくどおよ》び地表《ちひょう》に戻《もど》ってくる削孔水《さっこうすい》の状態《じょうたい》の管《かん》理《り》があり，特《とく》に削孔中《さっこうちゅう》は削孔水《さっこうすい》を観察《かんさつ》し調査《ちょうさ》ボーリングと異《こと》なっていないか確認《かくにん》する。

3　材料《ざいりょう》の調合《ちょうごう》に使用《しよう》する水《みず》は原則《げんそく》として水道水《すいどうすい》を使用《しよう》するものとし，水道水《すいどうすい》が使《し》用《よう》できない時《とき》は，水質基準《すいしつきじゅん》のpHが5.7以下《いか》の水《みず》を使用《しよう》することが望《のぞ》ましい。

4　埋設物《まいせつぶつ》の損傷等《そんしょうなど》の防止《ぼうし》として，埋設管《まいせつかん》がある深度《しんど》においては，ロータリーによるボーリングを避《さ》け，ジェッテングによる削孔《さっこう》を行《おこな》うことが望《のぞ》ましい。

※問題番号《もんだいばんごう》No.50〜No.61までの12問題《もんだい》のうちから8問題《もんだい》を選択《せんたく》し解答《かいとう》してください。

No. 50

労働者《ろうどうしゃ》に支払《しはら》う賃金《ちんぎん》に関《かん》する次《つぎ》の記述《きじゅつ》のうち，労働基準法令上《ろうどうきじゅんほうれいじょう》，**誤《あやま》っているもの**はどれか。

1　使用者《しようしゃ》は，労働契約《ろうどうけいやく》の不履行《ふりこう》について違約金《いやくきん》を定《さだ》め，又《また》は損害賠償額《そんがいばいしょうがく》を明示《めいじ》して契約《けいやく》しなければならない。

2　使用者《しようしゃ》は，労働者《ろうどうしゃ》が出産《しゅっさん》，疾病《しっぺい》，災害《さいがい》など非常《ひじょう》の場合《ばあい》の費用《ひよう》に充《あ》てるために請《せい》求《きゅう》する場合《ばあい》においては，支払期日前《しはらいきじつまえ》であっても，既往《きおう》の労働《ろうどう》に対《たい》する賃金《ちんぎん》を支払《しはら》わなければならない。

3　使用者《しようしゃ》は，出来高払制《できだかばらいせい》その他《た》の請負制《うけおいせい》で使用《しよう》する労働者《ろうどうしゃ》については，労働時間《ろうどうじかん》に応《おう》じ一定額《いっていがく》の賃金《ちんぎん》の保障《ほしょう》をしなければならない。

4　使用者《しようしゃ》は，労働契約《ろうどうけいやく》の締結《ていけつ》に際《さい》し，労働者《ろうどうしゃ》に対《たい》して賃金《ちんぎん》の決定《けってい》，計算及《けいさんおよ》び支払《しはらい》の方法《ほうほう》，賃金《ちんぎん》の締切《しめき》り及《およ》び支払《しはらい》の時期並《じきなら》びに昇給《しょうきゅう》に関《かん》する事項《じこう》を明示《めいじ》しなければならない。

No. 51

災害補償《さいがいほしょう》に関《かん》する次《つぎ》の記述《きじゅつ》のうち，労働基準法令上《ろうどうきじゅんほうれいじょう》，**誤《あやま》っているもの**はどれか。

1　労働者《ろうどうしゃ》が業務上負傷《ぎょうむじょうふしょう》し，又《また》は疾病《しっぺい》にかかった場合《ばあい》の療養《りょうよう》のため，労働《ろうどう》することができないために賃金《ちんぎん》を受《う》けない場合《ばあい》においては，使用者《しようしゃ》は，休業補償《きゅうぎょうほしょう》を行《おこな》わな

けれぱならない。

2　労働者《ろうどうしゃ》が業務上負傷《ぎょうむじょうふしょう》し，又《また》は疾病《しっぺい》にかかり補償《ほしょう》を受《う》ける場合《ばあい》，療養開始後《りょうようかいしご》3年《ねん》を経過《けいか》しても負傷又《ふしょうまた》は疾病《しっぺい》がなおらない場合《ばあい》においては，使用者《しようしゃ》は，打切補償《うちきりほしょう》を行《おこな》い，その後《ご》はこの法律《ほうりつ》の規定《きてい》による補償《ほしょう》を行《おこな》わなくてもよい。

3　労働者《ろうどうしゃ》が業務上負傷《ぎょうむじょうふしょう》し，又《また》は疾病《しっぺい》にかかった場合《ばあい》においては，使用者《しようしゃ》は，その費用《ひよう》で必要《ひつよう》な療養《りょうよう》を行《おこな》い，又《また》は必要《ひつよう》な療養費用《りょうようひよう》の 100 分《ぶん》の 50 を負担《ふたん》しなければならない。

4　労働者《ろうどうしゃ》が重大《じゅうだい》な過失《かしつ》によって業務上負傷《ぎょうむじょうふしょう》し，又《また》は疾病《しっぺい》にかかり，かつ使用者《しようしゃ》がその過失《かしつ》について行政官庁《ぎょうせいかんちょう》の認定《にんてい》を受《う》けた場合《ばあい》においては，休業補償又《きゅうぎょうほしょうまた》は障害補償《しょうがいほしょう》を行《おこな》わなくてもよい。

No. 52

次《つぎ》の作業《さぎょう》のうち，労働安全衛生法令上《ろうどうあんぜんえいせいほうれいじょう》，**作業主任者《さぎょうしゅにんしゃ》の選任《せんにん》を必要《ひつよう》とする作業《さぎょう》**はどれか。

1　掘削面《くっさくめん》の高《たか》さが 1m の地山《じやま》の掘削《くっさく》（ずい道及《どうおよ》びたて坑以外《こういがい》の坑《こう》の掘削《くっさく》を除《のぞ》く）の作業《さぎょう》

2　掘削面《くっさくめん》の高《たか》さが 2m の土止《どど》め支保工《しほこう》の切《き》りばり又《また》は腹起《はらお》こしの取付《とりつ》け又《また》は取《と》り外《はず》しの作業《さぎょう》

3　高《たか》さが 3m の構造《こうぞう》の足場《あしば》の組立《くみた》て，解体《かいたい》の作業《さぎょう》

4　高《たか》さが 4m のコンクリート橋梁上部構造《きょうりょうじょうぶこうぞう》の架設《かせつ》の作業《さぎょう》

No. 53

高《たか》さが 5m 以上《いじょう》のコンクリート造《ぞう》の工作物《こうさくぶつ》の解体作業《かいたいさぎょう》における危険《きけん》を防止《ぼうし》するために，事業者又《じぎょうしゃまた》はコンクリート造《ぞう》の工作物《こうさくぶつ》の解体等作業主《かいたいとうさぎょうしゅ》任者《にんしゃ》が行《おこな》うべき事項《じこう》に関《かん》する次《つぎ》の記述《きじゅつ》のうち，労働安全衛生法令上《ろうどうあんぜんえいせいほうれいじょう》，**誤《あやま》っているもの**はどれか。

1　事業者《じぎょうしゃ》は，外壁《がいへき》，柱等《はしらとう》の引倒《ひきたお》し等《とう》の作業《さぎょう》を行《おこな》うときは，引倒《ひきたお》し等《とう》について一定《いってい》の合図《あいず》を定《さだ》め，関係労働者《かんけいろうどうしゃ》に周知《しゅうち》させなければならない。

2　コンクリート造《ぞう》の工作物《こうさくぶつ》の解体等作業主任者《かいたいとうさぎょうしゅにんしゃ》は，作業《さぎょう》の方法及《ほうほうおよ》び労働者《ろうどうしゃ》の配置《はいち》を決定《けってい》し，作業《さぎょう》を直接指揮《ちょくせつしき》しなければならない。

3　コンクリート造《ぞう》の工作物《こうさくぶつ》の解体等作業主任者《かいたいとうさぎょうしゅにんしゃ》は，作業《さぎょう》を行《おこな》う区域内《くいきない》には関係労《かんけいろう》働者以外《どうしゃいがい》の労働者《ろうどうしゃ》の立入《たちい》りを禁止《きんし》しなければならない。（☆）

4　事業者《じぎょうしゃ》は，強風《きょうふう》，大雨《おおあめ》，大雪等《おおゆきとう》の悪天候《あくてんこう》のため，作業《さぎょう》の実施《じっし》について危険《きけん》が予想《よそう》されるときは，当該作業《とうがいさぎょう》を中止《ちゅうし》しなければならない。

正答　別冊 P.66

No. 54

元請負人《もとうけおいにん》の義務《ぎむ》に関《かん》する次《つぎ》の記述《きじゅつ》のうち，建設業法令上《けんせつぎょうほうれいじょう》，**誤《あやま》っているもの**はどれか。

1　元請負人《もとうけおいにん》は，その請《う》け負《お》った建設工事《けんせつこうじ》を施工《せこう》するために必要《ひつよう》な工程《こうてい》の細目《さいもく》，作《さ》業方法《ぎょうほうほう》その他《た》元請負人《もとうけおいにん》において定《さだ》めるべき事項《じこう》を定《さだ》めようとするときは，あらかじめ，下請負人《したうけおいにん》の意見《いけん》をきかなければならない。

2　元請負人《もとうけおいにん》は，請負代金《うけおいだいきん》の出来形部分《できがたぶぶん》に対《たい》する支払《しはらい》を受《う》けたときは，施工《せこう》した下《した》請負人《うけおいにん》に対《たい》して，下請代金《したうけだいきん》の一部《いちぶ》を，当該支払《とうがいしはらい》を受《う》けた日《ひ》から 40 日以内《にちいない》で，かつ，できる限《かぎ》り短《みじか》い期間内《きかんない》に支払《しはら》わなければならない。

3　元請負人《もとうけおいにん》は，前払金《まえばらいきん》の支払《しはらい》を受《う》けたときは，下請負人《したうけおいにん》に対《たい》して，資材《しざい》の購入《こうにゅう》，労働者《ろうどうしゃ》の募集《ぼしゅう》その他《た》建設工事《けんせつこうじ》の着手《ちゃくしゅ》に必要《ひつよう》な費用《ひよう》を前払金《まえばらいきん》として支払《しはら》うよう適切《てきせつ》な配慮《はいりょ》をしなければならない。

4　元請負人《もとうけおいにん》は，下請負人《したうけおいにん》からその請《う》け負《お》った建設工事《けんせつこうじ》が完成《かんせい》した旨《むね》の通知《つうち》を受《う》けたときは，当該通知《とうがいつうち》を受《う》けた日《ひ》から 20 日以内《にちいない》で，かつ，できる限《かぎ》り短《みじか》い期間内《きかんない》に，その完成《かんせい》を確認《かくにん》するための検査《けんさ》を完了《かんりょう》しなければならない。

No. 55

火薬《かやく》の取扱《とりあつか》いに関《かん》する次《つぎ》の記述《きじゅつ》のうち，火薬類取締法令上《かやくるいとりしまりほうれいじょう》，**正《ただ》しいもの**はどれか。

1　火薬類取扱所《かやくるいとりあつかいしょ》には，帳簿《ちょうぼ》を備《そな》え，責任者《せきにんしゃ》を定《さだ》めて，火薬類《かやくるい》の受払《うけはら》い及《およ》び消費残《しょうひざん》数量《すうりょう》をその都度明確《つどめいかく》に記録《きろく》させること。

2　消費場所《しょうひばしょ》において火薬類《かやくるい》を取《と》り扱《あつか》う場合《ばあい》の火薬類《かやくるい》を収納《しゅうのう》する容器《ようき》は，木《き》その他《た》電気不良導体《でんきふりょうどうたい》で作《つく》った丈夫《じょうぶ》な構造《こうぞう》のものとし，内面《ないめん》は鉄類《てつるい》で表《ひょう》したものとすること。

3　火薬類取扱所《かやくるいとりあつかいしょ》には地下構造《ちかこうぞう》の建物《たてもの》を設《もう》け，その構造《こうぞう》は，火薬類《かやくるい》を存置《ぞんち》するときに見張人《みはりにん》を常時配置《じょうじはいち》する場合《ばあい》を除《のぞ》き，盗難及《とうなんおよ》び火災《かさい》を防《ふせ》ぎ得《え》る構造《こうぞう》とすること。(☆)

4　火薬類取扱所《かやくるいとりあつかいしょ》の周囲《しゅうい》には，保安距離《ほあんきょり》を確保《かくほ》し，かつ，「立入禁止《たちいりきんし》」，「火気厳禁《かきげんきん》」等《とう》と書《か》いた警戒札《けいかいふだ》を掲示《けいじ》すること。

No. 56

道路上《どうろじょう》で行《おこな》う工事《こうじ》，又《また》は行為《こうい》についての許可《きょか》，又《また》は承認《しょうにん》に関《かん》する次《つぎ》の記述《きじゅつ》のうち，道路法令上《どうろほうれいじょう》，**誤《あやま》っているもの**はどれか。

1　道路管理者以外《どうろかんりしゃいがい》の者《もの》が，沿道《えんどう》で行《おこな》う工事《こうじ》のために交通《こうつう》に支障《ししょう》を及《およ》ぼすおそれのない道路《どうろ》の区域内《くいきない》に，工事材料《こうじざいりょう》の置《お》き場《ば》を設《もう》ける場合《ばあい》は，道路管理者《どうろかんりしゃ》の許可《きょか》を受《う》ける必要《ひつよう》がない。

2　道路管理者以外《どうろかんりしゃいがい》の者《もの》が，民地《みんち》への車両乗入《しゃりょうのりい》れのために歩道切下《ほどうきりさ》げ工事《こうじ》を行《おこな》う場合《ばあい》は，道路管理者《どうろかんりしゃ》の承認《しょうにん》を受《う》ける必要《ひつよう》がある。
3　道路占用者《どうろせんようしゃ》が，電線《でんせん》，上下水道《じょうげすいどう》，ガス等《とう》を道路《どうろ》に設《もう》け，継続《けいぞく》して道路《どうろ》を使用《しよう》する場合《ばあい》は，道路管理者《どうろかんりしゃ》の許可《きょか》を受《う》ける必要《ひつよう》がある。
4　道路占用者《どうろせんようしゃ》が，道路《どうろ》の構造又《こうぞうまた》は交通《こうつう》に支障《ししょう》を及《およ》ぼすおそれがないと認《みと》められる重量《じゅうりょう》の増加《ぞうか》を伴《ともな》わない占用物件《せんようぶっけん》の構造《こうぞう》を変更《へんこう》する場合《ばあい》は，あらためて道路管理者《どうろかんりしゃ》の許可《きょか》を受《う》ける必要《ひつよう》がない。

No. 57

河川管理者以外《かせんかんりしゃいがい》の者《もの》が河川区域《かせんくいき》（高規格堤防特別区域《こうきかくていぼうとくべつくいき》を除《のぞ》く）で工事《こうじ》を行《おこな》う場合《ばあい》の許可《きょか》に関《かん》する次《つぎ》の記述《きじゅつ》のうち，河川法令上《かせんほうれいじょう》，**誤《あやま》っているもの**はどれか。

1　河川区域内《かせんくいきない》の土地《とち》の地下《ちか》を横断《おうだん》して工業用水《こうぎょうようすい》のサイホンを設置《せっち》する場合《ばあい》は，河川管理者《かせんかんりしゃ》の許可《きょか》を受《う》ける必要《ひつよう》がある。
2　河川区域内《かせんくいきない》の野球場《やきゅうじょう》に設置《せっち》されている老朽化《ろうきゅうか》したバックネットを撤去《てっきょ》する場合《ばあい》は，河川管理者《かせんかんりしゃ》の許可《きょか》を受《う》ける必要《ひつよう》がない。
3　河川区域内《かせんくいきない》に設置《せっち》されている取水施設《しゅすいしせつ》の機能維持《きのういじ》のために取水口付近《しゅすいこうふきん》に積《つ》もった土砂《どしゃ》を撤去《てっきょ》する場合《ばあい》は，河川管理者《かせんかんりしゃ》の許可《きょか》を受《う》ける必要《ひつよう》がない。
4　河川区域内《かせんくいきない》で一時的《いちじてき》に仮設《かせつ》の資材置場《しざいおきば》を設置《せっち》する場合《ばあい》は，河川管理者《かせんかんりしゃ》の許可《きょか》を受《う》ける必要《ひつよう》がある。

No. 58

工事現場《こうじげんば》に設置《せっち》する仮設《かせつ》の現場事務所《げんばじむしょ》に関《かん》する次《つぎ》の記述《きじゅつ》のうち，建築基準法令上《けんちくきじゅんほうれいじょう》，**正《ただ》しいもの**はどれか。

1　現場事務所《げんばじむしょ》を建築《けんちく》する場合《ばあい》は，当該工事《とうがいこうじ》に着手《ちゃくしゅ》する前《まえ》に，その計画《けいかく》が建築基準《けんちくきじゅん》関係規定《かんけいきてい》に適合《てきごう》するものであることについて，建築主事《けんちくしゅじ》の確認《かくにん》を受《う》けなければならない。(☆)
2　現場事務所《げんばじむしょ》を湿潤《しつじゅん》な土地《とち》，出水《しゅっすい》のおそれの多《おお》い土地《とち》に建築《けんちく》する場合《ばあい》においては，盛土《もりど》，地盤《じばん》の改良《かいりょう》その他衛生上又《たえいせいじょうまた》は安全上必要《あんぜんじょうひつよう》な措置《そち》を講《こう》じなければならない。
3　現場事務所《げんばじむしょ》ががけ崩《くず》れ等《とう》による被害《ひがい》を受《う》けるおそれのある場合《ばあい》においては，擁壁《ようへき》の設置《せっち》その他安全上適当《たあんぜんじょうてきとう》な措置《そち》を講《こう》じなければならない。
4　現場事務所《げんばじむしょ》は，自重《じじゅう》，積載荷重《せきさいかじゅう》，積雪荷重《せきせつかじゅう》，風圧《ふうあつ》，土圧及《どあつおよ》び水圧並《すいあつなら》びに地震《じしん》その他《た》の震動及《しんどうおよ》び衝撃《しょうげき》に対《たい》して安全《あんぜん》な構造《こうぞう》でなければならない。

正答　別冊P.69

No. 59

騒音規制法令上《そうおんきせいほうれいじょう》，特定建設作業《とくていけんせつさぎょう》における環境省令《かんきょうしょうれい》で定《さだ》める基準《きじゅん》に関《かん》する次《つぎ》の記述《きじゅつ》のうち，**誤《あやま》っているもの**はどれか。

1　特定建設作業《とくていけんせつさぎょう》に伴《ともな》って発生《はっせい》する騒音《そうおん》が，特定建設作業《とくていけんせつさぎょう》の場所《ばしょ》の敷地《しきち》の境界線《きょうかいせん》において，75dB を超《こ》える大《おお》きさのものでないこと。

2　都道府県知事《とどうふけんちじ》が指定《してい》した第《だい》1号区域《ごうくいき》では，原則《げんそく》として午後《ごご》7時《じ》から翌日《よくじつ》の午前《ごぜん》7時《じ》まで行《おこな》われる特定建設作業《とくていけんせつさぎょう》に伴《ともな》って騒音《そうおん》が発生《はっせい》するものでないこと。

3　特定建設作業《とくていけんせつさぎょう》の全部又《ぜんぶまた》は一部《いちぶ》に係《かか》る作業《さぎょう》の期間《きかん》が当該特定建設作業《とうがいとくていけんせつさぎょう》の場合《ばあい》においては，原則《げんそく》として連続《れんぞく》して6日間《にちかん》を超《こ》えて行《おこな》われる特定建設作業《とくていけんせつさぎょう》に伴《ともな》って騒音《そうおん》が発生《はっせい》するものでないこと。

4　都道府県知事《とどうふけんちじ》が指定《してい》した第《だい》1号区域《ごうくいき》では，原則《げんそく》として1日《にち》10時間《じかん》を超《こ》えて行《おこな》われる特定建設作業《とくていけんせつさぎょう》に伴《ともな》って騒音《そうおん》が発生《はっせい》するものでないこと。

No. 60

振動規制法令上《しんどうきせいほうれいじょう》，指定地域内《していちいきない》で行《おこな》う次《つぎ》の建設作業《けんせつさぎょう》のうち，特定建設作《とくていけんせつさ》業《ぎょう》に**該当《がいとう》しないもの**はどれか。ただし，当該作業《とうがいさぎょう》がその作業《さぎょう》を開始《かいし》した日《ひ》に終《お》わるものを除《のぞ》く。

1　ジャイアントブレーカを使用《しよう》したコンクリート構造物《こうぞうぶつ》の取《と》り壊《こわ》し作業《さぎょう》

2　1日《にち》の移動距離《いどうきょり》が50m未満《みまん》の舗装版破砕機《ほそうばんはさいき》による道路舗装面《どうろほそうめん》の破砕作業《はさいさぎょう》

3　1日《にち》の移動距離《いどうきょり》が50m未満《みまん》の振動《しんどう》ローラによる路体《ろたい》の締固《しめかた》め作業《さぎょう》

4　ディーゼルハンマによる既製《きせい》コンクリート杭《ぐい》の打込《うちこ》み作業《さぎょう》

No. 61

港長《こうちょう》の許可又《きょかまた》は届《とど》け出《で》に関《かん》する次《つぎ》の記述《きじゅつ》のうち，港則法令上《こうそくほうれいじょう》，**正《ただ》しいもの**はどれか。

1　特定港内又《とくていこうないまた》は特定港《とくていこう》の境界附近《きょうかいふきん》で工事又《こうじまた》は作業《さぎょう》をしようとする者《もの》は，港長《こうちょう》に届《とど》け出《で》なければならない。

2　船舶《せんぱく》は，特定港《とくていこう》に入港《にゅうこう》したとき又《また》は特定港《とくていこう》を出港《しゅっこう》しようとするときは，国土交《こくどこう》通省令《つうしょうれい》の定《さだ》めるところにより，港長《こうちょう》の許可《きょか》を受《う》けなければならない。

3　特定港内《とくていこうない》において竹木材《ちくぼくざい》を船舶《せんぱく》から水上《すいじょう》に卸《おろ》そうとする者《もの》は，港長《こうちょう》の許可《きょか》を受《う》けなければならない。

4　船舶《せんぱく》は，特定港内又《とくていこうないまた》は特定港《とくていこう》の境界附近《きょうかいふきん》において危険物《きけんぶつ》を運搬《うんぱん》しようとするときは，港長《こうちょう》に届《とど》け出《で》なければならない。

正答　別冊 P.71

令和5年度　第一次検定　問題B（必須問題）

試験時間　120分

※問題番号《もんだいばんごう》No.1～No.20までの20問題《もんだい》は，必須問題《ひっすもんだい》ですから全問題《ぜんもんだい》を解答《かいとう》してください。

No. 1　TS（トータルステーション）を用《もち》いて行《おこな》う測量《そくりょう》に関《かん》する次《つぎ》の記述《きじゅつ》のうち，**適当《てきとう》でないもの**はどれか。

1　TSでの鉛直角観測《えんちょくかくかんそく》は，1視準《しじゅん》1読定《どくてい》，望遠鏡正及《ぼうえんきょうせいおよ》び反《はん》の観測《かんそく》を2対回《ついかい》とする。

2　TSでの水平角観測《すいへいかくかんそく》において，対回内《ついかいない》の観測方向数《かんそくほうこうすう》は，5方向以下《ほうこういか》とする。

3　TSでの距離測定《きょりそくてい》は，1視準《しじゅん》2読定《どくてい》を1セットとする。

4　TSでの水平角観測《すいへいかくかんそく》，鉛直角観測及《えんちょくかくかんそくおよ》び距離測定《きょりそくてい》は，1視準《しじゅん》で同時《どうじ》に行《おこな》うことを原《げん》則《そく》とする。

No. 2　公共工事標準請負契約約款《こうきょうこうじひょうじゅんうけおいけいやくやっかん》に関《かん》する次《つぎ》の記述《きじゅつ》のうち，**適当《てきとう》でないもの**はどれか。

1　工期《こうき》を変更《へんこう》する場合《ばあい》は，発注者《はっちゅうしゃ》と受注者《じゅちゅうしゃ》が協議《きょうぎ》して定《さだ》めるが，所定《しょてい》の期日《きじつ》までに協議《きょうぎ》が整《ととの》わないときは，発注者《はっちゅうしゃ》が定《さだ》めて受注者《じゅちゅうしゃ》に通知《つうち》する。

2　発注者《はっちゅうしゃ》は，必要《ひつよう》があると認《みと》めるときは，設計図書《せっけいとしょ》の変更内容《へんこうないよう》を受注者《じゅちゅうしゃ》に通知《つうち》して，設計図書《せっけいとしょ》を変更《へんこう》することができる。

3　受注者《じゅちゅうしゃ》は，現場代理人《げんばだいりにん》を工事現場《こうじげんば》に常駐《じょうちゅう》させなければならないが，工事現場《こうじげんば》における運営等《うんえいなど》に支障《ししょう》がなく，かつ，発注者《はっちゅうしゃ》との連絡体制《れんらくたいせい》が確保《かくほ》されれば受注者《じゅちゅうしゃ》の判断《はんだん》で，工事現場《こうじげんば》への常駐《じょうちゅう》を必要《ひつよう》としないことができる。

4　受注者《じゅちゅうしゃ》は，工事目的物《こうじもくてきぶつ》の引渡《ひきわた》し前《まえ》に，天災等《てんさいとう》で発注者《はっちゅうしゃ》と受注者《じゅちゅうしゃ》のいずれの責《せ》めにも帰《き》すことができないものにより，工事目的物等《こうじもくてきぶつとう》に損害《そんがい》が生《しょう》じたときは，発注《はっちゅう》者《しゃ》が確認《かくにん》し，受注者《じゅちゅうしゃ》に通知《つうち》したときには損害《そんがい》による費用《ひよう》の負担《ふたん》を発注者《はっちゅうしゃ》に請求《せいきゅう》することができる。

正答　別冊P.73

No. 3 下図《かず》は，擁壁《ようへき》の配筋図《はいきんず》を示《しめ》したものである。**かかと部《ぶ》の引張鉄筋《ひっぱりてっきん》に該《がい》当《とう》する鉄筋番号《てっきんばんごう》**は，次《つぎ》のうちどれか。

一《いっ》般《ぱん》図《ず》

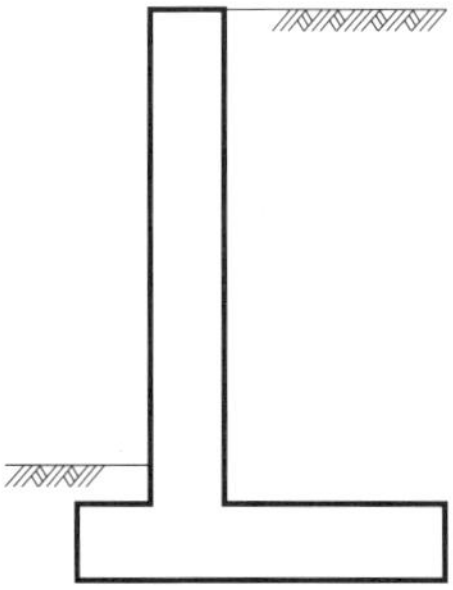

底《てい》版《ばん》

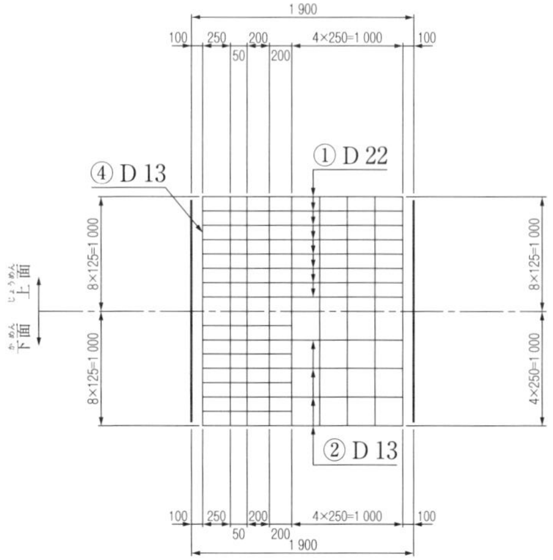

たて壁《かべ》

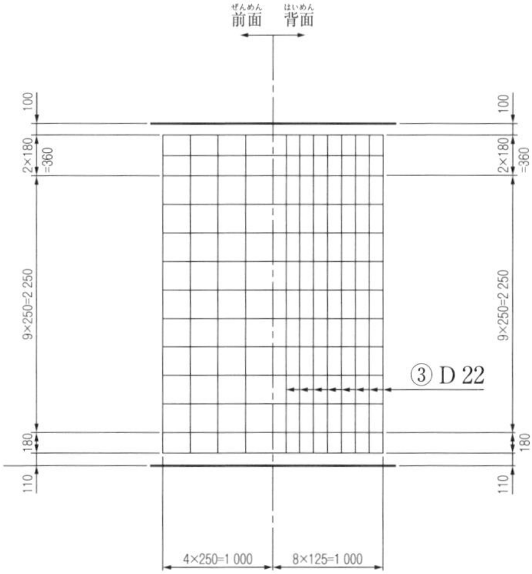

断《だん》面《めん》図《ず》

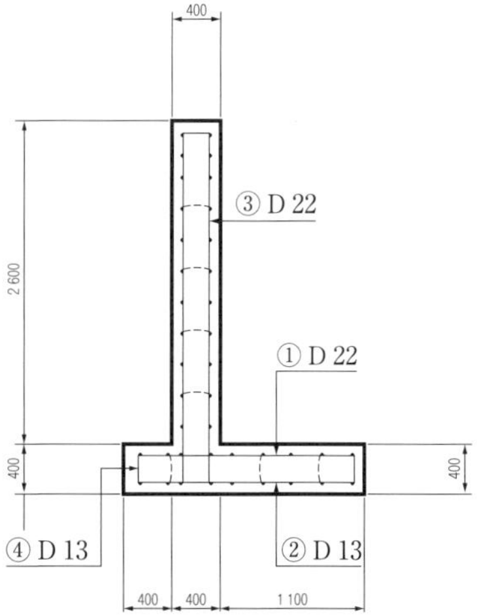

1　① D22
2　② D13
3　③ D22
4　④ D13

No. 4

道路工事《どうろこうじ》における締固《しめかた》め機械《きかい》に関《かん》する次《つぎ》の記述《きじゅつ》のうち，**適当《てきとう》でないもの**はどれか。

1　振動《しんどう》ローラは，自重《じじゅう》による重力《じゅうりょく》に加《くわ》え，転圧輪《てんあつりん》を強制振動《きょうせいしんどう》させて締《し》め固《かた》める機《き》械《かい》であり比較的小型《ひかくてきこがた》でも高《たか》い締固《しめかた》め効果《こうか》を得《え》ることができる。

2　タイヤローラは，タイヤの空気圧《くうきあつ》を変《か》えて輪荷重《りんかじゅう》を調整《ちょうせい》し，バラストを付加《ふか》して接地圧《せっちあつ》を増加《ぞうか》させ締固《しめかた》め効果《こうか》を大《おお》きくすることができ，路床《ろしょう》，路盤《ろばん》の施工《せこう》に使《し》用《よう》される。

3　ロードローラは，鉄輪《てつりん》を用《もち》いた締固《しめかた》め機械《きかい》でマカダム型《がた》とタンデム型《がた》があり，アスファルト混合物《こんごうぶつ》や路盤《ろばん》の締固《しめかた》め及《およ》び路床《ろしょう》の仕上《しあ》げ転圧等《てんあつなど》に使用《しよう》される。

4　タンピングローラは，突起《とっき》の先端《せんたん》に荷重《かじゅう》を集中《しゅうちゅう》させることができ，土塊《どかい》や岩塊《がんかい》等《など》の破砕《はさい》や締固《しめかた》めに効果《こうか》があり，厚層《こうそう》の土《つち》の転圧《てんあつ》に適《てき》している。

No. 5

施工計画立案《せこうけいかくりつあん》のための事前調査《じぜんちょうさ》に関《かん》する次《つぎ》の記述《きじゅつ》のうち，**適当《てきとう》でないもの**はどれか。

1　市街地《しがいち》の工事《こうじ》や既設施設物《きせつしせつぶつ》に近接《きんせつ》した工事《こうじ》の事前調査《じぜんちょうさ》では，既設施設物《きせつしせつぶつ》の変状《へんじょう》防止対策《ぼうしたいさく》や使用空間《しようくうかん》の確保等《かくほなど》を施工計画《せこうけいかく》に反映《はんえい》することが必要《ひつよう》である。

2　下請負業者《したうけおいぎょうしゃ》の選定《せんてい》にあたっての調査《ちょうさ》では，技術力《ぎじゅつりょく》，過去《かこ》の実績《じっせき》，労働力《ろうどうりょく》の供給《きょうきゅう》，信用度《しんようど》，専門性等《せんもんせいなど》と安全管理能力《あんぜんかんりのうりょく》を持《も》っているか等《など》について調査《ちょうさ》することが重要《じゅうよう》である。

3　資機材《しきざい》の輸送調査《ゆそうちょうさ》では，事前《じぜん》に輸送《ゆそう》ルートの道路状況《どうろじょうきょう》や交通規制等《こうつうきせいなど》を把握《はあく》し，不明《ふめい》な点《てん》がある場合《ばあい》には，陸運事務所《りくうんじむしょ》や所轄警察署《しょかつけいさつしょ》に相談《そうだん》して解決《かいけつ》しておくことが重要《じゅうよう》である。

4　現場条件《げんばじょうけん》の調査《ちょうさ》では，調査項目《ちょうさこうもく》の落《お》ちがないように選定《せんてい》し，複数《ふくすう》の人《ひと》で調査《ちょうさ》したり，調査回数《ちょうさかいすう》を重《かさ》ねる等《など》により，精度《せいど》を高《たか》めることが必要《ひつよう》である。

正答　別冊 P.74

No. 6

下図《かず》のネットワーク式工程表《しきこうていひょう》で示《しめ》される工事《こうじ》で，作業《さぎょう》Ｆに４日《にち》の遅延《ちえん》が発生《はっせい》した場合《ばあい》，次《つぎ》の記述《きじゅつ》のうち，**適当《てきとう》なもの**はどれか。
ただし，図中《ずちゅう》のイベント間《かん》のＡ～Ｊは作業内容《さぎょうないよう》，数字《すうじ》は作業日数《さぎょうにっすう》を示《しめ》す。

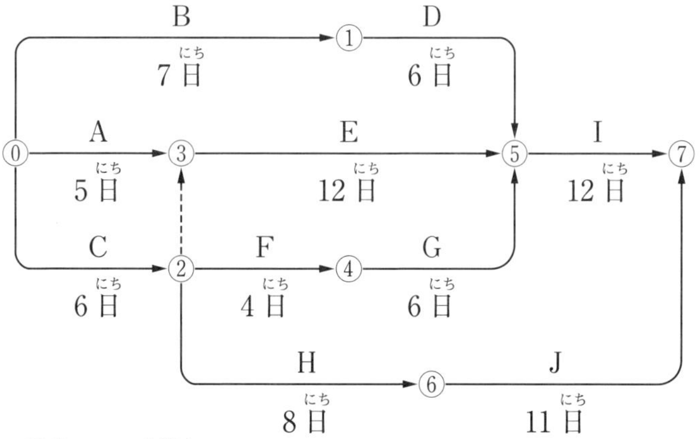

1　当初《とうしょ》の工期《こうき》どおり完了《かんりょう》する。
2　当初《とうしょ》の工期《こうき》より 2 日遅《にちおく》れる。
3　当初《とうしょ》の工期《こうき》より 3 日遅《にちおく》れる。
4　クリティカルパスの経路《けいろ》は当初《とうしょ》と変《か》わらない。

No. 7

特定元方事業者《とくていもとかたじぎょうしゃ》が講《こう》ずべき措置等《そちとう》に関《かん》する次《つぎ》の記述《きじゅつ》のうち，労働安全《ろうどうあんぜん》衛生法令上《えいせいほうれいじょう》，**誤《あやま》っているもの**はどれか。

1　特定元方事業者《とくていもとかたじぎょうしゃ》は，すべての関係請負人《かんけいうけおいにん》が参加《さんか》する協議組織《きょうぎそしき》を設置《せっち》し，会議《かいぎ》の運営《うんえい》を行《おこな》わなければならない。
2　特定元方事業者《とくていもとかたじぎょうしゃ》は，関係請負人《かんけいうけおいにん》が行《おこな》う労働者《ろうどうしゃ》の安全又《あんぜんまた》は衛生《えいせい》のための教育《きょういく》に対《たい》する指導及《しどうおよ》び援助《えんじょ》を行《おこな》わなければならない。
3　特定元方事業者《とくていもとかたじぎょうしゃ》は，工程《こうてい》，機械《きかい》，設備《せつび》の配置等《はいちとう》に関《かん》する計画《けいかく》を作成《さくせい》しなければならない。
4　特定元方事業者《とくていもとかたじぎょうしゃ》は，当該作業場所《とうがいさぎょうばしょ》の巡視《じゅんし》を作業前日《さぎょうぜんじつ》に行《おこな》わなければならない。

No. 8

安全管理体制《あんぜんかんりたいせい》における，安全衛生管理組織《あんぜんえいせいかんりそしき》に関《かん》する次《つぎ》の記述《きじゅつ》のうち，労働安全衛生法令上《ろうどうあんぜんえいせいほうれいじょう》，**誤《あやま》っているもの**はどれか。

1　元方事業者《もとかたじぎょうしゃ》は，関係請負人《かんけいうけおいにん》の労働者《ろうどうしゃ》を含《ふく》め，常時《じょうじ》50 人以上《にんいじょう》となる事業場《じぎょうじょう》（ずい道《どう》，圧気工法《あっきこうほう》，一定《いってい》の橋梁工事《きょうりょうこうじ》は除《のぞ》く）では，統括安全衛生責任者《とうかつあんぜんえいせいせきにんしゃ》を選任《せんにん》する。

2　元方事業者《もとかたじぎょうしゃ》は，関係請負人《かんけいうけおいにん》の労働者《ろうどうしゃ》を含《ふく》め，常時《じょうじ》50人以上《にんいじょう》となる事業場《じぎょうじょう》では，安全管理者《あんぜんかんりしゃ》を選任《せんにん》する。

3　元方事業者《もとかたじぎょうしゃ》は，関係請負人《かんけいうけおいにん》の労働者《ろうどうしゃ》を含《ふく》め，常時《じょうじ》50人以上《にんいじょう》となる事業場《じぎょうじょう》では，衛生管理者《えいせいかんりしゃ》を選任《せんにん》する。

4　元方事業者《もとかたじぎょうしゃ》は，関係請負人《かんけいうけおいにん》の労働者《ろうどうしゃ》を含《ふく》め，常時《じょうじ》50人以上《にんいじょう》100人未満《にんみまん》となる事《じ》業場《ぎょうじょう》では，安全衛生推進者《あんぜんえいせいすいしんしゃ》を選任《せんにん》する。

No. 9

建設工事現場《けんせつこうじげんば》における異常気象時《いじょうきしょうじ》の安全対策《あんぜんたいさく》に関《かん》する次《つぎ》の記述《きじゅつ》のうち，**適当《てきとう》でないもの**はどれか。

1　降雨《こうう》によって冠水流出《かんすいりゅうしゅつ》の恐《おそ》れがある仮設物《かせつぶつ》は，早《はや》めに撤去《てっきょ》するか，水裏《みずうら》から仮《か》設物内《せつぶつない》に水《みず》を呼《よ》び込《こ》み内外水位差《ないがいすいいさ》による倒壊《とうかい》を防《ふせ》ぐか，補強《ほきょう》する等《など》の措置《そち》を講《こう》じること。

2　警報及《けいほうおよ》び注意報《ちゅういほう》が解除《かいじょ》された場合《ばあい》は，工事現場《こうじげんば》の地盤《じばん》のゆるみ，崩壊《ほうかい》，陥没等《かんぼつなど》の危険《きけん》がないか，点検《てんけん》と併行《へいこう》しながら作業《さぎょう》を再開《さいかい》すること。

3　強風《きょうふう》によってクレーン，杭打《くいう》ち機等《きなど》のような風圧《ふうあつ》を大《おお》きく受《う》ける作業用大型機《さぎょうようおおがたき》械《かい》の休止場所《きゅうしばしょ》での転倒《てんとう》，逸走防止《いっそうぼうし》には十分注意《じゅうぶんちゅうい》すること。

4　異常気象等《いじょうきしょうなど》の情報《じょうほう》の収集《しゅうしゅう》にあたっては，事務所《じむしょ》，現場詰所及《げんばつめしょおよ》び作業場所間《さぎょうばしょかん》の連《れん》絡伝達《らくでんたつ》のため，複数《ふくすう》の手段《しゅだん》を確保《かくほ》し瞬時《しゅんじ》に連絡《れんらく》できるようにすること。

No. 10

足場《あしば》，作業床《さぎょうゆか》の組立《くみた》て等《とう》に関《かん》する次《つぎ》の記述《きじゅつ》のうち，労働安全衛生法令《ろうどうあんぜんえいせいほうれい》上《じょう》，**誤《あやま》っているもの**はどれか。

1　高《たか》さ2m以上《いじょう》の足場《あしば》（一側足場及《ひとかわあしばおよ》びつり足場《あしば》を除《のぞ》く）で作業《さぎょう》を行《おこな》う場合《ばあい》は，幅《はば》40cm以上《いじょう》の作業床《さぎょうゆか》を設《もう》けなければならない。

2　高《たか》さ2m以上《いじょう》の足場《あしば》（一側足場及《ひとかわあしばおよ》びわく組足場《ぐみあしば》を除《のぞ》く）の作業床《さぎょうゆか》であって墜落《ついらく》の危険《きけん》のある箇所《かしょ》には，高《たか》さ85cm以上《いじょう》の手《て》すり又《また》はこれと同等以上《どうとういじょう》の機能《きのう》を有《ゆう》する設備《せつび》を設《もう》けなければならない。

3　高《たか》さ2m以上《いじょう》の足場《あしば》（一側足場及《ひとかわあしばおよ》びわく組足場《ぐみあしば》を除《のぞ》く）の作業床《さぎょうゆか》であって墜落《ついらく》の危険《きけん》のある箇所《かしょ》には，高《たか》さ35cm以上《いじょう》50cm以下《いか》の桟又《さんまた》はこれと同等以上《どうとういじょう》の機能《きのう》を有《ゆう》する設備《せつび》を設《もう》けなければならない。

4　高《たか》さ2m以上《いじょう》の足場《あしば》（一側足場《ひとかわあしば》を除《のぞ》く）の作業床《さぎょうゆか》には，物体《ぶったい》の落下防止《らっかぼうし》のため，高《たか》さ5cm以上《いじょう》の幅木《はばき》，メッシュシート若《も》しくは，防網等《ぼうもうとう》を設《もう》けなければならない。

正答　別冊P.75

No. 11 土工工事《どこうこうじ》における明《あか》り掘削《くっさく》の作業《さぎょう》にあたり事業者《じぎょうしゃ》が遵守《じゅんしゅ》しなければならない事項《じこう》に関《かん》する次《つぎ》の記述《きじゅつ》のうち，労働安全衛生法令上《ろうどうあんぜんえいせいほうれいじょう》，**誤《あやま》っているもの**はどれか。

1　地山《じやま》の崩壊等《ほうかいとう》による労働者《ろうどうしゃ》の危険《きけん》を防止《ぼうし》するため，点検者《てんけんしゃ》を指名《しめい》して，その日《ひ》の作業《さぎょう》を開始《かいし》する前《まえ》，大雨《おおあめ》の後及《あとおよ》び中震《ちゅうしん》（震度《しんど》4）以上《いじょう》の地震《じしん》の後《あと》，浮石及《うきいしおよ》びき裂《れつ》の有無及《うむおよ》び状態並《じょうたいなら》びに含水《がんすい》，湧水及《ゆうすいおよ》び凍結《とうけつ》の状態《じょうたい》の変化《へんか》を点検《てんけん》させなければならない。

2　地山《じやま》の崩壊又《ほうかいまた》は土石《どせき》の落下《らっか》により労働者《ろうどうしゃ》に危険《きけん》を及《およ》ぼすおそれのあるときは，予《あらかじ》め土止《どど》め支保工《しほこう》を設《もう》け，防護網《ぼうごあみ》を張《は》り，労働者《ろうどうしゃ》の立入《たちい》りを禁止《きんし》する等《とう》の措置《そち》を講《こう》じなければならない。（☆）

3　土止《どど》め支保工《しほこう》の部材《ぶざい》の取付《とりつ》け等《とう》については，切《き》りばり及《およ》び腹《はら》おこしは，脱落《だつらく》を防止《ぼうし》するため，矢板《やいた》，くい等《とう》に確実《かくじつ》に取《と》り付《つ》けるとともに，圧縮材《あっしゅくざい》（火打《ひう》ちを除《のぞ》く）の継手《つぎて》は，重《かさ》ね継手《つぎて》としなければならない。

4　運搬機械等《うんぱんきかいとう》が，労働者《ろうどうしゃ》の作業箇所《さぎょうかしょ》に後進《こうしん》して接近《せっきん》するとき，又《また》は転落《てんらく》するおそれのあるときは，誘導者《ゆうどうしゃ》を配置《はいち》し，その者《もの》にこれらの機械《きかい》を誘導《ゆうどう》させなければならない。（☆）

No. 12 建設工事《けんせつこうじ》における墜落災害《ついらくさいがい》の防止《ぼうし》に関《かん》する次《つぎ》の記述《きじゅつ》のうち，事業者《じぎょうしゃ》が講《こう》じなければならない措置《そち》として，労働安全衛生法令上《ろうどうあんぜんえいせいほうれいじょう》，**正《ただ》しいもの**はどれか。

1　高《たか》さ1.5m以上《いじょう》の作業床《さぎょうゆか》の端《はし》，開口部等《かいこうぶとう》で墜落《ついらく》により労働者《ろうどうしゃ》に危険《きけん》を及《およ》ぼすおそれのある箇所《かしょ》には，囲《かこ》い，手《て》すり，覆《おお》い等《とう》を設《もう》けなければならない。

2　高《たか》さ3m以上《いじょう》の箇所《かしょ》で囲《かこ》い等《とう》の設置《せっち》が困難又《こんなんまた》は作業上《さぎょうじょう》，囲《かこ》いを取《と》りはずすときは，防網《ぼうもう》を張《は》り，労働者《ろうどうしゃ》に要求性能墜落制止用器具《ようきゅうせいのうついらくせいしようきぐ》を使用《しよう》させなければならない。

3　高《たか》さ5m以上《いじょう》の箇所《かしょ》での作業《さぎょう》で，労働者《ろうどうしゃ》に要求性能墜落制止用器具等《ようきゅうせいのうついらくせいしようきぐとう》を使用《しよう》させるときは要求性能墜落制止用器具等《ようきゅうせいのうついらくせいしようきぐとう》の取付設備等《とりつけせつびとう》を設《もう》け，異常《いじょう》の有無《うむ》を随時点《ずいじてん》検《けん》しなければならない。

4　高《たか》さ2m以上《いじょう》の箇所《かしょ》で作業《さぎょう》を行《おこ》なうときは，当該作業《とうがいさぎょう》を安全《あんぜん》に行《おこ》なうため必要《ひつよう》な照度《しょうど》を保持《ほじ》しなければならない。

No. 13 コンクリート構造物《こうぞうぶつ》の解体作業《かいたいさぎょう》に関《かん》する次《つぎ》の記述《きじゅつ》のうち，**適当《てきとう》でないもの**はどれか。

1　圧砕機及《あっさくきおよ》び大型《おおがた》ブレーカによる取壊《とりこわ》しでは，解体《かいたい》する構造物《こうぞうぶつ》からコンクリート

片《へん》の飛散《ひさん》，構造物《こうぞうぶつ》の倒壊範囲《とうかいはんい》を予測《よそく》し，作業員《さぎょういん》，建設機械《けんせつきかい》を安全作業位置《あんぜんさぎょういち》に配置《はいち》しなければならない。

2　転倒方式《てんとうほうしき》による取壊《とりこわ》しでは，解体《かいたい》する主構造部《しゅこうぞうぶ》に複数本《ふくすうほん》の引《ひ》きワイヤを堅固《けんご》に取付《とりつ》け，引《ひ》きワイヤで加力《かりょく》する際《さい》は，繰返《くりかえ》して荷重《かじゅう》をかけるようにして行《おこな》う。

3　カッタによる取壊《とりこわ》しでは，撤去側躯体《てっきょがわくたい》ブロックへのカッタ取《と》り付《つ》けを禁止《きんし》するとともに，切断面付近《せつだんめんふきん》にシートを設置《せっち》して冷却水《れいきゃくすい》の飛散防止《ひさんぼうし》を図《はか》る。

4　ウォータージェットによる取壊《とりこわ》しでは，病院《びょういん》，民家等《みんかなど》が隣接《りんせつ》している場合《ばあい》にはノズル付近《ふきん》に防音《ぼうおん》カバーをしたり，周辺《しゅうへん》に防音《ぼうおん》シートによる防音対策《ぼうおんたいさく》を実施《じっし》する。

No. 14

道路《どうろ》のアスファルト舗装《ほそう》の品質管理《ひんしつかんり》に関《かん》する次《つぎ》の記述《きじゅつ》のうち，**適当《てきとう》でないもの**はどれか。

1　管理結果《かんりけっか》を工程能力図《こうていのうりょくず》にプロットし，その結果《けっか》が管理《かんり》の限界《げんかい》をはずれた場合《ばあい》，あるいは一方《いっぽう》に片寄《かたよ》っている等《など》の結果《けっか》が生《しょう》じた場合《ばあい》，直《ただ》ちに試験頻度《しけんひんど》を増《ま》して異常《いじょう》の有無《うむ》を確《たし》かめる。

2　管理《かんり》の合理化《ごうりか》を図《はか》るためには，密度《みつど》や含水比等《がんすいひなど》を非破壊《ひはかい》で測定《そくてい》する機器《きき》を用《もち》いたり，作業《さぎょう》と同時《どうじ》に管理《かんり》できる敷均《しきなら》し機械《きかい》や締固《しめかた》め機械等《きかいなど》を活用《かつよう》することが望《のぞ》ましい。

3　各工程《かくこうてい》の初期《しょき》においては，品質管理《ひんしつかんり》の各項目《かくこうもく》に関《かん》する試験《しけん》の頻度《ひんど》を適切《てきせつ》に増《ま》し，その時点《じてん》の作業員《さぎょういん》や施工機械等《せこうきかいなど》の組合《くみあわ》せにおける作業工程《さぎょうこうてい》を速《すみ》やかに把握《はあく》しておく。

4　下層路盤《かそうろばん》の締固《しめかた》め度《ど》の管理《かんり》は，試験施工《しけんせこう》あるいは工程《こうてい》の初期《しょき》におけるデータから，所定《しょてい》の締固《しめかた》め度《ど》を得《え》るのに必要《ひつよう》な転圧回数《てんあつかいすう》が求《もと》められた場合《ばあい》でも，密度試験《みつどしけん》を必《かなら》ず実施《じっし》する。

No. 15

路床《ろしょう》や路盤《ろばん》の品質管理《ひんしつかんり》に用《もち》いられる試験方法《しけんほうほう》に関《かん》する次《つぎ》の記述《きじゅつ》のうち，**適当《てきとう》でないもの**はどれか。

1　修正《しゅうせい》CBR試験《しけん》は，所要《しょよう》の締固《しめかた》め度《ど》における路盤材料《ろばんざいりょう》の支持力値《しじりょくち》を知《し》り，材料選定《ざいりょうせんてい》の指標《しひょう》として利用《りよう》することを目的《もくてき》として実施《じっし》する。

2　RIによる密度《みつど》の測定《そくてい》は，現場《げんば》における締《し》め固《かた》められた路床《ろしょう》・路盤材料《ろばんざいりょう》の密度及《みつどおよ》び含水比《がんすいひ》を求《もと》めることを目的《もくてき》として実施《じっし》する。

3　平板載荷試験《へいばんさいかしけん》は，地盤支持力係数《じばんしじりょくけいすう》K値《ち》を求《もと》め，路床《ろしょう》や路盤《ろばん》の支持力《しじりょく》を把握《はあく》することを目的《もくてき》として実施《じっし》する。

4　プルーフローリング試験《しけん》は，路床《ろしょう》，路盤《ろばん》の表面《ひょうめん》の浮《う》き上《あ》がりや緩《ゆる》みを十分《じゅうぶん》に締《し》め固《かた》め，かつ不良箇所《ふりょうかしょ》を発見《はっけん》することを目的《もくてき》として実施《じっし》する。

正答　別冊P.77

No. 16 レディーミクストコンクリートの受入《うけい》れ検査《けんさ》に関《かん》する次《つぎ》の記述《きじゅつ》のうち，**適当《てきとう》でないもの**はどれか。

1　荷卸《におろ》し時《じ》のフレッシュコンクリートのワーカビリティーの良否《りょうひ》を，技術者《ぎじゅつしゃ》による目視《もくし》により判定《はんてい》した。
2　コンクリートのコンシステンシーを評価《ひょうか》するため，スランプ試験《しけん》を行《おこな》った。
3　フレッシュコンクリートの単位水量《たんいすいりょう》を推定《すいてい》する試験方法《しけんほうほう》として，エアメータ法《ほう》を用《もち》いた。
4　アルカリシリカ反応対策《はんのうたいさく》を確認《かくにん》するため，荷卸《におろ》し時《じ》の試料《しりょう》を採取《さいしゅ》してモルタルバー法《ほう》を行《おこな》った。

No. 17 建設工事《けんせつこうじ》に伴《ともな》い発生《はっせい》する濁水《だくすい》の処理《しょり》に関《かん》する次《つぎ》の記述《きじゅつ》のうち，**適当《てきとう》なもの**はどれか。

1　発生《はっせい》した濁水《だくすい》は，沈殿池等《ちんでんちなど》で浄化処理《じょうかしょり》して放流《ほうりゅう》するが，その際《さい》，濁水量《だくすいりょう》が多《おお》いほど処理《しょり》が困難《こんなん》となるため，処理《しょり》が不要《ふよう》な清水《せいすい》は，できるだけ濁水《だくすい》と分離《ぶんり》する。
2　建設工事《けんせつこうじ》からの排出水《はいしゅつすい》が一時的《いちじてき》なものであっても，明《あき》らかに河川《かせん》，湖沼《こしょう》，海域《かいいき》等《など》の公共水域《こうきょうすいいき》を汚濁《おだく》する場合《ばあい》，水質汚濁防止法《すいしつおだくぼうしほう》に基《もと》づく放流基準《ほうりゅうきじゅん》に従《したが》って濁水《だくすい》を処理《しょり》しなければならない。
3　濁水《だくすい》は，切土面《きりどめん》や盛土面《もりどめん》の表流水《ひょうりゅうすい》として発生《はっせい》することが多《おお》いことから，他《た》の条《じょう》件《けん》が許《ゆる》す限《かぎ》りできるだけ切土面《きりどめん》や盛土面《もりどめん》の面積《めんせき》が大《おお》きくなるよう計画《けいかく》する。
4　水質汚濁処理技術《すいしつおだくしょりぎじゅつ》のうち，凝集処理《ぎょうしゅうしょり》には，天日乾燥《てんぴかんそう》，遠心力《えんしんりょく》を利用《りよう》する遠心脱《えんしんだっ》水機《すいき》，加圧力《かあつりょく》を利用《りよう》するフィルタープレスやベルトプレス脱水装置等《だっすいそうちなど》による方法《ほうほう》がある。

No. 18 建設工事《けんせつこうじ》における近接施工《きんせつせこう》での周辺環境対策《しゅうへんかんきょうたいさく》に関《かん》する次《つぎ》の記述《きじゅつ》のうち，**適当《てきとう》でないもの**はどれか。

1　リバース工法《こうほう》では，比重《ひじゅう》の高《たか》い泥水等《でいすいなど》を用《もち》いて孔壁《こうへき》の安定《あんてい》を図《はか》るが，掘削速度《くっさくそくど》を遅《おそ》くすると保護膜《ほごまく》（マッドケーキ）が不完全《ふかんぜん》となり孔壁崩壊《こうへきほうかい》の原因《げんいん》となる。
2　既製杭工法《きせいぐいこうほう》には，打撃工法《だげきこうほう》や振動工法《しんどうこうほう》があるが，これらの工法《こうほう》は，周辺環境《しゅうへんかんきょう》への影響《えいきょう》が大《おお》きいため，都市部《としぶ》では減少傾向《げんしょうけいこう》にある。
3　盛土工事《もりどこうじ》による近接施工《きんせつせこう》では，法先付近《のりさきふきん》の地盤《じばん》に深層撹拌混合処理工法等《しんそうかくはんこんごうしょりこうほうなど》で改《かい》良体《りょうたい》を造成《ぞうせい》することにより，盛土《もりど》の安定対策《あんていたいさく》や周辺地盤《しゅうへんじばん》への側方変位《そくほうへんい》を抑制《よくせい》する。
4　シールド工事《こうじ》における掘進時《くっしんじ》の振動《しんどう》は，特《とく》にシールドトンネルの土被《どかぶ》りが少《すく》なく，シールドトンネル直上又《ちょくじょうまた》はその付近《ふきん》に民家等《みんかなど》があり，砂礫層等《されきそうなど》を掘進《くっしん》する場《ば》

合《あい》は注意《ちゅうい》が必要《ひつよう》である。

No. 19

建設工事《けんせつこうじ》で発生《はっせい》する建設副産物《けんせつふくさんぶつ》の有効利用及《ゆうこうりようおよ》び廃棄物《はいきぶつ》の適正処理《てきせいしょり》に関《かん》する次《つぎ》の記述《きじゅつ》のうち，**適当《てきとう》なもの**はどれか。

1　元請業者《もとうけぎょうしゃ》は，建設工事《けんせつこうじ》の施工《せこう》にあたり，適切《てきせつ》な工法《こうほう》の選択等《せんたくなど》により，建設発生《けんせつはっせい》土《ど》の抑制《よくせい》に努《つと》め，建設発生土《けんせつはっせいど》は全《すべ》て現場外《げんばがい》に搬出《はんしゅつ》するよう努《つと》めなければならない。

2　元請業者《もとうけぎょうしゃ》は，当該工事《とうがいこうじ》に係《かか》る特定建設資材廃棄物《とくていけんせつしざいはいきぶつ》の再資源化等《さいしげんかなど》に着手《ちゃくしゅ》する前《まえ》に，その旨《むね》を当該工事《とうがいこうじ》の発注者《はっちゅうしゃ》に書面《しょめん》で報告《ほうこく》しなければならない。

3　排出事業者《はいしゅつじぎょうしゃ》は，建設廃棄物《けんせつはいきぶつ》の処理《しょり》を他人《たにん》に委託《いたく》する場合《ばあい》は，収集運搬業者及《しゅうしゅううんぱんぎょうしゃおよ》び中間処理業者又《ちゅうかんしょりぎょうしゃまた》は最終処分業者《さいしゅうしょぶんぎょうしゃ》とそれぞれ事前《じぜん》に委託契約《いたくけいやく》を書面《しょめん》にて行《おこな》う。

4　伐採木《ばっさいぼく》，伐根材《ばっこんざい》，梱包材等《こんぽうざいなど》は，建設資材《けんせつしざい》ではないが，「建設工事《けんせつこうじ》に係《かか》る資材《しざい》の再《さい》資源化等《しげんかとう》に関《かん》する法律《ほうりつ》」による分別解体等《ぶんべつかいたいなど》・再資源化等《さいしげんかなど》の義務《ぎむ》づけの対象《たいしょう》となる。

No. 20

「廃棄物《はいきぶつ》の処理及《しょりおよ》び清掃《せいそう》に関《かん》する法律《ほうりつ》」に関《かん》する次《つぎ》の記述《きじゅつ》のうち，**誤《あやま》っているもの**はどれか。

1　産業廃棄物収集運搬業者《さんぎょうはいきぶつしゅうしゅううんぱんぎょうしゃ》は，産業廃棄物《さんぎょうはいきぶつ》が飛散《ひさん》し，及《およ》び流出《りゅうしゅつ》し，並《なら》びに悪臭《あくしゅう》が漏《も》れるおそれのない運搬車《うんぱんしゃ》，運搬船《うんぱんせん》，運搬容器《うんぱんようき》その他《た》の運搬施設《うんぱんしせつ》を有《ゆう》していなければならない。

2　排出事業者《はいしゅつじぎょうしゃ》は，産業廃棄物《さんぎょうはいきぶつ》の運搬又《うんぱんまた》は処分《しょぶん》を業《ぎょう》とする者《しゃ》に委託《いたく》した場合《ばあい》，産業《さんぎょう》廃棄物《はいきぶつ》の処分《しょぶん》の終了確認後《しゅうりょうかくにんご》，産業廃棄物管理票《さんぎょうはいきぶつかんりひょう》（マニフェスト）を交付《こうふ》しなければならない。

3　国《くに》，地方公共団体《ちほうこうきょうだんたい》，事業者《じぎょうしゃ》その他《た》の関係者《かんけいしゃ》は，非常災害時《ひじょうさいがいじ》における廃棄物《はいきぶつ》の適《てき》正《せい》な処理《しょり》が円滑《えんかつ》かつ迅速《じんそく》に行《おこな》われるよう適切《てきせつ》に役割分担《やくわりぶんたん》，連携《れんけい》，協力《きょうりょく》するよう努《つと》めなければならない。

4　排出事業者《はいしゅつじぎょうしゃ》が当該産業廃棄物《とうがいさんぎょうはいきぶつ》を生《しょう》ずる事業場《じぎょうじょう》の外《そと》において自《みずか》ら保管《ほかん》するときは，原則《げんそく》として，あらかじめ都道府県知事《とどうふけんちじ》に届《とど》け出《で》なければならない。

正答　別冊 P.80

※問題番号《もんだいばんごう》No.21～No.35までの15問題《もんだい》は，施工管理法《せこうかんりほう》（応用能力《おうようのうりょく》）の必須問題《ひっすもんだい》ですから全問題《ぜんもんだい》を解答《かいとう》してください。

No. 21

調達計画立案《ちょうたつけいかくりつあん》に関《かん》する下記《かき》の文章中《ぶんしょうちゅう》の［　　　］の（イ）～（ニ）に当《あ》てはまる語句《ごく》の組合《くみあわ》せとして，**適当《てきとう》なもの**は次《つぎ》のうちどれか。

・資材計画《しざいけいかく》では，特別注文品等《とくべつちゅうもんひんなど》，［（イ）］納期《のうき》を要《よう》する資材《しざい》の調達《ちょうたつ》は，施工《せこう》に支障《ししょう》をきたすことのないよう品質《ひんしつ》や納期《のうき》に注意《ちゅうい》する。
・下請発注計画《したうけはっちゅうけいかく》では，すべての職種《しょくしゅ》の作業員《さぎょういん》を常時確保《じょうじかくほ》することは極《きわ》めてむずかしいので，作業員《さぎょういん》を常時確保《じょうじかくほ》するリスクを避《さ》けてこれを下請業者《したうけぎょうしゃ》に［（ロ）］するように計画《けいかく》することが多《おお》い。
・資材計画《しざいけいかく》では，用途《ようと》，仕様《しよう》，必要数量《ひつようすうりょう》，納期等《のうきなど》を明確《めいかく》に把握《はあく》し，資材使用予定《しざいしようよてい》に合《あ》わせて，無駄《むだ》な費用《ひよう》の発生《はっせい》を［（ハ）］にする。
・機械計画《きかいけいかく》では，機械《きかい》が効率《こうりつ》よく稼働《かどう》できるよう［（ニ）］所用台数《しょようだいすう》を計画《けいかく》することが最《もっと》も望《のぞ》ましい。

　（イ）　　　（ロ）　　　（ハ）　　　　　（ニ）

1　長《なが》い………分散《ぶんさん》………最小限《さいしょうげん》………平均化《へいきんか》して
2　短《みじか》い………集中《しゅうちゅう》………最大限《さいだいげん》………短期間《たんきかん》のピークに合《あ》わせて
3　短《みじか》い………集中《しゅうちゅう》………最大限《さいだいげん》………平均化《へいきんか》して
4　長《なが》い………分散《ぶんさん》………最小限《さいしょうげん》………短期間《たんきかん》のピークに合《あ》わせて

No. 22

工事《こうじ》の安全確保及《あんぜんかくほおよ》び環境保全《かんきょうほぜん》の施工計画立案時《せこうけいかくりつあんじ》における留意事項《りゅういじこう》に関《かん》する下記《かき》の①～④の４つの記述《きじゅつ》のうち，**適当《てきとう》なものの数《かず》**は次《つぎ》のうちどれか。

①施工機械《せこうきかい》の選定《せんてい》にあたっては，沿道環境等《えんどうかんきょうなど》に与《あた》える影響《えいきょう》を考慮《こうりょ》し，低騒音型《ていそうおんがた》，低《てい》振動型及《しんどうがたおよ》び排出《はいしゅつ》ガスの低減《ていげん》に配慮《はいりょ》したものを採用《さいよう》し，沿道環境《えんどうかんきょう》に最《もっと》も影響《えいきょう》の少《すく》ない稼働時間帯《かどうじかんたい》を選択《せんたく》する等《など》の検討《けんとう》を行《おこな》う。
②工事《こうじ》の着手《ちゃくしゅ》にあたっては，工事《こうじ》に先《さき》がけ現場《げんば》に広報板《こうほうばん》を設置《せっち》し必要《ひつよう》に応《おう》じて地元《じもと》の自治会等《じちかいなど》に挨拶《あいさつ》や説明《せつめい》を行《おこな》うとともに，戸別訪問《こべつほうもん》による工事案内《こうじあんない》やチラシ配布《はいふ》を行《おこな》う。
③公道上《こうどうじょう》で掘削《くっさく》を行《おこな》う工事《こうじ》の場合《ばあい》は，電気《でんき》，ガス及《およ》び水道等《すいどうなど》の地下埋設物《ちかまいせつぶつ》の保護《ほご》が重要《じゅうよう》であり，施工計画段階《せこうけいかくだんかい》で調査《ちょうさ》を行《おこな》い，埋設物《まいせつぶつ》の位置《いち》，深《ふか》さ等《など》を確認《かくにん》する際《さい》は労働基準監督署《ろうどうきじゅんかんとくしょ》の立《た》ち合《あ》いを求《もと》める。
④施工現場《せこうげんば》への資機材《しきざい》の搬入及《はんにゅうおよ》び搬出等《はんしゅつなど》は，交通《こうつう》への影響《えいきょう》をできるだけ減《へ》らすよう

に，施工計画《せこうけいかく》の段階《だんかい》で資機材《しきざい》の搬入経路《はんにゅうけいろ》や交通規制方法等《こうつうきせいほうほうなど》を十分《じゅうぶん》に検討《けんとう》し最適《さいてき》な計画《けいかく》を立《た》てる。

1　1つ
2　2つ
3　3つ
4　4つ

No. 23　施工管理体制《せこうかんりたいせい》に関《かん》する下記《かき》の文章中《ぶんしょうちゅう》の［　　］の（イ）～（ニ）に当《あ》てはまる語句《ごく》の組合《くみあわ》せとして，**適当なもの**は次《つぎ》のうちどれか。

・元請負者《もとうけおいしゃ》は，すべての関係請負人《かんけいうけおいにん》の［（イ）］を明確《めいかく》にして，これらのすべてを管《かん》理《り》・監督《かんとく》しつつ工事《こうじ》の適正《てきせい》な施工《せこう》の確保《かくほ》を図《はか》ることが必要《ひつよう》である。
・元請負者《もとうけおいしゃ》は，下請負人《したうけおいにん》の名称《めいしょう》，当該下請負人《とうがいしたうけおいにん》に係《かか》る［（ロ）］を記載《きさい》した施工体制《せこうたいせい》台帳《だいちょう》を現場《げんば》ごとに備《そな》え付《つ》け，発注者《はっちゅうしゃ》から請求《せいきゅう》があれば，閲覧《えつらん》に供《きょう》しなければならない。
・元請負者《もとうけおいしゃ》は，下請負人《したうけおいにん》に対《たい》して，その下請《したう》けした工事《こうじ》を他《た》の建設業者《けんせつぎょうしゃ》に下請《したう》けさせた場合《ばあい》は，［（ハ）］の提出《ていしゅつ》を書面《しょめん》で義務《ぎむ》づけ，その書面《しょめん》を工事現場《こうじげんば》の見《み》やすい場所《ばしょ》に掲示《けいじ》しなければならない。
・元請負者《もとうけおいしゃ》は，各下請負人《かくしたうけおいにん》の施工分担関係《せこうぶんたんかんけい》を表示《ひょうじ》した［（ニ）］を作成《さくせい》し，工事関係《こうじかんけい》者全員《しゃぜんいん》に施工分担関係《せこうぶんたんかんけい》がわかるように工事現場《こうじげんば》の見《み》やすい場所《ばしょ》に掲示《けいじ》しなければならない。

	（イ）	（ロ）	（ハ）	（ニ）
1	保証人《ほしょうにん》	使用資機材及《しようしきざいおよ》び金額等《きんがくなど》	再下請通知書《さいしたうけつうちしょ》	工程管理図《こうていかんりず》
2	役割分担《やくわりぶんたん》	工事《こうじ》の内容及《ないようおよ》び工期等《こうきなど》	再下請通知書《さいしたうけつうちしょ》	施工体系図《せこうたいけいず》
3	保証人《ほしょうにん》	工事《こうじ》の内容及《ないようおよ》び工期等《こうきなど》	下請契約書《したうけけいやくしょ》	工程管理図《こうていかんりず》
4	役割分担《やくわりぶんたん》	使用資機材及《しようしきざいおよ》び金額等《きんがくなど》	下請契約書《したうけけいやくしょ》	施工体系図《せこうたいけいず》

No. 24　工事原価管理《こうじげんかかんり》に関《かん》する下記《かき》の①～④の４つの記述《きじゅつ》のうち，**適当なものみを全《すべ》てあげている組合《くみあわ》せ**は次《つぎ》のうちどれか。

①原価管理《げんかかんり》とは，工事《こうじ》の適正《てきせい》な利潤《りじゅん》の確保《かくほ》を目的《もくてき》として，工事遂行過程《こうじすいこうかてい》で投入《とうにゅう》・消《しょう》費《ひ》される資材《しざい》・労務《ろうむ》・機械《きかい》や施工管理等《せこうかんりなど》に費《つい》やされるすべての費用《ひよう》を対象《たいしょう》とする管理統制機能《かんりとうせいきのう》である。
②コストコントロールとは，施工計画《せこうけいかく》に基《もと》づきあらかじめ設定《せってい》された予定原価《よていげんか》に対《たい》

正答　別冊P.82

し品質《ひんしつ》よりも安価《あんか》となることを採用《さいよう》し原価《げんか》をコントロールすることにより，工事《こうじ》原価《げんか》の低減《ていげん》を図《はか》るものである。

③コストコントロールの結果《けっか》，得《え》られた実施原価《じっしげんか》をフィードバックし以降《いこう》の工事《こうじ》に反映《はんえい》させ，工事《こうじ》の経済性向上《けいざいせいこうじょう》を図《はか》る総合的《そうごうてき》な原価管理《げんかかんり》をコストマネジメントという。

④原価管理《げんかかんり》は，品質《ひんしつ》・工程《こうてい》・安全《あんぜん》・環境《かんきょう》の各管理項目《かくかんりこうもく》と並《なら》んで施工管理《せこうかんり》を行《おこな》う上《うえ》で不可欠《ふかけつ》な管理要素《かんりようそ》で，個々《ここ》の項目《こうもく》の判断基準《はんだんきじゅん》として費用対効果《ひようたいこうか》が常《つね》に考慮《こうりょ》されるため重要《じゅうよう》である。

1　①②
2　③④
3　①③④
4　②③④

No. 25　工程管理《こうていかんり》に関《かん》する下記《かき》の①～④の４つの記述《きじゅつ》のうち，**適当《てきとう》なものの数《かず》**は次《つぎ》のうちどれか。

①工程《こうてい》の設定《せってい》においては，施工《せこう》のやり方《かた》，施工《せこう》の順序《じゅんじょ》によって工期《こうき》，工費《こうひ》が大《おお》きく変動《へんどう》する恐《おそ》れがあり，施工手順《せこうてじゅん》・組合《くみあわ》せ機械《きかい》の検討《けんとう》を経《へ》て，最《もっと》も適正《てきせい》な施工方法《せこうほうほう》を選定《せんてい》する。

②工程計画《こうていけいかく》は初期段階《しょきだんかい》で設定《せってい》した施工方法《せこうほうほう》に基《もと》づき，工事数量《こうじすうりょう》の正確《せいかく》な把握《はあく》と作業《さぎょう》可能日数及《かのうにっすうおよ》び作業能率《さぎょうのうりつ》を的確《てきかく》に推定《すいてい》し，各部分工事《かくぶぶんこうじ》の経済的《けいざいてき》な所要時間《しょようじかん》を見積《みつ》もることから始《はじ》める。

③作業可能日数《さぎょうかのうにっすう》は，暦日《れきじつ》による日数《にっすう》から休日《きゅうじつ》と作業不可能日数《さぎょうふかのうにっすう》を差《さ》し引《ひ》いて求《もと》められ，作業不可能日数《さぎょうふかのうにっすう》は，現場《げんば》の地形《ちけい》，地質《ちしつ》，気象等《きしょうなど》の自然条件《しぜんじょうけん》や工事《こうじ》の技術的特性《ぎじゅつてきとくせい》から推定《すいてい》する。

④各部分作業《かくぶぶんさぎょう》の時間見積《じかんみつも》りができたら，タイムスケール上《じょう》に割付《わりつ》け，全体《ぜんたい》の工期《こうき》を超過《ちょうか》した場合《ばあい》には投入《とうにゅう》する人数《にんずう》・機械台数《きかいだいすう》の変更《へんこう》や工法《こうほう》の修正等《しゅうせいなど》の試行錯誤《しこうさくご》を繰《く》り返《かえ》し工期《こうき》に収《おさ》める。

1　1つ
2　2つ
3　3つ
4　4つ

No. 26

工程管理《こうていかんり》に用《もち》いられる各工程表《かくこうていひょう》の特徴《とくちょう》に関《かん》する下記《かき》の文章中《ぶんしょうちゅう》の□の（イ）～（ニ）に当《あ》てはまる語句《ごく》の組合《くみあわ》せとして，**適当《てきとう》なもの**は次《つぎ》のうちどれか。

・座標式工程表《ざひょうしきこうていひょう》は，一方《いっぽう》の軸《じく》に工事期間《こうじきかん》を，他《た》の軸《じく》に工事量等《こうじりょうなど》を座標《ざひょう》で表現《ひょうげん》するもので，（イ）工事《こうじ》では工事内容《こうじないよう》を確実《かくじつ》に示《しめ》すことができる。

・グラフ式工程表《しきこうていひょう》は，横軸《よこじく》に工期《こうき》を，縦軸《たてじく》に各作業《かくさぎょう》の（ロ）を表示《ひょうじ》し，予定《よてい》と実《じっ》績《せき》の差《さ》を直視的《ちょくしてき》に比較《ひかく》でき，施工中《せこうちゅう》の作業《さぎょう》の進捗状況《しんちょくじょうきょう》もよくわかる。

・バーチャートは，横軸《よこじく》に時間《じかん》をとり各工種《かくこうしゅ》が時間経過《じかんけいか》に従《したが》って表現《ひょうげん》され，作業間《さぎょうかん》の関連《かんれん》がわかり，工期《こうき》に影響《えいきょう》する作業《さぎょう》がどれであるか（ハ）。

・ネットワーク式工程表《しきこうていひょう》は，１つの作業《さぎょう》の遅《おく》れや変化《へんか》が工事全体《こうじぜんたい》の工期《こうき》にどのように影響《えいきょう》してくるかを（ニ）。

	（イ）	（ロ）	（ハ）	（ニ）
1	路線《ろせん》に沿《そ》った	出来高比率《できだかひりつ》	は掴《つか》みにくい	正確《せいかく》に捉《とら》えることができる
2	平面的《へいめんてき》に広《ひろ》がりのある	工事費構成率《こうじひこうせいりつ》	も掴《つか》みやすい	把握《はあく》することは難《むずか》しい
3	平面的《へいめんてき》に広《ひろ》がりのある	出来高比率《できだかひりつ》	は掴《つか》みにくい	正確《せいかく》に捉《とら》えることができる
4	路線《ろせん》に沿《そ》った	工事費構成率《こうじひこうせいりつ》	も掴《つか》みやすい	把握《はあく》することは難《むずか》しい

No. 27

工程管理曲線《こうていかんりきょくせん》（バナナ曲線《きょくせん》）を用《もち》いた工程管理《こうていかんり》に関《かん》する下記《かき》の①～④の４つの記述《きじゅつ》のうち，**適当《てきとう》なもののみを全《すべ》てあげている組合《くみあわ》せ**は次《つぎ》のうちどれか。

①工程計画《こうていけいかく》は，全工期《ぜんこうき》に対《たい》して出来高《できだか》を表《あらわ》すバナナ曲線《きょくせん》の勾配《こうばい》が，工事《こうじ》の初期《しょき》→中《ちゅう》期《き》→後期《こうき》において，急《きゅう》→緩《かん》→急《きゅう》となるようにする。

②実施工程曲線《じっしこうていきょくせん》が限度内《げんどない》に進行《しんこう》を維持《いじ》しながらも，バナナ曲線《きょくせん》の下方限界《かほうげんかい》に接近《せっきん》している場合《ばあい》は，直《ただ》ちに対策《たいさく》をとる必要《ひつよう》がある。

③実施工程曲線《じっしこうていきょくせん》がバナナ曲線《きょくせん》の上方限界《じょうほうげんかい》を超《こ》えたときは，工程遅延《こうていちえん》により突貫工事《とっかんこうじ》が不可避《ふかひ》となるので，施工計画《せこうけいかく》を再検討《さいけんとう》する。

④予定工程曲線《よていこうていきょくせん》がバナナ曲線《きょくせん》の許容限界《きょようげんかい》からはずれるときには，一般的《いっぱんてき》に不合理《ふごうり》な工程計画《こうていけいかく》と考《かんが》えられるので，再検討《さいけんとう》を要《よう》する。

1　①③
2　①④
3　②③
4　②④

正答　別冊P.83

No. 28

車両系建設機械《しゃりょうけいけんせつきかい》の災害防止《さいがいぼうし》のために事業者《じぎょうしゃ》が講《こう》じるべき措置《そち》に関《かん》する下記《かき》の①～④の４つの記述《きじゅつ》のうち，労働安全衛生法令上《ろうどうあんぜんえいせいほうれいじょう》，**正《ただ》しいものの数《かず》**は次《つぎ》のうちどれか。

①車両系建設機械《しゃりょうけいけんせつきかい》を用《もち》いて作業《さぎょう》を行《おこな》うときは，あらかじめ，使用《しよう》する車両系建設機械《しゃりょうけいけんせつきかい》の種類及《しゅるいおよ》び能力《のうりょく》，運行経路《うんこうけいろ》，作業《さぎょう》の方法《ほうほう》を示《しめ》した作業計画《さぎょうけいかく》を定《さだ》め，作業《さぎょう》を行《おこな》わなければならない。

②路肩《ろかた》，傾斜地等《けいしゃちとう》で車両系建設機械《しゃりょうけいけんせつきかい》を用《もち》いて作業《さぎょう》を行《おこな》う場合《ばあい》で，当該車両系建設機械《とうがいしゃりょうけいけんせつきかい》が転倒又《てんとうまた》は転落《てんらく》する危険性《きけんせい》があるときは，誘導者《ゆうどうしゃ》を配置《はいち》して誘導《ゆうどう》させなければならない。

③車両系建設機械《しゃりょうけいけんせつきかい》を用《もち》いて作業《さぎょう》を行《おこな》うときは，運転中《うんてんちゅう》の車両系建設機械《しゃりょうけいけんせつきかい》に接触《せっしょく》することにより労働者《ろうどうしゃ》に危険《きけん》が生《しょう》ずるおそれのある箇所《かしょ》に，労働者《ろうどうしゃ》を立《た》ち入《い》らせてはならない。（☆）

④車両系建設機械《しゃりょうけいけんせつきかい》の運転者《うんてんしゃ》が離席《りせき》する時《とき》は，原動機《げんどうき》を止《と》め，又《また》は，走行《そうこう》ブレーキをかける等《とう》の逸走《いっそう》を防止《ぼうし》する措置《そち》を講《こう》じなければならない。

1　1つ
2　2つ
3　3つ
4　4つ

No. 29

移動式《いどうしき》クレーンの災害防止《さいがいぼうし》のために事業者《じぎょうしゃ》が講《こう》じるべき措置《そち》に関《かん》する下記《かき》の文章中《ぶんしょうちゅう》の［　　］の（イ）～（ニ）に当《あ》てはまる語句《ごく》の組合《くみあわ》せとして，労働安全衛生規則及《ろうどうあんぜんえいせいきそくおよ》びクレーン等安全規則上《とうあんぜんきそくじょう》，**正《ただ》しいもの**は次《つぎ》のうちどれか。

・移動式《いどうしき》クレーンの運転者及《うんてんしゃおよ》び玉掛《たまが》けをする者《しゃ》が当該移動式《とうがいいどうしき》クレーンの［（イ）］を常時知《じょうじし》ることができるよう，表示《ひょうじ》その他《た》の措置《そち》を講《こう》じなければならない。
・移動式《いどうしき》クレーンの運転《うんてん》について一定《いってい》の合図《あいず》を定《さだ》め，合図《あいず》を行《おこな》う者《しゃ》を［（ロ）］して，その者《しゃ》に合図《あいず》を行《おこな》わせなければならない。
・移動式《いどうしき》クレーンを使用《しよう》する作業《さぎょう》において，クレーン上部旋回体《じょうぶせんかいたい》と接触《せっしょく》するおそれのある箇所《かしょ》や［（ハ）］の下に労働者《ろうどうしゃ》を立《た》ち入《い》らせてはならない。（☆）
・強風《きょうふう》のため，移動式《いどうしき》クレーンの作業《さぎょう》の実施《じっし》について危険《きけん》が予想《よそう》されるときは，当該作業《とうがいさぎょう》を［（ニ）］しなければならない。

	(イ)	(ロ)	(ハ)	(ニ)
1	定格《ていかく》荷重《かじゅう》	複数名確保《ふくすうめいかくほ》	クレーンのブーム	注意《ちゅうい》して実施《じっし》
2	最大《さいだい》つり荷重《かじゅう》	指名《しめい》	クレーンのブーム	中止《ちゅうし》
3	最大《さいだい》つり荷重《かじゅう》	複数名確保《ふくすうめいかくほ》	つり上《あ》げられている荷《に》	注意《ちゅうい》して実施《じっし》
4	定格《ていかく》荷重《かじゅう》	指名《しめい》	つり上《あ》げられている荷《に》	中止《ちゅうし》

No. 30 工事中《こうじちゅう》の埋設物《まいせつぶつ》の損傷等《そんしょうなど》の防止《ぼうし》のために行《おこな》うべき措置《そち》に関《かん》する下記《かき》の①～④の４つの記述《きじゅつ》のうち，建設工事公衆災害防止対策要綱上《けんせつこうじこうしゅうさいがいぼうしたいさくようこうじょう》，**適当《てきとう》なもののみを全《すべ》てあげている組合《くみあわ》せ**は次《つぎ》のうちどれか。

①発注者又《はっちゅうしゃまた》は施工者《せこうしゃ》は，施工《せこう》に先立《さきだ》ち，埋設物《まいせつぶつ》の管理者等《かんりしゃなど》が保管《ほかん》する台帳《だいちょう》と設計図《せっけいず》面《めん》を照《て》らし合《あ》わせて位置《いち》を確認《かくにん》した上《うえ》で，細心《さいしん》の注意《ちゅうい》のもとで試掘等《しくつなど》を行《おこな》い，その埋設物《まいせつぶつ》の種類《しゅるい》，位置《いち》，規格《きかく》，構造等《こうぞうなど》を原則《げんそく》として目視《もくし》により確認《かくにん》しなければならない。

②発注者又《はっちゅうしゃまた》は施工者《せこうしゃ》は，試掘等《しくつなど》によって埋設物《まいせつぶつ》を確認《かくにん》した場合《ばあい》においては，その位《い》置《ち》や周辺地質《しゅうへんちしつ》の状況等《じょうきょうなど》の情報《じょうほう》を道路管理者及《どうろかんりしゃおよ》び埋設物《まいせつぶつ》の管理者《かんりしゃ》に報告《ほうこく》しなければならない。

③発注者又《はっちゅうしゃまた》は施工者《せこうしゃ》は，埋設物《まいせつぶつ》に近接《きんせつ》して工事《こうじ》を施工《せこう》する場合《ばあい》には，あらかじめその埋設物《まいせつぶつ》の管理者及《かんりしゃおよ》び関係機関《かんけいきかん》と協議《きょうぎ》し，埋設物《まいせつぶつ》の防護方法《ぼうごほうほう》，立会《たちあい》の有無《うむ》，緊急《きんきゅう》時《じ》の連絡先及《れんらくさきおよ》びその方法等《ほうほうなど》を決定《けってい》するものとする。

④発注者又《はっちゅうしゃまた》は施工者《せこうしゃ》は，埋設物《まいせつぶつ》の位置《いち》，名称《めいしょう》，管理者《かんりしゃ》の連絡先等《れんらくさきなど》を記載《きさい》した標示板《ひょうじばん》を取《と》り付《つ》ける等《など》により明確《めいかく》に認識《にんしき》できるようにし，近隣住民《きんりんじゅうみん》に確実《かくじつ》に伝達《でんたつ》しなければならない。

1　①②
2　①②③
3　②③④
4　③④

No. 31 酸素欠乏《さんそけつぼう》のおそれのある工事《こうじ》を行《おこな》う場合《ばあい》，事業者《じぎょうしゃ》が行《おこな》うべき措置《そち》に関《かん》する下記《かき》の①～④の４つの記述《きじゅつ》のうち，酸素欠乏症等防止規則上《さんそけつぼうしょうとうぼうしきそくじょう》，**正《ただ》しいものの数《かず》**は次《つぎ》のうちどれか。

①酸素欠乏危険場所《さんそけつぼうきけんばしょ》においては，その作業《さぎょう》の前日《ぜんじつ》に，空気中《くうきちゅう》の酸素《さんそ》の濃度《のうど》を測定《そくてい》し，測定日時《そくていにちじ》や測定方法及《そくていほうほうおよ》び測定結果等《そくていけっかとう》の記録《きろく》を一定《いってい》の期間保存《きかんほぞん》しなければならない。

正答　別冊P.84

②酸素欠乏危険作業《さんそけつぼうきけんさぎょう》に労働者《ろうどうしゃ》を従事《じゅうじ》させる場合《ばあい》で，爆発《ばくはつ》，酸化等《さんかとう》を防止《ぼうし》するため換《かん》気《き》することができない場合又《ばあいまた》は作業《さぎょう》の性質上換気《せいしつじょうかんき》することが著《いちじる》しく困難《こんなん》な場合《ばあい》は，同時《どうじ》に就業《しゅうぎょう》する労働者《ろうどうしゃ》の人数《にんずう》と同数以上《どうすういじょう》の空気呼吸器等《くうきこきゅうきとう》を備《そな》え，労働者《ろうどうしゃ》に使《し》用《よう》させなければならない。
③酸素欠乏危険作業《さんそけつぼうきけんさぎょう》に労働者《ろうどうしゃ》を従事《じゅうじ》させるときは，労働者《ろうどうしゃ》を当該作業《とうがいさぎょう》を行《おこな》う場所《ばしょ》に入場《にゅうじょう》させ，及《およ》び退場《たいじょう》させる時《とき》に，保護具《ほごぐ》を点検《てんけん》しなければならない。
④酸素欠乏危険場所又《さんそけつぼうきけんばしょまた》はこれに隣接《りんせつ》する場所《ばしょ》で作業《さぎょう》を行《おこな》うときは，酸素欠乏危険作《さんそけつぼうきけんさ》業《ぎょう》に従事《じゅうじ》する労働者以外《ろうどうしゃいがい》の労働者《ろうどうしゃ》が当該酸素欠乏危険場所《とうがいさんそけつぼうきけんばしょ》に立《た》ち入《い》ることを禁止《きんし》し，かつ，その旨《むね》を見《み》やすい箇所《かしょ》に表示《ひょうじ》しなければならない。(☆)

1　1つ
2　2つ
3　3つ
4　4つ

No. 32　品質管理《ひんしつかんり》に関《かん》する下記《かき》の①～④の４つの記述《きじゅつ》のうち，**適当《てきとう》なもののみを全《すべ》てあげている組合《くみあわ》せ**は次《つぎ》のうちどれか。

①品質《ひんしつ》は必《かなら》ずある値付近《あたいふきん》にばらつくので，設計値《せっけいち》を十分満足《じゅうぶんまんぞく》するような品質《ひんしつ》を実現《じつげん》するためには，ばらつき度合《どあ》いを考慮《こうりょ》し，余裕《よゆう》を持《も》った品質《ひんしつ》を目標《もくひょう》とする必要《ひつよう》がある。
②品質管理《ひんしつかんり》は，施工計画立案《せこうけいかくりつあん》の段階《だんかい》で管理特性《かんりとくせい》を検討《けんとう》し，それを完成検査時《かんせいけんさじ》にチェックする考《かんが》え方《かた》である。
③品質管理《ひんしつかんり》は，品質特性《ひんしつとくせい》や品質標準《ひんしつひょうじゅん》を決《き》め，作業標準《さぎょうひょうじゅん》に従《したが》って実施《じっし》し，できるだけ早期《そうき》に異常《いじょう》を見《み》つけ品質《ひんしつ》の安定《あんてい》をはかるために行《おこな》う。
④品質特性《ひんしつとくせい》を決《き》める場合《ばあい》には，構造物《こうぞうぶつ》の品質《ひんしつ》に及《およ》ぼす影響《えいきょう》が小《ち》さく，測定《そくてい》しやすい特性《とくせい》であること等《など》に留意《りゅうい》する。

1　①②
2　①③
3　②③
4　②④

No. 33　情報化施工《じょうほうかせこう》におけるTS（トータルステーション），GNSS（全球測位《ぜんきゅうそくい》衛星《えいせい》システム）を用《もち》いた盛土《もりど》の締固《しめかた》め管理《かんり》に関《かん》する下記《かき》の文章中《ぶんしょうちゅう》の［　　　］の（イ）～（ニ）に当《あ》てはまる語句《ごく》の組合《くみあわ》せとして，**適当《てきとう》なもの**は次《つぎ》のうちどれか。

・盛土材料《もりどざいりょう》を締《し》め固《かた》める際《さい》には，モニタに表示《ひょうじ》される締固《しめかた》め回数分布図《かいすうぶんぷず》において，盛土施工範囲《もりどせこうはんい》の［（イ）］について，規定回数《きていかいすう》だけ締《し》め固《かた》めたことを示《しめ》す色《いろ》になるまで締《し》め固《かた》める。

・盛土施工《もりどせこう》に使用《しよう》する材料《ざいりょう》は，事前《じぜん》の土質試験《どしつしけん》で品質《ひんしつ》を確認《かくにん》し，試験施工《しけんせこう》でまき出《だ》し厚《あつ》や［（ロ）］を決定《けってい》したものと同《おな》じ土質《どしつ》の材料《ざいりょう》であることを確認《かくにん》する。

・TS・GNSSを用《もち》いた盛土《もりど》の締固《しめかた》め管理《かんり》は，締固《しめかた》め機械《きかい》の走行位置《そうこういち》を［（ハ）］に計測《けいそく》し，［（ロ）］を確認《かくにん》する。

・TS・GNSSを用《もち》いた盛土《もりど》の締固《しめかた》め管理《かんり》システムの適用《てきよう》にあたっては，［（ニ）］や電波障害《でんぱしょうがい》の有無等《うむなど》を事前《じぜん》に調査《ちょうさ》して，システムの適用《てきよう》の可否《かひ》を確認《かくにん》する。

	（イ）	（ロ）	（ハ）	（ニ）
1	代表《だいひょう》ブロック	締固《しめかた》め度《ど》	施工完了後《せこうかんりょうご》	地形条件《ちけいじょうけん》
2	全面《ぜんめん》	締固《しめかた》め度《ど》	リアルタイム	地質条件《ちしつじょうけん》
3	全面《ぜんめん》	締固《しめかた》め回数《かいすう》	リアルタイム	地形条件《ちけいじょうけん》
4	代表《だいひょう》ブロック	締固《しめかた》め回数《かいすう》	施工完了後《せこうかんりょうご》	地質条件《ちしつじょうけん》

No. 34　鉄筋《てっきん》の組立《くみた》ての検査《けんさ》に関《かん》する下記《かき》の①～④の４つの記述《きじゅつ》のうち，**適当《てきとう》なものの数《かず》**は次《つぎ》のうちどれか。

①鉄筋《てっきん》の平均間隔《へいきんかんかく》を求《もと》める際《さい》には，配置《はいち》された10本程度《ぼんていど》の鉄筋間隔《てっきんかんかく》の平均値《へいきんち》とする。
②型枠《かたわく》に接《せっ》するスペーサは，原則《げんそく》として，コンクリート製《せい》あるいはモルタル製《せい》とする。
③鉄筋《てっきん》のかぶりは，鉄筋《てっきん》の中心《ちゅうしん》から構造物表面《こうぞうぶつひょうめん》までの距離《きょり》とする。
④設計図書《せっけいとしょ》に示《しめ》されていない組立用鉄筋《くみたてようてっきん》や金網等《かなあみなど》も，所定《しょてい》のかぶりを確保《かくほ》する。

1　1つ
2　2つ
3　3つ
4　4つ

正答　別冊P.87

No. 35 プレキャストコンクリート構造物《こうぞうぶつ》の施工《せこう》におけるプレキャスト部材《ぶざい》の接合《せつごう》に関《かん》する下記《かき》の①～④の４つの記述《きじゅつ》のうち，**適当《てきとう》なもののみを全《すべ》てあげている組合《くみあわ》せ**は次《つぎ》のうちどれか。

①部材《ぶざい》の接合《せつごう》にあたっては，接合面《せつごうめん》の密着性《みっちゃくせい》を確保《かくほ》するとともに，接合部《せつごうぶ》の断面《だんめん》やダクトを正確《せいかく》に一致《いっち》させておく必要《ひつよう》がある。

②ダクトの接合部《せつごうぶ》に塗布《とふ》する接着剤《せっちゃくざい》は，十分《じゅうぶん》な量《りょう》をダクト内《ない》に流入《りゅうにゅう》させる。

③接着剤《せっちゃくざい》の取扱《とりあつか》いについては，製品安全《せいひんあんぜん》シート（SDS）に従《したが》った安全対策《あんぜんたいさく》を講《こう》じる。

④モルタルやコンクリートを接合材料《せつごうざいりょう》として用《もち》いる場合《ばあい》は，これらを打《う》ち込《こ》む前《まえ》に，接合面《せつごうめん》のコンクリートを乾燥状態《かんそうじょうたい》にしておく必要《ひつよう》がある。

1　①②
2　①③
3　②④
4　③④

正答　別冊 P.88

令和５年度　第二次検定

試験時間　165分

※問題《もんだい》１～問題《もんだい》３は必須問題《ひっすもんだい》です。必《かなら》ず解答《かいとう》してください。
問題《もんだい》１で
①設問《せつもん》１の解答《かいとう》が無記載《むきさい》又《また》は記入《きにゅう》漏《も》れがある場合《ばあい》，
②設問《せつもん》２の解答《かいとう》が無記載《むきさい》又《また》は設問《せつもん》で求《もと》められている内容以外《ないよういがい》の記述《きじゅつ》の場合《ばあい》，
どちらの場合《ばあい》にも問題《もんだい》２以降《いこう》は採点《さいてん》の対象《たいしょう》となりません。

必須問題《ひっすもんだい》

問題《もんだい》 1　あなたが経験《けいけん》した土木工事《どぼくこうじ》の現場《げんば》において，その現場状況《げんばじょうきょう》から特《とく》に留意《りゅうい》した品質管理《ひんしつかんり》に関《かん》して，次《つぎ》の〔設問《せつもん》 1〕，〔設問《せつもん》 2〕に答《こた》えなさい。

〔注意《ちゅうい》〕　あなたが経験《けいけん》した工事《こうじ》でないことが判明《はんめい》した場合《ばあい》は失格《しっかく》となります。

〔設問《せつもん》 1〕　あなたが**経験《けいけん》した土木工事《どぼくこうじ》**に関《かん》し，次《つぎ》の事項《じこう》について解答欄《かいとうらん》に明確《めいかく》に記《き》述《じゅつ》しなさい。

〔注意《ちゅうい》〕　「経験《けいけん》した土木工事《どぼくこうじ》」は，あなたが工事請負者《こうじうけおいしゃ》の技術者《ぎじゅつしゃ》の場合《ばあい》は，あなたの所属会社《しょぞくがいしゃ》が受注《じゅちゅう》した工事内容《こうじないよう》について記述《きじゅつ》してください。従《したが》って，あなたの所属《しょぞく》会社《がいしゃ》が二次下請業者《にじしたうけぎょうしゃ》の場合《ばあい》は，発注者名《はっちゅうしゃめい》は一次下請業者名《いちじしたうけぎょうしゃめい》となります。
なお，あなたの所属《しょぞく》が発注機関《はっちゅうきかん》の場合《ばあい》の発注者名《はっちゅうしゃめい》は，所属機関名《しょぞくきかんめい》となります。

(1) 工事名《こうじめい》
(2) 工事《こうじ》の内容《ないよう》
　① 発注者名《はっちゅうしゃめい》
　② 工事場所《こうじばしょ》
　③ 工《こう》　期《き》
　④ 主《おも》な工種《こうしゅ》
　⑤ 施《せ》 工《こう》 量《りょう》
(3) 工事現場《こうじげんば》における施工管理上《せこうかんりじょう》のあなたの立場《たちば》

解答例　別冊 P.89

〔設問《せつもん》2〕 上記工事《じょうきこうじ》の**現場状況《げんばじょうきょう》**から**特《とく》に留意《りゅうい》した品質管理《ひんしつかんり》**に関《かん》し，次《つぎ》の事項《じこう》について解答欄《かいとうらん》に具体的《ぐたいてき》に記述《きじゅつ》しなさい。

(1) **具体的《ぐたいてき》な現場状況《げんばじょうきょう》**と特《とく》に留意《りゅうい》した**技術的課題《ぎじゅつてきかだい》**
(2) 技術的課題《ぎじゅつてきかだい》を解決《かいけつ》するために**検討《けんとう》した項目《こうもく》と検討理由及《けんとうりゆうおよ》び検討内容《けんとうないよう》**
(3) 上記検討《じょうきけんとう》の結果《けっか》，**現場《げんば》で実施《じっし》した対応処置《たいおうしょち》とその評価《ひょうか》**

必須問題《ひっすもんだい》

問題《もんだい》2 コンクリート構造物《こうぞうぶつ》において行《おこな》われる調査及《ちょうさおよ》び検査《けんさ》に関《かん》する次《つぎ》の文章《ぶんしょう》の［　　　］の（イ）～（ホ）に当《あ》てはまる**適切《てきせつ》な語句《ごく》**を解答欄《かいとうらん》に記述《きじゅつ》しなさい。

(1) たたきによる方法《ほうほう》は，コンクリート表面《ひょうめん》をハンマ等《など》により打撃《だげき》した際《さい》の打撃音《だげきおん》により，コンクリート表層部《ひょうそうぶ》の［　(イ)　］を把握《はあく》する方法《ほうほう》である。
(2) 反発度法《はんぱつどほう》（テストハンマー法《ほう》）は，コンクリート表層《ひょうそう》の反発度《はんぱつど》を測定《そくてい》した結《けっ》果《か》から，コンクリートの［　(ロ)　］を推定《すいてい》するために用《もち》いられる。反発度法《はんぱつどほう》による推定結果《すいていけっか》が所定《しょてい》の［　(ロ)　］に達《たっ》しない場合《ばあい》には，原位置《げんいち》でコンクリートの［　(ハ)　］を採取《さいしゅ》して試験《しけん》を行《おこな》う。
(3) 電磁波《でんじは》レーダ法《ほう》や電磁誘導法《でんじゆうどうほう》は，コンクリート中《ちゅう》の鉄筋等《てっきんなど》の鋼材《こうざい》の径《けい》や［　(ニ)　］を推定《すいてい》する方法《ほうほう》である。
(4) 自然電位法《しぜんでんいほう》は，コンクリート中《ちゅう》の鉄筋《てっきん》の［　(ホ)　］状態《じょうたい》を推定《すいてい》する方法《ほうほう》である。

必須問題《ひっすもんだい》

問題《もんだい》３

労働安全衛生法令上《ろうどうあんぜんえいせいほうれいじょう》，つり足場《あしば》，張出《はりだ》し足場《あしば》又《また》は高《たか》さが 2m 以上《いじょう》の構《こう》造《ぞう》の足場《あしば》の組立《くみた》て，解体又《かいたいまた》は変更《へんこう》の作業《さぎょう》を行《おこな》うとき，**事業者《じぎょうしゃ》が講《こう》じなければならない措置《そち》を２つ**，解答欄《かいとうらん》に記述《きじゅつ》しなさい。

問題《もんだい》４～問題《もんだい》11までは選択問題《せんたくもんだい》（1），（2）です。

※問題《もんだい》４～問題《もんだい》７までの選択問題《せんたくもんだい》（1）の４問題《もんだい》のうちから２問題《もんだい》を選択《せんたく》し解答《かいとう》してください。

なお，選択《せんたく》した問題《もんだい》は，解答用紙《かいとうようし》の選択欄《せんたくらん》に○印《じるし》を必《かなら》ず記入《きにゅう》してください。

選択問題《せんたくもんだい》（1）

問題《もんだい》４

切土法面《きりどのりめん》の施工時《せこうじ》における排水対策《はいすいたいさく》に関《かん》する次《つぎ》の文章《ぶんしょう》の［　　　］の（イ）～（ホ）に当《あ》てはまる**適切《てきせつ》な語句《ごく》**を解答欄《かいとうらん》に記述《きじゅつ》しなさい。

(1)　切土法面《きりどのりめん》は気象条件《きしょうじょうけん》によって種々《しゅじゅ》の影響《えいきょう》を受《う》けるが，最《もっと》も多《おお》いのは雨水《うすい》の流《りゅう》下《か》による［　(イ)　］であり，集排水《しゅうはいすい》が十分《じゅうぶん》であれば法面損傷防止《のりめんそんしょうぼうし》に役立《やくだ》つ。

(2)　地山《じやま》の崩壊《ほうかい》は，ほとんどが不完全《ふかんぜん》な排水処理《はいすいしょり》によって生《しょう》じているので，排水《はいすい》工《こう》の位置《いち》を決定《けってい》する場合《ばあい》には十分《じゅうぶん》な［　(ロ)　］が必要《ひつよう》である。

(3)　［　(ハ)　］の水位《すいい》が高《たか》い切土部《きりどぶ》では，切土《きりど》の各段階毎《かくだんかいごと》にその水位《すいい》を下《さ》げるため，［　(ハ)　］のある側《がわ》に十分《じゅうぶん》な深《ふか》さの［　(ニ)　］を設《もう》けることが望《のぞ》ましい。

(4)　切土部《きりどぶ》の地質《ちしつ》は，工事前《こうじまえ》の調査《ちょうさ》のみでは完全《かんぜん》に把握《はあく》できないので，切土作業《きりどさぎょう》中《ちゅう》にも地質《ちしつ》や［　(ホ)　］の状況《じょうきょう》を注意《ちゅうい》して観察《かんさつ》し，排水工《はいすいこう》や法面保護工《のりめんほごこう》の必要《ひつよう》性《せい》の有無《うむ》を常《つね》に考《かんが》えながら，対応策《たいおうさく》をとることが大切《たいせつ》である。

解答例　別冊 P.89

選択問題《せんたくもんだい》（1）

問題《もんだい》5　コンクリートの運搬《うんぱん》，打込《うちこ》み，締固《しめかた》めに関《かん》する次《つぎ》の文章《ぶんしょう》の□の（イ）～（ホ）に当《あ》てはまる**適切《てきせつ》な語句又《ごくまた》は数値《すうち》**を解答欄《かいとうらん》に記述《きじゅつ》しなさい。

(1)　コンクリートを練《ね》り混《ま》ぜてから打《う》ち終《お》わるまでの時間《じかん》は，外気温《がいきおん》が 25℃以下《いか》のとき［(イ)］時間以内《じかんいない》とする。

(2)　コンクリートを 2 層以上《そういじょう》に分《わ》けて打《う》ち込《こ》む場合《ばあい》，［(ロ)］が発生《はっせい》しないよう許容打重《きょよううちかさ》ね時間間隔《じかんかんかく》を外気温《がいきおん》 25℃以下《いか》では 2.5 時間以内《じかんいない》とする。

(3)　梁《はり》のコンクリートが柱《はしら》のコンクリートと連続《れんぞく》している場合《ばあい》には，柱《はしら》のコンクリートの［(ハ)］がほぼ終了《しゅうりょう》してから，梁《はり》のコンクリートを打《う》ち込《こ》む。

(4)　棒状《ぼうじょう》バイブレータは，コンクリートの［(ニ)］の原因《げんいん》となる横移動《よこいどう》を目的《もくてき》として使用《しよう》してはならない。

(5)　コンクリートをいったん締《し》め固《かた》めた後《のち》，［(ホ)］を適切《てきせつ》な時期《じき》に行《おこな》うことによって，コンクリート中《ちゅう》にできた空隙《くうげき》や余剰水《よじょうすい》を少《すく》なくすることができる。

選択問題《せんたくもんだい》（1）

問題《もんだい》６

労働安全衛生法令《ろうどうあんぜんえいせいほうれい》で定《さだ》められている型枠支保工《かたわくしほこう》に関《かん》し，事業者《じぎょうしゃ》が実施《じっし》すべき措置《そち》について，次《つぎ》の文章《ぶんしょう》の［　　　］の（イ）～（ホ）に当《あ》てはまる**適切《てきせつ》な語句又《ごくまた》は数値《すうち》**を解答欄《かいとうらん》に記述《きじゅつ》しなさい。

(1) 型枠支保工《かたわくしほこう》の材料《ざいりょう》については，著《いちじる》しい損傷《そんしょう》，［　(イ)　］又《また》は腐食《ふしょく》があるものを使用《しよう》してはならない。

(2) 型枠支保工《かたわくしほこう》を組《く》み立《た》てるときは，支柱《しちゅう》，［　(ロ)　］，つなぎ，筋《すじ》かい等《とう》の部材《ぶざい》の配置《はいち》，接合《せつごう》の方法及《ほうほうおよ》び寸法《すんぽう》が示《しめ》されている組立図《くみたてず》を作成《さくせい》し，かつ，当該組立《とうがいくみたて》図《ず》により組《く》み立《た》てなければならない。

(3) 型枠支保工《かたわくしほこう》の設計荷重《せっけいかじゅう》は，型枠支保工《かたわくしほこう》が支《ささ》える物《もの》の重量《じゅうりょう》に相当《そうとう》する荷重《かじゅう》に，型枠《かたわく》 1m² につき［　(ハ)　］kg 以上《いじょう》の荷重《かじゅう》を加《くわ》えた荷重《かじゅう》によるものとすること。

(4) 支柱《しちゅう》の継手《つぎて》は，［　(ニ)　］継手又《つぎてまた》は差込《さしこ》み継手《つぎて》とし，鋼材《こうざい》と鋼材《こうざい》との接続部及《せつぞくぶおよ》び交差部《こうさぶ》は，ボルト，クランプ等《とう》の金具《かなぐ》を用《もち》いて緊結《きんけつ》すること。

(5) 鋼管《こうかん》（パイプサポートを除《のぞ》く。）を支柱《しちゅう》として用《もち》いる場合《ばあい》は，高《たか》さ［　(ホ)　］m 以内《いない》ごとに水平《すいへい》つなぎを２方向《ほうこう》に設《もう》け，かつ，水平《すいへい》つなぎの変位《へんい》を防止《ぼうし》すること。

選択問題《せんたくもんだい》（1）

問題《もんだい》７

「廃棄物《はいきぶつ》の処理及《しょりおよ》び清掃《せいそう》に関《かん》する法律《ほうりつ》」に基《もと》づく廃棄物《はいきぶつ》の適正《てきせい》な処理《しょり》にあたり，産業廃棄物管理票《さんぎょうはいきぶつかんりひょう》（マニフェスト）（以下《いか》「管理票《かんりひょう》」という。）の交付等《こうふとう》に関《かん》する次《つぎ》の文章《ぶんしょう》の［　　　］の（イ）～（ホ）に当《あ》てはまる**適切《てきせつ》な語句又《ごくまた》は数値《すうち》**を解答欄《かいとうらん》に記述《きじゅつ》しなさい。

(1) 産業廃棄物《さんぎょうはいきぶつ》を生《しょう》ずる事業者《じぎょうしゃ》は，その産業廃棄物《さんぎょうはいきぶつ》の運搬又《うんぱんまた》は処分《しょぶん》を他人《たにん》に委託《いたく》する場合《ばあい》には，当該委託《とうがいいたく》に係《かか》る産業廃棄物《さんぎょうはいきぶつ》の引渡《ひきわた》しと［　(イ)　］に当該産業廃棄物《とうがいさんぎょうはいきぶつ》の運搬又《うんぱんまた》は処分《しょぶん》を受託《じゅたく》した者《もの》に対《たい》し，管理票《かんりひょう》を交付《こうふ》しなければならない。

(2) 管理票《かんりひょう》には，当該委託《とうがいいたく》に係《かか》る産業廃棄物《さんぎょうはいきぶつ》の［　(ロ)　］及《およ》び［　(ハ)　］，運搬又《うんぱんまた》は処分《しょぶん》を受託《じゅたく》した者《もの》の氏名又《しめいまた》は名称《めいしょう》その他環境省令《たかんきょうしょうれい》で定《さだ》める事項《じこう》を記載《きさい》するものとする。

(3) 管理票《かんりひょう》を交付《こうふ》した者《もの》は，当該管理票《とうがいかんりひょう》の写《うつ》しを当該交付《とうがいこうふ》をした日《ひ》から［　(ニ)　］年間保存《ねんかんほぞん》しなければならない。

(4) 管理票《かんりひょう》を交付《こうふ》した者《もの》は，当該管理票《とうがいかんりひょう》に関《かん》する報告書《ほうこくしょ》を作成《さくせい》し，これを［　(ホ)　］に提出《ていしゅつ》しなければならない。

解答例　別冊 P.93

※問題《もんだい》８～問題《もんだい》11までの選択問題《せんたくもんだい》（2）の４問題《もんだい》のうちから２問題《もんだい》を選択《せんたく》し解答《かいとう》してください。

なお，選択《せんたく》した問題《もんだい》は，解答用紙《かいとうようし》の選択欄《せんたくらん》に○印《じるし》を必《かなら》ず記入《きにゅう》してください。

選択問題《せんたくもんだい》（2）

問題《もんだい》８

コンクリートの養生《ようじょう》に関《かん》する**施工上《せこうじょう》の留意点《りゅういてん》を５つ**，解答欄《かいとうらん》に記述《きじゅつ》しなさい。

選択問題《せんたくもんだい》（2）

問題《もんだい》９

TS（トータルステーション）・GNSS（全球測位衛星《ぜんきゅうそくいえいせい》システム）を用《もち》いた盛土《もりど》の締固《しめかた》め管理《かんり》において，本施工《ほんせこう》の日常管理帳票《にちじょうかんりちょうひょう》として，**作《さく》成《せい》する資料《しりょう》について下記《かき》①～④から２つ選《えら》び，その番号《ばんごう》，作成時《さくせいじ》の留《りゅう》意事項《いじこう》**を解答欄《かいとうらん》に記述《きじゅつ》しなさい。

① 盛土材料《もりどざいりょう》の品質《ひんしつ》の記録《きろく》
② まき出《だ》し厚《あつ》の記録《きろく》
③ 締固《しめかた》め回数分布図《かいすうぶんぷず》と走行軌跡図《そうこうきせきず》
④ 締固《しめかた》め層厚分布図《そうあつぶんぷず》

選択問題《せんたくもんだい》（2）

問題《もんだい》10

車両系建設機械《しゃりょうけいけんせつきかい》による労働者《ろうどうしゃ》の災害防止《さいがいぼうし》のため，労働安全衛生規則《ろうどうあんぜんえいせいきそく》の定《さだ》めにより事業者《じぎょうしゃ》が実施《じっし》すべき**具体的《ぐたいてき》な安全対策《あんぜんたいさく》を５つ**，解答欄《かいとうらん》に記《き》述《じゅつ》しなさい。

選択問題《せんたくもんだい》（2）

問題《もんだい》 11

下図《かず》のようなプレキャストボックスカルバートを施工《せこう》する場合《ばあい》の施工《せこう》手順《てじゅん》が次《つぎ》の表《ひょう》に示《しめ》されているが，施工手順《せこうてじゅん》①～④のうちから**2つ選《えら》び，その番号《ばんごう》，該当《がいとう》する工種名及《こうしゅめいおよ》び施工上《せこうじょう》の留意事項《りゅういじこう》**（主要機械《しゅようきかい》の操《そう》作及《さおよ》び安全管理《あんぜんかんり》に関《かん》するものは除《のぞ》く）について解答欄《かいとうらん》に記述《きじゅつ》しなさい。

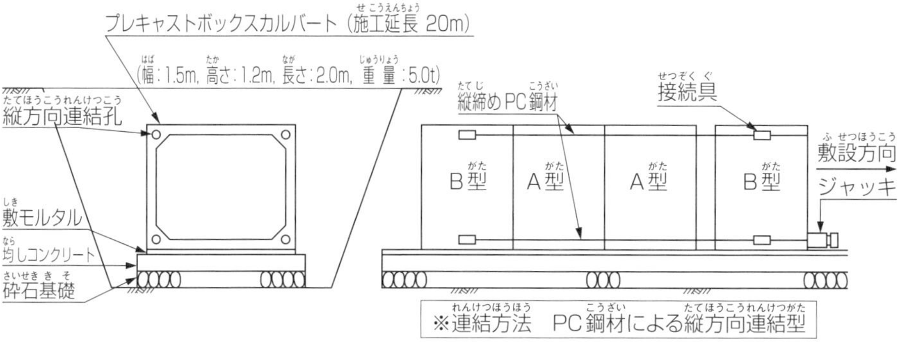

（施工手順は次ページに記載）

施工手順《せこうてじゅん》 番号《ばんごう》	工種名《こうしゅめい》	施工上《せこうじょう》の留意事項《りゅういじこう》 (主要機械《しゅようきかい》の操作及《そうさおよ》び安全管理《あんぜんかんり》に関《かん》するものは除《のぞ》く)
	準備工《じゅんびこう》 ↓	
①	 (バックホゥ) ↓	
	砕石基礎工《さいせききそこう》 ↓	地下水位《ちかすいい》に留意《りゅうい》しドライワークとする。
	均《なら》しコンクリート工《こう》 ↓	沈下《ちんか》，滑動《かつどう》，不陸等《ふりくなど》が生《しょう》じないようにする。
	敷《しき》モルタル工《こう》 ↓	凹凸《おうとつ》のないように敷《し》き詰《つ》める。
②	 (トラッククレーン) ↓	
③	 (ジャッキ) ↓	
④	 (タンパ) ↓	
	後片付《あとかたづ》け	

解答例 別冊 P.99

1級土木施工管理技術検定

令和4年度問題

年度		受検者数（人）	合格者数（人）	合格率（%）
令和6年度	第一次	51,193	22,705	44.4
	第二次	※	※	※
令和5年度	第一次	32,931	16,311	49.5
	第二次	27,304	9,060	33.2
令和4年度	第一次	38,672	21,097	54.6
	第二次	24,462	7,032	28.7
令和3年度	第一次	37,726	22,851	60.6
	第二次	26,558	9,732	36.6
令和2年度	学科	29,745	17,885	60.1
	実地	24,204	7,499	31.0

※本書編集時点では未公表

● P.260とp.269～p.274の解答用紙をコピーしてお使いください。

令和4年度　第一次検定　問題A（選択問題）

試験時間　150分

※問題番号《もんだいばんごう》No.1～No.15までの15問題《もんだい》のうちから12問題《もんだい》を選択《せんたく》し解答《かいとう》してください。

No. 1　土質試験《どしつしけん》における「試験《しけん》の名称《めいしょう》」，「試験結果《しけんけっか》から求《もと》められるもの」及《およ》び「試験結果《しけんけっか》の利用《りよう》」の組合《くみあわ》せとして，次《つぎ》のうち**適当《てきとう》なもの**はどれか。

　［試験《しけん》の名称《めいしょう》］　［試験結果《しけんけっか》から求《もと》められるもの］　［試験結果《しけんけっか》の利用《りよう》］

1　土《つち》の粒度試験《りゅうどしけん》……………………粒径加積曲線《りゅうけいかせききょくせん》……………土《つち》の物理的性質《ぶつりてきせいしつ》の推定《すいてい》

2　土《つち》の液性限界《えきせいげんかい》・塑性限界試験《そせいげんかいしけん》…コンシステンシー限界《げんかい》…地盤《じばん》の沈下量《ちんかりょう》の推定《すいてい》

3　突固《つきかた》めによる土《つち》の締固《しめかた》め試験《しけん》…締固《しめかた》め曲線《きょくせん》………………盛土《もりど》の締固《しめかた》め管理基準《かんりきじゅん》の決定《けってい》

4　土《つち》の一軸圧縮試験《いちじくあっしゅくしけん》………………最大圧縮応力《さいだいあっしゅくおうりょく》……………基礎工《きそこう》の施工法《せこうほう》の決定《けってい》

No. 2　法面保護工《のりめんほごこう》の施工《せこう》に関《かん》する次《つぎ》の記述《きじゅつ》のうち，**適当《てきとう》でないもの**はどれか。

1　モルタル吹付工《ふきつけこう》は，法面《のりめん》の浮石《うきいし》，ほこり，泥等《どろなど》を清掃《せいそう》し，モルタルを吹《ふ》き付《つ》けた後《のち》，一般《いっぱん》に菱形金網《ひしがたかなあみ》を法面《のりめん》に張《は》り付《つ》けてアンカーピンで固定《こてい》する。

2　植生《しょくせい》マット工《こう》は，法面《のりめん》の凹凸《おうとつ》が大《おお》きいと浮《う》き上《あ》がったり風《かぜ》に飛《と》ばされやすいので，あらかじめ凹凸《おうとつ》をならして設置《せっち》する。

3　植生土《しょくせいど》のう工《こう》は，法枠工《のりわくこう》の中詰《なかづめ》とする場合《ばあい》には，施工後《せこうご》の沈下《ちんか》やはらみ出《だ》しが起《お》きないように，土《ど》のうの表面《ひょうめん》を平滑《へいかつ》に仕《し》上《あ》げる。

4　コンクリートブロック枠工《わくこう》は，枠《わく》の交点部分《こうてんぶぶん》には，所定《しょてい》の長《なが》さのアンカーバー等《など》を設置《せっち》し，一般《いっぱん》に枠内《わくない》は良質土《りょうしつど》で埋《う》め戻《もど》し，植生《しょくせい》で保護《ほご》する。

No. 3　TS（トータルステーション）・GNSS（全球測位衛星《ぜんきゅうそくいえいせい》システム）を用《もち》いた盛土《もりど》の情報化施工《じょうほうかせこう》に関《かん》する次《つぎ》の記述《きじゅつ》のうち，**適当《てきとう》でないもの**はどれか。

1　盛土《もりど》に使用《しよう》する材料《ざいりょう》が，事前《じぜん》の土質試験《どしつしけん》や試験施工《しけんせこう》で品質《ひんしつ》・施工仕様《せこうしよう》を確認《かくにん》したものと異《こと》なっている場合《ばあい》は，その材料《ざいりょう》について土質試験《どしつしけん》・試験施工《しけんせこう》を改《あらた》めて実《じっ》

施《し》し，品質《ひんしつ》や施工仕様《せこうしよう》を確認《かくにん》したうえで盛土《もりど》に使用《しよう》する。

2　盛土材料《もりどざいりょう》を締《し》め固《かた》める際《さい》には，盛土施工範囲《もりどせこうはんい》の全面《ぜんめん》にわたって，試験施工《しけんせこう》で決《けっ》定《てい》した締固《しめかた》め回数《かいすう》を確保《かくほ》するよう，TS・GNSSを用《もち》いた盛土《もりど》の締固《しめかた》め管理《かんり》システムによって管理《かんり》するものとする。

3　情報化施工《じょうほうかせこう》による盛土《もりど》の締固《しめかた》め管理技術《かんりぎじゅつ》は，事前《じぜん》の試験施工《しけんせこう》の仕様《しよう》に基《もと》づき，まき出《だ》し厚《あつ》の管理《かんり》，締固《しめかた》め回数《かいすう》の管理《かんり》を行《おこな》う品質規定方式《ひんしつきていほうしき》とすることで，品質《ひんしつ》の均一化《きんいつか》や過転圧《かてんあつ》の防止《ぼうし》に加《くわ》え，締固《しめかた》め状況《じょうきょう》の早期把握《そうきはあく》による工期短縮《こうきたんしゅく》が図《はか》られる。

4　情報化施工《じょうほうかせこう》による盛土《もりど》の施工管理《せこうかんり》にあっては，施工管理《せこうかんり》データの取得《しゅとく》によりトレーサビリティが確保《かくほ》されるとともに，高精度《こうせいど》の施工《せこう》やデータ管理《かんり》の簡略化《かんりゃくか》・書《しょ》類《るい》の作成《さくせい》に係《かか》る負荷《ふか》の軽減等《けいげんなど》が可能《かのう》となる。

No. 4

道路《どうろ》の盛土区間《もりどくかん》に設置《せっち》するボックスカルバート周辺《しゅうへん》の裏込《うらご》めの施工《せこう》に関《かん》する次《つぎ》の記述《きじゅつ》のうち，**適当《てきとう》でないもの**はどれか。

1　裏込《うらご》め材料《ざいりょう》は，供用開始後《きょうようかいしご》の段差《だんさ》を抑制《よくせい》するため，締固《しめかた》めが容易《ようい》で，非圧縮性《ひあっしゅくせい》，透水性《とうすいせい》があり，かつ，水《みず》の浸入《しんにゅう》によっても強度《きょうど》の低下《ていか》が少《すく》ないような安定《あんてい》した材《ざい》料《りょう》を使用《しよう》する。

2　裏込《うらご》め部付近《ぶふきん》は，施工中《せこうちゅう》，施工後《せこうご》において，水《みず》が集《あつ》まりやすく，これに伴《ともな》う沈《ちん》下《か》や崩壊《ほうかい》も多《おお》いことから，施工中《せこうちゅう》の排水勾配《はいすいこうばい》の確保《かくほ》，地下排水溝《ちかはいすいこう》の設置等《せっちなど》の十分《じゅうぶん》な排水対策《はいすいたいさく》を講《こう》じる。

3　軟弱地盤上《なんじゃくじばんじょう》の裏込《うらご》め部《ぶ》は，特《とく》に沈下《ちんか》が大《おお》きくなりがちであるので，プレロード等《など》の必要《ひつよう》な処理《しょり》を行《おこな》って，供用開始後《きょうようかいしご》の基礎地盤《きそじばん》の沈下《ちんか》をできるだけ少《すく》なくする。

4　裏込《うらご》め部《ぶ》は，確実《かくじつ》な締固《しめかた》めができるスペースの確保《かくほ》，施工時《せこうじ》の排水処理《はいすいしょり》の容易《ようい》さから，盛土《もりど》を先行《せんこう》した後《あと》に施工《せこう》するのが望《のぞ》ましい。

No. 5

軟弱地盤対策工法《なんじゃくじばんたいさくこうほう》に関《かん》する次《つぎ》の記述《きじゅつ》のうち，**適当《てきとう》でないもの**はどれか。

1　サンドマット工法《こうほう》は，軟弱地盤上《なんじゃくじばんじょう》の表面《ひょうめん》に砕石《さいせき》を薄層《はくそう》に敷設《ふせつ》することで，軟弱《なんじゃく》層《そう》の圧密《あつみつ》のための上部排水《じょうぶはいすい》の促進《そくしん》と，施工機械《せこうきかい》のトラフィカビリティーの確保《かくほ》を図《はか》るものである。

2　緩速載荷工法《かんそくさいかこうほう》は，できるだけ軟弱地盤《なんじゃくじばん》の処理《しょり》を行《おこな》わない代《か》わりに，圧密《あつみつ》の進行《しんこう》に合《あ》わせ時間《じかん》をかけてゆっくり盛土《もりど》することで，地盤《じばん》の強度増加《きょうどぞうか》を進行《しんこう》させて安《あん》定《てい》を図《はか》るものである。

3　サンドドレーン工法《こうほう》は，透水性《とうすいせい》の高《たか》い砂《すな》を用《もち》いた砂柱《さちゅう》を地盤中《じばんちゅう》に鉛直《えんちょく》に造成《ぞうせい》し，水平方向《すいへいほうこう》の排水距離《はいすいきょり》を短《みじか》くして圧密《あつみつ》を促進《そくしん》することで，地盤《じばん》の強度増加《きょうどぞうか》を図《はか》るも

正答　別冊 P.100

のである。
4　表層混合処理工法《ひょうそうこんごうしょりこうほう》は，表層部分《ひょうそうぶぶん》の軟弱《なんじゃく》なシルト・粘土《ねんど》とセメントや石灰等《せっかいなど》とを撹拌混合《かくはんこんごう》して改良《かいりょう》することで，地盤《じばん》の安定《あんてい》やトラフィカビリティーの改善等《かいぜんなど》を図《はか》るものである。

No. 6

コンクリート用細骨材《ようさいこつざい》の品質《ひんしつ》に関《かん》する次《つぎ》の記述《きじゅつ》のうち，**適当《てきとう》でないもの**はどれか。

1　砕砂《さいさ》は，粒形判定実積率試験《りゅうけいはんていじっせきりつしけん》により粒形《りゅうけい》の良否《りょうひ》を判定《はんてい》し，角《かく》ばりの形状《けいじょう》はできるだけ小《ちい》さく，細長《ほそなが》い粒《つぶ》や扁平《へんぺい》な粒《つぶ》の少《すく》ないものを選定《せんてい》する。
2　砕砂《さいさ》に含《ふく》まれる微粒分《びりゅうぶん》の石粉《いしこ》は，コンクリートの単位水量《たんいすいりょう》を増加《ぞうか》させ，材料分離《ざいりょうぶんり》が顕著《けんちょ》となるためできるだけ含《ふく》まないようにする。
3　細骨材中《さいこつざいちゅう》に含《ふく》まれる多孔質《たこうしつ》の粒子《りゅうし》は，一般《いっぱん》に密度《みつど》が小《ちい》さく骨材《こつざい》の吸水率《きゅうすいりつ》が大《おお》きいため，コンクリートの耐凍害性《たいとうがいせい》を損《そこ》なう原因《げんいん》となる。
4　異《こと》なる種類《しゅるい》の細骨材《さいこつざい》を混合《こんごう》して用《もち》いる場合《ばあい》の塩化物量《えんかぶつりょう》については，混合後《こんごうご》の試料《しりょう》で塩化物量《えんかぶつりょう》を測定《そくてい》し規定《きてい》に適合《てきごう》すればよい。

No. 7

コンクリートの品質《ひんしつ》に関《かん》する次《つぎ》の記述《きじゅつ》のうち，**適当《てきとう》でないもの**はどれか。

1　コンクリートポンプを用《もち》いる場合《ばあい》には，管内閉塞《かんないへいそく》が生《しょう》じないように，単位粉体量《たんいふんたいりょう》や細骨材率《さいこつざいりつ》をできるだけ小《ちい》さくする。
2　単位《たんい》セメント量《りょう》が増加《ぞうか》しセメントの水和《すいわ》に起因《きいん》するひび割《わ》れが問題《もんだい》となる場合《ばあい》には，セメントの種類《しゅるい》の変更《へんこう》や，石灰石微粉末等《せっかいせきびふんまつなど》の不活性《ふかっせい》な粉体《ふんたい》を用《もち》いることを検討《けんとう》する。
3　所要《しょよう》の圧縮強度《あっしゅくきょうど》を満足《まんぞく》するよう配合設計《はいごうせっけい》する場合《ばあい》は，セメント水比《みずひ》と圧縮強度《あっしゅくきょうど》の関係《かんけい》がある程度《ていど》の範囲内《はんいない》で直線的《ちょくせんてき》になることを利用《りよう》する。
4　所要《しょよう》の水密性《すいみつせい》を満足《まんぞく》するよう配合設計《はいごうせっけい》する場合《ばあい》は，水《みず》セメント比《ひ》を小《ちい》さくし，単位水量《たんいすいりょう》を低減《ていげん》させる。

No. 8

コンクリートの養生《ようじょう》に関《かん》する次《つぎ》の記述《きじゅつ》のうち，**適当《てきとう》でないもの**はどれか。

1　マスコンクリートの養生《ようじょう》では，コンクリート部材内外《ぶざいないがい》の温度差《おんどさ》が大《おお》きくならないようにコンクリート温度《おんど》をできるだけ緩《ゆる》やかに外気温《がいきおん》に近《ちか》づけるため，断熱性《だんねつせい》の高《たか》い材料《ざいりょう》で保温《ほおん》する。

2　日平均《にちへいきん》気温《きおん》が15℃以上《いじょう》の場合《ばあい》，コンクリートの湿潤養生期間《しつじゅんようじょうきかん》の標準《ひょうじゅん》は，普通《ふつう》ポルトランドセメント使用時《しようじ》で5日《にち》，早強《そうきょう》ポルトランドセメント使用時《しようじ》で3日《にち》である。

3　日平均《にちへいきん》気温《きおん》が4℃以下《いか》になることが予想《よそう》されるときは，初期凍害《しょきとうがい》を防止《ぼうし》できる強度《きょうど》が得《え》られるまでコンクリート温度《おんど》を5℃以上《いじょう》に保《たも》つ。

4　コンクリートに給熱養生《きゅうねつようじょう》を行《おこな》う場合《ばあい》は，熱《ねつ》によりコンクリートからの水《みず》の蒸発《じょうはつ》を促進《そくしん》させ，コンクリートを乾燥《かんそう》させるようにする。

No. 9

コンクリートの配合《はいごう》に関《かん》する次《つぎ》の記述《きじゅつ》のうち，**適当《てきとう》でないもの**はどれか。

1　水《みず》セメント比《ひ》は，コンクリートに要求《ようきゅう》される強度《きょうど》，耐久性等《たいきゅうせいなど》を考慮《こうりょ》して，これらから定《さだ》まる水《みず》セメント比《ひ》のうちで，最《もっと》も小《ちい》さい値《あたい》を設定《せってい》する。

2　単位水量《たんいすいりょう》が大《おお》きくなると，材料分離抵抗性《ざいりょうぶんりていこうせい》が低下《ていか》するとともに，乾燥収縮《かんそうしゅうしゅく》が増《ぞう》加《か》する等《など》，コンクリートの品質《ひんしつ》が低下《ていか》する。

3　スランプは，運搬《うんぱん》，打込《うちこ》み，締固《しめかた》め等《など》の作業《さぎょう》に適《てき》する範囲内《はんいない》で，できるだけ大《おお》きくなるように設定《せってい》する。

4　コンクリートの計画配合《けいかくはいごう》が配合条件《はいごうじょうけん》を満足《まんぞく》することを実績等《じっせきなど》から確認《かくにん》できる場《ば》合《あい》，試《ため》し練《ね》りを省略《しょうりゃく》できる。

No. 10

暑中《しょちゅう》コンクリートに関《かん》する次《つぎ》の記述《きじゅつ》のうち，**適当《てきとう》なもの**はどれか。

1　暑中《しょちゅう》コンクリートでは，コールドジョイントの発生防止《はっせいぼうし》のため，減水剤《げんすいざい》，AE減水剤及《げんすいざいおよ》び流動化剤《りゅうどうかざい》について遅延形《ちえんがた》のものを用《もち》いる。

2　暑中《しょちゅう》コンクリートでは，練上《ねりあ》がりコンクリートの温度《おんど》を高《たか》くするために，なるべく高《たか》い温度《おんど》の練混《ねりま》ぜ水《すい》を用《もち》いる。

3　暑中《しょちゅう》コンクリートでは，運搬中《うんぱんちゅう》のスランプの低下《ていか》や連行空気量《れんこうくうきりょう》の減少等《げんしょうなど》の傾向《けいこう》があり，打込《うちこ》み時《じ》のコンクリート温度《おんど》の上限《じょうげん》は，40℃以下《いか》を標準《ひょうじゅん》とする。

4　暑中《しょちゅう》コンクリートでは，練混《ねりま》ぜ後《ご》できるだけ早《はや》い時期《じき》に打《う》ち込《こ》まなければならないことから，練混《ねりま》ぜ開始《かいし》から打《う》ち終《お》わるまでの時間《じかん》は，2時間以内《じかんいない》を原則《げんそく》とする。

No. 11

施工条件《せこうじょうけん》が同《おな》じ場合《ばあい》に，型枠《かたわく》に作用《さよう》するフレッシュコンクリートの側《そく》圧《あつ》に関《かん》する次《つぎ》の記述《きじゅつ》のうち，**適当《てきとう》でないもの**はどれか。

1　コンクリートの温度《おんど》が高《たか》いほど，側圧《そくあつ》は小《ちい》さく作用《さよう》する。

正答　別冊P.102

2　コンクリートの単位重量《たんいじゅうりょう》が大《おお》きいほど，側圧《そくあつ》は大《おお》きく作用《さよう》する。
3　コンクリートの打上《うちあ》がり速度《そくど》が大《おお》きいほど，側圧《そくあつ》は大《おお》きく作用《さよう》する。
4　コンクリートのスランプが大《おお》きいほど，側圧《そくあつ》は小《ちい》さく作用《さよう》する。

No. 12

道路橋下部工《どうろきょうかぶこう》における直接基礎《ちょくせつきそ》の施工《せこう》に関《かん》する次《つぎ》の記述《きじゅつ》のうち，**適当《てきとう》でないもの**はどれか。

1　直接基礎《ちょくせつきそ》のフーチング底面《ていめん》は，支持地盤《しじじばん》に密着《みっちゃく》させ，せん断抵抗《だんていこう》を発生《はっせい》させないように処理《しょり》を行《おこな》う。
2　直接基礎《ちょくせつきそ》のフーチング底面《ていめん》に突起《とっき》をつける場合《ばあい》は，均《なら》しコンクリート等《など》で処理《しょり》した層《そう》を貫《つらぬ》いて十分《じゅうぶん》に支持層《しじそう》に貫入《かんにゅう》させる。
3　基礎地盤《きそじばん》が砂地盤《すなじばん》の場合《ばあい》は，基礎底面地盤《きそていめんじばん》を整地《せいち》したうえで，その上《うえ》に栗石《ぐりいし》や砕石《さいせき》を配置《はいち》するのが一般的《いっぱんてき》である。
4　基礎地盤《きそじばん》が岩盤《がんばん》の場合《ばあい》は，基礎底面地盤《きそていめんじばん》にはある程度《ていど》の不陸《ふりく》を残《のこ》して，平滑《へいかつ》な面《めん》としないようにしたうえで均《なら》しコンクリートを用《もち》いる。

No. 13

既製杭《きせいぐい》の施工《せこう》に関《かん》する次《つぎ》の記述《きじゅつ》のうち，**適当《てきとう》でないもの**はどれか。

1　プレボーリング杭工法《くいこうほう》の掘削速度《くっさくそくど》は，硬《かた》い地盤《じばん》ではロッドの破損等《はそんなど》が生《しょう》じないように，軟弱地盤《なんじゃくじばん》では周《まわ》りの地盤《じばん》への影響《えいきょう》を考慮《こうりょ》し，試験杭《しけんぐい》により判断《はんだん》する。
2　中掘《なかぼ》り杭工法《くいこうほう》の先端処理方法《せんたんしょりほうほう》のセメントミルク噴出攪拌方式《ふんしゅつかくはんほうしき》は，所定深度《しょていしんど》まで杭《くい》を沈設《ちんせつ》した後《あと》に，セメントミルクを噴出《ふんしゅつ》して根固部《ねがためぶ》を築造《ちくぞう》する。
3　プレボーリング杭工法《くいこうほう》の掘削《くっさく》は，掘削液《くっさくえき》を掘削《くっさく》ヘッドの先端《せんたん》から吐出《としゅつ》して地盤《じばん》の掘削抵抗《くっさくていこう》を増大《ぞうだい》させるとともに孔内《こうない》を泥土化《でいどか》し，孔壁《こうへき》を軟化《なんか》させながら行《おこな》う。
4　中掘《なかぼ》り杭工法《くいこうほう》の先端処理方法《せんたんしょりほうほう》の最終打撃方式《さいしゅうだげきほうしき》は，途中《とちゅう》まで杭《くい》の沈設《ちんせつ》を中掘《なかぼ》り工《こう》法《ほう》で行《おこな》い，途中《とちゅう》から打撃《だげき》に切《き》り替《か》えて打止《うちど》めを行《おこな》う。

No. 14

場所《ばしょ》打ち杭工法《くいこうほう》の施工《せこう》に関《かん》する次《つぎ》の記述《きじゅつ》のうち，**適当《てきとう》なもの**はどれか。

1　アースドリル工法《こうほう》では，掘削土《くっさくど》で満杯《まんぱい》になったドリリングバケットを孔底《こうてい》からゆっくり引《ひ》き上《あ》げると，地盤《じばん》との間《あいだ》にバキューム現象《げんしょう》が発生《はっせい》する。
2　場所《ばしょ》打ち杭工法《くいこうほう》のコンクリート打込《うちこ》みは，一般《いっぱん》に泥水中等《でいすいちゅうなど》で打込《うちこ》みが行《おこな》われるので，水中《すいちゅう》コンクリートを使用《しよう》し，トレミーを用《もち》いて打《う》ち込《こ》む。
3　アースドリル工法《こうほう》の支持層確認《しじそうかくにん》は，掘削速度《くっさくそくど》や掘削抵抗等《くっさくていこうなど》の施工《せこう》データを参考《さんこう》

とし，ハンマグラブを一定高《いっていたか》さから落下《らっか》させたときの土砂《どしゃ》のつかみ量《りょう》も判断基準《はんだんきじゅん》とする。

4　場所打《ばしょう》ち杭工法《くいこうほう》の鉄筋《てっきん》かごの組立《くみた》ては，一般《いっぱん》に鉄筋《てっきん》かご径《けい》が小《ちい》さくなるほど変《へん》形《けい》しやすくなるので，補強材《ほきょうざい》は剛性《ごうせい》の大《おお》きいものを使用《しよう》する。

No. 15　各種土留《かくしゅどど》め工《こう》の特徴《とくちょう》と施工《せこう》に関《かん》する次《つぎ》の記述《きじゅつ》のうち，**適当《てきとう》でないもの**はどれか。

1　アンカー式土留《しきどど》めは，土留《どど》めアンカーの定着《ていちゃく》のみで土留《どど》め壁《へき》を支持《しじ》する工法《こうほう》で，掘削周辺《くっさくしゅうへん》にアンカーの打設《だせつ》が可能《かのう》な敷地《しきち》が必要《ひつよう》である。

2　控《ひか》え杭《くい》タイロッド式土留《しきどど》めは，鋼矢板等《こうやいたなど》の控《ひか》え杭《くい》を設置《せっち》し土留《どど》め壁《へき》とタイロッドでつなげる工法《こうほう》で，掘削面内《くっさくめんない》に切梁《きりばり》がないので機械掘削《きかいくっさく》が容易《ようい》である。

3　自立式土留《じりつしきどど》めは，切梁《きりばり》，腹起《はらおこ》し等《など》の支保工《しほこう》を用《もち》いずに土留《どど》め壁《へき》を支持《しじ》する工法《こうほう》で，支保工《しほこう》がないため土留《どど》め壁《へき》の変形《へんけい》が大《おお》きくなる。

4　切梁式土留《きりばりしきどど》めは，切梁《きりばり》，腹起《はらおこ》し等《など》の支保工《しほこう》により土留《どど》め壁《へき》を支持《しじ》する工法《こうほう》で，現場《げんば》の状況《じょうきょう》に応《おう》じて支保工《しほこう》の数《かず》，配置等《はいちなど》の変更《へんこう》が可能《かのう》である。

※問題番号《もんだいばんごう》No.16～No.49までの34問題《もんだい》のうちから10問題《もんだい》を選択《せんたく》し解答《かいとう》してください。

No. 16　鋼道路橋《こうどうろきょう》の架設上《かせつじょう》の留意事項《りゅういじこう》に関《かん》する次《つぎ》の記述《きじゅつ》のうち，**適当《てきとう》でないもの**はどれか。

1　同一《どういつ》の構造物《こうぞうぶつ》では，ベント工法《こうほう》で架設《かせつ》する場合《ばあい》と片持《かたも》ち式工法《しきこうほう》で架設《かせつ》する場合《ばあい》で，鋼自重《こうじじゅう》による死荷重応力《しかじゅうおうりょく》は変《か》わらない。

2　箱桁断面《はこげただんめん》の桁《けた》は，重量《じゅうりょう》が重《おも》く吊《つ》りにくいので，事前《じぜん》に吊《つ》り状態《じょうたい》における安全性《あんぜんせい》を確認《かくにん》し，吊金具《つりかなぐ》や補強材《ほきょうざい》を取《と》り付《つ》ける場合《ばあい》には工場《こうじょう》で取《と》り付《つ》ける。

3　連続桁《れんぞくけた》をベント工法《こうほう》で架設《かせつ》する場合《ばあい》においては，ジャッキにより支点部《してんぶ》を強制《きょうせい》変位《へんい》させて桁《けた》の変形及《へんけいおよ》び応力調整《おうりょくちょうせい》を行《おこな》う方法《ほうほう》を用《もち》いてもよい。

4　曲線桁橋《きょくせんげたきょう》は，架設中《かせつちゅう》の各段階《かくだんかい》において，ねじれ，傾《かたむ》き及《およ》び転倒等《てんとうなど》が生《しょう》じないように重心位置《じゅうしんいち》を把握《はあく》し，ベント等《など》の反力《はんりょく》を検討《けんとう》する。

No. 17　鋼橋《こうきょう》に用《もち》いる耐候性鋼材《たいこうせいこうざい》に関《かん》する次《つぎ》の記述《きじゅつ》のうち，**適当《てきとう》でないもの**はどれか。

1　耐候性鋼材《たいこうせいこうざい》の利用《りよう》にあたっては，鋼材表面《こうざいひょうめん》の塩分付着《えんぶんふちゃく》が少《すく》ないこと等《など》が条件《じょうけん》と

正答　別冊 P.104

なるが，近年《きんねん》，塩分《えんぶん》に対《たい》する耐食性《たいしょくせい》を向上《こうじょう》させた耐候性鋼材《たいこうせいこうざい》も使用《しよう》されている。

2　桁《けた》の端部等《たんぶなど》の局部環境《きょくぶかんきょう》の悪《わる》い箇所《かしょ》に耐候性鋼材《たいこうせいこうざい》を適用《てきよう》する場合《ばあい》には，橋全体《はしぜんたい》の耐久性《たいきゅうせい》を確保《かくほ》するため，塗装等《とそうなど》の防食法《ぼうしょくほう》の併用等《へいようなど》も検討《けんとう》することが必要《ひつよう》である。

3　耐候性鋼材《たいこうせいこうざい》で緻密《ちみつ》なさび層《そう》が形成《けいせい》されるには，雨水《うすい》の滞留等《たいりゅうなど》で長《なが》い時間湿潤環境《じかんしつじゅんかんきょう》が継続《けいぞく》しないこと，大気中《たいきちゅう》において乾湿《かんしつ》の繰返《くりかえ》しを受《う》けないこと等《など》の条件《じょうけん》が要求《ようきゅう》される。

4　耐候性鋼材《たいこうせいこうざい》には，耐候性《たいこうせい》に有効《ゆうこう》な銅《どう》やクロム等《など》の合金元素《ごうきんげんそ》が添加《てんか》されており，鋼材表面《こうざいひょうめん》を保護《ほご》し腐食《ふしょく》を抑制《よくせい》するという性質《せいしつ》を有《ゆう》する。

No. 18　鋼橋《こうきょう》の溶接《ようせつ》における施工上《せこうじょう》の留意点《りゅういてん》に関《かん》する次《つぎ》の記述《きじゅつ》のうち，**適当《てきとう》なもの**はどれか。

1　開先溶接《かいさきようせつ》の余盛《よもり》は，特《とく》に仕上《しあ》げの指定《してい》のある場合《ばあい》を除《のぞ》きビード幅《はば》を基準《きじゅん》にした余盛高《よもりたか》さが規定《きてい》の範囲内《はんいない》であっても，仕上《しあ》げをしなければならない。

2　ビード表面《ひょうめん》のピットは，異物《いぶつ》や水分《すいぶん》の存在《そんざい》によって発生《はっせい》したガスの抜《ぬ》け穴《あな》であり，部分溶込《ぶぶんとけこ》み開先溶接継手《かいさきようせつつぎて》及《およ》びすみ肉溶接継手《にくようせつつぎて》においては，ビード表面《ひょうめん》にピットがあってはならない。

3　すみ肉溶接《にくようせつ》の脚長《きゃくちょう》を等脚《とうきゃく》とすると，不等脚《ふとうきゃく》と比較《ひかく》してアンダーカット等《など》の欠陥《けっかん》を生《しょう》じる原因《げんいん》になりやすい。

4　組立溶接《くみたてようせつ》は，本溶接《ほんようせつ》と同様《どうよう》な管理《かんり》が必要《ひつよう》なため，組立終了時《くみたてしゅうりょうじ》までにスラグを除去《じょきょ》し，溶接部表面《ようせつぶひょうめん》に割《わ》れがないことを確認《かくにん》しなければならない。

No. 19　アルカリシリカ反応《はんのう》を生《しょう》じたコンクリート構造物《こうぞうぶつ》の補修《ほしゅう》・補強《ほきょう》に関《かん》する次《つぎ》の記述《きじゅつ》のうち，**適当《てきとう》でないもの**はどれか。

1　塩害《えんがい》とアルカリシリカ反応《はんのう》による複合劣化《ふくごうれっか》が生《しょう》じ，鉄筋《てっきん》の防食《ぼうしょく》のために電気防食工法《でんきぼうしょくこうほう》を適用《てきよう》する場合《ばあい》は，アルカリシリカ反応《はんのう》を促進《そくしん》させないように配慮《はいりょ》するとよい。

2　予想《よそう》されるコンクリート膨張量《ぼうちょうりょう》が大《おお》きい場合《ばあい》には，プレストレス導入《どうにゅう》やFRP巻《まき》立《た》て等《など》の対策《たいさく》は適《てき》していないので，他《ほか》の対策工法《たいさくこうほう》を検討《けんとう》するとよい。

3　アルカリシリカ反応《はんのう》によるひび割《わ》れが顕著《けんちょ》になると，鉄筋《てっきん》の曲《ま》げ加工部《かこうぶ》に亀裂《きれつ》や破断《はだん》が生《しょう》じるおそれがあるので，補修《ほしゅう》・補強対策《ほきょうたいさく》を検討《けんとう》するとよい。

4　アルカリシリカ反応《はんのう》の補修《ほしゅう》・補強《ほきょう》の時《とき》には，できるだけ水分《すいぶん》を遮断《しゃだん》しコンクリートを乾燥《かんそう》させる対策《たいさく》を講《こう》じるとよい。

No. 20

コンクリート構造物《こうぞうぶつ》の中性化《ちゅうせいか》による劣化《れっか》とその特徴《とくちょう》に関《かん》する次《つぎ》の記述《きじゅつ》のうち，**適当《てきとう》でないもの**はどれか。

1　大気中《たいきちゅう》の二酸化炭素《にさんかたんそ》による中性化《ちゅうせいか》は，乾燥《かんそう》・湿潤《しつじゅん》が繰《く》り返《かえ》される場合《ばあい》と比《くら》べて常時乾燥《じょうじかんそう》している場合《ばあい》の方《ほう》が中性化速度《ちゅうせいかそくど》は速《はや》い。

2　中性化《ちゅうせいか》と水《みず》の浸透《しんとう》に伴《ともな》う鉄筋腐食《てっきんふしょく》は，乾燥《かんそう》・湿潤《しつじゅん》が繰《く》り返《かえ》される場合《ばあい》と比《くら》べて常時滞水《じょうじたいすい》している場合《ばあい》の方《ほう》が腐食速度《ふしょくそくど》は速《はや》い。

3　コンクリート中《ちゅう》に塩化物《えんかぶつ》が含《ふく》まれている場合《ばあい》，中性化《ちゅうせいか》の進行《しんこう》により，セメント水和物《すいわぶつ》に固定化《こていか》されていた塩化物《えんかぶつ》イオンが解離《かいり》し，未中性化領域《みちゅうせいかりょういき》に濃縮《のうしゅく》するため腐食《ふしょく》の開始《かいし》が早《はや》まる。

4　コンクリートの中性化深《ちゅうせいかふか》さを調査《ちょうさ》する場合《ばあい》は，フェノールフタレイン溶液《ようえき》を噴《ふん》霧《む》し，コンクリート表面《ひょうめん》から，発色《はっしょく》が認《みと》められない範囲《はんい》までの深《ふか》さを測定《そくてい》する。

No. 21

河川堤防《かせんていぼう》の盛土施工《もりどせこう》に関《かん》する次《つぎ》の記述《きじゅつ》のうち，**適当《てきとう》なもの**はどれか。

1　築堤盛土《ちくていもりど》の施工《せこう》では，降雨《こうう》による法面侵食《のりめんしんしょく》の防止《ぼうし》のため適当《てきとう》な間隔《かんかく》で仮排水溝《かりはいすいこう》を設《もう》けて降雨《こうう》を流下《りゅうか》させたり，降水《こうすい》の集中《しゅうちゅう》を防《ふせ》ぐため堤防縦断方向《ていぼうじゅうだんほうこう》に排水勾配《はいすいこうばい》を設《もう》ける。

2　築堤盛土《ちくていもりど》の施工開始《せこうかいし》にあたっては，基礎地盤《きそじばん》と盛土《もりど》の一体性《いったいせい》を確保《かくほ》するために地盤《じばん》の表面《ひょうめん》を乱《みだ》さないようにして盛土材料《もりどざいりょう》の締固《しめかた》めを行《おこな》う。

3　既設《きせつ》の堤防《ていぼう》に腹付《はらづ》けを行《おこな》う場合《ばあい》は，新旧法面《しんきゅうのりめん》をなじませるため段切《だんぎ》りを行《おこな》い，一般《いっぱん》にその大《おお》きさは堤防締固《ていぼうしめかた》め一層仕上《いっそうしあ》り厚程度《あつていど》とすることが多《おお》い。

4　築堤盛土《ちくていもりど》の締固《しめかた》めは，堤防縦断方向《ていぼうじゅうだんほうこう》に行《おこな》うことが望《のぞ》ましく，締固《しめかた》めに際《さい》しては締固《しめかた》め幅《はば》が重複《ちょうふく》するように常《つね》に留意《りゅうい》して施工《せこう》する。

No. 22

河川護岸《かせんごがん》の施工《せこう》に関《かん》する次《つぎ》の記述《きじゅつ》のうち，**適当《てきとう》でないもの**はどれか。

1　かごマットは，かごを工場《こうじょう》で完成《かんせい》に近《ちか》い状態《じょうたい》まで加工《かこう》し，これまで熟練工《じゅくれんこう》の手《て》作業《さぎょう》に頼《たよ》っていた詰《つ》め石作業《いしさぎょう》を機械化《きかいか》するため，蓋編《ふたあ》み構造《こうぞう》としている。

2　透過構造《とうかこうぞう》の法覆工《のりおおいこう》である連節《れんせつ》ブロックは，裏込《うらご》め材《ざい》の設置《せっち》は不要《ふよう》となるが，背《はい》面土砂《めんどしゃ》の吸出《すいだ》しを防《ふせ》ぐため，吸出《すいだ》し防止材《ぼうしざい》の設置《せっち》が代《か》わりに必要《ひつよう》である。

3　練積《ねりづみ》の石積《いしづ》み構造物《こうぞうぶつ》は，裏込《うらご》めコンクリート等《など》によって固定《こてい》することで，石《いし》と石《いし》のかみ合《あ》わせを配慮《はいりょ》しなくても構造的《こうぞうてき》に安定《あんてい》している。

4　すり付《つ》け護岸《ごがん》は，屈撓性《くっとうせい》があり，かつ，表面形状《ひょうめんけいじょう》に凹凸《おうとつ》のある連節《れんせつ》ブロックや

正答　別冊P.107

かご工等《こうなど》が適《てき》しているが，局部洗掘《きょくぶせんくつ》や上流端《じょうりゅうたん》からのめくれ等《など》への対策《たいさく》が必要《ひつよう》である。

No. 23

河川堤防《かせんていぼう》の開削工事《かいさくこうじ》に関《かん》する次《つぎ》の記述《きじゅつ》のうち，**適当《てきとう》でないもの**はどれか。

1　鋼矢板《こうやいた》の二重締切《にじゅうしめき》りに使用《しよう》する中埋《なかう》め土《ど》は，壁体《へきたい》の剛性《ごうせい》を増《ま》す目的《もくてき》と，鋼矢板《こうやいた》等《など》の壁体《へきたい》に作用《さよう》する土圧《どあつ》を低減《ていげん》するという目的《もくてき》のため，良質《りょうしつ》の砂質土《さしつど》を用《もち》いることを原則《げんそく》とする。
2　仮締切《かりしめき》り工《こう》は，開削《かいさく》する堤防《ていぼう》と同等《どうとう》の機能《きのう》が要求《ようきゅう》されるものであり，流水《りゅうすい》による越流《えつりゅう》や越波《えっぱ》への対策《たいさく》は不要《ふよう》で，天端高《てんばたか》さや堤体《ていたい》の強度《きょうど》を確保《かくほ》すればよい。
3　仮締切《かりしめき》り工《こう》の平面形状《へいめんけいじょう》は，河道《かどう》に対《たい》しての影響《えいきょう》を最小《さいしょう》にするとともに，流水《りゅうすい》による洗掘《せんくつ》，堆砂等《たいさなど》の異常現象《いじょうげんしょう》を発生《はっせい》させない形状《けいじょう》とする。
4　樋門工事《ひもんこうじ》を行《おこな》う場合《ばあい》の床付《とこづ》け面《めん》は，堤防開削《ていぼうかいさく》による荷重《かじゅう》の除去《じょきょ》に伴《ともな》って緩《ゆる》むことが多《おお》いので，乱《みだ》さないで施工《せこう》するとともに転圧《てんあつ》によって締《し》め固《かた》めることが望《のぞ》ましい。

No. 24

不透過型砂防堰堤《ふとうかがたさぼうえんてい》に関《かん》する次《つぎ》の記述《きじゅつ》のうち，**適当《てきとう》でないもの**はどれか。

1　砂防堰堤《さぼうえんてい》の水抜《みずぬ》き暗渠《あんきょ》は，一般《いっぱん》には施工中《せこうちゅう》の流水《りゅうすい》の切替《きりか》えと堆砂後《たいさご》の浸透水圧《しんとうすいあつ》の減殺《げんさい》を主目的《しゅもくてき》としており，後年《こうねん》に補修《ほしゅう》が必要《ひつよう》になった際《さい》に施工《せこう》を容易《ようい》にする。
2　砂防堰堤《さぼうえんてい》の水通《みずとお》しの位置《いち》は，堰堤下流部基礎《えんていかりゅうぶきそ》の一方《いっぽう》が岩盤《がんばん》で他方《たほう》が砂礫層《されきそう》や崖《がい》錐《すい》の場合《ばあい》，砂礫層《されきそう》や崖錐側《がいすいがわ》に寄《よ》せて設置《せっち》する。
3　砂防堰堤《さぼうえんてい》の基礎地盤《きそじばん》が岩盤《がんばん》の場合《ばあい》で，基礎《きそ》の一部《いちぶ》に弱層《じゃくそう》，風化層《ふうかそう》，断層等《だんそうなど》の軟《なん》弱部《じゃくぶ》をはさむ場合《ばあい》は，軟弱部《なんじゃくぶ》をプラグで置《お》き換《か》えて補強《ほきょう》するのが一般的《いっぱんてき》である。
4　砂防堰堤《さぼうえんてい》の材料《ざいりょう》のうち，地《じ》すべり箇所《かしょ》や地盤支持力《じばんしじりょく》の小《ちい》さい場所《ばしょ》では，屈撓性《くっとうせい》のあるコンクリートブロックや鋼製枠《こうせいわく》が用《もち》いられる。

No. 25

渓流保全工《けいりゅうほぜんこう》に関《かん》する次《つぎ》の記述《きじゅつ》のうち，**適当《てきとう》なもの**はどれか。

1　床固工《とこがためこう》は，渓床《けいしょう》の縦侵食及《たてしんしょくおよ》び渓床堆積物《けいしょうたいせきぶつ》の流出《りゅうしゅつ》を防止又《ぼうしまた》は軽減《けいげん》することにより渓床《けいしょう》の安定《あんてい》を図《はか》ることを目的《もくてき》に設置《せっち》される。
2　護岸工《ごがんこう》は，床固工《とこがためこう》の袖部《そでぶ》を保護《ほご》する目的《もくてき》では設置《せっち》せず，渓岸《けいがん》の侵食《しんしょく》や崩壊《ほうかい》を防《ぼう》止《し》するために設置《せっち》される。

3　渓流保全工《けいりゅうほぜんこう》は，洪水流《こうずいりゅう》の乱流《らんりゅう》や渓床高《けいしょうだか》の変動《へんどう》を抑制《よくせい》するための縦工及《たてこうおよ》び側岸侵《そくがんしん》食《しょく》を防止《ぼうし》するための横工《よここう》を組《く》み合《あ》わせて設置《せっち》される。

4　帯工《おびこう》は，渓床《けいしょう》の変動《へんどう》の抑制《よくせい》を目的《もくてき》としており，床固工《とこがためこう》の間隔《かんかく》が広《ひろ》い場合《ばあい》において天端高《てんばだか》と計画渓床高《けいかくけいしょうだか》に落差《らくさ》を設《もう》けて設置《せっち》される。

No. 26

急傾斜地崩壊防止工《きゅうけいしゃちほうかいぼうしこう》に関《かん》する次《つぎ》の記述《きじゅつ》のうち，**適当《てきとう》でないもの**はどれか。

1　排水工《はいすいこう》は，崩壊《ほうかい》の主要因《しゅよういん》となる斜面内《しゃめんない》の地表水等《ちひょうすいなど》を速《すみ》やかに集《あつ》め，斜面外《しゃめんがい》の安《あん》全《ぜん》なところへ排除《はいじょ》することにより，斜面及《しゃめんおよ》び急傾斜地崩壊防止施設《きゅうけいしゃちほうかいぼうししせつ》の安全性《あんぜんせい》を高《たか》めるために設《もう》けられる。

2　法枠工《のりわくこう》は，斜面《しゃめん》に枠材《わくざい》を設置《せっち》し，法枠内《のりわくない》を植生工《しょくせいこう》やコンクリート張工等《はりこうなど》で被覆《ひふく》する工法《こうほう》で，湧水《ゆうすい》のある斜面《しゃめん》の場合《ばあい》は，のり枠背面《わくはいめん》の排水処理《はいすいしょり》を行《おこな》い，吸出《すいだ》しに十分配慮《じゅうぶんはいりょ》する。

3　落石対策工《らくせきたいさくこう》のうち落石予防工《らくせきよぼうこう》は，発生《はっせい》した落石《らくせき》を斜面下部《しゃめんかぶ》や中部《ちゅうぶ》で止《と》めるものであり，落石防護工《らくせきぼうごこう》は，斜面上《しゃめんじょう》の転石《てんせき》の除去等落石《じょきょなどらくせき》の発生《はっせい》を防《ふせ》ぐものである。

4　擁壁工《ようへきこう》は，斜面脚部《しゃめんきゃくぶ》の安定《あんてい》や斜面上部《しゃめんじょうぶ》からの崩壊土砂《ほうかいどしゃ》の待受《まちう》け等《など》のために設《もう》けられ，基礎掘削《きそくっさく》や斜面下部《しゃめんかぶ》の切土《きりど》は，斜面《しゃめん》の安定《あんてい》に及《およ》ぼす影響《えいきょう》が大《おお》きいので最小《さいしょう》限《げん》になるように検討《けんとう》する。

No. 27

道路《どうろ》のアスファルト舗装《ほそう》における路床《ろしょう》の安定処理《あんていしょり》の施工方法《せこうほうほう》に関《かん》する次《つぎ》の記述《きじゅつ》のうち，**適当《てきとう》でないもの**はどれか。

1　路上混合方式《ろじょうこんごうほうしき》による場合《ばあい》，安定処理《あんていしょり》の効果《こうか》を十分《じゅうぶん》に発揮《はっき》させるには，混合機《こんごうき》により対象土《たいしょうど》を所定《しょてい》の深《ふか》さまでかき起《お》こし，安定剤《あんていざい》を均一《きんいつ》に散布《さんぷ》・混合《こんごう》し締《し》め固《かた》めることが重要《じゅうよう》である。

2　路上混合方式《ろじょうこんごうほうしき》による場合《ばあい》，安定材《あんていざい》の散布及《さんぷおよ》び混合《こんごう》に際《さい》して粉塵対策《ふんじんたいさく》を施《ほどこ》す必要《ひつよう》がある場合《ばあい》には，防塵型《ぼうじんがた》の安定材《あんていざい》を用《もち》いたり，シートを設置《せっち》したりする等《など》の対策《たいさく》をとる。

3　路上混合方式《ろじょうこんごうほうしき》による場合《ばあい》，粒状《りゅうじょう》の生石灰《きせっかい》を用《もち》いるときには，一般《いっぱん》に，一回目《いっかいめ》の混合《こんごう》が終了《しゅうりょう》したのち仮転圧《かりてんあつ》して散水《さんすい》し，生石灰《きせっかい》の消化《しょうか》が始《はじ》まる前《まえ》に再《ふたた》び混合《こんごう》する。

4　路上混合方式《ろじょうこんごうほうしき》による場合《ばあい》，混合《こんごう》にはバックホゥやブルドーザを使用《しよう》することもあるが，均一《きんいつ》に混合《こんごう》するには，スタビライザを用《もち》いることが望《のぞ》ましい。

正答　別冊P.109

No. 28

道路《どうろ》のアスファルト舗装《ほそう》における路盤《ろばん》の施工《せこう》に関《かん》する次《つぎ》の記述《きじゅつ》のうち，**適当《てきとう》なもの**はどれか。

1　上層路盤《じょうそうろばん》の粒度調整路盤《りゅうどちょうせいろばん》は，一層《いっそう》の仕上《しあが》り厚《あつ》さが20cmを超《こ》える場合《ばあい》において所要《しょよう》の締固《しめかた》め度《ど》が保証《ほしょう》される施工方法《せこうほうほう》が確認《かくにん》されていれば，その仕上《しあが》り厚《あつ》さを用《もち》いてもよい。

2　上層路盤《じょうそうろばん》の加熱混合方式《かねつこんごうほうしき》による瀝青安定処理路盤《れきせいあんていしょりろばん》は，一層《いっそう》の施工厚《せこうあつ》さが20cmまでは一般的《いっぱんてき》なアスファルト混合物《こんごうぶつ》の施工方法《せこうほうほう》に準《じゅん》じて施工《せこう》する。

3　下層路盤《かそうろばん》の粒状路盤工法《りゅうじょうろばんこうほう》では，締固《しめかた》め密度《みつど》は液性限界付近《えきせいげんかいふきん》で最大《さいだい》となるため，乾燥《かんそう》しすぎている場合《ばあい》は適宜散水《てきぎさんすい》し，含水比《がんすいひ》が高《たか》くなっている場合《ばあい》は曝気乾燥《ばっきかんそう》などを行《おこな》う。

4　下層路盤《かそうろばん》の路上混合方式《ろじょうこんごうほうしき》によるセメント安定処理工法《あんていしょりこうほう》では，締固《しめかた》め終了後直《しゅうりょうごただ》ちに交通開放《こうつうかいほう》しても差《さ》し支《つか》えないが，表面《ひょうめん》を保護《ほご》するために常時散水《じょうじさんすい》するとよい。

No. 29

道路《どうろ》のアスファルト舗装《ほそう》における基層《きそう》・表層《ひょうそう》の施工《せこう》に関《かん》する次《つぎ》の記述《きじゅつ》のうち，**適当《てきとう》なもの**はどれか。

1　アスファルト混合物《こんごうぶつ》の敷均《しきなら》し前《まえ》は，アスファルト混合物《こんごうぶつ》のひきずりの原因《げんいん》とならないように，事前《じぜん》にアスファルトフィニッシャのスクリードプレートを十分《じゅうぶん》に湿《しめ》らせておく。

2　アスファルト混合物《こんごうぶつ》の敷均《しきなら》し時《じ》の余盛高《よもりだか》は，混合物《こんごうぶつ》の種類《しゅるい》や使用《しよう》するアスファルトフィニッシャの能力《のうりょく》により異《こと》なるので，施工実績《せこうじっせき》がない場合《ばあい》は試験施工等《しけんせこうなど》によって余盛高《よもりだか》を決定《けってい》する。

3　アスファルト混合物《こんごうぶつ》の転圧開始時《てんあつかいしじ》は，一般《いっぱん》にローラが進行《しんこう》する方向《ほうこう》に案内輪《あんないりん》を配置《はいち》して，駆動輪《くどうりん》が混合物《こんごうぶつ》を進行方向《しんこうほうこう》に押《お》し出《だ》してしまうことを防《ふせ》ぐ。

4　アスファルト混合物《こんごうぶつ》の締固《しめかた》め作業《さぎょう》は，所定《しょてい》の密度《みつど》が得《え》られるように締固《しめかた》め，初転圧《しょてんあつ》，二次転圧《にじてんあつ》，継目転圧及《つぎめてんあつおよ》び仕上《しあ》げ転圧《てんあつ》の順序《じゅんじょ》で行《おこな》う。

No. 30

道路《どうろ》のアスファルト舗装《ほそう》における補修工法《ほしゅうこうほう》に関《かん》する次《つぎ》の記述《きじゅつ》のうち，**適当《てきとう》でないもの**はどれか。

1　鋼床版上《こうしょうばんじょう》にて表層《ひょうそう》・基層打換《きそううちか》えを行《おこな》うときは，事前《じぜん》に発錆状態《はっせいじょうたい》を調査《ちょうさ》しておき，発錆《はっせい》の程度《ていど》に応《おう》じた経済的《けいざいてき》な表面処理《ひょうめんしょり》を施《ほどこ》して，舗装《ほそう》と床版《しょうばん》の接着性《せっちゃくせい》を確保《かくほ》する。

2　線状打換《せんじょううちか》え工法《こうほう》で複数層《ふくすうそう》の施工《せこう》を行《おこな》うときは，既設舗装《きせつほそう》の撤去《てっきょ》にあたり，締固《しめかた》めを行《おこな》いやすくするため，上下層《じょうかそう》の撤去位置《てっきょいち》を合《あ》わせる。

3　既設舗装上《きせつほそうじょう》に薄層《はくそう》オーバーレイ工法《こうほう》を施工《せこう》するときは，舗設厚《ほせつあつ》さが薄《うす》いため混《こん》

合物《ごうぶつ》の温度低下《おんどていか》が早《はや》いことから，寒冷期等《かんれいきなど》には迅速《じんそく》な施工《せこう》を行《おこな》う。

4　ポーラスアスファルト舗装《ほそう》を切削《せっさく》オーバーレイ工法《こうほう》で補修《ほしゅう》するときは，切削面《せっさくめん》に直接雨水等《ちょくせつうすいなど》が作用《さよう》することから，原則《げんそく》としてゴム入《い》りアスファルト乳剤《にゅうざい》を使用《しよう》する。

No. 31　道路《どうろ》の排水性舗装《はいすいせいほそう》に用《もち》いるポーラスアスファルト混合物《こんごうぶつ》の施工《せこう》に関《かん》する次《つぎ》の記述《きじゅつ》のうち，**適当《てきとう》でないもの**はどれか。

1　敷均《しきなら》しは，異種《いしゅ》の混合物《こんごうぶつ》を二層同時《にそうどうじ》に敷《し》き均《なら》せるアスファルトフィニッシャや，タックコートの散布装置付《さんぷそうちつ》きフィニッシャが使用《しよう》されることがある。

2　締固《しめかた》めは，供用後《きょうようご》の耐久性及《たいきゅうせいおよ》び機能性《きのうせい》に大《おお》きく影響《えいきょう》を及《およ》ぼすため，所定《しょてい》の締固《しめかた》め度《ど》を確保《かくほ》することが特《とく》に重要《じゅうよう》である。

3　敷均《しきなら》しは，通常《つうじょう》のアスファルト舗装《ほそう》の場合《ばあい》と同様《どうよう》に行《おこな》うが，温度《おんど》の低下《ていか》が通常《つうじょう》の混合物《こんごうぶつ》よりも早《はや》いため，できるだけ速《すみ》やかに行《おこな》う。

4　締固《しめかた》めは，所定《しょてい》の締固《しめかた》め度《ど》をタイヤローラによる初転圧及《しょてんあつおよ》び二次転圧《にじてんあつ》の段階《だんかい》で確保《かくほ》することが望《のぞ》ましい。

No. 32　道路《どうろ》の各種《かくしゅ》コンクリート舗装《ほそう》に関《かん》する次《つぎ》の記述《きじゅつ》のうち，**適当《てきとう》でないもの**はどれか。

1　転圧《てんあつ》コンクリート版《ばん》は，単位水量《たんいすいりょう》の少《すく》ない硬練《かたね》りコンクリートを，アスファルト舗装用《ほそうよう》の舗設機械《ほせつきかい》を使用《しよう》して敷《し》き均《なら》し，ローラによって締《し》め固《かた》める。

2　連続鉄筋《れんぞくてっきん》コンクリート版《ばん》は，横方向鉄筋上《よこほうこうてっきんじょう》に縦方向鉄筋《たてほうこうてっきん》をコンクリート打設直《だせつちょく》後《ご》に連続的《れんぞくてき》に設置《せっち》した後《のち》，フレッシュコンクリートを振動締固《しんどうしめかた》めによって締《し》め固《かた》める。

3　プレキャストコンクリート版《ばん》は，あらかじめ工場《こうじょう》で製作《せいさく》したコンクリート版《ばん》を路盤上《ろばんじょう》に敷設《ふせつ》し，必要《ひつよう》に応《おう》じて相互《そうご》のコンクリート版《ばん》をバー等《など》で結合《けつごう》して築造《ちくぞう》する。

4　普通《ふつう》コンクリート版《ばん》は，フレッシュコンクリートを振動締固《しんどうしめかた》めによってコンクリート版《ばん》とするもので，版《ばん》と版《ばん》の間《あいだ》の荷重伝達《かじゅうでんたつ》を図《はか》るバーを用《もち》いて目地《めじ》を設置《せっち》する。

No. 33　ダムの基礎処理《きそしょり》として行《おこな》うグラウチングに関《かん》する次《つぎ》の記述《きじゅつ》のうち，**適《てき》当《とう》でないもの**はどれか。

1　ダムの基礎《きそ》グラウチングの施工方法《せこうほうほう》として，上位《じょうい》から下位《かい》のステージに向《む》かっ

て削孔《さっこう》と注入《ちゅうにゅう》を交互《こうご》に行《おこな》っていくステージ注入工法《ちゅうにゅうこうほう》がある。

2　ブランケットグラウチングは，コンクリートダムの着岩部付近《ちゃくがんぶふきん》を対象《たいしょう》に遮水性《しゃすいせい》を改良《かいりょう》することを目的《もくてき》として実施《じっし》するグラウチングである。

3　コンソリデーショングラウチングは，カーテングラウチングとあいまって遮水《しゃすい》性《せい》を改良《かいりょう》することを目的《もくてき》として実施《じっし》するグラウチングである。

4　カーテングラウチングは，ダムの基礎地盤《きそじばん》とリム部《ぶ》の地盤《じばん》の水《みず》みちとなる高透《こうとう》水部《すいぶ》の遮水性《しゃすいせい》を改良《かいりょう》することを目的《もくてき》として実施《じっし》するグラウチングである。

No. 34　ダムコンクリートの工法《こうほう》に関《かん》する次《つぎ》の記述《きじゅつ》のうち，**適当《てきとう》でないもの**はどれか。

1　RCD用《よう》コンクリートは，ブルドーザによって，一般的《いっぱんてき》に0.75mリフトの場合《ばあい》には3層《そう》，1mリフトの場合《ばあい》には4層《そう》と薄層《はくそう》に敷《し》き均《なら》し，振動《しんどう》ローラで締《し》め固《かた》める。

2　ダムコンクリートの打込《うちこ》みは，一般的《いっぱんてき》に有《ゆう》スランプコンクリートは1時間当《じかんあた》り4mm以上《いじょう》，RCD用《よう》コンクリートは1時間当《じかんあた》り2mm以上《いじょう》の降雨強度時《こううきょうどじ》に中止《ちゅうし》することが多《おお》い。

3　RCD用《よう》コンクリートの練混《ねりま》ぜから締固《しめかた》めまでの許容時間《きょようじかん》は，できるだけ速《すみ》やかに行《おこな》うものとし，夏季《かき》では3時間程度《じかんていど》，冬季《とうき》では4時間程度《じかんていど》を標準《ひょうじゅん》とする。

4　ダムコンクリートに用《もち》いる骨材《こつざい》の貯蔵《ちょぞう》においては，安定《あんてい》した表面水率《ひょうめんすいりつ》を確保《かくほ》するため，特《とく》に粗骨材《そこつざい》は雨水《あまみず》を避《さ》ける上屋《うわや》を設《もう》け，7日以上《にちいじょう》の水切《みずき》り時間《じかん》を確保《かくほ》する。

No. 35　トンネルの山岳工法《さんがくこうほう》における掘削工法《くっさくこうほう》に関《かん》する次《つぎ》の記述《きじゅつ》のうち，**適当《てきとう》でないもの**はどれか。

1　導坑先進工法《どうこうせんしんこうほう》は，導坑《どうこう》をトンネル断面内《だんめんない》に設《もう》ける場合《ばあい》は，前方《ぜんぽう》の地質確認《ちしつかくにん》や水《みず》抜《ぬ》き等《など》の効果《こうか》があり，導坑設置位置《どうこうせっちいち》によって，頂設導坑《ちょうせつどうこう》，中央導坑《ちゅうおうどうこう》，底設導坑等《ていせつどうこうなど》がある。

2　ベンチカット工法《こうほう》は，一般《いっぱん》に上部半断面《じょうぶはんだんめん》と下部半断面《かぶはんだんめん》に分割《ぶんかつ》して掘進《くっしん》する工法《こうほう》であり，地山《じやま》の良否《りょうひ》に応《おう》じてベンチ長《ちょう》を決定《けってい》する。

3　補助《ほじょ》ベンチ付《つ》き全断面工法《ぜんだんめんこうほう》は，ベンチを付《つ》けることにより切羽《きりは》の安定《あんてい》を図《はか》る工《こう》法《ほう》であり，地山《じやま》の大《おお》きな変位《へんい》や地表面沈下《ちひょうめんちんか》を抑制《よくせい》するために，一次《いちじ》インバートを早期《そうき》に施工《せこう》する場合《ばあい》もある。

4　全断面工法《ぜんだんめんこうほう》は，地質《ちしつ》が安定《あんてい》しない地山等《じやまなど》で採用《さいよう》され，施工途中《せこうとちゅう》での地山条件《じやまじょうけん》の変化《へんか》に対《たい》する順応性《じゅんのうせい》が高《たか》い。

No. 36　トンネルの山岳工法《さんがくこうほう》における切羽安定対策《きりはあんていたいさく》に関《かん》する次《つぎ》の記述《きじゅつ》のうち，**適当《てきとう》でないもの**はどれか。

1　天端部《てんばぶ》の安定対策《あんていたいさく》は，天端《てんば》の崩落防止対策《ほうらくぼうしたいさく》として実施《じっし》するもので，充填式《じゅうてんしき》フォアポーリング，注入式《ちゅうにゅうしき》フォアポーリング，サイドパイル等《など》がある。
2　鏡面《かがみめん》の安定対策《あんていたいさく》は，鏡面《かがみめん》の崩壊防止対策《ほうかいぼうしたいさく》として実施《じっし》するもので，鏡吹付《かがみふきつ》けコンクリート，鏡《かがみ》ボルト，注入工法等《ちゅうにゅうこうほうなど》がある。
3　脚部《きゃくぶ》の安定対策《あんていたいさく》は，脚部《きゃくぶ》の沈下防止対策《ちんかぼうしたいさく》として実施《じっし》するもので，仮《かり》インバート，レッグパイル，ウィングリブ付《つ》き鋼製支保工等《こうせいしほこうなど》がある。
4　地下水対策《ちかすいたいさく》は，湧水《ゆうすい》による切羽《きりは》の不安定化防止対策《ふあんていかぼうしたいさく》として実施《じっし》するもので，水《みず》抜《ぬ》きボーリング，水抜《みずぬ》き坑《こう》，ウェルポイント等《など》がある。

No. 37　海岸堤防《かいがんていぼう》の根固工《ねがためこう》の施工《せこう》に関《かん》する次《つぎ》の記述《きじゅつ》のうち，**適当《てきとう》でないもの**はどれか。

1　異形《いけい》ブロック根固工《ねがためこう》は，適度《てきど》のかみ合《あ》わせ効果《こうか》を期待《きたい》する意味《いみ》から天端幅《てんばはば》は最《さい》小限《しょうげん》2個並《こなら》び，層厚《そうあつ》は2層以上《そういじょう》とすることが多《おお》い。
2　異形《いけい》ブロック根固工《ねがためこう》は，異形《いけい》ブロック間《かん》の空隙《くうげき》が大《おお》きいため，その下部《かぶ》に空隙《くうげき》の大《おお》きい捨石層《すていしそう》を設《もう》けることが望《のぞ》ましい。
3　捨石根固工《すていしねがためこう》を汀線付近《ていせんふきん》に設置《せっち》する場合《ばあい》は，地盤《じばん》を掘《ほ》り込《こ》むか，天端幅《てんばはば》を広《ひろ》くとることにより，海底土砂《かいていどしゃ》の吸《す》い出《だ》しを防止《ぼうし》する。
4　捨石根固工《すていしねがためこう》は，一般《いっぱん》に表層《ひょうそう》に所要《しょよう》の質量《しつりょう》の捨石《すていし》を3個並《こなら》び以上《いじょう》とし，中詰石《なかづめいし》を用《もち》いる場合《ばあい》は，表層《ひょうそう》よりも質量《しつりょう》の小《ちい》さいものを用《もち》いる。

No. 38　海岸《かいがん》の潜堤《せんてい》・人工《じんこう》リーフの機能《きのう》や特徴《とくちょう》に関《かん》する次《つぎ》の記述《きじゅつ》のうち，**適当《てきとう》でないもの**はどれか。

1　潜堤《せんてい》・人工《じんこう》リーフは，その天端水深《てんばすいしん》，天端幅《てんばはば》により堤体背後《ていたいはいご》への透過波《とうかは》が変化《へんか》し，波高《はこう》の大《おお》きい波浪《はろう》はほとんど透過《とうか》し，小《ちい》さい波浪《はろう》を選択的《せんたくてき》に減衰《げんすい》させるものである。
2　潜堤《せんてい》・人工《じんこう》リーフは，天端《てんば》が海面下《かいめんか》であり，構造物《こうぞうぶつ》が見《み》えないことから景観《けいかん》を損《そこ》なわないが，船舶《せんぱく》の航行《こうこう》，漁船《ぎょせん》の操業等《そうぎょうなど》の安全《あんぜん》に配慮《はいりょ》しなければならない。
3　人工《じんこう》リーフは天端水深《てんばすいしん》をある程度深《ていどふか》くし，反射波《はんしゃは》を抑《おさ》える一方《いっぽう》，天端幅《てんばはば》を広《ひろ》くすることにより，波《なみ》の進行《しんこう》に伴《ともな》う波浪減衰《はろうげんすい》を効果的《こうかてき》に得《え》るものである。
4　潜堤《せんてい》は天端幅《てんばはば》が狭《せま》く，天端水深《てんばすいしん》を浅《あさ》くし，反射波《はんしゃは》と強制砕波《きょうせいさいは》によって波浪減衰《はろうげんすい》効果《こうか》を得《え》るものである。

正答　別冊P.113

No. 39

ケーソンの施工《せこう》に関《かん》する次《つぎ》の記述《きじゅつ》のうち，**適当《てきとう》でないもの**はどれか。

1　ケーソン製作《せいさく》に用《もち》いるケーソンヤードには，斜路式《しゃろしき》，ドック式《しき》，吊《つ》り降《おろ》し方式《ほうしき》等《など》があり，製作函数《せいさくかんすう》，製作期間《せいさくきかん》，製作条件《せいさくじょうけん》，用地面積《ようちめんせき》，土質条件《どしつじょうけん》，据付現場《すえつけげんば》までの距離《きょり》，工費等《こうひなど》を検討《けんとう》して最適《さいてき》な方式《ほうしき》を採用《さいよう》する。

2　ケーソンの据付《すえつ》けは，函体《かんたい》が基礎《きそ》マウンド上《じょう》に達《たっ》する直前《ちょくぜん》でいったん注水《ちゅうすい》を中《ちゅう》止《し》し，最終的《さいしゅうてき》なケーソン引寄《ひきよ》せを行《おこな》い，据付《すえつ》け位置《いち》を確認《かくにん》，修正《しゅうせい》を行《おこな》ったうえで一気《いっき》に注水着底《ちゅうすいちゃくてい》させる。

3　ケーソン据付《すえつ》け時《じ》の注水方法《ちゅうすいほうほう》は，気象《きしょう》，海象《かいしょう》の変《か》わりやすい海上《かいじょう》の作業《さぎょう》を手際《てぎわ》よく進《すす》めるために，できる限《かぎ》り短時間《たんじかん》で，かつ，隔室《かくしつ》ごとに順次満水《じゅんじまんすい》にする。

4　ケーソンの中詰作業《なかづめさぎょう》は，ケーソンの安定《あんてい》を図《はか》るためにケーソン据付《すえつ》け後直《ごただ》ちに行《おこな》う必要《ひつよう》があり，ケーソンの不同沈下《ふどうちんか》や傾斜《けいしゃ》を避《さ》けるため，中詰材《なかづめざい》がケーソンの各隔室《かくかくしつ》でほぼ均等《きんとう》に立《た》ち上《あ》がるように中詰材《なかづめざい》を投入《とうにゅう》する。

No. 40

港湾《こうわん》の防波堤《ぼうはてい》の施工《せこう》に関《かん》する次《つぎ》の記述《きじゅつ》のうち，**適当《てきとう》でないもの**はどれか。

1　ケーソン式《しき》の直立堤《ちょくりつてい》は，海上施工《かいじょうせこう》で必要《ひつよう》となる工種《こうしゅ》は少《すく》ないものの，荒天日数《こうてんにっすう》の多《おお》い場所《ばしょ》では海上施工日数《かいじょうせこうにっすう》に著《いちじる》しく制限《せいげん》を受《う》ける。

2　ブロック式《しき》の直立堤《ちょくりつてい》は，施工《せこう》が確実《かくじつ》で容易《ようい》であり，施工設備《せこうせつび》が簡単《かんたん》であるが，海上作業期間《かいじょうさぎょうきかん》は一般的《いっぱんてき》に長《なが》く，ブロック数《すう》が多《おお》い場合《ばあい》には，広《ひろ》い製作用地《せいさくようち》を必要《ひつよう》とする。

3　傾斜堤《けいしゃてい》は，施工設備《せこうせつび》が簡単《かんたん》，工程《こうてい》が単純《たんじゅん》，施工管理《せこうかんり》が容易《ようい》であるが，水深《すいしん》が大《おお》きくなれば，多量《たりょう》の材料及《ざいりょうおよ》び労力《ろうりょく》を必要《ひつよう》とする。

4　混成堤《こんせいてい》は，石材等《せきざいなど》の資材《しざい》の入手《にゅうしゅ》の難易度《なんいど》や価格等《かかくなど》を比較《ひかく》し，捨石部《すていしぶ》と直立部《ちょくりつぶ》の高《たか》さの割合《わりあい》を調整《ちょうせい》して，経済的《けいざいてき》な断面《だんめん》とすることが可能《かのう》である。

No. 41

鉄道《てつどう》の路床《ろしょう》の施工《せこう》に関《かん》する次《つぎ》の記述《きじゅつ》のうち，**適当《てきとう》でないもの**はどれか。

1　路床《ろしょう》は，軌道及《きどうおよ》び路盤《ろばん》を安全《あんぜん》に支持《しじ》し，安定《あんてい》した列車走行《れっしゃそうこう》と良好《りょうこう》な保守性《ほしゅせい》を確《かく》保《ほ》するとともに，軌道及《きどうおよ》び路盤《ろばん》に変状《へんじょう》を発生《はっせい》させない等《など》の機能《きのう》を有《ゆう》するものとする。

2　路床《ろしょう》の範囲《はんい》に軟弱《なんじゃく》な層《そう》が存在《そんざい》する場合《ばあい》には，軌道《きどう》の保守性《ほしゅせい》の低下《ていか》や，走行安定《そうこうあんてい》性《せい》に影響《えいきょう》が生《しょう》じるおそれがあるため，軟弱層《なんじゃくそう》は地盤改良《じばんかいりょう》を行《おこな》うものとする。

3　切土《きりど》及《およ》び素地《そじ》における路床《ろしょう》の範囲《はんい》は，一般《いっぱん》に列車荷重《れっしゃかじゅう》の影響《えいきょう》が大《おお》きい施工基面《せこうきめん》から下《した》3mまでのうち，路盤《ろばん》を除《のぞ》いた地盤部《じばんぶ》をいう。
4　地下水及《ちかすいおよ》び路盤《ろばん》からの浸透水《しんとうすい》の排水《はいすい》を図《はか》るため，路床《ろしょう》の表面《ひょうめん》には排水工設置位置《はいすいこうせっちいち》へ向《む》かって10%程度《ていど》の適切《てきせつ》な排水勾配《はいすいこうばい》を設《もう》ける。

No. 42

鉄道《てつどう》の軌道《きどう》における維持《いじ》・管理《かんり》に関《かん》する次《つぎ》の記述《きじゅつ》のうち，**適当《てきとう》なもの**はどれか。

1　ロングレールでは，温度変化《おんどへんか》による伸縮《しんしゅく》が全長《ぜんちょう》にわたって発生《はっせい》する。
2　犬《いぬ》くぎは，マクラギ上《じょう》のレールの位置《いち》を保《たも》ち，レールの浮《う》き上《あ》がりを防止《ぼうし》するためのものとして使用《しよう》される。
3　重《おも》いレールを使用《しよう》すると保守量《ほしゅりょう》が増加《ぞうか》するため，走行《そうこう》する車両《しゃりょう》の荷重《かじゅう》，速度《そくど》，輸送量等《ゆそうりょうなど》に応《おう》じて使用《しよう》するレールを決《き》める必要《ひつよう》がある。
4　直線区間《ちょくせんくかん》ではレール頭部《とうぶ》が摩耗《まもう》し，曲線区間《きょくせんくかん》では曲線《きょくせん》の内側《うちがわ》レールが顕著《けんちょ》に摩耗《まもう》する。

No. 43

鉄道《てつどう》（在来線《ざいらいせん》）の営業線及《えいぎょうせんおよ》びこれに近接《きんせつ》して工事《こうじ》を施工《せこう》する場合《ばあい》の保安対策《ほあんたいさく》に関《かん》する次《つぎ》の記述《きじゅつ》のうち，**適当《てきとう》でないもの**はどれか。

1　踏切《ふみきり》と同種《どうしゅ》の設備《せつび》を備《そな》えた工事用通路《こうじようつうろ》には，工事用《こうじよう》しゃ断機《だんき》，列車防護装置《れっしゃぼうごそうち》，列車接近警報機《れっしゃせっきんけいほうき》を備《そな》えておくものとする。
2　建設用大型機械《けんせつようおおがたきかい》の留置場所《りゅうちばしょ》は，直線区間《ちょくせんくかん》の建築限界《けんちくげんかい》の外方《がいほう》1m以上離《いじょうはな》れた場所《ばしょ》で，かつ列車《れっしゃ》の運転保安及《うんてんほあんおよ》び旅客公衆等《りょかくこうしゅうなど》に対《たい》し安全《あんぜん》な場所《ばしょ》とする。
3　線路閉鎖工事実施中《せんろへいさこうじじっしちゅう》の線閉責任者《せんぺいせきにんしゃ》の配置《はいち》については，必要《ひつよう》により一時的《いちじてき》に現場《げんば》を離《はな》れた場合《ばあい》でも速《すみ》やかに現場《げんば》に帰還《きかん》できる範囲内《はんいない》とする。
4　列車見張員《れっしゃみはりいん》は，停電時刻《ていでんじこく》の10分前《ぷんまえ》までに，電力指令《でんりょくしれい》に作業《さぎょう》の申込《もうしこ》みを行《おこな》い，き電停止《でんていし》の要請《ようせい》を行《おこな》う。

No. 44

シールド工法《こうほう》の施工管理《せこうかんり》に関《かん》する次《つぎ》の記述《きじゅつ》のうち，**適当《てきとう》でないもの**はどれか。

1　泥水式《でいすいしき》シールド工法《こうほう》では，地山《じやま》の条件《じょうけん》に応《おう》じて比重《ひじゅう》や粘性《ねんせい》を調整《ちょうせい》した泥水《でいすい》を加圧循環《かあつじゅんかん》し，切羽《きりは》の土水圧《どすいあつ》に対抗《たいこう》する泥水圧《でいすいあつ》によって切羽《きりは》の安定《あんてい》を図《はか》るのが基本《きほん》である。
2　土圧式《どあつしき》シールド工法《こうほう》において切羽《きりは》の安定《あんてい》を保持《ほじ》するには，カッターチャンバ内《ない》の圧力管理《あつりょくかんり》，塑性流動性管理及《そせいりゅうどうせいかんりおよ》び排土量管理《はいどりょうかんり》を慎重《しんちょう》に行《おこな》う必要《ひつよう》がある。

正答　別冊P.115

3　シールドにローリングが発生《はっせい》した場合《ばあい》は，一部《いちぶ》のジャッキを使用《しよう》せずシールドに偏心力《へんしんりょく》を与《あた》えることによってシールドに逆《ぎゃく》の回転《かいてん》モーメントを与《あた》え，修正《しゅうせい》するのが一般的《いっぱんてき》である。

4　シールドテールが通過《つうか》した直後《ちょくご》に生《しょう》じる沈下《ちんか》あるいは隆起《りゅうき》は，テールボイドの発生《はっせい》による応力解放《おうりょくかいほう》や過大《かだい》な裏込《うらご》め注入圧等《ちゅうにゅうあつなど》が原因《げんいん》で発生《はっせい》することがある。

No. 45

鋼構造物《こうこうぞうぶつ》の防食法《ぼうしょくほう》に関《かん》する次《つぎ》の記述《きじゅつ》のうち，**適当《てきとう》でないもの**はどれか。

1　海岸地域《かいがんちいき》で現場塗装《げんばとそう》を行《おこな》う場合《ばあい》は，飛来塩分《ひらいえんぶん》や海水《かいすい》の波《なみ》しぶき等《など》によって，塩《えん》分《ぶん》が被塗装面《ひとそうめん》に付着《ふちゃく》することのないよう確実《かくじつ》な養生《ようじょう》を行《おこな》う必要《ひつよう》がある。

2　耐候性鋼材《たいこうせいこうざい》では，その表面《ひょうめん》に緻密《ちみつ》なさび層《そう》が形成《けいせい》されるまでの期間《きかん》は，普通鋼《ふつうこう》材《ざい》と同様《どうよう》にさび汁《じる》が生《しょう》じるため，耐候性鋼用表面処理《たいこうせいこうようひょうめんしょり》が併用《へいよう》されることがある。

3　溶融亜鉛《ようゆうあえん》めっき被膜《ひまく》は硬《かた》く，良好《りょうこう》に施工《せこう》された場合《ばあい》は母材表面《ぼざいひょうめん》に合金層《ごうきんそう》が形成《けいせい》されるため損傷《そんしょう》しにくく，また一旦損傷《いったんそんしょう》を生《しょう》じても部分的《ぶぶんてき》に再《さい》めっきを行《おこな》うことが容易《ようい》である。

4　金属溶射《きんぞくようしゃ》の施工《せこう》にあたっては，温度《おんど》や湿度等《しつどなど》の施工環境条件《せこうかんきょうじょうけん》の制限《せいげん》があるとともに，下地処理《したじしょり》と粗面処理《そめんしょり》の品質確保《ひんしつかくほ》が重要《じゅうよう》である。

No. 46

上水道管《じょうすいどうかん》の更新《こうしん》・更生工法《こうせいこうほう》に関《かん》する次《つぎ》の記述《きじゅつ》のうち，**適当《てきとう》でないもの**はどれか。

1　既設管内挿入工法《きせつかんないそうにゅうこうほう》は，挿入管《そうにゅうかん》としてダクタイル鋳鉄管及《ちゅうてつかんおよ》び鋼管等《こうかんなど》が使用《しよう》されているが既設管《きせつかん》の管径《かんけい》や屈曲《くっきょく》によって適用条件《てきようじょうけん》が異《こと》なる場合《ばあい》があるため，挿入管《そうにゅうかん》の管種《かんしゅ》や口径等《こうけいなど》の検討《けんとう》が必要《ひつよう》である。

2　既設管内巻込工法《きせつかんないまきこみこうほう》は，管《かん》を巻込《まきこ》んで引込作業後拡管《ひきこみさぎょうごかくかん》を行《おこな》うので，更新管路《こうしんかんろ》は曲《ま》がりには対応《たいおう》しにくいが，既設管《きせつかん》に近《ちか》い管径《かんけい》を確保《かくほ》することができる。

3　合成樹脂管挿入工法《ごうせいじゅしかんそうにゅうこうほう》は，管路《かんろ》の補強《ほきょう》が図《はか》られ，また，管内面《かんないめん》は平滑《へいかつ》であるため耐摩耗性《たいまもうせい》が良《よ》く流速係数《りゅうそくけいすう》も大《おお》きいが，合成樹脂管《ごうせいじゅしかん》の接着作業時《せっちゃくさぎょうじ》の低温《ていおん》には十分注《じゅうぶんちゅう》意《い》する。

4　被覆材管内装着工法《ひふくざいかんないそうちゃくこうほう》は，管路《かんろ》の動《うご》きに対《たい》して追随性《ついずいせい》が良《よ》く，曲線部《きょくせんぶ》の施工《せこう》が可《か》能《のう》で，被覆材《ひふくざい》を管内《かんない》で反転挿入《はんてんそうにゅう》し圧着《あっちゃく》する方法《ほうほう》と，管内《かんない》に引《ひ》き込《こ》み後《ご》，加圧《かあつ》し膨《ぼう》張《ちょう》させる方法《ほうほう》とがあり，適用条件《てきようじょうけん》を十分調査《じゅうぶんちょうさ》の上《うえ》で採用《さいよう》する。

No. 47

下水道管渠《げすいどうかんきょ》の更生工法《こうせいこうほう》に関《かん》する次《つぎ》の記述《きじゅつ》のうち，**適当《てきとう》なもの**はどれか。

1　反転工法《はんてんこうほう》は，既設管渠《きせつかんきょ》より小《ち》さな管径《かんけい》で工場製作《こうじょうせいさく》された管渠《かんきょ》をけん引挿入《いんそうにゅう》し，間隙《かんげき》にモルタル等《など》の充填材《じゅうてんざい》を注入《ちゅうにゅう》することで管《かん》を構築《こうちく》する。

2　形成工法《けいせいこうほう》は，熱《ねつ》で硬化《こうか》する樹脂《じゅし》を含浸《がんしん》させた材料《ざいりょう》をマンホールから既設管渠内《きせつかんきょない》に加圧《かあつ》しながら挿入《そうにゅう》し，加圧状態《かあつじょうたい》のまま樹脂《じゅし》が硬化《こうか》することで管《かん》を構築《こうちく》する。

3　さや管工法《かんこうほう》は，硬化性樹脂《こうかせいじゅし》を含浸《がんしん》させた材料《ざいりょう》や熱可塑性樹脂《ねつかそせいじゅし》で成形《せいけい》した材料《ざいりょう》をマンホールから引込《ひきこ》み，加圧《かあつ》し，拡張《かくちょう》・圧着後《あっちゃくご》に硬化《こうか》や冷却固化《れいきゃくこか》することで管《かん》を構築《こうちく》する。

4　製管工法《せいかんこうほう》は，既設管渠内《きせつかんきょない》に硬質塩化《こうしつえんか》ビニル樹脂材等《じゅしざいなど》をかん合《ごう》し，その樹脂《じゅし》パイプと既設管渠《きせつかんきょ》との間隙《かんげき》にモルタル等《など》の充填材《じゅうてんざい》を注入《ちゅうにゅう》することで管《かん》を構築《こうちく》する。

No. 48

下水道工事《げすいどうこうじ》における小口径管推進工法《しょうこうけいかんすいしんこうほう》の施工《せこう》に関《かん》する次《つぎ》の記述《きじゅつ》のうち，**適当《てきとう》なもの**はどれか。

1　滑材《かつざい》の注入《ちゅうにゅう》にあたり含水比《がんすいひ》の大《おお》きな地盤《じばん》では，推進力低減効果《すいしんりょくていげんこうか》が低下《ていか》したり，圧密《あつみつ》により推進抵抗《すいしんていこう》が増加《ぞうか》することがあるので，特《とく》に滑材《かつざい》の選定《せんてい》，注入管理《ちゅうにゅうかんり》に留《りゅう》意《い》しなければならない。

2　推進管理測量《すいしんかんりそくりょう》を行《おこな》う際《さい》に，水平方向《すいへいほうこう》については，先導体《せんどうたい》と発進立坑《はっしんたてこう》の水位差《すいいさ》で管理《かんり》する液圧差《えきあつさ》レベル方式《ほうしき》を用《もち》いることで，リアルタイムに比較的高精度《ひかくてきこうせいど》の位置《いち》管理《かんり》が可能《かのう》となる。

3　先導体《せんどうたい》を曲進《きょくしん》させる際《さい》には，機構《きこう》を簡易《かんい》なものとするために曲線部内側《きょくせんぶうちがわ》を掘削《くっさく》し，外径《がいけい》を大《おお》きくする方法《ほうほう》を採用《さいよう》するのが一般的《いっぱんてき》である。

4　先導体《せんどうたい》の到達《とうたつ》にあたっては，先導体《せんどうたい》の位置《いち》を確認《かくにん》し，地山《じやま》の土質《どしつ》，補助工法《ほじょこうほう》の効果《こうか》の状況《じょうきょう》，湧水《ゆうすい》の状態等《じょうたいなど》に留意《りゅうい》し，その対策《たいさく》を施《ほどこ》してから到達《とうたつ》の鏡切《かがみき》りを行《おこな》わなければならない。

No. 49

下水道工事《げすいどうこうじ》における，薬液注入工法《やくえきちゅうにゅうこうほう》の注入効果《ちゅうにゅうこうか》の確認方法《かくにんほうほう》に関《かん》する次《つぎ》の記述《きじゅつ》のうち，**適当《てきとう》でないもの**はどれか。

1　現場透水試験《げんばとうすいしけん》の評価《ひょうか》は，注入改良地盤《ちゅうにゅうかいりょうじばん》で行《おこな》った現場試験《げんばしけん》の結果《けっか》に基《もと》づき，透水《とうすい》性《せい》に関《かん》する目標値《もくひょうち》，設計値《せっけいち》，得《え》られた透水係数《とうすいけいすう》のばらつき等《など》から総合的《そうごうてき》に評価《ひょうか》する。

2　薬液注入《やくえきちゅうにゅう》による地盤《じばん》の不透水化《ふとうすいか》の改良効果《かいりょうこうか》を室内透水試験《しつないとうすいしけん》により評価《ひょうか》するには，未注入地盤《みちゅうにゅうじばん》の透水係数《とうすいけいすう》と比較《ひかく》するか目標《もくひょう》とする透水係数《とうすいけいすう》と比較《ひかく》する。

正答　別冊 P.118

3　標準貫入試験結果《ひょうじゅんかんにゅうしけんけっか》の評価《ひょうか》は薬液注入前後《やくえきちゅうにゅうぜんご》のN値《ち》の増減《ぞうげん》を見《み》て行《おこな》い，評価《ひょうか》を行《おこな》う際《さい》にはボーリング孔《こう》の全地層《ぜんちそう》のN値《ち》を平均《へいきん》する等《など》の簡易的《かんいてき》な統計処理《とうけいしょり》を実施《じっし》する。

4　室内強度試験《しつないきょうどしけん》は，薬液注入《やくえきちゅうにゅう》によって改良《かいりょう》された地盤《じばん》の強度特性《きょうどとくせい》や変形特性等《へんけいとくせいなど》を求《もと》め改良効果《かいりょうこうか》を評価《ひょうか》するものであり，薬液注入後《やくえきちゅうにゅうご》の乱《みだ》さない試料《しりょう》が得《え》られた場合《ばあい》に実施《じっし》する。

※問題番号《もんだいばんごう》No.50～No.61までの12問題《もんだい》のうちから8問題《もんだい》を選択《せんたく》し解答《かいとう》してください。

No. 50

常時《じょうじ》10人以上《にんいじょう》の労働者《ろうどうしゃ》を使用《しよう》する使用者《しようしゃ》が，労働基準法上《ろうどうきじゅんほうじょう》，**就業規《しゅうぎょうき》則《そく》に必《かなら》ず記載《きさい》しなければならない事項《じこう》**は次《つぎ》の記述《きじゅつ》のうちどれか。

1　臨時《りんじ》の賃金等《ちんぎんとう》（退職手当《たいしょくてあて》を除《のぞ》く。）及《およ》び最低賃金額《さいていちんぎんがく》に関《かん》する事項《じこう》
2　退職《たいしょく》に関《かん》する事項《じこう》（解雇《かいこ》の事由《じゆう》を含《ふく》む。）
3　災害補償及《さいがいほしょうおよ》び業務外《ぎょうむがい》の傷病扶助《しょうびょうふじょ》に関《かん》する事項《じこう》
4　安全及《あんぜんおよ》び衛生《えいせい》に関《かん》する事項《じこう》

No. 51

労働時間及《ろうどうじかんおよ》び休憩《きゅうけい》に関《かん》する次《つぎ》の記述《きじゅつ》のうち，労働基準法上《ろうどうきじゅんほうじょう》，**誤《あやま》っているもの**はどれか。

1　使用者《しようしゃ》は，災害《さいがい》その他《たさ》避けることのできない事由《じゆう》によって臨時《りんじ》の必要《ひつよう》が生《しょう》じ，労働時間《ろうどうじかん》を延長《えんちょう》する場合《ばあい》においては，事態《じたい》が急迫《きゅうはく》した場合《ばあい》であっても，事前《じぜん》に行《ぎょう》政官庁《せいかんちょう》の許可《きょか》を受《う》けなければならない。
2　使用者《しようしゃ》は，労働者《ろうどうしゃ》に，休憩時間《きゅうけいじかん》を除《のぞ》き1週間《しゅうかん》については40時間《じかん》を超《こ》えて，1週《しゅう》間《かん》の各日《かくじつ》については1日《にち》について8時間《じかん》を超《こ》えて，労働《ろうどう》させてはならない。
3　使用者《しようしゃ》が，労働者《ろうどうしゃ》に労働時間《ろうどうじかん》を延長《えんちょう》して労働《ろうどう》させた場合《ばあい》においては，その時間《じかん》の労働《ろうどう》については，通常《つうじょう》の労働時間《ろうどうじかん》の賃金《ちんぎん》の計算額《けいさんがく》に対《たい》して割増《わりま》した賃金《ちんぎん》を支払《しはら》わなければならない。
4　使用者《しようしゃ》は，労働時間《ろうどうじかん》が6時間《じかん》を超《こ》える場合《ばあい》においては少《すく》なくとも45分《ふん》，8時間《じかん》を超《こ》える場合《ばあい》においては少《すく》なくとも1時間《じかん》の休憩時間《きゅうけいじかん》を労働時間《ろうどうじかん》の途中《とちゅう》に，原則《げんそく》として一斉《いっせい》に与《あた》えなければならない。

No. 52　次《つぎ》の作業《さぎょう》のうち，労働安全衛生法令上《ろうどうあんぜんえいせいほうれいじょう》，**作業主任者《さぎょうしゅにんしゃ》の選任《せんにん》を必要《ひつよう》とする作業《さぎょう》**はどれか。

1　高《たか》さが3mのコンクリート造《ぞう》の工作物《こうさくぶつ》の解体又《かいたいまた》は破壊《はかい》の作業《さぎょう》
2　高《たか》さが3mの土止《どど》め支保工《しほこう》の切《き》りばり又《また》は腹起《はらお》こしの取付《とりつ》け又《また》は取《と》り外《はず》しの作《さ》業《ぎょう》
3　高《たか》さが3m，支間《しかん》が20mのコンクリート橋梁上部構造《きょうりょうじょうぶこうぞう》の架設《かせつ》の作業《さぎょう》
4　高《たか》さが3mの構造《こうぞう》の足場《あしば》の組立《くみた》て又《また》は解体《かいたい》の作業《さぎょう》

No. 53　高《たか》さが5m以上《いじょう》のコンクリート造《ぞう》の工作物《こうさくぶつ》の解体作業《かいたいさぎょう》における危険《きけん》を防止《ぼうし》するために，事業者《じぎょうしゃ》が行《おこな》わなければならない事項《じこう》に関《かん》する次《つぎ》の記《き》述《じゅつ》のうち，労働安全衛生法令上《ろうどうあんぜんえいせいほうれいじょう》，**誤《あやま》っているもの**はどれか。

1　器具《きぐ》，工具等《こうぐとう》を上《あ》げ，又《また》は下《お》ろすときは，つり綱《つな》，つり袋等《ふくろとう》を労働者《ろうどうしゃ》に使用《しよう》させなければならない。
2　あらかじめ当該工作物《とうがいこうさくぶつ》の形状《けいじょう》，き裂《れつ》の有無等《うむとう》について調査《ちょうさ》を実施《じっし》し，その調査《ちょうさ》により知《し》り得《え》たところに適応《てきおう》する作業計画《さぎょうけいかく》を定《さだ》めなければならない。
3　外壁《がいへき》，柱等《はしらとう》の引倒《ひきたお》し等《とう》の作業《さぎょう》を行《おこな》うときは，引倒《ひきたお》し等《とう》について作業指揮者《さぎょうしきしゃ》を定《さだ》め，関係労働者《かんけいろうどうしゃ》に周知《しゅうち》させなければならない。
4　強風《きょうふう》，大雨《おおあめ》，大雪等《おおゆきとう》の悪天候《あくてんこう》のため，作業《さぎょう》の実施《じっし》について危険《きけん》が予想《よそう》されるときは，当該作業《とうがいさぎょう》を中止《ちゅうし》しなければならない。

No. 54　元請負人《もとうけおいにん》の義務《ぎむ》に関《かん》する次《つぎ》の記述《きじゅつ》のうち，建設業法令上《けんせつぎょうほうれいじょう》，**誤《あやま》っているもの**はどれか。

1　元請負人《もとうけおいにん》は，その請《う》け負《お》った建設工事《けんせつこうじ》を施工《せこう》するために必要《ひつよう》な工程《こうてい》の細目《さいもく》，作《さ》業方法《ぎょうほうほう》その他元請負人《たもとうけおいにん》において定《さだ》めるべき事項《じこう》を定《さだ》めようとするときは，あらかじめ，下請負人《したうけおいにん》の意見《いけん》をきかなければならない。
2　元請負人《もとうけおいにん》は，請負代金《うけおいだいきん》の出来形部分《できがたぶぶん》に対《たい》する支払《しはらい》を受《う》けたときは，その支払《しはらい》の対象《たいしょう》となった建設工事《けんせつこうじ》を施工《せこう》した下請負人《したうけおいにん》に対《たい》して，その下請負人《したうけおいにん》が施工《せこう》した出《で》来形部分《きがたぶぶん》に相応《そうおう》する下請代金《したうけだいきん》を，当該支払《とうがいしはらい》を受《う》けた日《ひ》から一月以内《ひとつきいない》で，かつ，できる限《かぎ》り短《みじか》い期間内《きかんない》に支払《しはら》わなければならない。
3　元請負人《もとうけおいにん》は，前払金《まえばらいきん》の支払《しはらい》を受《う》けたときは，下請負人《したうけおいにん》に対《たい》して，資材《しざい》の購入《こうにゅう》，労働者《ろうどうしゃ》の募集《ぼしゅう》その他建設工事《たけんせつこうじ》の着手《ちゃくしゅ》に必要《ひつよう》な費用《ひよう》を前払金《まえばらいきん》として支払《しはら》うよう適切《てきせつ》な配慮《はいりょ》をしなければならない。
4　元請負人《もとうけおいにん》は，下請負人《したうけおいにん》からその請《う》け負《お》った建設工事《けんせつこうじ》が完成《かんせい》した旨《むね》の通知《つうち》を受《う》け

正答　別冊P.120

たときは，当該通知《とうがいつうち》を受《う》けた日《ひ》から一月以内《ひとつきいない》で，かつ，できる限《かぎ》り短《みじか》い期間内《きかんない》に，その完成《かんせい》を確認《かくにん》するための検査《けんさ》を完了《かんりょう》しなければならない。

No. 55

火薬類取扱《かやくるいとりあつか》い等《とう》に関《かん》する次《つぎ》の記述《きじゅつ》のうち，火薬類取締法令上《かやくるいとりしまりほうれいじょう》，**誤《あやま》っているもの**はどれか。

1　何人《なんびと》も，火薬類《かやくるい》の製造所又《せいぞうしょまた》は火薬庫《かやくこ》においては，製造業者又《せいぞうぎょうしゃまた》は火薬庫《かやくこ》の所有者《しょゆうしゃ》若《も》しくは占有者《せんゆうしゃ》の指定《してい》する場所以外《ばしょいがい》の場所《ばしょ》で，喫煙《きつえん》し，又《また》は火気《かき》を取《と》り扱《あつか》ってはならない。

2　火薬類《かやくるい》を取《と》り扱《あつか》う者《もの》は，所有《しょゆう》し，又《また》は占有《せんゆう》する火薬類《かやくるい》，譲渡許可証《じょうときょかしょう》，譲受許可《ゆずりうけきょか》証又《しょうまた》は運搬証明書《うんぱんしょうめいしょ》を喪失《そうしつ》し，又《また》は盗取《とうしゅ》されたときには遅滞《ちたい》なくその旨《むね》を警察官又《けいさつかんまた》は海上保安官《かいじょうほあんかん》に届《とど》け出《で》なければならない。

3　火薬類《かやくるい》の発破《はっぱ》を行《おこな》う場合《ばあい》には，発破場所《はっぱばしょ》においては，責任者《せきにんしゃ》を定《さだ》め，火薬類《かやくるい》の受渡《うけわた》し数量《すうりょう》，消費残数量及《しょうひざんすうりょうおよ》び発破孔又《はっぱこうまた》は薬室《やくしつ》に対《たい》する装《そう》てん方法《ほうほう》をあらかじめ消《しょう》防署《ぼうしょ》に届《とど》け出《で》なければならない。

4　火薬類《かやくるい》の発破《はっぱ》を行《おこな》う場合《ばあい》には，附近《ふきん》の者《もの》に発破《はっぱ》する旨《むね》を警告《けいこく》し，危険《きけん》がないことを確認《かくにん》した後《あと》でなければ点火《てんか》してはならない。

No. 56

道路占用工事《どうろせんようこうじ》における道路《どうろ》の掘削《くっさく》に関《かん》する次《つぎ》の記述《きじゅつ》のうち，道路法令《どうろほうれい》上《じょう》，**誤《あやま》っているもの**はどれか。

1　占用《せんよう》のために掘削《くっさく》した土砂《どしゃ》を埋《う》め戻《もど》す場合《ばあい》においては，層《そう》ごとに行《おこな》うとともに，確実《かくじつ》に締《し》め固《かた》めること。

2　舗装道《ほそうどう》の舗装《ほそう》の部分《ぶぶん》の切断《せつだん》は，のみ又《また》は切断機《せつだんき》を用《もち》いて，原則《げんそく》として直線《ちょくせん》に，かつ，路面《ろめん》に垂直《すいちょく》に行《おこな》うこと。

3　わき水又《みずまた》はたまり水《みず》の排出《はいしゅつ》に当《あ》たっては，いかなる場合《ばあい》でも道路《どうろ》の排水施設《はいすいしせつ》や路面《ろめん》に排出《はいしゅつ》しないよう措置《そち》すること。

4　道路《どうろ》の掘削面積《くっさくめんせき》は，道路《どうろ》の交通《こうつう》に著《いちじる》しい支障《ししょう》を及《およ》ぼすことのないよう覆工《ふっこう》を施《せ》工《こう》するなどの措置《そち》をした場合《ばあい》を除《のぞ》き，当日中《とうじつちゅう》に復旧可能《ふっきゅうかのう》な範囲《はんい》とすること。

No. 57

河川管理者以外《かせんかんりしゃいがい》の者《もの》が河川区域《かせんくいき》（高規格堤防特別区域《こうきかくていぼうとくべつくいき》を除《のぞ》く）で行《おこな》う行為《こうい》の許可《きょか》に関《かん》する次《つぎ》の記述《きじゅつ》のうち，河川法上《かせんほうじょう》，**誤《あやま》っているもの**はどれか。

1　モルタル練《ね》り混《ま》ぜ水《すい》として，河川《かせん》からバケツ等《など》でごく少量《しょうりょう》の水《みず》を汲《く》み上《あ》げる取《しゅ》水《すい》は，河川管理者《かせんかんりしゃ》の許可《きょか》は必要《ひつよう》ない。

2　水道取水施設《すいどうしゅすいしせつ》の補修《ほしゅう》で河川区域内《かせんくいきない》の転石《てんせき》や浮石《うきいし》を工事材料《こうじざいりょう》として採取《さいしゅ》する場合《ばあい》は，河川管理者《かせんかんりしゃ》の許可《きょか》が必要《ひつよう》である。

3　河川区域内《かせんくいきない》に電柱《でんちゅう》を設《もう》けず上空《じょうくう》を通過《つうか》する電線等《でんせんなど》を設置《せっち》する場合《ばあい》でも，河川管《かせんかん》理者《りしゃ》の許可《きょか》が必要《ひつよう》である。

4　河川区域内《かせんくいきない》にある民有地《みんゆうち》で公園等《こうえんなど》を整備《せいび》する場合《ばあい》は，民有地《みんゆうち》であるため河川管《かせんかん》理者《りしゃ》の許可《きょか》は必要《ひつよう》ない。

No. 58

工事現場《こうじげんば》に延《の》べ面積《めんせき》45m^2の仮設現場事務所《かせつげんばじむしょ》を設置《せっち》する場合《ばあい》，建築基《けんちくき》準法上《じゅんほうじょう》，**適用《てきよう》されるもの**は次《つぎ》の記述《きじゅつ》のうちどれか。

1　建築物《けんちくぶつ》の敷地《しきち》は，これに接《せっ》する道《みち》の境《さかい》より高《たか》くなければならず，建築物《けんちくぶつ》の地盤《じばん》面《めん》は，これに接《せっ》する周囲《しゅうい》の土地《とち》より高《たか》くなければならない。

2　建築物《けんちくぶつ》の建築面積《けんちくめんせき》の敷地面積《しきちめんせき》に対《たい》する割合《わりあい》は，工業地域内《こうぎょうちいきない》にあっては10分《ぶん》の5又《また》は10分《ぶん》の6のうち当該地域《とうがいちいき》に関《かん》する都市計画《としけいかく》で定《さだ》められた数値《すうち》を超《こ》えてはならない。

3　防火地域又《ぼうかちいきまた》は準防火地域内《じゅんぼうかちいきない》の建築物《けんちくぶつ》の屋根《やね》の構造《こうぞう》は，建築物《けんちくぶつ》の火災《かさい》の発生《はっせい》を防《ぼう》止《し》するために屋根《やね》に必要《ひつよう》とされる性能《せいのう》に関《かん》して政令《せいれい》で定《さだ》める技術的基準《ぎじゅつてききじゅん》に適合《てきごう》しなければならない。

4　居室《きょしつ》には，換気《かんき》のための窓《まど》その他《た》の開口部《かいこうぶ》を設《もう》け，その換気《かんき》に有効《ゆうこう》な部分《ぶぶん》の面《めん》積《せき》は，その居室《きょしつ》の床面積《ゆかめんせき》に対《たい》して，原則《げんそく》として，20分《ぶん》の1以上《いじょう》としなければならない。

No. 59

騒音規制法令上《そうおんきせいほうれいじょう》，指定地域内《していちいきない》で行《おこな》う次《つぎ》の建設作業《けんせつさぎょう》のうち，特定建設作《とくていけんせつさ》業《ぎょう》に**該当《がいとう》しないもの**はどれか。
ただし，当該作業《とうがいさぎょう》がその作業《さぎょう》を開始《かいし》した日《ひ》に終《お》わるもの，及《およ》び使用《しよう》する機械《きかい》が一定《いってい》の限度《げんど》を超《こ》える大《おお》きさの騒音《そうおん》を発生《はっせい》しないものとして環《かん》境大臣《きょうだいじん》が指定《してい》するものを除《のぞ》く。

1　原動機《げんどうき》の定格出力《ていかくしゅつりょく》70kW以上《いじょう》のトラクターショベルを使用《しよう》して行《おこな》う掘削積込《くっさくつみこ》み作業《さぎょう》

2　電動機《でんどうき》を動力《どうりょく》とする空気圧縮機《くうきあっしゅくき》を使用《しよう》する削岩作業《さくがんさぎょう》

3　アースオーガーと併用《へいよう》しないディーゼルハンマを使用《しよう》するくい打《う》ち作業《さぎょう》

4　原動機《げんどうき》の定格出力《ていかくしゅつりょく》40kW以上《いじょう》のブルドーザを使用《しよう》して行《おこな》う盛土《もりど》の敷均《しきなら》し作業《さぎょう》

正答　別冊P.123

No. 60

振動規制法令上《しんどうきせいほうれいじょう》，特定建設作業《とくていけんせつさぎょう》に関《かん》する次《つぎ》の記述《きじゅつ》のうち，**誤《あやま》っているもの**はどれか。

1　特定建設作業《とくていけんせつさぎょう》における環境省令《かんきょうしょうれい》の振動規制基準《しんどうきせいきじゅん》は，特定建設作業《とくていけんせつさぎょう》の場所《ばしょ》の敷地《しきち》の境界線《きょうかいせん》において，75dB を超《こ》える大《おお》きさのものでないことである。

2　市町村長《しちょうそんちょう》は，特定建設作業《とくていけんせつさぎょう》に伴《ともな》って発生《はっせい》する振動《しんどう》の改善勧告《かいぜんかんこく》を受《う》けた者《もの》がその勧告《かんこく》に従《したが》わないで特定建設作業《とくていけんせつさぎょう》を行《おこな》っているときは，期限《きげん》を定《さだ》めて，その勧告《かんこく》に従《したが》うべきことを命《めい》ずることができる。

3　特定建設作業《とくていけんせつさぎょう》を伴《ともな》う建設工事《けんせつこうじ》における振動《しんどう》を防止《ぼうし》することにより生活環境《せいかつかんきょう》を保全《ほぜん》するための地域《ちいき》を指定《してい》しようとする市町村長《しちょうそんちょう》は，都道府県知事《とどうふけんちじ》の意見《いけん》を聴《き》かなければならない。

4　指定地域内《していちいきない》において特定建設作業《とくていけんせつさぎょう》を伴《ともな》う建設工事《けんせつこうじ》を施工《せこう》しようとする者《もの》は，当《とう》該特定建設作業《がいとくていけんせつさぎょう》の開始《かいし》の日《ひ》の 7 日前《にちまえ》までに，環境省令《かんきょうしょうれい》で定《さだ》める事項《じこう》を市町村長《しちょうそんちょう》に届《とど》け出《で》なければならない。

No. 61

船舶《せんぱく》の入出港及《にゅうしゅっこうおよ》び停泊《ていはく》に関《かん》する次《つぎ》の記述《きじゅつ》のうち，港則法令上《こうそくほうれいじょう》，**誤《あやま》っているもの**はどれか。

1　船舶《せんぱく》は，特定港《とくていこう》に入港《にゅうこう》したとき，又《また》は特定港《とくていこう》を出港《しゅっこう》しようとするときは，国土《こくど》交通省令《こうつうしょうれい》の定《さだ》めるところにより，港長《こうちょう》の許可《きょか》を受《う》けなければならない。

2　特定港内《とくていこうない》においては，汽艇等以外《きていとういがい》の船舶《せんぱく》を修繕《しゅうぜん》し，又《また》は係船《けいせん》しようとする者《もの》は，その旨《むね》を港長《こうちょう》に届《とど》け出《で》なければならない。

3　特定港内《とくていこうない》に停泊《ていはく》する船舶《せんぱく》は，港長《こうちょう》にびょう地《ち》を指定《してい》された場合《ばあい》を除《のぞ》き，各々《おのおの》そのトン数《すう》，又《また》は積載物《せきさいぶつ》の種類《しゅるい》に従《したが》い，当該特定港内《とうがいとくていこうない》の一定《いってい》の区域内《くいきない》に停泊《ていはく》しなければならない。

4　汽艇等及《きていとうおよ》びいかだは，港内《こうない》においては，みだりにこれを係船浮標《けいせんふひょう》若《も》しくは他《た》の船舶《せんぱく》に係留《けいりゅう》し，又《また》は他《た》の船舶《せんぱく》の交通《こうつう》の妨《さまた》げとなるおそれのある場所《ばしょ》に停泊《ていはく》させ，若《も》しくは停留《ていりゅう》させてはならない。

正答　別冊 P.125

令和4年度　第一次検定　問題B（必須問題）

試験時間　120分

※問題番号《もんだいばんごう》No.1～No.20までの20問題《もんだい》は，**必須問題《ひっすもんだい》**ですから**全問題《ぜんもんだい》**を**解答《かいとう》**してください。

No. 1

TS（トータルステーション）を用《もち》いて行《おこな》う測量《そくりょう》に関《かん》する次《つぎ》の記述《きじゅつ》のうち，**適当《てきとう》でないもの**はどれか。

1　TSでの距離測定《きょりそくてい》は，測定開始直前又《そくていかいしちょくぜんまた》は終了直後《しゅうりょうちょくご》に，気温及《きおんおよ》び気圧《きあつ》の測定《そくてい》を行《おこな》う。

2　TSでの水平角観測《すいへいかくかんそく》において，目盛変更《めもりへんこう》が不可能《ふかのう》な機器《きき》は，1対回《ついかい》の繰《く》り返《かえ》し観《かん》測《そく》を行《おこな》う。

3　TSでは，器械高《きかいこう》，反射鏡高及《はんしゃきょうこうおよ》び目標高《もくひょうこう》は，センチメートル位《い》まで測定《そくてい》を行《おこな》う。

4　TSでは，水平角観測《すいへいかくかんそく》の必要対回数《ひつようついかいすう》に合《あわ》せ取得《しゅとく》された距離測定値《きょりそくていち》は，その平均《へいきん》値《ち》を用《もち》いる。

No. 2

公共工事標準請負契約約款《こうきょうこうじひょうじゅんうけおいけいやくやっかん》に関《かん》する次《つぎ》の記述《きじゅつ》のうち，**適当《てきとう》でないもの**はどれか。

1　受注者《じゅちゅうしゃ》は，設計図書《せっけいとしょ》において監督員《かんとくいん》の検査《けんさ》を受《う》けて使用《しよう》すべきものと指定《してい》された工事材料《こうじざいりょう》が，検査《けんさ》の結果不合格《けっかふごうかく》と決定《けってい》された場合《ばあい》，工事現場内《こうじげんばない》に保管《ほかん》しなければならない。

2　受注者《じゅちゅうしゃ》は，工事目的物《こうじもくてきぶつ》の引渡《ひきわた》し前《まえ》に，天災等《てんさいとう》で発注者《はっちゅうしゃ》と受注者《じゅちゅうしゃ》のいずれの責《せ》めにも帰《き》すことができないものにより，工事目的物等《こうじもくてきぶつとう》に損害《そんがい》が生《しょう》じたときは，その事実《じじつ》の発生直後直《はっせいちょくごただ》ちにその状況《じょうきょう》を発注者《はっちゅうしゃ》に通知《つうち》しなければならない。

3　発注者《はっちゅうしゃ》は，工期《こうき》の延長又《えんちょうまた》は短縮《たんしゅく》を行《おこな》うときは，この工事《こうじ》に従事《じゅうじ》する者《もの》の労働時《ろうどうじ》間《かん》その他《た》の労働条件《ろうどうじょうけん》が適正《てきせい》に確保《かくほ》されるよう，やむを得《え》ない事由《じゆう》により工事等《こうじとう》の実施《じっし》が困難《こんなん》であると見込《みこ》まれる日数等《にっすうとう》を考慮《こうりょ》しなければならない。

4　発注者《はっちゅうしゃ》は，設計図書《せっけいとしょ》の変更《へんこう》を行《おこな》った場合《ばあい》において，必要《ひつよう》があると認《みと》められるときは，工期若《こうきも》しくは請負代金額《うけおいだいきんがく》を変更《へんこう》しなければならない。

正答　別冊P.127

No. 3 下図《かず》は，ボックスカルバートの配筋図《はいきんず》を示《しめ》したものである。この図《ず》における配筋《はいきん》に関《かん》する次《つぎ》の記述《きじゅつ》のうち，**適当《てきとう》でないもの**はどれか。

頂《ちょう》 版《ばん》　S＝1：50

A－A

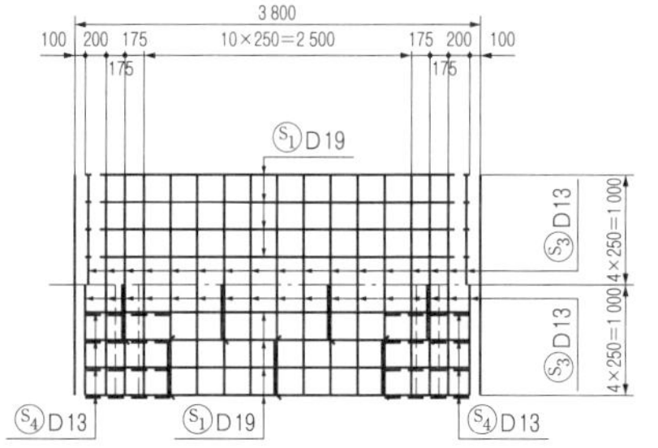

B－B

断《だん》 面《めん》 図《ず》　S＝1：50

C－C

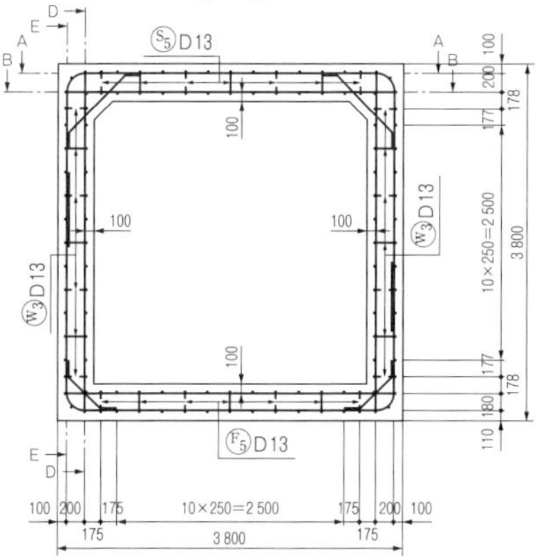

側《そく》 壁《へき》　S＝1：50

D－D　E－E

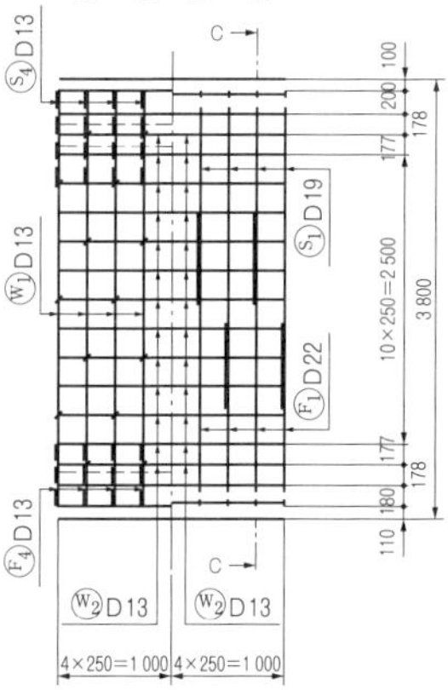

1　頂版《ちょうばん》の主鉄筋《しゅてっきん》は，径《けい》 19mm の異形棒鋼《いけいぼうこう》である。

2　頂版《ちょうばん》の下面主鉄筋《かめんしゅてっきん》の間隔《かんかく》は，ボックスカルバート軸方向《じくほうこう》に 250mm で配置《はいち》されている。

3　側壁《そくへき》の内面主鉄筋《ないめんしゅてっきん》は，径《けい》 22mm の異形棒鋼《いけいぼうこう》である。

4　側壁《そくへき》の外面主鉄筋《がいめんしゅてっきん》の間隔《かんかく》は，ボックスカルバート軸方向《じくほうこう》に 250mm で配置《はいち》されている。

No. 4

工事用電力設備《こうじようでんりょくせつび》に関《かん》する次《つぎ》の記述《きじゅつ》のうち，**適当《てきとう》でないもの**はどれか。

1　工事現場《こうじげんば》における電気設備《でんきせつび》の容量《ようりょう》は，月別《つきべつ》の電気設備《でんきせつび》の電力合計《でんりょくごうけい》を求《もと》め，このうち最大《さいだい》となる負荷設備容量《ふかせつびようりょう》に対《たい》して受電容量不足《じゅでんようりょうふそく》をきたさないように決定《けってい》する。

2　小規模《しょうきぼ》な工事現場等《こうじげんばなど》で契約電力《けいやくでんりょく》が，電灯《でんとう》，動力《どうりょく》を含《ふく》め 50kW 未満《みまん》のものについては，低圧《ていあつ》の電気《でんき》の供給《きょうきゅう》を受《う》ける。

3　工事現場《こうじげんば》で高圧《こうあつ》にて受電《じゅでん》し現場内《げんばない》の自家用電気工作物《じかようでんきこうさくぶつ》に配電《はいでん》する場合《ばあい》，電力会《でんりょくがい》社《しゃ》との責任分界点《せきにんぶんかいてん》に保護施設《ほごしせつ》を備《そな》えた受電設備《じゅでんせつび》を設置《せっち》する。

4　工事現場《こうじげんば》に設置《せっち》する変電設備《へんでんせつび》の位置《いち》は，一般《いっぱん》にできるだけ負荷《ふか》の中心《ちゅうしん》から遠《とお》い位置《いち》を選定《せんてい》する。

No. 5

施工計画立案《せこうけいかくりつあん》に関《かん》する次《つぎ》の記述《きじゅつ》のうち，**適当《てきとう》でないもの**はどれか。

1　施工計画立案《せこうけいかくりつあん》に使用《しよう》した資料《しりょう》は，施工過程《せこうかてい》における計画変更等《けいかくへんこうなど》に重要《じゅうよう》な資料《しりょう》となったり，工事《こうじ》を安全《あんぜん》に完成《かんせい》するための資料《しりょう》となる。

2　施工計画立案《せこうけいかくりつあん》のための資機材等《しきざいなど》の輸送調査《ゆそうちょうさ》では，輸送《ゆそう》ルートの道路状況《どうろじょうきょう》や交通《こうつう》規制等《きせいなど》を把握《はあく》し，不明《ふめい》があれば道路管理者《どうろかんりしゃ》や労働基準監督署《ろうどうきじゅんかんとくしょ》に相談《そうだん》して解決《かいけつ》しておく必要《ひつよう》がある。

3　施工計画《せこうけいかく》の立案《りつあん》にあたっては，発注者《はっちゅうしゃ》から示《しめ》された工程《こうてい》が最適工期《さいてきこうき》とは限《かぎ》らないので，示《しめ》された工程《こうてい》の範囲《はんい》でさらに経済的《けいざいてき》な工程《こうてい》を探《さが》し出《だ》すことも大切《たいせつ》である。

4　施工計画《せこうけいかく》の立案《りつあん》にあたっては，発注者《はっちゅうしゃ》の要求品質《ようきゅうひんしつ》を確保《かくほ》するとともに，安全《あんぜん》を最優先《さいゆうせん》にした施工《せこう》を基本《きほん》とした計画《けいかく》とする。

正答　別冊P.127

No. 6

下図《かず》のネットワーク式工程表《しきこうていひょう》で示《しめ》される工事《こうじ》で，作業《さぎょう》Gに3日《にち》の遅延《ちえん》が発生《はっせい》した場合《ばあい》，次《つぎ》の記述《きじゅつ》のうち，**適当《てきとう》なもの**はどれか。
ただし，図中《ずちゅう》のイベント間《かん》のA～Jは作業内容《さぎょうないよう》，数字《すうじ》は作業日数《さぎょうにっすう》を示《しめ》す。

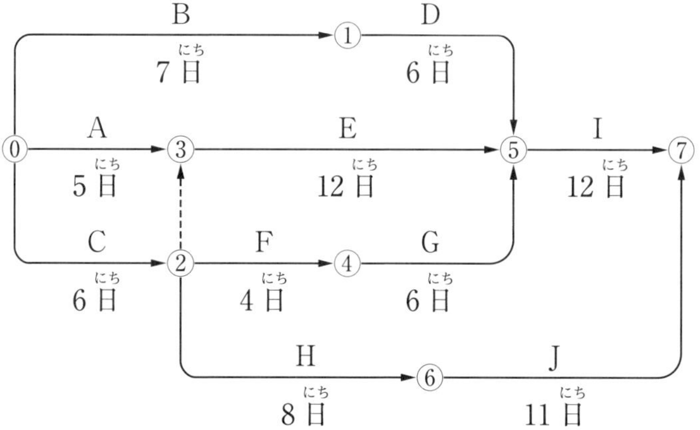

1　当初《とうしょ》の工期《こうき》より1日遅《にちおく》れる。
2　当初《とうしょ》の工期《こうき》より3日遅《にちおく》れる。
3　当初《とうしょ》の工期《こうき》どおり完了《かんりょう》する。
4　クリティカルパスの経路《けいろ》は当初《とうしょ》と変《か》わらない。

No. 7

元方事業者《もとかたじぎょうしゃ》が講《こう》ずべき措置等《そちとう》に関《かん》する次《つぎ》の記述《きじゅつ》のうち，労働安全衛生《ろうどうあんぜんえいせい》法令上《ほうれいじょう》，**誤《あやま》っているもの**はどれか。

1　元方事業者《もとかたじぎょうしゃ》は，関係請負人又《かんけいうけおいにんまた》は関係請負人《かんけいうけおいにん》の労働者《ろうどうしゃ》が，当該仕事《とうがいしごと》に関《かん》し，法律《ほうりつ》又《また》はこれに基《もと》づく命令《めいれい》の規定《きてい》に違反《いはん》していると認《みと》めるときは，是正《ぜせい》の措置《そち》を自《みずか》ら行《おこな》わなければならない。
2　元方事業者《もとかたじぎょうしゃ》は，関係請負人及《かんけいうけおいにんおよ》び関係請負人《かんけいうけおいにん》の労働者《ろうどうしゃ》が，当該仕事《とうがいしごと》に関《かん》し，法律《ほうりつ》又《また》はこれに基《もと》づく命令《めいれい》の規定《きてい》に違反《いはん》しないよう必要《ひつよう》な指導《しどう》を行《おこな》わなければならない。
3　元方事業者《もとかたじぎょうしゃ》は，土砂等《どしゃとう》が崩壊《ほうかい》するおそれのある場所《ばしょ》において，関係請負人《かんけいうけおいにん》の労《ろう》働者《どうしゃ》が当該事業《とうがいじぎょう》の仕事《しごと》の作業《さぎょう》を行《おこな》うときは，当該場所《とうがいばしょ》に係《かかわ》る危険《きけん》を防止《ぼうし》するための措置《そち》が適正《てきせい》に講《こう》ぜられるように，技術上《ぎじゅつじょう》の指導《しどう》その他《た》の措置《そち》を講《こう》じなければならない。
4　元方事業者《もとかたじぎょうしゃ》の講《こう》ずべき技術上《ぎじゅつじょう》の指導《しどう》その他《た》の必要《ひつよう》な措置《そち》には，技術上《ぎじゅつじょう》の指導《しどう》のほか，危険《きけん》を防止《ぼうし》するために必要《ひつよう》な資材等《しざいとう》の提供《ていきょう》，元方事業者《もとかたじぎょうしゃ》が自《みずか》ら又《また》は関係請《かんけいうけ》負人《おいにん》と共同《きょうどう》して危険《きけん》を防止《ぼうし》するための措置《そち》を講《こう》じること等《とう》が含《ふく》まれる。

No. 8

建設工事現場《けんせつこうじげんば》における保護具《ほごぐ》の使用《しよう》に関《かん》する次《つぎ》の記述《きじゅつ》のうち，**適当《てきとう》なもの**はどれか。

1　大《おお》きな衝撃《しょうげき》を受《う》けた保護帽《ほごぼう》は，外観《がいかん》に異常《いじょう》がなければ使用《しよう》することができる。
2　防毒《ぼうどく》マスク及《およ》び防塵《ぼうじん》マスクは，酸素欠乏危険作業《さんそけつぼうきけんさぎょう》に用《もち》いることができる。
3　ボール盤等《ばんとう》の回転《かいてん》する刃物《はもの》に，労働者《ろうどうしゃ》の手《て》が巻《ま》き込《こ》まれるおそれのある作業《さぎょう》の場合《ばあい》は，手袋《てぶくろ》を使用《しよう》させなければならない。
4　通路等《つうろとう》の構造又《こうぞうまた》は当該作業《とうがいさぎょう》の状態《じょうたい》に応《おう》じて安全靴《あんぜんぐつ》その他《た》の適当《てきとう》な履物《はきもの》を定《さだ》め，作業中《さぎょうちゅう》の労働者《ろうどうしゃ》に使用《しよう》させなければならない。

No. 9

建設工事《けんせつこうじ》の労働災害防止対策《ろうどうさいがいぼうしたいさく》に関《かん》する次《つぎ》の記述《きじゅつ》のうち，**適当《てきとう》でないもの**はどれか。

1　ロープ高所作業《こうしょさぎょう》では，メインロープ及《およ》びライフラインを設《もう》け，作業箇所《さぎょうかしょ》の上方《じょうほう》にある同一《どういつ》の堅固《けんご》な支持物《しじぶつ》に外《はず》れないよう確実《かくじつ》に緊結《きんけつ》し作業《さぎょう》する。
2　墜落《ついらく》のおそれがある人力《じんりょく》のり面整形作業等《めんせいけいさぎょうとう》では，親綱《おやづな》を設置《せっち》し，要求性能墜落《ようきゅうせいのうついらく》制止用器具《せいしようきぐ》を使用《しよう》する。
3　工事現場《こうじげんば》における架空線等上空施設《かくうせんとうじょうくうしせつ》について，施工《せこう》に先立《さきだ》ち現地調査《げんちちょうさ》を実施《じっし》し，種類《しゅるい》，位置《いち》（場所《ばしょ》，高《たか》さ等《とう》）及《およ》び管理者《かんりしゃ》を確認《かくにん》する。
4　上下作業《じょうげさぎょう》は極力《きょくりょく》さけることとするが，やむを得《え》ず上下作業《じょうげさぎょう》を行《おこな》うときは，事前《じぜん》に両者《りょうしゃ》の作業責任者《さぎょうせきにんしゃ》と場所《ばしょ》，内容《ないよう》，時間等《じかんとう》をよく調整《ちょうせい》し，安全確保《あんぜんかくほ》をはかる。

No. 10

足場《あしば》，作業床《さぎょうゆか》の組立等《くみたてとう》に関《かん》する次《つぎ》の記述《きじゅつ》のうち，労働安全衛生規則上《ろうどうあんぜんえいせいきそくじょう》，**誤《あやま》っているもの**はどれか。

1　事業者《じぎょうしゃ》は，足場《あしば》の組立《くみた》て等作業主任者《とうさぎょうしゅにんしゃ》に，作業《さぎょう》の方法及《ほうほうおよ》び労働者《ろうどうしゃ》の配置《はいち》を決定《けってい》し，作業《さぎょう》の進行状況《しんこうじょうきょう》を監視《かんし》するほか，材料《ざいりょう》の欠点《けってん》の有無《うむ》を点検《てんけん》し，不良品《ふりょうひん》を取《と》り除《のぞ》かせなければならない。
2　事業者《じぎょうしゃ》は，強風《きょうふう》，大雨《おおあめ》，大雪等《おおゆきとう》の悪天候若《あくてんこうも》しくは中震《ちゅうしん》（震度《しんど》4）以上《いじょう》の地震《じしん》の後《あと》において，足場《あしば》における作業《さぎょう》を行《おこな》うときは，_作業開始後直《さぎょうかいしごただ》ちに，点検《てんけん》しなければならない。（☆）
3　事業者《じぎょうしゃ》は，足場《あしば》の組立《くみた》て等作業《とうさぎょう》において，材料《ざいりょう》，器具《きぐ》，工具等《こうぐとう》を上《あ》げ，又《また》は下《お》ろすときは，つり綱《つな》，つり袋等《ふくろとう》を労働者《ろうどうしゃ》に使用《しよう》させなければならない。
4　事業者《じぎょうしゃ》は，足場《あしば》の構造及《こうぞうおよ》び材料《ざいりょう》に応《おう》じて，作業床《さぎょうゆか》の最大積載荷重《さいだいせきさいかじゅう》を定《さだ》め，かつ，これを超《こ》えて積載《せきさい》してはならない。

正答　別冊P.129

No. 11

墜落《ついらく》による危険《きけん》を防止《ぼうし》するための安全《あんぜん》ネット（防網《ぼうもう》）の使用上《しようじょう》の留意《りゅうい》点《てん》に関《かん》する次《つぎ》の記述《きじゅつ》のうち，**適当《てきとう》でないもの**はどれか。

1　人体又《じんたいまた》はこれと同等以上《どうとういじょう》の重《おも》さを有《ゆう》する落下物《らっかぶつ》による衝撃《しょうげき》を受《う》けたネットは，入念《にゅうねん》に点検《てんけん》したうえで使用《しよう》すること。

2　ネットが有毒《ゆうどく》ガスに暴露《ばくろ》された場合等《ばあいなど》においては，ネットの使用後《しようご》に試験用糸《しけんよういと》について，等速引張試験《とうそくひっぱりしけん》を行《おこな》うこと。

3　溶接《ようせつ》や溶断《ようだん》の火花《ひばな》，破《やぶ》れや切《き》れ等《など》で破損《はそん》したネットは，その破損部分《はそんぶぶん》が補修《ほしゅう》されていない限《かぎ》り使用《しよう》しないこと。

4　ネットの材料《ざいりょう》は合成繊維《ごうせいせんい》とし，支持点《しじてん》の間隔《かんかく》は，ネット周辺《しゅうへん》からの墜落《ついらく》による危険《きけん》がないものであること。

No. 12

土工工事《どこうこうじ》における明《あか》り掘削《くっさく》の作業《さぎょう》にあたり事業者《じぎょうしゃ》が遵守《じゅんしゅ》しなければならない事項《じこう》に関《かん》する次《つぎ》の記述《きじゅつ》のうち，労働安全衛生法令上《ろうどうあんぜんえいせいほうれいじょう》，**正《ただ》しいもの**はどれか。

1　運搬機械《うんぱんきかい》，掘削機械《くっさくきかい》，積込機械《つみこみきかい》については，運行《うんこう》の経路《けいろ》，これらの機械《きかい》の土石《どせき》の積卸《つみおろ》し場所《ばしょ》への出入《でい》りの方法《ほうほう》を定《さだ》め，地山《じやま》の掘削作業主任者《くっさくさぎょうしゅにんしゃ》に知《し》らせなければならない。

2　掘削機械《くっさくきかい》，積込機械等《つみこみきかいとう》の使用《しよう》によるガス導管《どうかん》，地中電線路等《ちちゅうでんせんろとう》の損壊《そんかい》により労働《ろうどう》者《しゃ》に危険《きけん》を及《およ》ぼすおそれのあるときは，これらの機械《きかい》を使用《しよう》してはならない。

3　地山《じやま》の崩壊又《ほうかいまた》は土石《どせき》の落下《らっか》により労働者《ろうどうしゃ》に危険《きけん》を及《およ》ぼすおそれのあるときは，あらかじめ，土止《どど》め支保工《しほこう》を設《もう》け，防護網《ぼうごあみ》を張《は》り，労働者《ろうどうしゃ》の立入《たちい》り措置《そち》を講《こう》じなければならない。（☆）

4　掘削面《くっさくめん》の高《たか》さ2m以上《いじょう》の場合《ばあい》，土止《どど》め支保工作業主任者《しほこうさぎょうしゅにんしゃ》に，作業《さぎょう》の方法《ほうほう》を決定《けってい》し，作業《さぎょう》を直接指揮《ちょくせつしき》すること，器具及《きぐおよ》び工具《こうぐ》を点検《てんけん》し，不良品《ふりょうひん》を取《と》り除《のぞ》くことを行《おこな》わせる。

No. 13

コンクリート構造物《こうぞうぶつ》の解体作業《かいたいさぎょう》に関《かん》する次《つぎ》の記述《きじゅつ》のうち，**適当《てきとう》でないもの**はどれか。

1　転倒方式《てんとうほうしき》による取《と》り壊《こわ》しでは，解体《かいたい》する主構造部《しゅこうぞうぶ》に複数本《ふくすうぼん》の引《ひ》きワイヤを堅固《けんご》に取《と》り付《つ》け，引《ひ》きワイヤで加力《かりょく》する際《さい》は，繰《く》り返《かえ》し荷重《かじゅう》をかけてゆすってはいけない。

2　ウォータージェットによる取《と》り壊《こわ》しでは，取《と》り壊《こわ》し対象物周辺《たいしょうぶつしゅうへん》に防護《ぼうご》フェンスを設置《せっち》するとともに，水流《すいりゅう》が貫通《かんつう》するので取《と》り壊《こわ》し対象物《たいしょうぶつ》の裏側《うらがわ》は立《た》ち入《い》り禁止《きんし》

とする。

3　カッタによる取《と》り壊《こわ》しでは，撤去側躯体《てっきょがわくたい》ブロックにカッタを堅固《けんご》に取《と》り付《つ》けるとともに，切断面付近《せつだんめんふきん》にシートを設置《せっち》して冷却水《れいきゃくすい》の飛散防止《ひさんぼうし》をはかる。

4　圧砕機《あっさいき》及《およ》び大型《おおがた》ブレーカによる取《と》り壊《こわ》しでは，解体《かいたい》する構造物《こうぞうぶつ》からコンクリート片《へん》の飛散《ひさん》，構造物《こうぞうぶつ》の倒壊範囲《とうかいはんい》を予測《よそく》し，作業員《さぎょういん》，建設機械《けんせつきかい》を安全作業位置《あんぜんさぎょういち》に配《はい》置《ち》しなければいけない。

No. 14　道路《どうろ》のアスファルト舗装《ほそう》の品質管理《ひんしつかんり》に関《かん》する次《つぎ》の記述《きじゅつ》のうち，**適当《てきとう》でないもの**はどれか。

1　表層《ひょうそう》，基層《きそう》の締固《しめかた》め度《ど》の管理《かんり》は，通常《つうじょう》は切取《きりとり》コアの密度《みつど》を測定《そくてい》して行《おこな》うが，コア採取《さいしゅ》の頻度《ひんど》は工程《こうてい》の初期《しょき》は多《おお》めに，それ以降《いこう》は少《すく》なくして，混合物《こんごうぶつ》の温度《おんど》と締《しめ》固《かた》め状況《じょうきょう》に注意《ちゅうい》して行《おこな》う。

2　工事施工途中《こうじせこうとちゅう》で作業員《さぎょういん》や施工機械等《せこうきかいなど》の組合《くみあわ》せを変更《へんこう》する場合《ばあい》は，品質管理《ひんしつかんり》の各《かく》項目《こうもく》に関《かん》する試験頻度《しけんひんど》を増《ま》し，新《あら》たな組合《くみあわ》せによる品質《ひんしつ》の確認《かくにん》を行《おこな》う。

3　下層路盤《かそうろばん》の締固《しめかた》め度《ど》の管理《かんり》は，試験施工《しけんせこう》や工程《こうてい》の初期《しょき》におけるデータから，現《げん》場《ば》の作業《さぎょう》を定常化《ていじょうか》して締固《しめかた》め回数《かいすう》による管理《かんり》に切《き》り替《か》えた場合《ばあい》には，必《かなら》ず密度試《みつどし》験《けん》による確認《かくにん》を行《おこな》う。

4　管理結果《かんりけっか》を工程能力図《こうていのうりょくず》にプロットし，その結果《けっか》が管理《かんり》の限界《げんかい》をはずれた場合《ばあい》，あるいは一方《いっぽう》に片寄《かたよ》っている等《など》の結果《けっか》が生《しょう》じた場合《ばあい》，直《ただ》ちに試験頻度《しけんひんど》を増《ふ》やして異常《いじょう》の有無《うむ》を確認《かくにん》する。

No. 15　路床《ろしょう》や路盤《ろばん》の品質管理《ひんしつかんり》に用《もち》いられる試験方法《しけんほうほう》に関《かん》する次《つぎ》の記述《きじゅつ》のうち，**適当《てきとう》でないもの**はどれか。

1　突固《つきかた》め試験《しけん》は，土《つち》が締《し》め固《かた》められた時《とき》の乾燥密度《かんそうみつど》と含水比《がんすいひ》の関係《かんけい》を求《もと》め，路床《ろしょう》や路盤《ろばん》を構築《こうちく》する際《さい》における材料《ざいりょう》の選定《せんてい》や管理《かんり》することを目的《もくてき》として実施《じっし》する。

2　RIによる密度《みつど》の測定《そくてい》は，路床《ろしょう》や路盤等《ろばんなど》の現場《げんば》における締《し》め固《かた》められた材料《ざいりょう》の密《みつ》度《ど》及《およ》び含水比《がんすいひ》を求《もと》めることを目的《もくてき》として実施《じっし》する。

3　平板載荷試験《へいばんさいかしけん》は，地盤支持力係数《じばんしじりょくけいすう》K値《ち》を求《もと》め，路床《ろしょう》や路盤《ろばん》の支持力《しじりょく》を把握《はあく》することを目的《もくてき》として実施《じっし》する。

4　プルーフローリング試験《しけん》は，路床《ろしょう》や路盤《ろばん》のトラフィカビリティーを判定《はんてい》することを目的《もくてき》として実施《じっし》する。

正答　別冊P.131

No. 16

JIS A 5308に準拠《じゅんきょ》したレディーミクストコンクリートの受入《うけい》れ検査《けんさ》に関《かん》する次《つぎ》の記述《きじゅつ》のうち，**適当《てきとう》でないもの**はどれか。

1　スランプ試験《しけん》を行《おこな》ったところ，12.0cmの指定《してい》に対《たい》して10.0cmであったため，合格《ごうかく》と判定《はんてい》した。

2　空気量試験《くうきりょうしけん》を行《おこな》ったところ，4.5％の指定《してい》に対《たい》して3.0％であったため，合格《ごうかく》と判定《はんてい》した。

3　塩化物含有量《えんかぶつがんゆうりょう》の検査《けんさ》を行《おこな》ったところ，塩化物《えんかぶつ》イオン（Cl^{-}）量《りょう》として1.0kg/m^3であったため，合格《ごうかく》と判定《はんてい》した。

4　アルカリシリカ反応対策《はんのうたいさく》について，コンクリート中《ちゅう》のアルカリ総量《そうりょう》が2.0kg/m^3であったため，合格《ごうかく》と判定《はんてい》した。

No. 17

建設工事《けんせつこうじ》における騒音《そうおん》・振動対策《しんどうたいさく》に関《かん》する次《つぎ》の記述《きじゅつ》のうち，**適当《てきとう》でないもの**はどれか。

1　騒音《そうおん》・振動《しんどう》の防止対策《ぼうしたいさく》については，騒音《そうおん》・振動《しんどう》の大《おお》きさを下《さ》げるほか，発生期《はっせいき》間《かん》を短縮《たんしゅく》する等全体的《などぜんたいてき》に影響《えいきょう》が小《ちい》さくなるよう検討《けんとう》しなければならない。

2　騒音防止対策《そうおんぼうしたいさく》は，音源対策《おんげんたいさく》が基本《きほん》だが，伝搬経路対策及《でんぱんけいろたいさくおよ》び受音側対策《じゅおんがわたいさく》をバランスよく行《おこな》うことが重要《じゅうよう》である。

3　建設工事《けんせつこうじ》に伴《ともな》う地盤振動《じばんしんどう》に対《たい》する防止対策《ぼうしたいさく》においては，振動《しんどう》エネルギーが拡散《かくさん》した状態《じょうたい》となる受振対象《じゅしんたいしょう》で実施《じっし》することは，一般《いっぱん》に大規模《だいきぼ》になりがちであり効果《こうか》的《てき》ではない。

4　建設機械《けんせつきかい》の発生《はっせい》する音源《おんげん》の騒音対策《そうおんたいさく》は，発生《はっせい》する騒音《そうおん》と作業効率《さぎょうこうりつ》には大《おお》きな関《かん》係《けい》があり，低騒音型機械《ていそうおんがたきかい》の導入《どうにゅう》においては，作業効率《さぎょうこうりつ》が低下《ていか》するので，日程《にってい》の調《ちょう》整《せい》が必要《ひつよう》となる。

No. 18

建設工事《けんせつこうじ》における土壌汚染対策《どじょうおせんたいさく》に関《かん》する次《つぎ》の記述《きじゅつ》のうち，**適当《てきとう》でないもの**はどれか。

1　土壌汚染対策《どじょうおせんたいさく》は，汚染状況《おせんじょうきょう》（汚染物質《おせんぶっしつ》，汚染濃度等《おせんのうどなど》），将来的《しょうらいてき》な土地《とち》の利用方《りようほう》法《ほう》，事業者《じぎょうしゃ》や土地所有者《とちしょゆうしゃ》の意向等《いこうなど》を考慮《こうりょ》し，覆土《ふくど》，完全浄化《かんぜんじょうか》，原位置封《げんいちふう》じ込《こ》め等《など》，適切《てきせつ》な対策目標《たいさくもくひょう》を設定《せってい》することが必要《ひつよう》である。

2　地盤汚染対策工事《じばんおせんたいさくこうじ》においては，工事車両《こうじしゃりょう》のタイヤ等《など》に汚染土壌《おせんどじょう》が付着《ふちゃく》し，場外《じょうがい》に出《で》ることのないよう，車両《しゃりょう》の出口《でぐち》にタイヤ洗浄装置及《せんじょうそうちおよ》び車体《しゃたい》の洗浄施設《せんじょうしせつ》を備《そな》え，洗浄水《せんじょうすい》は直《ただ》ちに場外《じょうがい》に排水《はいすい》する。

3　地盤汚染対策工事《じばんおせんたいさくこうじ》においては，汚染土壌対策《おせんどじょうたいさく》の作業《さぎょう》エリアを区分《くぶん》し，作業《さぎょう》エリ

アと場外《じょうがい》の間《あいだ》に除洗区域《じょせんくいき》を設置《せっち》し，作業服等《さぎょうふくなど》の着替《きが》えを行《おこな》う。

4　地盤汚染対策工事《じばんおせんたいさくこうじ》における屋外掘削《おくがいくっさく》の場合《ばあい》，飛散防止《ひさんぼうし》ネットを設置《せっち》し，散水《さんすい》して飛散《ひさん》を防止《ぼうし》する。

No. 19　「建設工事《けんせつこうじ》に係《かか》る資材《しざい》の再資源化等《さいしげんかとう》に関《かん》する法律《ほうりつ》」（建設《けんせつ》リサイクル法《ほう》）に関《かん》する次《つぎ》の記述《きじゅつ》のうち，**正《ただ》しいもの**はどれか。

1　発注者《はっちゅうしゃ》に義務付《ぎむづ》けられている対象建設工事《たいしょうけんせつこうじ》の事前届出《じぜんとどけで》に関《かん》し，元請負業者《もとうけおいぎょうしゃ》は，届出《とどけで》に係《かか》る事項《じこう》について発注者《はっちゅうしゃ》に書面《しょめん》で説明《せつめい》しなければならない。

2　特定建設資材《とくていけんせつしざい》は，コンクリート，コンクリート及《およ》び鉄《てつ》から成《な》る建設資材《けんせつしざい》，木材《もくざい》，アスファルト・コンクリート，プラスチックの品目《ひんもく》が定《さだ》められている。

3　対象建設工事《たいしょうけんせつこうじ》の受注者《じゅちゅうしゃ》は，分別解体等《ぶんべつかいたいとう》に伴《ともな》って生《しょう》じた特定建設資材廃棄物《とくていけんせつしざいはいきぶつ》について，すべて再資源化《さいしげんか》をしなければならない。

4　解体工事業者《かいたいこうじぎょうしゃ》は，工事現場《こうじげんば》における解体工事《かいたいこうじ》の施工《せこう》に関《かん》する技術上《ぎじゅつじょう》の管理《かんり》をつかさどる安全責任者《あんぜんせきにんしゃ》を選任《せんにん》しなければならない。

No. 20　建設工事《けんせつこうじ》に伴《ともな》う産業廃棄物《さんぎょうはいきぶつ》（特別管理産業廃棄物《とくべつかんりさんぎょうはいきぶつ》を除《のぞ》く）の処分《しょぶん》に関《かん》する次《つぎ》の記述《きじゅつ》のうち，廃棄物《はいきぶつ》の処理及《しょりおよ》び清掃《せいそう》に関《かん》する法令上《ほうれいじょう》，**正《ただ》しいもの**はどれか。

1　多量排出事業者《たりょうはいしゅつじぎょうしゃ》は，当該事業場《とうがいじぎょうじょう》に係《かか》る産業廃棄物《さんぎょうはいきぶつ》の減量《げんりょう》その他《た》その処理《しょり》に関《かん》する計画《けいかく》を作成《さくせい》し，都道府県知事《とどうふけんちじ》に提出《ていしゅつ》しなければならない。

2　排出事業者《はいしゅつじぎょうしゃ》が，当該産業廃棄物《とうがいさんぎょうはいきぶつ》を生《しょう》ずる事業場《じぎょうじょう》の外《そと》において自《みずか》ら保管《ほかん》するときは，あらかじめ当該工事《とうがいこうじ》の発注者《はっちゅうしゃ》へ届《とど》け出《で》なければならない。

3　排出事業者《はいしゅつじぎょうしゃ》は，産業廃棄物《さんぎょうはいきぶつ》の運搬又《うんぱんまた》は処分《しょぶん》を業《ぎょう》とする者《もの》に委託《いたく》した場合《ばあい》，産業《さんぎょう》廃棄物《はいきぶつ》の処分《しょぶん》の終了後《しゅうりょうご》，産業廃棄物管理票《さんぎょうはいきぶつかんりひょう》を交付《こうふ》しなければならない。

4　排出事業者《はいしゅつじぎょうしゃ》は，非常災害時《ひじょうさいがいじ》に応急処置《おうきゅうしょち》として行《おこな》う建設工事《けんせつこうじ》に伴《ともな》い生《しょう》ずる産業廃《さんぎょうはい》棄物《きぶつ》を事業場《じぎょうじょう》の外《そと》に保管《ほかん》する場合《ばあい》には，規模《きぼ》の大小《だいしょう》にかかわらず市町村長《しちょうそんちょう》に届《とど》け出《で》なければならない。

正答　別冊P.133

※**問題番号《もんだいばんごう》No.21～No.35までの15問題《もんだい》は，施工管理法《せこうかんりほう》（応用能力《おうようのうりょく》）の必須問題《ひっすもんだい》ですから全問題《ぜんもんだい》を解答《かいとう》してください。**

No. 21 仮設工事計画立案《かせつこうじけいかくりつあん》の留意事項《りゅういじこう》に関《かん》する下記《かき》の文章中《ぶんしょうちゅう》の［　　　］の（イ）～（ニ）に当《あ》てはまる語句《ごく》の組合《くみあわ》せとして，**適当《てきとう》なもの**は次《つぎ》のうちどれか。

・仮設工事《かせつこうじ》の材料《ざいりょう》は，一般《いっぱん》の市販品《しはんひん》を使用《しよう》して可能《かのう》な限《かぎ》り規格《きかく》を統一《とういつ》し，その主要《しゅよう》な部材《ぶざい》については他工事《たこうじ》［　(イ)　］計画《けいかく》にする。
・仮設構造物設計《かせつこうぞうぶつせっけい》における安全率《あんぜんりつ》は，本体構造物《ほんたいこうぞうぶつ》よりも割引《わりび》いた値《あたい》を［　(ロ)　］。
・仮設工事計画《かせつこうじけいかく》では，取扱《とりあつか》いが容易《ようい》でできるだけユニット化《か》を心《こころ》がけるとともに，［　(ハ)　］を考慮《こうりょ》し，省力化《しょうりょくか》が図《はか》れるものとする。
・仮設構造物設計《かせつこうぞうぶつせっけい》における荷重《かじゅう》は短期荷重《たんきかじゅう》で算定《さんてい》する場合《ばあい》が多《おお》く，また，転用材《てんようざい》を使用《しよう》するときには，一時的《いちじてき》な短期荷重扱《たんきかじゅうあつか》い［　(ニ)　］。

（イ）　　　　　　　（ロ）　　　　　　　（ハ）　　　　　（ニ）

1　からの転用《てんよう》はさける……採用《さいよう》してはならない……資機材不足《しきざいぶそく》……が妥当《だとう》である
2　にも転用《てんよう》できる……………採用《さいよう》することが多《おお》い……作業員不足《さぎょういんぶそく》……は妥当《だとう》ではない
3　からの転用《てんよう》はさける……採用《さいよう》してはならない……資機材不足《しきざいぶそく》……は妥当《だとう》ではない
4　にも転用《てんよう》できる……………採用《さいよう》することが多《おお》い……作業員不足《さぎょういんぶそく》……が妥当《だとう》である

No. 22 公共工事《こうきょうこうじ》における施工体制台帳《せこうたいせいだいちょう》に関《かん》する下記《かき》の文章中《ぶんしょうちゅう》の［　　　］の（イ）～（ニ）に当《あ》てはまる語句《ごく》の組合《くみあわ》せとして，**適当《てきとう》なもの**は次《つぎ》のうちどれか。

・下請業者《したうけぎょうしゃ》は，請負《うけお》った工事《こうじ》をさらに他《た》の建設業《けんせつぎょう》を営《いとな》む者《もの》に請《う》け負《お》わせたときは，施工体制台帳《せこうたいせいだいちょう》を修正《しゅうせい》するため再下請通知書《さいしたうけつうちしょ》を［　(イ)　］に提出《ていしゅつ》しなければならない。
・施工体制台帳《せこうたいせいだいちょう》には，建設工事《けんせつこうじ》の名称《めいしょう》，内容及《ないようおよ》び工期《こうき》，許可《きょか》を受《う》けて営《いとな》む建設業《けんせつぎょう》の種類《しゅるい》，［　(ロ)　］等《など》を記載《きさい》しなければならない。
・発注者《はっちゅうしゃ》から直接工事《ちょくせつこうじ》を請負《うけお》った建設業者《けんせつぎょうしゃ》は，当該工事《とうがいこうじ》を施工《せこう》するため，［　(ハ)　］，施工体制台帳《せこうたいせいだいちょう》を作成《さくせい》しなければならない。
・元請業者《もとうけぎょうしゃ》は，施工体制台帳《せこうたいせいだいちょう》と合《あ》わせて施工《せこう》の分担関係《ぶんたんかんけい》を表示《ひょうじ》した［　(ニ)　］を作成《さくせい》し，工事関係者《こうじかんけいしゃ》や公衆《こうしゅう》が見《み》やすい場所《ばしょ》に掲《かか》げなければならない。

	(イ)	(ロ)	(ハ)	(ニ)
1	発注者《はっちゅうしゃ》	健康保険《けんこうほけん》の加入状況《かにゅうじょうきょう》	一定額以上《いっていがくいじょう》の下請金額《したうけきんがく》の場合《ばあい》は	施工体系図《せこうたいけいず》
2	元請業者《もとうけぎょうしゃ》	建設工事《けんせつこうじ》の作業手順《さぎょうてじゅん》	一定額以上《いっていがくいじょう》の下請金額《したうけきんがく》の場合《ばあい》は	緊急連絡網《きんきゅうれんらくもう》
3	元請業者《もとうけぎょうしゃ》	健康保険《けんこうほけん》の加入状況《かにゅうじょうきょう》	下請金額《したうけきんがく》にかかわらず	施工体系図《せこうたいけいず》
4	発注者《はっちゅうしゃ》	建設工事《けんせつこうじ》の作業手順《さぎょうてじゅん》	下請金額《したうけきんがく》にかかわらず	緊急連絡網《きんきゅうれんらくもう》

No. 23

土留《どど》め壁《へき》を構築《こうちく》する場合《ばあい》における掘削底面《くっさくていめん》の破壊現象《はかいげんしょう》に関《かん》する下記《かき》の文章中《ぶんしょうちゅう》の［　　　　］の（イ）～（ニ）に当《あ》てはまる語句《ごく》の組合《くみあわ》せとして，**適当《てきとう》なもの**は次《つぎ》のうちどれか。

・ボイリングとは，遮水性《しゃすいせい》の土留《どど》め壁《へき》を用《もち》いた場合《ばあい》に水位差《すいいさ》により上向《うわむ》きの浸透流《しんとうりゅう》が生《しょう》じ，この浸透圧《しんとうあつ》が土《つち》の有効重量《ゆうこうじゅうりょう》を超《こ》えると，沸騰《ふっとう》したように沸《わ》き上《あ》がり掘削《くっさく》底面《ていめん》の土《つち》が［（イ）］を失《うしな》い，急激《きゅうげき》に土留《どど》めの安定性《あんていせい》が損《そこ》なわれる現象《げんしょう》である。

・パイピングとは，地盤《じばん》の弱《よわ》い箇所《かしょ》の［（ロ）］が浸透流《しんとうりゅう》により洗《あら》い流《なが》され地中《ちちゅう》に水《みず》みちが拡大《かくだい》し，最終的《さいしゅうてき》にはボイリング状《じょう》の破壊《はかい》に至《いた》る現象《げんしょう》である。

・ヒービングとは，土留《どど》め背面《はいめん》の土《つち》の重量《じゅうりょう》や土留《どど》めに接近《せっきん》した地表面《ちひょうめん》での上載荷重《じょうさいかじゅう》等《など》により，掘削底面《くっさくていめん》［（ハ）］が生《しょう》じ最終的《さいしゅうてき》には土留《どど》め崩壊《ほうかい》に至《いた》る現象《げんしょう》である。

・盤《ばん》ぶくれとは，地盤《じばん》が［（ニ）］のとき上向《うわむ》きの浸透流《しんとうりゅう》は生《しょう》じないが［（ニ）］下《か》面《めん》に上向《うわむ》きの水圧《すいあつ》が作用《さよう》し，これが上方《じょうほう》の土《つち》の重《おも》さ以上《いじょう》となる場合《ばあい》は，掘削底面《くっさくていめん》が浮《う》き上《あ》がり，最終的《さいしゅうてき》にはボイリング状《じょう》の破壊《はかい》に至《いた》る現象《げんしょう》である。

	(イ)	(ロ)	(ハ)	(ニ)
1	透水性《とうすいせい》	粘性土《ねんせいど》	の隆起《りゅうき》	透水層《とうすいそう》
2	せん断抵抗《だんていこう》	土粒子《どりゅうし》	の隆起《りゅうき》	難透水層《なんとうすいそう》
3	透水性《とうすいせい》	土粒子《どりゅうし》	に陥没《かんぼつ》	難透水層《なんとうすいそう》
4	せん断抵抗《だんていこう》	粘性土《ねんせいど》	に陥没《かんぼつ》	透水層《とうすいそう》

No. 24

施工計画《せこうけいかく》における建設機械《けんせつきかい》の選定《せんてい》に関《かん》する下記《かき》の文章中《ぶんしょうちゅう》の［　　　　］の（イ）～（ニ）に当《あ》てはまる語句《ごく》の組合《くみあわ》せとして，**適当《てきとう》なもの**は次《つぎ》のうちどれか。

・建設機械《けんせつきかい》の組合《くみあわ》せ選定《せんてい》は，従作業《じゅうさぎょう》の施工能力《せこうのうりょく》を主作業《しゅさぎょう》の施工能力《せこうのうりょく》と同等《どうとう》，あるいは幾分《いくぶん》［（イ）］にする。

・建設機械《けんせつきかい》の選定《せんてい》は，工事施工上《こうじせこうじょう》の制約条件《せいやくじょうけん》より最《もっと》も適《てき》した建設機械《けんせつきかい》を選定《せんてい》し，その機械《きかい》が［（ロ）］能力《のうりょく》を発揮《はっき》できる施工法《せこうほう》を選定《せんてい》することが合理的《ごうりてき》かつ経済的《けいざいてき》である。

正答　別冊 P.135

・建設機械《けんせつきかい》の使用計画《しようけいかく》を立《た》てる場合《ばあい》には，作業量《さぎょうりょう》をできるだけ［　(ハ)　］し，施工期《せこうき》間中《かんちゅう》の使用機械《しようきかい》の必要量《ひつようりょう》が大《おお》きく変動《へんどう》しないように計画《けいかく》するのが原則《げんそく》である。
・機械施工《きかいせこう》における［　(ニ)　］の指標《しひょう》として施工単価《せこうたんか》の概念《がいねん》を導入《どうにゅう》して，施工単価《せこうたんか》を安《やす》くする工夫《くふう》が要求《ようきゅう》される。

	(イ)	(ロ)	(ハ)	(ニ)
1	高《たか》め	最大《さいだい》の	集中化《しゅうちゅうか》	経済性《けいざいせい》
2	低《ひく》め	平均的《へいきんてき》な	集中化《しゅうちゅうか》	安全性《あんぜんせい》
3	低《ひく》め	平均的《へいきんてき》な	平滑化《へいかつか》	安全性《あんぜんせい》
4	高《たか》め	最大《さいだい》の	平滑化《へいかつか》	経済性《けいざいせい》

No. 25 工程管理《こうていかんり》に関《かん》する下記《かき》の文章中《ぶんしょうちゅう》の［　　］の（イ）～（ニ）に当《あ》てはまる語句《ごく》の組合《くみあわ》せとして，**適当《てきとう》なもの**は次《つぎ》のうちどれか。

・施工計画《せこうけいかく》では，施工順序《せこうじゅんじょ》，施工法等《せこうほうなど》の施工《せこう》の基本方針《きほんほうしん》を決定《けってい》し，［　(イ)　］では，手順《てじゅん》と日程《にってい》の計画《けいかく》，工程表《こうていひょう》の作成《さくせい》を行《おこな》う。
・施工計画《せこうけいかく》で決定《けってい》した施工順序《せこうじゅんじょ》，施工法等《せこうほうなど》に基《もと》づき，［　(ロ)　］では，工事《こうじ》の指示《しじ》，施工監督《せこうかんとく》を行《おこな》う。
・工程管理《こうていかんり》の統制機能《とうせいきのう》における［　(ハ)　］では，工程進捗《こうていしんちょく》の計画《けいかく》と実施《じっし》との比較《ひかく》をし，進捗報告《しんちょくほうこく》を行《おこな》う。
・工程管理《こうていかんり》の改善機能《かいぜんきのう》は，施工《せこう》の途中《とちゅう》で基本計画《きほんけいかく》を再評価《さいひょうか》し，改善《かいぜん》の余地《よち》があれば計画立案段階《けいかくりつあんだんかい》にフィードバックし，［　(ニ)　］では，作業《さぎょう》の改善《かいぜん》，工程《こうてい》の促進《そくしん》，再《さい》計画《けいかく》を行《おこな》う。

	(イ)	(ロ)	(ハ)	(ニ)
1	工程計画《こうていけいかく》	工事実施《こうじじっし》	進度管理《しんどかんり》	立会検査《たちあいけんさ》
2	段階計画《だんかいけいかく》	工事監視《こうじかんし》	安全管理《あんぜんかんり》	是正措置《ぜせいそち》
3	工程計画《こうていけいかく》	工事実施《こうじじっし》	進度管理《しんどかんり》	是正措置《ぜせいそち》
4	段階計画《だんかいけいかく》	工事監視《こうじかんし》	安全管理《あんぜんかんり》	立会検査《たちあいけんさ》

No. 26　工程管理《こうていかんり》に使《つか》われる各工程表《かくこうていひょう》の特徴《とくちょう》に関《かん》する下記《かき》の文章中《ぶんしょうちゅう》の［　　　］の（イ）～（ニ）に当《あ》てはまる語句《ごく》の組合《くみあわ》せとして，**適当《てきとう》なもの**は次《つぎ》のうちどれか。

・トンネル工事《こうじ》のように工事区間《こうじくかん》が線上《せんじょう》に長《なが》く，工事《こうじ》の進行方向《しんこうほうこう》が一定方向《いっていほうこう》に進捗《しんちょく》していく工事《こうじ》には［　(イ)　］が用《もち》いられることが多《おお》い。
・1つの作業《さぎょう》の遅《おく》れや変化《へんか》が工事全体《こうじぜんたい》の工程《こうてい》にどのように影響《えいきょう》してくるかを早《はや》く，正確《せいかく》に把握《はあく》できるのが［　(ロ)　］である。
・各作業《かくさぎょう》の予定《よてい》と実績《じっせき》との差《さ》を直視的《ちょくしてき》に比較《ひかく》するのに便利《べんり》であり，施工中《せこうちゅう》の作業《さぎょう》の進捗状況《しんちょくじょうきょう》もよくわかるのが［　(ハ)　］である。
・各作業《かくさぎょう》の開始日《かいしび》から終了日《しゅうりょうび》までの所要日数《しょようにっすう》がわかり，各作業間《かくさぎょうかん》の関連《かんれん》も把握《はあく》することができるのが［　(ニ)　］である。

	(イ)	(ロ)	(ハ)	(ニ)
1	バーチャート	グラフ式工程表《しきこうていひょう》	ネットワーク式工程表《しきこうていひょう》	ガントチャート
2	バーチャート	ネットワーク式工程表《しきこうていひょう》	グラフ式工程表《しきこうていひょう》	ガントチャート
3	斜線式工程表《しゃせんしきこうていひょう》	グラフ式工程表《しきこうていひょう》	ネットワーク式工程表《しきこうていひょう》	バーチャート
4	斜線式工程表《しゃせんしきこうていひょう》	ネットワーク式工程表《しきこうていひょう》	グラフ式工程表《しきこうていひょう》	バーチャート

No. 27　工程管理《こうていかんり》を行《おこな》う上《うえ》で，品質《ひんしつ》・工程《こうてい》・原価《げんか》に関《かん》する下記《かき》の文章中《ぶんしょうちゅう》の［　　　］の（イ）～（ニ）に当《あ》てはまる語句《ごく》の組合《くみあわ》せとして，**適当《てきとう》なもの**は次《つぎ》のうちどれか。

・一般的《いっぱんてき》に工程《こうてい》と原価《げんか》の関係《かんけい》は，施工《せこう》を速《はや》めると原価《げんか》は段々安《だんだんやす》くなっていき，さらに施工速度《せこうそくど》を速《はや》めて突貫作業《とっかんさぎょう》を行《おこな》うと，原価《げんか》は［　(イ)　］なる。
・原価《げんか》と品質《ひんしつ》の関係《かんけい》は，悪《わる》い品質《ひんしつ》のものは安《やす》くできるが，良《よ》いものは原価《げんか》が［　(ロ)　］なる。
・一般的《いっぱんてき》に品質《ひんしつ》と工程《こうてい》の関係《かんけい》は，品質《ひんしつ》の良《よ》いものは時間《じかん》がかかり，施工《せこう》を速《はや》めて突《とっ》貫作業《かんさぎょう》をすると，品質《ひんしつ》は［　(ハ)　］。
・工程《こうてい》，原価《げんか》，品質《ひんしつ》との間《あいだ》には相反《あいはん》する性質《せいしつ》があり，［　(ニ)　］計画《けいかく》し，工期《こうき》を守《まも》り，品質《ひんしつ》を保《たも》つように管理《かんり》することが大切《たいせつ》である。

（語句の組合せは次ページに掲載）

正答　別冊P.137

	（イ）	（ロ）	（ハ）	（ニ）
1	ますます安《やす》く……	さらに安《やす》く……	かわらない………	それぞれ単独《たんどく》に
2	逆《ぎゃく》に高《たか》く…………	高《たか》く…………………	悪《わる》くなる…………	これらの調整《ちょうせい》を図《はか》りながら
3	ますます安《やす》く……	さらに安《やす》く……	かわらない………	これらの調整《ちょうせい》を図《はか》りながら
4	逆《ぎゃく》に高《たか》く…………	高《たか》く…………………	悪《わる》くなる…………	それぞれ単独《たんどく》に

No. 28

車両系建設機械《しゃりょうけいけんせつきかい》を用《もち》いる作業《さぎょう》の安全確保《あんぜんかくほ》のために事業者《じぎょうしゃ》が講《こう》じるべき措置《そち》に関《かん》する下記《かき》の文章中《ぶんしょうちゅう》の［　　　］の（イ）～（ニ）に当《あ》てはまる語句《ごく》の組合《くみあわ》せとして，労働安全衛生規則上《ろうどうあんぜんえいせいきそくじょう》，**正《ただ》しいもの**は次《つぎ》のうちどれか。

・事業者《じぎょうしゃ》は，車両系建設機械《しゃりょうけいけんせつきかい》を用《もち》いて作業《さぎょう》を行《おこな》うときは，［（イ）］にブレーキやクラッチの機能《きのう》について点検《てんけん》を行《おこな》わなければならない。
・事業者《じぎょうしゃ》は，車両系建設機械《しゃりょうけいけんせつきかい》の運転《うんてん》について誘導者《ゆうどうしゃ》を置《お》くときは，［（ロ）］合図《あいず》を定《さだ》め，誘導者《ゆうどうしゃ》に当該合図《とうがいあいず》を行《おこな》わせなければならない。
・事業者《じぎょうしゃ》は，車両系建設機械《しゃりょうけいけんせつきかい》の修理又《しゅうりまた》はアタッチメントの装着若《そうちゃくも》しくは取《と》り外《はず》しの作業《さぎょう》を行《おこな》うときは，［（ハ）］を定《さだ》め，作業手順《さぎょうてじゅん》の決定等《けっていとう》の措置《そち》を講《こう》じさせなければならない。
・事業者《じぎょうしゃ》は，車両系建設機械《しゃりょうけいけんせつきかい》を用《もち》いて作業《さぎょう》を行《おこな》うときは，［（ニ）］以外《いがい》の箇所《かしょ》に労《ろう》働者《どうしゃ》を乗《の》せてはならない。(☆)

	（イ）	（ロ）	（ハ）	（ニ）
1	作業《さぎょう》の前日《ぜんじつ》……………………………	一定《いってい》の………………	作業指揮者《さぎょうしきしゃ》………	乗車席《じょうしゃせき》
2	作業《さぎょう》の前日《ぜんじつ》……………………………	状況《じょうきょう》に応《おう》じた……	作業主任者《さぎょうしゅにんしゃ》………	助手席《じょしゅせき》
3	その日《ひ》の作業《さぎょう》を開始《かいし》する前《まえ》……	状況《じょうきょう》に応《おう》じた……	作業主任者《さぎょうしゅにんしゃ》………	助手席《じょしゅせき》
4	その日《ひ》の作業《さぎょう》を開始《かいし》する前《まえ》……	一定《いってい》の………………	作業指揮者《さぎょうしきしゃ》………	乗車席《じょうしゃせき》

No. 29

移動式《いどうしき》クレーンの安全確保《あんぜんかくほ》に関《かん》する措置《そち》のうち，下記《かき》の文章中《ぶんしょうちゅう》の［　　　］の（イ）～（ニ）に当《あ》てはまる語句《ごく》の組合《くみあわ》せとして，クレーン等安全規則上《とうあんぜんきそくじょう》，**正《ただ》しいもの**は次《つぎ》のうちどれか。

・移動式《いどうしき》クレーンの運転者《うんてんしゃ》は，荷《に》をつったままで運転位置《うんてんいち》を［（イ）］。
・移動式《いどうしき》クレーンの定格荷重《ていかくかじゅう》とは，フックやグラブバケット等《とう》のつり具《ぐ》の重量《じゅうりょう》を［（ロ）］荷重《かじゅう》をいい，ブームの傾斜角《けいしゃかく》や長《なが》さにより変化《へんか》する。
・事業者《じぎょうしゃ》は，アウトリガーを有《ゆう》する移動式《いどうしき》クレーンを用《もち》いて作業《さぎょう》を行《おこな》うときは，原則《げんそく》としてアウトリガーを［（ハ）］に張《は》り出《だ》さなければならない。

・事業者《じぎょうしゃ》は，移動式《いどうしき》クレーンを用《もち》いる作業《さぎょう》においては，移動式《いどうしき》クレーンの運転者《うんてんしゃ》が単独《たんどく》で作業《さぎょう》する場合《ばあい》を除《のぞ》き，［ (ニ) ］を行《おこな》う者《もの》を指名《しめい》しなければならない。

	(イ)	(ロ)	(ハ)	(ニ)
1	離《はな》れてはならない	含《ふく》む	最大限《さいだいげん》	合図《あいず》
2	離《はな》れてはならない	含《ふく》まない	最大限《さいだいげん》	合図《あいず》
3	離《はな》れて荷姿《にすがた》を確認《かくにん》する	含《ふく》む	必要最小限《ひつようさいしょうげん》	監視《かんし》
4	離《はな》れて荷姿《にすがた》を確認《かくにん》する	含《ふく》まない	必要最小限《ひつようさいしょうげん》	監視《かんし》

No. 30

工事中《こうじちゅう》の埋設物《まいせつぶつ》の損傷等《そんしょうなど》の防止《ぼうし》のために行《おこな》うべき措置《そち》に関《かん》する下記《かき》の文章中《ぶんしょうちゅう》の［　　］の（イ）～（ニ）に当《あ》てはまる語句《ごく》の組合《くみあわ》せとして，建設工事《けんせつこうじ》公衆災害防止対策要綱上《こうしゅうさいがいぼうしたいさくようこうじょう》，**正《ただ》しいもの**は次《つぎ》のうちどれか。

・発注者又《はっちゅうしゃまた》は施工者《せこうしゃ》は，施工《せこう》に先立《さきだ》ち，埋設物《まいせつぶつ》の管理者等《かんりしゃなど》が保管《ほかん》する台帳《だいちょう》と設計図《せっけいず》面《めん》を照《て》らし合《あ》わせ，細心《さいしん》の注意《ちゅうい》のもとで試掘等《しくつなど》を行《おこな》い，原則《げんそく》として［ (イ) ］をしなければならない。
・施工者《せこうしゃ》は，管理者《かんりしゃ》の不明《ふめい》な埋設物《まいせつぶつ》を発見《はっけん》した場合《ばあい》，必要《ひつよう》に応《おう》じて［ (ロ) ］の立会《たちあ》いを求《もと》め，埋設物《まいせつぶつ》に関《かん》する調査《ちょうさ》を再度行《さいどおこな》い，安全《あんぜん》を確認《かくにん》した後《のち》に措置《そち》しなければならない。
・施工者《せこうしゃ》は，埋設物《まいせつぶつ》の位置《いち》が掘削床付《くっさくとこづ》け面《めん》より［ (ハ) ］等《など》，通常《つうじょう》の作業位置《さぎょういち》からの点検等《てんけんなど》が困難《こんなん》な場合《ばあい》には，原則《げんそく》として，あらかじめ点検等《てんけんなど》のための通路《つうろ》を設置《せっち》しなければならない。
・発注者又《はっちゅうしゃまた》は施工者《せこうしゃ》は，埋設物《まいせつぶつ》の位置《いち》，名称《めいしょう》，管理者《かんりしゃ》の連絡先等《れんらくさきなど》を記載《きさい》した標示板《ひょうじばん》の取付《とりつ》け等《など》を工夫《くふう》するとともに，［ (ニ) ］等《など》に確実《かくじつ》に伝達《でんたつ》しなければならない。

	(イ)	(ロ)	(ハ)	(ニ)
1	写真記録《しゃしんきろく》	労働基準監督署《ろうどうきじゅんかんとくしょ》	低《ひく》い	工事関係者《こうじかんけいしゃ》
2	目視確認《もくしかくにん》	労働基準監督署《ろうどうきじゅんかんとくしょ》	高《たか》い	近隣住民《きんりんじゅうみん》
3	写真記録《しゃしんきろく》	専門家《せんもんか》	低《ひく》い	近隣住民《きんりんじゅうみん》
4	目視確認《もくしかくにん》	専門家《せんもんか》	高《たか》い	工事関係者《こうじかんけいしゃ》

正答　別冊P.138

No. 31

酸素欠乏《さんそけつぼう》のおそれのある工事《こうじ》を行《おこな》う際《さい》，事業者《じぎょうしゃ》が行《おこな》うべき措置《そち》に関《かん》する下記《かき》の文章中《ぶんしょうちゅう》の［　　　］の（イ）～（ニ）に当《あ》てはまる語句《ごく》の組合《くみあわ》せとして，酸素欠乏症等防止規則上《さんそけつぼうしょうとうぼうしきそくじょう》，**正《ただ》しいもの**は次《つぎ》のうちどれか。

・事業者《じぎょうしゃ》は，作業《さぎょう》の性質上換気《せいしつじょうかんき》することが著《いちじる》しく困難《こんなん》な場合《ばあい》，同時《どうじ》に就業《しゅうぎょう》する労働者《ろうどうしゃ》の［　(イ)　］の空気呼吸器等《くうきこきゅうきとう》を備《そな》え，労働者《ろうどうしゃ》にこれを使用《しよう》させなければならない。
・事業者《じぎょうしゃ》は，第一種酸素欠乏危険作業《だいいっしゅさんそけつぼうきけんさぎょう》に係《かか》る業務《ぎょうむ》に労働者《ろうどうしゃ》を就《つ》かせるときは，［　(ロ)　］に対《たい》し，酸素欠乏症《さんそけつぼうしょう》の防止等《ぼうしとう》に関《かん》する特別教育《とくべつきょういく》を行《おこな》わなければならない。
・事業者《じぎょうしゃ》は，酸素欠乏危険作業《さんそけつぼうきけんさぎょう》に労働者《ろうどうしゃ》を従事《じゅうじ》させるときは，入場及《にゅうじょうおよ》び退場《たいじょう》の際《さい》，［　(ハ)　］を点検《てんけん》しなければならない。
・事業者《じぎょうしゃ》は，第二種酸素欠乏危険作業《だいにしゅさんそけつぼうきけんさぎょう》に労働者《ろうどうしゃ》を従事《じゅうじ》させるときは，［　(ニ)　］に，空気中《くうきちゅう》の酸素及《さんそおよ》び硫化水素《りゅうかすいそ》の濃度《のうど》を測定《そくてい》しなければならない。

	(イ)	(ロ)	(ハ)	(ニ)
1	人数《にんずう》と同数以上《どうすういじょう》	当該労働者《とうがいろうどうしゃ》	人員《じんいん》	その日《ひ》の作業《さぎょう》を開始《かいし》する前《まえ》
2	人数分《にんずうぶん》	当該労働者《とうがいろうどうしゃ》	保護具《ほごぐ》	その作業《さぎょう》の前日《ぜんじつ》
3	人数分《にんずうぶん》	作業指揮者《さぎょうしきしゃ》	保護具《ほごぐ》	その日《ひ》の作業《さぎょう》を開始《かいし》する前《まえ》
4	人数《にんずう》と同数以上《どうすういじょう》	作業指揮者《さぎょうしきしゃ》	人員《じんいん》	その作業《さぎょう》の前日《ぜんじつ》

No. 32

土木工事《どぼくこうじ》の品質管理《ひんしつかんり》に関《かん》する下記《かき》の文章中《ぶんしょうちゅう》の［　　　］の（イ）～（ニ）に当《あ》てはまる語句《ごく》の組合《くみあわ》せとして，**適当《てきとう》なもの**は次《つぎ》のうちどれか。

・品質管理《ひんしつかんり》の目的《もくてき》は，契約約款《けいやくやっかん》，設計図書等《せっけいとしょなど》に示《しめ》された規格《きかく》を十分満足《じゅうぶんまんぞく》するような構造物等《こうぞうぶつなど》を最《もっと》も［　(イ)　］施工《せこう》することである。
・品質《ひんしつ》［　(ロ)　］は，構造物《こうぞうぶつ》の品質《ひんしつ》に重要《じゅうよう》な影響《えいきょう》を及《およ》ぼすもの，工程《こうてい》に対《たい》して処置《しょち》をとりやすいようにすぐに結果《けっか》がわかるもの等《など》に留意《りゅうい》して決定《けってい》する。
・品質《ひんしつ》［　(ハ)　］では，設計値《せっけいち》を十分満《じゅうぶんみ》たすような品質《ひんしつ》を実現《じつげん》するため，品質《ひんしつ》のばらつきの度合《どあ》いを考慮《こうりょ》して，余裕《よゆう》を持《も》った品質《ひんしつ》を目標《もくひょう》にしなければならない。
・作業標準《さぎょうひょうじゅん》は，品質《ひんしつ》［　(ハ)　］を実現《じつげん》するための［　(ニ)　］での試験方法等《しけんほうほうなど》に関《かん》する基準《きじゅん》を決《き》めるものである。

	(イ)	(ロ)	(ハ)	(ニ)
1	早《はや》く	標準《ひょうじゅん》	特性《とくせい》	完了後《かんりょうご》の検査《けんさ》
2	早《はや》く	特性《とくせい》	標準《ひょうじゅん》	完了後《かんりょうご》の検査《けんさ》
3	経済的《けいざいてき》に	特性《とくせい》	標準《ひょうじゅん》	各段階《かくだんかい》の作業《さぎょう》
4	経済的《けいざいてき》に	標準《ひょうじゅん》	特性《とくせい》	各段階《かくだんかい》の作業《さぎょう》

No. 33 情報化施工《じょうほうかせこう》におけるTS（トータルステーション）・GNSS（全球測位《ぜんきゅうそくい》衛星《えいせい》システム）を用《もち》いた盛土《もりど》の締固《しめかた》め管理《かんり》に関《かん》する下記《かき》の文章中《ぶんしょうちゅう》の［　　］の（イ）～（ニ）に当《あ》てはまる語句《ごく》の組合《くみあわ》せのうち，**適当《てきとう》なもの**は次《つぎ》のうちどれか。

・盛土材料《もりどざいりょう》をまき出《だ》す際《さい》は，盛土施工範囲《もりどせこうはんい》の全面《ぜんめん》にわたって，試験施工《しけんせこう》で決定《けってい》したまき出《だ》し厚《あつ》［（イ）］のまき出《だ》し厚《あつ》となるように管理《かんり》する。
・盛土材料《もりどざいりょう》を締《し》め固《かた》める際《さい》は，盛土施工範囲《もりどせこうはんい》の全面《ぜんめん》にわたって，［（ロ）］だけ締《し》め固《かた》めたことを示《しめ》す色《いろ》がモニタに表示《ひょうじ》されるまで締《し》め固《かた》める。
・TS・GNSSを用《もち》いた盛土《もりど》の締固《しめかた》め管理《かんり》システムの適用《てきよう》にあたっては，地形条件《ちけいじょうけん》や電波障害《でんばしょうがい》の有無等《うむなど》を［（ハ）］調査《ちょうさ》し，システム適用可否《てきようかひ》を確認《かくにん》する。
・TS・GNSSを用《もち》いて締固《しめかた》め機械《きかい》の走行記録《そうこうきろく》をもとに，盛土《もりど》の締固《しめかた》め管理《かんり》をする方《ほう》法《ほう》は，［（ニ）］の一《ひと》つである。

	（イ）	（ロ）	（ハ）	（ニ）
1	以下《いか》	規定回数《きていかいすう》	事前《じぜん》に	品質規定《ひんしつきてい》
2	以上《いじょう》	規定時間《きていじかん》	施工開始後《せこうかいしご》に	品質規定《ひんしつきてい》
3	以上《いじょう》	規定時間《きていじかん》	施工開始後《せこうかいしご》に	工法規定《こうほうきてい》
4	以下《いか》	規定回数《きていかいすう》	事前《じぜん》に	工法規定《こうほうきてい》

No. 34 鉄筋《てっきん》コンクリート構造物《こうぞうぶつ》の品質管理《ひんしつかんり》におけるコンクリート中《ちゅう》の鉄筋位《てっきんい》置《ち》を推定《すいてい》する非破壊試験《ひはかいしけん》に関《かん》する下記《かき》の文章中《ぶんしょうちゅう》の［　　］の（イ）～（ニ）に当《あ》てはまる語句《ごく》の組合《くみあわ》せとして，**適当《てきとう》なもの**は次《つぎ》のうちどれか。

・かぶりの大《おお》きい橋梁下部構造《きょうりょうかぶこうぞう》の鉄筋位置《てっきんいち》を推定《すいてい》する場合《ばあい》，［（イ）］が，［（ロ）］より適《てき》する。
・［（イ）］は，コンクリートが［（ハ）］，測定《そくてい》が困難《こんなん》になる可能性《かのうせい》がある。
・［（ロ）］において，かぶりの大《おお》きさを測定《そくてい》する場合《ばあい》，鉄筋間隔《てっきんかんかく》が設計《せっけい》かぶりの［（ニ）］の場合《ばあい》は補正《ほせい》が必要《ひつよう》になる。

	（イ）	（ロ）	（ハ）	（ニ）
1	電磁波《でんじは》レーダ法《ほう》	電磁誘導法《でんじゆうどうほう》	乾燥《かんそう》しすぎていると	1.5倍以上《ばいいじょう》
2	電磁誘導法《でんじゆうどうほう》	電磁波《でんじは》レーダ法《ほう》	水《みず》を多《おお》く含《ふく》んでいると	1.5倍以上《ばいいじょう》
3	電磁波《でんじは》レーダ法《ほう》	電磁誘導法《でんじゆうどうほう》	水《みず》を多《おお》く含《ふく》んでいると	1.5倍以下《ばいいか》
4	電磁誘導法《でんじゆうどうほう》	電磁波《でんじは》レーダ法《ほう》	乾燥《かんそう》しすぎていると	1.5倍以下《ばいいか》

正答　別冊P.139

No. 35 コンクリートの施工《せこう》の品質管理《ひんしつかんり》に関《かん》する下記《かき》の文章中《ぶんしょうちゅう》の［　　　］の（イ）～（ニ）に当《あ》てはまる語句《ごく》の組合《くみあわ》せとして，**適当《てきとう》なもの**は次《つぎ》のうちどれか。

・打込《うちこ》み時《じ》の材料分離《ざいりょうぶんり》を防《ふせ》ぐためには，［　(イ)　］シュートの使用《しよう》を標準《ひょうじゅん》とする。
・棒状《ぼうじょう》バイブレータにより締固《しめかた》めを行《おこな》う際《さい》，スランプ 12cm のコンクリートでは，一箇所《いっかしょ》あたりの締固《しめかた》め時間《じかん》は，［　(ロ)　］程度《ていど》とすることを標準《ひょうじゅん》とする。
・コンクリートを打《う》ち重《かさ》ねる場合《ばあい》，上層《じょうそう》のコンクリートの締固《しめかた》めでは，棒状《ぼうじょう》バイブレータが下層《かそう》のコンクリートに［　(ハ)　］ようにして締《し》め固《かた》める。
・コンクリートの仕上《しあ》げは，締固《しめかた》めが終《お》わり，上面《じょうめん》にしみ出《で》た水《みず》が［　(ニ)　］状態《じょうたい》で行《おこな》う。

	(イ)	(ロ)	(ハ)	(ニ)
1	縦《たて》	5 ～ 15 秒《びょう》	10cm 程度入《ていどはい》る	なくなった
2	縦《たて》	50 ～ 70 秒《びょう》	10cm 程度入《ていどはい》る	なくなった
3	斜《なな》め	5 ～ 15 秒《びょう》	入《はい》らない	残《のこ》った
4	斜《なな》め	50 ～ 70 秒《びょう》	入《はい》らない	残《のこ》った

正答 別冊 P.141

令和４年度　第二次検定

試験時間　165分

※問題《もんだい》１～問題《もんだい》３は必須問題《ひっすもんだい》です。必《かなら》ず解答《かいとう》してください。
問題《もんだい》１で
①設問《せつもん》１の解答《かいとう》が無記載又《むきさいまた》は記入漏《きにゅうも》れがある場合《ばあい》，
②設問《せつもん》２の解答《かいとう》が無記載又《むきさいまた》は設問《せつもん》で求《もと》められている内容以外《ないよういがい》の記述《きじゅつ》の場合《ばあい》，
どちらの場合《ばあい》にも問題《もんだい》２以降《いこう》は採点《さいてん》の対象《たいしょう》となりません。

必須問題《ひっすもんだい》

問題《もんだい》 1　あなたが経験《けいけん》した土木工事《どぼくこうじ》の現場《げんば》において，その現場状況《げんばじょうきょう》から特《とく》に留《りゅう》意《い》した安全管理《あんぜんかんり》に関《かん》して，次《つぎ》の〔設問《せつもん》 1〕，〔設問《せつもん》 2〕に答《こた》えなさい。

〔注意《ちゅうい》〕　あなたが経験《けいけん》した工事《こうじ》でないことが判明《はんめい》した場合《ばあい》は失格《しっかく》となります。

〔設問《せつもん》 1〕　あなたが**経験《けいけん》した土木工事《どぼくこうじ》**に関《かん》し，次《つぎ》の事項《じこう》について解答欄《かいとうらん》に明確《めいかく》に記《き》述《じゅつ》しなさい。

〔注意《ちゅうい》〕「経験《けいけん》した土木工事《どぼくこうじ》」は，あなたが工事請負者《こうじうけおいしゃ》の技術者《ぎじゅつしゃ》の場合《ばあい》は，あなたの所属会社《しょぞくがいしゃ》が受注《じゅちゅう》した工事内容《こうじないよう》について記述《きじゅつ》してください。従《したが》って，あなたの所属《しょぞく》会社《がいしゃ》が二次下請業者《にじしたうけぎょうしゃ》の場合《ばあい》は，発注者名《はっちゅうしゃめい》は一次下請業者名《いちじしたうけぎょうしゃめい》となります。
　なお，あなたの所属《しょぞく》が発注機関《はっちゅうきかん》の場合《ばあい》の発注者名《はっちゅうしゃめい》は，所属機関名《しょぞくきかんめい》となります。

(1) 工事名《こうじめい》
(2) 工事《こうじ》の内容《ないよう》
　① 発注者名《はっちゅうしゃめい》
　② 工事場所《こうじばしょ》
　③ 工《こう》　期《き》
　④ 主《おも》な工種《こうしゅ》
　⑤ 施《せ》 工《こう》 量《りょう》
(3) 工事現場《こうじげんば》における施工管理上《せこうかんりじょう》のあなたの立場《たちば》

解答例　別冊 P.142

〔設問《せつもん》2〕 上記工事《じょうきこうじ》の**現場状況《げんばじょうきょう》から特《とく》に留意《りゅうい》した安全管理《あんぜんかんり》**に関《かん》し，次《つぎ》の事項《じこう》について解答欄《かいとうらん》に具体的《ぐたいてき》に記述《きじゅつ》しなさい。

ただし，交通誘導員《こうつうゆうどういん》の配置《はいち》のみに関《かん》する記述《きじゅつ》は除《のぞ》く。

（1） **具体的《ぐたいてき》な現場状況《げんばじょうきょう》**と特《とく》に留意《りゅうい》した**技術的課題《ぎじゅつてきかだい》**

（2） 技術的課題《ぎじゅつてきかだい》を解決《かいけつ》するために**検討《けんとう》した項目《こうもく》と検討理由《けんとうりゆう》及《およ》び検討内容《けんとうないよう》**

（3） 上記検討《じょうきけんとう》の結果《けっか》，**現場《げんば》で実施《じっし》した対応処置《たいおうしょち》とその評価《ひょうか》**

必須問題《ひっすもんだい》

問題《もんだい》2

地下埋設物《ちかまいせつぶつ》・架空線等《かくうせんとう》に近接《きんせつ》した作業《さぎょう》に当《あ》たって，施工段階《せこうだんかい》で実施《じっし》する具体的《ぐたいてき》な対策《たいさく》について，次《つぎ》の文章《ぶんしょう》の［　　］の（イ）～（ホ）に当《あ》てはまる**適切《てきせつ》な語句《ごく》**を解答欄《かいとうらん》に記述《きじゅつ》しなさい。

（1） 掘削影響範囲《くっさくえいきょうはんい》に埋設物《まいせつぶつ》があることが分《わ》かった場合《ばあい》，その［（イ）］及《およ》び関係機《かんけいき》関《かん》と協議《きょうぎ》し，関係法令等《かんけいほうれいとう》に従《したが》い，防護方法《ぼうごほうほう》，立会《たちあい》の必要性及《ひつようせいおよ》び保安上《ほあんじょう》の必要《ひつよう》な措置等《そちとう》を決定《けってい》すること。

（2） 掘削断面内《くっさくだんめんない》に移設《いせつ》できない地下埋設物《ちかまいせつぶつ》がある場合《ばあい》は，［（ロ）］段階《だんかい》から本体《ほんたい》工事《こうじ》の埋戻《うめもど》し，復旧《ふっきゅう》の段階《だんかい》までの間《あいだ》，適切《てきせつ》に埋設物《まいせつぶつ》を防護《ぼうご》し，維持管理《いじかんり》すること。

（3） 工事現場《こうじげんば》における架空線等上空施設《かくうせんとうじょうくうしせつ》について，建設機械等《けんせつきかいとう》のブーム，ダンプトラックのダンプアップ等《とう》により，接触《せっしょく》や切断《せつだん》の可能性《かのうせい》があると考《かんが》えられる場《ば》合《あい》は次《つぎ》の保安措置《ほあんそち》を行《おこな》うこと。

① 架空線等上空施設《かくうせんとうじょうくうしせつ》への防護《ぼうご》カバーの設置《せっち》

② 工事現場《こうじげんば》の出入《でい》り口等《ぐちとう》における［（ハ）］装置《そうち》の設置《せっち》

③ 架空線等上空施設《かくうせんとうじょうくうしせつ》の位置《いち》を明示《めいじ》する看板等《かんばんとう》の設置《せっち》

④ 建設機械《けんせつきかい》のブーム等《とう》の旋回《せんかい》・［（ニ）］区域等《くいきとう》の設定《せってい》

（4） 架空線等上空施設《かくうせんとうじょうくうしせつ》に近接《きんせつ》した工事《こうじ》の施工《せこう》に当《あ》たっては，架空線等《かくうせんとう》と機械《きかい》，工《こう》具《ぐ》，材料等《ざいりょうとう》について安全《あんぜん》な［（ホ）］を確保《かくほ》すること。

必須問題《ひっすもんだい》

問題《もんだい》３　盛土《もりど》の品質管理《ひんしつかんり》における，**下記《かき》の試験《しけん》・測定方法名《そくていほうほうめい》①～⑤から２つ選《えら》び，その番号《ばんごう》，試験《しけん》・測定方法《そくていほうほう》の内容及《ないようおよ》び結果《けっか》の利用方法《りようほうほう》をそれぞれ**解答欄《かいとうらん》へ記述《きじゅつ》しなさい。

ただし，解答欄《かいとうらん》の（例《れい》）と同一内容《どういつないよう》は不可《ふか》とする。

① 砂置換法《すなちかんほう》
② RI 法《ほう》
③ 現場《げんば》CBR 試験《しけん》
④ ポータブルコーン貫入試験《かんにゅうしけん》
⑤ プルーフローリング試験《しけん》

問題《もんだい》４～問題《もんだい》11までは選択問題《せんたくもんだい》（1），（2）です。
※問題《もんだい》４～問題《もんだい》７までの選択問題《せんたくもんだい》（1）の４問題《もんだい》のうちから２問題《もんだい》を選択《せんたく》し解答《かいとう》してください。
なお，選択《せんたく》した問題《もんだい》は，解答用紙《かいとうようし》の選択欄《せんたくらん》に○印《じるし》を必《かなら》ず記入《きにゅう》してください。

選択問題《せんたくもんだい》（1）

問題《もんだい》４　コンクリートの打継目《うちつぎめ》の施工《せこう》に関《かん》する次《つぎ》の文章《ぶんしょう》の［　　　］の（イ）～（ホ）に当《あ》てはまる**適切《てきせつ》な語句《ごく》**を解答欄《かいとうらん》に記述《きじゅつ》しなさい。

(1)　打継目《うちつぎめ》は，できるだけせん断力《だんりょく》の［　(イ)　］位置《いち》に設《もう》け，打継面《うちつぎめん》を部材《ぶざい》の圧縮力《あっしゅくりょく》の作用方向《さようほうこう》と直交《ちょっこう》させるのを原則《げんそく》とする。海洋及《かいようおよ》び港湾《こうわん》コンクリート構造物《こうぞうぶつ》等《など》では，外部塩分《がいぶえんぶん》が打継目《うちつぎめ》を浸透《しんとう》し，［　(ロ)　］の腐食《ふしょく》を促進《そくしん》する可能性《かのうせい》があるのでできるだけ設《もう》けないのがよい。

(2)　コンクリートを水平《すいへい》に打《う》ち継《つ》ぐ場合《ばあい》には，既《すで》に打《う》ち込《こ》まれたコンクリートの表面《ひょうめん》のレイタンス，品質《ひんしつ》の悪《わる》いコンクリート，緩《ゆる》んだ骨材粒等《こつざいりゅうなど》を完全《かんぜん》に取《と》り除《のぞ》き，コンクリート表面《ひょうめん》を［　(ハ)　］にした後《あと》，十分《じゅうぶん》に吸水《きゅうすい》させなければならない。

(3)　既《すで》に打《う》ち込《こ》まれ硬化《こうか》したコンクリートの鉛直打継面《えんちょくうちつぎめん》は，ワイヤブラシで表面《ひょうめん》を削《けず》るか，［　(ニ)　］等《など》により［　(ハ)　］にして十分吸水《じゅうぶんきゅうすい》させた後《あと》，新《あたら》しいコンクリートを打《う》ち継《つ》がなければならない。

(4)　水密性《すいみつせい》を要《よう》するコンクリート構造物《こうぞうぶつ》の鉛直打継目《えんちょくうちつぎめ》には，［　(ホ)　］を用《もち》いることを原則《げんそく》とする。

解答例　別冊 P.142

選択問題《せんたくもんだい》（1）

問題《もんだい》5

土《つち》の締固《しめかた》めにおける試験及《しけんおよ》び品質管理《ひんしつかんり》に関《かん》する次《つぎ》の文章《ぶんしょう》の□の（イ）～（ホ）に当《あ》てはまる**適切《てきせつ》な語句《ごく》**を解答欄《かいとうらん》に記述《きじゅつ》しなさい。

(1)　土《つち》の締固《しめかた》めで最《もっと》も重要《じゅうよう》な特性《とくせい》として，下図《かず》に示《しめ》す締固《しめかた》めの含水比《がんすいひ》と密度《みつど》の関係《かんけい》が挙《あ》げられ，これは締固《しめかた》め曲線《きょくせん》と呼《よ》ばれ，ある一定《いってい》のエネルギーにおいて最《もっと》も効率《こうりつ》よく土《つち》を密《みつ》にすることができる含水比《がんすいひ》を (イ) といい，その時《とき》の乾燥密度《かんそうみつど》を最大乾燥密度《さいだいかんそうみつど》という。

(2)　締固《しめかた》め曲線《きょくせん》は土質《どしつ》によって異《こと》なり，一般《いっぱん》に礫《れき》や (ロ) では，最大乾燥密度《さいだいかんそうみつど》が高《たか》く曲線《きょくせん》が鋭《するど》くなり，シルトや (ハ) では最大乾燥密度《さいだいかんそうみつど》は低《ひく》く曲線《きょくせん》は平坦《へいたん》になる。

(3)　締固《しめかた》め品質《ひんしつ》の規定《きてい》は，締《し》め固《かた》めた土《つち》の性質《せいしつ》の恒久性《こうきゅうせい》を確保《かくほ》するとともに，盛土《もりど》に要求《ようきゅう》する (ニ) を確保《かくほ》できるように，設計《せっけい》で設定《せってい》した盛土《もりど》の所要力学《しょようりきがく》特性《とくせい》を確保《かくほ》するためのものであり， (ホ) や施工部位《せこうぶい》によって最《もっと》も合理的《ごうりてき》な品質管理方法《ひんしつかんりほうほう》を用《もち》いる必要《ひつよう》がある。

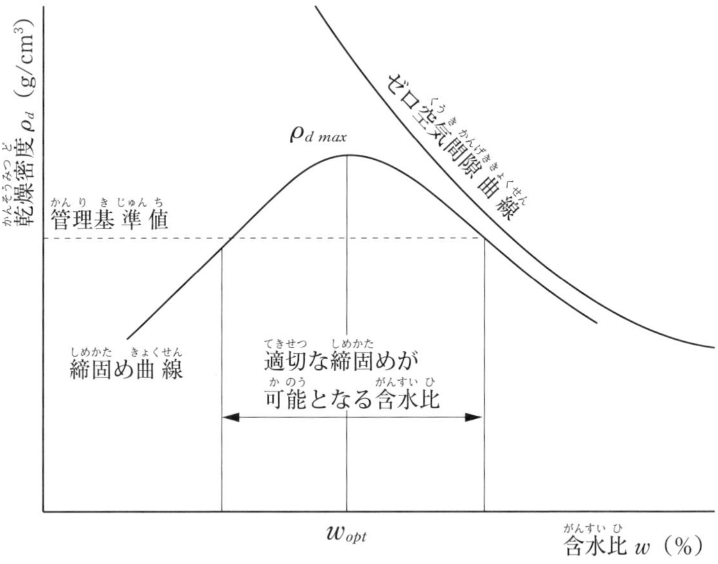

158

選択問題《せんたくもんだい》（1）

問題《もんだい》6

建設工事《けんせつこうじ》の現場《げんば》における墜落等《ついらくとう》による危険《きけん》の防止《ぼうし》に関《かん》する労働安全衛《ろうどうあんぜんえい》生法令上《せいほうれいじょう》の定《さだ》めについて，次《つぎ》の文章《ぶんしょう》の[　　　]の（イ）～（ホ）に当《あ》てはまる**適切《てきせつ》な語句《ごく》又《また》は数値《すうち》**を解答欄《かいとうらん》に記述《きじゅつ》しなさい。

（1）　事業者《じぎょうしゃ》は，高《たか》さが2m以上《いじょう》の[　(イ)　]の端《はし》や開口部等《かいこうぶとう》で，墜落《ついらく》により労働者《ろうどうしゃ》に危険《きけん》を及《およ》ぼすおそれのある箇所《かしょ》には，囲《かこ》い，手《て》すり，覆《おお》い等《とう》を設《もう》けなければならない。

（2）　墜落制止用器具《ついらくせいしようきぐ》は[　(ロ)　]型《がた》を原則《げんそく》とするが，墜落時《ついらくじ》に[　(ロ)　]型《がた》の墜落《ついらく》制止用器具《せいしようきぐ》を着用《ちゃくよう》する者《もの》が地面《じめん》に到達《とうたつ》するおそれのある場合《ばあい》（高《たか》さが6.75m以《い》下《か》）は胴《どう》ベルト型《がた》の使用《しよう》が認《みと》められる。

（3）　事業者《じぎょうしゃ》は，高《たか》さ又《また》は深《ふか》さが[　(ハ)　]mをこえる箇所《かしょ》で作業《さぎょう》を行《おこ》なうときは，当該作業《とうがいさぎょう》に従事《じゅうじ》する労働者《ろうどうしゃ》が安全《あんぜん》に昇降《しょうこう》するための設備等《せつびとう》を設《もう》けなければならない。

（4）　事業者《じぎょうしゃ》は，作業《さぎょう》のため物体《ぶったい》が落下《らっか》することにより労働者《ろうどうしゃ》に危険《きけん》を及《およ》ぼすおそれのあるときは，[　(ニ)　]の設備《せつび》を設《もう》け，立入区域《たちいりくいき》を設定《せってい》する等当該危険《とうとうがいきけん》を防《ぼう》止《し》するための措置《そち》を講《こう》じなければならない。

（5）　事業者《じぎょうしゃ》は，架設通路《かせつつうろ》で墜落《ついらく》の危険《きけん》のある箇所《かしょ》には，高《たか》さ[　(ホ)　]cm以上《いじょう》の手《て》すり等《とう》と,高《たか》さが35cm以上《いじょう》50cm以下《いか》の桟等《さんとう》の設備《せつび》を設《もう》けなければならない。

選択問題《せんたくもんだい》（1）

問題《もんだい》7

情報化施工《じょうほうかせこう》におけるTS（トータルステーション）・GNSS（全球測位《ぜんきゅうそくい》衛星《えいせい》システム）を用《もち》いた盛土《もりど》の締固《しめかた》め管理《かんり》に関《かん》する次《つぎ》の文章《ぶんしょう》の[　　　]の（イ）～（ホ）に当《あ》てはまる**適切《てきせつ》な語句《ごく》**を解答欄《かいとうらん》に記述《きじゅつ》しなさい。

（1）　施工現場周辺《せこうげんばしゅうへん》のシステム運用障害《うんようしょうがい》の有無《うむ》，TS・GNSSを用《もち》いた盛土《もりど》の締固《しめかた》め管理《かんり》システムの精度《せいど》・機能《きのう》について確認《かくにん》した結果《けっか》を[　(イ)　]に提出《ていしゅつ》する。

（2）　試験施工《しけんせこう》において，締固《しめかた》め回数《かいすう》が多《おお》いと[　(ロ)　]が懸念《けねん》される土質《どしつ》の場合《ばあい》，[　(ロ)　]が発生《はっせい》する締固《しめかた》め回数《かいすう》を把握《はあく》して，本施工《ほんせこう》での締固《しめかた》め回数《かいすう》の上限値《じょうげんち》を決定《けってい》する。

（3）　本施工《ほんせこう》の盛土《もりど》に使用《しよう》する材料《ざいりょう》の[　(ハ)　]が，所定《しょてい》の締固《しめかた》め度《ど》が得《え》られる[　(ハ)　]の範囲内《はんいない》であることを確認《かくにん》し，補助《ほじょ》データとして施工当日《せこうとうじつ》の気象状《きしょうじょう》況《きょう》（天気《てんき》・湿度《しつど》・気温等《きおんなど》）も記録《きろく》する。

（4）　本施工《ほんせこう》では盛土施工範囲《もりどせこうはんい》の[　(ニ)　]にわたって，試験施工《しけんせこう》で決定《けってい》した[　(ホ)　]厚以下《あついか》となるように[　(ホ)　]作業《さぎょう》を実施《じっし》し，その結果《けっか》を確認《かくにん》するものとする。

解答例　別冊P.145

※問題《もんだい》8～問題《もんだい》11までの選択問題《せんたくもんだい》（2）の4問題《もんだい》のうちから2問題《もんだい》を選択《せんたく》し解答《かいとう》してください。
なお，選択《せんたく》した問題《もんだい》は，解答用紙《かいとうようし》の選択欄《せんたくらん》に○印《じるし》を必《かなら》ず記入《きにゅう》してください。

選択問題《せんたくもんだい》（2）

問題《もんだい》8

下図《かず》のような切梁式土留《きりばりしきどど》め支保工内《しほこうない》の掘削《くっさく》に当《あ》たって，**下記《かき》の項目《こうもく》①～③から2つ選《えら》び，その番号《ばんごう》，実施方法又《じっしほうほうまた》は留意点《りゅういてん》**を解答欄《かいとうらん》に記述《きじゅつ》しなさい。

ただし，解答欄《かいとうらん》の（例《れい》）と同一内容《どういつないよう》は不可《ふか》とする。

① 掘削順序《くっさくじゅんじょ》
② 軟弱粘性土地盤《なんじゃくねんせいどじばん》の掘削《くっさく》
③ 漏水《ろうすい》，出水時《しゅっすいじ》の処理《しょり》

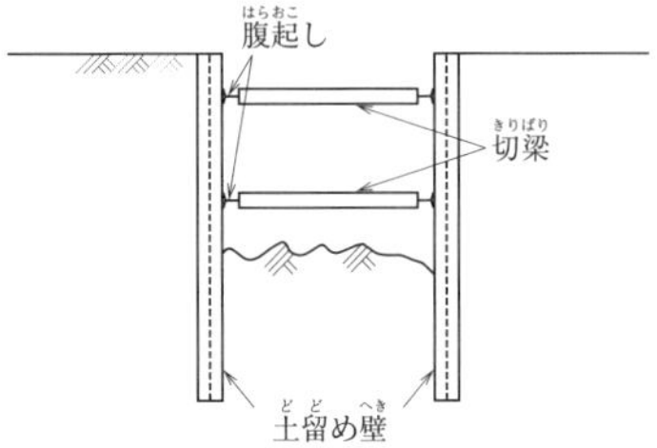

選択問題《せんたくもんだい》（2）

問題《もんだい》9

コンクリートに発生《はっせい》したひび割《わ》れ等《など》の**下記《かき》の状況図《じょうきょうず》①～④から2つ選《えら》び，その番号《ばんごう》，防止対策《ぼうしたいさく》**を解答欄《かいとうらん》に記述《きじゅつ》しなさい。

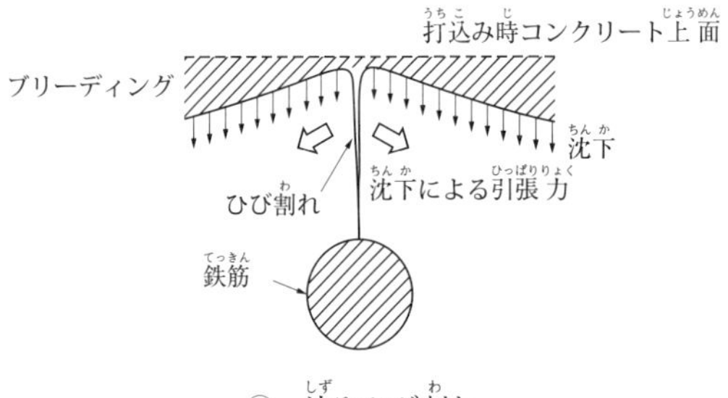

① 沈《しず》みひび割《わ》れ

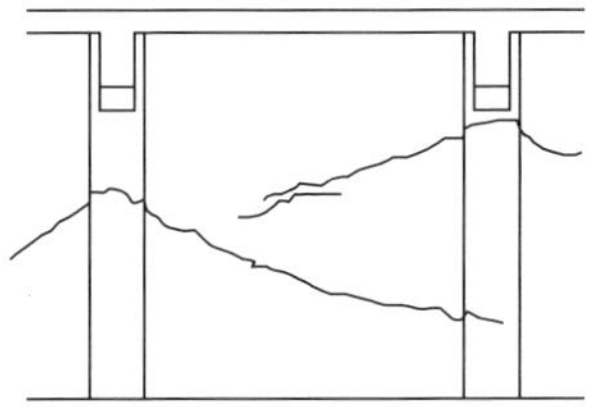

② コールドジョイント

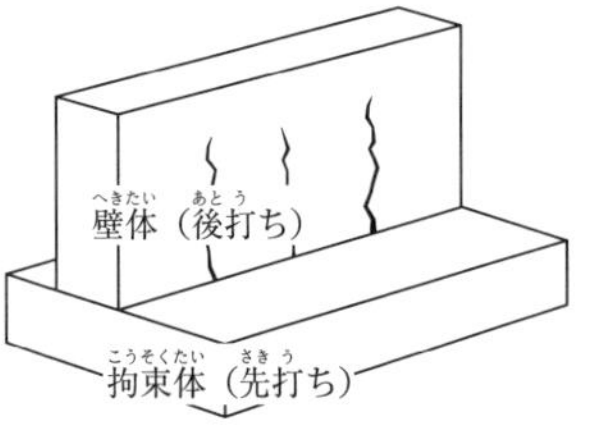

③ 水和熱《すいわねつ》による温度《おんど》ひび割《わ》れ

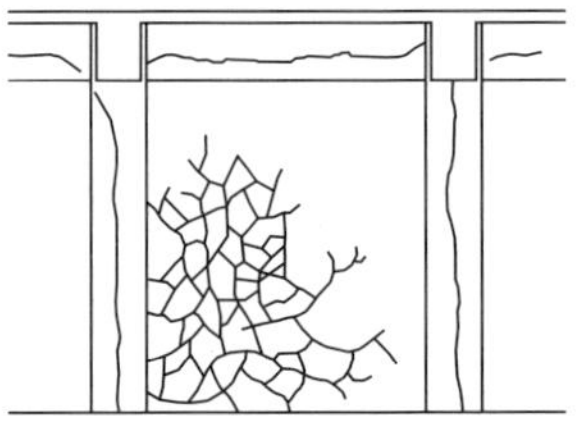

④ アルカリシリカ反応《はんのう》によるひび割《わ》れ

選択問題《せんたくもんだい》（2）

問題《もんだい》10

建設工事現場《けんせつこうじげんば》で事業者《じぎょうしゃ》が行《おこ》なうべき労働災害防止《ろうどうさいがいぼうし》の安全管理《あんぜんかんり》に関《かん》する次《つぎ》の文章《ぶんしょう》の①～⑥のすべてについて，労働安全衛生法令等《ろうどうあんぜんえいせいほうれいとう》で定《さだ》められている語句又《ごくまた》は数値《すうち》の誤《あやま》りが文中《ぶんちゅう》に含《ふく》まれている。

①～⑥から５つ選《えら》び，その番号《ばんごう》，「誤《あやま》っている語句又《ごくまた》は数値《すうち》」及《およ》び「正《ただ》しい語句又《ごくまた》は数値《すうち》」を解答欄《かいとうらん》に記述《きじゅつ》しなさい。

① 高所作業車《こうしょさぎょうしゃ》を用《もち》いて作業《さぎょう》を行《おこな》うときは，あらかじめ当該高所作業車《とうがいこうしょさぎょうしゃ》による作業《さぎょう》方法《ほうほう》を示《しめ》した作業計画《さぎょうけいかく》を定《さだ》め，関係労働者《かんけいろうどうしゃ》に周知《しゅうち》させ，当該作業《とうがいさぎょう》の指揮者《しきしゃ》を届《とど》け出《で》て，その者《もの》に作業《さぎょう》の指揮《しき》をさせなければならない。

② 高《たか》さが3m以上《いじょう》のコンクリート造《ぞう》の工作物《こうさくぶつ》の解体等《かいたいとう》の作業《さぎょう》を行《おこな》うときは，工作《こうさく》物《ぶつ》の倒壊《とうかい》，物体《ぶったい》の飛来又《ひらいまた》は落下等《らっかとう》による労働者《ろうどうしゃ》の危険《きけん》を防止《ぼうし》するため，あらかじめ当該工作物《とうがいこうさくぶつ》の形状《けいじょう》，き裂《れつ》の有無《うむ》，周囲《しゅうい》の状況等《じょうきょうとう》を調査《ちょうさ》し作業計画《さぎょうけいかく》を定《さだ》め，作業《さぎょう》を行《おこな》わなければならない。

③ 土石流危険河川《どせきりゅうきけんかせん》において建設工事《けんせつこうじ》の作業《さぎょう》を行《おこな》うときは，作業開始時《さぎょうかいしじ》にあっては当該作業開始前《とうがいさぎょうかいしまえ》48時間《じかん》における降雨量《こううりょう》を，作業開始後《さぎょうかいしご》にあっては1時間《じかん》ごとの降雨量《こううりょう》を，それぞれ雨量計等《うりょうけいとう》により測定《そくてい》し，記録《きろく》しておかなければならない。

④ 支柱《しちゅう》の高《たか》さが3.5m以上《いじょう》の型枠支保工《かたわくしほこう》を設置《せっち》するときは，打設《だせつ》しようとするコンクリート構造物《こうぞうぶつ》の概要《がいよう》，構造《こうぞう》や材質及《ざいしつおよ》び主要寸法《しゅようすんぽう》を記載《きさい》した書面及《しょめんおよ》び図面等《ずめんとう》を添付《てんぷ》して，組立開始《くみたてかいし》14日前《にちまえ》までに所轄《しょかつ》の労働基準監督署長《ろうどうきじゅんかんとくしょちょう》に提出《ていしゅつ》しなければならない。

⑤ 下水道管渠等《げすいどうかんきょとう》で酸素欠乏危険作業《さんそけつぼうきけんさぎょう》に労働者《ろうどうしゃ》を従事《じゅうじ》させる場合《ばあい》は，当該作業《とうがいさぎょう》を行《おこな》う場所《ばしょ》の空気中《くうきちゅう》の酸素濃度《さんそのうど》を18%以上《いじょう》に保《たも》つよう換気《かんき》しなければならない。しかし爆発等防止《ばくはつとうぼうし》のため換気《かんき》することができない場合等《ばあいとう》は，労働者《ろうどうしゃ》に防毒《ぼうどく》マスクを使用《しよう》させなければならない。

⑥ 土止《どど》め支保工《しほこう》の切《き》りばり及《およ》び腹《はら》おこしの取付《とりつ》けは，脱落《だつらく》を防止《ぼうし》するため，矢板《やいた》，くい等《とう》に確実《かくじつ》に取《と》り付《つ》けるとともに，火打《ひう》ちを除《のぞ》く圧縮材《あっしゅくざい》の継手《つぎて》は重《かさ》ね継手《つぎて》としなければならない。

解答例　別冊P.147

選択問題《せんたくもんだい》（2）

問題《もんだい》11

建設工事《けんせつこうじ》において，排出事業者《はいしゅつじぎょうしゃ》が「廃棄物《はいきぶつ》の処理及《しょりおよ》び清掃《せいそう》に関《かん》する法《ほう》律《りつ》」及《およ》び「建設廃棄物処理指針《けんせつはいきぶつしょりししん》」に基《もと》づき，建設廃棄物《けんせつはいきぶつ》を現場内《げんばない》で保《ほ》管《かん》する場合《ばあい》，周辺《しゅうへん》の生活環境《せいかつかんきょう》に影響《えいきょう》を及《およ》ぼさないようにするための**具《ぐ》体的措置《たいてきそち》を５つ**解答欄《かいとうらん》に記述《きじゅつ》しなさい。

ただし，特別管理産業廃棄物《とくべつかんりさんぎょうはいきぶつ》は対象《たいしょう》としない。

解答例 別冊P.149

1級土木施工管理技術検定

令和3年度問題

年　度		受検者数（人）	合格者数（人）	合格率（%）
令和6年度	第一次	51,193	22,705	44.4
	第二次	※	※	※
令和5年度	第一次	32,931	16,311	49.5
	第二次	27,304	9,060	33.2
令和4年度	第一次	38,672	21,097	54.6
	第二次	24,462	7,032	28.7
令和3年度	第一次	37,726	22,851	60.6
	第二次	26,558	9,732	36.6
令和2年度	学科	29,745	17,885	60.1
	実地	24,204	7,499	31.0

※本書編集時点では未公表

● P.260とp.275～p.280の解答用紙をコピーしてお使いください。

令和3年度　第一次検定　問題A（選択問題）

試験時間　150分

※問題番号《もんだいばんごう》No.1～No.15までの15問題《もんだい》のうちから12問題《もんだい》を選択《せんたく》し解答《かいとう》してください。

No. 1

土質試験結果《どしつしけんけっか》の活用《かつよう》に関《かん》する次《つぎ》の記述《きじゅつ》のうち，**適当《てきとう》でないもの**はどれか。

1　土《つち》の粒度試験結果《りゅうどしけんけっか》は，粒径加積曲線《りゅうけいかせききょくせん》で示《しめ》され，粒径《りゅうけい》が広《ひろ》い範囲《はんい》にわたって分布《ぶんぷ》する特性《とくせい》を有《ゆう》するものを締固《しめかた》め特性《とくせい》が良《よ》い土《つち》として用《もち》いられる。

2　土《つち》の圧密試験結果《あつみつしけんけっか》は，求《もと》められた圧密係数《あつみつけいすう》や体積圧縮係数等《たいせきあっしゅくけいすうなど》から，飽和粘性土《ほうわねんせいど》地盤《じばん》の沈下量《ちんかりょう》と沈下時間《ちんかじかん》の推定《すいてい》に用《もち》いられる。

3　土《つち》の含水比試験結果《がんすいひしけんけっか》は，土《つち》の間隙中《かんげきちゅう》に含《ふく》まれる水《みず》の質量《しつりょう》と土粒子《どりゅうし》の質量《しつりょう》の比《ひ》で示《しめ》され，乾燥密度《かんそうみつど》と含水比《がんすいひ》の関係《かんけい》から透水係数《とうすいけいすう》の算定《さんてい》に用《もち》いられる。

4　土《つち》の一軸圧縮試験結果《いちじくあっしゅくしけんけっか》は，求《もと》められた自然地盤《しぜんじばん》の非排水《ひはいすい》せん断強《だんつよ》さから，地盤《じばん》の土圧《どあつ》，支持力《しじりょく》，斜面安定等《しゃめんあんていなど》の強度定数《きょうどじょうすう》に用《もち》いられる。

No. 2

法面保護工《のりめんほごこう》の施工《せこう》に関《かん》する次《つぎ》の記述《きじゅつ》のうち，**適当《てきとう》でないもの**はどれか。

1　種子散布工《しゅしさんぷこう》は，各材料《かくざいりょう》を計量《けいりょう》した後《あと》，水《みず》，木質材料《もくしつざいりょう》，浸食防止材《しんしょくぼうしざい》，肥料《ひりょう》，種子《しゅし》の順序《じゅんじょ》でタンクへ投入《とうにゅう》し，十分攪拌《じゅうぶんかくはん》して法面《のりめん》へムラなく散布《さんぷ》する。

2　植生《しょくせい》マット工《こう》は，法面《のりめん》が平滑《へいかつ》だとマットが付着《ふちゃく》しにくくなるので，あらかじめ法面《のりめん》に凹凸《おうとつ》を付《つ》けて設置《せっち》する。

3　モルタル吹付工《ふきつけこう》は，吹付《ふきつ》けに先立《さきだ》ち，法面《のりめん》の浮石《うきいし》，ほこり，泥等《どろなど》を清掃《せいそう》した後《あと》，一般《いっぱん》に菱形金網《ひしがたかなあみ》を法面《のりめん》に張《は》り付《つ》けてアンカーピンで固定《こてい》する。

4　コンクリートブロック枠工《わくこう》は，枠《わく》の交点部分《こうてんぶぶん》に所定《しょてい》の長《なが》さのアンカーバー等《など》を設置《せっち》し，一般《いっぱん》に枠内《わくない》は良質土《りょうしつど》で埋《う》め戻《もど》し，植生《しょくせい》で保護《ほご》する。

No. 3

TS（トータルステーション）・GNSS（全球測位衛星《ぜんきゅうそくいえいせい》システム）を用《もち》いた情報化施工《じょうほうかせこう》による盛土工《もりどこう》に関《かん》する次《つぎ》の記述《きじゅつ》のうち，**適当《てきとう》でないもの**はどれか。

1　盛土《もりど》の締固《しめかた》め管理《かんり》システムは，使用機械《しようきかい》，施工現場《せこうげんば》の地形《ちけい》や立地条件《りっちじょうけん》，施工規《せこうき》模《ぼ》及《およ》び土質《どしつ》の変化等《へんかなど》の条件《じょうけん》を踏《ふ》まえて適用可否《てきようかひ》を判断《はんだん》しなければならない。

2　盛土《もりど》の締固《しめかた》め管理《かんり》システムの位置把握《いちはあく》にTSを採用《さいよう》するか，GNSSを採用《さいよう》するか検討《けんとう》し，双方《そうほう》の適用《てきよう》が困難《こんなん》な範囲《はんい》では従来《じゅうらい》の品質管理方法《ひんしつかんりほうほう》を用《もち》いなければならない。

3　盛土材料《もりどざいりょう》は，目視《もくし》による色《いろ》の確認《かくにん》や手触《てざわ》り等《など》による性状確認《せいじょうかくにん》，その他《た》の手段《しゅだん》により，試験施工《しけんせこう》で品質《ひんしつ》・施工仕様《せこうしよう》を決定《けってい》したものと同《おな》じ土質《どしつ》であることを確認《かくにん》しなければならない。

4　試験施工《しけんせこう》と同《おな》じ土質《どしつ》・含水比《がんすいひ》の盛土材料《もりどざいりょう》を使用《しよう》し，試験施工《しけんせこう》で決定《けってい》したまき出《だ》し厚《あつ》・締固《しめかた》め回数《かいすう》で施工《せこう》できたことを確認《かくにん》した場合《ばあい》でも，必《かなら》ず現場密度試験《げんばみつどしけん》を実《じっ》施《し》しなければならない。

No. 4

建設発生土《けんせつはっせいど》を工作物《こうさくぶつ》の埋戻《うめもど》しに利用《りよう》する際《さい》の留意点《りゅういてん》に関《かん》する次《つぎ》の記述《きじゅつ》のうち，**適当《てきとう》でないもの**はどれか。
ただし，「工作物《こうさくぶつ》の埋戻《うめもど》し」とは，道路《どうろ》その他《た》の地表面下《ちひょうめんか》に埋設《まいせつ》，又《また》は構築《こうちく》した各種埋設物《かくしゅまいせつぶつ》を埋《う》め戻《もど》すことをいう。

1　埋戻《うめもど》しに用《もち》いる土《つち》は，道路《どうろ》の供用後《きょうようご》に工作物《こうさくぶつ》との間《あいだ》に隙間《すきま》や段差《だんさ》が生《しょう》じないように圧縮性《あっしゅくせい》の小《ちい》さい材料《ざいりょう》を用《もち》いなければならない。

2　建設発生土《けんせつはっせいど》を安定処理《あんていしょり》して使《つか》う場合《ばあい》は，一般《いっぱん》に原位置《げんいち》に改良材《かいりょうざい》を敷《し》き均《なら》しておいてから，スタビライザー等《など》により対象土《たいしょうど》と改良材《かいりょうざい》を混合《こんごう》しなければならない。

3　埋戻《うめもど》し材《ざい》の最大粒径《さいだいりゅうけい》に関《かん》する基準《きじゅん》は，所定《しょてい》の締固《しめかた》め度《ど》が得《え》られるとともに，埋《まい》設物《せつぶつ》への損傷防止《そんしょうぼうし》のための配慮《はいりょ》も含《ふく》まれているため，埋設物《まいせつぶつ》の種類《しゅるい》によって異《こと》なる。

4　埋戻《うめもど》しに用《もち》いる土《つち》は，埋戻《うめもど》し材上部《ざいじょうぶ》に路盤《ろばん》・路床《ろしょう》と同等《どうとう》の支持力《しじりょく》を要求《ようきゅう》される場合《ばあい》もあるので，使用場所《しようばしょ》に応《おう》じて材料《ざいりょう》を選定《せんてい》する。

正答　別冊 P.150

No. 5

軟弱地盤対策工法《なんじゃくじばんたいさくこうほう》に関《かん》する次《つぎ》の記述《きじゅつ》のうち，**適当《てきとう》でないもの**はどれか。

1　サンドコンパクションパイル工法《こうほう》は，地盤内《じばんない》に鋼管《こうかん》を貫入《かんにゅう》して管内《かんない》に砂等《すなど》を投《とう》入《にゅう》し，振動《しんどう》により締《し》め固《かた》めた砂杭《すなぐい》を地中《ちちゅう》に造成《ぞうせい》することにより，支持力《しじりょく》の増加等《ぞうかなど》を図《はか》るものである。

2　ディープウェル工法《こうほう》は，地盤中《じばんちゅう》の地下水位《ちかすいい》を低下《ていか》させることにより，それまで受《う》けていた浮力《ふりょく》に相当《そうとう》する荷重《かじゅう》を下層《かそう》の軟弱層《なんじゃくそう》に載荷《さいか》して，地盤《じばん》の強度増加等《きょうどぞうかなど》を図《はか》るものである。

3　深層混合処理工法《しんそうこんごうしょりこうほう》は，原位置《げんいち》の軟弱土《なんじゃくど》と固化材《こかざい》を攪拌混合《かくはんこんごう》することにより，地《ち》中《ちゅう》に強固《きょうこ》な柱体状等《ちゅうたいじょうなど》の安定処理土《あんていしょりど》を形成《けいせい》し，すべり抵抗《ていこう》の増加《ぞうか》や沈下《ちんか》の低減《ていげん》を図《はか》るものである。

4　表層混合処理工法《ひょうそうこんごうしょりこうほう》は，表層部分《ひょうそうぶぶん》の軟弱《なんじゃく》なシルト・粘土《ねんど》と固化材《こかざい》とを攪拌混合《かくはんこんごう》して改良《かいりょう》することにより，水平方向《すいへいほうこう》の排水距離《はいすいきょり》を短《みじか》くして圧密《あつみつ》を促進《そくしん》し，地盤《じばん》の強《きょう》度増加《どぞうか》を図《はか》るものである。

No. 6

コンクリート用粗骨材《ようそこつざい》に関《かん》する次《つぎ》の記述《きじゅつ》のうち，**適当《てきとう》でないもの**はどれか。

1　砕石《さいせき》を用《もち》いた場合《ばあい》は，ワーカビリティーの良好《りょうこう》なコンクリートを得《え》るためには，砂利《じゃり》を用《もち》いた場合《ばあい》と比《くら》べて単位水量《たんいすいりょう》を小《ちい》さくする必要《ひつよう》がある。

2　コンクリートの耐火性《たいかせい》は，骨材《こつざい》の岩質《がんしつ》による影響《えいきょう》が大《おお》きく，石灰岩《せっかいがん》は耐火性《たいかせい》に劣《おと》り，安山岩等《あんざんがんなど》の火山岩系《かざんがんけい》のものは耐火性《たいかせい》に優《すぐ》れる。

3　舗装《ほそう》コンクリートに用《もち》いる粗骨材《そこつざい》の品質《ひんしつ》を評価《ひょうか》する試験方法《しけんほうほう》として，ロサンゼルス試験機《しけんき》による粗骨材《そこつざい》のすりへり試験《しけん》がある。

4　再生粗骨材《さいせいそこつざい》Ｍの耐凍害性《たいとうがいせい》を評価《ひょうか》する試験方法《しけんほうほう》として，再生粗骨材《さいせいそこつざい》Ｍの凍結融《とうけつゆう》解試験方法《かいしけんほうほう》がある。

No. 7

混和材《こんわざい》を用《もち》いたコンクリートの特徴《とくちょう》に関《かん》する次《つぎ》の記述《きじゅつ》のうち，**適当《てきとう》なもの**はどれか。

1　普通《ふつう》ポルトランドセメントの一部《いちぶ》を高炉《こうろ》スラグ微粉末《びふんまつ》で置換《ちかん》すると，コンクリートの湿潤養生期間《しつじゅんようじょうきかん》を短《みじか》くすることができ，アルカリシリカ反応《はんのう》の抑制効果《よくせいこうか》が期《き》待《たい》できる。

2　普通《ふつう》ポルトランドセメントの一部《いちぶ》を良質《りょうしつ》のフライアッシュで置換《ちかん》すると，単位《たんい》水量《すいりょう》を大《おお》きくする必要《ひつよう》があるが，長期強度《ちょうききょうど》の増進《ぞうしん》が期待《きたい》できる。

3　膨張材《ぼうちょうざい》を適切《てきせつ》に用《もち》いると，コンクリートの乾燥収縮《かんそうしゅうしゅく》や硬化収縮等《こうかしゅうしゅくなど》に起因《きいん》するひび割《わ》れの発生《はっせい》を低減《ていげん》できる。
4　シリカフュームを適切《てきせつ》に用《もち》いると，単位水量《たんいすいりょう》を減少《げんしょう》させることができ，AE減《げん》水剤《すいざい》の使用量《しようりょう》を減《へ》らすことができる。

No. 8　コンクリートの打込《うちこ》みに関《かん》する次《つぎ》の記述《きじゅつ》のうち，**適当《てきとう》でないもの**はどれか。

1　コンクリートの打込《うちこ》み時《じ》にシュートを用《もち》いる場合《ばあい》は，縦《たて》シュートを標準《ひょうじゅん》とする。
2　スラブのコンクリートが壁《かべ》，又《また》は柱《はしら》のコンクリートと連続《れんぞく》している場合《ばあい》には，壁《かべ》，又《また》は柱《はしら》のコンクリートの沈下《ちんか》がほぼ終了《しゅうりょう》してからスラブのコンクリートを打《う》ち込《こ》むことを標準《ひょうじゅん》とする。
3　コールドジョイントの発生《はっせい》を防《ふせ》ぐための許容打重《きょよううちかさ》ね時間間隔《じかんかんかく》は，外気温《がいきおん》が高《たか》いほど長《なが》くなる。
4　1回《かい》の打込《うちこ》み面積《めんせき》が大《おお》きく許容打重《きょよううちかさ》ね時間間隔《じかんかんかく》の確保《かくほ》が困難《こんなん》な場合《ばあい》には，階段《かいだん》状《じょう》にコンクリートを打《う》ち込《こ》むことが有効《ゆうこう》である。

No. 9　コンクリートの配合《はいごう》に関《かん》する次《つぎ》の記述《きじゅつ》のうち，**適当《てきとう》でないもの**はどれか。

1　水《みず》セメント比《ひ》は，コンクリートに要求《ようきゅう》される強度《きょうど》，耐久性及《たいきゅうせいおよ》び水密性等《すいみつせいなど》を考慮《こうりょ》して，これらから定《さだ》まる水《みず》セメント比《ひ》のうちで，最《もっと》も大《おお》きい値《あたい》を設定《せってい》する。
2　単位水量《たんいすいりょう》が大《おお》きくなると，材料分離抵抗性《ざいりょうぶんりていこうせい》が低下《ていか》するとともに，乾燥収縮《かんそうしゅうしゅく》が増《ぞう》加《か》する等《など》コンクリートの品質《ひんしつ》が低下《ていか》する。
3　スランプは，運搬《うんぱん》，打込《うちこ》み，締固《しめかた》め等《など》の作業《さぎょう》に適《てき》する範囲内《はんいない》で，できるだけ小《ちい》さくなるように設定《せってい》する。
4　空気量《くうきりょう》が増《ま》すとコンクリートの強度《きょうど》は小《ちい》さくなる傾向《けいこう》にあり，コンクリートの品質《ひんしつ》に影響《えいきょう》することがある。

No. 10　鉄筋《てっきん》の組立《くみた》て·継手《つぎて》に関《かん》する次《つぎ》の記述《きじゅつ》のうち，**適当《てきとう》でないもの**はどれか。

1　鉄筋《てっきん》を組《く》み立《た》ててから長時間経過《ちょうじかんけいか》した場合《ばあい》には，コンクリートを打《う》ち込《こ》む前《まえ》に，付着《ふちゃく》を害《がい》するおそれのある浮《う》き錆等《さびなど》を取《と》り除《のぞ》かなければならない。
2　エポキシ樹脂塗装鉄筋《じゅしとそうてっきん》は，腐食《ふしょく》が生《しょう》じにくいため，加工及《かこうおよ》び組立《くみた》てで損傷《そんしょう》が生《しょう》じても補修《ほしゅう》を行《おこな》わなくてよい。

正答　別冊P.152

3　重《かさ》ね継手《つぎて》における重《かさ》ね合《あ》わせ長《なが》さは，鉄筋径《てっきんけい》が大《おお》きい場合《ばあい》は，鉄筋径《てっきんけい》が小《ちい》さい場合《ばあい》より長《なが》い。

4　型枠《かたわく》に接《せっ》するスペーサは，本体《ほんたい》コンクリートと同等程度以上《どうとうていどいじょう》の品質《ひんしつ》を有《ゆう》するモルタル製《せい》あるいはコンクリート製《せい》とすることを原則《げんそく》とする。

No. 11

コンクリートの養生《ようじょう》に関《かん》する次《つぎ》の記述《きじゅつ》のうち，**適当《てきとう》でないもの**はどれか。

1　高流動《こうりゅうどう》コンクリートは，プラスティック収縮《しゅうしゅく》ひび割《わ》れが生《しょう》じやすい傾向《けいこう》があり，表面《ひょうめん》の乾燥《かんそう》を防《ふせ》ぐ対策《たいさく》を行《おこな》う。

2　膨張《ぼうちょう》コンクリートは，所要《しょよう》の強度発現及《きょうどはつげんおよ》び膨張力《ぼうちょうりょく》を得《え》るために，打《う》ち込《こ》み後《ご》，湿潤状態《しつじゅんじょうたい》に保《たも》つことがきわめて重要《じゅうよう》である。

3　マスコンクリート部材《ぶざい》では，型枠脱型時《かたわくだっけいじ》に十分《じゅうぶん》な散水《さんすい》を行《おこな》い，コンクリート表《ひょう》面《めん》の温度《おんど》をできるだけ早《はや》く下《さ》げるのがよい。

4　養生《ようじょう》のため型枠《かたわく》を取《と》り外《はず》した後《のち》にシートやフィルムによる被覆《ひふく》を行《おこな》う場合《ばあい》は，できるだけ速《すみ》やかに行《おこな》う。

No. 12

道路橋《どうろきょう》で用《もち》いられる基礎形式《きそけいしき》の種類《しゅるい》とその特徴《とくちょう》に関《かん》する次《つぎ》の記述《きじゅつ》のうち，**適当《てきとう》でないもの**はどれか。

1　支持杭基礎《しじくいきそ》における杭先端《くいせんたん》の支持層《しじそう》への根入《ねい》れの深《ふか》さは，杭工法《くいこうほう》によっても異《こと》なるものの，設計《せっけい》では少《すく》なくとも杭径程度確保《くいけいていどかくほ》することが基本《きほん》となる。

2　鋼管矢板基礎《こうかんやいたきそ》は，打込《うちこ》み工法《こうほう》，又《また》は中掘《なかぼ》り工法《こうほう》による先端支持《せんたんしじ》とし，また井筒《いづつ》部《ぶ》の下端拘束《かたんこうそく》を地盤《じばん》により期待《きたい》する構造体《こうぞうたい》であるため，支持層《しじそう》への根入《ねい》れが必要《ひつよう》となる。

3　摩擦杭基礎《まさつくいきそ》は，長期的《ちょうきてき》な鉛直変位《えんちょくへんい》について十分《じゅうぶん》な検討《けんとう》を行《おこな》い，周面摩擦力《しゅうめんまさつりょく》により所要《しょよう》の支持力《しじりょく》が得《え》られるように根入《ねい》れ深《ふか》さを確保《かくほ》する必要《ひつよう》がある。

4　ケーソン基礎《きそ》は，沈設時《ちんせつじ》に基礎周面《きそしゅうめん》の摩擦抵抗《まさつていこう》を大《おお》きくできるように構造的《こうぞうてき》な配慮等《はいりょなど》が行《おこな》われることから，基礎周面《きそしゅうめん》のみで支持《しじ》することを原則《げんそく》としている。

No. 13

既製杭《きせいぐい》の施工《せこう》に関《かん》する次《つぎ》の記述《きじゅつ》のうち，**適当《てきとう》なもの**はどれか。

1　プレボーリング杭工法《くいこうほう》では，あらかじめ推定《すいてい》した支持層《しじそう》にオーガ先端《せんたん》が近《ちか》づいたら，オーガ回転数《かいてんすう》やオーガ推進速度《すいしんそくど》をできるだけ速《はや》くして施工《せこう》することが必要《ひつよう》である。

2　中掘《なかぼ》り杭工法《くいこうほう》では，先端部《せんたんぶ》にフリクションカッターを取《と》り付《つ》けて掘削《くっさく》・沈設《ちんせつ》するが，中間層《ちゅうかんそう》が比較的硬質《ひかくてきこうしつ》で沈設《ちんせつ》が困難《こんなん》な場合《ばあい》は，杭径以上《くいけいいじょう》の拡大掘《かくだいぼ》りを行《おこな》う。

3　プレボーリング杭工法《くいこうほう》では，杭《くい》を埋設《まいせつ》する際《さい》，孔壁《こうへき》を削《けず》ることのないように確《かく》実《じつ》に行《おこな》い，ソイルセメントが杭頭部《くいとうぶ》からあふれ出《で》ることを確認《かくにん》する必要《ひつよう》がある。

4　中掘《なかぼ》り杭工法《くいこうほう》では，杭先端処理《くいせんたんしょり》を最終打撃方式《さいしゅうだげきほうしき》で行《おこな》う際《さい》，中掘《なかぼ》りから打込《うちこ》みへの切替《きりか》えは，時間《じかん》を空《あ》けて断続的《だんぞくてき》に行《おこな》う。

No. 14　場所打《ばしょう》ち杭工法《くいこうほう》における支持層《しじそう》の確認及《かくにんおよ》び支持層《しじそう》への根入《ねい》れに関《かん》する次《つぎ》の記述《きじゅつ》のうち，**適当《てきとう》なもの**はどれか。

1　リバース工法《こうほう》の場合《ばあい》は，ハンマグラブにより掘削《くっさく》した土《つち》の土質《どしつ》と深度《しんど》を設計図《せっけいと》書及《しょおよ》び土質調査試料等《どしつちょうさしりょうなど》と比較《ひかく》し，支持層《しじそう》を確認《かくにん》する。

2　アースドリル工法《こうほう》の場合《ばあい》は，一般《いっぱん》にホースから排出《はいしゅつ》される循環水《じゅんかんすい》に含《ふく》まれた土《ど》砂《しゃ》を採取《さいしゅ》し，設計図書及《せっけいとしょおよ》び土質調査試料等《どしつちょうさしりょうなど》と比較《ひかく》して，支持層《しじそう》を確認《かくにん》する。

3　オールケーシング工法《こうほう》の根入《ねい》れ長《なが》さの確認《かくにん》は，支持層《しじそう》を確認《かくにん》したのち，地盤《じばん》を緩《ゆる》めたり破壊《はかい》しないように掘削《くっさく》し，掘削完了後《くっさくかんりょうご》に深度《しんど》を測定《そくてい》して行《おこな》う。

4　深礎工法《しんそこうほう》の支持層《しじそう》への根入《ねい》れは，支持層《しじそう》を確認《かくにん》したのち基準面《きじゅんめん》を設定《せってい》したうえで必要《ひつよう》な根入《ねい》れ長《なが》さをマーキングし，その位置《いち》まで掘削機《くっさくき》が下《さ》がれば掘削完了《くっさくかんりょう》とする。

No. 15　土留《どど》め工《こう》の施工《せこう》に関《かん》する次《つぎ》の記述《きじゅつ》のうち，**適当《てきとう》でないもの**はどれか。

1　腹起《はらおこ》し材《ざい》の継手部《つぎてぶ》は弱点《じゃくてん》となりやすいため，ジョイントプレートを取《と》り付《つ》けて補強《ほきょう》し，継手位置《つぎていち》は切《きり》ばりや火打《ひう》ちの支点《してん》から遠《とお》い箇所《かしょ》とする。

2　中間杭《ちゅうかんぐい》の位置精度《いちせいど》や鉛直精度《えんちょくせいど》が低《ひく》いと，切《きり》ばりの設置《せっち》や本体構造物《ほんたいこうぞうぶつ》の施工《せこう》に支《し》障《しょう》となるため，精度管理《せいどかんり》を十分《じゅうぶん》に行《おこな》う。

3　タイロッドの施工《せこう》は，水平《すいへい》，又《また》は所定《しょてい》の角度《かくど》で，原則《げんそく》として土留《どど》め壁《へき》に直角《ちょっかく》になるように正確《せいかく》に取《と》り付《つ》ける。

4　数段《すうだん》の切《きり》ばりがある場合《ばあい》には，掘削《くっさく》に伴《ともな》って設置済《せっちず》みの切《きり》ばりに軸力《じくりょく》が増加《ぞうか》し，ボルトに緩《ゆる》みが生《しょう》じることがあるため，必要《ひつよう》に応《おう》じ増締《ましじ》めを行《おこな》う。

正答　別冊P.154

※問題番号《もんだいばんごう》No.16～No.49までの34問題《もんだい》のうちから10問題《もんだい》を選択《せんたく》し解答《かいとう》してください。

No. 16 鋼橋《こうきょう》における架設《かせつ》の施工《せこう》に関《かん》する次《つぎ》の記述《きじゅつ》のうち，**適当《てきとう》でないもの**はどれか。

1　部材《ぶざい》の組立《くみた》てに用《もち》いるドリフトピンは，仮締《かりじ》めボルトとドリフトピンの合計本数《ごうけいほんすう》の 1/3 以上使用《いじょうしよう》するのがよい。

2　吊《つ》り金具《かなぐ》は，本体自重《ほんたいじじゅう》のほかに，2 点吊《てんづ》りの場合《ばあい》には本体自重《ほんたいじじゅう》の 100％，4 点吊《てんづ》りの場合《ばあい》には 50％の不均等荷重《ふきんとうかじゅう》を考慮《こうりょ》しなければならない。

3　ジャッキをサンドル材《ざい》で組《く》み上《あ》げた架台上《かだいじょう》にセットする場合《ばあい》は，鉛直荷重《えんちょくかじゅう》の 10％以上《いじょう》の水平荷重《すいへいかじゅう》がジャッキの頭部《とうぶ》に作用《さよう》するものとして照査《しょうさ》しなければならない。

4　I 形断面部材《がただんめんぶざい》を仮置《かりお》きする場合《ばあい》は，風等《かぜなど》の横荷重《よこかじゅう》による転倒防止《てんとうぼうし》に十分配慮《じゅうぶんはいりょ》し，汚《よご》れや腐食《ふしょく》に対《たい》する養生《ようじょう》を行《おこな》い，地面《じめん》から 15cm 以上離《いじょうはな》すものとする。

No. 17 鋼道路橋《こうどうろきょう》における溶接《ようせつ》に関《かん》する次《つぎ》の記述《きじゅつ》のうち，**適当《てきとう》でないもの**はどれか。

1　外観検査《がいかんけんさ》の結果《けっか》が不合格《ふごうかく》となったスタッドジベルは全数《ぜんすう》ハンマー打撃《だげき》による曲《ま》げ検査《けんさ》を行《おこな》い，曲《ま》げても割《わ》れ等《など》の欠陥《けっかん》が生《しょう》じないものを合格《ごうかく》とし，元《もと》に戻《もど》さず，曲《ま》げたままにしておく。

2　現場溶接《げんばようせつ》において，被覆《ひふく》アーク溶接法《ようせつほう》による手溶接《てようせつ》を行《おこな》う場合《ばあい》には，溶接施工《ようせつせこう》試験《しけん》を行《おこな》う必要《ひつよう》がある。

3　エンドタブは，溶接端部《ようせつたんぶ》において所定《しょてい》の品質《ひんしつ》が確保《かくほ》できる寸法形状《すんぽうけいじょう》の材片《ざいへん》を使用《しよう》し，溶接終了後《ようせつしゅうりょうご》は，ガス切断法《せつだんほう》によって除去《じょきょ》し，その跡《あと》をグラインダ仕上《しあ》げする。

4　溶接割《ようせつわ》れの検査《けんさ》は，溶接線全体《ようせつせんぜんたい》を対象《たいしょう》として肉眼《にくがん》で行《おこな》うのを原則《げんそく》とし，判定《はんてい》が困難《こんなん》な場合《ばあい》には，磁粉探傷試験《じふんたんしょうしけん》，又《また》は浸透探傷試験《しんとうたんしょうしけん》を行《おこな》う。

No. 18 鋼道路橋《こうどうろきょう》における高力《こうりょく》ボルトの施工及《せこうおよ》び検査《けんさ》に関《かん》する次《つぎ》の記述《きじゅつ》のうち，**適当《てきとう》でないもの**はどれか。

1　溶接《ようせつ》と高力《こうりょく》ボルトを併用《へいよう》する継手《つぎて》は，それぞれが適切《てきせつ》に応力《おうりょく》を分担《ぶんたん》するよう設《せっ》計《けい》を行《おこな》い，応力《おうりょく》に直角《ちょっかく》なすみ肉溶接《にくようせつ》と高力《こうりょく》ボルト摩擦接合《まさつせつごう》とは併用《へいよう》してはならない。

2　フィラーは，継手部《つぎてぶ》の母材《ぼざい》に板厚差《いたあつさ》がある場合《ばあい》に用《もち》いるが，肌隙等《はだすきなど》の不確実《ふかくじつ》な

連結《れんけつ》を防《ふせ》ぐため2枚以上《まいいじょう》を重《かさ》ねて用《もち》いてはならない。

3　トルク法《ほう》による締付《しめつ》け検査《けんさ》において，締付《しめつ》けトルク値《ち》がキャリブレーション時《じ》に設定《せってい》したトルク値《ち》の10%を超《こ》えたものは，設定《せってい》トルク値《ち》を下回《したまわ》らない範囲《はんい》で緩《ゆる》めなければならない。

4　トルシア形高力《がたこうりょく》ボルトの締付《しめつ》け検査《けんさ》は，全数《ぜんすう》についてピンテールの切断《せつだん》の確認《かくにん》とマーキングによる外観検査《がいかんけんさ》を行《おこな》わなければならない。

No. 19

コンクリートのアルカリシリカ反応《はんのう》の抑制対策《よくせいたいさく》に関《かん》する次《つぎ》の記述《きじゅつ》のうち，**適当《てきとう》でないもの**はどれか。

1　細骨材《さいこつざい》はアルカリシリカ反応《はんのう》による膨張《ぼうちょう》を生《しょう》じさせないので，アルカリシリカ反応性試験《はんのうせいしけん》を省略《しょうりゃく》することができる。

2　アルカリシリカ反応《はんのう》では，有害《ゆうがい》な骨材《こつざい》を無害《むがい》な骨材《こつざい》と混合《こんごう》した場合《ばあい》，コンクリートの膨張量《ぼうちょうりょう》は，有害《ゆうがい》な骨材《こつざい》を単独《たんどく》で用《もち》いるよりも大《おお》きくなることがある。

3　アルカリシリカ反応抑制対策《はんのうよくせいたいさく》として，高炉《こうろ》セメントB種《しゅ》を使用《しよう》する場合《ばあい》は，スラグ混合率《こんごうりつ》40%以上《いじょう》とする。

4　海洋環境《かいようかんきょう》や凍結防止剤《とうけつぼうしざい》の影響《えいきょう》を受《う》ける地域《ちいき》で，無害《むがい》でないと判定《はんてい》された骨材《こつざい》を用《もち》いる場合《ばあい》は，外部《がいぶ》からのアルカリ金属《きんぞく》イオンや水分《すいぶん》の侵入《しんにゅう》を抑制《よくせい》する対策《たいさく》を行《おこな》うのが効果的《こうかてき》である。

No. 20

コンクリート構造物《こうぞうぶつ》の補強工法《ほきょうこうほう》に関《かん》する次《つぎ》の記述《きじゅつ》のうち，**適当《てきとう》でないもの**はどれか。

1　道路橋《どうろきょう》の床版《しょうばん》に対《たい》する接着工法《せっちゃくこうほう》では，死荷重等《しかじゅうなど》に対《たい》する既設部材《きせつぶざい》の負担《ふたん》を減《へ》らす効果《こうか》は期待《きたい》できず，接着《せっちゃく》された補強材《ほきょうざい》は補強後《ほきょうご》に作用《さよう》する車両荷重《しゃりょうかじゅう》に対《たい》してのみ効果《こうか》を発揮《はっき》する。

2　橋梁《きょうりょう》の耐震補強《たいしんほきょう》では，地震後《じしんご》の点検《てんけん》や修復作業《しゅうふくさぎょう》の容易《ようい》さを考慮《こうりょ》し，橋脚《きょうきゃく》の曲《ま》げ耐力《たいりょく》を基礎《きそ》の曲《ま》げ耐力《たいりょく》より大《おお》きくする。

3　耐震補強《たいしんほきょう》のために装置《そうち》を後付《あとづ》けする場合《ばあい》には，装置本来《そうちほんらい》の機能《きのう》を発揮《はっき》させるために，その装置《そうち》が発現《はつげん》する最大《さいだい》の強度《きょうど》と，それを支《ささ》える取付《とりつ》け部《ぶ》や既存部材《きそんぶざい》との耐力《たいりょく》の差《さ》を考慮《こうりょ》する。

4　連続繊維《れんぞくせんい》の接着《せっちゃく》により補強《ほきょう》を行《おこな》う場合《ばあい》は，既設部材《きせつぶざい》の表面状態《ひょうめんじょうたい》が直接確認《ちょくせつかくにん》できなくなるため，帯状《おびじょう》に補強部材《ほきょうぶざい》を配置《はいち》する等点検《などてんけん》への配慮《はいりょ》を行《おこな》う。

令和3年問題

正答　別冊P.156

No. 21

河川堤防《かせんていぼう》の施工《せこう》に関《かん》する次《つぎ》の記述《きじゅつ》のうち，**適当《てきとう》でないもの**はどれか。

1　築堤土《ちくていど》は，粒子《りゅうし》のかみ合《あわ》せにより強度《きょうど》を発揮《はっき》させる粗粒分《そりゅうぶん》と，透水係数《とうすいけいすう》を小《ちい》さくする細粒分《さいりゅうぶん》が，適当《てきとう》に配合《はいごう》されていることが望《のぞ》ましい。
2　トラフィカビリティーが確保《かくほ》できない土《つち》は，地山《じやま》でのトレンチによる排水《はいすい》，仮置《かりお》きによる曝気乾燥等《ばっきかんそうなど》により改良《かいりょう》することで，堤体材料《ていたいざいりょう》として使用《しよう》が可能《かのう》になる。
3　石灰《せっかい》を用《もち》いた土質安定処理工法《どしつあんていしょりこうほう》は，石灰《せっかい》が土中水《どちゅうすい》と反応《はんのう》して，吸水《きゅうすい》，発熱作用《はつねつさよう》を生《しょう》じて周辺《しゅうへん》の土《つち》から脱水《だっすい》することを主要因《しゅよういん》とするが，反応時間《はんのうじかん》はセメントに比較《ひかく》して長時間《ちょうじかん》が必要《ひつよう》である。
4　嵩上《かさあ》げや拡幅《かくふく》に用《もち》いる堤体材料《ていたいざいりょう》は，表腹付《おもてはらづ》けには既設堤防《きせつていぼう》より透水性《とうすいせい》の大《おお》きい材料《ざいりょう》を，裏腹付《うらはらづ》けには既設堤防《きせつていぼう》より透水性《とうすいせい》の小《ちい》さい材料《ざいりょう》を使用《しよう》するのが原則《げんそく》である。

No. 22

河川護岸《かせんごがん》に関《かん》する次《つぎ》の記述《きじゅつ》のうち，**適当《てきとう》でないもの**はどれか。

1　護岸《ごがん》には，一般《いっぱん》に水抜《みずぬ》きは設《もう》けないが，掘込河道等《ほりこみかどうなど》で残留水圧《ざんりゅうすいあつ》が大《おお》きくなる場合《ばあい》には，必要《ひつよう》に応《おう》じて水抜《みずぬ》きを設《もう》けるものとする。
2　縦帯工《たておびこう》は，護岸《ごがん》の法肩部《のりかたぶ》の破損《はそん》を防《ふせ》ぐために施工《せこう》され，横帯工《よこおびこう》は，護岸《ごがん》の変位《へんい》や破損《はそん》が他《ほか》に波及《はきゅう》しないよう絶縁《ぜつえん》するために施工《せこう》する。
3　現地《げんち》の残土《ざんど》や土砂等《どしゃなど》を利用《りよう》して植生《しょくせい》の回復《かいふく》を図《はか》るかご系《けい》の護岸《ごがん》では，水締《みずじ》め等《など》による空隙《くうげき》の充填《じゅうてん》を行《おこな》い，背面土砂《はいめんどしゃ》の流出《りゅうしゅつ》を防《ふせ》ぐために遮水《しゃすい》シートを設置《せっち》する。
4　河床《かしょう》が低下傾向《ていかけいこう》の河川《かせん》において，護岸《ごがん》の基礎《きそ》を埋《う》め戻《もど》す際《さい》は，可能《かのう》な限《かぎ》り大径《だいけい》の材料《ざいりょう》で寄石等《よせいしなど》により，護岸近傍《ごがんきんぼう》の流速《りゅうそく》を低減《ていげん》する等《など》の工夫《くふう》を行《おこな》う。

No. 23

河川堤防《かせんていぼう》における軟弱地盤対策工《なんじゃくじばんたいさくこう》に関《かん》する次《つぎ》の記述《きじゅつ》のうち，**適当《てきとう》なもの**はどれか。

1　表層混合処理工法《ひょうそうこんごうしょりこうほう》では，一般《いっぱん》に，改良強度《かいりょうきょうど》を確認《かくにん》する場合《ばあい》は，サンプリング試料《しりょう》を一軸圧縮試験《いちじくあっしゅくしけん》により行《おこな》い，CBR 値《ち》の場合《ばあい》は CBR 試験《しけん》により実施《じっし》する。
2　緩速盛土工法《かんそくもりどこうほう》で軟弱地盤上《なんじゃくじばんじょう》に盛土《もりど》する際《さい》の基礎地盤《きそじばん》の強度《きょうど》を確認《かくにん》する場合《ばあい》は，強度増加《きょうどぞうか》の精度《せいど》が把握《はあく》しやすい動的《どうてき》コーン貫入試験《かんにゅうしけん》が多《おお》く使用《しよう》されている。
3　堤体材料自体《ていたいざいりょうじたい》に人工的《じんこうてき》な材料《ざいりょう》を加《くわ》えて盛土自体《もりどじたい》を軽《かる》くする軽量盛土工法《けいりょうもりどこうほう》は，圧密沈下量《あつみつちんかりょう》の減少等《げんしょうなど》の効果《こうか》が得《え》られることから，河川堤防《かせんていぼう》の定規断面内《じょうぎだんめんない》に多《おお》く使用《しよう》されている。

4　軟弱《なんじゃく》な粘性土《ねんせいど》で構成《こうせい》されている基礎地盤上《きそじばんじょう》において，堤防《ていぼう》の拡幅工事中《かくふくこうじちゅう》に亀裂《きれつ》が発生《はっせい》した場合《ばあい》は，シート等《など》で亀裂《きれつ》を覆《おお》い，亀裂《きれつ》の進行《しんこう》が終了《しゅうりょう》する前《まえ》に堤体《ていたい》を切《き》り返《かえ》して締固《しめかた》めを行《おこな》う。

No. 24　砂防工事《さぼうこうじ》における施工《せこう》に関《かん》する次《つぎ》の記述《きじゅつ》のうち，**適当《てきとう》でないもの**はどれか。

1　樹木《じゅもく》を伐採《ばっさい》する区域《くいき》においては，幼齢木《ようれいぼく》や苗木《なえぎ》となる樹木《じゅもく》はできる限《かぎ》り保存《ほぞん》するとともに，抜根《ばっこん》は必要最小限《ひつようさいしょうげん》とし，萌芽《ほうが》が期待《きたい》できる樹木《じゅもく》の切株《きりかぶ》は保存《ほぞん》する。
2　砂防工事《さぼうこうじ》を行《おこな》う箇所《かしょ》は，土砂流出《どしゃりゅうしゅつ》が起《お》こりやすいことから，切土《きりど》や盛土《もりど》，掘削《くっさく》残土《ざんど》の仮置《かりお》き土砂《どしゃ》はシート等《など》で保護《ほご》する等《など》，土砂《どしゃ》の流出《りゅうしゅつ》に細心《さいしん》の注意《ちゅうい》を払《はら》う必要《ひつよう》がある。
3　材料運搬《ざいりょううんぱん》に用《もち》いる索道《さくどう》を設置《せっち》する際《さい》に必要《ひつよう》となるアンカーは，樹木《じゅもく》の伐採《ばっさい》を少《すく》なくする観点《かんてん》から，既存《きそん》の樹木《じゅもく》を利用《りよう》することを基本《きほん》とする。
4　工事《こうじ》に伴《ともな》い現場《げんば》から発生《はっせい》する余剰《よじょう》コンクリートやコンクリート塊等《かいなど》の工事廃棄《こうじはいき》物《ぶつ》は，工事現場内《こうじげんばない》に残《のこ》すことなく搬出処理《はんしゅつしょり》する。

No. 25　地《じ》すべり防止工《ぼうしこう》に関《かん》する次《つぎ》の記述《きじゅつ》のうち，**適当《てきとう》なもの**はどれか。

1　アンカーの定着長《ていちゃくちょう》は，地盤《じばん》とグラウトとの間及《あいだおよ》びテンドンとグラウトとの間《あいだ》の付着長《ふちゃくちょう》について比較《ひかく》を行《おこな》い，それらのうち短《みじか》いほうを採用《さいよう》する。
2　アンカー工《こう》は基本的《きほんてき》には，アンカー頭部《とうぶ》とアンカー定着部《ていちゃくぶ》の２つの構成要素《こうせいようそ》により成《な》り立《た》っており，締付《しめつ》け効果《こうか》を利用《りよう》するものとひき止《と》め効果《こうか》を利用《りよう》するものの２つのタイプがある。
3　杭《くい》の基礎部《きそぶ》への根入《ねい》れ長《なが》さは，杭《くい》に加《くわ》わる土圧《どあつ》による基礎部破壊《きそぶはかい》を起《お》こさないように決定《けってい》し，せん断杭《だんくい》の場合《ばあい》は原則《げんそく》として杭《くい》の全長《ぜんちょう》の 1/4 ～ 1/3 とする。
4　杭《くい》の配列《はいれつ》は，地《じ》すべりの運動方向《うんどうほうこう》に対《たい》して概《おおむ》ね平行《へいこう》になるように設計《せっけい》し，杭《くい》の間隔《かんかく》は等間隔《とうかんかく》で，削孔《さっこう》による地盤《じばん》の緩《ゆる》みや土塊《どかい》の中抜《なかぬ》けが生《しょう》じるおそれを考慮《こうりょ》して設定《せってい》する。

正答　別冊 P.158

No. 26

急傾斜地崩壊防止工《きゅうけいしゃちほうかいぼうしこう》に関《かん》する次《つぎ》の記述《きじゅつ》のうち，**適当《てきとう》でないもの**はどれか。

1　排水工《はいすいこう》は，崖崩《がけくず》れの主要因《しゅよういん》となる地表水《ちひょうすい》，地下水《ちかすい》の斜面《しゃめん》への流入《りゅうにゅう》を防止《ぼうし》することにより，斜面自体《しゃめんじたい》の安全性《あんぜんせい》を高《たか》めることを目的《もくてき》に設《もう》けられ，地表水排除工《ちひょうすいはいじょこう》と地《ち》下水排除工《かすいはいじょこう》に大別《たいべつ》される。

2　法枠工《のりわくこう》は，斜面《しゃめん》に設置《せっち》した枠材《わくざい》と枠内部《わくないぶ》を植生《しょくせい》やコンクリート張《ば》り工等《こうなど》で被覆《ひふく》することにより，斜面《しゃめん》の風化《ふうか》や侵食《しんしょく》の防止《ぼうし》，法面《のりめん》の表層崩壊《ひょうそうほうかい》を抑制《よくせい》することを目《もく》的《てき》に設《もう》けられる。

3　落石対策工《らくせきたいさくこう》は，斜面上《しゃめんじょう》の転石《てんせき》や浮石《うきいし》の除去《じょきょ》・固定《こてい》，発生《はっせい》した落石《らくせき》を斜面中部《しゃめんちゅうぶ》や下部《かぶ》で止《と》めるために設《もう》けられ，通常《つうじょう》は急傾斜地崩壊防止施設《きゅうけいしゃちほうかいぼうししせつ》に付属《ふぞく》して設置《せっち》される場合《ばあい》が多《おお》い。

4　待受《まちう》け式《しき》コンクリート擁壁工《ようへきこう》は，斜面上部《しゃめんじょうぶ》からの崩壊土砂《ほうかいどしゃ》を斜面下部《しゃめんかぶ》で待《ま》ち受《う》ける目的《もくてき》に設《もう》けられ，ポケット容量《ようりょう》が不足《ふそく》する場合《ばあい》は地山《じやま》を切土《きりど》して十分《じゅうぶん》な容量《ようりょう》を確保《かくほ》する。

No. 27

道路《どうろ》のアスファルト舗装《ほそう》における路床《ろしょう》の施工《せこう》に関《かん》する次《つぎ》の記述《きじゅつ》のうち，**適当《てきとう》でないもの**はどれか。

1　構築路床《こうちくろしょう》は，適用《てきよう》する工法《こうほう》の特徴《とくちょう》を把握《はあく》した上《うえ》で現状路床《げんじょうろしょう》の支持力《しじりょく》を低下《ていか》させないように留意《りゅうい》しながら，所定《しょてい》の品質《ひんしつ》，高《たか》さ及《およ》び形状《けいじょう》に仕上《しあ》げる。

2　置換《おきか》え工法《こうほう》は，軟弱《なんじゃく》な現地盤《げんじばん》を所定《しょてい》の深《ふか》さまで掘削《くっさく》し，良質土《りょうしつど》を原地盤《げんじばん》の上《うえ》に盛《も》り上《あ》げて構築路床《こうちくろしょう》を築造《ちくぞう》する工法《こうほう》で，掘削面以下《くっさくめんいか》の層《そう》をできるだけ乱《みだ》さないよう留意《りゅうい》して施工《せこう》する。

3　安定処理工法《あんていしょりこうほう》では，安定材《あんていざい》の散布《さんぷ》を終《お》えたのち，適切《てきせつ》な混合機械《こんごうきかい》を用《もち》いて所定《しょてい》の深《ふか》さまで混合《こんごう》し，混合《こんごう》むらが生《しょう》じた場合《ばあい》には再混合《さいこんごう》する。

4　盛土路床《もりどろしょう》は，使用《しよう》する盛土材《もりどざい》の性質《せいしつ》をよく把握《はあく》して均一《きんいつ》に敷《し》き均《なら》し，過転圧《かてんあつ》により強度増加《きょうどぞうか》が得《え》られるように締《し》め固《かた》めて仕上《しあ》げる。

No. 28

道路《どうろ》のアスファルト舗装《ほそう》における路盤《ろばん》の施工《せこう》に関《かん》する次《つぎ》の記述《きじゅつ》のうち，**適当《てきとう》でないもの**はどれか。

1　下層路盤《かそうろばん》の路上混合方式《ろじょうこんごうほうしき》によるセメント安定処理工法《あんていしょりこうほう》では，前日《ぜんじつ》の施工端部《せこうたんぶ》を乱《みだ》さないように留意《りゅうい》して新《あら》たに施工《せこう》を行《おこな》い，できるだけ早《はや》い時期《じき》に打《う》ち継《つ》ぐことが望《のぞ》ましい。

2　下層路盤《かそうろばん》の粒状路盤《りゅうじょうろばん》の施工《せこう》で，粒状路盤材料《りゅうじょうろばんざいりょう》が著《いちじる》しく水《みず》を含《ふく》み締固《しめかた》めが困難《こんなん》な

場合《ばあい》には，曝気乾燥《ばっきかんそう》や少量《しょうりょう》の石灰《せっかい》，又《また》はセメントを散布《さんぷ》，混合《こんごう》して締《し》め固《かた》めることがある。

3　下層路盤《かそうろばん》の路上混合方式《ろじょうこんごうほうしき》によるセメント安定処理工法《あんていしょりこうほう》で，地域産材料《ちいきさんざいりょう》や補足材《ほそくざい》を用《もち》いる場合《ばあい》は，整正《せいせい》した在来砂利層等《ざいらいじゃりそうなど》の上《うえ》に均一《きんいつ》に敷《し》き広《ひろ》げる。

4　下層路盤《かそうろばん》の粒状路盤《りゅうじょうろばん》の施工《せこう》で，粒状路盤材料《りゅうじょうろばんざいりょう》として砂等《すななど》の締固《しめかた》めを適切《てきせつ》に行《おこな》うためには，その上《うえ》にクラッシャラン等《など》をおいて同時《どうじ》に締《し》め固《かた》めてもよい。

No. 29

道路《どうろ》のアスファルト舗装《ほそう》における基層《きそう》・表層《ひょうそう》の施工《せこう》に関《かん》する次《つぎ》の記述《きじゅつ》のうち，**適当《てきとう》でないもの**はどれか。

1　アスファルト舗装《ほそう》の仕上《しあ》げ転圧《てんあつ》は，不陸《ふりく》の整正《せいせい》やローラマークを消去《しょうきょ》するために行《おこな》うものであり，タイヤローラあるいはロードローラで2回程度《かいていど》行《おこな》うとよい。

2　アスファルト舗装《ほそう》に中温化技術《ちゅうおんかぎじゅつ》により施工性《せこうせい》を改善《かいぜん》した混合物《こんごうぶつ》を使用《しよう》する場合《ばあい》は，所定《しょてい》の締固《しめかた》め度《ど》が得《え》られる範囲《はんい》で，適切《てきせつ》な転圧温度《てんあつおんど》を設定《せってい》するとよい。

3　やむを得《え》ず5℃以下《いか》の気温《きおん》でアスファルト混合物《こんごうぶつ》を舗設《ほせつ》する場合《ばあい》，敷均《しきなら》しに際《さい》しては断続作業《だんぞくさぎょう》を原則《げんそく》とし，アスファルトフィニッシャのスクリードを断続的《だんぞくてき》に加熱《かねつ》するとよい。

4　ポーラスアスファルト混合物《こんごうぶつ》の敷均《しきなら》しは，通常《つうじょう》のアスファルト舗装《ほそう》の場合《ばあい》と同《どう》様《よう》に行《おこな》うが，温度低下《おんどていか》が通常《つうじょう》の混合物《こんごうぶつ》よりも早《はや》いため，敷均《しきなら》し後速《ごすみ》やかに初転圧《しょてんあつ》を行《おこな》うとよい。

No. 30

道路《どうろ》のアスファルト舗装《ほそう》の補修《ほしゅう》に関《かん》する次《つぎ》の記述《きじゅつ》のうち，**適当《てきとう》でないもの**はどれか。

1　アスファルト舗装《ほそう》の流動《りゅうどう》によるわだち掘《ぼ》れが大《おお》きい場合《ばあい》は，その原因《げんいん》となっている層《そう》の上《うえ》への薄層《はくそう》オーバーレイ工法《こうほう》を選定《せんてい》する。

2　加熱《かねつ》アスファルト混合物《こんごうぶつ》のシックリフト工法《こうほう》で即日交通開放《そくじつこうつうかいほう》する場合《ばあい》，交通開《こうつうかい》放後早期《ほうごそうき》にわだち掘《ぼ》れを生《しょう》じることがあるので，舗装《ほそう》の冷却等《れいきゃくなど》の対策《たいさく》をとることが望《のぞ》ましい。

3　アスファルト舗装《ほそう》の路面《ろめん》のたわみが大《おお》きい場合《ばあい》は，路床《ろしょう》，路盤等《ろばんなど》の開削調査等《かいさくちょうささなど》を実施《じっし》し，その原因《げんいん》を把握《はあく》した上《うえ》で補修工法《ほしゅうこうほう》の選定《せんてい》を行《おこな》う。

4　オーバーレイ工法《こうほう》でリフレクションクラックの発生《はっせい》を抑制《よくせい》させる場合《ばあい》には，クラック抑制《よくせい》シートの設置《せっち》や，応力緩和層《おうりょくかんわそう》の採用等《さいようなど》を検討《けんとう》する。

No. 31

道路《どうろ》のアスファルト舗装《ほそう》の各種舗装《かくしゅほそう》の特徴《とくちょう》に関《かん》する次《つぎ》の記述《きじゅつ》のうち，**適当《てきとう》でないもの**はどれか。

1　半《はん》たわみ性舗装《せいほそう》は，空隙率《くうげきりつ》の大《おお》きな開粒度《かいりゅうど》タイプの半《はん》たわみ性舗装用《せいほそうよう》アスファルト混合物《こんごうぶつ》に，浸透用《しんとうよう》セメントミルクを浸透《しんとう》させたものである。

2　グースアスファルト舗装《ほそう》は，グースアスファルト混合物《こんごうぶつ》を用《もち》いた不透水性《ふとうすいせい》やたわみ性等《せいなど》の性能《せいのう》を有《ゆう》する舗装《ほそう》で，一般《いっぱん》に鋼床版舗装等《こうしょうばんほそうなど》の橋面舗装《きょうめんほそう》に用《もち》いられる。

3　ポーラスアスファルト舗装《ほそう》は，ポーラスアスファルト混合物《こんごうぶつ》を表層《ひょうそう》あるいは表《ひょう》・基層等《きそうなど》に用《もち》いる舗装《ほそう》で，雨水《うすい》を路面下《ろめんした》に速《すみ》やかに浸透《しんとう》させる機能《きのう》を有《ゆう》する。

4　保水性舗装《ほすいせいほそう》は，保水機能《ほすいきのう》を有《ゆう》する表層《ひょうそう》や表《ひょう》・基層《きそう》に保水《ほすい》された水分《すいぶん》が蒸発《じょうはつ》する際《さい》の気化熱《きかねつ》により路面温度《ろめんおんど》の上昇《じょうしょう》を促進《そくしん》する舗装《ほそう》である。

No. 32

道路《どうろ》のコンクリート舗装《ほそう》の補修工法《ほしゅうこうほう》に関《かん》する次《つぎ》の記述《きじゅつ》のうち，**適当《てきとう》でないもの**はどれか。

1　グルービング工法《こうほう》は，雨天時《うてんじ》のハイドロプレーニング現象《げんしょう》の抑制《よくせい》やすべり抵抗《ていこう》性《せい》の改善等《かいぜんなど》を目的《もくてき》として実施《じっし》される工法《こうほう》である。

2　バーステッチ工法《こうほう》は，既設《きせつ》コンクリート版《ばん》に発生《はっせい》したひび割《わ》れ部《ぶ》に，ひび割《わ》れと直角《ちょっかく》の方向《ほうこう》に切《き》り込《こ》んだカッタ溝《みぞ》に目地材《めじざい》を充填《じゅうてん》して両側《りょうがわ》の版《ばん》を連結《れんけつ》させる工《こう》法《ほう》である。

3　表面処理工法《ひょうめんしょりこうほう》は，コンクリート版表面《ばんひょうめん》に薄層《はくそう》の舗装《ほそう》を施工《せこう》して，車両《しゃりょう》の走行性《そうこうせい》，すべり抵抗性《ていこうせい》や版《ばん》の防水性等《ぼうすいせいなど》を回復《かいふく》させる工法《こうほう》である。

4　パッチング工法《こうほう》は，コンクリート版《ばん》に生《しょう》じた欠損箇所《けっそんかしょ》や段差等《だんさなど》に材料《ざいりょう》を充填《じゅうてん》して，路面《ろめん》の平坦性等《へいたんせいなど》を応急的《おうきゅうてき》に回復《かいふく》させる工法《こうほう》である。

No. 33

ダムの基礎処理《きそしょり》に関《かん》する次《つぎ》の記述《きじゅつ》のうち，**適当《てきとう》でないもの**はどれか。

1　ステージ注入工法《ちゅうにゅうこうほう》は，最終深度《さいしゅうしんど》まで一度削孔《いちどさっこう》した後《あと》，下位《かい》ステージから上位《じょうい》ステージに向《む》かって1ステージずつ注入《ちゅうにゅう》する工法《こうほう》である。

2　ダム基礎《きそ》グラウチングの施工法《せこうほう》には，ステージ注入工法《ちゅうにゅうこうほう》とパッカー注入工法《ちゅうにゅうこうほう》のほかに，特殊《とくしゅ》な注入工法《ちゅうにゅうこうほう》として二重管式注入工法《にじゅうかんしきちゅうにゅうこうほう》がある。

3　重力式《じゅうりょくしき》ダムで遮水性改良《しゃすいせいかいりょう》を目的《もくてき》とするコンソリデーショングラウチングの孔配《こうはい》置《ち》は，規定孔《きていこう》を格子状《こうしじょう》に配置《はいち》し，中央内挿法《ちゅうおうないそうほう》により施工《せこう》するのが一般的《いっぱんてき》である。

4　カーテングラウチングは，ダムの基礎地盤及《きそじばんおよ》びリム部《ぶ》の地盤《じばん》において，浸透路《しんとうろ》長《ちょう》が短《みじか》い部分《ぶぶん》と貯水池外《ちょすいちがい》への水《みず》みちとなるおそれのある高透水部《こうとうすいぶ》の遮水性《しゃすいせい》の改良《かいりょう》

が目的《もくてき》である。

No. 34　ダムにおけるRCD用《よう》コンクリートの打込《うちこ》みに関《かん》する次《つぎ》の記述《きじゅつ》のうち，**適当《てきとう》でないもの**はどれか。

1　RCD用《よう》コンクリートは，ブルドーザにより薄層《はくそう》に敷《し》き均《なら》されるが，1層当《そうあ》たりの敷均《しきなら》し厚《あつ》さは，振動《しんどう》ローラで締《し》め固《かた》めた後《あと》に25cm程度《ていど》となるように27cm程度《ていど》にしている例《れい》が多《おお》い。

2　練混《ねりま》ぜから締固《しめかた》めまでの許容時間《きょようじかん》は，ダムコンクリートの材料《ざいりょう》や配合《はいごう》，気温《きおん》や湿度等《しつどなど》によって異《こと》なるが，夏季《かき》では3時間程度《じかんていど》，冬季《とうき》では4時間程度《じかんていど》を標準《ひょうじゅん》とする。

3　横継目《よこつぎめ》は，貯水池《ちょすいち》からの漏水経路《ろうすいけいろ》となるため，横継目《よこつぎめ》の上流端付近《じょうりゅうたんふきん》には主副《しゅふく》2枚《まい》の止水版《しすいばん》を設置《せっち》しなければならない。

4　RCD用《よう》コンクリート敷均《しきなら》し後《ご》，振動目地切機《しんどうめじきりき》により横継目《よこつぎめ》を設置《せっち》するが，その間隔《かんかく》はダム軸方向《じくほうこう》で30mを標準《ひょうじゅん》とする。

No. 35　トンネルの山岳工法《さんがくこうほう》における補助工法《ほじょこうほう》に関《かん》する次《つぎ》の記述《きじゅつ》のうち，**適当《てきとう》でないもの**はどれか。

1　切羽安定対策《きりはあんていたいさく》のための補助工法《ほじょこうほう》は，断層破砕帯《だんそうはさいたい》，崖錐等《がいすいなど》の不良地山《ふりょうじやま》で用《もち》いられ，天端部《てんばぶ》の安定対策《あんていたいさく》としてフォアポーリングや長尺《ちょうじゃく》フォアパイリングがある。

2　地下水対策《ちかすいたいさく》のための補助工法《ほじょこうほう》は，地下水《ちかすい》が多《おお》い場合《ばあい》に，穿孔《せんこう》した孔《こう》を利用《りよう》して水《みず》を抜《ぬ》き，水圧《すいあつ》，地下水位《ちかすいい》を下《さ》げる方法《ほうほう》として，止水注入工法《しすいちゅうにゅうこうほう》がある。

3　地表面沈下対策《ちひょうめんちんかたいさく》のための補助工法《ほじょこうほう》は，地表面《ちひょうめん》の沈下《ちんか》に伴《ともな》う構造物《こうぞうぶつ》への影響抑制《えいきょうよくせい》のために用《もち》いられ，鋼管《こうかん》の剛性《ごうせい》によりトンネル周辺地山《しゅうへんじやま》を補強《ほきょう》するパイプルーフ工法《こうほう》がある。

4　近接構造物対策《きんせつこうぞうぶつたいさく》のための補助工法《ほじょこうほう》は，既設構造物《きせつこうぞうぶつ》とトンネル間《かん》を遮断《しゃだん》し，変位《へんい》の伝搬《でんぱん》や地下水《ちかすい》の低下《ていか》を抑《おさ》える遮断壁工法《しゃだんへきこうほう》がある。

No. 36　トンネルの山岳工法《さんがくこうほう》における支保工《しほこう》に関《かん》する次《つぎ》の記述《きじゅつ》のうち，**適当《てきとう》でないもの**はどれか。

1　支保工《しほこう》の施工《せこう》は，周辺地山《しゅうへんじやま》の有《ゆう》する支保機能《しほきのう》が早期《そうき》に発揮《はっき》されるように掘削後《くっさくご》速《すみ》やかに行《おこな》い，支保工《しほこう》と地山《じやま》とを密着《みっちゃく》あるいは一体化《いったいか》させ，地山《じやま》を安定《あんてい》させなければならない。

2　吹付《ふきつ》けコンクリートの施工《せこう》は，吹付《ふきつ》けノズルを吹付《ふきつ》け面《めん》に直角《ちょっかく》に保《たも》ち，ノズルと吹付《ふきつ》け面《めん》の距離及《きょりおよ》び衝突速度《しょうとつそくど》を適正《てきせい》となるように行《おこな》わなければならない。

正答　別冊P.163

3　鋼製支保工《こうせいしほこう》は，一般的《いっぱんてき》に地山条件《じやまじょうけん》が良好《りょうこう》な場合《ばあい》に用《もち》いられ，吹付《ふきつ》けコンクリートと一体化《いったいか》させなければならない。

4　ロックボルトは，ロックボルトの性能《せいのう》を十分《じゅうぶん》に発揮《はっき》させるために，定着後《ていちゃくご》，プレートが掘削面《くっさくめん》や吹付《ふきつ》け面《めん》に密着《みっちゃく》するように，ナット等《など》で固定《こてい》しなければならない。

No. 37

海岸《かいがん》の傾斜型護岸《けいしゃがたごがん》の施工《せこう》に関《かん》する次《つぎ》の記述《きじゅつ》のうち，**適当《てきとう》でないもの**はどれか。

1　傾斜型護岸《けいしゃがたごがん》は，堤脚位置《ていきゃくいち》が海中《かいちゅう》にある場合《ばあい》には汀線付近《ていせんふきん》で吸出《すいだ》しが発生《はっせい》することがあるので，層厚《そうあつ》を厚《あつ》くするとともに上層《じょうそう》から下層《かそう》へ粒径《りゅうけい》を徐々《じょじょ》に小《ちい》さくして施工《せこう》する。

2　吸出《すいだ》し防止材《ぼうしざい》を用《もち》いる場合《ばあい》には，裏込《うらご》め工《こう》の下層《かそう》に設置《せっち》し，裏込《うらご》め工下部《こうかぶ》の砕《さい》石等《せきなど》を省略《しょうりゃく》して施工《せこう》する。

3　表法《おもてのり》に設置《せっち》する裏込《うらご》め工《こう》は，現地盤上《げんじばんじょう》に栗石《ぐりいし》･砕石層《さいせきそう》を 50cm 以上《いじょう》の厚《あつ》さとして，十分安全《じゅうぶんあんぜん》となるように施工《せこう》する。

4　緩傾斜護岸《かんけいしゃごがん》の法面勾配《のりめんこうばい》は 1：3 より緩《ゆる》くし，法尻《のりじり》については先端《せんたん》のブロックが波《なみ》を反射《はんしゃ》して洗掘《せんくつ》を助長《じょちょう》しないように，ブロックの先端《せんたん》を同一勾配《どういつこうばい》で地盤《じばん》に根入《ねい》れして施工《せこう》する。

No. 38

海岸保全施設《かいがんほぜんしせつ》の養浜《ようひん》の施工《せこう》に関《かん》する次《つぎ》の記述《きじゅつ》のうち，**適当《てきとう》でないもの**はどれか。

1　養浜《ようひん》の投入土砂《とうにゅうどしゃ》は，現況《げんきょう》と同《おな》じ粒径《りゅうけい》の細砂《さいさ》を用《もち》いた場合《ばあい》，沖合部《おきあいぶ》の海底面《かいていめん》を保《ほ》持《じ》する上《うえ》で役立《やくだ》ち，汀線付近《ていせんふきん》での保全効果《ほぜんこうか》も期待《きたい》できる。

2　養浜《ようひん》の施工方法《せこうほうほう》は，養浜材《ようひんざい》の採取場所《さいしゅばしょ》，運搬距離《うんぱんきょり》，社会的要因等《しゃかいてきよういんなど》を考慮《こうりょ》して，最《もっと》も効率的《こうりつてき》で周辺環境《しゅうへんかんきょう》に影響《えいきょう》を及《およ》ぼさない工法《こうほう》を選定《せんてい》する。

3　養浜《ようひん》の陸上施工《りくじょうせこう》においては，工事用車両《こうじようしゃりょう》の搬入路《はんにゅうろ》の確保《かくほ》や，投入《とうにゅう》する養浜砂《ようひんすな》の背後地《はいごち》への飛散等《ひさんなど》，周辺《しゅうへん》への影響《えいきょう》について十分検討《じゅうぶんけんとう》し施工《せこう》する。

4　養浜《ようひん》の施工《せこう》においては，陸上《りくじょう》であらかじめ汚濁《おだく》の発生源《はっせいげん》となるシルト，有機物《ゆうきぶつ》，ごみ等《など》を養浜材《ようひんざい》から取《と》り除《のぞ》く等《など》，適切《てきせつ》な方法《ほうほう》により汚濁《おだく》の発生防止《はっせいぼうし》に努《つと》める。

No. 39

港湾構造物《こうわんこうぞうぶつ》の基礎《きそ》捨石《すていし》の施工《せこう》に関《かん》する次《つぎ》の記述《きじゅつ》のうち，**適当《てきとう》でないもの**はどれか。

1　捨石《すていし》に用《もち》いる石材《せきざい》は，台船《だいせん》，グラブ付運搬船《つきうんぱんせん》（ガット船《せん》），石運船等《せきうんせんなど》の運搬船《うんぱんせん》で施工場所《せこうばしょ》まで運《はこ》び投入《とうにゅう》する。

2　捨石《すていし》の均《なら》しには荒均《あらなら》しと本均《ほんなら》しがあり，荒均《あらなら》しは直接上部構造物《ちょくせつじょうぶこうぞうぶつ》と接《せっ》する部分《ぶぶん》を整《ととの》える作業《さぎょう》であり，本均《ほんなら》しは直接上部構造物《ちょくせつじょうぶこうぞうぶつ》と接《せっ》しない部分《ぶぶん》を堅固《けんご》な構造《こうぞう》とする作業《さぎょう》である。

3　捨石《すていし》の荒均《あらなら》しは，均《なら》し基準面《きじゅんめん》に対《たい》し凸部《とつぶ》と凹部《おうぶ》の差《さ》があまり生《しょう》じないように，石材《せきざい》の除去《じょきょ》や補充《ほじゅう》をしながら均《なら》す作業《さぎょう》で，面《めん》がほぼ揃《そろ》うまで施工《せこう》する。

4　捨石《すていし》の本均《ほんなら》しは，均《なら》し定規《じょうぎ》を使用《しよう》し，大《おお》きい石材《せきざい》で基礎表面《きそひょうめん》を形成《けいせい》し，小《ちい》さい石材《せきざい》を間詰《まづ》めに使用《しよう》して緩《ゆる》みのないようにかみ合《あ》わせて施工《せこう》する。

No. 40

港湾《こうわん》における浚渫工事《しゅんせつこうじ》の事前調査《じぜんちょうさ》に関《かん》する次《つぎ》の記述《きじゅつ》のうち，**適当《てきとう》でないもの**はどれか。

1　音響測深機《おんきょうそくしんき》による深浅測量《しんせんそくりょう》は，連続的《れんぞくてき》な記録《きろく》がとれる利点《りてん》があり，海底《かいてい》の状況《じょうきょう》をよりきめ細《こま》かく測深《そくしん》する必要《ひつよう》がある場合《ばあい》には，未測深幅《みそくしんはば》を広《ひろ》くする。

2　施工方法《せこうほうほう》を検討《けんとう》するための土質調査《どしつちょうさ》では，海底土砂《かいていどしゃ》の硬《かた》さや強《つよ》さ，その締《し》まり具合《ぐあい》や粒《つぶ》の粗《あら》さを調査《ちょうさ》する必要《ひつよう》があるため，一般的《いっぱんてき》に粒度分析《りゅうどぶんせき》，比重試験《ひじゅうしけん》，標準《ひょうじゅん》貫入試験《かんにゅうしけん》を実施《じっし》する。

3　機雷等《きらいなど》の危険物《きけんぶつ》が残存《ざんぞん》すると推定《すいてい》される海域《かいいき》においては，浚渫《しゅんせつ》に先立《さきだ》って工事《こうじ》区域《くいき》の機雷等《きらいなど》の探査《たんさ》を行《おこな》い，浚渫工事《しゅんせつこうじ》の安全《あんぜん》を確保《かくほ》する必要《ひつよう》がある。

4　水質調査《すいしつちょうさ》の目的《もくてき》は，海水汚濁《かいすいおだく》の原因《げんいん》が，バックグラウンド値《ち》か浚渫《しゅんせつ》による濁《にご》りかを確認《かくにん》するために実施《じっし》するもので，事前《じぜん》，浚渫中《しゅんせつちゅう》の調査《ちょうさ》が必要《ひつよう》である。

No. 41

鉄道《てつどう》の砕石路盤《さいせきろばん》の施工《せこう》に関《かん》する次《つぎ》の記述《きじゅつ》のうち，**適当《てきとう》でないもの**はどれか。

1　砕石路盤《さいせきろばん》の材料《ざいりょう》としては，列車荷重《れっしゃかじゅう》を支《ささ》えるのに十分《じゅうぶん》な強度《きょうど》があることを考慮《こうりょ》して，クラッシャラン等《など》の砕石《さいせき》，又《また》は良質《りょうしつ》な自然土等《しぜんどなど》を用《もち》いる。

2　砕石路盤《さいせきろばん》の仕上《しあが》り精度《せいど》は，設計高《せっけいたか》さに対《たい》して± 25mm 以内《いない》を標準《ひょうじゅん》とし，有害《ゆうがい》な不陸《ふりく》が出《で》ないようにできるだけ平坦《へいたん》に仕上《しあ》げる。

3　砕石路盤《さいせきろばん》の施工《せこう》は，材料《ざいりょう》の均質性《きんしつせい》や気象条件等《きしょうじょうけんなど》を考慮《こうりょ》して，所定《しょてい》の仕上《しあが》り厚《あつ》さ，締固《しめかた》めの程度《ていど》が得《え》られるように入念《にゅうねん》に行《おこな》う。

4　砕石路盤《さいせきろばん》の敷均《しきなら》しは，モータグレーダ等《など》，又《また》は人力《じんりょく》により行《おこな》い，１層《そう》の仕上《しあが》り

厚《あつ》さが 300mm 程度《ていど》になるよう敷《し》き均《なら》す。

No. 42

鉄道《てつどう》の軌道《きどう》における維持管理《いじかんり》に関《かん》する次《つぎ》の記述《きじゅつ》のうち，**適当《てきとう》でないもの**はどれか。

1　バラストは，列車通過《れっしゃつうか》のたびに繰《く》り返《かえ》しこすれ合《あ》うことにより，次第《しだい》に丸《まる》みを帯《お》び，軌道《きどう》に変位《へんい》が生《しょう》じやすくなるため，丸《まる》みを帯《お》びたバラストは順次交換《じゅんじこうかん》する必要《ひつよう》がある。

2　スラブ軌道《きどう》は，プレキャストコンクリートスラブを高架橋等《こうかきょうなど》の堅固《けんご》な路盤《ろばん》に据《す》え付《つ》け，スラブと路盤《ろばん》との間《あいだ》に填充材《てんじゅうざい》を注入《ちゅうにゅう》したものであり，保守作業《ほしゅさぎょう》の軽減《けいげん》を図《はか》ることができる。

3　PC マクラギは，木《き》マクラギに比《くら》べ初期投資《しょきとうし》は多額《たがく》となるものの，交換《こうかん》が容易《ようい》であることから維持管理《いじかんり》の面《めん》で有利《ゆうり》である。

4　レールは温度変化《おんどへんか》によって伸縮《しんしゅく》を繰《く》り返《かえ》すため，レールの継目部《つぎめぶ》に遊間《ゆうかん》を設《もう》けることで処理《しょり》するが，遊間《ゆうかん》の整正《せいせい》はレールの伸縮《しんしゅく》が著《いちじる》しい夏期及《かきおよ》び冬期《とうき》に先立《さきだ》ち行《おこな》うのが適当《てきとう》である。

No. 43

鉄道《てつどう》（在来線《ざいらいせん》）の営業線及《えいぎょうせんおよ》びこれに近接《きんせつ》して工事《こうじ》を施工《せこう》する場合《ばあい》の保安対策《ほあんたいさく》に関《かん》する次《つぎ》の記述《きじゅつ》のうち，**適当《てきとう》でないもの**はどれか。

1　き電停止《でんていし》の手続《てつづ》きを行《おこな》う場合《ばあい》は，その手続《てつづ》きを工事管理者《こうじかんりしゃ》が行《おこな》うこととし，使用間合《しようまあい》，時間《じかん》，作業範囲《さぎょうはんい》，競合作業等《きょうごうさぎょうなど》について，あらかじめ監督員等《かんとくいんなど》と十分打合《じゅうぶんうちあわ》せを行《おこな》う。

2　列車見張員《れっしゃみはりいん》を増員《ぞういん》するときは，1 人《にん》の列車見張員《れっしゃみはりいん》が掌握《しょうあく》できる範囲《はんい》を前後《ぜんご》 50m 程度《ていど》とし，列車見張員相互《れっしゃみはりいんそうご》が携帯無線機等《けいたいむせんきなど》で連絡《れんらく》が取《と》れる体制《たいせい》とする。

3　ストッパー機能《きのう》を有《ゆう》していない工事用重機械《こうじようじゅうきかい》をやむを得《え》ず架空電線《かくうでんせん》に接近《せっきん》して使用《しよう》する場合《ばあい》は，架空電線監視人《かくうでんせんかんしにん》を配置《はいち》する。

4　作業員《さぎょういん》が概《おおむ》ね 10 人以下《にんいか》で，かつ，作業範囲《さぎょうはんい》が 50m 程度《ていど》の線路閉鎖時《せんろへいさじ》の作業《さぎょう》については，線閉責任者《せんぺいせきにんしゃ》が作業等《さぎょうなど》の責任者《せきにんしゃ》を兼務《けんむ》することができる。

No. 44

シールド工法《こうほう》のセグメントに関《かん》する次《つぎ》の記述《きじゅつ》のうち，**適当《てきとう》でないもの**はどれか。

1　くさび継手《つぎて》は，くさび作用《さよう》を用《もち》いてセグメントを引《ひ》き寄《よ》せて締結《ていけつ》する継手《つぎて》であり，セグメントの組立《くみた》て時間《じかん》を短縮《たんしゅく》するために，くさびを先付《さきづ》けする形式《けいしき》のものがある。

2　ボルト継手《つぎて》は，エレクター若《も》しくはシールドジャッキを用《もち》いて隣接《りんせつ》するセグメントリングにセグメントを押《お》し付《つ》けることで締結《ていけつ》が完了《かんりょう》するため，作業効率《さぎょうこうりつ》がよい継手構造《つぎてこうぞう》である。

3　鋼製《こうせい》セグメントは，材質《ざいしつ》が均質《きんしつ》で強度《きょうど》も保証《ほしょう》されており，比較的軽量《ひかくてきけいりょう》である一《いっ》方《ぼう》，鉄筋《てっきん》コンクリート製《せい》セグメントと比較《ひかく》して施工《せこう》の影響《えいきょう》により変形《へんけい》しやすいため注意《ちゅうい》が必要《ひつよう》である。

4　合成《ごうせい》セグメントは，同《おな》じ断面《だんめん》であれば高《たか》い耐力《たいりょく》と剛性《ごうせい》を付与《ふよ》することが可能《かのう》なことから，鉄筋《てっきん》コンクリート製《せい》セグメントに比《くら》べ，セグメント高《たか》さを低減《ていげん》できる利点《りてん》がある。

No. 45

鋼構造物《こうこうぞうぶつ》の塗装《とそう》における塗膜《とまく》の劣化《れっか》に関《かん》する次《つぎ》の記述《きじゅつ》のうち，**適当《てきとう》でないもの**はどれか。

1　チェッキングは，塗膜《とまく》の表面《ひょうめん》が粉化《ふんか》して次第《しだい》に消耗《しょうもう》していく現象《げんしょう》であり，紫外《しがい》線等《せんなど》により塗膜表面《とまくひょうめん》が分解《ぶんかい》することで生《しょう》じる。

2　膨《ふく》れは，塗膜《とまく》の層間《そうかん》や鋼材面《こうざいめん》と塗膜《とまく》の間《あいだ》に発生《はっせい》する気体《きたい》，又《また》は液体《えきたい》による圧力《あつりょく》が，塗膜《とまく》の付着力《ふちゃくりょく》や凝集力《ぎょうしゅうりょく》より大《おお》きくなった場合《ばあい》に発生《はっせい》するもので，高湿度条件等《こうしつどじょうけんなど》で生《しょう》じやすい。

3　クラッキングは，塗膜《とまく》の内部深《ないぶふか》く，又《また》は鋼材面《こうざいめん》まで達《たっ》する割《わ》れを指《さ》し，目視《もくし》で容易《ようい》に確認《かくにん》ができるものである。

4　はがれは，塗膜《とまく》と鋼材面《こうざいめん》，又《また》は塗膜《とまく》と塗膜間《とまくかん》の付着力《ふちゃくりょく》が低下《ていか》したときに生《しょう》じ，塗膜《とまく》が欠損《けっそん》している状態《じょうたい》であり，結露《けつろ》の生《しょう》じやすい下《した》フランジ下面等《かめんなど》に多《おお》くみられる。

正答　別冊P.167

No. 46

上水道《じょうすいどう》の配水管《はいすいかん》の埋設位置及《まいせついちおよ》び深《ふか》さに関《かん》する次《つぎ》の記述《きじゅつ》のうち，**適当《てきとう》でないもの**はどれか。

1　道路《どうろ》に管《かん》を布設《ふせつ》する場合《ばあい》には，配水本管《はいすいほんかん》は道路《どうろ》の中央寄《ちゅうおうよ》りに布設《ふせつ》し，配水支管《はいすいしかん》はなるべく道路《どうろ》の片側寄《かたがわよ》りに布設《ふせつ》する。

2　道路法施行令《どうろほうせこうれい》では，歩道《ほどう》での土被《どかぶ》りの標準《ひょうじゅん》は 1.5m と規定《きてい》されているが，土被《どかぶ》りを標準又《ひょうじゅんまた》は規定値《きていち》までとれない場合《ばあい》は道路管理者《どうろかんりしゃ》と協議《きょうぎ》の上《うえ》，土被《どかぶ》りを減少《げんしょう》できる。

3　寒冷地《かんれいち》で土地《とち》の凍結深度《とうけつしんど》が標準埋設深《ひょうじゅんまいせつふか》さよりも深《ふか》いときは，それ以下《いか》に埋設《まいせつ》するが，やむを得《え》ず埋設深度《まいせつしんど》が確保《かくほ》できない場合《ばあい》は，断熱《だんねつ》マット等《など》の適当《てきとう》な措置《そち》を講《こう》ずる。

4　配水管《はいすいかん》を他《ほか》の地下埋設物《ちかまいせつぶつ》と交差《こうさ》，又《また》は近接《きんせつ》して布設《ふせつ》するときは，少《すく》なくとも 0.3m 以上《いじょう》の間隔《かんかく》を保《たも》つ。

No. 47

下水道管渠《げすいどうかんきょ》の更生工法《こうせいこうほう》に関《かん》する次《つぎ》の記述《きじゅつ》のうち，**適当《てきとう》なもの**はどれか。

1　形成工法《けいせいこうほう》は，既設管渠《きせつかんきょ》より小《ちい》さな管径《かんけい》で製作《せいさく》された管渠《かんきょ》をけん引挿入《いんそうにゅう》し，間隙《かんげき》にモルタル等《など》の充填材《じゅうてんざい》を注入《ちゅうにゅう》することで管《かん》を構築《こうちく》する。

2　さや管工法《かんこうほう》は，既設管渠内《きせつかんきょない》に硬質塩化《こうしつえんか》ビニル樹脂材等《じゅしざいなど》をかん合《ごう》して製管《せいかん》し，既《き》設管渠《せつかんきょ》との間隙《かんげき》にモルタル等《など》の充填材《じゅうてんざい》を注入《ちゅうにゅう》することで管《かん》を構築《こうちく》する。

3　製管工法《せいかんこうほう》は，熱硬化樹脂《ねつこうかじゅし》を含浸《がんしん》させた材料《ざいりょう》や熱可塑性樹脂《ねつかそせいじゅし》で形成《けいせい》した材料《ざいりょう》をマンホールに引込《ひきこ》み，加圧《かあつ》し，拡張《かくちょう》・圧着後《あっちゃくご》，硬化《こうか》や冷却固化《れいきゃくこか》することで管《かん》を構築《こうちく》する。

4　反転工法《はんてんこうほう》は，含浸用基材《がんしんようきざい》に熱硬化性樹脂《ねつこうかせいじゅし》を含浸《がんしん》させた更生材《こうせいざい》を既設管渠内《きせつかんきょない》に反《はん》転加圧《てんかあつ》させながら挿入《そうにゅう》し，既設管渠内《きせつかんきょない》で温水《おんすい》や蒸気等《じょうきなど》で樹脂《じゅし》が硬化《こうか》することで管《かん》を構築《こうちく》する。

No. 48

小口径管推進工法《しょうこうけいかんすいしんこうほう》の施工《せこう》に関《かん》する次《つぎ》の記述《きじゅつ》のうち，**適当《てきとう》でないもの**はどれか。

1　オーガ方式《ほうしき》は，砂質地盤《さしつじばん》では推進中《すいしんちゅう》に先端抵抗力《せんたんていこうりょく》が急増《きゅうぞう》する場合《ばあい》があるので，注水《ちゅうすい》により切羽部《きりはぶ》の土《つち》を軟弱《なんじゃく》にする等《など》の対策《たいさく》が必要《ひつよう》である。

2　圧入方式《あつにゅうほうしき》は，排土《はいど》しないで土《つち》を推進管周囲《すいしんかんしゅうい》へ圧密《あつみつ》させて推進《すいしん》するため，適用地《てきようじ》盤《ばん》の土質《どしつ》に留意《りゅうい》すると同時《どうじ》に，推進路線《すいしんろせん》に近接《きんせつ》する既設建造物《きせつけんぞうぶつ》に対《たい》する影響《えいきょう》にも注意《ちゅうい》する。

3　ボーリング方式《ほうしき》は，先導体前面《せんどうたいぜんめん》が開放《かいほう》しているので，地下水位以下《ちかすいいいか》の砂質地盤《さしつじばん》に対《たい》しては，補助工法《ほじょこうほう》により地盤《じばん》の安定処理《あんていしょり》を行《おこな》った上《うえ》で適用《てきよう》する。

4　泥水方式《でいすいほうしき》は，透水性《とうすいせい》の高《たか》い緩《ゆる》い地盤《じばん》では泥水圧《でいすいあつ》が有効《ゆうこう》に切羽《きりは》に作用《さよう》しない場合《ばあい》があるので，送泥水《そうでいすい》の比重《ひじゅう》，粘性《ねんせい》を高《たか》くし，状況《じょうきょう》によっては逸泥防止材《いつでいぼうしざい》を使用《しよう》する。

No. 49

薬液注入工事《やくえきちゅうにゅうこうじ》の施工管理《せこうかんり》に関《かん》する次《つぎ》の記述《きじゅつ》のうち，**適当《てきとう》でないもの**はどれか。

1　薬液注入工事《やくえきちゅうにゅうこうじ》においては，注入箇所《ちゅうにゅうかしょ》から 10m 以内《いない》に複数《ふくすう》の地下水監視《ちかすいかんし》のために井戸《いど》を設置《せっち》して，注入中《ちゅうにゅうちゅう》のみならず注入後《ちゅうにゅうご》も一定期間《いっていきかん》，地下水《ちかすい》を監視《かんし》する。

2　薬液注入工事《やくえきちゅうにゅうこうじ》における注入時《ちゅうにゅうじ》の管理《かんり》を適正《てきせい》な配合《はいごう》とするためには，ゲルタイム（硬化時間《こうかじかん》）を原則《げんそく》として作業中《さぎょうちゅう》に測定《そくてい》する。

3　薬液注入工事《やくえきちゅうにゅうこうじ》による構造物《こうぞうぶつ》への影響《えいきょう》は，瞬結《しゅんけつ》ゲルタイムと緩結《かんけつ》ゲルタイムを使《つか》い分《わ》けた二重管《にじゅうかん》ストレーナー工法《こうほう》（複相型《ふくそうがた》）の普及《ふきゅう》により少《すく》なくなっている。

4　薬液注入工事《やくえきちゅうにゅうこうじ》における 25m 以上《いじょう》の大深度《だいしんど》の削孔《さっこう》では，ダブルパッカー工法《こうほう》のパーカッションドリルによる削孔《さっこう》よりも，二重管《にじゅうかん》ストレーナー工法《こうほう》（複相型《ふくそうがた》）の方《ほう》が削孔《さっこう》の精度《せいど》は低《ひく》い。

正答　別冊 P.169

※問題番号《もんだいばんごう》No.50～No.61までの12問題《もんだい》のうちから8問題《もんだい》を選択《せんたく》し解答《かいとう》してください。

No. 50

労働基準法《ろうどうきじゅんほう》に定《さだ》められている労働契約《ろうどうけいやく》に関《かん》する次《つぎ》の記述《きじゅつ》のうち，**誤《あやま》っているもの**はどれか。

1　使用者《しようしゃ》は，労働契約《ろうどうけいやく》の締結《ていけつ》に際《さい》し，労働者《ろうどうしゃ》に対《たい》して賃金《ちんぎん》，労働時間《ろうどうじかん》その他《た》の労《ろう》働条件《どうじょうけん》を明示《めいじ》しなければならない。

2　使用者《しようしゃ》は，労働者《ろうどうしゃ》が業務上負傷《ぎょうむじょうふしょう》し，又《また》は疾病《しっぺい》にかかり療養《りょうよう》のために休業《きゅうぎょう》する期《き》間及《かんおよ》びその後《ご》30日間《にちかん》は，原則《げんそく》として，解雇《かいこ》してはならない。

3　使用者《しようしゃ》は，労働者《ろうどうしゃ》を解雇《かいこ》しようとする場合《ばあい》において，30日前《にちまえ》に予告《よこく》をしない場《ば》合《あい》は，30日分以上《にちぶんいじょう》の平均賃金《へいきんちんぎん》を原則《げんそく》として，支払《しはら》わなければならない。

4　使用者《しようしゃ》は，労働者《ろうどうしゃ》の死亡又《しぼうまた》は退職《たいしょく》の場合《ばあい》において，権利者《けんりしゃ》からの請求《せいきゅう》の有無《うむ》にかかわらず，賃金《ちんぎん》を支払《しはら》い，労働者《ろうどうしゃ》の権利《けんり》に属《ぞく》する金品《きんぴん》を返還《へんかん》しなければならない。

No. 51

労働時間及《ろうどうじかんおよ》び休暇《きゅうか》・休日《きゅうじつ》に関《かん》する次《つぎ》の記述《きじゅつ》のうち，労働基準法上《ろうどうきじゅんほうじょう》，**正《ただ》しいもの**はどれか。

1　使用者《しようしゃ》は，労働者《ろうどうしゃ》の過半数《かはんすう》を代表《だいひょう》する者《もの》と書面《しょめん》による協定《きょうてい》を定《さだ》める場合《ばあい》でも，1箇月《かげつ》に100時間以上《じかんいじょう》，労働時間《ろうどうじかん》を延長《えんちょう》し，又《また》は休日《きゅうじつ》に労働《ろうどう》させてはならない。

2　使用者《しようしゃ》は，労働時間《ろうどうじかん》が6時間《じかん》を超《こ》える場合《ばあい》においては最大《さいだい》で45分《ふん》，8時間《じかん》を超《こ》える場合《ばあい》においては最大《さいだい》で1時間《じかん》の休憩時間《きゅうけいじかん》を労働時間《ろうどうじかん》の途中《とちゅう》に与《あた》えなければならない。

3　使用者《しようしゃ》は，6箇月間継続勤務《かげつかんけいぞくきんむ》し全労働日《ぜんろうどうび》の5割以上出勤《わりいじょうしゅっきん》した労働者《ろうどうしゃ》に対《たい》して，継続《けいぞく》し，又《また》は分割《ぶんかつ》した10労働日《ろうどうび》の有給休暇《ゆうきゅうきゅうか》を与《あた》えなければならない。

4　使用者《しようしゃ》は，協定《きょうてい》の定《さだ》めにより労働時間《ろうどうじかん》を延長《えんちょう》して労働《ろうどう》させ，又《また》は休日《きゅうじつ》に労働《ろうどう》させる場合《ばあい》でも，坑内労働《こうないろうどう》においては，1日《にち》について3時間《じかん》を超《こ》えて労働時間《ろうどうじかん》を延《えん》長《ちょう》してはならない。

No. 52

事業者《じぎょうしゃ》が統括安全衛生責任者《とうかつあんぜんえいせいせきにんしゃ》に統括管理《とうかつかんり》させなければならない事項《じこう》に関《かん》する次《つぎ》の記述《きじゅつ》のうち，労働安全衛生法上《ろうどうあんぜんえいせいほうじょう》，**誤《あやま》っているもの**はどれか。

1　作業場所《さぎょうばしょ》の巡視《じゅんし》を統括管理《とうかつかんり》すること。

2　関係請負人《かんけいうけおいにん》が行《おこな》う安全衛生教育《あんぜんえいせいきょういく》の指導及《しどうおよ》び援助《えんじょ》を統括管理《とうかつかんり》すること。

3　協議組織《きょうぎそしき》の設置及《せっちおよ》び運営《うんえい》を統括管理《とうかつかんり》すること。

4　労働災害防止《ろうどうさいがいぼうし》のため，店社安全衛生管理者《てんしゃあんぜんえいせいかんりしゃ》を統括管理《とうかつかんり》すること。

No. 53

高《たか》さが 5m 以上《いじょう》のコンクリート造《ぞう》の工作物《こうさくぶつ》の解体等《かいたいとう》の作業《さぎょう》における危《き》険《けん》を防止《ぼうし》するために，事業者又《じぎょうしゃまた》はコンクリート造《ぞう》の工作物《こうさくぶつ》の解体等《かいたいとう》作《さ》業主任者《ぎょうしゅにんしゃ》（以下《いか》，解体等《かいたいとう》作業主任者《さぎょうしゅにんしゃ》という）が行《おこな》わなければならない事項《じこう》に関《かん》する次《つぎ》の記述《きじゅつ》のうち，労働安全衛生法令上《ろうどうあんぜんえいせいほうれいじょう》，**誤《あやま》っているもの**はどれか。

1　解体等《かいたいとう》作業主任者《さぎょうしゅにんしゃ》は，作業《さぎょう》の方法及《ほうほうおよ》び労働者《ろうどうしゃ》の配置《はいち》を決定《けってい》し，作業《さぎょう》を直接指揮《ちょくせつしき》しなければならない。
2　事業者《じぎょうしゃ》は，外壁《がいへき》，柱等《はしらとう》の引倒《ひきたお》し等《とう》の作業《さぎょう》を行《おこな》うときは，引倒《ひきたお》し等《とう》について一定《いってい》の合図《あいず》を定《さだ》め，関係労働者《かんけいろうどうしゃ》に周知《しゅうち》させなければならない。
3　事業者《じぎょうしゃ》は，コンクリート造《ぞう》の工作物《こうさくぶつ》の解体等《かいたいとう》作業主任者《さぎょうしゅにんしゃ》技能講習《ぎのうこうしゅう》を修了《しゅうりょう》した者《もの》のうちから，解体等《かいたいとう》作業主任者《さぎょうしゅにんしゃ》を選任《せんにん》しなければならない。
4　解体等《かいたいとう》作業主任者《さぎょうしゅにんしゃ》は，物体《ぶったい》の飛来又《ひらいまた》は落下《らっか》による労働者《ろうどうしゃ》の危険《きけん》を防止《ぼうし》するため，当該《とうがい》作業《さぎょう》に従事《じゅうじ》する労働者《ろうどうしゃ》に保護帽《ほごぼう》を着用《ちゃくよう》させなければならない。

No. 54

技術者制度《ぎじゅつしゃせいど》に関《かん》する次《つぎ》の記述《きじゅつ》のうち，建設業法令上《けんせつぎょうほうれいじょう》，**誤《あやま》っているもの**はどれか。

1　主任技術者及《しゅにんぎじゅつしゃおよ》び監理技術者《かんりぎじゅつしゃ》は，建設業法《けんせつぎょうほう》で設置《せっち》が義務付《ぎむづ》けられており，公共工《こうきょうこう》事標準請負契約約款《じひょうじゅんうけおいけいやくやっかん》に定《さだ》められている現場代理人《げんばだいりにん》を兼《か》ねることができる。
2　発注者《はっちゅうしゃ》から直接建設工事《ちょくせつけんせつこうじ》を請《う》け負《お》った特定建設業者《とくていけんせつぎょうしゃ》は，当該建設工事《とうがいけんせつこうじ》を施工《せこう》するために締結《ていけつ》した下請契約《したうけけいやく》の請負代金《うけおいだいきん》が政令《せいれい》で定《さだ》める金額以上《きんがくいじょう》の場合《ばあい》，工事現場《こうじげんば》に監理技術者《かんりぎじゅつしゃ》を置《お》かなければならない。
3　主任技術者及《しゅにんぎじゅつしゃおよ》び監理技術者《かんりぎじゅつしゃ》は，工事現場《こうじげんば》における建設工事《けんせつこうじ》を適正《てきせい》に実施《じっし》するため，当該建設工事《とうがいけんせつこうじ》の施工計画《せこうけいかく》の作成《さくせい》，工程管理《こうていかんり》，品質管理《ひんしつかんり》その他《た》の技術上《ぎじゅつじょう》の管理《かんり》及《およ》び当該建設工事《とうがいけんせつこうじ》に関《かん》する下請契約《したうけけいやく》の締結《ていけつ》を行《おこな》わなければならない。
4　工事現場《こうじげんば》における建設工事《けんせつこうじ》の施工《せこう》に従事《じゅうじ》する者《もの》は，主任技術者又《しゅにんぎじゅつしゃまた》は監理技術者《かんりぎじゅつしゃ》がその職務《しょくむ》として行《おこな》う指導《しどう》に従《したが》わなければならない。

正答　別冊 P.170

No. 55

火薬類取締法令上《かやくるいとりしまりほうれいじょう》，火薬類《かやくるい》の取扱《とりあつか》い等《とう》に関《かん》する次《つぎ》の記述《きじゅつ》のうち，**正《ただ》しいもの**はどれか。

1　火薬類取扱所《かやくるいとりあつかいじょ》の建物《たてもの》の屋根《やね》の外面《がいめん》は，金属板《きんぞくばん》，スレート板《ばん》，かわらその他《た》の不《ふ》燃性物質《ねんせいぶっしつ》を使用《しよう》し，建物《たてもの》の内面《ないめん》は，板張《いたば》りとし，床面《ゆかめん》には鉄類《てつるい》を表《ひょう》さなければならない。
2　火薬類取扱所《かやくるいとりあつかいじょ》において存置《ぞんち》することのできる火薬類《かやくるい》の数量《すうりょう》は，その週《しゅう》の消費見《しょうひみ》込量以下《こみりょういか》としなければならない。
3　装填《そうてん》が終了《しゅうりょう》し，火薬類《かやくるい》が残《のこ》った場合《ばあい》には，発破終了後《はっぱしゅうりょうご》に始《はじ》めの火薬類取扱所又《かやくるいとりあつかいじょまた》は火工所《かこうじょ》に返送《へんそう》しなければならない。
4　火薬類《かやくるい》の発破《はっぱ》を行《おこな》う場合《ばあい》には，発破場所《はっぱばしょ》に携行《けいこう》する火薬類《かやくるい》の数量《すうりょう》は，当該作業《とうがいさぎょう》に使用《しよう》する消費見込量《しょうひみこみりょう》をこえてはならない。

No. 56

道路上《どうろじょう》で行《おこな》う工事《こうじ》，又《また》は行為《こうい》についての許可《きょか》，又《また》は承認《しょうにん》に関《かん》する次《つぎ》の記述《きじゅつ》のうち，道路法令上《どうろほうれいじょう》，**誤《あやま》っているもの**はどれか。

1　道路管理者以外《どうろかんりしゃいがい》の者《もの》が，工事用車両《こうじようしゃりょう》の出入《でい》りのために歩道切下《ほどうきりさ》げ工事《こうじ》を行《おこな》う場《ば》合《あい》は，道路管理者《どうろかんりしゃ》の承認《しょうにん》を受《う》ける必要《ひつよう》がある。
2　道路管理者以外《どうろかんりしゃいがい》の者《もの》が，沿道《えんどう》で行《おこな》う工事《こうじ》のために道路《どうろ》の区域内《くいきない》に，工事用材料《こうじようざいりょう》の置《お》き場《ば》や足場《あしば》を設《もう》ける場合《ばあい》は，道路管理者《どうろかんりしゃ》の許可《きょか》を受《う》ける必要《ひつよう》がある。
3　道路占用者《どうろせんようしゃ》が，電線《でんせん》，上下水道《じょうげすいどう》，ガスなどを道路《どうろ》に設《もう》け，これを継続《けいぞく》して使用《しよう》する場合《ばあい》は，道路管理者《どうろかんりしゃ》と協議《きょうぎ》し同意《どうい》を得《え》れば，道路管理者《どうろかんりしゃ》の許可《きょか》を受《う》ける必要《ひつよう》はない。
4　道路占用者《どうろせんようしゃ》が重量《じゅうりょう》の増加《ぞうか》を伴《ともな》わない占用物件《せんようぶっけん》の構造《こうぞう》を変更《へんこう》する場合《ばあい》，道路《どうろ》の構《こう》造又《ぞうまた》は交通《こうつう》に支障《ししょう》を及《およ》ぼすおそれがないと認《みと》められるものは，あらためて道路管《どうろかん》理者《りしゃ》の許可《きょか》を受《う》ける必要《ひつよう》はない。

No. 57

河川管理者以外《かせんかんりしゃいがい》の者《もの》が，河川区域内《かせんくいきない》（高規格堤防特別区域《こうきかくていぼうとくべつくいき》を除《のぞ》く）で工事《こうじ》を行《おこな》う場合《ばあい》の手続《てつづ》きに関《かん》する次《つぎ》の記述《きじゅつ》のうち，**誤《あやま》っているもの**はどれか。

1　河川管理者《かせんかんりしゃ》の許可《きょか》を受《う》けて設置《せっち》されている取水施設《しゅすいしせつ》の機能維持《きのういじ》するための取水《しゅすい》口付近《こうふきん》の土砂等《どしゃとう》の撤去《てっきょ》は，河川管理者《かせんかんりしゃ》の許可《きょか》を受《う》ける必要《ひつよう》がある。

2　河川区域内《かせんくいきない》に一時的《いちじてき》に仮設《かせつ》の資材置《しざいお》き場《ば》を設置《せっち》する場合《ばあい》は，河川管理者《かせんかんりしゃ》の許可《きょか》を受《う》ける必要《ひつよう》がある。

3　河川区域内《かせんくいきない》において土地《とち》の掘削《くっさく》，盛土《もりど》など土地《とち》の形状《けいじょう》を変更《へんこう》する行為《こうい》は，民有《みんゆう》地《ち》においても河川管理者《かせんかんりしゃ》の許可《きょか》を受《う》ける必要《ひつよう》がある。

4　河川区域内《かせんくいきない》の上空《じょうくう》を通過《つうか》する電線《でんせん》や通信《つうしん》ケーブルを設置《せっち》する場合《ばあい》は，河川管理《かせんかんり》者《しゃ》の許可《きょか》を受《う》ける必要《ひつよう》がある。

No. 58

工事現場《こうじげんば》に設《もう》ける仮設建築物《かせつけんちくぶつ》の制限《せいげん》の緩和《かんわ》に関《かん》する次《つぎ》の記述《きじゅつ》のうち，建築基準法令上《けんちくきじゅんほうれいじょう》，**適用《てきよう》されないもの**はどれか。

1　建築主《けんちくぬし》は，建築物《けんちくぶつ》を建築《けんちく》する場合《ばあい》は，工事着手前《こうじちゃくしゅまえ》に，その計画《けいかく》が建築基準関係《けんちくきじゅんかんけい》規定《きてい》に適合《てきごう》するものであることについて，建築主事《けんちくしゅじ》の確認《かくにん》を受《う》けなければならない。（☆）

2　建築物《けんちくぶつ》の敷地《しきち》には，雨水及《うすいおよ》び汚水《おすい》を排出《はいしゅつ》し，又《また》は処理《しょり》するための適当《てきとう》な下水管《げすいかん》，下水溝又《げすいこうまた》はためますその他《た》これらに類《るい》する施設《しせつ》を設置《せっち》しなければならない。

3　建築物《けんちくぶつ》の各部分《かくぶぶん》の高《たか》さは，建築物《けんちくぶつ》を建築《けんちく》しようとする地域《ちいき》，地区又《ちくまた》は区域及《くいきおよ》び容積率《ようせきりつ》の限度《げんど》の区分《くぶん》に応《おう》じて決定《けってい》される高《たか》さ以下《いか》としなければならない。

4　建築物《けんちくぶつ》の所有者《しょゆうしゃ》，管理者又《かんりしゃまた》は占有者《せんゆうしゃ》は，その建築物《けんちくぶつ》の敷地《しきち》，構造及《こうぞうおよ》び建築設備《けんちくせつび》を常時適法《じょうじてきほう》な状態《じょうたい》に維持《いじ》するように努《つと》めなければならない。

正答　別冊P.173

No. 59

騒音規制法令上《そうおんきせいほうれいじょう》，指定地域内《していちいきない》で行《おこな》う次《つぎ》の建設作業《けんせつさぎょう》のうち，特定建設作《とくていけんせつさ》業《ぎょう》に**該当《がいとう》しないもの**はどれか。
ただし，当該作業《とうがいさぎょう》がその作業《さぎょう》を開始《かいし》した日《ひ》に終《お》わるもの，及《およ》び使用《しよう》する機械《きかい》が一定《いってい》の限度《げんど》を超《こ》える大《おお》きさの騒音《そうおん》を発生《はっせい》しないものとして環《かん》境大臣《きょうだいじん》が指定《してい》するものを除《のぞ》く。

1　原動機《げんどうき》の定格出力《ていかくしゅつりょく》66kW のブルドーザを使用《しよう》して行《おこな》う盛土《もりど》の敷均《しきなら》し，転圧作業《てんあつさぎょう》
2　原動機《げんどうき》の定格出力《ていかくしゅつりょく》108kW のトラクターショベルを使用《しよう》して行《おこな》う掘削積込《くっさくつみこ》み作業《さぎょう》
3　切削幅《せっさくはば》2m の路面切削機《ろめんせっさくき》を使用《しよう》して行《おこな》う道路《どうろ》の切削《せっさく》オーバーレイ作業《さぎょう》
4　削岩機《さくがんき》を使用《しよう》して1日《にち》あたり 20m の範囲《はんい》を行《おこな》う擁壁《ようへき》の取《と》り壊《こわ》し作業《さぎょう》

No. 60

振動規制法令上《しんどうきせいほうれいじょう》，指定地域内《していちいきない》で行《おこな》う次《つぎ》の建設作業《けんせつさぎょう》のうち，特定建設作《とくていけんせつさ》業《ぎょう》に**該当《がいとう》しないもの**はどれか。

1　1日《にち》あたりの移動距離《いどうきょり》が 40m で舗装版破砕機《ほそうばんはさいき》による道路舗装面《どうろほそうめん》の破砕作業《はさいさぎょう》で，5日間《にちかん》を要《よう》する作業《さぎょう》
2　圧入式《あつにゅうしき》くい打機《うちき》によるシートパイルの打込《うちこ》み作業《さぎょう》で，同一地点《どういつちてん》において3日間《にちかん》を要《よう》する作業《さぎょう》
3　ディーゼルハンマを使用《しよう》したPC杭《ぐい》の打込《うちこ》み作業《さぎょう》で，同一地点《どういつちてん》において5日間《にちかん》を要《よう》する作業《さぎょう》
4　ジャイアントブレーカを使用《しよう》した橋脚《きょうきゃく》1基《き》の取《と》り壊《こわ》し作業《さぎょう》で，3日間《にちかん》を要《よう》する作業《さぎょう》

No. 61

船舶《せんぱく》の航行《こうこう》，又《また》は工事《こうじ》の許可等《きょかとう》に関《かん》する次《つぎ》の記述《きじゅつ》のうち，港則法上《こうそくほうじょう》，**正《ただ》しいもの**はどれか。

1　船舶《せんぱく》は，特定港内又《とくていこうないまた》は特定港《とくていこう》の境界附近《きょうかいふきん》において危険物《きけんぶつ》を運搬《うんぱん》しようとするときは，事後《じご》に港長《こうちょう》に届《とど》け出《で》なければならない。
2　特定港内又《とくていこうないまた》は特定港《とくていこう》の境界附近《きょうかいふきん》で工事又《こうじまた》は作業《さぎょう》をしようとする者《もの》は，国土交通《こくどこうつう》大臣《だいじん》の許可《きょか》を受《う》けなければならない。
3　航路外《こうろがい》から航路《こうろ》に入《はい》り，又《また》は航路《こうろ》から航路外《こうろがい》に出《で》ようとする船舶《せんぱく》は，航路《こうろ》を航《こう》行《こう》する他《た》の船舶《せんぱく》の進路《しんろ》を避《さ》けなければならない。
4　汽船《きせん》が港《みなと》の防波堤《ぼうはてい》の入口又《いりぐちまた》は入口附近《いりぐちふきん》で他《た》の汽船《きせん》と出会《であ》うおそれのあるときは，出航《しゅっこう》する汽船《きせん》は，防波堤《ぼうはてい》の内《うち》で入航《にゅうこう》する汽船《きせん》の進路《しんろ》を避《さ》けなければならない。

正答　別冊 P.175

令和3年度　第一次検定　問題B（必須問題）

試験時間　120分

※問題番号《もんだいばんごう》No.1～No.20までの20問題《もんだい》は，必須問題《ひっすもんだい》ですから全問題《ぜんもんだい》を解答《かいとう》してください。

No. 1

TS（トータルステーション）を用《もち》いて行《おこな》う測量《そくりょう》に関《かん》する次《つぎ》の記述《きじゅつ》のうち，**適当《てきとう》でないもの**はどれか。

1　TSでの鉛直角観測《えんちょくかくかんそく》は，1視準《しじゅん》1読定《どくてい》，望遠鏡正及《ぼうえんきょうせいおよ》び反《はん》の観測《かんそく》1対回《ついかい》とする。
2　TSでの水平角観測《すいへいかくかんそく》は，対回内《ついかいない》の観測方向数《かんそくほうこうすう》を10方向以下《ほうこういか》とする。
3　TSでの観測《かんそく》の記録《きろく》は，データコレクタを用《もち》いるが，これを用《もち》いない場合《ばあい》には観測手簿《かんそくしゅぼ》に記載《きさい》するものとする。
4　TSでの距離測定《きょりそくてい》に伴《ともな》う気象補正《きしょうほせい》のための気温《きおん》，気圧《きあつ》の測定《そくてい》は，距離測定《きょりそくてい》の開始直前《かいしちょくぜん》，又《また》は終了直後《しゅうりょうちょくご》に行《おこな》うものとする。

No. 2

公共工事標準請負契約約款《こうきょうこうじひょうじゅんうけおいけいやくやっかん》に関《かん》する次《つぎ》の記述《きじゅつ》のうち，**誤《あやま》っているもの**はどれか。

1　受注者《じゅちゅうしゃ》は，設計図書《せっけいとしょ》と工事現場《こうじげんば》が一致《いっち》しない事実《じじつ》を発見《はっけん》したときは，その旨《むね》を直《ただ》ちに監督員《かんとくいん》に口頭《こうとう》で通知《つうち》しなければならない。
2　発注者《はっちゅうしゃ》は，検査《けんさ》によって工事《こうじ》の完成《かんせい》を確認《かくにん》した後《のち》，受注者《じゅちゅうしゃ》が工事目的物《こうじもくてきぶつ》の引渡《ひきわた》しを申《もう》し出《で》たときは，直《ただ》ちに当該工事目的物《とうがいこうじもくてきぶつ》の引渡《ひきわた》しを受《う》けなければならない。
3　受注者《じゅちゅうしゃ》は，災害防止等《さいがいぼうしなど》のため必要《ひつよう》があると認《みと》められるときは，臨機《りんき》の措置《そち》をとらなければならない。
4　発注者《はっちゅうしゃ》は，受注者《じゅちゅうしゃ》の責《せ》めに帰《き》すことができない自然的《しぜんてき》，又《また》は人為的事象《じんいてきじしょう》により，工事《こうじ》を施工《せこう》できないと認《みと》められる場合《ばあい》は，工事《こうじ》の全部《ぜんぶ》，又《また》は一部《いちぶ》の施工《せこう》を一時中《いちじちゅう》止《し》させなければならない。

正答　別冊P.177

No. 3 下図《かず》は，鉄筋《てっきん》コンクリートＬ型擁壁《がたようへき》の配筋図《はいきんず》を示《しめ》したものである。たて壁《かべ》とかかと版《ばん》の引張鉄筋《ひっぱりてっきん》の組合《くみあわ》せで，**正《ただ》しいもの**はどれか。

一《いっ》般《ぱん》図《ず》

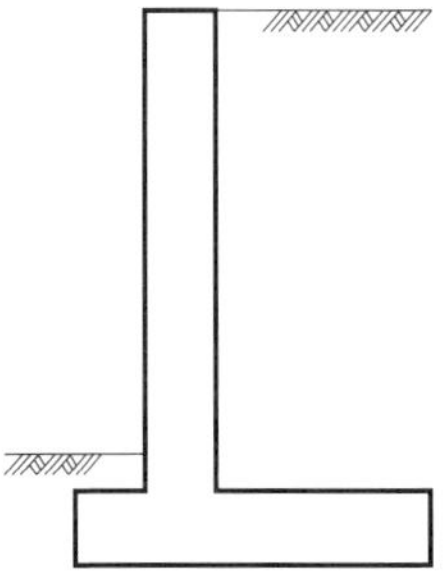

底《てい》版《ばん》

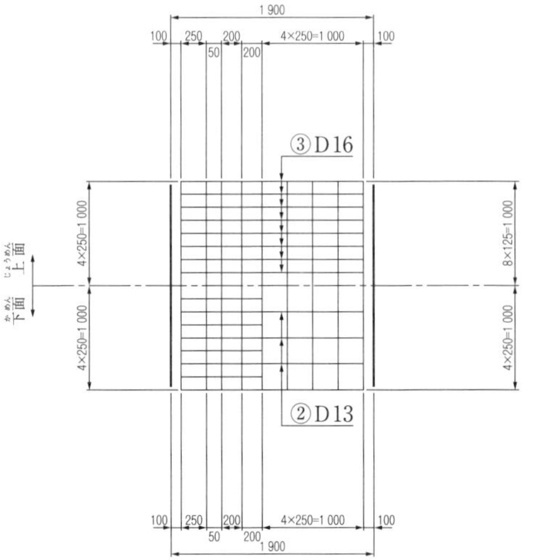

断《だん》面《めん》図《ず》

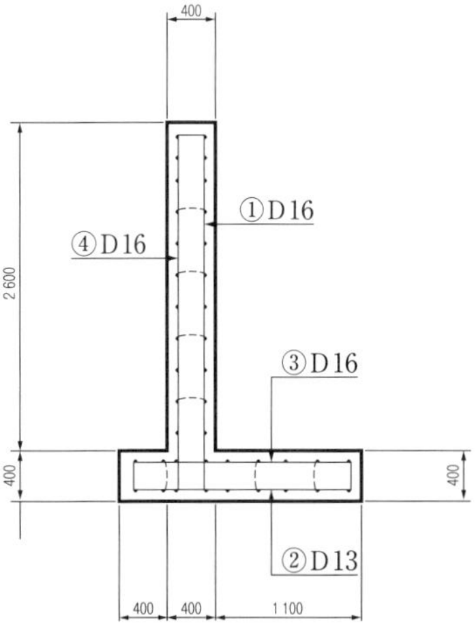

たて壁《かべ》

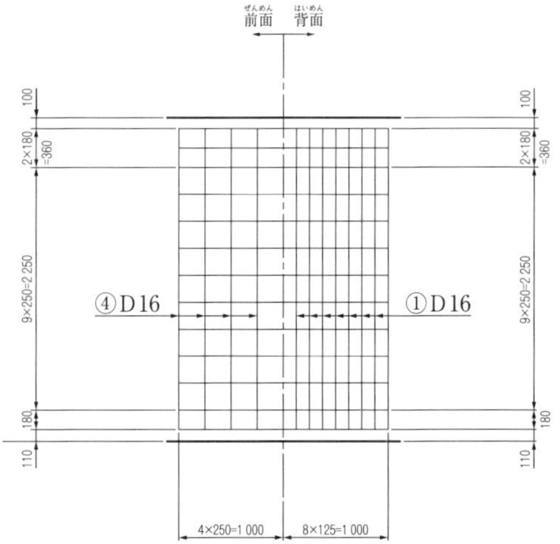

1　①と②
2　①と③
3　②と④
4　③と④

No. 4

建設工事《けんせつこうじ》における電気設備等《でんきせつびとう》に関《かん》する次《つぎ》の記述《きじゅつ》のうち，労働安全衛生《ろうどうあんぜんえいせい》規則上《きそくじょう》，**誤《あやま》っているもの**はどれか。

1　水中《すいちゅう》ポンプやバイブレータ等《とう》の可搬式《かはんしき》の電動機械器具《でんどうきかいきぐ》を使用《しよう》する場合《ばあい》は，漏電《ろうでん》による感電防止《かんでんぼうし》のため自動電撃防止装置《じどうでんげきぼうしそうち》を取《と》り付《つ》ける。

2　アーク溶接等《ようせつとう》（自動溶接《じどうようせつ》を除《のぞ》く）の作業《さぎょう》に使用《しよう》する溶接棒等《ようせつぼうとう》のホルダーについては，感電《かんでん》の危険《きけん》を防止《ぼうし》するために必要《ひつよう》な絶縁効力及《ぜつえんこうりょくおよ》び耐熱性《たいねつせい》を有《ゆう》するものを使《し》用《よう》する。

3　仮設《かせつ》の配線《はいせん》を通路面《つうろめん》で使用《しよう》する場合《ばあい》は，配線《はいせん》の上《うえ》を車両等《しゃりょうとう》が通過《つうか》すること等《とう》によって絶縁被覆《ぜつえんひふく》が損傷《そんしょう》するおそれのないような状態《じょうたい》で使用《しよう》する。

4　電気機械器具《でんききかいきぐ》の操作《そうさ》を行《おこな》う場合《ばあい》には，感電《かんでん》や誤《あやま》った操作《そうさ》による危険《きけん》を防止《ぼうし》するために操作部分《そうさぶぶん》に必要《ひつよう》な照度《しょうど》を保持《ほじ》する。

No. 5

工事《こうじ》の施工《せこう》に伴《ともな》う関係機関《かんけいきかん》への届出及《とどけでおよ》び許可《きょか》に関《かん》する次《つぎ》の記述《きじゅつ》のうち，**適当《てきとう》でないもの**はどれか。

1　騒音規制法《そうおんきせいほう》に係《かか》わる指定地域内《していちいきない》において特定建設作業《とくていけんせつさぎょう》を伴《ともな》う建設工事《けんせつこうじ》を施工《せこう》しようとする者《もの》は，当該特定建設作業《とうがいとくていけんせつさぎょう》の実施《じっし》を市町村長《しちょうそんちょう》に７日前《にちまえ》までに届《とど》け出《で》なければならない。

2　道路上《どうろじょう》に工事用板囲《こうじよういたがこい》，足場《あしば》，詰所《つめしょ》その他《た》の工事用施設《こうじようしせつ》を設置《せっち》し，継続《けいぞく》して道路《どうろ》を使用《しよう》する者《もの》は，道路管理者《どうろかんりしゃ》から道路占用《どうろせんよう》の許可《きょか》を受《う》けなければならない。

3　特殊《とくしゅ》な車両《しゃりょう》にあたる自走式建設機械《じそうしきけんせつきかい》を通行《つうこう》させようとする者《もの》は，所轄《しょかつ》の警察署《けいさつしょ》長《ちょう》に申請《しんせい》し，特殊車両《とくしゅしゃりょう》の通行許可《つうこうきょか》を受《う》けなければならない。

4　吊《つ》り足場又《あしばまた》は張出《はりだ》し足場《あしば》の組立《くみた》てから解体《かいたい》までの期間《きかん》が60日以上《にちいじょう》となる場合《ばあい》は，所轄《しょかつ》の労働基準監督署長《ろうどうきじゅんかんとくしょちょう》にその計画《けいかく》を届《とど》け出《で》なければならない。

正答　別冊P.177

No. 6

下図《かず》のネットワーク式工程表《しきこうていひょう》で示《しめ》される工事《こうじ》で，作業《さぎょう》Ｅに２日間《にちかん》の遅《ち》延《えん》が発生《はっせい》した場合《ばあい》，次《つぎ》の記述《きじゅつ》のうち，**適当《てきとう》なもの**はどれか。
ただし，図中《ずちゅう》のイベント間《かん》のＡ～Ｊは作業内容《さぎょうないよう》，数字《すうじ》は当初《とうしょ》の作業日《さぎょうにっ》数《すう》を示《しめ》す。

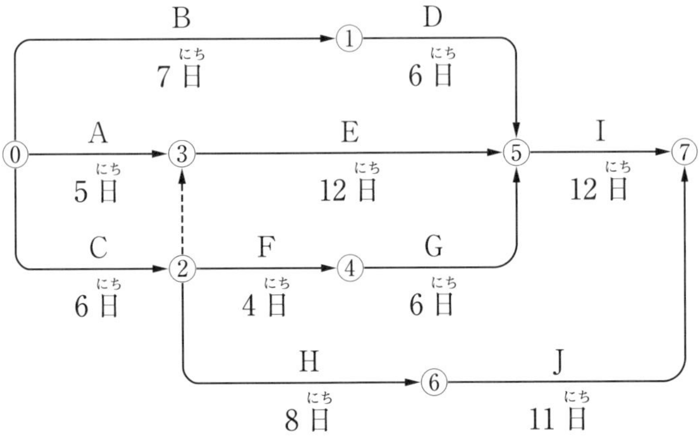

1　当初《とうしょ》の工期《こうき》より１日間遅《にちかんおく》れる。
2　当初《とうしょ》の工期《こうき》より２日間遅《にちかんおく》れる。
3　当初《とうしょ》の工期《こうき》どおり完了《かんりょう》する。
4　クリティカルパスの経路《けいろ》は当初《とうしょ》と変《か》わる。

No. 7

安全衛生管理体制《あんぜんえいせいかんりたいせい》に関《かん》する次《つぎ》の記述《きじゅつ》のうち，労働安全衛生法令上《ろうどうあんぜんえいせいほうれいじょう》，**誤《あやま》っているもの**はどれか。

1　労働者数《ろうどうしゃすう》が，常時《じょうじ》30人程度《にんていど》となる事業場《じぎょうじょう》は，安全衛生推進者《あんぜんえいせいすいしんしゃ》を選任《せんにん》する。
2　安全衛生推進者《あんぜんえいせいすいしんしゃ》は，元方安全衛生管理者《もとかたあんぜんえいせいかんりしゃ》の指揮《しき》，協議組織《きょうぎそしき》の設置《せっち》及《およ》び運営《うんえい》を行《おこな》う。
3　統括安全衛生責任者《とうかつあんぜんえいせいせきにんしゃ》は，当該場所《とうがいばしょ》においてその事業《じぎょう》の実施《じっし》を統括管理《とうかつかんり》する者《もの》が充《あ》たり，元方安全衛生管理者《もとかたあんぜんえいせいかんりしゃ》の指揮《しき》を行《おこな》う。
4　特定元方事業者《とくていもとかたじぎょうしゃ》は，その労働者《ろうどうしゃ》及《およ》び関係請負人《かんけいうけおいにん》の労働者《ろうどうしゃ》を合《あ》わせた数《かず》が80人程《にんてい》度《ど》となる場所《ばしょ》において作業《さぎょう》を行《おこな》うときは，統括安全衛生責任者《とうかつあんぜんえいせいせきにんしゃ》を選任《せんにん》する。

No. 8

建設工事現場《けんせつこうじげんば》における異常気象時《いじょうきしょうじ》の安全対策《あんぜんたいさく》に関《かん》する次《つぎ》の記述《きじゅつ》のうち，**適当《てきとう》でないもの**はどれか。

1　気象情報《きしょうじょうほう》の収集《しゅうしゅう》は，テレビ，ラジオ，インターネット等《とう》を常備《じょうび》し，常《つね》に入手《にゅうしゅ》に努《つと》めること。

2　天気予報等《てんきよほうとう》であらかじめ異常気象《いじょうきしょう》が予想《よそう》される場合《ばあい》は，作業《さぎょう》の中止《ちゅうし》を含《ふく》めて作業予定《さぎょうよてい》を検討《けんとう》すること。
3　警報及《けいほうおよ》び注意報《ちゅういほう》が解除《かいじょ》され，中止前《ちゅうしまえ》の作業《さぎょう》を再開《さいかい》する場合《ばあい》には，作業《さぎょう》と併行《へいこう》し工事現場《こうじげんば》に危険《きけん》がないか入念《にゅうねん》に点検《てんけん》すること。
4　大雨《おおあめ》により流出《りゅうしゅつ》のおそれのある物件《ぶっけん》は，安全《あんぜん》な場所《ばしょ》に移動《いどう》する等《とう》，流出防止《りゅうしゅつぼうし》の措置《そち》を講《こう》ずること。

No. 9

建設工事《けんせつこうじ》の労働災害防止対策《ろうどうさいがいぼうしたいさく》に関《かん》する次《つぎ》の記述《きじゅつ》のうち，**適当《てきとう》でないもの**はどれか。

1　足場通路等《あしばつうろとう》からの墜落防止措置《ついらくぼうしそち》として，高《たか》さ2m以上《いじょう》の作業床設置《さぎょうゆかせっち》が困難《こんなん》な箇所《かしょ》で，フルハーネス型《がた》の墜落制止用器具《ついらくせいしようきぐ》を用《もち》いて行《おこな》う作業《さぎょう》は，技能講習《ぎのうこうしゅう》を受《う》けた者《もの》が行《おこな》うこと。
2　足場通路等《あしばつうろとう》からの墜落防止措置《ついらくぼうしそち》として，足場及《あしばおよ》び鉄骨《てっこつ》の組立《くみたて》，解体時《かいたいじ》には，要求性能墜落制止用器具《ようきゅうせいのうついらくせいしようきぐ》が容易《ようい》に使用《しよう》できるよう親綱等《おやづなとう》の設備《せつび》を設《もう》けること。
3　飛来落下《ひらいらっか》の防止措置《ぼうしそち》として，構造物《こうぞうぶつ》の出入口《でいりぐち》と外部足場《がいぶあしば》が交差《こうさ》する場所《ばしょ》の出入口上部《でいりぐちじょうぶ》には，ネット，シートによる防護対策《ぼうごたいさく》を講《こう》ずること。
4　飛来落下《ひらいらっか》の防止措置《ぼうしそち》として，やむを得《え》ず高《たか》さ3m以上《いじょう》の高所《こうしょ》から物体《ぶったい》を投下《とうか》する場合《ばあい》には，投下設備《とうかせつび》を設《もう》け，立入禁止区域《たちいりきんしくいき》を設定《せってい》し，監視員《かんしいん》を配置《はいち》して行《おこな》うこと。

No. 10

型《かた》わく支保工《しほこう》に関《かん》する次《つぎ》の記述《きじゅつ》のうち，労働安全衛生法令上《ろうどうあんぜんえいせいほうれいじょう》，**誤《あやま》っているもの**はどれか。

1　型《かた》わく支保工《しほこう》を組立《くみた》てるときは，支柱《しちゅう》，はり，つなぎ，筋《すじ》かい等《とう》の部材《ぶざい》の配置《はいち》，接合《せつごう》の方法及《ほうほうおよ》び寸法《すんぽう》が示《しめ》されている組立図《くみたてず》を作成《さくせい》しなければならない。
2　型《かた》わく支保工《しほこう》は，支柱《しちゅう》の脚部《きゃくぶ》の固定《こてい》，根《ね》がらみの取付《とりつ》け等《とう》，支柱《しちゅう》の脚部《きゃくぶ》の滑動《かつどう》を防止《ぼうし》するための措置《そち》を講《こう》ずる。
3　コンクリートの打込《うちこ》みにあたっては，当該作業《とうがいさぎょう》に係《かか》る型《かた》わく支保工《しほこう》についてその日《ひ》の作業開始前《さぎょうかいしまえ》に点検《てんけん》し，異常《いじょう》が認《みと》められたときは補修《ほしゅう》を行《おこな》う。
4　型《かた》わく支保工《しほこう》の材料《ざいりょう》については，著《いちじる》しい損傷《そんしょう》，変形又《へんけいまた》は腐食《ふしょく》があるものは補修《ほしゅう》して使用《しよう》しなければならない。

正答　別冊P.179

No. 11

墜落《ついらく》による危険《きけん》を防止《ぼうし》するための安全《あんぜん》ネットの設置《せっち》に関《かん》する次《つぎ》の記述《きじゅつ》のうち，**適当《てきとう》でないもの**はどれか。

1　ネットの損耗《そんもう》が著《いちじる》しい場合《ばあい》，ネットが有毒《ゆうどく》ガスに暴露《ばくろ》された場合等《ばあいとう》においては，ネットの使用後《しようご》に試験用糸《しけんよういと》について，等速引張試験《とうそくひっぱりしけん》を行《おこな》う。

2　ネットの取付《とりつ》け位置《いち》と作業床等《さぎょうゆかとう》との間《あいだ》の許容落下高《きょようらっかたか》さは，ネットを単体《たんたい》で用《もち》いる場合《ばあい》も複数《ふくすう》のネットをつなぎ合《あ》わせて用《もち》いる場合《ばあい》も，同一《どういつ》の値以下《あたいいか》とする。

3　ネットには，製造者名《せいぞうしゃめい》・製造年月《せいぞうねんげつ》・仕立寸法《したてすんぽう》・新品時《しんぴんじ》の網糸《あみいと》の強度等《きょうどとう》を見《み》やすい箇所《かしょ》に表示《ひょうじ》する。

4　ネットの支持点《しじてん》の間隔《かんかく》は，ネット周辺《しゅうへん》からの墜落《ついらく》による危険《きけん》がないものでなければならない。

No. 12

土工工事《どこうこうじ》における明《あか》り掘削《くっさく》の作業《さぎょう》にあたり事業者《じぎょうしゃ》が遵守《じゅんしゅ》しなければならない事項《じこう》に関《かん》する次《つぎ》の記述《きじゅつ》のうち，労働安全衛生法令上《ろうどうあんぜんえいせいほうれいじょう》，**正《ただ》しいもの**はどれか。

1　地山《じやま》の崩壊等《ほうかいとう》による労働者《ろうどうしゃ》の危険《きけん》を防止《ぼうし》するため，点検者《てんけんしゃ》を指名《しめい》して，その日《ひ》の作業開始前《さぎょうかいしまえ》や大雨《おおあめ》や中震《ちゅうしん》（震度《しんど》4）以上《いじょう》の地震《じしん》の後《あと》に浮石及《うきいしおよ》びき裂《れつ》や湧水等《ゆうすいとう》の状態《じょうたい》を点検《てんけん》させる。

2　地山《じやま》の崩壊又《ほうかいまた》は土石《どせき》の落下《らっか》により労働者《ろうどうしゃ》に危険《きけん》を及《およ》ぼすおそれのあるときは，あらかじめ，土止《どど》め支保工《しほこう》を設《もう》け，防護網《ぼうごあみ》を張《は》り，労働者《ろうどうしゃ》の立入《たちい》りの措置《そち》を講《こう》じなければならない。（☆）

3　運搬機械《うんぱんきかい》，掘削機械《くっさくきかい》，積込機械《つみこみきかい》については，運行《うんこう》の経路《けいろ》，これらの機械《きかい》の土石《どせき》の積卸《つみおろ》し場所《ばしょ》への出入《でい》りの方法《ほうほう》を定《さだ》め，地山《じやま》の掘削作業主任者《くっさくさぎょうしゅにんしゃ》に知《し》らせなければならない。

4　運搬機械《うんぱんきかい》が，労働者《ろうどうしゃ》の作業箇所《さぎょうかしょ》に後進《こうしん》して接近《せっきん》するとき，又《また》は，転落《てんらく》のおそれのあるときは，運転者自《うんてんしゃみずか》ら十分確認《じゅうぶんかくにん》を行《おこな》うようにさせなければならない。（☆）

No. 13

静的破砕剤《せいてきはさいざい》と大型《おおがた》ブレーカを併用《へいよう》する工法《こうほう》で行《おこな》う橋梁下部工《きょうりょうかぶこう》の解体作業《かいたいさぎょう》に関《かん》する次《つぎ》の記述《きじゅつ》のうち，**適当《てきとう》でないもの**はどれか。

1　大型《おおがた》ブレーカを用《もち》いる二次破砕《にじはさい》，小割《こわ》りは，静的破砕剤《せいてきはさいざい》を充填後《じゅうてんご》，ひび割《わ》れが発生《はっせい》する前《まえ》に行《おこな》う。

2　静的破砕剤《せいてきはさいざい》の練混《ねりま》ぜ水《すい》は，清浄《せいじょう》な水《みず》を使用《しよう》し，適用温度範囲《てきようおんどはんい》の上限《じょうげん》を超《こ》えないように注意《ちゅうい》する。

3　大型《おおがた》ブレーカの作業《さぎょう》では，コンクリート塊等《かいとう》の落下《らっか》，飛散《ひさん》による事故防止《じこぼうし》のた

め立入禁止措置《たちいりきんしそち》を講《こう》じる。

4　穿孔径《せんこうけい》については，削岩機《さくがんき》などを用《もち》いて破砕《はさい》リフトの計画高《けいかくだか》さまで穿孔《せんこう》し，適《てき》用可能径《ようかのうけい》の上限《じょうげん》を超《こ》えていないか確認《かくにん》する。

No. 14

道路《どうろ》のアスファルト舗装《ほそう》の品質管理《ひんしつかんり》に関《かん》する次《つぎ》の記述《きじゅつ》のうち，**適当《てきとう》でないもの**はどれか。

1　各工程《かくこうてい》の初期《しょき》においては，品質管理《ひんしつかんり》の各項目《かくこうもく》に関《かん》する試験《しけん》の頻度《ひんど》を適切《てきせつ》に増《ふ》やし，その時点《じてん》の作業員《さぎょういん》や施工機械等《せこうきかいなど》の組合《くみあわ》せにおける作業工程《さぎょうこうてい》を速《すみ》やかに把握《はあく》しておく。

2　工事途中《こうじとちゅう》で作業員《さぎょういん》や施工機械等《せこうきかいなど》の組合《くみあわ》せを変更《へんこう》する場合《ばあい》は，品質管理《ひんしつかんり》の各項目《かくこうもく》に関《かん》する試験頻度《しけんひんど》を増《ま》し，新《あら》たな組合《くみあわ》せによる品質《ひんしつ》の確認《かくにん》を行《おこな》う。

3　管理《かんり》の合理化《ごうりか》をはかるためには，密度《みつど》や含水比等《がんすいひなど》を非破壊《ひはかい》で測定《そくてい》する機器《きき》を用《もち》いたり，作業《さぎょう》と同時《どうじ》に管理《かんり》できる敷均《しきなら》し機械《きかい》や締固《しめかた》め機械等《きかいなど》を活用《かつよう》することが望《のぞ》ましい。

4　各工程《かくこうてい》の進捗《しんちょく》に伴《ともな》い，管理《かんり》の限界《げんかい》を十分満足《じゅうぶんまんぞく》することが明確《めいかく》になっても，品質《ひんしつ》管理《かんり》の各項目《かくこうもく》に関《かん》する試験頻度《しけんひんど》を減《へ》らしてはならない。

No. 15

建設工事《けんせつこうじ》の品質管理《ひんしつかんり》における「工種《こうしゅ》」，「品質特性《ひんしつとくせい》」及《およ》び「試験方法《しけんほうほう》」に関《かん》する組合《くみあわ》せのうち，**適当《てきとう》なもの**は次《つぎ》のうちどれか。

	[工種《こうしゅ》]	[品質特性《ひんしつとくせい》]	[試験方法《しけんほうほう》]
1	コンクリート工《こう》	スランプ	圧縮強度試験《あっしゅくきょうどしけん》
2	路盤工《ろばんこう》	締固《しめかた》め度《ど》	CBR 試験《しけん》
3	アスファルト舗装工《ほそうこう》	安定度《あんていど》	平坦性試験《へいたんせいしけん》
4	土工《どこう》	支持力値《しじりょくち》	平板載荷試験《へいばんさいかしけん》

No. 16

コンクリート標準示方書《ひょうじゅんしほうしょ》に規定《きてい》されているレディーミクストコンクリートの受入《うけい》れ検査項目《けんさこうもく》に関《かん》する次《つぎ》の記述《きじゅつ》のうち，**適当《てきとう》でないもの**はどれか。

1　現場《げんば》での荷卸《におろ》し時《じ》や打《う》ち込《こ》む前《まえ》にコンクリートの状態《じょうたい》に異常《いじょう》が無《な》いか，目視《もくし》で確《たし》かめる。

2　スランプ試験《しけん》は，1回《かい》／日《にち》，又《また》は構造物《こうぞうぶつ》の重要度《じゅうようど》と工事《こうじ》の規模《きぼ》に応《おう》じて $20m^3$ ～ $150m^3$ ごとに1回《かい》，及《およ》び荷卸《におろ》し時《じ》に品質《ひんしつ》の変化《へんか》が認《みと》められた時《とき》に行《おこな》う。

3　圧縮強度試験《あっしゅくきょうどしけん》は，1回《かい》の試験結果《しけんけっか》が指定《してい》した呼《よ》び強度《きょうど》の強度値《きょうどち》の 80％以上《いじょう》であ

正答　別冊 P.181

ることかつ，3回《かい》の試験結果《しけんけっか》の平均値《へいきんち》が指定《してい》した呼《よ》び強度《きょうど》の強度値以上《きょうどちいじょう》であることを確認《かくにん》する。

4　フレッシュコンクリートの単位水量《たんいすいりょう》の試験方法《しけんほうほう》には，加熱乾燥法《かねつかんそうほう》やエアメータ法《ほう》がある。

No. 17　情報化施工《じょうほうかせこう》と環境負荷低減《かんきょうふかていげん》への取組《とりく》みに関《かん》する次《つぎ》の記述《きじゅつ》のうち，**適当《てきとう》でないもの**はどれか。

1　情報化施工《じょうほうかせこう》では，電子情報《でんしじょうほう》を活用《かつよう》して，施工管理《せこうかんり》の効率化《こうりつか》，品質《ひんしつ》の均一化《きんいつか》，環《かん》境負荷低減等《きょうふかていげんなど》，施工《せこう》の画一化《かくいつか》を実現《じつげん》するものである。

2　情報化施工《じょうほうかせこう》では，ブルドーザやグレーダのブレードをGNSS（全球測位衛星《ぜんきゅうそくいえいせい》システム）やTS（トータルステーション）等《など》を利用《りよう》して自動制御《じどうせいぎょ》することにより，工事《こうじ》に伴《ともな》うCO_2の排出量《はいしゅつりょう》を抑制《よくせい》することができる。

3　施工《せこう》の条件《じょうけん》が当初《とうしょ》より大幅《おおはば》に変《か》わった場合《ばあい》は，最初《さいしょ》の施工計画《せこうけいかく》に従《したが》うよりも，現場《げんば》の条件《じょうけん》に合《あ》わせて，重機《じゅうき》や使《つか》い方《かた》を変更《へんこう》した方《ほう》が，環境負荷《かんきょうふか》を低減《ていげん》できる。

4　情報化施工《じょうほうかせこう》では，変動《へんどう》する施工条件《せこうじょうけん》に柔軟《じゅうなん》に対応《たいおう》して，資材《しざい》やエネルギーを有《ゆう》効《こう》に利用《りよう》することができるため，環境負荷《かんきょうふか》を低減《ていげん》することにつながる。

No. 18　建設工事《けんせつこうじ》における騒音《そうおん》・振動対策《しんどうたいさく》に関《かん》する次《つぎ》の記述《きじゅつ》のうち，**適当《てきとう》でないもの**はどれか。

1　建設工事《けんせつこうじ》に伴《ともな》う騒音対策《そうおんたいさく》には，建設機械《けんせつきかい》が一時的《いちじてき》に集中《しゅうちゅう》して稼働《かどう》しないよう工《こう》事計画《じけいかく》を工夫《くふう》する等《など》ソフト的対策《てきたいさく》も重要《じゅうよう》である。

2　建設工事《けんせつこうじ》に伴《ともな》う騒音対策《そうおんたいさく》は，音源対策《おんげんたいさく》，伝搬防止対策《でんぱんぼうしたいさく》を実施《じっし》しても，低減量《ていげんりょう》が目標《もくひょう》に達《たっ》しない場合《ばあい》に，受音側《じゅおんがわ》で防音対策《ぼうおんたいさく》を行《おこな》う。

3　建設工事《けんせつこうじ》に伴《ともな》う地盤振動《じばんしんどう》は，発生振動《はっせいしんどう》レベル値《ち》の小《ちい》さい機械《きかい》や工法《こうほう》を選定《せんてい》することが，基本的原則《きほんてきげんそく》である。

4　建設工事《けんせつこうじ》に伴《ともな》う地盤振動《じばんしんどう》の防止対策《ぼうしたいさく》は，発生源《はっせいげん》，伝搬経路及《でんぱんけいろおよ》び受振対象《じゅしんたいしょう》における対策《たいさく》に分類《ぶんるい》できるが，受振対象《じゅしんたいしょう》における対策《たいさく》が最《もっと》も有効《ゆうこう》である。

No. 19　建設工事《けんせつこうじ》で発生《はっせい》する建設副産物《けんせつふくさんぶつ》の有効利用《ゆうこうりよう》に関《かん》する次《つぎ》の記述《きじゅつ》のうち，**適当《てきとう》でないもの**はどれか。

1　元請業者《もとうけぎょうしゃ》は，建設副産物《けんせつふくさんぶつ》の発生《はっせい》の抑制《よくせい》，建設廃棄物《けんせつはいきぶつ》の再資源化等《さいしげんかとう》に関《かん》し，発注《はっちゅう》者《しゃ》との連絡調整《れんらくちょうせい》，管理及《かんりおよ》び施工体制《せこうたいせい》の整備《せいび》を行《おこな》わなければならない。

2　元請業者《もとうけぎょうしゃ》は，分別《ぶんべつ》されたコンクリート塊《かい》を破砕《はさい》するなどにより，再生骨材《さいせいこつざい》，路《ろ》

盤材等《ばんざいとう》として，再資源化《さいしげんか》をしなければならない。

3　元請業者《もとうけぎょうしゃ》は，分別《ぶんべつ》された建設発生木材《けんせつはっせいもくざい》が，原材料《げんざいりょう》として再資源化《さいしげんか》を行《おこな》うことが困難《こんなん》な場合《ばあい》においては，当該工事現場内《とうがいこうじげんばない》に埋立《うめたて》しなければならない。

4　元請業者《もとうけぎょうしゃ》は，施工計画《せこうけいかく》の作成《さくせい》にあたっては，再生資源利用計画及《さいせいしげんりようけいかくおよ》び再生資源利《さいせいしげんり》用促進計画《ようそくしんけいかく》を作成《さくせい》するとともに，廃棄物処理計画《はいきぶつしょりけいかく》の作成《さくせい》に努《つと》めなければならない。

No. 20　建設工事《けんせつこうじ》に伴《ともな》う産業廃棄物《さんぎょうはいきぶつ》（特別管理産業廃棄物《とくべつかんりさんぎょうはいきぶつ》を除《のぞ》く）の処理《しょり》に関《かん》する次《つぎ》の記述《きじゅつ》のうち，廃棄物《はいきぶつ》の処理及《しょりおよ》び清掃《せいそう》に関《かん》する法令上《ほうれいじょう》，**誤《あやま》っているもの**はどれか。

1　産業廃棄物《さんぎょうはいきぶつ》とは，事業活動《じぎょうかつどう》に伴《ともな》って生《しょう》じた廃棄物《はいきぶつ》のうち，燃《も》え殻《がら》，汚泥《おでい》，廃油《はいゆ》，廃酸《はいさん》，廃《はい》アルカリ，廃《はい》プラスチック類《るい》その他政令《たせいれい》で定《さだ》める廃棄物《はいきぶつ》である。

2　産業廃棄物《さんぎょうはいきぶつ》を生《しょう》ずる事業者《じぎょうしゃ》は，その運搬又《うんぱんまた》は処分《しょぶん》を他人《たにん》に委託《いたく》する場合《ばあい》，受託《じゅたく》者《しゃ》に対《たい》し，産業廃棄物《さんぎょうはいきぶつ》の種類及《しゅるいおよ》び数量《すうりょう》，受託《じゅたく》した者《もの》の氏名又《しめいまた》は名称《めいしょう》を記載《きさい》した産《さん》業廃棄物管理票《ぎょうはいきぶつかんりひょう》を交付《こうふ》しなければならない。

3　事業者《じぎょうしゃ》は，その産業廃棄物《さんぎょうはいきぶつ》が運搬《うんぱん》されるまでの間《あいだ》，環境省令《かんきょうしょうれい》で定《さだ》める産業廃棄《さんぎょうはいき》物保管基準《ぶつほかんきじゅん》に従《したが》い，生活環境《せいかつかんきょう》の保全上支障《ほぜんじょうししょう》のないようにこれを保管《ほかん》しなければならない。

4　産業廃棄物管理票交付者《さんぎょうはいきぶつかんりひょうこうふしゃ》は，環境省令《かんきょうしょうれい》で定《さだ》めるところにより，当該管理票《とうがいかんりひょう》に関《かん》する報告書《ほうこくしょ》を作成《さくせい》し，これを市町村長《しちょうそんちょう》に提出《ていしゅつ》しなければならない。

正答　別冊P.183

※問題番号《もんだいばんごう》No.21～No.35までの15問題《もんだい》は，**施工管理法《せこうかんりほう》（応用能力《おうようのうりょく》）**の**必須問題《ひっすもんだい》**ですから**全問題《ぜんもんだい》を解答《かいとう》**してください。

No. 21

施工計画作成《せこうけいかくさくせい》の留意事項《りゅういじこう》に関《かん》する下記《かき》の文章中《ぶんしょうちゅう》の［　　　］の（イ）～（ニ）に当《あ》てはまる語句《ごく》の組合《くみあわ》せとして，**適当《てきとう》なもの**は次《つぎ》のうちどれか。

・施工計画《せこうけいかく》の作成《さくせい》は，発注者《はっちゅうしゃ》の要求《ようきゅう》する品質《ひんしつ》を確保《かくほ》するとともに，［（イ）］を最優先《さいゆうせん》にした施工《せこう》を基本《きほん》とした計画《けいかく》とする。
・施工計画《せこうけいかく》の検討《けんとう》は，これまでの経験《けいけん》も貴重《きちょう》であるが，新技術《しんぎじゅつ》や［（ロ）］を取《と》り入《い》れ工夫《くふう》・改善《かいぜん》を心《こころ》がけるようにする。
・施工計画《せこうけいかく》の作成《さくせい》は，一《ひと》つの計画《けいかく》のみでなく，いくつかの代替案《だいたいあん》を作《つく》り比較検討《ひかくけんとう》して，［（ハ）］の計画《けいかく》を採用《さいよう》する。
・施工計画《せこうけいかく》の作成《さくせい》にあたり，発注者《はっちゅうしゃ》から指示《しじ》された工程《こうてい》が最適工期《さいてきこうき》とは限《かぎ》らないので，指示《しじ》された工程《こうてい》の範囲内《はんいない》でさらに［（ニ）］な工程《こうてい》を探《さが》し出《だ》すことも大切《たいせつ》である。

	(イ)	(ロ)	(ハ)	(ニ)
1	工程《こうてい》	新工法《しんこうほう》	標準《ひょうじゅん》	画一的《かくいつてき》
2	安全《あんぜん》	既存工法《きぞんこうほう》	標準《ひょうじゅん》	画一的《かくいつてき》
3	安全《あんぜん》	新工法《しんこうほう》	最良《さいりょう》	経済的《けいざいてき》
4	工程《こうてい》	既存工法《きぞんこうほう》	最良《さいりょう》	経済的《けいざいてき》

No. 22

公共工事《こうきょうこうじ》における施工体制台帳作成《せこうたいせいだいちょうさくせい》に関《かん》する下記《かき》の文章中《ぶんしょうちゅう》の［　　　］の（イ）～（ニ）に当《あ》てはまる語句《ごく》の組合《くみあわ》せとして，**適当《てきとう》なもの**は次《つぎ》のうちどれか。

・発注者《はっちゅうしゃ》から直接工事《ちょくせつこうじ》を請負《うけお》った建設業者《けんせつぎょうしゃ》は，施工《せこう》するために下請契約《したうけけいやく》を締結《ていけつ》する場合《ばあい》には，下請金額《したうけきんがく》［（イ）］，施工体制台帳《せこうたいせいだいちょう》を作成《さくせい》しなければならない。
・施工体制台帳《せこうたいせいだいちょう》を作成《さくせい》する建設工事《けんせつこうじ》の下請負人《したうけおいにん》は，その請負《うけお》った工事《こうじ》を他《た》の建設業《けんせつぎょう》を営《いとな》む者《もの》に請《う》け負《お》わせたときは，再下請負通知書《さいしたうけおいつうちしょ》を［（ロ）］に提出《ていしゅつ》しなければならない。
・施工体制台帳《せこうたいせいだいちょう》には，作成建設業者《さくせいけんせつぎょうしゃ》に関《かん》する許可《きょか》を受《う》けて営《いとな》む建設業《けんせつぎょう》の種類《しゅるい》，［（ハ）］の加入状況《かにゅうじょうきょう》などを記載《きさい》しなければならない。
・施工体制台帳《せこうたいせいだいちょう》を作成《さくせい》する建設業者《けんせつぎょうしゃ》は，当該工事《とうがいこうじ》における施工《せこう》の分担関係《ぶんたんかんけい》を表示《ひょうじ》した［（ニ）］を作成《さくせい》し，工事関係者及《こうじかんけいしゃおよ》び公衆《こうしゅう》が見《み》やすい場所《ばしょ》に掲示《けいじ》しなければならない。

	（イ）	（ロ）	（ハ）	（ニ）
1	が一定額《いっていがく》以上《いじょう》の場合《ばあい》	発注者《はっちゅうしゃ》	健康《けんこう》保険等《ほけんとう》	工程表《こうていひょう》
2	にかかわらず	元請業者《もとうけぎょうしゃ》	健康《けんこう》保険等《ほけんとう》	施工《せこう》体系図《たいけいず》
3	が一定額《いっていがく》以上《いじょう》の場合《ばあい》	元請業者《もとうけぎょうしゃ》	建設業協会《けんせつぎょうきょうかい》	施工《せこう》体系図《たいけいず》
4	にかかわらず	発注者《はっちゅうしゃ》	建設業協会《けんせつぎょうきょうかい》	工程表《こうていひょう》

No. 23

工事《こうじ》の原価管理《げんかかんり》に関《かん》する下記《かき》の文章中《ぶんしょうちゅう》の［　　］の（イ）～（ニ）に当《あ》てはまる語句《ごく》の組合《くみあわ》せとして，**適当《てきとう》なもの**は次《つぎ》のうちどれか。

・原価管理《げんかかんり》は，工事受注後《こうじじゅちゅうご》に最《もっと》も経済的《けいざいてき》な施工計画《せこうけいかく》を立《た》て，これに基《もと》づいた［（イ）］の作成時点《さくせいじてん》から始《はじ》まって，管理《かんり》サイクルを回《まわ》し，［（ロ）］時点《じてん》まで実施《じっし》される。
・原価管理《げんかかんり》は，施工改善《せこうかいぜん》・計画修正等《けいかくしゅうせいなど》があれば修正《しゅうせい》［（イ）］を作成《さくせい》して，これを基準《きじゅん》として，再《ふたた》び管理《かんり》サイクルを回《まわ》していくこととなる。
・原価管理《げんかかんり》を有効《ゆうこう》に実施《じっし》するには，管理《かんり》の重点《じゅうてん》をどこにおくかの方針《ほうしん》を持《も》ち，どの程度《ていど》の細《こま》かさでの［（ハ）］を行《おこな》うかを決《き》めておくことが必要《ひつよう》である。
・施工担当者《せこうたんとうしゃ》は，常《つね》に工事《こうじ》の原価《げんか》を把握《はあく》し，［（イ）］と［（ニ）］の比較対照《ひかくたいしょう》を行《おこな》う必要《ひつよう》がある。

	（イ）	（ロ）	（ハ）	（ニ）
1	最終原価《さいしゅうげんか》	設計変更《せっけいへんこう》	原価計算《げんかけいさん》	実行予算《じっこうよさん》
2	実行予算《じっこうよさん》	設計変更《せっけいへんこう》	工事決算《こうじけっさん》	最終原価《さいしゅうげんか》
3	実行予算《じっこうよさん》	工事決算《こうじけっさん》	原価計算《げんかけいさん》	発生原価《はっせいげんか》
4	原価計算《げんかけいさん》	最終原価《さいしゅうげんか》	工事決算《こうじけっさん》	発生原価《はっせいげんか》

No. 24

建設機械《けんせつきかい》の選定《せんてい》に関《かん》する下記《かき》の文章中《ぶんしょうちゅう》の［　　］の（イ）～（ニ）に当《あ》てはまる語句《ごく》の組合《くみあわ》せとして，**適当《てきとう》なもの**は次《つぎ》のうちどれか。

・建設機械《けんせつきかい》は，機種《きしゅ》・性能《せいのう》により適用範囲《てきようはんい》が異《こと》なり，同《おな》じ機能《きのう》を持《も》つ機械《きかい》でも現場《げんば》条件《じょうけん》により施工能力《せこうのうりょく》が違《ちが》うので，その機械《きかい》が［（イ）］を発揮《はっき》できる施工法《せこうほう》を選定《せんてい》する。
・建設機械《けんせつきかい》の選定《せんてい》で重要《じゅうよう》なことは，施工速度《せこうそくど》に大《おお》きく影響《えいきょう》する機械《きかい》の［（ロ）］，稼働率《かどうりつ》の決定《けってい》である。
・組合《くみあわ》せ建設機械《けんせつきかい》の選択《せんたく》においては，主要機械《しゅようきかい》の能力《のうりょく》を最大限《さいだいげん》に発揮《はっき》させるために作業体系《さぎょうたいけい》を［（ハ）］する。
・組合《くみあわ》せ建設機械《けんせつきかい》の選択《せんたく》においては，従作業《じゅうさぎょう》の施工能力《せこうのうりょく》を主作業《しゅさぎょう》の施工能力《せこうのうりょく》と同等《どうとう》，

正答　別冊P.185

あるいは幾分《いくぶん》［（ニ）］にする。

（イ）　　（ロ）　　（ハ）　　（ニ）

1　最大能率《さいだいのうりつ》…………燃費能率《ねんぴのうりつ》…………直列化《ちょくれつか》…………高《たか》め
2　平均能率《へいきんのうりつ》…………作業能率《さぎょうのうりつ》…………直列化《ちょくれつか》…………低《ひく》め
3　平均能率《へいきんのうりつ》…………燃費能率《ねんぴのうりつ》…………並列化《へいれつか》…………低《ひく》め
4　最大能率《さいだいのうりつ》…………作業能率《さぎょうのうりつ》…………並列化《へいれつか》…………高《たか》め

No. 25　工程管理《こうていかんり》に関《かん》する下記《かき》の文章中《ぶんしょうちゅう》の［　　］の（イ）～（ニ）に当《あ》てはまる語句《ごく》の組合《くみあわ》せとして，**適当《てきとう》なもの**は次《つぎ》のうちどれか。

・工程管理《こうていかんり》は，品質《ひんしつ》，原価《げんか》，安全等工事管理《あんぜんなどこうじかんり》の目的《もくてき》とする要件《ようけん》を総合的《そうごうてき》に調整《ちょうせい》し，策定《さくてい》された基本《きほん》の［（イ）］をもとにして実施《じっし》される。
・工程管理《こうていかんり》は，工事《こうじ》の施工段階《せこうだんかい》を評価測定《ひょうかそくてい》する基準《きじゅん》を［（ロ）］におき，労働力《ろうどうりょく》，機《き》械設備《かいせつび》，資材等《しざいなど》の生産要素《せいさんようそ》を，最《もっと》も効果的《こうかてき》に活用《かつよう》することを目的《もくてき》とした管理《かんり》である。
・工程管理《こうていかんり》は，施工計画《せこうけいかく》の立案《りつあん》，計画《けいかく》を施工《せこう》の面《めん》で実施《じっし》する［（ハ）］と，施工途中《せこうとちゅう》で計画《けいかく》と実績《じっせき》を評価《ひょうか》，欠陥《けっかん》や不具合等《ふぐあいなど》があれば処置《しょち》を行《おこな》う改善機能《かいぜんきのう》とに大別《たいべつ》できる。
・工程管理《こうていかんり》は，工事《こうじ》の［（ニ）］と進捗速度《しんちょくそくど》を表《あらわ》す工程表《こうていひょう》を用《もち》い，常《つね》に工事《こうじ》の進捗状《しんちょくじょう》況《きょう》を把握《はあく》し［（イ）］と実施《じっし》のずれを早期《そうき》に発見《はっけん》し，必要《ひつよう》な是正措置《ぜせいそち》を講《こう》ずることである。

（イ）　　（ロ）　　（ハ）　　（ニ）

1　統制機能《とうせいきのう》…………品質《ひんしつ》…………工程計画《こうていけいかく》…………施工順序《せこうじゅんじょ》
2　工程計画《こうていけいかく》…………品質《ひんしつ》…………統制機能《とうせいきのう》…………管理基準《かんりきじゅん》
3　工程計画《こうていけいかく》…………時間《じかん》…………統制機能《とうせいきのう》…………施工順序《せこうじゅんじょ》
4　統制機能《とうせいきのう》…………時間《じかん》…………工程計画《こうていけいかく》…………管理基準《かんりきじゅん》

No. 26

工程管理《こうていかんり》に用《もち》いられる各工程表《かくこうていひょう》の特徴《とくちょう》に関《かん》する下記《かき》の文章中《ぶんしょうちゅう》の[　　　]の（イ）～（ニ）に当《あ》てはまる語句《ごく》の組合《くみあわ》せとして，**適当《てきとう》なもの**は次《つぎ》のうちどれか。

・[(イ)]工程表《こうていひょう》は，各作業《かくさぎょう》の順序《じゅんじょ》を明確《めいかく》に表示《ひょうじ》でき，各作業《かくさぎょう》に含《ふく》まれる余裕時間《よゆうじかん》の状況《じょうきょう》も把握《はあく》できるが，作業《さぎょう》の数《かず》が多《おお》くなるにつれ煩雑化《はんざつか》する。

・[(ロ)]工程表《こうていひょう》は，横軸《よこじく》に工期《こうき》を，縦軸《たてじく》に各作業《かくさぎょう》の出来高比率《できだかひりつ》（％）を表示《ひょうじ》した工程表《こうていひょう》で，予定《よてい》と実績《じっせき》との差《さ》を直感的《ちょっかんてき》に比較《ひかく》するのに便利《べんり》である。

・[(ハ)]工程表《こうていひょう》は，各作業《かくさぎょう》の完了時点《かんりょうじてん》を100％として，横軸《よこじく》にその達成度《たっせいど》をとる方法《ほうほう》で，各作業《かくさぎょう》の進捗度合《しんちょくどあ》いは明確《めいかく》であるが，工期《こうき》に影響《えいきょう》を与《あた》える作業《さぎょう》がどれか不明《ふめい》である。

・[(ニ)]工程表《こうていひょう》は，トンネル工事《こうじ》のように工事区間《こうじくかん》が線状《せんじょう》に長《なが》く，しかも工事《こうじ》の進行方向《しんこうほうこう》が一定《いってい》の方向《ほうこう》にしか進捗《しんちょく》できない工事《こうじ》に適《てき》している。

	（イ）	（ロ）	（ハ）	（ニ）
1	ネットワーク式《しき》	グラフ式《しき》	ガントチャート	斜線式《しゃせんしき》
2	ネットワーク式《しき》	ガントチャート	座標式《ざひょうしき》	バナナ曲線《きょくせん》
3	座標式《ざひょうしき》	グラフ式《しき》	ガントチャート	バナナ曲線《きょくせん》
4	グラフ式《しき》	ガントチャート	座標式《ざひょうしき》	斜線式《しゃせんしき》

No. 27

工程管理《こうていかんり》に用《もち》いられる横線式工程表《よこせんしきこうていひょう》（バーチャート）に関《かん》する下記《かき》の文章中《ぶんしょうちゅう》の[　　　]の（イ）～（ニ）に当《あ》てはまる語句《ごく》の組合《くみあわ》せとして，**適当《てきとう》なもの**は次《つぎ》のうちどれか。

・バーチャートは，工種《こうしゅ》を縦軸《たてじく》にとり，工期《こうき》を横軸《よこじく》にとって各工種《かくこうしゅ》の工事期間《こうじきかん》を横棒《よこぼう》で表現《ひょうげん》しているが，これは[(イ)]の欠点《けってん》をある程度改良《ていどかいりょう》したものである。

・バーチャートの作成《さくせい》は比較的《ひかくてき》[(ロ)]ものであるが，工事内容《こうじないよう》を詳《くわ》しく表現《ひょうげん》すれば，かなり高度《こうど》な工程表《こうていひょう》とすることも可能《かのう》である。

・バーチャートにおいては，他《た》の工種《こうしゅ》との相互関係《そうごかんけい》，[(ハ)]，及《およ》び各工種《かくこうしゅ》が全体《ぜんたい》の工期《こうき》に及《およ》ぼす影響等《えいきょうなど》が明確《めいかく》ではない。

・バーチャートの作成《さくせい》における，各作業《かくさぎょう》の日程《にってい》を割《わ》り付《つ》ける方法《ほうほう》としての[(ニ)]とは，竣工期日《しゅんこうきじつ》から辿《たど》って着手日《ちゃくしゅび》を決《き》めていく手法《しゅほう》である。

（語句の組合せは次ページに掲載）

正答 別冊P.186

	(イ)	(ロ)	(ハ)	(ニ)
1	グラフ式工程表《しきこうていひょう》	容易《ようい》な	所要日数《しょようにっすう》	順行法《じゅんこうほう》
2	ガントチャート	容易《ようい》な	手順《てじゅん》	逆算法《ぎゃくさんほう》
3	ガントチャート	難《むずか》しい	所要日数《しょようにっすう》	逆算法《ぎゃくさんほう》
4	グラフ式工程表《しきこうていひょう》	難《むずか》しい	手順《てじゅん》	順行法《じゅんこうほう》

No. 28

建設機械《けんせつきかい》の災害防止《さいがいぼうし》のために事業者《じぎょうしゃ》が講《こう》じるべき措置《そち》に関《かん》する下記《かき》の文章中《ぶんしょうちゅう》の[　　　]の（イ）～（ニ）に当《あ》てはまる語句《ごく》の組合《くみあわ》せとして，労働安全衛生法令上《ろうどうあんぜんえいせいほうれいじょう》，**正《ただ》しいもの**は次《つぎ》のうちどれか。

・車両系建設機械《しゃりょうけいけんせつきかい》の運転者《うんてんしゃ》が運転席《うんてんせき》を離《はな》れる際《さい》は，原動機《げんどうき》を止《と》め，[　(イ)　]，走行《そうこう》ブレーキをかける等《とう》の逸走《いっそう》を防止《ぼうし》する措置《そち》を講《こう》じなければならない。

・車両系建設機械《しゃりょうけいけんせつきかい》のブームやアームを上《あ》げ，その下《した》で修理《しゅうり》や点検《てんけん》を行《おこな》う場合《ばあい》は，労《ろう》働者《どうしゃ》の危険《きけん》を防止《ぼうし》するため，[　(ロ)　]，安全《あんぜん》ブロック等《とう》を使用《しよう》させなければならない。

・車両系荷役運搬機械等《しゃりょうけいにやくうんぱんきかいとう》を用《もち》いた作業《さぎょう》を行《おこな》う場合《ばあい》，路肩《ろかた》や傾斜地《けいしゃち》で労働者《ろうどうしゃ》に危険《きけん》が生《しょう》ずるおそれがあるときは，[　(ハ)　]を配置《はいち》しなければならない。

・車両系荷役運搬機械等《しゃりょうけいにやくうんぱんきかいとう》を用《もち》いた作業《さぎょう》を行《おこな》うときは，[　(ニ)　]を定《さだ》めなければならない。

	(イ)	(ロ)	(ハ)	(ニ)
1	かつ	保護帽《ほごぼう》	警備員《けいびいん》	作業主任者《さぎょうしゅにんしゃ》
2	かつ	安全支柱《あんぜんしちゅう》	誘導者《ゆうどうしゃ》	作業指揮者《さぎょうしきしゃ》
3	又《また》は	保護帽《ほごぼう》	誘導者《ゆうどうしゃ》	作業主任者《さぎょうしゅにんしゃ》
4	又《また》は	安全支柱《あんぜんしちゅう》	警備員《けいびいん》	作業指揮者《さぎょうしきしゃ》

No. 29

移動式《いどうしき》クレーンの災害防止《さいがいぼうし》のために事業者《じぎょうしゃ》が講《こう》じるべき措置《そち》に関《かん》する下記《かき》の文章中《ぶんしょうちゅう》の[　　　]の（イ）～（ニ）に当《あ》てはまる語句《ごく》の組合《くみあわ》せとして，クレーン等安全規則上《とうあんぜんきそくじょう》，**正《ただ》しいもの**は次《つぎ》のうちどれか。

・クレーン機能付《きのうつ》き油圧《ゆあつ》ショベルを小型移動式《こがたいどうしき》クレーンとして使用《しよう》する場合《ばあい》，車両《しゃりょう》系建設機械《けいけんせつきかい》の運転技能講習《うんてんぎのうこうしゅう》を修了《しゅうりょう》している者《もの》を，クレーン作業《さぎょう》の運転者《うんてんしゃ》として従《じゅう》事《じ》させることが[　(イ)　]。

・強風《きょうふう》のため，移動式《いどうしき》クレーンの作業《さぎょう》の実施《じっし》について危険《きけん》が予想《よそう》されるときは，当《とう》該作業《がいさぎょう》を[　(ロ)　]しなければならない。

・移動式《いどうしき》クレーンの運転者及《うんてんしゃおよ》び玉掛《たまが》けをする者《もの》が当該移動式《とうがいいどうしき》クレーンの[　(ハ)　]を

常時知《じょうじし》ることができるよう，表示《ひょうじ》その他《た》の措置《そち》を講《こう》じなければならない。

・移動式《いどうしき》クレーンを用《もち》いて作業《さぎょう》を行《おこな》うときは，［（ニ）］に，巻過防止装置《まきすぎぼうしそうち》，過負荷《かふか》警報装置等《けいほうそうちとう》の機能《きのう》について点検《てんけん》を行《おこな》わなければならない。

	（イ）	（ロ）	（ハ）	（ニ）
1	できる	特《とく》に注意《ちゅうい》して実施《じっし》	定格荷重《ていかくかじゅう》	その作業《さぎょう》の前日《ぜんじつ》まで
2	できない	特《とく》に注意《ちゅうい》して実施《じっし》	最大《さいだい》つり荷重《かじゅう》	その日《ひ》の作業《さぎょう》を開始《かいし》する前《まえ》
3	できる	中止《ちゅうし》	最大《さいだい》つり荷重《かじゅう》	その作業《さぎょう》の前日《ぜんじつ》まで
4	できない	中止《ちゅうし》	定格荷重《ていかくかじゅう》	その日《ひ》の作業《さぎょう》を開始《かいし》する前《まえ》

No. 30　建設工事《けんせつこうじ》における埋設物《まいせつぶつ》ならびに架空線《かくうせん》の防護《ぼうご》に関《かん》する下記《かき》の文章中《ぶんしょうちゅう》の［　　］の（イ）～（ニ）に当《あ》てはまる語句《ごく》の組合《くみあわ》せとして，**適当《てきとう》なもの**は次《つぎ》のうちどれか。

・明《あか》り掘削作業《くっさくさぎょう》で，掘削機械《くっさくきかい》・積込機械《つみこみきかい》・運搬機械《うんぱんきかい》の使用《しよう》に伴《ともな》う地下工作物《ちかこうさくぶつ》の損壊《そんかい》により労働者《ろうどうしゃ》に危険《きけん》を及《およ》ぼすおそれのあるときは，これらの機械《きかい》を［（イ）］。

・明《あか》り掘削《くっさく》で露出《ろしゅつ》したガス導管《どうかん》のつり防護等《ぼうごとう》の作業《さぎょう》には［（ロ）］を指名《しめい》し，作業《さぎょう》を行《おこな》わなければならない。

・架空線等上空施設《かくうせんとうじょうくうしせつ》に近接《きんせつ》した工事《こうじ》の施工《せこう》にあたっては，架空線等《かくうせんとう》と機械《きかい》，工具《こうぐ》，材料等《ざいりょうとう》について［（ハ）］を確保《かくほ》する。

・架空線等上空施設《かくうせんとうじょうくうしせつ》に近接《きんせつ》して工事《こうじ》を行《おこな》う場合《ばあい》は，必要《ひつよう》に応《おう》じて［（ニ）］に施工方法《せこうほうほう》の確認《かくにん》や立合《たちあ》いを求《もと》める。

	（イ）	（ロ）	（ハ）	（ニ）
1	使用《しよう》してはならない	作業指揮者《さぎょうしきしゃ》	安全《あんぜん》な離隔《りかく》	その管理者《かんりしゃ》
2	特《とく》に注意《ちゅうい》して使用《しよう》する	作業指揮者《さぎょうしきしゃ》	確実《かくじつ》な絶縁《ぜつえん》	労働基準監督署《ろうどうきじゅんかんとくしょ》
3	使用《しよう》してはならない	監視員《かんしいん》	確実《かくじつ》な絶縁《ぜつえん》	労働基準監督署《ろうどうきじゅんかんとくしょ》
4	特《とく》に注意《ちゅうい》して使用《しよう》する	監視員《かんしいん》	安全《あんぜん》な離隔《りかく》	その管理者《かんりしゃ》

No. 31　労働者《ろうどうしゃ》の健康管理《けんこうかんり》のために事業者《じぎょうしゃ》が講《こう》じるべき措置《そち》に関《かん》する下記《かき》の文章中《ぶんしょうちゅう》の［　　］の（イ）～（ニ）に当《あ》てはまる語句《ごく》の組合《くみあわ》せとして，**適当《てきとう》なもの**は次《つぎ》のうちどれか。

・休憩時間《きゅうけいじかん》を除《のぞ》き一週間《いっしゅうかん》に40時間《じかん》を超《こ》えて労働《ろうどう》させた場合《ばあい》，その超《こ》えた労働時間《ろうどうじかん》が一月当《ひとつきあ》たり80時間《じかん》を超《こ》え，かつ，疲労《ひろう》の蓄積《ちくせき》が認《みと》められる労働者《ろうどうしゃ》の申出《もうしで》により，［（イ）］による面接指導《めんせつしどう》を行《おこな》う。

正答　別冊P.188

・常時《じょうじ》に特定粉《とくていふん》じん作業《さぎょう》に従事《じゅうじ》する労働者《ろうどうしゃ》には，粉《ふん》じんの発散防止《はっさんぼうし》・作業場所《さぎょうばしょ》の換《かん》気方法《きほうほう》・呼吸用保護具《こきゅうようほごぐ》の使用方法等《しようほうほうとう》について［ (ロ) ］を行《おこな》わなければならない。
・一定《いってい》の危険性《きけんせい》・有害性《ゆうがいせい》が確認《かくにん》されている化学物質《かがくぶっしつ》を取《と》り扱《あつか》う場合《ばあい》には，事業場《じぎょうじょう》における［ (ハ) ］が義務《ぎむ》とされている。
・事業者《じぎょうしゃ》は，原則《げんそく》として，常時使用《じょうじしよう》する労働者《ろうどうしゃ》に対《たい》して，［ (ニ) ］以内《いない》ごとに，医《い》師《し》による健康診断《けんこうしんだん》を行《おこな》わなければならない。

	(イ)	(ロ)	(ハ)	(ニ)
1	医師《いし》	技能講習《ぎのうこうしゅう》	リスクマネジメント	1年《ねん》
2	医師《いし》	特別《とくべつ》の教育《きょういく》	リスクアセスメント	1年《ねん》
3	カウンセラー	技能講習《ぎのうこうしゅう》	リスクアセスメント	3年《ねん》
4	カウンセラー	特別《とくべつ》の教育《きょういく》	リスクマネジメント	3年《ねん》

No. 32 品質管理《ひんしつかんり》に関《かん》する下記《かき》の文章中《ぶんしょうちゅう》の［　　］の（イ）～（ニ）に当《あ》てはまる語句《ごく》の組合《くみあわ》せとして，**適当《てきとう》なもの**は次《つぎ》のうちどれか。

・品質管理《ひんしつかんり》は，ある作業《さぎょう》を制御《せいぎょ》していく品質《ひんしつ》の統制《とうせい》から，施工計画立案《せこうけいかくりつあん》の段階《だんかい》で［ (イ) ］を検討《けんとう》し，それを施工段階《せこうだんかい》でつくり込《こ》むプロセス管理《かんり》の考《かんが》え方《かた》である。
・工事目的物《こうじもくてきぶつ》の品質《ひんしつ》を一定以上《いっていいじょう》の水準《すいじゅん》に保《たも》つ活動《かつどう》を［ (ロ) ］活動《かつどう》といい，品質《ひんしつ》の向上《こうじょう》や品質《ひんしつ》の維持管理《いじかんり》を行《おこな》う品質管理《ひんしつかんり》よりも幅広《はばひろ》い概念《がいねん》を含《ふく》んでいる。
・品質特性《ひんしつとくせい》を決《き》める場合《ばあい》には，構造物《こうぞうぶつ》の品質《ひんしつ》に重要《じゅうよう》な影響《えいきょう》を及《およ》ぼすものであること，［ (ハ) ］しやすい特性《とくせい》であること等《など》に留意《りゅうい》する。
・設計値《せっけいち》を十分満足《じゅうぶんまんぞく》するような品質《ひんしつ》を実現《じつげん》するためには，［ (ニ) ］を考慮《こうりょ》して，余裕《よゆう》を持《も》った品質《ひんしつ》を目標《もくひょう》としなければならない。

	(イ)	(ロ)	(ハ)	(ニ)
1	管理特性《かんりとくせい》	品質保証《ひんしつほしょう》	測定《そくてい》	ばらつきの度合《どあ》い
2	調査特性《ちょうさとくせい》	維持保全《いじほぜん》	推定《すいてい》	ばらつきの度合《どあ》い
3	管理特性《かんりとくせい》	品質保証《ひんしつほしょう》	推定《すいてい》	最大値《さいだいち》
4	調査特性《ちょうさとくせい》	維持保全《いじほぜん》	測定《そくてい》	最大値《さいだいち》

No. 33　情報化施工《じょうほうかせこう》におけるTS（トータルステーション）・GNSS（全球測位《ぜんきゅうそくい》衛星《えいせい》システム）を用《もち》いた盛土《もりど》の締固《しめかた》め管理《かんり》に関《かん》する下記《かき》の文章中《ぶんしょうちゅう》の［　　　］の（イ）～（ニ）に当《あ》てはまる語句《ごく》の組合《くみあわ》せとして，**適当《てきとう》なもの**は次《つぎ》のうちどれか。

・TS・GNSSを用《もち》いて締固《しめかた》め機械《きかい》の走行記録《そうこうきろく》をもとに，盛土《もりど》の締固《しめかた》め管理《かんり》をする方《ほう》法《ほう》は，［　(イ)　］の１つである。
・TS・GNSSを用《もち》いた盛土《もりど》の締固《しめかた》め管理《かんり》は，締固《しめかた》め機械《きかい》の走行位置《そうこういち》をリアルタイムに計測《けいそく》し，［　(ロ)　］を確認《かくにん》する。
・盛土《もりど》の施工仕様《せこうしよう》（まき出《だ》し厚《あつ》や［　(ロ)　］）は，使用予定材料《しようよていざいりょう》のうち［　(ハ)　］について，事前《じぜん》に試験施工《しけんせこう》で決定《けってい》する。
・盛土《もりど》の材料《ざいりょう》を締《し》め固《かた》める際《さい》は，原則《げんそく》として盛土施工範囲《もりどせこうはんい》の［　(ニ)　］について，モニタに表示《ひょうじ》される［　(ロ)　］分布図《ぶんぷず》が，規定回数《きていかいすう》だけ締《し》め固《かた》めたことを示《しめ》す色《いろ》になることを確認《かくにん》する。

	(イ)	(ロ)	(ハ)	(ニ)
1	品質規定方式《ひんしつきていほうしき》	締固《しめかた》め度《ど》	最《もっと》も使用量《しようりょう》が多《おお》い材料《ざいりょう》	全《ぜん》ブロック
2	工法規定方式《こうほうきていほうしき》	締固《しめかた》め回数《かいすう》	全《すべ》ての種類毎《しゅるいごと》の材料《ざいりょう》	全《ぜん》ブロック
3	工法規定方式《こうほうきていほうしき》	締固《しめかた》め度《ど》	最《もっと》も使用量《しようりょう》が多《おお》い材料《ざいりょう》	代表《だいひょう》ブロック
4	品質規定方式《ひんしつきていほうしき》	締固《しめかた》め回数《かいすう》	全《すべ》ての種類毎《しゅるいごと》の材料《ざいりょう》	代表《だいひょう》ブロック

No. 34　機械式鉄筋継手《きかいしきてっきんつぎて》に関《かん》する下記《かき》の文章中《ぶんしょうちゅう》の［　　　］の（イ）～（ニ）に当《あ》てはまる語句《ごく》の組合《くみあわ》せとして，**適当《てきとう》なもの**は次《つぎ》のうちどれか。

・機械式鉄筋継手《きかいしきてっきんつぎて》には，継手用《つぎてよう》スリーブと鉄筋《てっきん》がグラウトを介《かい》して力《ちから》を伝達《でんたつ》するモルタル充填継手《じゅうてんつぎて》や，内面《ないめん》にねじ加工《かこう》されたカプラーによって接合《せつごう》する［　(イ)　］鉄《てっ》筋継手《きんつぎて》がある。
・機械式鉄筋継手《きかいしきてっきんつぎて》の継手単体《つぎてたんたい》の特性《とくせい》は，一方向引張試験《いちほうこうひっぱりしけん》や弾性域正負繰返《だんせいいきせいふくりかえ》し試験時《しけんじ》の引張強度《ひっぱりきょうど》や［　(ロ)　］によって確認《かくにん》される。
・モルタル充填継手《じゅうてんつぎて》の施工《せこう》にあたり，鉄筋《てっきん》の挿入長《そうにゅうなが》さが十分《じゅうぶん》であることを，［　(ハ)　］で確認《かくにん》する。
・施工後《せこうご》のモルタル充填継手《じゅうてんつぎて》では，モルタルが排出孔《はいしゅつこう》から［　(ニ)　］ことを確認《かくにん》する。

(語句の組合せは次ページに掲載)

正答　別冊 P.190

	(イ)	(ロ)	(ハ)	(ニ)
1	竹節《たけふし》	座屈強度《ざくつきょうど》	マーキング位置《いち》	排出《はいしゅつ》していない
2	竹節《たけふし》	すべり量《りょう》	ノギス	排出《はいしゅつ》していない
3	ねじ節《ふし》	座屈強度《ざくつきょうど》	ノギス	排出《はいしゅつ》している
4	ねじ節《ふし》	すべり量《りょう》	マーキング位置《いち》	排出《はいしゅつ》している

No. 35 プレキャストコンクリート構造物《こうぞうぶつ》の接合施工《せつごうせこう》に関《かん》する下記《かき》の文章中《ぶんしょうちゅう》の［　　］の（イ）～（ニ）に当《あ》てはまる語句《ごく》の組合《くみあわ》せとして，**適当《てきとう》なもの**は次《つぎ》のうちどれか。

・プレキャストコンクリートの接合面《せつごうめん》に用《もち》いるエポキシ樹脂接着剤《じゅしせっちゃくざい》は，コンクリート温度《おんど》が［(イ)］と粘度《ねんど》が高《たか》くなり硬化反応《こうかはんのう》も遅《おそ》くなることから，使用温度《しようおんど》に適《てき》したものを選《えら》んで使用《しよう》する。

・プレキャストコンクリートの接合面《せつごうめん》に接着剤《せっちゃくざい》を用《もち》いる場合《ばあい》は，施工前《せこうまえ》に接合面《せつごうめん》を十分《じゅうぶん》に［(ロ)］させる。

・プレキャストコンクリートの接合面《せつごうめん》にモルタルを打《う》ち込《こ》んで接合《せつごう》する場合《ばあい》は，施《せ》工前《こうまえ》に接合面《せつごうめん》を十分《じゅうぶん》に［(ハ)］させる。

・シールドのセグメント等《など》で用《もち》いられる［(ニ)］により接合《せつごう》する方法《ほうほう》は，部材《ぶざい》の製《せい》造《ぞう》や接合時《せつごうじ》に，高精度《こうせいど》な寸法管理《すんぽうかんり》や設置管理《せっちかんり》が必要《ひつよう》になる。

	(イ)	(ロ)	(ハ)	(ニ)
1	高《たか》すぎる	乾燥《かんそう》	吸水《きゅうすい》	モルタル充填継手《じゅうてんつぎて》
2	高《たか》すぎる	吸水《きゅうすい》	乾燥《かんそう》	ボルト締《じ》め
3	低《ひく》すぎる	乾燥《かんそう》	吸水《きゅうすい》	ボルト締《じ》め
4	低《ひく》すぎる	吸水《きゅうすい》	乾燥《かんそう》	モルタル充填継手《じゅうてんつぎて》

正答 別冊P.191

令和３年度　第二次検定

試験時間　165分

※問題《もんだい》１～問題《もんだい》３は必須問題《ひっすもんだい》です。必《かなら》ず解答《かいとう》してください。
　問題《もんだい》１で
　①設問《せつもん》１の解答《かいとう》が無記載又《むきさいまた》は記入《きにゅう》漏《も》れがある場合《ばあい》，
　②設問《せつもん》２の解答《かいとう》が無記載又《むきさいまた》は設問《せつもん》で求《もと》められている内容以外《ないよういがい》の記述《きじゅつ》の場合《ばあい》，
　どちらの場合《ばあい》にも問題《もんだい》２以降《いこう》は採点《さいてん》の対象《たいしょう》となりません。

必須問題《ひっすもんだい》

問題《もんだい》 1　**あなたが経験《けいけん》した土木工事《どぼくこうじ》の現場《げんば》において，その現場状況《げんばじょうきょう》から特《とく》に留《りゅう》意《い》した安全管理《あんぜんかんり》に関《かん》して，次《つぎ》の〔設問《せつもん》 1〕，〔設問《せつもん》 2〕に答《こた》えなさい。**

〔注意《ちゅうい》〕　あなたが経験《けいけん》した工事《こうじ》でないことが判明《はんめい》した場合《ばあい》は失格《しっかく》となります。

〔設問《せつもん》 1〕　あなたが**経験《けいけん》した土木工事《どぼくこうじ》**に関《かん》し，次《つぎ》の事項《じこう》について解答欄《かいとうらん》に明確《めいかく》に記《き》述《じゅつ》しなさい。

〔注意《ちゅうい》〕「経験《けいけん》した土木工事《どぼくこうじ》」は，あなたが工事請負者《こうじうけおいしゃ》の技術者《ぎじゅつしゃ》の場合《ばあい》は，あなたの所属会社《しょぞくがいしゃ》が受注《じゅちゅう》した工事内容《こうじないよう》について記述《きじゅつ》してください。従《したが》って，あなたの所属《しょぞく》会社《がいしゃ》が二次下請業者《にじしたうけぎょうしゃ》の場合《ばあい》は，発注者名《はっちゅうしゃめい》は一次下請業者名《いちじしたうけぎょうしゃめい》となります。
　なお，あなたの所属《しょぞく》が発注機関《はっちゅうきかん》の場合《ばあい》の発注者名《はっちゅうしゃめい》は，所属機関名《しょぞくきかんめい》となります。

(1) **工事名《こうじめい》**
(2) **工事《こうじ》の内容《ないよう》**
　① **発注者名《はっちゅうしゃめい》**
　② **工事場所《こうじばしょ》**
　③ **工《こう》　期《き》**
　④ **主《おも》な工種《こうしゅ》**
　⑤ **施《せ》　工《こう》　量《りょう》**
(3) **工事現場《こうじげんば》における施工管理上《せこうかんりじょう》のあなたの立場《たちば》**

解答例　別冊 P.192

〔設問《せつもん》2〕 上記工事《じょうきこうじ》の**現場状況《げんばじょうきょう》から特《とく》に留意《りゅうい》した安全管理《あんぜんかんり》**に関《かん》し, 次《つぎ》の事項《じこう》について解答欄《かいとうらん》に具体的《ぐたいてき》に記述《きじゅつ》しなさい。
ただし, 交通誘導員《こうつうゆうどういん》の配置《はいち》のみに関《かん》する記述《きじゅつ》は除《のぞ》く。

(1) **具体的《ぐたいてき》な現場状況《げんばじょうきょう》**と特《とく》に留意《りゅうい》した**技術的課題《ぎじゅつてきかだい》**
(2) 技術的課題《ぎじゅつてきかだい》を解決《かいけつ》するために**検討《けんとう》した項目《こうもく》と検討理由《けんとうりゆう》及《およ》び検討内容《けんとうないよう》**
(3) 上記検討《じょうきけんとう》の結果《けっか》, **現場《げんば》で実施《じっし》した対応処置《たいおうしょち》とその評価《ひょうか》**

必須問題《ひっすもんだい》

問題《もんだい》2

コンクリートの養生《ようじょう》に関《かん》する次《つぎ》の文章《ぶんしょう》の[　　　]の（イ）～（ホ）に当《あ》てはまる**適切《てきせつ》な語句《ごく》**を解答欄《かいとうらん》に記述《きじゅつ》しなさい。

(1) 打込《うちこ》み後《ご》のコンクリートは, セメントの[(イ)]反応《はんのう》が阻害《そがい》されないように表面《ひょうめん》からの乾燥《かんそう》を防止《ぼうし》する必要《ひつよう》がある。
(2) 打込《うちこ》み後《ご》のコンクリートは, その部位《ぶい》に応《おう》じた適切《てきせつ》な養生方法《ようじょうほうほう》により, 一定《いってい》期間《きかん》は十分《じゅうぶん》な[(ロ)]状態《じょうたい》に保《たも》たなければならない。
(3) 養生期間《ようじょうきかん》は, セメントの種類《しゅるい》や環境温度《かんきょうおんど》等《など》に応《おう》じて適切《てきせつ》に定《さだ》めなければならない。日平均気温《にちへいきんきおん》15℃以上《いじょう》の場合《ばあい》, [(ハ)]を使用《しよう》した際《さい》には, 養生期間《ようじょうきかん》は7日《にち》を標準《ひょうじゅん》とする。
(4) 暑中《しょちゅう》コンクリートでは, 特《とく》に気温《きおん》が高《たか》く, また, 湿度《しつど》が低《ひく》い場合《ばあい》には, 表面《ひょうめん》が急激《きゅうげき》に乾燥《かんそう》し[(ニ)]が生《しょう》じやすいので, [(ホ)]又《また》は覆《おお》い等《など》による適切《てきせつ》な処置《しょち》を行《おこな》い, 表面《ひょうめん》の乾燥《かんそう》を抑《おさ》えることが大切《たいせつ》である。

必須問題《ひっすもんだい》

問題《もんだい》３

土木工事《どぼくこうじ》における，**施工管理《せこうかんり》の基本《きほん》となる施工計画《せこうけいかく》の立案《りつあん》に関《かん》して，下記《かき》の５つの検討項目《けんとうこうもく》**における検討内容《けんとうないよう》をそれぞれ解答欄《かいとうらん》に記述《きじゅつ》しなさい。

ただし，（例《れい》）の検討内容《けんとうないよう》と同一《どういつ》の内容《ないよう》は不可《ふか》とする。

・契約書類《けいやくしょるい》の確認事項《かくにんじこう》
・現場条件《げんばじょうけん》の調査《ちょうさ》（自然条件《しぜんじょうけん》の調査《ちょうさ》）
・現場条件《げんばじょうけん》の調査《ちょうさ》（近隣環境《きんりんかんきょう》の調査《ちょうさ》）
・現場条件《げんばじょうけん》の調査《ちょうさ》（資機材《しきざい》の調査《ちょうさ》）
・施工手順《せこうてじゅん》

問題《もんだい》４～問題《もんだい》11までは選択問題《せんたくもんだい》（1），（2）です。
※問題《もんだい》４～問題《もんだい》７までの選択問題《せんたくもんだい》（1）の４問題《もんだい》のうちから２問題《もんだい》を選択《せんたく》し解答《かいとう》してください。
なお，選択《せんたく》した問題《もんだい》は，解答用紙《かいとうようし》の選択欄《せんたくらん》に○印《じるし》を必《かなら》ず記入《きにゅう》してください。

選択問題《せんたくもんだい》（1）

問題《もんだい》４

建設発生土《けんせつはっせいど》の現場利用《げんばりよう》のための安定処理《あんていしょり》に関《かん》する次《つぎ》の文章《ぶんしょう》の［　　　］の（イ）～（ホ）に当《あ》てはまる**適切《てきせつ》な語句《ごく》**を解答欄《かいとうらん》に記述《きじゅつ》しなさい。

（1）　高含水比状態《こうがんすいひじょうたい》にある材料《ざいりょう》あるいは強度《きょうど》の不足《ふそく》するおそれのある材料《ざいりょう》を盛土材料《もりどざいりょう》として利用《りよう》する場合《ばあい》，一般《いっぱん》に［　（イ）　］乾燥等《かんそうなど》による脱水処理《だっすいしょり》が行《おこな》われる。

［　（イ）　］乾燥《かんそう》で含水比《がんすいひ》を低下《ていか》させることが困難《こんなん》な場合《ばあい》は，できるだけ場内《じょうない》で有効活用《ゆうこうかつよう》をするために固化材《こかざい》による安定処理《あんていしょり》が行《おこな》われている。

（2）　セメントや石灰等《せっかいなど》の固化材《こかざい》による安定処理工法《あんていしょりこうほう》は，主《おも》に基礎地盤《きそじばん》や［　（ロ）　］，路盤《ろばん》の改良《かいりょう》に利用《りよう》されている。道路土工《どうろどこう》への利用範囲《りようはんい》として主《おも》なものをあげると，強度《きょうど》の不足《ふそく》する［　（ロ）　］材料《ざいりょう》として利用《りよう》するための改良《かいりょう》や高含水比粘性土等《こうがんすいひねんせいどなど》の［　（ハ）　］の確保《かくほ》のための改良《かいりょう》がある。

（3）　安定処理《あんていしょり》の施工上《せこうじょう》の留意点《りゅういてん》として，石灰《せっかい》・石灰系固化材《せっかいけいこかざい》の場合《ばあい》，白色粉末《はくしょくふんまつ》の石灰《せっかい》は作業中《さぎょうちゅう》に粉塵《ふんじん》が発生《はっせい》すると，作業者《さぎょうしゃ》のみならず近隣《きんりん》にも影響《えいきょう》を与《あた》えるので，作業《さぎょう》の際《さい》は，風速《ふうそく》，風向《ふうこう》に注意《ちゅうい》し，粉塵《ふんじん》の発生《はっせい》を極力抑《きょくりょくおさ》えるようにする。また，作業者《さぎょうしゃ》はマスク，防塵《ぼうじん》［　（ニ）　］を使用《しよう》する。

石灰《せっかい》・石灰系固化材《せっかいけいこかざい》と土《つち》との反応《はんのう》はかなり緩慢《かんまん》なため，十分《じゅうぶん》な［　（ホ）　］期《き》

解答例　別冊 P.192

間《かん》が必要《ひつよう》である。

選択問題《せんたくもんだい》（1）

問題《もんだい》5

レディーミクストコンクリート（JIS A 5308）の工場選定《こうじょうせんてい》，品質《ひんしつ》の指定《してい》，品質管理項目《ひんしつかんりこうもく》に関《かん》する次《つぎ》の文章《ぶんしょう》の［　　］の（イ）～（ホ）に当《あ》てはまる**適切《てきせつ》な語句《ごく》**を解答欄《かいとうらん》に記述《きじゅつ》しなさい。

(1) レディーミクストコンクリート工場《こうじょう》の選定《せんてい》にあたっては，定《さだ》める時間《じかん》の限度《げんど》内《ない》にコンクリートの［（イ）］及《およ》び荷卸《におろ》し，打込《うちこ》みが可能《かのう》な工場《こうじょう》を選定《せんてい》しなければならない。

(2) レディーミクストコンクリートの種類《しゅるい》を選定《せんてい》するにあたっては，［（ロ）］の最大寸法《さいだいすんぽう》，［（ハ）］強度《きょうど》，荷卸《におろ》し時《じ》の目標《もくひょう》スランプ又《また》は目標《もくひょう》スランプフロー及《およ》びセメントの種類《しゅるい》をもとに選定《せんてい》しなければならない。

(3) ［（ニ）］の変動《へんどう》はコンクリートの強度《きょうど》や耐凍害性《たいとうがいせい》に大《おお》きな影響《えいきょう》を及《およ》ぼすので，受入《うけい》れ時《じ》に試験《しけん》によって許容範囲内《きょようはんいない》にあることを確認《かくにん》する必要《ひつよう》がある。

(4) フレッシュコンクリート中《ちゅう》の［（ホ）］の試験方法《しけんほうほう》としては，加熱乾燥法《かねつかんそうほう》，エアメータ法《ほう》，静電容量法等《せいでんようりょうほうなど》がある。

選択問題《せんたくもんだい》（1）

問題《もんだい》6

車両系建設機械《しゃりょうけいけんせつきかい》による労働災害防止《ろうどうさいがいぼうし》のため，労働安全衛生規則《ろうどうあんぜんえいせいきそく》の定《さだ》めにより事業者《じぎょうしゃ》が実施《じっし》すべき安全対策《あんぜんたいさく》に関《かん》する次《つぎ》の文章《ぶんしょう》の［　　］の（イ）～（ホ）に当《あ》てはまる**適切《てきせつ》な語句《ごく》**を解答欄《かいとうらん》に記述《きじゅつ》しなさい。

(1) 岩石《がんせき》の落下等《らっかとう》により労働者《ろうどうしゃ》に危険《きけん》が生《しょう》ずるおそれのある場所《ばしょ》で，ブルドーザ，トラクターショベル，パワーショベル等《とう》を使用《しよう》するときは，当該車両系建設機《とうがいしゃりょうけいけんせつき》械《かい》に堅固《けんご》な［（イ）］を備《そな》えなければならない。

(2) 車両系建設機械《しゃりょうけいけんせつきかい》の転落《てんらく》，地山《じやま》の崩壊等《ほうかいとう》による労働者《ろうどうしゃ》の危険《きけん》を防止《ぼうし》するため，あらかじめ，当該作業《とうがいさぎょう》に係《かか》る場所《ばしょ》について地形《ちけい》，地質《ちしつ》の状態等《じょうたいとう》を調査《ちょうさ》し，その結果《けっか》を［（ロ）］しておかなければならない。

(3) 路肩《ろかた》，傾斜地等《けいしゃちとう》であって，車両系建設機械《しゃりょうけいけんせつきかい》の転倒又《てんとうまた》は転落《てんらく》により運転者《うんてんしゃ》に危《き》険《けん》が生《しょう》ずるおそれのある場所《ばしょ》においては，転倒時《てんとうじ》［（ハ）］を有《ゆう》し，かつ，［（ニ）］を備《そな》えたもの以外《いがい》の車両系建設機械《しゃりょうけいけんせつきかい》を使用《しよう》しないように努《つと》めるとともに，運転者《うんてんしゃ》に［（ニ）］を使用《しよう》させるように努《つと》めなければならない。

(4) 車両系建設機械《しゃりょうけいけんせつきかい》の転倒《てんとう》やブーム又《また》はアーム等《とう》の破壊《はかい》による労働者《ろうどうしゃ》の危険《きけん》を防《ぼう》止《し》するため，その構造上定《こうぞうじょうさだ》められた安定度《あんていど》，［（ホ）］荷重等《かじゅうとう》を守《まも》らなければならない。

選択問題《せんたくもんだい》（1）

問題《もんだい》７

建設工事《けんせつこうじ》に係《かか》る資材《しざい》の再資源化等《さいしげんかとう》に関《かん》する法律《ほうりつ》（建設《けんせつ》リサイクル法《ほう》）により再資源化《さいしげんか》を促進《そくしん》する特定建設資材《とくていけんせつしざい》に関《かん》する次《つぎ》の文章《ぶんしょう》の［　　］の（イ）～（ホ）に当《あ》てはまる**適切《てきせつ》な語句《ごく》**を解答欄《かいとうらん》に記述《きじゅつ》しなさい。

(1) コンクリート塊《かい》については，破砕《はさい》，選別《せんべつ》，混合物《こんごうぶつ》の［(イ)］，［(ロ)］調《ちょう》整等《せいとう》を行《おこな》うことにより再生《さいせい》クラッシャーラン，再生《さいせい》コンクリート砂等《すなとう》として，道路《どうろ》，港湾《こうわん》，空港《くうこう》，駐車場及《ちゅうしゃじょうおよ》び建築物等《けんちくぶつとう》の敷地内《しきちない》の舗装《ほそう》の路盤材《ろばんざい》，建築物等《けんちくぶつとう》の埋戻《うめもど》し材《ざい》，又《また》は基礎材《きそざい》，コンクリート用骨材等《ようこつざいとう》に利用《りよう》することを促進《そくしん》する。

(2) 建設発生木材《けんせつはっせいもくざい》については，チップ化《か》し，［(ハ)］ボード，堆肥等《たいひとう》の原材料《げんざいりょう》として利用《りよう》することを促進《そくしん》する。これらの利用《りよう》が技術的《ぎじゅつてき》な困難性《こんなんせい》，環境《かんきょう》への負荷《ふか》の程度等《ていどとう》の観点《かんてん》から適切《てきせつ》でない場合《ばあい》には［(ニ)］として利用《りよう》することを促進《そくしん》する。

(3) アスファルト・コンクリート塊《かい》については，破砕《はさい》，選別《せんべつ》，混合物《こんごうぶつ》の［(イ)］，［(ロ)］調整等《ちょうせいとう》を行《おこな》うことにより，再生加熱《さいせいかねつ》アスファルト［(ホ)］混合物及《こんごうぶつおよ》び表層基層用再生加熱《ひょうそうきそうようさいせいかねつ》アスファルト混合物《こんごうぶつ》として，道路等《どうろとう》の舗装《ほそう》の上層路盤《じょうそうろばん》材《ざい》，基層用材料《きそうようざいりょう》，又《また》は表層用材料《ひょうそうようざいりょう》に利用《りよう》することを促進《そくしん》する。

解答例　別冊P.195

※問題《もんだい》８～問題《もんだい》１１までの選択問題《せんたくもんだい》（２）の４問題《もんだい》のうちから２問題《もんだい》を選択《せんたく》し解答《かいとう》してください。
なお，選択《せんたく》した問題《もんだい》は，解答用紙《かいとうようし》の選択欄《せんたくらん》に○印《じるし》を必《かなら》ず記入《きにゅう》してください。

選択問題《せんたくもんだい》（２）

問題《もんだい》８

軟弱地盤対策《なんじゃくじばんたいさく》として，下記《かき》の５つの工法《こうほう》の中《なか》から**２つ選《えら》び，工法名《こうほうめい》，工法《こうほう》の概要及《がいようおよ》び期待《きたい》される効果《こうか》**をそれぞれ解答欄《かいとうらん》に記述《きじゅつ》しなさい。

・サンドマット工法《こうほう》
・サンドドレーン工法《こうほう》
・深層混合処理工法《しんそうこんごうしょりこうほう》（機械攪拌工法《きかいかくはんこうほう》）
・薬液注入工法《やくえきちゅうにゅうこうほう》
・掘削置換工法《くっさくちかんこうほう》

選択問題《せんたくもんだい》（２）

問題《もんだい》９

コンクリートの施工《せこう》に関《かん》する次《つぎ》の①～④の記述《きじゅつ》のすべてについて，適《てき》切《せつ》でない語句《ごく》が文中《ぶんちゅう》に含《ふく》まれている。①～④**のうちから２つ選《えら》び，番《ばん》号《ごう》，適切《てきせつ》でない語句及《ごくおよ》び適切《てきせつ》な語句《ごく》**をそれぞれ解答欄《かいとうらん》に記述《きじゅつ》しなさい。

① コンクリート中《ちゅう》にできた空隙《くうげき》や余剰水《よじょうすい》を少《すく》なくするための再振動《さいしんどう》を行《おこな》う適切《てきせつ》な時期《じき》は，締固《しめかた》めによって再《ふた》び流動性《りゅうどうせい》が戻《もど》る状態《じょうたい》の範囲《はんい》でできるだけ早《はや》い時期《じき》がよい。

② 仕上《しあ》げ作業後《さぎょうご》，コンクリートが固《かた》まり始《はじ》めるまでの間《あいだ》に発生《はっせい》したひび割《わ》れは，棒状《ぼうじょう》バイブレータと再仕上《さいしあ》げによって修復《しゅうふく》しなければならない。

③ コンクリートを打《う》ち継《つ》ぐ場合《ばあい》には，既《すで》に打《う》ち込《こ》まれたコンクリートの表面《ひょうめん》のレイタンス等《など》を完全《かんぜん》に取《と》り除《のぞ》き，コンクリート表面《ひょうめん》を粗《そ》にした後《あと》，十分《じゅうぶん》に乾燥《かんそう》させなければならない。

④ 型枠底面《かたわくていめん》に設置《せっち》するスペーサは，鉄筋《てっきん》の荷重《かじゅう》を直接支《ちょくせつささ》える必要《ひつよう》があるので，鉄《てつ》製《せい》を使用《しよう》する。

選択問題《せんたくもんだい》（2）

問題《もんだい》 10

下図《かず》は移動式《いどうしき》クレーンでボックスカルバートの設置《せっち》作業《さぎょう》を行《おこな》っている現場状況《げんばじょうきょう》である。

　この現場《げんば》において**安全管理上必要《あんぜんかんりじょうひつよう》な労働災害防止対策《ろうどうさいがいぼうしたいさく》に関《かん》して「労《ろう》働安全衛生規則《どうあんぜんえいせいきそく》」又《また》は「クレーン等安全規則《とうあんぜんきそく》」に定《さだ》められている措置《そち》の内容《ないよう》について，5つ**解答欄《かいとうらん》に記述《きじゅつ》しなさい。

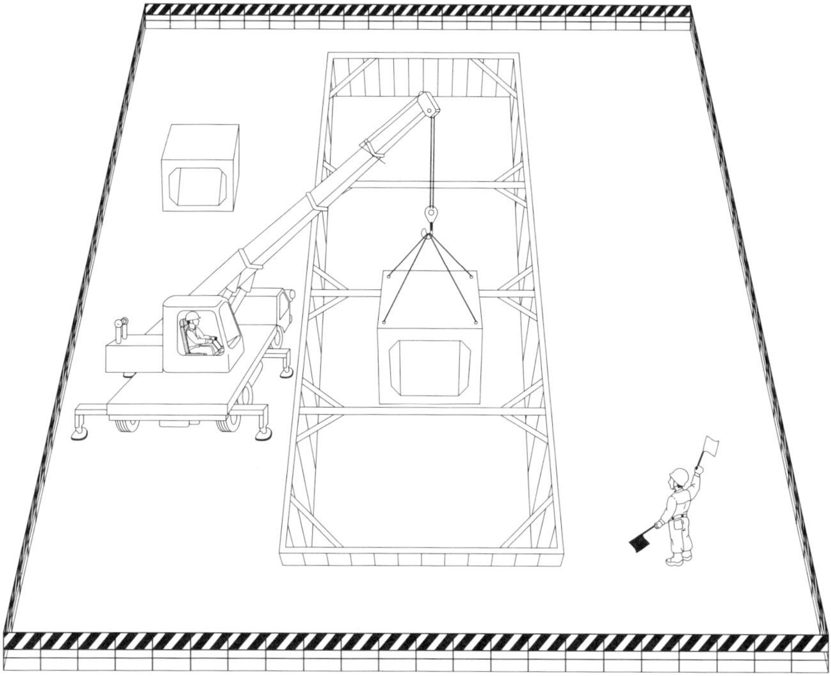

解答例　別冊 P.196

選択問題《せんたくもんだい》（2）

問題《もんだい》11

下図《かず》のような管渠《かんきょ》を敷設《ふせつ》する場合《ばあい》の施工手順《せこうてじゅん》が次《つぎ》の表《ひょう》に示《しめ》されているが，施工手順《せこうてじゅん》①～③のうちから**2つ選《えら》び，それぞれの番号《ばんごう》，該当《がいとう》する工種名及《こうしゅめいおよ》び施工上《せこうじょう》の留意事項《りゅういじこう》**（主要機械《しゅようきかい》の操作及《そうさおよ》び安全管理《あんぜんかんり》に関《かん》するものは除《のぞ》く）について解答欄《かいとうらん》に記述《きじゅつ》しなさい。

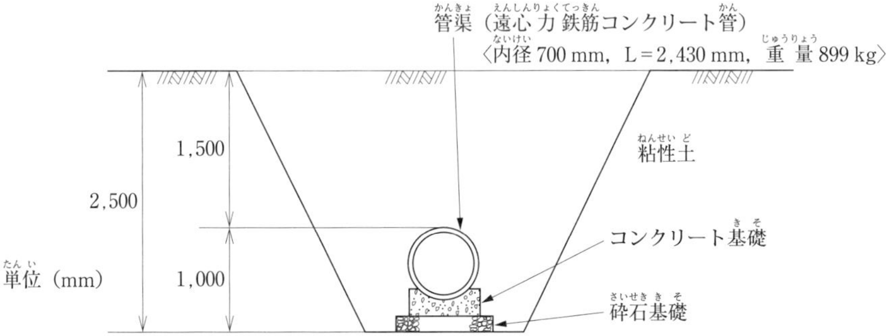

施工手順《せこうてじゅん》 番号《ばんごう》	工種名《こうしゅめい》	施工上《せこうじょう》の留意事項《りゅういじこう》 （主要機械《しゅようきかい》の操作及《そうさおよ》び安全管理《あんぜんかんり》に関《かん》するものは除《のぞ》く）
	準備工《じゅんびこう》（丁張《ちょうは》り） ↓	・丁張《ちょうは》りは，施工図《せこうず》に従《したが》って位置《いち》・高《たか》さを正確《せいかく》に設置《せっち》する。
①	（バックホウ） ↓	
	砕石基礎工《さいせききそこう》 ↓	・基礎工《きそこう》は，地下水《ちかすい》に留意《りゅうい》しドライワークで施工《せこう》する。
②	（トラッククレーン） ↓	
	型枠工《かたわくこう》（設置《せっち》） ↓ コンクリート基礎工《きそこう》 ↓ 養生工《ようじょうこう》 ↓ 型枠工《かたわくこう》（撤去《てっきょ》） ↓	・コンクリートは，管《かん》の両側《りょうがわ》から均等《きんとう》に投入《とうにゅう》し，管底《かんてい》まで充填《じゅうてん》するようにバイブレータ等《とう》を用《もち》いて入念《にゅうねん》に行《おこな》う。
③	（タンパ） ↓ 残土処理《ざんどしょり》	

解答例 別冊P.199

1級土木施工
管理技術検定

令和２年度問題

年　度		受検者数（人）	合格者数（人）	合格率（%）
令和６年度	第一次	51,193	22,705	44.4
	第二次	※	※	※
令和５年度	第一次	32,931	16,311	49.5
	第二次	27,304	9,060	33.2
令和４年度	第一次	38,672	21,097	54.6
	第二次	24,462	7,032	28.7
令和３年度	第一次	37,726	22,851	60.6
	第二次	26,558	9,732	36.6
令和２年度	学科	29,745	17,885	60.1
	実地	24,204	7,499	31.0

※本書編集時点では未公表

● P.260 と p.281 ～ p.286 の解答用紙をコピーしてお使いください。

令和2年度 学科試験 問題A（選択問題）

試験時間　150分

※問題番号No.1～No.15までの15問題のうちから12問題を選択し解答してください。

No. 1　土の原位置試験における「試験の名称」,「試験結果から求められるもの」及び「試験結果の利用」の組合せとして，次のうち**適当なもの**はどれか。

	［試験の名称］	［試験結果から求められるもの］	［試験結果の利用］
1	RI計器による土の密度試験	土の含水比	地盤の許容支持力の算定
2	平板載荷試験	地盤反力係数	地層の厚さの確認
3	ポータブルコーン貫入試験	貫入抵抗	建設機械のトラフィカビリティーの判定
4	標準貫入試験	N値	盛土の締固め管理の判定

No. 2　土工における土量の変化率に関する次の記述のうち，**適当でないもの**はどれか。

1　土量の変化率は，実際の土工の結果から推定するのが最も的確な決め方である。
2　土の掘削・運搬中の損失及び基礎地盤の沈下による盛土量の増加は，原則として変化率に含まれている。
3　土量の変化率Cは，地山の土量と締め固めた土量の体積比を測定して求める。
4　土量の変化率Lは，土工の運搬計画を立てる上で重要であり，土の密度が大きい場合には積載重量によって運搬量が定まる。

No. 3 TS（トータルステーション）・GNSS（衛星測位システム）を用いた盛土の情報化施工に関する次の記述のうち，**適当でないもの**はどれか。

1　盛土の締固め管理技術は，工法規定方式を品質規定方式にすることで，品質の均一化や過転圧の防止などに加え，締固め状況の早期把握による工程短縮がはかられるものである。
2　マシンガイダンス技術は，TSやGNSSの計測技術を用いて，施工機械の位置情報・施工情報及び施工状況と三次元設計データとの差分をオペレータに提供する技術である。
3　まき出し厚さは，試験施工で決定したまき出し厚さと締固め回数による施工結果である締固め層厚分布の記録をもって，間接的に管理をするものである。
4　盛土の締固め管理は，締固め機械の走行位置を追尾・記録することで，規定の締固め度が得られる締固め回数の管理を厳密に行うものである。

No. 4 建設発生土を盛土に利用する際の留意点に関する次の記述のうち，**適当でないもの**はどれか。

1　道路の路体盛土に用いる土は，敷均し・締固めの施工が容易で，かつ締め固めた後の強さが大きく，雨水などの侵食に対して強く，吸水による膨潤性が低いことなどが求められる。
2　締固めに対するトラフィカビリティーが確保できない場合は，水切り・天日乾燥，強制脱水，良質土混合などの土質改良を行うことが必要である。
3　道路の路床盛土に第3種及び第4種建設発生土を用いる場合は，締固めを行っても強度が不足するおそれがあるので一般的にセメントや石灰などによる安定処理が行われる。
4　道路の路床盛土に第1種及び第2a種建設発生土のような細粒分が多く含水比の高い土を用いる場合は，砂質系土などを混合することにより締固め特性を改善することができる。

No. 5 道路土工に用いられる軟弱地盤対策工法に関する次の記述のうち，**適当でないもの**はどれか。

1　締固め工法は，地盤に砂などを圧入又は動的な荷重を与え地盤を締め固めることにより，液状化の防止や支持力増加をはかるなどを目的とするもので，振動棒工法などがある。
2　固結工法は，セメントなどの固化材を土とかくはん混合し地盤を固結させるこ

正答　別冊P.200

とにより，変形の抑制，液状化防止などを目的とするもので，サンドコンパクションパイル工法などがある。

3　荷重軽減工法は，軽量な材料による荷重軽減や地盤の挙動に対応しうる構造体をつくることにより，全沈下量の低減，安定性確保などを目的とするもので，カルバート工法などがある。

4　圧密・排水工法は，地盤の排水や圧密促進によって地盤の強度を増加させることにより，道路供用後の残留沈下量の低減をはかるなどを目的とするもので，盛土載荷重工法などがある。

No. 6　コンクリート用骨材に関する次の記述のうち，**適当でないもの**はどれか。

1　砂は，材料分離に対する抵抗性を持たせるため，粘土塊量が2.0％以上のものを用いなければならない。

2　同一種類の骨材を混合して使用する場合は，混合した後の絶乾密度の品質が満足されている場合でも，混合する前の各骨材について絶乾密度の品質を満足しなければならない。

3　JIS A 5021に規定されるコンクリート用再生粗骨材Hは，吸水率が3.0％以下でなければならない。

4　凍結融解の繰返しによる気象作用に対する骨材の安定性を判断するための試験は，硫酸ナトリウムの結晶圧による破壊作用を応用した試験方法により行われる。

No. 7　コンクリート用混和材料に関する次の記述のうち，**適当でないもの**はどれか。

1　膨張材をコンクリート1m^{3}当たり標準使用量20～30kg程度用いてコンクリートを造ることにより，コンクリートの乾燥収縮や硬化収縮などに起因するひび割れの発生を低減できる。

2　フライアッシュを適切に用いると，コンクリートのワーカビリティーを改善し単位水量を減らすことができることや水和熱による温度上昇の増加などの効果を期待できる。

3　高性能AE減水剤を用いたコンクリートは，通常のコンクリートと比べて，コンクリート温度や使用材料などの諸条件の変化に対して，ワーカビリティーなどが影響を受けやすい傾向にある。

4　収縮低減剤は，コンクリート1m^{3}当たり5～10kg程度添加することでコンクリートの乾燥収縮ひずみを20～40％程度低減できる。

No. 8 コンクリートの打込み・締固めに関する次の記述のうち，**適当でないもの**はどれか。

1　打ち込むコンクリートと接する型枠面から水分が吸われると，コンクリート品質の低下などがあるので，吸水するおそれのあるところは，あらかじめ湿らせておく。
2　打ち込んだコンクリートの粗骨材が分離してモルタル分が少ない部分があれば，その分離した粗骨材をすくい上げてモルタルの多いコンクリートの中に埋め込んで締め固める。
3　コンクリートを打ち重ねる場合は，上層と下層が一体となるよう，棒状バイブレータを下層コンクリート中に 10cm 程度挿入して締め固める。
4　締固めを行う際は，あらかじめ棒状バイブレータの挿入間隔及び 1 箇所当たりの振動時間を定め，振動時間が経過した後は，棒状バイブレータをコンクリートから素早く引き抜く。

No. 9 コンクリートの配合に関する次の記述のうち，**適当でないもの**はどれか。

1　水セメント比は，コンクリートに要求される強度，耐久性及び水密性などを考慮して，これらから定まる水セメント比のうちで，最も小さい値を設定する。
2　空気量が増すとコンクリートの強度は大きくなるが，コンクリートの品質のばらつきも大きくなる傾向にある。
3　スランプは，運搬，打込み，締固めなどの作業に適する範囲内で，できるだけ小さくなるように設定する。
4　単位水量が大きくなると，材料分離抵抗性が低下するとともに，乾燥収縮が増加するなどコンクリートの品質が低下する。

No. 10 鉄筋の加工・組立に関する次の記述のうち，**適当なもの**はどれか。

1　鉄筋を組み立ててからコンクリートを打ち込む前に生じた浮きさびは，除去する必要がある。
2　鉄筋を保持するために用いるスペーサーの数は必要最小限とし，1m^2 当たり 1 個以下を目安に配置するのが一般的である。
3　型枠に接するスペーサーは，防錆処理が施された鋼製スペーサーとする。
4　施工継目において一時的に曲げた鉄筋は，所定の位置に曲げ戻す必要が生じた

正答　別冊 P.202

場合，600℃程度で加熱加工する。

No. 11 コンクリートの養生に関する次の記述のうち，**適当なもの**はどれか。

1　混合セメントB種を用いたコンクリートの湿潤養生期間の標準は，普通ポルトランドセメントを用いたコンクリートと同じ湿潤養生期間である。
2　日平均気温が4℃以下になることが予想されるときは，初期凍害を防止できる強度が得られるまでコンクリート温度を0℃以上に保つ。
3　コンクリートの露出面に対して，まだ固まらないうちに散水やシート養生などを行う場合には，コンクリート表面を荒らさないで作業ができる程度に硬化した後に開始する。
4　マスコンクリート構造物において，打込み後に実施するパイプクーリング通水用の水は，0℃を目処にできるだけ低温にする。

No. 12 構造物の基礎に関する次の記述のうち，**適当でないもの**はどれか。

1　橋梁下部の直接基礎の支持層は，砂層及び砂礫層では十分な強度が，粘性土層では圧密のおそれのない良質な層が，それぞれ必要とされるため，沖積世の新しい表層に支持させるとよい。
2　橋梁下部の杭基礎は，支持杭基礎と摩擦杭基礎に区分され，長期的な基礎の変位を防止するためには一般に支持杭基礎とするとよい。
3　斜面上や傾斜した支持層などに擁壁の直接基礎を設ける場合は，基礎地盤として不適な地盤を掘削し，コンクリートで置き換えて施工することができる。
4　表層は軟弱であるが，比較的浅い位置に良質な支持層がある地盤を擁壁の基礎とする場合は，良質土による置換えを行い，改良地盤を形成してこれを基礎地盤とすることができる。

No. 13 中掘り杭工法の施工に関する次の記述のうち，**適当なもの**はどれか。

1　杭の沈設後，スパイラルオーガや掘削用ヘッドを引上げる場合は，負圧の発生によるボイリングを引き起こさないために急速に引上げるのがよい。
2　コンクリート打設方式による杭先端処理を行う場合は，コンクリート打設前に杭内面をブラシや高圧水などで清掃・洗浄し，土質などに応じた適切な方法でス

ライムを処理するとよい。

3　最終打撃方式により杭先端処理を行う場合，中掘りから打込みへの切替えは，時間を空けて杭を安定させてから行うのがよい。

4　中間層が比較的硬質で沈設が困難な場合は，一般に杭先端部にフリクションカッターを取り付けるとともに，杭径程度以上の拡大掘りを行い，周面摩擦力を低減させるとよい。

No. 14　場所打ち杭工法の施工に関する次の記述のうち，**適当でないもの**はどれか。

1　オールケーシング工法では，コンクリート打込み時に，一般にケーシングチューブの先端をコンクリートの上面から所定の深さ以上に挿入する。

2　オールケーシング工法では，コンクリート打込み完了後，ケーシングチューブを引き抜く際にコンクリートの天端が下がるので，あらかじめ下がり量を考慮する。

3　リバース工法では，安定液のように粘性があるものを使用しないため，泥水循環時においては粗粒子の沈降が期待でき，一次孔底処理により泥水中のスライムはほとんど処理できる。

4　リバース工法では，ハンマグラブによる中掘りをスタンドパイプより先行させ，地盤を緩めたり，崩壊するのを防ぐ。

No. 15　土留め支保工の施工に関する次の記述のうち，**適当なもの**はどれか。

1　切ばりは，一般に引張部材として設計されているため，引張応力以外の応力が作用しないように腹起しと垂直にかつ，密着して取り付ける。

2　切ばりに継手を設ける場合の継手の位置は，中間杭付近を避けるとともに，継手部にはジョイントプレートなどを取り付けて補強し，十分な強度を確保する。

3　腹起しと土留め壁との間は，すきまが生じやすく密着しない場合が多いため，土留め壁と腹起しの間にモルタルやコンクリートを裏込めするなど，壁面と腹起しを密着させる。

4　腹起し材の継手部は，弱点となりやすいため，継手位置は応力的に余裕のある切ばりや火打ちの支点から離れた箇所に設ける。

正答　別冊 P.204

※問題番号No.16〜No.49までの34問題のうちから10問題を選択し解答してください。

No. 16 鋼道路橋の架設上の留意事項に関する次の記述のうち，**適当でないもの**はどれか。

1　I形断面部材を仮置きする場合は，転倒ならびに横倒れ座屈に対して十分に注意し，汚れや腐食などに対する養生として地面より50mm以上離すものとする。
2　連続桁の架設において，側径間をカウンターウエイトとして中央径間で閉合する場合には，設計時に架設応力や変形を検討し，安全性を確認しておく必要がある。
3　部材の組立に使用する仮締めボルトとドリフトピンの合計は，架設応力に十分耐えるだけの本数を用いるものとし，その箇所の連結ボルト数の1/3程度を標準とする。
4　箱形断面の桁は一般に剛性が高いため，架設時のキャンバー調整を行う場合には，ベントに大きな反力がかかるので，ベントの基礎及びベント自体の強度について十分検討する必要がある。

No. 17 鋼道路橋に用いる耐候性鋼材に関する次の記述のうち，**適当でないもの**はどれか。

1　耐候性鋼用表面処理剤は，耐候性鋼材表面の緻密なさび層の形成を助け，架設当初のさびむらの発生やさび汁の流出を防ぐことを目的に使用される。
2　耐候性鋼材の箱桁の内面は，気密ではなく結露や雨水の浸入によって湿潤になりやすいと考えられていることから，通常の塗装橋と同様の塗装をするのがよい。
3　耐候性鋼材は，普通鋼材に適量の合金元素を添加することにより，鋼材表面に緻密なさび層を形成させ，これが鋼材表面を保護することで鋼材の腐食による板厚減少を抑制する。
4　耐候性鋼橋に用いるフィラー板は，肌隙などの不確実な連結を防ぐためのもので，主要構造部材ではないことから，普通鋼材が使用される。

No. 18 鋼道路橋における高力ボルトの締付け作業に関する次の記述のうち，**適当なもの**はどれか。

1　トルク法によって締め付けたトルシア形高力ボルトは，各ボルト群の半分のボルト本数を標準として，ピンテールの切断の確認とマーキングによる外観検査を

行う。

2　ボルト軸力の導入は，ナットを回して行うのを原則とするが，やむを得ずボルトの頭部を回して締め付ける場合は，トルク係数値の変化を確認する。

3　回転法によって締め付けた高力ボルトは，全数についてマーキングによる外観検査を行い，回転角が過大なものについては，一度緩めてから締め直し所定の範囲内であることを確認する。

4　摩擦接合において接合される材片の接触面を塗装しない場合は，所定のすべり係数が得られるよう黒皮をそのまま残して粗面とする。

No. 19　コンクリート構造物の劣化に関する次の記述のうち，**適当なもの**はどれか。

1　中性化と水の浸透にともなう鋼材腐食は，乾燥・湿潤が繰り返される場合と比べて常時滞水している場合の方が腐食速度は速い。

2　塩害環境下においては，一般に構造物の供用中における鉄筋の鋼材腐食による鉄筋断面の減少量を考慮した設計を行う。

3　凍結防止剤として塩化ナトリウムの散布が行われる道路用コンクリート構造物では，塩化物イオンの影響によりスケーリングによる表面の劣化が著しくなる。

4　アルカリ骨材反応を抑制する方法は，骨材のアルカリシリカ反応性試験で区分A「無害」と判定された骨材を用いる方法に限定されている。

No. 20　損傷を生じた鉄筋コンクリート構造物の補修に関する次の記述のうち，**適当でないもの**はどれか。

1　有機系表面被覆工法による補修には塗装工法とシート工法があり，塗装工法はコンクリート表面を十分吸水させた状態で塗布する。

2　無機系表面被覆工法による補修を行う場合には，コンクリート表面の局所的なぜい弱部は除去し，また空げきはパテにより充てんし，段差や不陸もパテにより解消する。

3　断面修復による補修を行う場合は，補修範囲の端部にはカッターを入れるなどによりフェザーエッジを回避する。

4　外部電源方式の電気防食工法は，防食電流の供給システムの性能とその耐久性などを把握し，適切なシステム全体の維持管理を行う必要がある。

正答　別冊 P.206

No. 21 河川堤防の施工に関する次の記述のうち，**適当なもの**はどれか。

1　築堤盛土の締固めは，堤防横断方向に行うことが望ましく，締固めに際しては締固め幅が重複するように常に留意して施工する。

2　築堤盛土の施工中は，法面の一部に雨水が集中して流下すると法面侵食の主要因となるため，堤防横断方向に3～5%程度の勾配を設けながら施工する。

3　築堤盛土の敷均しをブルドーザで施工する際は，高まきとならないように注意し，一般的には1層当たりの締固め後の仕上り厚さが50cm以下となるように敷均しを行う。

4　築堤盛土の施工において，高含水比粘性土を敷き均す際は，接地圧の大きいブルドーザによる盛土箇所までの二次運搬を行う。

No. 22 河川堤防における軟弱地盤対策工に関する次の記述のうち，**適当でないもの**はどれか。

1　段階載荷工法は，基礎地盤がすべり破壊や側方流動を起こさない程度の厚さでゆっくりと盛土を行い，地盤の圧密の進行にともない，地盤のせん断強度の減少を期待する工法である。

2　押え盛土工法は，盛土の側方に押え盛土を行いすべりに抵抗するモーメントを増加させて盛土のすべり破壊を防止する工法である。

3　掘削置換工法は，軟弱層の一部又は全部を除去し，良質材で置き換えてせん断抵抗を増加させるもので，沈下も置き換えた分だけ小さくなる工法である。

4　サンドマット工法は，軟弱層の圧密のための上部排水の促進と，施工機械のトラフィカビリティーの確保をはかる工法である。

No. 23 多自然川づくりにおける護岸に関する次の記述のうち，**適当でないもの**はどれか。

1　石系護岸の材料を現地採取で行う場合は，採取箇所の河床に点在する径の大きい材料を選択的に採取すると，河床の土砂が移動しやすくなり，河床低下の原因となるので注意が必要である。

2　石系護岸は，石と石のかみ合わせが重要であり，空積みの石積みや石張りでは，石のかみ合わせ方に不備があると構造的に安定しないので注意が必要である。

3　かご系護岸は，屈とう性があり，かつ空げきがある構造のため生物に対して優しいが，かごの上に現場発生土を覆土しても植生の復元が期待できないので注意

が必要である。
4　コンクリート系護岸は，通常，彩度は問題にならないことが多いが，明度は高いため周辺環境との明度差が大きくならないよう注意が必要である。

No. 24 砂防えん堤の基礎の施工に関する次の記述のうち，**適当でないもの**はどれか。

1　基礎掘削は，砂防えん堤の基礎として適合する地盤を得るために行われ，えん堤本体の基礎地盤へのかん入による支持，滑動，洗掘などに対する抵抗力の改善や安全度の向上がはかられる。
2　基礎掘削の完了後は，漏水や湧水により，水セメント比が変化しないように処理を行った後にコンクリートを打ち込まなければならない。
3　砂礫基礎の仕上げ面付近の掘削は，掘削用重機のクローラ（履帯）などによって密実な地盤がかく乱されることを防止するため 0.5m 程度は人力掘削とする。
4　砂礫基礎の仕上げ面付近にある大転石は，その 1/2 以上が地下にもぐっていると予想される場合は取り除く必要はないので存置する。

No. 25 地すべり防止工に関する次の記述のうち，**適当でないもの**はどれか。

1　排土工は，排土による応力除荷にともなう吸水膨潤による強度劣化の範囲を少なくするため，地すべり全域に渡らず頭部域において，ほとんど水平に大きな切土を行うことが原則である。
2　地表水排除工は，浸透防止工と水路工に区分され，このうち水路工は掘込み水路を原則とし，合流点，屈曲部及び勾配変化点には集水ますを設置する。
3　杭工は，原則として地すべり運動ブロックの中央部より上部を計画位置とし，杭の根入れ部となる基盤が強固で地盤反力が期待できる場所に設置する。
4　地下水遮断工は，遮水壁の後方に地下水を貯留し地すべりを誘発する危険があるので，事前に地質調査などによって潜在性地すべりがないことを確認する必要がある。

No. 26 急傾斜地崩壊防止工に関する次の記述のうち，**適当なもの**はどれか。

1　もたれ式コンクリート擁壁工は，重力式コンクリート擁壁と比べると崩壊を比較的小規模な壁体で抑止でき，擁壁背面が不良な地山において多用される工法で

正答　別冊 P.208

ある。

2　落石対策工は，落石予防工と落石防護工に大別され，落石予防工は斜面上の転石の除去などにより落石を未然に防ぐものであり，落石防護工は落石を斜面下部や中部で止めるものである。

3　切土工は，斜面の不安定な土層，土塊をあらかじめ切り取ったり，斜面を安定勾配まで切り取る工法であり，切土した斜面への法面保護工が不要である。

4　現場打ちコンクリート枠工は，切土法面の安定勾配が取れない場合や湧水をともなう場合などに用いられ，桁の構造は一般に無筋コンクリートである。

No. 27　道路のアスファルト舗装における路床の施工に関する次の記述のうち，**適当でないもの**はどれか。

1　盛土路床は，使用する盛土材の性質をよく把握した上で均一に敷き均し，施工後の降雨排水対策として，縁部に仮排水溝を設けておくことが望ましい。

2　路床の安定処理工法による構築路床の施工では，一般に路上混合方式で行い，所定量の安定材を散布機械又は人力により均等に散布する。

3　構築路床の施工終了後，舗装の施工までに相当の期間がある場合には，降雨によって軟弱化したり流出したりするおそれがあるので，仕上げ面の保護などに配慮する必要がある。

4　路床の置き換え工法は，原地盤を所定の深さまで掘削し，置換え土と掘削面を付着させるため掘削面をよくかきほぐしながら，良質土を敷き均し，締め固めて仕上げる。

No. 28　道路のアスファルト舗装における路盤の施工に関する次の記述のうち，**適当でないもの**はどれか。

1　下層路盤の施工において，粒状路盤材料が乾燥しすぎている場合は，適宜散水し，最適含水比付近の状態で締め固める。

2　下層路盤の路上混合方式による安定処理工法は，1層の仕上り厚は15 ～ 30cmを標準とし，転圧には2種類以上の舗装用ローラを併用すると効果的である。

3　上層路盤の粒度調整工法では，水を含むと泥濘化することがあるので，75 μm ふるい通過量は締固めが行える範囲でできるだけ多いものがよい。

4　上層路盤の瀝青安定処理路盤の施工でシックリフト工法を採用する場合は，敷均し作業は連続的に行う。

No. 29　道路のアスファルト舗装における表層・基層の施工に関する次の記述のうち，**適当でないもの**はどれか。

1　横継目の施工にあたっては，既設舗装の補修・延伸の場合を除いて，下層の継目の上に上層の継目を重ねないようにする。

2　アスファルト混合物の二次転圧で荷重，振動数及び振幅が適切な振動ローラを使用する場合は，タイヤローラよりも少ない転圧回数で所定の締固め度が得られる。

3　改質アスファルト混合物の舗設は，通常の加熱アスファルト混合物に比べて，より高い温度で行う場合が多いので，特に温度管理に留意して速やかに敷き均す。

4　寒冷期のアスファルト舗装の舗設は，中温化技術を使用して混合温度を大幅に低減させることにより混合物温度が低下しても良好な施工性が得られる。

No. 30　道路のアスファルト舗装における補修工法に関する次の記述のうち，**適当でないもの**はどれか。

1　打換え工法で既設舗装の切削作業を行う場合には，地下埋設物占有者の立会を求めて，あらかじめ試験掘りを行うなどして位置や深さを確認するとよい。

2　路上表層再生工法でリミックス方式による場合，再生表層混合物は，既設混合物が加熱されて温度が低下しにくいため温度低下してから初転圧を行う。

3　切削オーバーレイ工法で施工する場合は，切削屑をきれいに除去し，特に切削溝の中に切削屑などを残さないようにする。

4　打換え工法で表層を施工する場合は，平たん性を確保するために，ある程度の面積にまとめてから行うことが望ましい。

No. 31　道路のポーラスアスファルト混合物の舗設に関する次の記述のうち，**適当でないもの**はどれか。

1　表層又は表・基層にポーラスアスファルト混合物を用い，その下の層に不透水性の層を設ける場合は，不透水性の層の上面の勾配や平たん性の確保に留意して施工する。

2　ポーラスアスファルト混合物は，粗骨材が多いのですりつけが難しく，骨材も飛散しやすいので，すりつけ最小厚さは粗骨材の最大粒径以上とする。

3　ポーラスアスファルト混合物の締固めでは，所定の締固め度を，初転圧及び二次転圧のロードローラによる締固めで確保するのが望ましい。

4　ポーラスアスファルト混合物の仕上げ転圧では，表面のきめを整えて，混合物

令和2年問題

正答　別冊 P.210

の飛散を防止する効果も期待して，コンバインドローラを使用することが多い。

No. 32 道路のコンクリート舗装に関する次の記述のうち，**適当でないもの**はどれか。

1　普通コンクリート版の施工では，コンクリートの敷均しは，鉄網を用いる場合は2層で，鉄網を用いない場合は1層で行う。
2　コンクリート舗装の初期養生は，コンクリート版の表面仕上げに引き続き行い，後期養生ができるまでの間，コンクリート表面の急激な乾燥を防止するために行う。
3　連続鉄筋コンクリート版の施工では，コンクリートの敷均しと締固めは鉄筋位置で2層に分けて行い，コンクリートが十分にいきわたるように締め固めることが重要である。
4　転圧コンクリート版の施工では，コンクリートは，舗設面が乾燥しやすいので，敷均し後できるだけ速やかに，転圧を開始することが重要である。

No. 33 ダムの基礎処理に関する次の記述のうち，**適当でないもの**はどれか。

1　ダムの基礎グラウチングとして施工されるステージ注入工法は，下位から上位のステージに向かって施工する方法で，ほとんどのダムで採用されている。
2　重力式コンクリートダムのコンソリデーショングラウチングは，着岩部付近において，遮水性の改良，基礎地盤弱部の補強を目的として行う。
3　グラウチングは，ルジオン値に応じた初期配合及び地盤の透水性状などを考慮した配合切替え基準をあらかじめ定めておき，濃度の薄いものから濃いものへ順次切り替えつつ注入を行う。
4　カーテングラウチングの施工位置は，コンクリートダムの場合は上流フーチング又は堤内通廊から，ロックフィルダムの場合は監査廊から行うのが一般的である。

No. 34 重力式コンクリートダムで各部位のダムコンクリートの配合区分と必要な品質に関する次の記述のうち，**適当なもの**はどれか。

1　構造用コンクリートは，水圧などの作用を自重で支える機能を持ち，所要の単位容積質量と強度が要求され，大量施工を考慮して，発熱量が小さく，施工性に優れていることが必要である。

2　内部コンクリートは，所要の水密性，すりへり作用に対する抵抗性や凍結融解作用に対する抵抗性が要求される。
3　着岩コンクリートは，岩盤との付着性及び不陸のある岩盤に対しても容易に打ち込めて一体性を確保できることが要求される。
4　外部コンクリートは，鉄筋や埋設構造物との付着性，鉄筋や型枠などの狭あい部への施工性に優れていることが必要である。

No. 35　トンネルの山岳工法における掘削の施工に関する次の記述のうち，**適当でないもの**はどれか。

1　全断面工法は，小断面のトンネルや地質が安定した地山で採用され，施工途中での地山条件の変化に対する順応性が高い。
2　補助ベンチ付き全断面工法は，全断面工法では施工が困難となる地山において，ベンチを付けて切羽の安定をはかり，上半，下半の同時施工により掘削効率の向上をはかるものである。
3　側壁導坑先進工法は，側壁脚部の地盤支持力が不足する場合や，土被りが小さい土砂地山で地表面沈下を抑制する必要のある場合などに適用される。
4　ベンチカット工法は，全断面では切羽が安定しない場合に有効であり，地山の良否に応じてベンチ長を決定する。

No. 36　トンネルの山岳工法における覆工コンクリートの施工に関する次の記述のうち，**適当でないもの**はどれか。

1　覆工コンクリートの施工は，原則として，トンネル掘削後に地山の内空変位が収束したことを確認した後に行う。
2　覆工コンクリートの打込みは，つま型枠を完全に密閉して，ブリーディング水や空気がもれないようにして行う。
3　覆工コンクリートの締固めは，コンクリートのワーカビリティーが低下しないうちに，上層と下層が一体となるように行う。
4　覆工コンクリートの型枠の取外しは，打込んだコンクリートが自重などに耐えられる強度に達した後に行う。

正答　別冊 P.212

No. 37　海岸の潜堤・人工リーフの機能や特徴に関する次の記述のうち，**適当でないもの**はどれか。

1　離岸堤に比較して，反射波が小さく，堤体背後の堆砂機能が大きい。
2　天端が海面下であり，構造物が見えないことから景観を損なわないが，船舶の航行，漁船の操業などの安全に配慮しなければならない。
3　捨石などの材料を用いた没水構造物で，波浪の静穏化，沿岸漂砂の制御機能を有する。
4　天端水深，天端幅により堤体背後への透過波が変化し，小さな波浪はほとんど透過し，大きな波浪を選択的に減衰させる。

No. 38　海岸堤防の施工に関する次の記述のうち，**適当でないもの**はどれか。

1　海上工事となる場合は，波浪，潮汐，潮流の影響を強く受け，作業時間が制限される場合もあるので，現場の施工条件に対する配慮が重要である。
2　強度の低い地盤に堤防を施工せざるを得ない場合には，必要に応じて押え盛土，地盤改良などを考慮する。
3　堤体の盛土材料には，原則として粘土を含まない粒径のそろった砂質又は砂礫質のものを用い，適当な含水量の状態で，各層，全面にわたり均等に締め固める。
4　堤体の裏法勾配は，堤体の安全性を考慮して定め，堤防の直高が大きい場合には，法面が長くなるため，小段を配置する。

No. 39　ケーソンの施工に関する次の記述のうち，**適当でないもの**はどれか。

1　ケーソンの曳航作業は，ほとんどの場合が据付け，中詰，ふたコンクリートなどの連続した作業工程となるため，気象，海象状況を十分に検討して実施する。
2　ケーソンに大廻しワイヤを回して回航する場合には，原則として二重回しとし，その取付け位置はケーソンの吃水線以下で，できれば浮心付近の高さに取り付ける。
3　ケーソン据付け時の注水方法は，気象，海象の変わりやすい海上の作業を手際よく進めるために，できる限り短時間で，かつ，各隔室に平均的に注水する。
4　ケーソンの据付けは，ケーソンを所定の位置上まで曳航した後，注水を開始したら据付けまで中断することなく一気に注水し，着底させる。

No. 40 港湾工事に用いる浚渫船の特徴に関する次の記述のうち，**適当なもの**はどれか。

1　ポンプ浚渫船は，あまり固い地盤には適さないが，掘削後の水底面の凹凸が小さいため，構造物の築造箇所での浚渫に使用される。
2　ドラグサクション浚渫船は，浚渫土を船体の泥倉に積載し自航できることから機動性に優れ，主に船舶の往来が頻繁な航路などの維持浚渫に使用される。
3　グラブ浚渫船は，適用される地盤は軟泥から岩盤までの範囲で極めて広く，浚渫深度の制限も少なく，大規模な浚渫工事に適しており，主に航路や泊地の浚渫に使用される。
4　バックホゥ浚渫船は，かき込み型（油圧ショベル型）掘削機を搭載した硬土盤用浚渫船で，大規模な浚渫工事に使用される。

No. 41 鉄道のコンクリート路盤の施工に関する次の記述のうち，**適当でないもの**はどれか。

1　鉄筋コンクリート版に用いるセメントは，ポルトランドセメントを標準とし，使用する骨材の最大粒径は，版の断面形状及び施工性を考慮して，最大粒径25mmとする。
2　コンクリート路盤相互の連結部となる伸縮目地は，列車荷重などによるせん断力の伝達を円滑に行い，目違いの生じない構造としなければならない。
3　路床面の仕上り精度は，設計高さに対して±15mmとし，雨水による水たまりができて表面の排水が阻害されるような有害な不陸ができないように，できる限り平たんに仕上げる。
4　粒度調整砕石の締固めが完了した後は，十分な監視期間を取ることで砕石層のなじみなどによる変形が収束したのを確認した上でプライムコートを施工する。

No. 42 鉄道の軌道における維持管理に関する次の記述のうち，**適当でないもの**はどれか。

1　バラスト軌道は，列車通過による軌道変位が生じやすいため，日常的な保守が必要であるが，路盤や路床の沈下などが生じても軌道整備で補修できるメリットがある。
2　列車の通過によるレールの摩耗は，直線区間ではレール頭部に，曲線区間では曲線の内側レールに生じやすい。
3　道床バラストは，吸水率が小さく，強固でじん性に富み，摩損に耐える材質で

令和２年問題

正答　別冊P.214

あることが要求される。

4　軌道変位の許容値は，通過列車の速度，頻度，重量などの線区状況のほか，軌道変位の検測頻度，軌道整正の実施までに必要な時間などの保守体制を勘案して決定する必要がある。

No. 43　鉄道（在来線）の営業線及びこれに近接して工事を施工する場合の保安対策に関する次の記述のうち，**適当でないもの**はどれか。

1　ホーム端から1m以上内側のホーム上の作業などで，当該線を支障するおそれのない作業などを行うときは，列車見張員などの配置を省略することができる。

2　建設用大型機械を建築限界内に進入させる際，同時に載線する建設用大型機械の台数に応じて，個別の建設用大型機械ごとに誘導員を配置する。

3　作業などの位置が，複数の線にまたがるときは，列車接近警報装置などを適切に配置する場合に限り，列車見張員などの配置を1箇所に省略することができる。

4　列車見張員は，作業などの責任者及び従事員に対して列車接近の合図が可能な範囲内で，安全が確保できる離れた場所に配置する。

No. 44　シールド工法の施工に関する次の記述のうち，**適当でないもの**はどれか。

1　セグメントを組み立てる際は，掘進完了後，速やかに全数のシールドジャッキを同時に引き戻し，セグメントをリング状に組み立てなければならない。

2　粘着力が大きい硬質粘性土を掘削する際は，掘削土砂に適切な添加材を注入し，カッターチャンバー内やカッターヘッドへの掘削土砂の付着を防止する。

3　裏込め注入工は，地山の緩みと沈下を防ぐとともに，セグメントからの漏水の防止，セグメントリングの早期安定やトンネルの蛇行防止などに役立つため，速やかに行わなければならない。

4　軟弱粘性土の場合は，シールド掘進による全体的な地盤の緩みや乱れ，過剰な裏込め注入などに起因して後続沈下が発生することがある。

No. 45　鋼橋の防食に関する次の記述のうち，**適当でないもの**はどれか。

1　金属溶射は，鋼材表面に形成した溶射被膜が腐食の原因となる酸素と水や，塩類などの腐食を促進する物質を遮断し鋼材を保護する防食法である。

2　耐候性鋼は，腐食速度を低下できる合金元素を添加した低合金鋼であり，鋼材

表面に生成される緻密なさび層によって腐食の原因となる酸素や水から鋼材を保護するものである。

3　塗装は，鋼材表面に形成した塗膜が腐食の原因となる酸素と水や，塩類などの腐食を促進する物質を遮断し鋼材を保護する防食法である。

4　電気防食は，鋼材に電流を流して表面の電位差を大きくし，腐食電流の回路を形成させない方法である。

No. 46　軟弱地盤や液状化のおそれのある地盤における上水道管布設に関する次の記述のうち，**適当でないもの**はどれか。

1　砂質地盤で地下水位が高く，地震時に間げき水圧の急激な上昇による液状化の可能性が高いと判定される場所では，適切な管種・継手を選定するほか必要に応じて地盤改良などを行う。

2　水管橋又はバルブ室など構造物の取付け部には，不同沈下にともなう応力集中が生じるので，伸縮可とう性の小さい伸縮継手を使用することが望ましい。

3　将来，管路の不同沈下を起こすおそれのある軟弱地盤に管路を布設する場合には，地盤状態や管路沈下量について検討し，適切な管種，継手，施工方法を用いる。

4　軟弱層が深い場合，あるいは重機械が入れないような非常に軟弱な地盤では，薬液注入，サンドドレーン工法などにより地盤改良を行うことが必要である。

No. 47　下水道に用いられる剛性管きょの基礎の種類に関する次の記述のうち，**適当でないもの**はどれか。

1　砂又は砕石基礎は，砂又は細かい砕石などを管きょ外周部にまんべんなく密着するように締め固めて管きょを支持するもので，設置地盤が軟弱地盤の場合に採用する。

2　コンクリート及び鉄筋コンクリート基礎は，管きょの底部をコンクリートで巻き立てるもので，地盤が軟弱な場合や管きょに働く外圧が大きい場合に採用する。

3　はしご胴木基礎は，まくら木の下部に管きょと平行に縦木を設置してはしご状に作るもので，地盤が軟弱な場合や，土質や上載荷重が不均質な場合などに採用する。

4　鳥居基礎は，はしご胴木の下部を杭で支える構造で，極軟弱地盤でほとんど地耐力を期待できない場合に採用する。

正答　別冊P.216

No. 48

下水道工事における小口径管推進工法の施工に関する次の記述のうち，**適当でないもの**はどれか。

1　小型立坑の鏡切りは，切羽部の地盤が不安定であると重大事故につながるため，地山や湧水の状態，補助工法の効果などの確認は慎重に行う。
2　推進管理測量として行うレーザトランシット方式は，発進立坑に据え付けたレーザトランシットから先導体内のターゲットにレーザ光を照射する方式である。
3　高耐荷力方式は，硬質塩化ビニル管などを用い，先導体の推進に必要な推進力の先端抵抗を推進力伝達ロッドに作用させ，管には周面抵抗力のみを負担させ推進する施工方式である。
4　滑材注入による推進力の低減をはかる場合は，滑材吐出口の位置は先導体後部及び発進坑口止水器部に限定されるので，推進開始から推進力の推移をみながら厳密に管理をする。

No. 49

薬液注入工事における注入効果の確認方法に関する次の記述のうち，**適当なもの**はどれか。

1　透水性の改善度合いを確認する場合は，現場透水試験の結果から，透水係数が10^{-5}cm/sのオーダーの数値が得られたら薬液注入による地盤の改良度合いは悪いと判断する。
2　標準貫入試験で地盤の強度を確認する場合は，所定の高さからハンマを自由落下させて，サンプラーを30cm打ち込むのに要する打撃数を求める。
3　砂地盤の強度の増加を三軸圧縮試験により確認する場合は，地盤の粘着力の値は変化しないといわれていることから，内部摩擦角の変化で判断する。
4　薬液の浸透状況を確認する場合は，薬液注入を行った箇所周辺を掘削して，アルカリ系薬液に反応して色が変化した状況を確認することにより，強度や透水性を数値で評価する。

※問題番号No.50〜No.61までの12問題のうちから8問題を選択し解答してください。

No. 50 就業規則に関する次の記述のうち，労働基準法令上，**誤っているもの**はどれか。

1　使用者は，原則として労働者と合意することなく，就業規則を変更することにより，労働者の不利益に労働契約の内容である労働条件を変更することはできない。
2　就業規則で定める基準に達しない労働条件を定める労働契約は，労働者と使用者が合意すれば，すべて有効である。
3　常時規定人数以上の労働者を使用する使用者は，就業規則を作成し，行政官庁に届け出なければならない。
4　就業規則には，始業及び終業の時刻，賃金の決定，退職に関する事項を必ず記載しなければならない。

No. 51 労働基準法令に定められている労働時間，休憩及び年次有給休暇に関する次の記述のうち，**正しいもの**はどれか。

1　使用者は，労働者の過半数で組織する労働組合がある場合においては，その労働組合と書面による協定をし，これを行政官庁に届け出た場合においては，労働時間を延長させることができる。
2　使用者は，災害その他避けることのできない事由によって，臨時の必要がある場合においては，行政官庁に事前に届け出れば，制限なく労働時間を延長し，労働させることができる。
3　使用者は，労働時間が8時間を超える場合においては，原則として少なくとも45分の休憩時間を労働時間の途中に与えなければならない。
4　使用者は，その雇い入れの日から起算して6箇月間継続勤務し，全労働日の8割以上出勤した労働者に対して，継続し，又は分割した5労働日の有給休暇を原則として，与えなければならない。

No. 52 事業者が統括安全衛生責任者に統括管理させなければならない事項に関する次の記述のうち，労働安全衛生法令上，**誤っているもの**はどれか。

1　協議組織の設置及び運営を行うこと。

正答　別冊P.218

2　作業間の連絡及び調整を行うこと。
3　作業場所の巡視を行うこと。
4　店社安全衛生管理者の指導を行うこと。

No. 53　労働安全衛生法令上，高さが5m以上のコンクリート造の工作物の解体作業における危険を防止するために，事業者が行わなければならない事項に関する次の記述のうち，**誤っているもの**はどれか。

1　事業者は，作業を行う区域内には，関係労働者以外の労働者の立入りを禁止しなければならない。(☆)
2　事業者は，器具，工具等を上げ，又は下ろすときは，つり綱，つり袋等を労働者に使用させなければならない。
3　事業者は，コンクリート造の工作物の解体等作業主任者特別教育を修了した者のうちから，コンクリート造の工作物の解体等作業主任者を選任しなければならない。
4　事業者は，強風，大雨，大雪等の悪天候のため，作業の実施について危険が予想されるときは，当該作業を中止させなければならない。

No. 54　技術者制度に関する次の記述のうち，建設業法令上，**誤っているもの**はどれか。

1　主任技術者及び監理技術者は，建設業法で設置が義務付けられており，公共工事標準請負契約約款に定められている現場代理人を兼ねることができる。
2　発注者から直接建設工事を請け負った特定建設業者は，当該建設工事を施工するために締結した下請契約の請負代金の額にかかわらず，工事現場に監理技術者を置かなければならない。
3　主任技術者及び監理技術者は，工事現場における建設工事を適正に実施するため，当該建設工事の施工計画の作成，工程管理，品質管理その他の技術上の管理及び当該建設工事の施工に従事する者の技術上の指導監督を行わなければならない。
4　工事現場における建設工事の施工に従事する者は，主任技術者又は監理技術者がその職務として行う指導に従わなければならない。

No. 55 火薬類取締法令上，火薬類の取扱い等に関する次の記述のうち，**正しいもの**はどれか。

1　火薬類を取り扱う者は，所有し，又は占有する火薬類，譲渡許可証，譲受許可証又は運搬証明書を喪失し，又は盗取されたときは，遅滞なくその旨を消防署に届け出なければならない。
2　発破母線は，点火するまでは点火器に接続する側の端の心線を長短不揃にし，発破母線の電気雷管の脚線に接続する側は短絡させておくこと。
3　火薬類取扱所の建物の屋根の外面は，金属板，スレート板，かわらその他の不燃性物質を使用し，建物の内面は，板張りとし，床面には鉄類を表さなければならない。
4　火薬類を運搬するときは，衝撃等に対して安全な措置を講じ，工業雷管，電気雷管若しくは導火管付き雷管を坑内に運搬するときは，背負袋，背負箱等を使用すること。

No. 56 車両制限令で定められている通行車両の最高限度を超過する特殊な車両の通行に関する次の記述のうち，道路法上，**誤っているもの**はどれか。

1　特殊な車両を通行させようとする者は，通行する道路の道路管理者が複数となる場合には，通行するそれぞれの道路管理者に通行許可の申請を行わなければならない。
2　特殊な車両の通行は，当該車両の通行許可申請に基づいて，道路の構造の保全，交通の危険防止のために通行経路，通行時間等の必要な条件が付された上で，許可される。
3　特殊な車両の通行許可を受けた者は，当該許可に係る通行中，当該許可証を当該車両に備え付けていなければならない。
4　特殊な車両を許可なく又は通行許可条件に違反して通行させた場合には，運転手に罰則規定が適用されるほか，事業主に対しても適用される。

No. 57 河川管理者以外の者が，河川区域内（高規格堤防特別区域を除く）で工事を行う場合の手続きに関する次の記述のうち，河川法上，**誤っているもの**はどれか。

1　河川区域内の民有地に一時的な仮設工作物として現場事務所を設置する場合，河川管理者の許可を受けなければならない。

正答　別冊 P.221

2　河川区域内の民有地において土地の掘削，盛土など土地の形状を変更する行為の場合，河川管理者の許可を受けなければならない。
3　河川区域内の土地に工作物の新築について河川管理者の許可を受けている場合，その工作物を施工するための土地の掘削に関しても新たに許可を受けなければならない。
4　河川区域内の土地の地下を横断して農業用水のサイホンを設置する場合，河川管理者の許可を受けなければならない。

No. 58　建築基準法上，工事現場に設ける仮設建築物に対する**制限の緩和が適用されないもの**は，次の記述のうちどれか。

1　建築物を建築又は除却しようとする場合は，建築主事を経由して，その旨を都道府県知事に届け出なければならない。(☆)
2　建築物の床下が砕石敷均し構造で，最下階の居室の床が木造である場合は，床の高さを直下の砕石面からその床の上面まで45cm以上としなければならない。
3　建築物の敷地は，道路に2m以上接し，建築物の延べ面積の敷地面積に対する割合（容積率）は，区分ごとに定める数値以下でなければならない。
4　建築物は，自重，積載荷重，積雪荷重，風圧，土圧及び地震等に対して安全な構造のものとし，定められた技術基準に適合するものでなければならない。

No. 59　騒音規制法令上，特定建設作業に関する次の記述のうち，**誤っているもの**はどれか。

1　指定地域内において特定建設作業を伴う建設工事を施工しようとする者は，当該特定建設作業の開始までに，環境省令で定める事項に関して，市町村長の許可を得なければならない。
2　指定地域内において特定建設作業に伴って発生する騒音について，騒音の大きさ，作業時間，作業禁止日など環境大臣は規制基準を定めている。
3　市町村長は，特定建設作業に伴って発生する騒音の改善勧告に従わないで工事を施工する者に，期限を定めて騒音の防止方法の改善を命ずることができる。
4　特定建設作業とは，建設工事として行われる作業のうち，当該作業が作業を開始した日に終わるものを除き，著しい騒音を発生する作業であって政令で定めるものをいう。

No. 60 振動規制法令上，指定地域内で特定建設作業を伴う建設工事を施工しようとする者が，市町村長に届け出なければならない事項に**該当しないもの**は，次のうちどれか。

1　氏名又は名称及び住所並びに法人にあっては，その代表者の氏名
2　建設工事の目的に係る施設又は工作物の種類
3　建設工事の特記仕様書及び工事請負契約書の写し
4　特定建設作業の種類，場所，実施期間及び作業時間

No. 61 船舶の航行又は港長の許可に関する次の記述のうち，港則法令上，**誤っているもの**はどれか。

1　航路から航路外に出ようとする船舶は，航路を航行する他の船舶の進路を避けなければならない。
2　船舶は，港内においては，防波堤，ふとうなどを右げんに見て航行するときは，できるだけ遠ざかって航行しなければならない。
3　特定港内において竹木材を船舶から水上に卸そうとする者は，港長の許可を受けなければならない。
4　特定港内において使用すべき私設信号を定めようとする者は，港長の許可を受けなければならない。

正答　別冊P.223

令和2年度 学科試験 問題B（必須問題）

試験時間　120分

※問題番号No.1～No.35までの35問題は必須問題ですから全問題を解答してください。

No. 1　TS（トータルステーション）を用いて行う測量に関する次の記述のうち，**適当でないもの**はどれか。

1　TSでは，水平角観測，鉛直角観測及び距離測定は，1視準で同時に行うことを原則とする。
2　TSでの鉛直角観測は，1視準1読定，望遠鏡正及び反の観測を1対回とする。
3　TSでの距離測定にともなう気温及び気圧などの測定は，TSを整置した測点で行い，3級及び4級基準点測量においては，標準大気圧を用いて気象補正を行うことができる。
4　TSでは，水平角観測の必要対回数に合わせ，取得された鉛直角観測値及び距離測定値はすべて採用し，その最小値を用いることができる。

No. 2　公共工事標準請負契約約款に関する次の記述のうち，**誤っているもの**はどれか。

1　発注者は，受注者の責によらず，工事の施工に伴い通常避けることができない地盤沈下により第三者に損害を及ぼしたときは，損害による費用を負担する。
2　受注者は，原則として，工事の全部若しくはその主たる部分又は他の部分から独立してその機能を発揮する工作物の工事を一括して第三者に委任し，又は請け負わせてはならない。
3　受注者は，設計図書において監督員の検査を受けて使用すべきものと指定された工事材料が検査の結果不合格とされた場合は，工事現場内に存置しなければならない。
4　発注者は，工事現場における運営等に支障がなく，かつ発注者との連絡体制も確保されると認めた場合には，現場代理人について工事現場における常駐を要しないものとすることができる。

No. 3　下図は，工事起点No.0から工事終点No.5（工事区間延長500m）の道路改良工事の土積曲線（マスカーブ）を示したものであるが，次の記述のうち，**適当でないもの**はどれか。

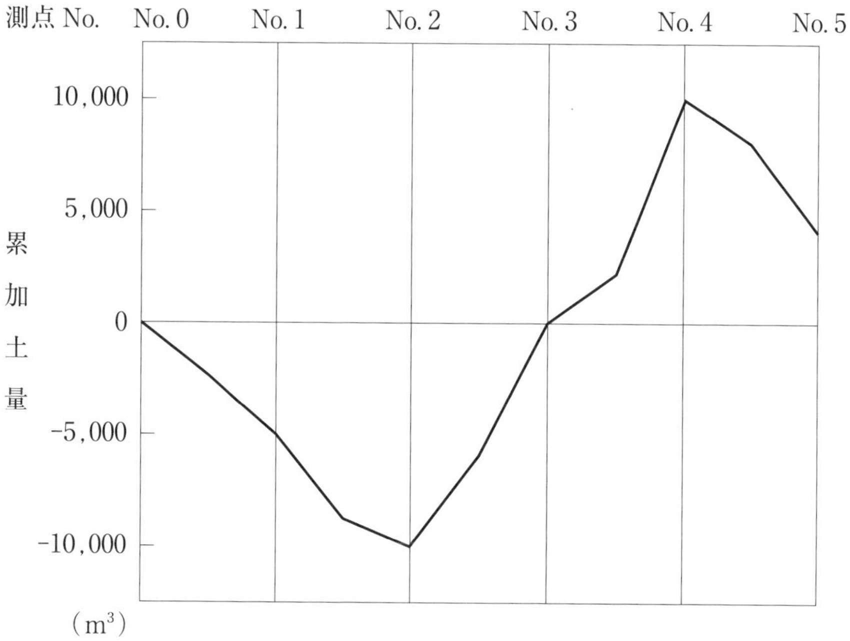

1　No.0 から No.2 までは，盛土区間である。
2　当該工事区間では，盛土区間より切土区間の方が長い。
3　No.0 から No.3 までは，切土量と盛土量が均衡する。
4　当該工事区間では，残土が発生する。

No. 4　建設機械用エンジンの特徴に関する次の記述のうち，**適当でないもの**はどれか。

1　ガソリンエンジンは，一般に負荷に対する即応性，燃料消費率及び保全性などが良好であり，ほとんどの建設機械に使用されている。
2　ガソリンエンジンは，エンジン制御システムの改良に加え排出ガスを触媒（三元触媒）を通すことで，窒素酸化物，炭化水素，一酸化炭素をほぼ100％近く取り除くことができる。

正答　別冊 P.225

3　ディーゼルエンジンとガソリンエンジンでは，エンジンに供給された燃料のもつエネルギーのうち正味仕事として取り出せるエネルギーは，ガソリンエンジンの方が小さい。

4　ディーゼルエンジンは，排出ガス中に多量の酸素を含み，すすや硫黄酸化物を含むことから後処理装置（触媒）によって排出ガス中の各成分を取り除くことが難しい。

No. 5　施工計画に関する次の記述のうち，**適当でないもの**はどれか。

1　施工計画の検討は，現場担当者のみで行うことなく，企業内の組織を活用して，全社的に高い技術レベルでするものである。

2　施工計画の立案に使用した資料は，施工過程における計画変更などに重要な資料となったり，工事を安全に完成するための資料となるものである。

3　施工手順の検討は，全体工期，全体工費に及ぼす影響の小さい工種を優先にして行わなければならない。

4　施工方法の決定は，工事現場の十分な事前調査により得た資料に基づき，契約条件を満足させるための工法の選定，請負者自身の適正な利潤の追求につながるものでなければならない。

No. 6　建設工事の施工にともなう関係機関への届出及び許可に関する次の記述のうち，**適当なもの**はどれか。

1　道路上に工事用板囲，足場，詰所その他の工事用施設を設置し，継続して道路を使用する場合は，所轄の警察署長に道路占用の許可を受けなければならない。

2　型枠支保工の支柱の高さが 3.5m 以上のコンクリート構造物の工事現場の場合は，所轄の労働基準監督署長に計画を届け出なければならない。

3　車両の構造又は車両に積載する貨物が特殊である車両を通行させる場合は，地方運輸局長に特殊車両の通行許可を受けなければならない。

4　つり足場，張出し足場以外の足場で，高さが 10m 以上，組立から解体までの期間が 60 日以上の場合は，市町村長に計画を届け出なければならない。

No. 7　公共工事における施工体制台帳に関する次の記述のうち，**適当でないもの**はどれか。

1　元請業者は，工事を施工するために下請契約を締結した場合，下請金額にかか

わらず施工体制台帳を作成しなければならない。

2　元請業者は，施工体制台帳と合わせて施工の分担関係を表示した施工体系図を作成し，工事関係者や公衆が見やすい場所に掲げなければならない。

3　施工体制台帳には，建設工事の名称，内容及び工期，許可を受けて営む建設業の種類，健康保険等の加入状況などを記載しなければならない。

4　下請業者は，請負った工事をさらに他の建設業を営む者に請け負わせたときは，施工体制台帳を修正するため再下請通知書を発注者に提出しなければならない。

No. 8　工事の原価管理に関する次の記述のうち，**適当でないもの**はどれか。

1　原価管理は，天災その他不可抗力による損害について考慮する必要はないが，設計図書と工事現場の不一致，工事の変更・中止，物価・労賃の変動について考慮する必要がある。

2　原価管理は，工事受注後，最も経済的な施工計画をたて，これに基づいた実行予算の作成時点から始まって，工事決算時点まで実施される。

3　原価管理を実施する体制は，工事の規模・内容によって担当する工事の内容ならびに責任と権限を明確化し，各職場，各部門を有機的，効果的に結合させる必要がある。

4　原価管理の目的は，発生原価と実行予算を比較し，これを分析・検討して適時適切な処置をとり，最終予想原価を実行予算まで，さらには実行予算より原価を下げることである。

No. 9　建設機械の選定に関する次の記述のうち，**適当でないもの**はどれか。

1　建設機械の選定は，作業の種類，工事規模，土質条件，運搬距離などの現場条件のほか建設機械の普及度や作業中の安全性を確保できる機械であることなども考慮する。

2　建設機械は，機種・性能により適用範囲が異なり，同じ機能を持つ機械でも現場条件により施工能力が違うので，その機械が最大能率を発揮できるように選定する。

3　組合せ建設機械は，最大の作業能力の建設機械によって決定されるので，各建設機械の作業能力に大きな格差を生じないように規格と台数を決定する。

4　組合せ建設機械の選択では，主要機械の能力を最大限に発揮させるため作業体系を並列化し，従作業の施工能力を主作業の施工能力と同等，あるいは幾分高め

令和2年問題

正答　別冊 P.227

にする。

No. 10 工事の工程管理に関する次の記述のうち，**適当でないもの**はどれか。

1　工程管理は, 品質, 原価, 安全など工事管理の目的とする要件を総合的に調整し, 策定された基本の工程計画をもとにして実施される。
2　工程管理は，工事の施工段階を評価測定する基準を品質におき，労働力，機械設備，資材などの生産要素を，最も効果的に活用することを目的とした管理である。
3　工程管理は，施工計画の立案，計画を施工の面で実施する統制機能と，施工途中で計画と実績を評価，改善点があれば処置を行う改善機能とに大別できる。
4　工程管理は，工事の施工順序と進捗速度を表す工程表を用い，常に工事の進捗状況を把握し計画と実施のずれを早期に発見し，適切な是正措置を講ずることが大切である。

No. 11 工程管理に使われる工程表の種類と特徴に関する次の記述のうち，**適当でないもの**はどれか。

1　ガントチャートは，横軸に各作業の進捗度，縦軸に工種や作業名をとり，作業完了時が100％となるように表されており，各作業ごとの開始から終了までの所要日数が明確である。
2　斜線式工程表は，トンネル工事のように工事区間が線上に長く，しかも工事の進行方向が一定の方向にしか進捗できない工事に用いられる。
3　ネットワーク式工程表は，コンピューターを用いたシステム的処理により，必要諸資源の最も経済的な利用計画の立案などを行うことができる。
4　グラフ式工程表は，横軸に工期を，縦軸に各作業の出来高比率を表示したもので，予定と実績との差を直視的に比較するのに便利である。

No. 12 下図のネットワーク式工程表に関する次の記述のうち，**適当なもの**はどれか。
ただし，図中のイベント間のＡ～Ｋは作業内容，日数は作業日数を表す。

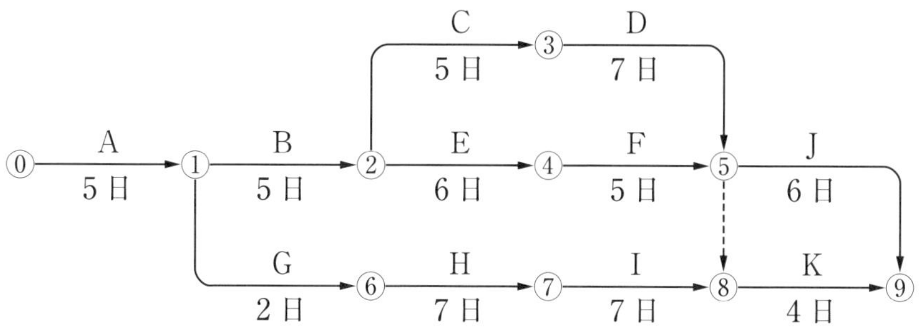

1　クリティカルパスは，⓪→①→②→④→⑤→⑨である。
2　①→⑥→⑦→⑧の作業余裕日数は4日である。
3　作業Kの最早開始日は，工事開始後26日である。
4　工事開始から工事完了までの必要日数（工期）は28日である。

No. 13　工程管理に用いられるバーチャート工程表に関する次の記述のうち，**適当でないもの**はどれか。

1　バーチャート工程表は，簡単な工事で作業数の少ない場合に適しているが，複雑な工事では作成・変更・読取りが難しい。
2　バーチャート工程表では，他の工種との相互関係，手順，各工種が全体の工期に及ぼす影響などが明確である。
3　バーチャート工程表は，各工種の所要日数がタイムスケールで描かれて見やすく，また作業の工程が左から右に移行しているので，作業全体の流れがおおよそ把握できる。
4　バーチャート工程表では，工事全体の進捗状況を表現することができないため，工程管理曲線を併記することにより，全体工程の進捗状況を把握できる。

No. 14　労働安全衛生法令上，元方事業者の講ずべき措置等として次の記述のうち，**誤っているもの**はどれか。

1　元方事業者は，関係請負人及び関係請負人の労働者が，当該仕事に関し，法律又はこれに基づく命令の規定に違反しないよう必要な指導を行わなければならない。
2　元方事業者は，関係請負人又は関係請負人の労働者が，当該仕事に関し，法律又はこれに基づく命令の規定に違反していると認めるときは，是正の措置すべて

を自ら行わなければならない。

3　元方事業者は，機械等が転倒するおそれのある場所において，関係請負人の労働者が当該事業の仕事の作業を行うときは，当該場所に係る危険を防止するための措置が適正に講ぜられるように，技術上の指導その他の措置を講じなければならない。

4　元方事業者の講ずべき技術上の指導その他の必要な措置には，技術上の指導のほか，危険を防止するために必要な資材等の提供，元方事業者が自ら又は関係請負人と共同して危険を防止するための措置を講じること等が含まれる。

No. 15　施工中の建設工事現場における異常気象時の安全対策に関する次の記述のうち，**適当でないもの**はどれか。

1　現場における伝達は，現場条件に応じて，無線機，トランシーバー，拡声器，サイレンなどを設け，緊急時に使用できるよう常に点検整備しておく。

2　洪水が予想される場合は，各種救命用具（救命浮器，救命胴衣，救命浮輪，ロープ）などを緊急の使用に際して即応できるように準備しておく。

3　大雨などにより，大型機械などの設置してある場所への冠水流出，地盤の緩み，転倒のおそれなどがある場合は，早めに適切な場所への退避又は転倒防止措置をとる。

4　電気発破作業においては，雷光と雷鳴の間隔が短いときは，作業を中止し安全な場所に退避させ，雷雲が直上を通過した直後から作業を再開する。

No. 16　建設工事の労働災害防止対策に関する次の記述のうち，**適当でないもの**はどれか。

1　作業床の端，開口部などには，必要な強度の囲い，手すり，覆いなどを設置し，床上の開口部の覆い上には，原則として材料などを置かないこととし，その旨を表示する。

2　土留支保工内の掘削において，切ばり，腹起しなどの土留支保工部材を通路として使用する際は，あらかじめ通路であることを示す表示をする。

3　上下作業は極力避けることとするが，やむを得ず上下作業を行うときは，事前に両者の作業責任者と場所，内容，時間などをよく調整し，安全確保をはかる。

4　物体の落下しやすい高所には物を置かないこととするが，やむを得ず足場上に材料などを集積する場合には，集中荷重による足場のたわみなどの影響に留意する。

No. 17　型枠支保工に関する次の記述のうち，事業者が講じるべき措置として，労働安全衛生法令上，**誤っているもの**はどれか。

1　型枠支保工の支柱の継手は，重ね継手とし，鋼材と鋼材との接合部及び交差部は，ボルト，クランプ等の金具を用いて緊結する。
2　型枠支保工については，敷角の使用，コンクリートの打設，くいの打込み等支柱の沈下を防止するための措置を講ずる。
3　型枠が曲面のものであるときは，控えの取付け等当該型枠の浮き上がりを防止するための措置を講ずる。
4　コンクリートの打設について，その日の作業を開始する前に，当該作業に係る型枠支保工について点検し，異状を認めたときは補修する。

No. 18　建設工事における墜落災害の防止に関する次の記述のうち，事業者が講じるべき措置として，**適当なもの**はどれか。

1　移動式足場に労働者を乗せて移動する際は，足場上の労働者が手すりに要求性能墜落制止用器具（安全帯）をかけた状況を十分に確認した上で移動する。
2　墜落による危険を防止するためのネットは，人体又はこれと同等以上の重さの落下物による衝撃を受けた場合，十分に点検した上で使用する。
3　墜落による危険のおそれのある架設通路に設置する手すりは，丈夫な構造で著しい損傷や変形などがなく，高さ75cm以上のものとする。
4　墜落による危険のおそれのある高さ2m以上の枠組足場の作業床に設置する幅木は，著しい損傷や変形などがなく，高さ15cm以上のものとする。

No. 19　建設機械の災害防止に関する次の記述のうち，事業者が講じるべき措置として，労働安全衛生法令上，**誤っているもの**はどれか。

1　運転中のローラやパワーショベル等の車両系建設機械と接触するおそれがある箇所に労働者を立ち入らせる場合は，その建設機械の乗車席以外に誘導者を同乗させて監視にあたらせる。(☆)
2　車両系荷役運搬機械のうち，荷台にあおりのある不整地運搬車に労働者を乗車させるときは，荷の移動防止の歯止め措置や，あおりを確実に閉じる等の措置を講ずる必要がある。
3　フォークリフトやショベルローダ等の車両系荷役運搬機械には，作業上で必要な照度が確保されている場合を除き，前照燈及び後照燈を備える必要がある。
4　車両系建設機械のうち，コンクリートポンプ車における輸送管路の組立てや解

正答　別冊P.231

体では，作業方法や手順を定めて労働者に周知し，かつ，作業指揮者を指名して直接指揮にあたらせる。

No. 20 移動式クレーンの安全確保に関する次の記述のうち，事業者が講じるべき措置として，クレーン等安全規則上，**正しいもの**はどれか。

1 クレーン機能付き油圧ショベルを小型移動式クレーンとして使用する場合，車両系建設機械運転技能講習修了者であれば，クレーン作業の運転にも従事させることができる。
2 移動式クレーンの定格荷重とは，負荷させることができる最大荷重から，フックの重量・その他つり具等の重量を差し引いた荷重である。
3 移動式クレーンの作業中は，運転者に合図を送りやすいよう，上部旋回体の直近に労働者の中から指名した合図者を配置する。
4 強風のため移動式クレーンの作業の危険が予想される場合は，つり荷や介しゃくロープの振れに特に十分注意しながら作業しなければならない。

No. 21 土工工事における明り掘削の作業にあたり事業者が遵守しなければならない事項に関する次の記述のうち，労働安全衛生法令上，**正しいもの**はどれか。

1 地山の崩壊等による労働者の危険を防止するため，労働者全員にその日の作業開始前，大雨や中震（震度 4）以上の地震の後，浮石及びき裂や湧水の状態等を点検させなければならない。
2 掘削機械，積込機械等の使用によるガス導管，地中電線路等の損壊により労働者に危険を及ぼすおそれのあるときは，これらの機械を十分注意して使用しなければならない。
3 地山の崩壊等により労働者に危険を及ぼすおそれのあるときは，あらかじめ，土止め支保工や防護網を設置し，労働者の立入禁止等の措置を講じなければならない。（☆）
4 運搬機械が，労働者の作業箇所に後進して接近するとき，又は，転落のおそれのあるときは，運転者自ら十分確認を行うようにさせなければならない。（☆）

No. 22 埋設物ならびに架空線に近接して行う工事の安全管理に関する次の記述のうち，**適当でないもの**はどれか。

1 埋設物が予想される箇所では，施工に先立ち，台帳に基づいて試掘を行い，埋

設物の種類・位置・規格・構造などを原則として目視により確認する。

2　架空線に接触などのおそれがある場合は，建設機械の運転手などに工事区域や工事用道路内の架空線などの上空施設の種類・場所・高さなどを連絡し，留意事項を周知徹底する。

3　架空線の近接箇所で建設機械のブーム操作やダンプトラックのダンプアップを行う場合は，防護カバーや看板の設置，立入禁止区域の設定などを行う。

4　管理者の不明な埋設物を発見した場合には，調査を再度行って労働基準監督署に連絡し，立会いを求めて安全を確認した後に処置する。

No. 23　労働安全衛生法令上，事業者が行うべき労働者の疾病予防及び健康管理に関する次の記述のうち，**誤っているもの**はどれか。

1　酸素欠乏症等のおそれのある業務に労働者を就かせるときは，当該労働者に代わりその者を指揮する職長を対象とした特別の教育を行わなければならない。

2　常時使用する労働者の雇い入れ時は，医師による健康診断から３ヶ月を経過しない者で診断結果を証明する書面の提出を受けた場合を除き，所定の項目について健康診断を行う必要がある。

3　さく岩機等の使用によって身体に著しい振動を与える業務等に常時従事する労働者に対し，当該業務への配置替えの際及び６ヶ月以内ごとに医師による健康診断を行う必要がある。

4　ずい道等の坑内作業等に常時労働者を従事させる場合は，原則として有効な呼吸用保護具を使用させなければならない。

No. 24　コンクリート構造物の解体作業に関する次の記述のうち，**適当でないもの**はどれか。

1　圧砕機及び大型ブレーカによる取壊しでは，解体する構造物から飛散するコンクリート片や構造物自体の倒壊範囲を予測し，作業員，建設機械を安全な作業位置に配置しなければならない。

2　転倒方式による取壊しでは，縁切り，転倒作業は，必ず一連の連続作業で実施し，その日のうちに終了させ，縁切りした状態で放置してはならない。

3　カッタによる取壊しでは，撤去側躯体ブロックへのカッタ取付けを原則とし，切断面付近にシートを設置して冷却水の飛散防止をはかる。

4　ウォータージェットによる取壊しでは，病院，民家などが隣接している場合にはノズル付近に防音カバーを使用したり，周辺に防音シートによる防音対策を実施する。

正答　別冊 P.234

No. 25 品質管理に関する次の記述のうち，**適当でないもの**はどれか。

1　品質管理は，品質特性や品質標準を定め，作業標準に従って実施し，できるだけ早期に異常を見つけ，品質の安定をはかるものである。
2　品質特性は，工程の状態を総合的に表し，品質に重要な影響を及ぼすものであり，代用特性を用いてはならない。
3　品質標準は，現場施工の際に実施しようとする品質の目標であり，目標の設定にあたっては，ばらつきの度合いを考慮しなければならない。
4　作業標準は，品質標準を実現するための各段階での作業の具体的な管理方法や試験方法を決めるものである。

No. 26 道路のアスファルト舗装の品質管理に関する次の記述のうち，**適当でないもの**はどれか。

1　表層，基層の締固め度の管理は，通常切取りコアの密度を測定して行うが，コア採取の頻度は工程の初期は少なめに，それ以降は多くして，混合物の温度と締固め状況に注意して行う。
2　品質管理の結果を工程能力図にプロットし，限界をはずれた場合や，一方に片寄っているなどの結果が生じた場合には，直ちに試験頻度を増して異常の有無を確認する。
3　工事施工途中で作業員や施工機械などの組合せを変更する場合は，品質管理の各項目に関する試験頻度を増し，新たな組合せによる品質の確認を行う。
4　下層路盤の締固め度の管理は，試験施工あるいは工程の初期におけるデータから，所定の締固め度を得るのに必要な転圧回数が求められた場合，締固め回数により管理することができる。

No. 27 情報化施工におけるTS（トータルステーション）・GNSS（衛星測位システム）を用いた盛土の締固め管理に関する次の記述のうち，**適当でないもの**はどれか。

1　TS・GNSSを用いた盛土の締固め回数は，締固め機械の走行位置をリアルタイムに計測することにより管理する。
2　盛土材料を締め固める際には，モニタに表示される締固め回数分布図において，盛土施工範囲の全面にわたって，規定回数だけ締め固めたことを示す色になるまで締め固める。

3　盛土施工に使用する材料は，事前に土質試験で品質を確認し，試験施工でまき出し厚や締固め回数を決定した材料と同じ土質材料であることを確認する。

4　盛土施工のまき出し厚や締固め回数は，使用予定材料のうち最も使用量の多い種類の材料により，事前に試験施工で決定する。

No. 28

建設工事の品質管理における「工種」,「品質特性」及び「試験方法」に関する次の組合せのうち，**適当なもの**はどれか。

	［工種］	［品質特性］	［試験方法］
1	コンクリート工	スランプ	圧縮強度試験
2	路盤工	締固め度	現場密度の測定
3	アスファルト舗装工	安定度	平坦性試験
4	土工	たわみ量	平板載荷試験

No. 29

JIS A 5308に準拠したレディーミクストコンクリートの受入れ検査に関する次の記述のうち，**適当でないもの**はどれか。

1　スランプ試験を行ったところ，12.0cmの指定に対して14.0cmであったため合格と判定した。

2　スランプ試験を行ったところ，最初の試験では許容される範囲に入っていなかったが，再度試料を採取してスランプ試験を行ったところ許容される範囲に入っていたので，合格と判定した。

3　空気量試験を行ったところ，4.5％の指定に対して6.5％であったため合格と判定した。

4　塩化物含有量の検査を行ったところ，塩化物イオン（Cl^-）量として0.30kg/m^3であったため合格と判定した。

No. 30

鉄筋の継手に関する次の記述のうち，**適当でないもの**はどれか。

1　重ね継手は，所定の長さを重ね合わせて，焼なまし鉄線で複数箇所緊結する継手で，継手の信頼度を上げるためには，焼なまし鉄線を長く巻くほど継手の信頼度が向上する。

2　手動ガス圧接の技量資格者の資格種別は，圧接作業を行う鉄筋の種類及び鉄筋径によって種別が異なっている。

3　ガス圧接で圧接しようとする鉄筋両端部は，鉄筋冷間直角切断機で切断し，ま

正答　別冊P.236

た圧接作業直前に，両側の圧接端面が直角かつ平滑であることを確認する。
4 機械式継手のモルタル充てん継手では，継手の施工前に，鉄筋の必要挿入長さを示す挿入マークの位置・長さなどについて，目視又は必要に応じて計測により全数確認する。

No. 31 鉄筋コンクリート構造物のコンクリート強度を推定する方法として，次のうち**適当でないもの**はどれか。

1 小径コアを用いて圧縮強度試験を行う方法
2 テストハンマー（重錘）でコンクリート表面を打撃し反発度を測定する方法
3 衝撃弾性波のコンクリート表面での伝播速度を測定する方法
4 AE（アコースティック・エミッション）センサを用いてひび割れ発生時の弾性波を検出する方法

No. 32 建設工事にともなう騒音・振動対策に関する次の記述のうち，**適当でないもの**はどれか。

1 既製杭工法には，動的に貫入させる打込み工法と静的に貫入させる埋込み工法があるが，騒音・振動対策として，埋込み工法を採用することは少ない。
2 土工機械での振動は，機械の運転操作や走行速度によって発生量が異なり，不必要な機械操作や走行は避け，その地盤に合った最も振動の発生量が少ない機械操作を行う。
3 建設工事にともなう地盤振動は，建設機械の種類によって大きく異なり，出力のパワー，走行速度などの機械の能力でも相違することから，発生振動レベル値の小さい機械を選定する。
4 建設工事にともなう騒音の対策方法には，大きく分けて，発生源での対策，伝搬経路での対策，受音点での対策があるが，建設工事では，受音点での対策は一般的でない。

No. 33 建設工事における水質汚濁対策に関する次の記述のうち，**適当なもの**はどれか。

1 SS などを除去する濁水処理設備は，建設工事の工事目的物ではなく仮設備であり，過剰投資となったとしても，必要能力よりできるだけ高いものを選定する。
2 土壌浄化工事においては，投入する土砂の粒度分布により SS 濃度が変動し，洗浄設備の制約から SS は高い値になるので脱水設備が小型になる。

3　雨水や湧水に土砂・セメントなどが混入することにより発生する濁水の処理は，SSの除去及びセメント粒子の影響によるアルカリ性分の中和が主となる。
4　無機凝集剤及び高分子凝集剤の添加量は，濁水及びSS濃度が多くなれば多く必要となるが，SSの成分及び水質には影響されない。

No. 34　「建設工事に係る資材の再資源化等に関する法律」（建設リサイクル法）に関する次の記述のうち，**誤っているもの**はどれか。

1　建設資材廃棄物とは，解体工事によって生じたコンクリート塊，建設発生木材等や新設工事によって生じたコンクリート，木材の端材等である。
2　伐採木，伐根材，梱包材等は，建設資材ではないが，建設リサイクル法による分別解体等・再資源化等の義務付けの対象となる。
3　解体工事業者は，工事現場における解体工事の施工の技術上の管理をつかさどる，技術管理者を選任しなければならない。
4　建設業を営む者は，設計，建設資材の選択及び施工方法等を工夫し，建設資材廃棄物の発生を抑制するとともに，再資源化等に要する費用を低減するよう努めなければならない。

No. 35　「廃棄物の処理及び清掃に関する法律」に関する次の記述のうち，**誤っているもの**はどれか。

1　事業者は，その産業廃棄物が運搬されるまでの間，環境省令で定める技術上の基準に従い，生活環境の保全上支障のないようにこれを保管しなければならない。
2　排出事業者は，産業廃棄物の運搬又は処分を他人に委託する場合には，その受託者に対し産業廃棄物管理票（マニフェスト）を交付しなければならない。
3　国，地方公共団体，事業者その他関係者は，非常災害時における廃棄物の適正な処理が行われるよう適切に役割分担，連携，協力するよう努めなければならない。
4　多量排出事業者は，当該事業場に係る産業廃棄物の減量その他その処理に関する計画を作成し，環境大臣に提出しなければならない。

正答　別冊 P.238

令和2年度　実地試験

試験時間　165分

※問題１は必須問題です。必ず解答してください。
問題１で
①設問１の解答が無記載又は記述漏れがある場合，
②設問２の解答が無記載又は設問で求められている内容以外の記述の場合，
どちらの場合にも問題２以降は採点の対象となりません。

必須問題

問題　1　あなたが経験した土木工事の現場において，その現場状況から特に留意した品質管理に関して，次の〔設問 1〕，〔設問 2〕に答えなさい。

〔注意〕　あなたが経験した工事でないことが判明した場合は失格となります。

〔設問 1〕　あなたが**経験した土木工事**に関し，次の事項について解答欄に明確に記述しなさい。

〔注意〕「経験した土木工事」は，あなたが工事請負者の技術者の場合は，あなたの所属会社が受注した工事内容について記述してください。従って，あなたの所属会社が二次下請業者の場合は，発注者名は一次下請業者名となります。
なお，あなたの所属が発注機関の場合の発注者名は，所属機関名となります。

(1) 工事名
(2) 工事の内容
① 発注者名
② 工事場所
③ 工　期
④ 主な工種
⑤ 施 工 量
(3) 工事現場における施工管理上のあなたの立場

〔設問２〕 上記工事の**現場状況から特に留意した品質管理**に関し，次の事項について解答欄に具体的に記述しなさい。

(1) **具体的な現場状況**と特に留意した**技術的課題**
(2) 技術的課題を解決するために**検討した項目と検討理由及び検討内容**
(3) 上記検討の結果，**現場で実施した対応処置とその評価**

問題２～問題１１までは選択問題（1），（2）です。
※問題２～問題６までの選択問題（1）の５問題のうちから３問題を選択し解答してください。
なお，選択した問題は，解答用紙の選択欄に○印を必ず記入してください。

選択問題（1）

問題　2　建設発生土の有効利用に関する次の文章の［　　　］の（イ）～（ホ）に当てはまる**適切な語句**を解答欄に記述しなさい。

(1) 高含水比の材料は，なるべく薄く敷き均した後，十分な放置期間をとり，ばっ気乾燥を行い使用するか，処理材を［　(イ)　］調整し使用する。
(2) 安定が懸念される材料は，盛土法面［　(ロ)　］の変更，ジオテキスタイル補強盛土やサンドイッチ工法の適用や排水処理などの対策を講じるか，あるいはセメントや石灰による安定処理を行う。
(3) 有用な現場発生土は，可能な限り［　(ハ)　］を行い，土羽土として有効利用する。
(4) ［　(ニ)　］のよい砂質土や礫質土は，排水材料への使用をはかる。
(5) やむを得ずスレーキングしやすい材料を盛土の路体に用いる場合には，施工後の圧縮［　(ホ)　］を軽減するために，空気間隙率が所定の基準内となるように締め固めることが望ましい。

解答例　別冊 P.242

選択問題（1）

問題 3

コンクリートの混和材料に関する次の文章の［　　　］の（イ）～（ホ）に当てはまる**適切な語句**を解答欄に記述しなさい。

(1) ［（イ）］は，水和熱による温度上昇の低減，長期材齢における強度増進など，優れた効果が期待でき，一般にはⅡ種が用いられることが多い混和材である。

(2) 膨張材は，乾燥収縮や硬化収縮に起因する［（ロ）］の発生を低減できることなど優れた効果が得られる。

(3) ［（ハ）］微粉末は，硫酸，硫酸塩や海水に対する化学抵抗性の改善，アルカリシリカ反応の抑制，高強度を得ることができる混和材である。

(4) 流動化剤は，主として運搬時間が長い場合に，流動化後の［（ニ）］ロスを低減させる混和剤である。

(5) 高性能［（ホ）］は，ワーカビリティーや圧送性の改善，単位水量の低減，耐凍害性の向上，水密性の改善など，多くの効果が期待でき，標準形と遅延形の2種類に分けられる混和剤である。

選択問題（1）

問題 4

コンクリートの打込み，締固め，養生における品質管理に関する次の文章の［　　　］の（イ）～（ホ）に当てはまる**適切な語句又は数値**を解答欄に記述しなさい。

(1) コンクリートを2層以上に分けて打ち込む場合，上層と下層が一体となるように施工しなければならない。また，許容打重ね時間間隔は，外気温25℃以下では［（イ）］時間以内を標準とする。

(2) ［（ロ）］が多いコンクリートでは，型枠を取り外した後，コンクリート表面に砂すじを生じることがあるため，［（ロ）］の少ないコンクリートとなるように配合を見直す必要がある。

(3) 壁とスラブとが連続しているコンクリート構造物などでは，コンクリートは断面の変わる箇所でいったん打ち止め，そのコンクリートの［（ハ）］が落ち着いてから上層コンクリートを打ち込む。

(4) コンクリートの締固めにおいて，棒状バイブレータは，なるべく鉛直に一様な間隔で差し込む。その間隔は，一般に［（ニ）］cm以下にするとよい。

(5) コンクリートの養生の目的は，［（ホ）］状態に保つこと，温度を制御すること，及び有害な作用に対して保護することである。

選択問題（1）

問題　5

労働安全衛生規則に定められている，事業者の行う足場等の点検時期，点検事項及び安全基準に関する次の文章の［　　］の（イ）～（ホ）に当てはまる**適切な語句又は数値**を解答欄に記述しなさい。

（1）足場における作業を行うときは，その日の作業を開始する前に，足場用墜落防止設備の取り外し及び［（イ）］の有無について点検し，異常を認めたときは，直ちに補修しなければならない。（☆）

（2）強風，大雨，大雪等の悪天候若しくは［（ロ）］以上の地震等の後において，足場における作業を行うときは，作業を開始する前に点検し，異常を認めたときは，直ちに補修しなければならない。（☆）

（3）鋼製の足場の材料は，著しい損傷，［（ハ）］又は腐食のあるものを使用してはならない。

（4）架設通路で，墜落の危険のある箇所には，高さ85cm以上の［（ニ）］又はこれと同等以上の機能を有する設備を設ける。

（5）足場における高さ2m以上の作業場所で足場板を使用する場合，作業床の幅は［（ホ）］cm以上で，床材間の隙間は，3cm以下とする。

選択問題（1）

問題　6

土木工事の施工計画作成時に留意すべき事項について，次の文章の［　　］の（イ）～（ホ）に当てはまる**適切な語句**を解答欄に記述しなさい。

（1）施工計画は，施工条件などを十分に把握したうえで，［（イ）］，資機材，労務などの一般的事項のほか，工事の難易度を評価する項目を考慮し，工事の［（ロ）］施工が確保されるように総合的な視点で作成すること。

（2）関係機関などとの協議・調整が必要となるような工事では，その協議・調整内容をよく把握し，特に都市内工事にあっては，［（ハ）］災害防止上の［（ロ）］確保に十分留意すること。

（3）現場における組織編成及び［（ニ）］，指揮命令系統が明確なものであること。

（4）作業員については，必要人員を確保するとともに，技術・技能のある人員を確保すること。やむを得ず不足が生じる時は，施工計画，［（イ）］，施工体制，施工機械などについて，対応策を検討すること。

（5）工事による作業場所及びその周辺への振動，騒音，水質汚濁，粉じんなどを考慮した［（ホ）］対策を講じること。

解答例　別冊P.244

※問題7～問題11までの選択問題（2）の5問題のうちから3問題を選択し解答してください。
なお，選択した問題は，解答用紙の選択欄に○印を必ず記入してください。

選択問題（2）

問題 7

切土法面排水に関する**次の（1），（2）の項目について，それぞれ1つずつ**解答欄に記述しなさい。

（1）切土法面排水の目的
（2）切土法面施工時における排水処理の留意点

選択問題（2）

問題 8

コンクリート打込み後に発生する，**次のひび割れの発生原因と施工現場における防止対策をそれぞれ1つずつ**解答欄に記述しなさい。
ただし，材料に関するものは除く。

（1）初期段階に発生する沈みひび割れ
（2）マスコンクリートの温度ひび割れ

選択問題（2）

問題 9

盛土の締固め管理方式における2つの規定方式に関して，**それぞれの規定方式名と締固め管理の方法**について解答欄に記述しなさい。

選択問題（2）

問題 10

建設工事現場における機械掘削及び積込み作業中の事故防止対策として，労働安全衛生規則の定めにより，**事業者が実施すべき事項を5つ**解答欄に記述しなさい。
ただし，解答欄の（例）と同一内容は不可とする。

選択問題（2）

問題 11

建設工事にともなう**騒音又は振動防止のための具体的対策について5つ**解答欄に記述しなさい。
ただし，騒音と振動防止対策において同一内容は不可とする。
また，解答欄の（例）と同一内容は不可とする。

解答例 別冊 P.248

令和6年度　第一次試験

問題A	/35	問題B	/35	合　計	/70

●配点：1問1点の合計点が得点となる。
●合格基準：令和6年度　70問のうち42問以上の正解，かつ施工管理法（応用能力）の15問のうち9問以上の正解で合格。
※70問は全101問のうち，必須及び選択問題を合わせた総解答数。
※施工管理法（応用能力）は，問題BNo.21～35の問題。

問題A　解答用紙

No.1	①②③④	No.18	①②③④	No.35	①②③④	No.52	①②③④
No.2	①②③④	No.19	①②③④	No.36	①②③④	No.53	①②③④
No.3	①②③④	No.20	①②③④	No.37	①②③④	No.54	①②③④
No.4	①②③④	No.21	①②③④	No.38	①②③④	No.55	①②③④
No.5	①②③④	No.22	①②③④	No.39	①②③④	No.56	①②③④
No.6	①②③④	No.23	①②③④	No.40	①②③④	No.57	①②③④
No.7	①②③④	No.24	①②③④	No.41	①②③④	No.58	①②③④
No.8	①②③④	No.25	①②③④	No.42	①②③④	No.59	①②③④
No.9	①②③④	No.26	①②③④	No.43	①②③④	No.60	①②③④
No.10	①②③④	No.27	①②③④	No.44	①②③④	No.61	①②③④
No.11	①②③④	No.28	①②③④	No.45	①②③④	No.62	①②③④
No.12	①②③④	No.29	①②③④	No.46	①②③④	No.63	①②③④
No.13	①②③④	No.30	①②③④	No.47	①②③④	No.64	①②③④
No.14	①②③④	No.31	①②③④	No.48	①②③④	No.65	①②③④
No.15	①②③④	No.32	①②③④	No.49	①②③④	No.66	①②③④
No.16	①②③④	No.33	①②③④	No.50	①②③④		①②③④
No.17	①②③④	No.34	①②③④	No.51	①②③④		①②③④

問題B　解答用紙

No.1	①②③④	No.10	①②③④	No.19	①②③④	No.28	①②③④
No.2	①②③④	No.11	①②③④	No.20	①②③④	No.29	①②③④
No.3	①②③④	No.12	①②③④	No.21	①②③④	No.30	①②③④
No.4	①②③④	No.13	①②③④	No.22	①②③④	No.31	①②③④
No.5	①②③④	No.14	①②③④	No.23	①②③④	No.32	①②③④
No.6	①②③④	No.15	①②③④	No.24	①②③④	No.33	①②③④
No.7	①②③④	No.16	①②③④	No.25	①②③④	No.34	①②③④
No.8	①②③④	No.17	①②③④	No.26	①②③④	No.35	①②③④
No.9	①②③④	No.18	①②③④	No.27	①②③④		①②③④

コピーしてお使いください。

（令和 5 ～ 2 年度用解答用紙）

年度　第一次検定・学科試験

問題 A	/30	問題 B	/35	合　計	/65

●配点：1 問 1 点の合計点が得点となる。
●合格基準：令和 2 年度　65 問のうち，39 問以上の正解で合格。
令和 3 ～ 5 年度　65 問のうち 39 問（令和 5 年度は 37 問）以上の正解，かつ施工管理法（応用能力）の 15 問のうち 9 問以上の正解で合格。
※ 65 問は全 96 問のうち，必須及び選択問題を合わせた総解答数。
※令和 3 ～ 5 年度 施工管理法（応用能力）は，問題 B No.21 ～ 35 の問題。

問題 A　解答用紙

No.1	①②③④	No.17	①②③④	No.33	①②③④	No.49	①②③④
No.2	①②③④	No.18	①②③④	No.34	①②③④	No.50	①②③④
No.3	①②③④	No.19	①②③④	No.35	①②③④	No.51	①②③④
No.4	①②③④	No.20	①②③④	No.36	①②③④	No.52	①②③④
No.5	①②③④	No.21	①②③④	No.37	①②③④	No.53	①②③④
No.6	①②③④	No.22	①②③④	No.38	①②③④	No.54	①②③④
No.7	①②③④	No.23	①②③④	No.39	①②③④	No.55	①②③④
No.8	①②③④	No.24	①②③④	No.40	①②③④	No.56	①②③④
No.9	①②③④	No.25	①②③④	No.41	①②③④	No.57	①②③④
No.10	①②③④	No.26	①②③④	No.42	①②③④	No.58	①②③④
No.11	①②③④	No.27	①②③④	No.43	①②③④	No.59	①②③④
No.12	①②③④	No.28	①②③④	No.44	①②③④	No.60	①②③④
No.13	①②③④	No.29	①②③④	No.45	①②③④	No.61	①②③④
No.14	①②③④	No.30	①②③④	No.46	①②③④		①②③④
No.15	①②③④	No.31	①②③④	No.47	①②③④		①②③④
No.16	①②③④	No.32	①②③④	No.48	①②③④		①②③④

問題 B　解答用紙

No.1	①②③④	No.10	①②③④	No.19	①②③④	No.28	①②③④
No.2	①②③④	No.11	①②③④	No.20	①②③④	No.29	①②③④
No.3	①②③④	No.12	①②③④	No.21	①②③④	No.30	①②③④
No.4	①②③④	No.13	①②③④	No.22	①②③④	No.31	①②③④
No.5	①②③④	No.14	①②③④	No.23	①②③④	No.32	①②③④
No.6	①②③④	No.15	①②③④	No.24	①②③④	No.33	①②③④
No.7	①②③④	No.16	①②③④	No.25	①②③④	No.34	①②③④
No.8	①②③④	No.17	①②③④	No.26	①②③④	No.35	①②③④
No.9	①②③④	No.18	①②③④	No.27	①②③④		①②③④

コピーしてお使いください。

【令和５年度　第二次検定　解答用紙】

※141％に拡大コピーしてお使いください。

合格基準：得点が 60％以上（配点は非公開）

●注意事項（抜粋）

・問題４～問題 11 までは選択問題（1），（2）です。
問題４～問題７までの**選択問題（1）**の４問題のうちから**２問題**を選択し解答してください。
問題８～問題 11 までの**選択問題（2）**の４問題のうちから**２問題**を選択し解答してください。
それぞれの**選択指定数を超えて解答した場合は，減点**となります。

・選択した問題は，**解答用紙の選択欄に○印を必ず記入**してください。

必須問題

【問題 1】

〔設問 1〕

(1) **工事名**

(2) **工事の内容**

①発注者名	
②工事場所	
③工　　期	
④主な工種	
⑤施 工 量	

(3) **工事現場における施工管理上のあなたの立場**

〔設問 2〕

(1) **具体的な現場状況**と特に留意した**技術的課題**

(2) 技術的課題を解決するために**検討した項目と検討理由及び検討内容**

(3) 上記検討の結果，**現場で実施した対応処置とその評価**

必須問題

【問題 2】

(イ)	(ロ)	(ハ)	(ニ)	(ホ)

必須問題

【問題 3】

事業者が講じなければならない措置	
①	
②	

選択問題（1）

【問題 4】

選択欄 □

（イ）	（ロ）	（ハ）	（ニ）	（ホ）

選択問題（1）

【問題 5】

選択欄 □

（イ）	（ロ）	（ハ）	（ニ）	（ホ）

選択問題（1）

【問題 6】

選択欄 □

（イ）	（ロ）	（ハ）	（ニ）	（ホ）

選択問題（1）

【問題 7】

選択欄 □

（イ）	（ロ）	（ハ）	（ニ）	（ホ）

選択問題（2）

【問題 8】

選択欄 □

施工上の留意点	
①	
②	
③	
④	
⑤	

選択問題（2）

【問題 9】

選択欄 □

番号	作成時の留意事項

選択問題（2）

【問題 10】

選択欄

	具体的な安全対策
①	
②	
③	
④	
⑤	

選択問題（2）

【問題 11】

選択欄 □

施工手順番号	工種名	施工上の留意事項 （主要機械の操作及び安全管理に関するものは除く）
	準備工 ↓	
①	□ （バックホゥ） ↓	□
	砕石基礎工 ↓	地下水位に留意しドライワークとする。
	均しコンクリート工 ↓	沈下，滑動，不陸等が生じないようにする。
	敷モルタル工 ↓	凹凸のないように敷き詰める。
②	□ （トラッククレーン） ↓	□
③	□ （ジャッキ） ↓	□
④	□ （タンパ） ↓	□
	後片付け	

【令和４年度　第二次検定　解答用紙】

※141％に拡大コピーしてお使いください。

合格基準：得点が60％以上（配点は非公開）

●注意事項（抜粋）

・問題４～問題11までは選択問題（1），（2）です。
　問題４～問題７までの**選択問題（1）**の４問題のうちから**２問題**を選択し解答してください。
　問題８～問題11までの**選択問題（2）**の４問題のうちから**２問題**を選択し解答してください。
　それぞれの**選択指定数を超えて解答した場合は，減点**となります。
・選択した問題は，**解答用紙の選択欄に○印を必ず記入**してください。

必須問題

【問題１】

〔設問１〕

(1)　**工事名**

(2)　**工事の内容**

①発注者名	
②工事場所	
③工　　期	
④主な工種	
⑤施 工 量	

(3) **工事現場における施工管理上のあなたの立場**

〔設問 2〕

(1) **具体的な現場状況**と特に留意した**技術的課題**

(2) 技術的課題を解決するために**検討した項目と検討理由及び検討内容**

(3) 上記検討の結果，**現場で実施した対応処置とその評価**

必須問題

【問題 2】

(イ)	(ロ)	(ハ)	(ニ)	(ホ)

必須問題

【問題 3】（記入例は非公開）

番号	試験・測定方法の内容	結果の利用方法

選択問題（1）

【問題 4】

選択欄 □

（イ）	（ロ）	（ハ）	（ニ）	（ホ）

選択問題（1）

【問題 5】

選択欄 □

（イ）	（ロ）	（ハ）	（ニ）	（ホ）

選択問題（1）

【問題 6】

選択欄 □

（イ）	（ロ）	（ハ）	（ニ）	（ホ）

選択問題（1）

【問題 7】

選択欄 □

（イ）	（ロ）	（ハ）	（ニ）	（ホ）

選択問題（2）

【問題 8】（記入例は非公開）

選択欄 □

番号	実施方法又は留意点

選択問題（2）

【問題 9】

選択欄 □

番号	防止対策

選択問題（2）

【問題 10】

選択欄 □

番号	誤っている語句又は数値	正しい語句又は数値

選択問題（2）

【問題 11】

選択欄 □

	具体的措置
①	
②	
③	
④	
⑤	

【令和3年度　第二次検定　解答用紙】

※141%に拡大コピーしてお使いください。

合格基準：得点が 60%以上（配点は非公開）

●注意事項（抜粋）

・問題4～問題 11までは選択問題（1），（2）です。
　問題4～問題7までの**選択問題（1）**の4問題のうちから**2問題**を選択し解答してください。
　問題8～問題 11までの**選択問題（2）**の4問題のうちから**2問題**を選択し解答してください。
　それぞれの**選択指定数を超えて解答した場合は，減点**となります。

・選択した問題は，**解答用紙の選択欄に○印を必ず記入**してください。

必須問題

【問題 1】

〔設問 1〕

(1) **工事名**

(2) **工事の内容**

①発注者名	
②工事場所	
③工　　期	
④主な工種	
⑤施 工 量	

(3) **工事現場における施工管理上のあなたの立場**

〔設問 2〕

(1) **具体的な現場状況**と特に留意した**技術的課題**

(2) 技術的課題を解決するために**検討した項目と検討理由及び検討内容**

(3) 上記検討の結果，**現場で実施した対応処置とその評価**

必須問題

【問題 2】

(イ)	(ロ)	(ハ)	(ニ)	(ホ)

必須問題

【問題 3】（記入例は非公開）

検討項目	検討内容
契約書類の確認事項	
現場条件の調査 （自然条件の調査）	
現場条件の調査 （近隣環境の調査）	
現場条件の調査 （資機材の調査）	
施工手順	

選択問題（1）

【問題 4】

選択欄 □

（イ）	（ロ）	（ハ）	（ニ）	（ホ）

選択問題（1）

【問題 5】

選択欄 □

（イ）	（ロ）	（ハ）	（ニ）	（ホ）

選択問題（1）

【問題 6】

選択欄 □

（イ）	（ロ）	（ハ）	（ニ）	（ホ）

選択問題（1）

【問題 7】

選択欄 □

（イ）	（ロ）	（ハ）	（ニ）	（ホ）

選択問題（2）

【問題 8】

選択欄 □

	工法名	工法の概要	期待される効果
①			
②			

選択問題（2）

【問題 9】

選択欄 □

番号	適切でない語句	適切な語句

選択問題（2）

【問題 10】

選択欄 □

安全管理上必要な労働災害防止対策	
①	
②	
③	
④	
⑤	

選択問題（2）

【問題 11】（記入例は非公開）

選択欄 □

番号	工種名	施工上の留意事項 （主要機械の操作及び安全管理に関するものは除く）

※141％に拡大コピーしてお使いください。

【令和2年度　実地試験　解答用紙】

合格基準：得点が 60%以上（配点は非公開）

●注意事項（抜粋）

・問題２～問題 11 までは選択問題（1），（2）です。
問題２～問題６までの**選択問題（1）**の５問題のうちから**３問題**を選択し解答してください。
問題７～問題 11 までの**選択問題（2）**の５問題のうちから**３問題**を選択し解答してください。
それぞれの**選択指定数を超えて解答した場合は，減点**となります。

・選択した問題は，**解答用紙の選択欄に○印を必ず記入**してください。

必須問題

【問題 1】

〔設問 1〕

(1) **工事名**

(2) **工事の内容**

①発注者名	
②工事場所	
③工　　期	
④主な工種	
⑤施 工 量	

(3) **工事現場における施工管理上のあなたの立場**

〔設問 2〕

(1) **具体的な現場状況**と特に留意した**技術的課題**

(2) 技術的課題を解決するために**検討した項目と検討理由及び検討内容**

(3) 上記検討の結果，**現場で実施した対応処置とその評価**

選択問題（1）
【問題 2】

選択欄 □

(イ)	(ロ)	(ハ)	(ニ)	(ホ)

選択問題（1）
【問題 3】

選択欄 □

(イ)	(ロ)	(ハ)	(ニ)	(ホ)

選択問題（1）
【問題 4】

選択欄 □

(イ)	(ロ)	(ハ)	(ニ)	(ホ)

選択問題（1）

【問題 5】

選択欄 □

（イ）	（ロ）	（ハ）	（ニ）	（ホ）

選択問題（1）

【問題 6】

選択欄 □

（イ）	（ロ）	（ハ）	（ニ）	（ホ）

選択問題（2）

【問題 7】

選択欄 □

⑴ 切土法面排水の目的

⑵ 切土法面施工時における排水処理の留意点

選択問題（2）

【問題 8】

選択欄 □

	発生原因	施工現場における防止対策
(1) 初期段階に発生する沈みひび割れ		
(2) マスコンクリートの温度ひび割れ		

選択問題（2）

【問題 9】

選択欄 □

	規定方式名	締固め管理の方法
①		
②		

選択問題（2）

【問題 10】（記入例は非公開）

選択欄 □

事業者が実施すべき事項	
①	
②	
③	
④	
⑤	

選択問題（2）

【問題 11】（記入例は非公開）

選択欄 □

騒音又は振動防止のための具体的対策	
①	
②	
③	
④	
⑤	

MEMO

本書の正誤情報等は，下記のアドレスでご確認ください。
http://www.s-henshu.info/1dskm2410/

上記掲載以外の箇所で正誤についてお気づきの場合は，**書名・発行日・質問事項（該当ページ・行数・問題番号**などと**誤りだと思う理由）・氏名・連絡先**を明記のうえ，お問い合わせください。

・web からのお問い合わせ：上記アドレス内【正誤情報】へ
・郵便または FAX でのお問い合わせ：下記住所または FAX 番号へ

※電話でのお問い合わせはお受けできません。

［宛先］コンデックス情報研究所
『詳解　1級土木施工管理技術検定過去5年問題集 '25年版』係
住　　所：〒359-0042　所沢市並木3-1-9
FAX 番号：04-2995-4362（10:00～17:00　土日祝日を除く）

※本書の正誤以外に関するご質問にはお答えいたしかねます。また，受検指導などは行っておりません。
※ご質問の受付期限は，2025年の7月と10月の各試験日の10日前必着といたします。
※ 回答日時の指定はできません。また，ご質問の内容によっては回答まで10日前後お時間をいただく場合があります。
あらかじめご了承ください。

編著：コンデックス情報研究所
1990 年 6 月設立。法律・福祉・技術・教育分野において，書籍の企画・執筆・編集，大学および通信教育機関との共同教材開発を行っている研究者・実務家・編集者のグループ

詳解 1級土木施工管理技術検定過去5年問題集 '25年版

2024年12月20日発行

編　著　コンデックス情《じょう》報《ほう》研《けん》究《きゅう》所《しょ》

発行者　深見公子

発行所　成美堂出版
〒162-8445　東京都新宿区新小川町1-7
電話(03)5206-8151 FAX(03)5206-8159

印　刷　大盛印刷株式会社

ISBN978-4-415-23919-4
落丁·乱丁などの不良本はお取り替えします
定価はカバーに表示してあります

詳解 '25年版
1級土木施工
管理技術検定
過去5年問題集

別冊

正答・解説編

※矢印の方向に引くと
正答・解説編が取り外せます。

成美堂出版

[注　意]

本書は原則として令和 6 年 10 月 1 日において，施行されている法令等に基づいて編集しています。以降も法令の改正等があると予想されますので，最新の法令等を参照して，本書を活用してください。

CONTENTS

正答・解説　※第二次検定・実地試験の解答例は本書独自の見解です。

〈記号の表記〉

本書では，以下の記号を用いています。

☆：問題文の正誤に影響はありませんが，関連する事項に法改正等のあった問題です。問題編では，法改正等によって問題文が変更される部分に下線をひき，問題文（選択肢）の末尾に（☆）をつけました。また，正答・解説編では，法改正等の変更箇所に下線をひき，☆印のあとに改正等により変更となった後の表記について記しました。

※令和 6 年 12 月中旬に公布・施行予定の建設業法施行令・同施行規則の改正により、本書の記載内容に変更が生じる場合には、下記の本書専用ブログでフォローいたします。

〈参考資料・文献についての表記〉

本書の正答・解説編で記載している参考資料・文献の表記については以下のようになっています。

・記載した参考・参照資料・文献の編集・発行者等の名称については，公益社団法人，一般社団法人，公益財団法人，一般財団法人等を省略して掲載しています。

*令和 6 年度の第二次検定の問題・解答用紙・解答例・解説は，下記の本書専用ブログに令和 7 年 4 月上旬頃掲載予定です。

http://www.s-henshu.info/1dskm2410/

令和6年度

第一次検定　問題A（必須・選択問題）

No.1　土の密度

【正答　4】

土の密度は，単位体積の土に含まれる土粒子・水・空気の質量を表す。

湿潤密度 ρt とは，水や空気を含めた土全体の単位体積質量を指し，$\rho t = \dfrac{m}{V}$ の式で表される。なお，土全体の単位体積に対する土粒子の質量を乾燥密度といい，$\rho d = \dfrac{m_s}{V}$ の式で表される。

飽和度とは，土の間隙体積（土中に含まれる空気及び水の体積）に対して水が占める体積の比率を指し，$S\gamma = \dfrac{V_w}{V_v} \times 100$ の式で表される。

したがって，4の組合せが正答である。

No.2　土の粒径加積曲線と三角座標

【正答　2】

・土の粒径加積曲線Ⓐの土質は，粒径加積曲線Ⓑの土質に比べて，砂の割合は（イ）多い。

※粒径0.005mm以下の粒子を「粘土」，粒径0.005～0.074mmの粒子を「シルト」，粒径0.074～2mmの粒子を「砂」，粒径2mm以上の粒子を「礫」と呼ぶ。土の粒径加積曲線Ⓐを見ると，粒形の分布はほぼ0.074～2mmに分布しており，砂の割合がほぼ100%であることがわかる。一方，粒径加積曲線Ⓑを見ると，シルトや礫も含まれており，砂が100%でないことがわかる。

・三角座標による土の分類において，Ⅰの土質は，Ⅱの土質に比べて，細粒分の割合は（ロ）少ない。

※三角座標を見ると，細粒分の割合は，Ⅰの座標が約20%，Ⅱの座標が約55%であることがわかる。

したがって，2の組合せが正答である。

No.3　構造力学（曲げモーメント値）

【正答　2】

曲げモーメント値とは，ある物体を曲げようとしたときに，その物体の内部に働く力（曲げモーメント）の大きさの値を指す。通常，曲げモーメント値（M）は荷重がかかる点と支点との間の距離（単位…m メートル）と，その点にかかる荷重の値（単位…N ニュートン）を掛け合わせて算出され，N・m，kN・m といった単位で表記される。

設問のような単純梁における点C及びDに集中荷重Pが作用した場合，支点Aから集中荷重が作用する点C，及び支点Bから点Dの間の曲げモーメントは，下図のように直線的に増加する。そして，点C～D間の曲げモーメントは，距離が支点A～点C間及び支点B～点D間と等しいため，それ以上増えることも減ることもない。

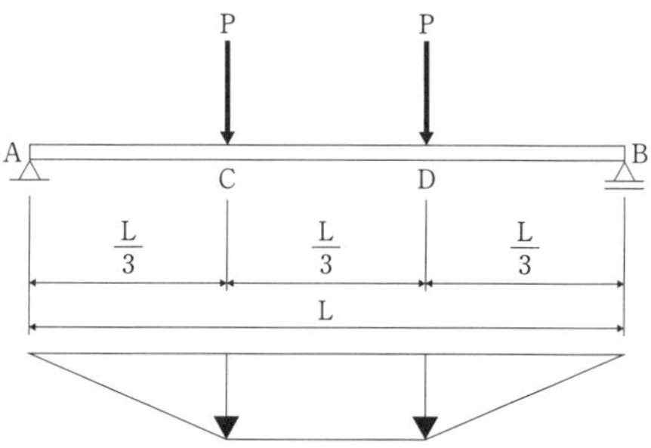

（↓は曲げモーメント値を表す）

したがって，最大の曲げモーメント値は，集中荷重がかかる点C及び点Dにおけるモーメント値ということになる。上記より**「曲げモーメント値＝距離×荷重」**の計算式に代入すると，

最大の曲げモーメント値

$= \dfrac{L}{3} \times P = \dfrac{PL}{3}$となる。

したがって，**2**が正答となる。

No.4　構造力学（台形の図心）

【正答　4】

1 ○　**図心G**とは，**その図形の重心の位置を表すもの**であり，**座標G（x_0, y_0）**で表すことができる。

2 ○　**図心G**を求める場合，**単純な形の図形の組合せによる断面一次モーメントは，中心があきらかな断面に分割し，それぞれの断面一次モーメントを求めて足し合わせる**ことで算出できる。例えば，設問の台形であれば，対角線で2つの三角形に分割することで算出が可能である。

3 ○　**断面一次モーメント**は，**断面積に図心の座標値をかけ合わせた値**と定義されている。設問のように，台形の図心を求めるのに台形を分割した場合は，**それぞれの分割した図形の値の和**となる。

4 ×　**図心**は，**x軸，y軸に関する断面一次モーメントが，ともに0の値となる直交軸の交点**といえる。

No.5　水理学（流体力学）

【正答　1】

まず，水の流速，流量及び断面積の関係は以下のような式で表される。

流量＝流速×断面積

また，円の断面積は以下のような式で表される。

断面積＝π×半径^2＝$\pi \times \left(\dfrac{\text{直径}}{2}\right)^2$

断面①と断面②での流量は同じと考えると，断面①（直径 d_1，流速 v_1）の流量と断面②（直径 d_2, 流速 v_2）の流量 Q_2 の関係は，以下のように表される。

$$\text{（断面①の流量）} = v_1 \times \pi \times \left(\frac{d_1}{2}\right)^2$$

$$\text{（断面②の流量}\ Q_2\text{）} = v_2 \times \pi \times \left(\frac{d_2}{2}\right)^2$$

$$\text{（断面①の流量）} = \text{（断面②の流量}\ Q_2\text{）}$$

$$\rightarrow v_1 \times \pi \times \left(\frac{d_1}{2}\right)^2 = v_2 \times \pi \times \left(\frac{d_2}{2}\right)^2$$

この式を変形すると，断面②の流速 v_2 は，以下のように表すことができる。

$$v_1 \times \pi \times \left(\frac{d_1}{2}\right)^2 = v_2 \times \pi \times \left(\frac{d_2}{2}\right)^2$$

$$v_2 = \frac{\pi \times \left(\frac{d_1}{2}\right)^2}{\pi \times \left(\frac{d_2}{2}\right)^2} \times v_1$$

したがって，$v_2 = \left(\dfrac{d_1}{d_2}\right)^2 \times v_1$

上記の式で導き出された v_2 を，断面②の流量 Q_2 の式に代入すると，以下のとおりになる。

$$\text{（断面②の流量}\ Q_2\text{）} = \underline{\underline{v_2}} \times \pi \times \left(\frac{d_2}{2}\right)^2$$

$$= \underline{\underline{\left(\frac{d_1}{d_2}\right)^2 \times v_1}} \times \pi \times \left(\frac{d_2}{2}\right)^2$$

$$= \frac{d_1^2}{d_2^2} \times \pi \times \frac{d_2^2}{4} \times v_1$$

$$= \frac{\pi \times d_1^2}{4} \times v_1$$

したがって，$Q_2 = \dfrac{\pi \times d_1^2}{4} \times v_1$

以上により，**1**の組合せが正答である。

No.6　土質試験結果とその利用

【正答　2】

1 ×　**土の粒度試験結果**は，土中に含まれている土粒子の粒径の分布状態を表す

粒径加積曲線が示される。試験結果は土の力学的性質の推定や建設材料としての土の適否の判定に用いられ，例えば，粒径が広い範囲にわたって分布する特性を有する土は，締固め特性が良い土と判定される。流動曲線が求められる試験としては，液性限界・塑性限界試験が挙げられる。液性限界・塑性限界試験は，主に土の流動性や変形性の評価に利用される。

2 ○　突固めによる土の締固め試験からは，最大乾燥密度や最適含水比を判定するための締固め曲線が求められ，試験結果は盛土の締固め管理基準（締固め度や施工時含水比等）の決定に用いられる。

3 ×　土の透水試験からは，透水係数が求められる。試験結果は，透水関係の設計計算や地盤改良工法の設計等に用いられる。軟弱層の厚さの推定に用いられる試験としては，スウェーデン式サウンディング試験などが挙げられる。

4 ×　土の三軸圧縮試験は，せん断試験の一種であり，せん断強さを表す地盤のせん断抵抗角や粘着力等が求められる。試験結果は，地盤の安定計算や構造物の安定性の検討に用いられる。地盤沈下量の推定に用いられる試験としては，圧密試験等が挙げられる。

No.7　道路の盛土材料

【正答　3】

1 ○　支持力や施工性が確保できない建設発生土等の材料を使用する場合は，現場内で発生する他の材料と混合するか，セメントや石灰による安定処理を行って使用する。

2 ○　高含水比の材料は，なるべく薄く敷き均す。その後，十分な放置期間をとり，ばっ気乾燥を行うか，処理材を混合調整し，トラフィカビリティーの改善を図ってから使用する。

3 ×　高含水比の粘性土のような盛土の安定や沈下等が問題となる材料は，法肩や法尻に使用すると崩壊の懸念がある。一方，植生の基盤材料としては利用に適するため，障害が生じにくい緑地や法面表層部に用いる。

4 ○　透水性の良い砂質土等の材料は，浸食を受けやすく，土羽土として使用するのは困難である。そのため，主に排水材料に使用する。岩塊や礫質土は，排水処理と安定性向上のため，法尻に使用する。

No.8　盛土の情報化施工

【正答　4】

TS（トータルステーション）・GNSS（全球測位衛星システム）を用いた情報化施工による盛土工を行う場合に必要な事項については，国土交通省が「TS・GNSSを用いた盛土の締固め管理要領」にとりまとめ，公開している。

1 ○　盛土の締固め管理システムの位置把握にTSとGNSSのいずれかを採用するかは，地形条件や電波障害の有無等の事前調査の結果に基づき検討する。その結果，双方の適用が困難な範囲が判明した場合は，その範囲については従来の品質管理方法を用いる。

2 ○　盛土材料のまき出しは，所定の仕上り厚となるようなまき出し厚が試験施工において求められている。まき出しの作業時には，盛土施工範囲全面にわ

たって，試験施工により決定されたまき出し厚以下となるように作業を実施し，その結果を締固め層厚分布の記録をもって確認する。

3 ○　試験施工で決定されたものと同様の土質，含水比の盛土材料を使用し，試験施工で決定したとおりのまき出し厚，締固め回数等で施工した盛土は，工法規定方式の考え方に照らすと，所定の締固め度を確保しているといえる。

4 ×　盛土材料を締め固める際には，TS・GNSS を用いた盛土の締固め管理システムによって管理する。締固め管理システムでは，締固め回数分布図が車載パソコンのモニタに表示される。オペレータは，締固め回数分布図を見ながら，試験施工で決定した規定の締固め回数を確保するよう，盛土施工範囲の全面にわたって，規定回数だけ締め固めたことを示す色になるまで締固めを実施する。

No.9　建設発生土を用いた工作物の埋戻し

【正答　1】

1 ×　埋戻しに用いる土については，埋設管下部への充填性，埋設物への影響を考慮する。道路の供用開始後に工作物との間に隙間や段差が生じないように，圧縮性の小さい材料を用いる。

2 ○　泥土や高含水比の粘性土は，スラリー化安定処理（土に泥水または水を混ぜてスラリー化したものにセメント等の固化材を添加混合する技術）等により当該土に自硬性をもたせる等の機能を付加することで，埋戻し材として利用することができる。

3 ○　埋戻しに用いる土については，地震時の液状化防止の機能や，道路においては埋戻し材の上部に道路の路盤・路床と同等の支持力を要求される場合もあるなど，使用場所や環境によって異なる品質が要求されることがある。したがって使用場所に応じた材料を選定する必要がある。

4 ○　埋戻しに用いる土をセメント及び石灰による安定処理で改良する際には，改良対象土の品質や強度は画一的に定めることはせず，埋戻し後の機能や原地盤の土質性状などの諸条件を幅広く検討し，柔軟な対応をする必要がある。また，改良対象の土質により所定の強度が得られないことがあるため，事前の試験で性状を把握する必要がある。

No.10　軟弱地盤対策工法

【正答　4】

1 ○　緩速載荷工法は，地盤の破壊が発生しない程度の盛土荷重をかけることにより，ゆっくりと圧密沈下を起こしながら地盤の強化を図る工法である。できるだけ軟弱地盤の処理を行わない代わりに，圧密沈下の進行に合わせ時間をかけてゆっくりと盛土することで，地盤の強度増加を進行させて地盤の安定を図る。

2 ○　サンドドレーン工法は，透水性の高い砂を用いた砂柱を地盤中に鉛直に造成することにより，水平方向の排水距離を短縮する工法である。これによって，圧密の促進と地盤の強度増加を図る。

3 ○　ディープウェル工法は，井戸用の鋼

管を地中深くに設置し，井戸の中に流入した地下水をポンプでくみ上げることで地盤中の地下水位を低下させる工法である。地盤中の地下水位の低下により，それまで受けていた浮力に相当する荷重を下層の軟弱層に載荷することで，圧密促進や地盤の強度増加を図る。

4 ×　高圧噴射撹拌工法は，原位置の軟弱土と，石灰やセメントなどの固化材を撹拌翼を用いて強制的に撹拌混合することにより，固結体の安定処理土を形成し，水平抵抗力の増加を図る工法である。すべり抵抗の増加を目的とする工法としては，深層混合処理工法が挙げられる。

No.11　コンクリート用粗骨材の品質

【正答　4】

1 ○　粗骨材は，5mm 網ふるいにかけたときに質量で 85%以上留まる骨材である。また，細骨材は，10mm のふるいを全部通り，かつ，5mm のふるいを質量で 85%以上通る骨材である。

2 ○　粗骨材として用いる砂利の絶乾密度は，一般に $2.5g/cm^3$ 以上である。また，同一種類の骨材を混合して使用する場合，混合した後の絶乾密度の品質が満足されている場合であっても，混合する前の各骨材について絶乾密度の品質を満足しなければならない。

3 ○　JIS A 5021 に規定されるコンクリート用再生粗骨材 H は，破砕，磨砕，分級（粒径別に分離させること）などの高度な処理を行うことで通常の骨材とほぼ同様の品質を有している。そのため，レディーミクストコンクリート用骨材として使用することが可能である。

4 ×　コンクリート骨材に砕石を用いた場合は，ワーカビリティーの良好なコンクリートを得るために，砂利を用いた場合と比べて単位水量を大きくする必要がある。

No.12　コンクリート用骨材の試験方法

【正答　2】

1 ○　コンクリート用骨材の粒形の良否は，粒形判定実績率の値を算出する粒形判定実績率試験により判定することができる。砕砂の場合，形状としては，角ばりの形状はできるだけ小さく，細長い粒や偏平な粒の少ないものを選定する。

2 ×　凍結融解の繰返しに対する骨材品質の適否の判定は，硫酸ナトリウムによる骨材の安定性試験によって行う。ロサンゼルス試験機による粗骨材のすりへり試験は，舗装コンクリートに用いる粗骨材の品質を評価する試験方法である。

3 ○　細骨材に使用する砂に含まれる有機不純物は，細骨材の有機不純物試験方法によって判定する。試験に際しては，砂の上部における溶液の色合いが標準色よりも薄くなる細骨材を用いるのが一般的である。

4 ○　骨材のアルカリシリカ反応性は，骨材のアルカリシリカ反応性試験方法（化学法）によって判定することができる。アルカリシリカ反応の抑制対策としては，骨材のアルカリシリカ反応性試験方法（化学法またはモルタルバー法）の結果で無害と確認された骨材

を使用することとされている。

No.13　コンクリートの配合

【正答　1】

1 ○　**締固め作業高さが高くなるほど，スランプは大きくする**。したがって，締固め作業高さを考慮してスランプを設定する場合，締固め作業高さが 2m と 0.5m では，**2m の方のスランプの値を大きく設定する**。

2 ×　**高性能 AE 減水剤**は，空気連行性やスランプロス低減効果を併せ持つ減水剤で，通常の AE 減水剤に比べ高い減水率を得ることができる。高性能 AE 減水剤を用いた流動化コンクリートの場合，**細骨材率は基本配合から 4%以内で増減できる**とされており，**水セメント比及びスランプが同じで，通常の AE 減水剤を用いたコンクリートと比較した場合**は，**細骨材率を 1 ～ 2%大きく設定することが多い**。

3 ×　**コンクリートのスランプ**は，円滑かつ密実に型枠内へ打ち込めるよう，運搬，打込み，締固めなどの**作業に適する範囲内で，できるだけ小さくなるように設定する**。

4 ×　**コンクリートポンプを用いた圧送**において，管内閉塞を生じることなく円滑な圧送を行うためには，**単位粉体量や細骨材率はできるだけ大きく，粗骨材の最大寸法はできるだけ小さくする**必要がある。

No.14　寒中コンクリート及び暑中コンクリート

【正答　4】

1 ○　**寒中コンクリート**では，打ち込み後の養生は**保温養生あるいは給熱養生で行う**。**養生温度**は，**所定の圧縮強度が得られるまでは 5℃以上，所定の圧縮強度に到達後もさらに 2 日間は 0℃以上に保つ**必要がある。また，保温養生あるいは給熱養生終了後に急に寒気にさらすと，表面にひび割れが生じるおそれがある。そのため，**養生終了後も適当な方法で養生面を保護し表面の急冷を防止する**。

2 ○　**暑中コンクリート**においては，**練混ぜ後できるだけ早い時期に打ち込まなければならない**。そのため，原則として**練混ぜ開始から打ち終わりまでを 1.5 時間以内に行う**必要がある。

3 ○　**暑中コンクリート**で使われる**減水剤や AE 減水剤，流動化剤**については，**コールドジョイントの発生防止**の観点から，経過時間に伴うスランプ低下を改善させるために**遅延形のものを用いる**。

4 ×　コンクリートの施工時，**日平均気温が 4℃以下になることが予想される場合**は，**寒中コンクリートとしての施工を行わなければならない**。

No.15　コンクリートの養生

【正答　3】

1 ○　**マスコンクリートの養生**では，コンクリート**部材内外の温度差が大きくならないように留意する**必要がある。そのため，**コンクリート温度をできるだけ緩やかに外気温に近づける**よう，**断熱性の高い材料で保温する**。また，温度低下が急激になり過ぎないよう，**必要以上の散水は避ける**。

2 ○　**高流動コンクリート**は，ブリーディングが通常のコンクリートに比べて少

ないが**表面の乾燥が早い**ため，**プラスティック収縮ひび割れが生じやすい**傾向がある。したがって，防止のために，**打込み後，表面を直ちにシートや養生マットで覆い，散水による湿潤養生を施すなど，表面の乾燥を防ぐ対策を行う必要がある**。

3 ×　**日平均気温が 15℃以上**の場合，**コンクリートの湿潤養生期間**の標準は，**混合セメントＢ種で７日，普通ポルトランドセメント使用時で５日，早強ポルトランドセメント使用時３日**である。

したがって，**混合セメントＢ種を用いたコンクリートの養生**では，**普通ポルトランドセメントを用いたコンクリートより湿潤養生期間が長くなる**。

4 ○　膨張材を混和材として用いた**膨張コンクリート**は，膨張材の作用により乾燥収縮ひび割れの発生を抑制するという特徴がある。**膨張コンクリートが所定の強度発現及び膨張力を得るためには**，養生によって**打込み後のコンクリートを湿潤状態に保つことがきわめて重要になる**。

No.16　型枠に作用するフレッシュコンクリートの側圧

【正答　1】

コンクリート型枠を用いた施工においては，コンクリート型枠内に生コンクリートが打設される。生コンクリートは，下側に広がろうとするため，その圧力は堰板を側方に押す側圧として作用する。

1 ×　施工条件が同じ場合，コンクリートの**温度**が**高い**ほど，**型枠への側圧は小さく作用する**。

2 ○　施工条件が同じ場合，コンクリートの**単位重量**が**大きい**ほど，**型枠への側圧は大きく作用する**。

3 ○　施工条件が同じ場合，コンクリートの**打上がり速度**が**速い**ほど，**型枠への側圧は大きく作用する**。

4 ○　施工条件が同じ場合，コンクリートの**スランプ**が**大きい**ほど，**型枠への側圧は大きく作用する**。

No.17　道路橋における各種基礎

【正答　4】

1 ○　**道路橋の杭基礎**は，**支持杭基礎と摩擦杭基礎に区分される**。一般的には，長期的な基礎の鉛直変位を防止するために，先端を支持層まで到達し，杭の先端に働く反力で橋梁を支えることのできる**支持杭基礎とするのがよい**とされている。**摩擦杭基礎を採用する場合**には，**長期的な鉛直変位について十分な検討を行い**，周面摩擦力によって**所要の支持力を得るのに十分な根入れ深さを確保する**必要がある。

2 ○　**道路橋における杭基礎**を**支持杭基礎とする場合**，杭先端の**支持層への根入れ深さ**は，少なくとも**杭径程度以上を確保する**のが基本となる。

3 ○　**直接基礎のフーチング底面**は，**支持地盤に密着させる**ことにより，**滑動抵抗が十分に期待できるよう，地盤に応じた処理を行う**。

4 ×　**直接基礎が滑動するときのせん断面**は，一般的には，**基礎の床付け面のごく浅い箇所に生じる**。そのため，**基礎の施工時に地盤に過度の乱れが生じさせないことが基本となる**。

No.18　既製杭の施工

【正答　2】

1 ×　杭を作業地盤面以下に打ち込む場合，ヤットコを用いて打ち込むことがあるが，ヤットコの使用や，地盤状況などから偏打を起こすおそれがある場合には，鋼管杭の板厚を厚くする。

2 ○　杭の打止め管理は，杭の根入れ深さ，リバウンド量（動的支持力），貫入量，支持層の状態などより総合的に判断する必要がある。通常は，根入れ深さ，打止め時一打当たりのリバウンド量等について，試験杭の打込みによる試験結果と同程度であることを確認して打止めとする。

3 ×　鋼管杭の打ち込み性を向上させ，硬質地盤への打込みを容易にするには，鋼管の先端外側に補強バンドを取りつける。

4 ×　打撃力により鋼管杭の杭頭部に座屈が生じるおそれがある場合は，適切なハンマの選定で打撃力を小さくするか，鋼管杭の断面積を大きくすることにより座屈を防止する。

No.19　場所打ち杭工法の施工

【正答　4】

1 ○　リバース工法では，安定液のように粘性があるものを使用しないことから，泥水循環時においては粗粒子の沈降が期待できる。そのため，一次孔底処理により泥水中のスライムはほとんど処理することが可能であるという特徴がある。

2 ○　オールケーシング工法は，筒形のケーシングチューブを地中に揺動または回転しながら圧入し，孔壁を保護しながら，グラブバケットによって掘削・土砂を排出し，孔内に鉄筋かごを建て込み，コンクリートを打設する工法である。オールケーシング工法では，掘削孔の全長にわたってケーシングチューブを用いて孔壁を保護するため，適切な施工を行えば孔壁崩壊の懸念がほとんどないのが特色である。

3 ○　リバース工法では，表層地盤の崩落防止のためにスタンドパイプを建て込んで孔壁を保護・安定させる。その際，スタンドパイプの下端は安定性の高い粘性土層に根入れするのがよい。

4 ×　オールケーシング工法では，コンクリート打込み完了後にケーシングチューブを引き抜く際は，コンクリートの天端が下がる可能性があるため，あらかじめ下がり量を考慮する必要がある。

No.20　各種土留め工の特徴

【正答　3】

1 ○　切梁式土留めは，切梁や腹起し等の支保工と掘削側の地盤の抵抗により土留め壁を支持する工法である。現場の状況に応じて支保工の数，配置などの変更が可能である一方，掘削面積が広い場合には支保工の数が増加する。また，機械掘削時に設置された支保工が障害になる可能性がある。

2 ○　アンカー式土留めは，土留めアンカーの定着と掘削側の地盤の抵抗によって土留め壁を支持する工法である。掘削面内に切梁がないので掘削が容易であるが，良質な定着地盤が必要である。また，掘削地周辺にアンカー打設が可能な敷地の確保も必要になる。

3 ×　自立式土留めは，切梁や腹起しなどの支保工を用いることなく，主に掘削側の地盤の抵抗によって土留め壁を支持する工法である。掘削面内に支保工がないので掘削が容易である反面，支保工がないために土留め壁の変形が大きくなる傾向がある。比較的良質で浅い地盤の掘削に適する。

4 ○　控え杭タイロッド式土留めは，控え杭と土留め壁をタイロッドでつなげ，これと地盤の抵抗により土留め壁を支持する工法で，比較的良質で浅い地盤の掘削に適する。また，アンカー式土留めに比べると経済的である。

No.21　鋼道路橋の架設

【正答　2】

1 ○　部材を横方向に移動する場合には，部材の両端に作業誤差が生じやすい。そのため，移動の作業は，移動量及び移動速度を施工段階ごとに確認しながら行う必要がある。

2 ×　部材を縦方向に移動する場合には，送出し作業の安全性を高めるため，送出し勾配は，できる限り水平にすることが望ましい。

3 ○　曲線桁橋は，軸線が曲線の桁を持つ橋梁形式である。曲線桁橋を吊り上げる際には，架設中の各段階において，ねじれ，傾き及び転倒などのないように重心位置を把握し，ベントなどの反力を検討する必要がある。

4 ○　トラス橋の架設においては，部材と継手の数が多いために架設の最終段階でのそり（キャンバー）の調整は難しい。そのため，架設の各段階における上げ越し量の確認を入念に行う必要がある。

No.22　鋼道路橋の溶接

【正答　2】

1 ○　組立溶接は，本溶接の溶接方法によっては全て再溶融される場合もあるが，一般には一部または大部分が再溶融せずに本溶接内に残留することが多いため，組立溶接の品質を確保するためには本溶接と同様な管理が必要となる。したがって，組立溶接に従事する溶接作業者は本溶接に従事する溶接作業者と同じ資格を有していなければならない。

2 ×　アンダーカットとは，溶接欠陥の一種で，母材または既溶接の上に溶接して生じた止端の溝のことを指す。アンダーカットは応力集中の主因となり腐食の促進にもつながるが，完全になくすのが難しい場合もあるため，許容値が設定されることもある。疲労の影響を受けないと考えられる継手においてもあってはならないとされているのは，オーバーラップ（溶接金属が止端で母材に融合しないで重なった部分）である。

3 ○　溶接ビード表面のピットは，異物や水分の存在によって発生したガスの抜け穴である。径が大きいピットや集中的に発生したピットは応力集中の原因となるため，主要部材の突合せ継手や断面を構成するＴ継手，角継手ではピットがあってはならないとされている。一方，部分溶込み開先溶接継手及びすみ肉溶接継手においては，若干のピットの存在が許容されている。

4 ○　開先溶接及び主桁のフランジと腹板

のすみ肉溶接を行う際は，原則としてエンドタブを取り付ける。エンドタブには，部材の溶接端部において所定の溶接品質を確保できる寸法形状の材片を使用し，原則として部材と同等な開先を有するエンドタブを取り付ける。また，溶接の始端及び終端が溶接する部材上に入らないようにしなければならない。

No.23　鋼道路橋における高力ボルト

【正答　1】

1 ○　高力ボルトは，継手の外側から中央部に向けてボルトを締め付けると，連結版が浮き上がり，密着性が悪くなる傾向がある。そのため，締付け作業は，継手の中央部から外側に向かって実施し，さらに２度締めを行うものとする。

2 ×　曲げモーメントを主として受ける部材のフランジ部と腹板部とで，溶接と高力ボルト摩擦接合をそれぞれ用いるような場合には，溶接の完了後に高力ボルトの締付けを行うのを原則とする。

3 ×　回転法または耐力点法によって締め付けた高力ボルトに対しては，所要の回転角があるか否か，全数についてマーキングによる外観検査を行う。回転角が過大なものについては，新しいボルトに取り換えて締め直す。

4 ×　トルク法により締め付けたトルシア形高力ボルトは，各ボルト群の全数について，ピンテールの切断の確認とマーキングによる外観検査を行う。

No.24　コンクリート構造物の補強

【正答　4】

1 ○　鋼板接着工法は，耐震性向上を目的として既存のコンクリート部材の外面に鋼板を接着し巻き立てる工法である。鋼板接着工法では，補強後に防食等に関する維持管理が必要となる。

2 ○　プレストレス導入工法は，PC 鋼材を使用して，桁にプレストレスを導入することにより引張応力度を減少させ，ひび割れを閉じるとともに，圧縮力の付与により耐荷力を増大させようとする工法である。プレストレス導入工法の適用にあたっては，部材のコンクリート強度の照査が必要である。

3 ○　連続繊維接着工法とは，含浸接着樹脂により繊維シートを既設コンクリート部材の下面や側面に接着することで，鉄筋量の増加と同様の効果を得る工法である。連続繊維接着工法は，繊維シートが軽量のため，人力で施工が可能という特徴がある。

4 ×　制震工法は，柱や梁といった構造物の主要部材に制震装置を設置し，地震エネルギーを吸収させることで主要構造部材の損傷を防ぐ工法であり，地震時の部材の変位を小さくすることが可能である。免震工法は，積層ゴムアイソレータ等のデバイスの設置により地震による振動エネルギーを吸収させる工法であり，地震時の構造物に作用する水平力を小さくすることは可能であるが，地震時の部材の変位を小さくすることはできない。

No.25　コンクリート構造物の中性化

【正答　3】

中性化は，大気中の二酸化炭素とセメント内の水酸化カルシウムとの化学反応により炭酸カルシウムが発生し，コンクリート

中のpHが低下する現象である。

1○　大気中の二酸化炭素によるコンクリート構造物の中性化の速度は，乾燥・湿潤が繰り返される場合と比べて，コンクリートが常時乾燥している場合の方が速い。

2○　中性化と水の浸透に伴う鉄筋腐食の速度は，乾燥・湿潤が繰り返され，コンクリート構造物中のセメントが空気に曝されやすい場合と比べて，常時滞水している場合の方が遅い。

3×　コンクリート構造物の中性化深さは，一般的に構造物完成後の供用年数の平方根に比例すると考えてよい。

4○　コンクリートの中性化深さの測定方法は，JIS A 1152：2018で規定されている。測定に際しては，フェノールフタレイン溶液をコンクリート割裂面に噴霧し，コンクリート表面から発色が認められない範囲までの深さを測定する。

No.26　河川堤防の盛土施工

【正答　2】

1×　築堤盛土の施工開始にあたっては，基礎地盤と盛土の一体性を確保するために地盤の表面を所定の厚さまで掻き起こしてほぐし，盛土材料とともに締め固める必要がある。

2○　築堤盛土の施工では，降雨による法面浸食の防止対策として，法面には適当な間隔で仮排水溝を設ける。また，降った雨水が集中するのを防ぐため，堤防には横断方向に3～5%程度の排水勾配を設ける。

3×　築堤盛土の締固めは，堤防縦断方向に，つまり堤防法線に対して平行に行うことが望ましい。また，締固めに際しては，締固め幅が重複するように常に留意して施工する。

4×　既設の堤防に腹付け盛土を行う場合は，新旧法面をなじませるため段切りを行う。段切りの大きさは，一般に，堤防締固め1層仕上り厚の倍の50～60cm程度とすることが多い。

No.27　河川護岸の根固工

【正答　4】

1○　根固工は，一般に大きな流速の作用するところに設置される。そのため，根固工のブロックは，流体力や流石などに耐える重量である必要がある。また，護岸基礎前面に洗掘を生じさせない敷設量である必要がある。

2○　河川護岸の根固工における捨石工の施工に際しては，土砂の吸出し防止のために表層には大きな石を用い，内側には大小の粒径が混在した栗石または砂礫を目つぶしとして用いる。

3○　かご系の根固工の特徴は，屈撓性があり多孔質であることである。そのため，河床変動の抑制や水際の多様化に適している。

4×　根固工に用いる異形コンクリートブロックの乱積みは，河床整正を行わずに河床の形状に合わせて積み上げるので，水深が深くなると層積みと比較して施工は容易になる。

No.28　河川堤防の開削工事

【正答　1】

1×　樋門・樋管を施工する場合は，取付け盛土等が容易に施工できるよう，既設堤防の開削は極力小さくすることが望ましい。また，河川管理の観点から

も，既設堤防の開削範囲は最小限度に留めることが望ましい。

2 ○ 出水期を避けて非出水期間中に施工する時の仮締切り工の高さは，施工期間中の設計対象水位を基準に，計画高水流量に応じた余裕高さを加えた高さを確保する。

3 ○ 仮締切り工は，開削する堤防と同等の機能が要求されるものである。したがって，天端高さや堤体の強度の確保はもとより，流水による越流・越波への対策や，法面・河床の洗掘対策が必要である。

4 ○ 樋門工事における堤防開削による床付け面は，荷重の除去に伴って緩むことが多く，ボイリングやヒービングなどの破壊現象の発生原因にもなり得る。そのため，掘削面は極力乱さないで施工するとともに，転圧によって締め固め，支持力を確保することが望ましい。

No.29　砂防堰堤の施工

【正答　3】

1 ○ 砂防堰堤の基礎地盤は，安全性等から岩盤とすることが原則である。計画上基礎地盤をやむを得ず砂礫盤とする場合は，できる限り堰堤高を 15m 未満に抑えるとともに，原則として均一な地層を選定しなければならない。

2 ○ 砂防堰堤の施工において砂礫基礎上にコンクリートを打ち込む場合は，打設前に転石などの泥を洗浄する。また，基礎面は十分水切りを行い，泥濘によるコンクリート汚染が起こらないように対処するとともに，漏水や湧水の処理を十分に行う必要がある。

3 × 砂防堰堤における間詰めは，一般に掘削部において行い，基礎掘削部が岩盤の場合はコンクリートで間詰めを行う。

4 ○ 砂防堰堤の基礎の根入れは，一般に所定の強度が得られる地盤であっても，基礎の不均質性や風化の速度を考慮し，一定以上の深さを確保する必要がある。基礎地盤の掘削は，砂礫地盤等の場合は 2m 以上，岩盤の場合は 1m 以上とする。

No.30　地すべり防止工

【正答　1】

1 ○ アンカー工は地すべり抑止工の一種で，斜面から不動地盤にテンドン（鋼材等）を挿入し，基盤内に定着させた鋼材の引張強さを利用して斜面を安定化させる工法である。アンカー工は基本的には，アンカー頭部とアンカー体，引張り部の 3 つの構成要素により成り立っている。アンカー工の抑止機能には締付け効果（すべり面の垂直応力の増加によりせん断抵抗力を増す効果）を利用するものとひき止め効果（アンカー力によりすべり力の反力を発揮させる効果）を利用するものの 2 つのタイプがあり，地盤や地すべりの状況によりいずれかの効果を重視して設計する。

2 × アンカーの定着長は，地盤とグラウトとの間の付着長及びテンドン（鋼材等）とグラウトとの間の付着長を比較し，それらのうち長い方とする。

3 × 杭工は，杭をすべり面を貫いて不動土塊まで挿入することによって，移動土塊の滑動力に対して直接抵抗する工

法である。

原則として**地すべり運動ブロックの中央部より下部**を計画位置とし，**杭の根入れ部となる基盤が強固で地盤反力が期待できる場所**に用いられる。

4 ×　**杭工に用いられる杭材**は，**鋼管杭**，**H型鋼杭**，**RC杭**，**PC杭**等がある。**杭の配列**は，**地すべりの運動方向に対して概ね垂直になるように設計する**。**杭の間隔は等間隔となる**ようにし，単位幅当たりの必要抑止力に，削孔による地盤の緩みや土塊の中抜けが生じるおそれを考慮して定める。

No.31　急傾斜地崩壊防止工

【正答　2】

1 ○　**排水工**は，流入水を速やかに集めて斜面外の安全なところへ排水することにより，**傾斜地崩壊の主要因となる地表水や地下水の斜面への流入を防止**し，**斜面の安定性を高めること**を目的に設けられる。排水工は，一般に**地表水排除工と地下水排除工の2つに大別される**。

2 ×　**現場打ちコンクリート枠工**は，切土法面の安定勾配が取れない場合や湧水を伴う場合などに用いられる工法である。**桁の構造は一般に鉄筋コンクリートが用いられ**，桁の交点には鉄筋またはすべり止め杭を法面に直角に入れて補強する。

3 ○　**落石対策工**は，**落石予防工**と**落石防護工**に大別される。**落石予防工**は斜面上の転石の除去などにより**落石の発生を未然に防ぐもの**であり，**落石防護工**は**落下してくる落石を斜面下部や中部で止めるもの**である。

4 ○　**待受式コンクリート擁壁工**は，**擁壁を斜面下部より離れた場所に設置**し，**斜面上部からの崩壊土砂を待ち受け，一定の場所（ポケット）に堆積させる**ことで，土砂が建築物の敷地に到達すること防止する目的で設けられる。一般に，**擁壁天端には落石防護柵（ストーンガード）を設置する**。

No.32　道路アスファルト舗装における路床の施工

【正答　1】

1 ○　道路アスファルト舗装における**盛土路床**は，**使用する盛土材の性質をよく把握したうえで均一に敷き均す**ことが必要である。**1層の敷均し厚さ**は，**仕上り厚さ20cm以下**を目安とする。また，**過転圧による強度低下を招かないように十分に締め固めて仕上げる**。

2 ×　**切土路床**は，現地盤を切り下げることで構築される路床である。切土路床の施工の際，**路床面下30cm程度以内**に木根，転石などの**路床の均一性を損なうものがある場合**は，これらを取**り除いて仕上げなければならない**。

3 ×　**安定処理による構築路床**は，**一般に路上混合方式で行う**。所定量の安定材を**散布機械または人力により均等に散布**し，現状路床土と安定材を均一に混合して，**所定の締固め度を得られることが確認できれば全厚を1層で仕上げる**。

4 ×　**置換え工法による路床**は，軟弱な原地盤を所定の深さまで掘削し，**掘削面以下の層をできるだけ乱さないように留意しながら，良質土を原地盤の上に盛り上げて構築路床を築造する**。

No.33　道路アスファルト舗装における路盤の施工

【正答　3】

1 ○　アスファルト舗装の上層路盤における**石灰安定処理路盤の施工**では，安定処理材料を均一に敷き均した後に仕上げる際，**最適含水比よりやや湿潤状態で締め固める**。

2 ○　アスファルト舗装の上層路盤における**加熱アスファルト安定処理路盤の施工**で，ブルドーザやモータグレーダ等，**アスファルトフィニッシャ以外で敷き均す場合**は，**材料の分離に留意する**。また，**下層の路盤面にプライムコートを施す**必要がある。

3 ×　シックリフト工法による加熱アスファルト安定処理路盤の施工で，**側方端部を拘束するものがない場合**は，**タンパ等の小型の締固め機械で締め固めるとよい**。型枠や構造物等，**側方端部を拘束するものがある場合**は，**振動ローラ等の大型の締固め機械で締め固める**。

4 ○　セメント安定処理路盤の施工で，**縦方向の施工継目を新しい材料で打ち継ぐ場合**は，日時をおくと施工継目にひび割れを生じることがある。そのため，**できるだけ早い時期に打ち継ぐことが望ましい**。

No.34　道路のアスファルト舗装における基層・表層の施工

【正答　2】

1 ○　基層面など既設舗装面上に舗装する場合は，付着を良くするために**タックコート**を散布する。タックコートには一般に**アスファルト乳剤（PK-4）**が用いられる。タックコート面を保護し，乳剤による施工現場周辺の汚れを防止するために，**運搬車両や舗設機械のタイヤに付着しにくい乳剤を使用する**。

2 ×　**表層の縦継目の位置**は，原則として**レーンマークの位置と合わせる**。また，既設舗装の補修・拡幅の場合を除いて，**下層の継目の上に上層の継目を重ねないようにする**。

3 ○　**夏期や夜間作業等で作業時間に制約がある場合**は，**舗装冷却機械等による強制的な冷却による温度低下の方法や，中温化技術の適用等について検討する**。**中温化技術**により施工性を改善した混合物を使用する場合，**所定の締固め度が得られる範囲内で，適切な転圧温度を設定する**。

4 ○　**ローラへの混合物の付着防止で使用する軽油**は，**アスファルト混合物をカットバック（溶解）する性質を持っている**。そのため，**石油系の付着防止剤の使用は最小限**にとどめるとともに，**必要に応じて非石油系の付着防止剤を使用する**。

No.35　アスファルト舗装の補修工法

【正答　3】

1 ○　**表面処理工法**は，**路面の老化やひび割れ，摩耗等が生じた場合や予防保全の観点から**，加熱アスファルト混合物以外の材料によって**既設舗装の上に厚さ 3cm 未満の封かん層を設ける工法**である。舗装の表面を再生することで，舗装の機能を回復・向上させる。

2 ○　**切削工法**は**路上切削機械などで路面の凸部などを切削除去し，段差や不陸を解消する工法**である。**切削工法**は舗

装表面に凹凸が発生して平坦性が極端に悪くなった場合にその部分を機械によって削り取る応急的な処置であるため，早期に凹凸が再発するおそれがある。

3 ×　オーバーレイ工法は，既設舗装上にアスファルト混合物の層を重ねる工法である。ひび割れが生じている路面に適用するときは，事前にシール材注入によるひび割れ注入工や局部打換え工等の処理を行う。また，オーバーレイの厚さを厚くする，ひび割れ防止シートの敷設といったリフレクションクラック対策を行うこともある。

4 ○　打換え工法は，既設舗装のひび割れの程度が大きい場合に，既設舗装のアスファルト混合物層を全層及び路盤の一部，または既設舗装すべてを打ち換える工法である。路盤や基層では，縁部や隅角部の転圧が不十分になりやすいという特徴がある。また，路盤以下の掘削時は，地下埋設物占有者の立会を求める等して既設埋設管等の占用物の調査を行い，試掘を行う等，既設埋設管等を破損しないように施工する。

No.36　ポーラスアスファルト混合物の施工

【正答　1】

1 ○　ポーラスアスファルトの混合物の敷均しは，通常のアスファルト舗装の場合と同様に行う。ただし，ポーラスアスファルト混合物は，密粒度系の混合物を用いる場合よりも温度の低下が早いため，温度管理に十分注意して敷き均し，敷均し後はできるだけ速やかに初転圧を行う。

2 ×　ポーラスアスファルト混合物の締固めにあたっては，ロードローラ，タイヤローラなどを用いるが，振動ローラを無振で使用してロードローラの代替機械とすることもできる。初転圧及び二次転圧は，一般に10～12tのロードローラを用いて行い，初転圧及び二次転圧の締固めで所定の締固め度を確保するのが望ましい。

3 ×　タックコートは，原則としてゴム入りアスファルト乳剤（PKR-T）を使用し，所定量を均一に散布し養生することで，舗設する混合物層とその下層の接着を良くするために行う。

4 ×　既設舗装を切削してポーラスアスファルト混合物を舗設する場合は，切削溝が排水の障害を起こしやすいため，できるだけ凹凸が小さくなるよう，平滑に切削する必要がある。

No.37　道路のコンクリート舗装

【正答　4】

1 ○　セットフォーム工法は，路盤上，若しくはアスファルト中間層上に設置した型枠内にコンクリートを舗設する工法である。普通コンクリート版の施工をセットフォーム工法で行う場合は，ボルトで連結されたレールを走行する舗設機械の重量に耐えられる堅牢な型枠を用いなければならない。

2 ○　スリップフォーム工法は，コンクリートの供給，締固め，成型などの機能を備えた施工機械を使用し，型枠を設置しないでコンクリート舗装版を構築する工法である。普通コンクリート版の施工をスリップフォーム工法で行う場合は，舗装専用機の履帯走行位置の

平坦性と支持力の確保が重要である。

3○　センサラインとは，スリップフォーム工法で構築しようとするコンクリート構造物に沿って設置する線状のロープを指し，成型機は取り付けられた棒状のセンサでセンサラインをたどり，自動制御走行を行う。したがって，連続鉄筋コンクリート版の施工をスリップフォーム工法で行う場合は，舗設後の出来形や品質を確保するため，センサラインが正しく設置されていることを確認することが必要である。

4×　連続鉄筋コンクリート版の施工をセットフォーム工法で行う場合の施工機械は，コンクリートの敷均しにはスプレッダ，締固め及び荒仕上げにはコンクリートフィニッシャ，平坦仕上げにはコンクリートレベラといった施工機械を用いる。

No.38　ダムの基礎処理

【正答　1】

1×　ダムの基礎グラウチングとして施工されるステージ注入工法は，注入孔の全長をいくつかのステージに分割し，上位のステージから下位のステージに向かってボーリング（削孔）とグラウチング（注入）を交互に行う工法である。

2○　コンソリデーショングラウチングは，コンクリートダムの着岩部付近における遮水性の改良や基礎地盤弱部の補強を目的として実施するグラウチングである。

なお，フィルダムにおける遮水ゾーンと基礎岩盤との連結部分で実施するグラウチングとして，ブランケットグラウチングがある。

3○　ダム基礎地盤の透水性は，通常ボーリング孔を利用した水の圧入によるルジオンテストにより調査され，ルジオン値（Lu）により評価される。なお，遮水性の改良を目的とするグラウチングの改良効果はルジオン値で判定し，弱部の補強を目的とするグラウチングの改良効果はルジオン値または単位セメント注入量で判定する。

4○　グラウチングのセメントミルクの配合は，水セメント比（W/C）で表される。セメントミルクの配合は，ルジオン値に応じた初期配合及び地盤の透水性状などを考慮した配合切換え基準があらかじめ定められ，一般に濃度の薄い配合から濃い配合へ順次切替え注入していく。

No.39　ダムコンクリートの打込み

【正答　1】

1×　柱状ブロック工法におけるコンクリート運搬用のバケットを用いたコンクリートの打込みでは，所定の打込み場所に，バケットの下端が打込み面上1m以下に達するまで近づけた後，コンクリートを放出する。

2○　RCD用コンクリートの練混ぜから締固めまでの許容時間は，ダムコンクリートの材料や配合，気温や湿度などによって異なる。夏季では3時間程度，冬季では4時間程度を許容時間の標準とするが，できるだけ速やかに行う。

3○　横継目は，ダム軸に対し直角方向に発生するひび割れを防ぐために設けられる継目であるが，貯水池からの漏水経路になり得る。そのため，漏水を防

ぐために，横継目の上流端付近には，主副2枚の止水板を設置しなければならない。

4○　ダムコンクリートの打込みは，降雨時に行うと品質に悪影響を及ぼす。超硬練りのRCD用コンクリートでは1時間当たり2mm以上の降雨強度，スランプ2～5cm程度の有スランプコンクリートでは1時間当たり4mm以上の降雨強度の時に，打込みを中止する。

No.40　トンネルの山岳工法の掘削工法

【正答　2】

1○　補助ベンチ付き全断面工法は，全断面工法では施工が困難となる地山において，ベンチを付けることにより切羽の安定を図るとともに，掘削効率の向上を図るために，上部半断面と下部半断面の同時施工を行う工法である。地山の大きな変位や地表面沈下を抑制するために，一次インバートを早期に施工する場合もある。

2×　ベンチカット工法は，上部半断面と下部半断面に分割して掘進する工法であり，一般に全断面では切羽が安定しない場合に適用される。地山の状態の良否に応じてベンチ長を決定し，例えば，地山の状態が不良で，周囲の地山を安定させることが必要な場合にはベンチ長を短くする。

3○　導坑先進工法は，トンネル全断面を一度に掘削するのではなく，トンネル断面を数個の小断面に分け，導坑を先行させて徐々に切り広げていく工法であり，導坑をトンネル断面内に設ける場合，前方の地質確認や水抜き等の効果がある。導坑設置位置によって，頂設導坑，中央導坑，底設導坑等に分類される。

4○　中壁分割工法は，左右どちらか片側半断面を先進掘削し，反対側半断面を遅れて掘削する工法である。全断面工法では掘削後の断面が安定しない場合や地表沈下を防止する必要がある場合，大断面掘削の場合に多く用いられる。

No.41　トンネルの山岳工法における補助工法

【正答　3】

1○　地表面沈下対策は，地表面の沈下に伴う構造物への影響抑制のために用いられる。補助工法の例としては，長尺フォアパイリングや鋼管の剛性によりトンネル周辺地山を補強するパイプルーフ工法があるが，一般に大型の設備を要し，工期や工費が大きくなる傾向がある。

2○　地下水対策は，地下水による切羽の不安定化防止対策として実施するもので，水抜きボーリング，止水注入工法，水抜き坑，ウェルポイント，ディープウェル等がある。地下水対策を実施する場合，まず水抜きボーリングで対処が可能か検討し，対処困難と判断される場合に水抜き坑やディープウェル等の採用を検討する。

3×　脚部の安定対策は，脚部の沈下防止や，沈下に伴う地山の緩み抑制のために実施するもので，仮インバート，レッグパイル，ウィングリブ付き鋼製支保工等がある。

　鏡ボルトは，鏡面の安定対策の一環

として行うものである。

4○ 天端部の安定対策は，天端の崩壊・崩落防止対策として実施されるもので，充填式フォアポーリングや注入式フォアポーリングなどがある。

No.42 海岸の潜堤・人工リーフの機能や特徴

【正答 4】

1○ 潜堤・人工リーフは，捨石等の材料を用いた没水構造物で，天端が海面下にあり構造物が見えないため，景観を損なうことなく波浪の静穏化や沿岸漂砂の制御機能を発揮できるという特徴がある。

2○ 潜堤・人工リーフは，上記のとおり，天端が海面下にあるため海上からは見えない。したがって，構造物と船舶が接触する危険があるため，設計の段階から船舶の航行，漁船の操業などの安全に配慮しなければならない。

3○ 潜堤・人工リーフは，天端水深，天端幅により堤体背後への透過波を変化させる機能を持つ。その結果，小さな波浪はほとんど透過し，大きな波浪を選択的に減衰させる。

4× 潜堤・人工リーフは，一般に離岸堤や消波堤に比較して反射波が小さく，堤体背後の堆砂機能は離岸堤と比較して少ないという特徴がある。

No.43 海岸堤防の施工

【正答 3】

1○ 海岸堤防の建設位置は，制約を受けることが多い。強度の低い地盤に施工せざるを得ない場合には，必要に応じて押え盛土，地盤改良などを考慮，検討しなければならない。

2○ 堤体の盛土材料には，原則として多少のシルト・粘土を含んだ砂質または砂礫質のものを用いる。また，締固めは，土質や使用機械の種類に応じて，適当な含水量の状態で，各層，全面にわたり均等に行うこととされている。

3× 表法被覆工でコンクリートを場所打ちする際，特に緩傾斜の場合には，施工継手はクラックを生じさせないように水平打ち継ぎとしてはならない。

4○ 海上工事となる場合は，波浪，潮汐，潮流の影響を強く受け，作業時間が制限されることが多い。そのため，そうした作業環境の制約を踏まえた上で，現場の施工条件に対し考慮を行うことが重要である。

No.44 港湾の防波堤の施工

【正答 1】

1× 傾斜堤は，捨石や消波ブロックを積み上げて建設する防波堤である。施工設備が簡単な上，工程が単純で施工管理が容易，さらに反射波が少ないため，直立堤に比べて施工時の波の影響を受けにくいという特長がある。一方で，底面の幅が広くなるため，水深が大きくなると捨石や消波ブロック等の堤体材料が多量に必要になる，それにつれて設置のための多量な労力も必要になるといった短所もある。

2○ ブロック式の直立堤は，コンクリートブロックを積み上げる形で直立式の堤体を形成する防波堤である。ブロック式は，施工が確実で容易，施工設備が簡単などの長所を有する一方，海上作業期間が一般的に長くなる傾向がある。また，ブロック数が多い場合は広

い製作用地を必要とする，ケーソン式に比べ堤体の一体性に欠けるという欠点も存在する。

3 ○　ケーソン式の直立堤は，堤体の一体性が確保できるために波力に対し強い防波堤となる上，本体製作をドライワークで行うことができるため，施工が確実であるといった長所がある。一方で，ケーソンの製作設備や施工設備に相当な工種や工費を要する上に，荒天日数の多い場所では海上施工日数に著しい制限を受けやすいといった短所がある。

4 ○　混成堤は，捨石の上に直立壁を設置する形式の防波堤で，傾斜堤と直立堤の両方の機能を併せ持つ。混成堤は，水深の大きい箇所や比較的軟弱な地盤にも適し，捨石部と直立部の高さの割合を調整して経済的な断面にすることができる一方，施工法及び施工設備が多様で複雑になるという特徴がある。

No.45　ケーソンの施工

【正答　2】

1 ○　斜路（滑路）方式は，ケーソンを自重により斜路（滑路）を通って降下進水させる方式である。そのため，製作函台部に勾配があり，延長を長くした場合，奥側のケーソンの降下速度が大きくなり危険である。

2 ×　ドライドック方式のケーソン進水は，ドック内に注水したのち，引き出す方法である。安全性に富んでおり，規模が大きく，かつ長期的な利用が可能な場合に有利であるが，初期投資は大きくなるという特徴がある。

3 ○　ドルフィンドック方式は，ケーソン製作や進水時に船体全体を水面下に沈める方式である。クレーン及び注水排水設備，発電設備等は別途，陸上や付属船に装備される。

4 ○　吊り降し方式は，護岸の背後等でケーソンを製作し，大型起重機船で吊り降す方式である。製作時にケーソンの自重により既設構造物に影響を及ぼす場合があるため，事前に安定の確認が必要である。

No.46　鉄道のコンクリート路盤の施工

【正答　1】

1 ×　コンクリート路盤の施工は，盛土自身の沈下等による路盤や軌道の変状の影響を極力少なくするために，盛土施工後に一定の時間を置き，承諾を受けてから実施する。

2 ○　鉄道のコンクリート路盤相互の連結部となる伸縮目地は，列車荷重などによるせん断力の伝達を円滑に行うためのものであり，衝撃輪重の原因となり得る継目落ちや目違いが生じない構造としなければならない。

3 ○　鉄道のコンクリート路盤のコンクリートは，打込みの際には横流しを避ける。また，傾斜部に打設する場合，低い方から高い方へ打ち込み，棒状バイブレータを用いて十分に締め固める。

4 ○　コンクリート路盤における鉄筋コンクリート版の鉄筋は，コンクリートの打込みの際に移動しないように正しい位置に配置し鉄筋相互を十分堅固に組み立てる。また同時に，スペーサを介して型枠に接する状態となっていることを原則とする。

No.47　鉄道の軌道の維持管理

【正答　3】

1 ○　道床バラストに用いる材料は，吸水率が小さく，強固でじん性に富み，適当な粒径と粒度を持つものであることが必要である。

2 ○　軌道狂いとは，常時多くの列車が直上を走行するために線路に生じるゆがみの一種であり，軌道が列車荷重の繰返し荷重を受けて次第に変形し，車両走行面の不整が生ずる。軌道狂いの種類としては，軌間狂い，水準狂い，高低狂い，通り狂い，平面性狂い，複合狂いなどがある。

3 ×　レールは温度変化によって伸縮を繰り返すため，レールの継目部に遊間を設けることで処理する。レール継目の遊間は，レールの温度変化に伴う伸縮を容易にするために設けられ，冬期など，レール温度が下降した時に継目ボルトに過大な力がかからないことなどを考慮して設定する。また，遊間の整正は，温度の変化が大きく，レールの伸縮が著しい夏期や冬期に先立って行うのが適当である。

4 ○　PC マクラギはコンクリート製マクラギの一種で，1本当たり数百キログラムの重量があるため，木マクラギに比べ初期投資は多額となり，敷設や交換などの施工は困難である。しかし，耐用年数は50年程度と木マクラギ(防腐処理済のものでも10～25年程度)と比べて長いため，交換の軽減や保守費の削減が可能である。

No.48　鉄道の営業線近接工事における保安対策

【正答　1】

鉄道の営業線近接工事における保安対策については，日本鉄道施設協会「営業線工事保安関係標準仕様書（在来線）」などに記載されている。

1 ×　営業線近接工事における線路閉鎖工事等においてき電停止を行う場合，その手続きは停電責任者が行う。その際は，使用間合，時間，作業範囲，競合作業等について，あらかじめ監督員等と十分打合せを行う。

2 ○　営業線近接工事における建設用大型機械の留置場所は，直線区間の建築限界の外方 1m 以上離れた場所で，かつ列車の運転保安及び旅客公衆等に対し安全な場所とする。

3 ○　営業線近接工事において，可搬式特殊信号発光機の設置位置は，作業現場から 800m 以上離れた位置まで列車が進来したときに，列車の運転士が明滅を確認できる建築限界内を基本とする。

4 ○　列車見張員は，鉄道軌道内または鉄道軌道隣接地で工事等を行う際，鉄道車両の接近を見張り，工事関係者の安全確保を行う技術者である。線路閉鎖工事手続及び保守作業手続による作業等のときは，列車見張員等の配置を省略することができる。

No.49　シールド工法の施工管理

【正答　2】

シールド工法とは，シールドと呼ばれるトンネル掘削機を地中に設置して，シールドの外殻やセグメントなどで坑壁の崩壊を

防止しながら，掘削，覆工を行いトンネルを構築していく工法である。都市部の下水道工事や地下鉄工事など，開削工法が困難な場所でのトンネル構築で用いられる。

1 ○　シールドは，切羽安定機構により開放型と密閉型に分類され，密閉型シールドは，フード部とガーダー部が隔壁で仕切られているものを指す。密閉型シールドによる掘削作業において，土圧，排土量，シールドジャッキ推力等の計測値に急激な変動があった場合は，切羽の崩壊や土砂の取り込み過多等の発生が考えられる。

2 ×　土圧式シールド工法とは，掘削土を泥土化して圧力を加えることで切羽の安定を図る工法である。土圧式シールド工法において，硬質粘性土等の粘着力が大きい土層を掘削する場合には，掘削土砂に適切な添加材を注入することにより，カッターチャンバ内やカッターヘッドへの掘削土砂の付着を防止することが必要である。

3 ○　泥水式シールド工法とは，掘削部分に泥水を加圧することで切羽の安定を図る工法である。泥水式シールド工法の泥水処理において，土砂を分離した余剰泥水は水や粘土，ベントナイト，増粘剤等を加えて比重，濃度，粘性等を調整して切羽に再循環される。

4 ○　テールボイド沈下（隆起）の発生原因としては，シールド掘進に伴うシールドテールが通過した直後に生じるテールボイドの発生による応力解放や過大な裏込め注入圧等が挙げられる。

No.50　鋼構造物塗装の施工管理
【正答　4】

1 ○　塗料は，製造後長時間経過すると密封した缶内でも品質に変化が生じることになるので，抜取試験を行って品質を確認する必要がある。また，開缶時には固化等の変状の有無を確認する。

2 ○　多液形塗料や高粘度塗料の攪拌において，攪拌が不十分な場合，塗料が均一にならず乾きむらや色むらの発生原因になる。したがって，塗料を均一化し，乾きむらや色むら防止のため，攪拌機を用いることが望ましい。

3 ○　塗装を塗り重ねる場合の塗装間隔は，付着性を向上させ良好な塗膜を得るために重要な要素である。適切な塗装間隔は，塗料ごとに定められている。

4 ×　塗料の乾燥が不十分のうちに次層の塗料を塗り重ねた場合，下層塗膜中の溶剤の蒸発によって上層塗膜に泡や膨れが生じることがある。

No.51　上水道管の布設
【正答　4】

1 ×　軟弱層が深く予想沈下量が大きい地盤に管を布設する場合は，伸縮可撓性が大きく，かつ離脱防止性能を持った継手を適所に用いることが望ましい。

2 ×　砂質地盤で地下水位が高く，地震時に間隙水圧の急激な上昇による液状化の可能性が高いと判定される地盤においては，適切な管種・継手を選定するとともに，必要に応じて地盤の状況に応じた適切な地盤改良などを行う。

3 ×　将来，管路の不同沈下を起こすおそれのある軟弱層が深い地盤に管を布設する場合は，管の重量，管内水重，埋

戻し土圧等を考慮して管底部での土圧増加分等を計算し，沈下量を推定した上で管径を選定する。

4 ○ 軟弱層が深い地盤，あるいは重機械が入れないような非常に軟弱な地盤に管を布設する場合，薬液注入工法，サンドドレーン工法などの地盤改良工法によって地盤の強化を図ることが必要である。

No.52 下水道に用いられる剛性管渠

【正答 1】

1 × コンクリート及び鉄筋コンクリート基礎は，管渠の底部をコンクリートで巻き立てて支持する構造の基礎である。シルト及び有機質土といった軟弱土の地盤の場合や，管渠に作用する外圧が大きい場合に採用する。

2 ○ 砂または砕石基礎は，硬質粘土，礫混じり土及び礫混じり砂といった硬質土の比較的地盤が良い場所に採用される。砂または細かい砕石等を管渠外周（下部）に満遍なく密着するように締め固めて管渠を支持する構造の基礎である。

3 ○ はしご胴木基礎は，まくら木の下部に管渠と平行に縦木を設置してはしご状に作る構造の基礎である。非常に緩いシルト及び有機質土といった極軟弱土の地盤の場合や，土質や上載荷重が不均質な場合などに採用する。

4 ○ 鳥居基礎は，はしご胴木の下部を，支持力に応じて所定の間隔で打ち込まれた杭で支える鳥居型の構造の基礎である。極軟弱地盤でほとんど地耐力を期待できない場合に採用される。

No.53 小口径管推進工法

【正答 2】

小口径管推進工法とは，小口径推進管または誘導管の先端に小口径管先導体を接続し，掘削，排土，圧入を行いながら推進管を敷設する工法である。

1 ○ 滑材の注入にあたっては，滑材吐出口の位置が先導体後部及び発進坑口止水器部に限定される。そのため，推進開始から推進力の推移をみながら厳密に管理して注入を行わなければならない。含水比の小さな地盤では，推進力低減効果の低下や，圧密による推進抵抗の増加が生じることがあるので，特に滑材の選定や注入管理に留意しなければならない。

2 × 推進管理測量を行う際に，垂直方向については，先導体と発進立坑の水位差で管理する液圧差レベル方式を用いることで，リアルタイムに比較的高精度の位置管理が可能となる。

3 ○ 小口径管推進工法において先導体を曲進させる際には，機構を簡易なものとするためにカッタ回転で全断面を掘削し，外径を大きくする方式をとるのが一般的である。

4 ○ 先導体の到達にあたっては，切羽部の地盤が不安定な場合は重大事故につながるおそれがあるため，先導体の位置を確認し，地山の土質，補助工法の効果の状況，湧水の状態等に留意し，その対策を施してから到達の鏡切りを行う必要がある。

No.54　薬液注入工法における注入効果の確認方法

【正答　2】

1 ○　現場透水試験の評価は，注入改良地盤で行った現場透水試験の結果に基づき，透水性に関する目標値，設計値，得られた透水係数のばらつき等から総合的に評価する。例えば，透水係数 10^{-5}cm/s のオーダーの数値が得られたら，薬液注入による地盤の改良度合いは十分であると判断する。

2 ×　砂地盤の強度の増加を三軸圧縮試験により確認する場合は，内部摩擦角の値は変化しないといわれていることから，地盤の粘着力の値の変化で判断する。

3 ○　標準貫入試験結果の評価は薬液注入前後のN値の増減を見て行う。評価を行う際にはボーリング孔の同一地層でN値を平均する等の簡易的な統計処理を実施する。

4 ○　アルカリ系薬液の浸透状況を直接確認する方法としては，薬液注入を行った箇所周辺を掘削して，フェノールフタレイン試薬を散布し，試薬がアルカリ系薬液に反応して薄い赤色に変色したことを確認する。なお，試薬による視認では，強度や透水性を数値で評価することはできない。

No.55　労働基準法（就業規則）

【正答　4】

常時10人以上の労働者を使用する使用者は，就業規則を作成し，行政官庁に届け出なければならないと定められている。（労働基準法第89条）

同法89条の各号には，就業規則を作成し，届出をする際に必ず記載しなければならない事項（絶対的必要記載事項）と，「定めをする場合においては」記載しなければならない，つまり定めをしない場合は記載する必要のない事項（相対的必要記載事項）が示されている。

本問は，「就業規則に必ず記載しなければならない事項」について問うているので，正答は絶対的必要記載事項に該当する事項となる。

1 ×　表彰及び制裁の種類及び程度に関する事項は，「定めをする場合においては」という留保があるため，相対的必要記載事項に該当する。（同法第89条第9号）

2 ×　安全及び衛生に関する事項は，「定めをする場合においては」という留保があるため，相対的必要記載事項に該当する。（同法第89条第6号）

3 ×　職業訓練に関する事項は，「定めをする場合においては」という留保があるため，相対的必要記載事項に該当する。（同法第89条第7号）

4 ○　賃金（臨時の賃金等を除く）の支払の時期に関する事項は，「定めをする場合においては」という留保がないため，絶対的必要記載事項に該当する。（同法第89条第2号）

なお，「定めをする場合においては」という留保がない絶対的必要記載事項と解される主な事項としては，①始業及び終業の時刻，休憩時間，休日，休暇，（労働者を二組以上に分けて交替で就業させる場合の）就業時転換に関する事項（同法第89条第1号），②賃金の決定，計算及び支払の方法，締切り及び支払の時期に関する事

項（同法第89条第2号），③**退職に関する事項（解雇の事由を含む）**（同法第89条第3号）が挙げられる。

No.56　労働基準法（労働時間，休憩，休日）

【正答　2】

1 ○　使用者は，労働者に，休憩時間を除き**1週間について40時間を超えて労働させてはならない**，また，1週間の各日については，労働者に，休憩時間を除き**1日について8時間を超えて労働させてはならない**と定められている。（労働基準法第32条）

2 ×　使用者は，労働者の過半数で組織する労働組合がある場合にはその**労働組合**，ない場合には**労働者の過半数を代表する者との書面による協定**をし，これを行政官庁に届け出た場合においては，その**協定で定めるところによって労働時間を延長し，労働させることができる**と定められている。（同法第36条第1項）

ただし，その場合でも，通常予見される時間外労働の範囲内においては，原則として，**1箇月について45時間及び1年について360時間を超えて労働時間を延長してはならない**と定められている。（同法第36条第3項，第4項）

3 ○　使用者は，その**雇い入れの日から起算して6箇月間継続勤務**し，**全労働日の8割以上出勤した労働者に対して，**継続し，または分割した**10労働日の有給休暇を原則として与えなければならない**と定められている。（同法第39条第1項）

4 ○　使用者は，労働時間が**6時間を超える場合においては少なくとも45分，8時間を超える場合においては少なくとも1時間**の休憩時間を労働時間の途中に，原則として**一斉に与えなければ**ならないと定められている。（同法第34条第1項，第2項）

No.57　労働安全衛生法（統括安全衛生責任者に統括管理させるべき事項）

【正答　3】

元方事業者は，**関係請負人の労働者を含め，常時50人以上となる事業場**（ただし**ずい道，圧気工法，一定の橋梁工事では常時30人以上**）では，**統括安全衛生責任者を選任すること**と定められている。（労働安全衛生法第15条第1項，第3項，同法施行令第7条第2項第1号，第2号）

統括安全衛生責任者が統括管理すべき事項は，以下のとおりである。

①**協議組織の設置及び運営**
②**作業間の連絡及び調整**
③**作業場所の巡視**
④**関係請負人が行う労働者の安全または衛生のための教育に対する指導及び援助**
⑤仕事の工程に関する計画及び作業場所における機械，設備等の配置に関する計画を作成，及び当該機械，設備等を使用する作業に関する関係請負人の指導
⑥その他，当該労働災害を防止するため必要な事項

（同法第30条第1項第1号～第6号）

1 ○　「**作業間の連絡及び調整**を行うこと」は，上記②に該当している。

2 ○　「**協議組織の設置及び運営**を行うこと」は，上記①に該当している。

3 ×　統括安全衛生責任者が統括管理すべき事項は，上記④の「関係請負人が行う労働者の安全または衛生のための教育に対する指導及び援助を行うこと」である。

4 ○　「作業場所の巡視をすること」は，上記③に該当している。

No.58　労働安全衛生法（コンクリート造の工作物の解体等作業時における危険防止）

【正答　1】

高さ5m以上のコンクリート造の工作物の解体等の作業における危険の防止のために事業者，またはコンクリート造の工作物の解体等作業主任者（以下「作業主任者」）が行わなければならない事項については，労働安全衛生規則第2編第8章の5に定められている。

1 ×　事業者は，強風，大雨，大雪等の悪天候のため，作業の実施について危険が予想されるときは，当該作業を中止しなければならないと定められている。（同規則第517条の15第2号）

2 ○　解体等作業主任者は，作業の方法及び労働者の配置を決定し，作業を直接指揮しなければならないと定められている。（同規則第517条の18第1号）

3 ○　事業者は，外壁，柱等の引倒し等の作業を行うときは引倒し等について一定の合図を定め，関係労働者に周知させなければならないと定められている。（同規則第517条の16第1項）

4 ○　事業者は，コンクリート造の工作物の解体等作業主任者技能講習を修了した者のうちから，コンクリート造の工作物の解体等作業主任者を選任しなければならないと定められている。（同規則第517条の17）

No.59　建設業法（元請負人の義務）

【正答　3】

1 ○　元請負人は，前払金の支払を受けたときは，下請負人に対して，資材の購入，労働者の募集その他建設工事の着手に必要な費用を前払金として支払うよう適切な配慮をしなければならないと定められている。（建設業法第24条の3第3項）

2 ○　元請負人の責務として，請け負った建設工事を施工するために必要な工程の細目，作業方法を定めようとするときは，あらかじめ下請負人の意見を聞かなければならないと定められている。（同法第24条の2）

3 ×　元請負人は，下請負人からその請け負った建設工事が完成した旨の通知を受けたときは，当該通知を受けた日から20日以内で，かつ，できる限り短い期間内に，その完成を確認するための検査を完了しなければならないと定められている。（同法第24条の4第1項）

また，元請負人は，上記の検査によって下請負人の請け負った建設工事の完成を確認した後，下請負人が申し出たときは，特約がされている場合を除いて，直ちに当該建設工事の目的物の引渡しを受けなければならない。（同法第24条の4第2項）

4 ○　元請負人は，請負代金の出来形部分に対する支払を受けたときは，その支払の対象となった建設工事を施工した下請負人に対して，その下請負人が施

工した出来形部分に相応する下請代金を，当該支払を受けた日から一月以内で，かつ，できる限り短い期間内に支払わなければならないと定められている。（同法第24条の3第1項）

No.60　建設業法（建設工事の請負契約）

【正答　4】

1 ○　建設工事の請負契約の当事者は，契約の締結に際して，工事内容，請負代金の額，工事着手の時期及び工事の完成時期のほか，価格等の変動，若しくは変更に基づく請負代金の額または工事内容の変更等といった請負契約の内容を書面に記載し，署名または記名押印をして相互に交付しなければならないと定められている。（建設業法第19条第1項）

☆令和7年6月1日施行同法第19条第1項第8号の改正により，上記解説の下線部は，「価格等の変動又は変更に基づく工事内容の変更又は請負代金の額の変更及びその額の算定方法に関する定め」に変更される。

2 ○　建設工事の注文者は，自己の取引上の地位を不当に利用して，その注文した建設工事を施工するために通常必要と認められる原価に満たない金額を請負代金の額とする請負契約を締結してはならないと定められている。（同法第19条の3）

3 ○　建設業者は，建設工事の請負契約を締結するに際して，工事内容に応じ，工事の種別ごとの材料費，労務費その他の経費の内訳並びに工事の工程ごとの作業及びその準備に必要な日数を明らかにして，建設工事の見積りを行うよう努めなければならないと定められている。（同法第20条第1項）

4 ×　建設工事の注文者は，建設工事の請負契約を締結する以前，または入札を行う以前に，工事内容，工事着手の時期及び工事完成の時期等について，できる限り具体的な内容を提示しなければならないと定められている。ただし，請負代金の額については，上記の「具体的な内容」には含まれていない。（同法第20条第4項）

No.61　道路法（道路占用工事における道路の掘削）

【正答　3】

道路占用工事における道路の掘削については，道路法施行規則に定められている。

1 ○　舗装道路の舗装の部分の切断は，のみまたは切断機を用いて，原則として直線に，かつ，路面に垂直に行うことと定められている。（同法施行規則第4条の4の4第1号）

2 ○　掘削部分に近接する道路の部分には，占用のために掘削した土砂をたい積しないで余地を設けるものとし，当該土砂が道路の交通に支障を及ぼすおそれのある場合においては，これを他の場所に搬出することと定められている。（同法施行規則第4条の4の4第2号）

3 ×　わき水またはたまり水の排出にあっては，道路の排水に支障を及ぼすことのないように措置して道路の排水施設に排出する場合を除き，道路の排水施設や路面に排出しないよう措置することと定められている。（同法施行規則第4条の4の4第4号）

「いかなる場合でも」道路の排水施設や路面に排出してはならないわけではない。

4 ○　**道路の掘削面積**は，工事の施工上やむを得ない場合において，道路の交通に著しい支障を及ぼすことのないよう**覆工を施工するなどの措置をした場合を除き，当日中に復旧可能な範囲とすること**と定められている。（同法施行規則第４条の４の４第５号）

No.62　河川法（河川区域内の工事の手続き）

【正答　3】

1 ○　**河川区域内において土地の掘削，盛土，切土等土地の形状を変更する行為**は，**河川管理者の許可を受けなければならない**と定められている。（河川法第27条第１項）

ただし，同法施行令第15条の４において，**許可を必要としない「軽易な行為」**が定められている。その中には，「許可を受けて設置された取水施設又は排水施設の機能を維持するために行う**取水口又は排水口の付近に積もった土砂等の排除**」が含まれている。

したがって，河川管理者の許可を受けて設置された**排水施設の機能を維持するため行う排水口付近の堆積土砂の撤去は，河川管理者の許可を受ける必要はない**。

2 ○　**河川区域内の土地において工作物を新築，改築，または除却しようとする場合**には，**河川管理者の許可を受けなければならない**と定められている。（同法第26条第１項）

また，**河川区域内の土地**（河川管理者以外の者がその権原に基づき管理する土地を除く）**を占用しようとする者**は，**河川管理者の許可を受けなければならない**と定められている。（同法第24条）

河川区域内の土地で工作物の新築等を行う場合は，**新築等の許可と土地の占用許可の両方が必要**である。

3 ×　同法第24条の**土地の占用許可**に関する規定，同法第26条の**工作物の新築等の許可**に関する規定は，いずれも**河川の上空や地下に建設されるものに対しても適用される**。

したがって，**河川区域内の上空を通過する電線や通信ケーブルを設置する場合**でも，**河川管理者の許可が必要である**。

4 ○　河川管理者以外の者が管理する**民有地であっても，河川区域内において土地の掘削，盛土，切土等土地の形状を変更する行為**は，**河川管理者の許可を受けなければならない**と定められている。（同法第27条第１項）

No.63　建築基準法

【正答　2】

1 ○　**建築物**は，土地に定着する工作物のうち，**屋根及び柱若しくは壁を有するもの**，これに附属する門若しくは塀または地下若しくは高架の工作物内に設ける事務所，店舗，倉庫等をいい，**建築設備を含むものとする**と定義されている。（建築基準法第２条第１号）

2 ×　同法第85条の規定により，工事現場に設ける現場事務所等の**仮設建築物に関しては，建築基準法の適用除外や制限の緩和措置が講じられている**。同

法第6条では，建築主は，**一定の基準以上の建築物を建築，または大規模の修繕若しくは大規模の模様替をしようとする場合**，当該工事に着手する前に，その計画が建築基準関係規定に適合するものであることについて，**確認の申請書を提出して建築主事等の確認を受け，確認済証の交付を受けなければならない**と規定されている（**建築物の建築等に関する申請及び確認**）。ただし，この**確認申請書の提出は仮設建築物に関しては必要とされない**。

3 ○　**建築物の敷地**は，これに**接する道の境より高くなければならず，建築物の地盤面**は，これに**接する周囲の土地より高くなければならない**と定められている。（同法第19条）

なお，この建築物の敷地に関する規定は，同法第85条に基づく**仮設物に関する制限の緩和の対象である**。

4 ○　建築物の**建築面積**は，**建築物の外壁またはこれに代わる柱の中心線で囲まれた部分の水平投影面積，敷地面積**は**敷地の水平投影面積**によると定義されている。（同法施行令第2条第1項第1号，第2号）

No.64　振動規制法（特定建設作業）

【正答　1】

振動規制法上の「特定建設作業」は，同法第2条第3項，及び同法施行令第2条（別表第2）に規定されている。

使用することによって特定建設作業に該当する可能性のある建設機械は，以下のとおりである。（別表第2第1号～第4号）

①**くい打機（もんけん及び圧入式くい打機を除く。），くい抜機（油圧式くい抜機を除く。）またはくい打くい抜機（圧入式くい打くい抜機を除く。）**

②**鋼球**

③**舗装版破砕機**

④**ブレーカー（手持ち式のものを除く。）**

1 ○　**「舗装版破砕機を用いた舗装版の破砕作業で，1日の移動距離が50mを超えない作業」**は，**特定建設作業に該当する**。（同法施行令第2条別表第2第3号）

2 ×　上記のとおり，**ブレーカを使用したコンクリート構造物の取り壊し作業**については，**「手持ち式のものを除く」**とあるため，**特定建設作業に該当しない**。（同法施行令第2条別表第2第4号）

3 ×　**振動ローラによる路体の締固め作業**は，**特定建設作業に該当しない**。

4 ×　上記のとおり，**圧入式杭打ち機を使用する作業**は，**特定建設作業に該当しない**。（同法施行令第2条別表第2第1号）

No.65　騒音規制法（特定建設作業の届出）

【正答　3】

騒音規制法上の「特定建設作業」は，同法第2条第3項，及び同法施行令第2条（別表第2）に規定されている。

1 ○　「**特定建設作業**」とは，建設工事として行われる作業のうち，著しい騒音を発生する作業であって政令で定めるものをいう。（同法第2条第3項）

ただし，**当該作業がその作業を開始した日に終わるものを除く**とされている。（同法施行令第2条）

2 ○　指定地域内において特定建設作業を伴う建設工事を施工しようとする者

は，当該特定建設作業の開始の日の7日前までに，環境省令で定めるところにより，市町村長に届け出なければならないと定められている。（同法第14条第1項）

3 ×　2の解説のとおり，指定地域内において特定建設作業を伴う建設工事を施工しようとする者は，当該特定建設作業の開始の日の7日前までに市町村長に届け出なければならないと定められている。

ただし，災害その他非常の事態の発生により特定建設作業を緊急に行う必要がある場合は，この限りではないと定められているが，その場合でも，速やかに届出を行わなければならない。（同法第14条第2項）

4 ○　指定地域内において，特定建設作業の施工者が行う市町村長への特定建設作業の実施の届出は，当該特定建設作業の場所の附近の見取図その他環境省令で定める書類を添附しなければならないと定められている。（同法第14条第3項）

No.66　港則法（港長の許可）

【正答　3】

1 ○　特定港内または特定港の境界附近で工事または作業をしようとする者は，港長の許可を受けなければならないと定められている。（港則法第31条第1項）

2 ○　船舶は，特定港内または特定港の境界付近において危険物を運搬しようとするときは，港長の許可を受けなければならないと定められている。（同法第22条第4項）

3 ×　船舶は，特定港に入港したときまたは特定港を出港しようとするときは，国土交通省令の定めるところにより，港長に届け出なければならないと定められている。（同法第4条）許可までは必要としない。

4 ○　船舶は，特定港内において危険物の積込，積替，荷卸をしようとするときは，港長の許可を受けなければならないと定められている。（同法第22条第1項）

第一次検定　問題B（必須問題）

No.1　測量（トータルステーション）

【正答　2】

TS（トータルステーション）は，デジタルセオドライトと光波測距儀を一体化した測量器械である。1回の視準によって，水平角観測，鉛直角観測及び距離測定を同時に行うことができる。

1 ○　TSは，キー操作で瞬時にデジタル表示されるばかりでなく，その値をデータコレクタに取得し，コンピュータへデータを転送することができる。TSでの観測の記録は主にデータコレクタを用いるが，データコレクタを用いない場合は観測手簿に記載するものとする。

2 ×　基準点測量は，既知点の種類や既知点間の距離及び新点間の距離に応じ，1級から4級までの基準点測量に区分される。TSでの距離測定に伴う気温及び気圧などの測定は，原則としてTSを整置した測点で行う。ただし，3級及び4級基準点測量においては，既知点間の距離及び新点間の距離が1

級や2級と比較して短いことから，気圧の測定を行わず，標準大気圧を用いて気象補正を行うことができる。

3○　TSでの距離測定に伴う気象の測定（気象補正のための気温及び気圧の測定）は，距離測定の開始直前または終了直後に行うものとする。

4○　TSでは，水平角観測の必要対回数に合わせ，取得された距離測定値及び鉛直角観測値は，すべて採用し，その平均値を用いることができる。1級基準点測量であれば，水平角観測の必要対回数の2対回に合わせ，取得された上記の測定値はすべて採用し，その平均値を用いることができる。

No.2　公共工事標準請負契約約款

【正答　2】

1○　工事目的物の引渡し前に，受注者が，災害防止等のためにとった臨機の措置に要した費用は，受注者が請負代金額の範囲において負担することが適当でないと認められる部分については発注者が負担すると定められている。（公共工事標準請負契約約款第27条第4項）

2×　工事目的物の引渡し前に，天災等の不可抗力により，工事目的物，仮設物または工事現場に搬入済みの工事材料に生じた損害による費用のうち，保険等によりてん補されなかった部分については，発注者に請求することができると定められている。（同約款第30条第3項）

3○　工事の施工に伴い通常避けることができない騒音，振動，地盤沈下，地下水の断絶等の理由により第三者に損害を及ぼしたときは，原則として，発注者がその損害を負担しなければならないと定められている。（同約款第29条第2項）

4○　引き渡された工事目的物が種類または品質に関して契約不適合であるときは，発注者は受注者に対し，目的物の修補または代替物の引渡しによる履行の追完を請求することができる。ただし，過分の費用を要するときは，発注者は履行の追完を請求することができないと定められている。（同約款第45条（A））

No.3　ボックスカルバートの配筋図

【正答　3】

ボックスカルバートの配筋図の読み取り問題である。

1○　側壁図より，側壁の外面主鉄筋は上面がS1，下面がF1であるが，「10×250＝2,500」，つまりボックスカルバート軸方向に250mm間隔で10本配置されていることがわかる。

2○　頂版図より，頂版の下面主鉄筋はS1であるが，「10×250＝2,500」，つまりボックスカルバート軸方向に250mm間隔で10本配置されていることがわかる。

3×　側壁図より，側壁の内面主鉄筋はW1であるが，D13とあるため，径13mmの異形棒鋼であると示されている。径22mmの異形棒鋼（D22）が使われているのは，外部主鉄筋の下面（F1）である。

4○　頂版図より，頂版の主鉄筋は上面，下面共にS1で，いずれもD19（径19mmの異形棒鋼）であると示され

ている。

No.4　電気設備

【正答　1】

1 ×　事業者は，可搬式の電動機械器具で，対地電圧が150ボルトを超えるもの，または水等導電性の高い液体によって湿潤している場所で使用するもの，または鉄板上，鉄骨上，定盤上等導電性の高い場所において使用するものについては，漏電による感電の危険を防止するため，適切な感電防止用漏電遮断装置を接続しなければならないと定められている。（労働安全衛生規則第333条第1項）

自動電撃防止装置を使用しなければならないのは，交流アーク溶接等（自動溶接を除く）の作業を行うときである。（同規則332条）

2 ○　事業者は，電気機械器具の操作の際に，感電の危険または誤操作による危険を防止するため，当該電気機械器具の操作部分について必要な照度を保持しなければならないと定められている。（同規則第335条）

3 ○　同規則第338条では，「事業者は，仮設の配線又は移動電線を通路面において使用してはならない。」と定められているが，同時に「ただし，当該配線又は移動電線の上を車両その他の物が通過すること等による絶縁被覆が損傷のおそれのない状態で使用するときは，この限りでない。」と但し書も付されている。

4 ○　事業者は，アーク溶接等（自動溶接を除く。）の作業に使用する溶接棒等のホルダーについては，感電の危険を防止するため必要な絶縁効力及び耐熱性を有するものでなければ，使用してはならないと定められている。（同規則第331条）

No.5　施工計画の立案

【正答　2】

1 ○　施工計画立案のための資機材の輸送調査では，輸送ルートの道路状況や交通規制などを把握し，不明な点がある場合は，必要に応じて道路管理者や警察署等に相談して解決しておくことが重要である。

2 ×　施工計画の立案にあたっては，労働力や資材，機械などの保有状況や確保の状況によっては，発注者から指示された工期が経済的に最適な工期であるとは限らない。したがって，指示された工期の範囲でさらに経済的な工程を模索することが重要である。

3 ○　下請負業者の選定にあたっての調査では，技術力，過去の実績，労働力の供給，信用度，専門性等と安全管理能力を持っているか等について調査することで，業者の工事遂行能力に関して多面的な角度から検証することが重要である。

4 ○　施工計画の立案において，工事内容を十分把握するためには，契約書類を正確に理解し，工事数量，仕様（規格）のチェックを行うことが必要である。

No.6　工程管理（ネットワーク式工程表）

【正答　2】

1 ○　本問のネットワーク式工程表において，イベント⑨に至る各ルートのうち，最も時間がかかるルート（クリティカルパス）は，イベント⓪→①→②→③

→⑤→⑨である。

2× 作業Kの開始時点であるイベント⑧に至る工程経路は，以下の2通りである。（カッコ内は所要日数）

・⓪→①→②→④…→⑦→⑧（22日）

・⓪→①→⑥→⑦→⑧（21日）

最早開始時刻は，**工程経路が複数ある場合は最長の所要日数になる**ため，**作業Kの最早開始時刻**は，**工事開始後22日**である。

3○ 工事開始⓪から工事完了⑨までの必要日数（工期）は，クリティカルパスである**イベント⓪→①→②→③→⑤→⑨／作業A，B，C，D，Jの合計**で，**5日＋5日＋8日＋6日＋6日＝30日**である。

4○ 作業Fはクリティカルパス上にある作業ではないが，**作業Fに2日間の遅延が生じた場合，作業Fの日数は7日＋2日＝9日**となり，**イベント②→⑤の所要日数は，当初のクリティカルパス上の作業（イベント②→③→⑤）である作業C→D（14日）より，作業E＋作業Fの合計（6日＋9日＝15日／イベント②→④→⑤）の方が1日長くなることになる**。その結果，**クリティカルパスの経路はイベント⓪→①→②→③→⑤→⑨から⓪→①→②→④→⑤→⑨に変更**になる。また，**全体の工期は作業A，B，E，F，Jの合計**で，**5日＋5日＋6日＋9日＋6日＝31日**となり，**当初工期より1日遅れる**ことになる。

No.7 安全管理（元方事業者が講ずべき措置）

【正答 1】

1× **特定元方事業者**は，**工程に関する計画**並びに**作業場所における主要な機械，設備及び作業用の仮設の建設物の配置に関する計画を（自らが）作成しなければならない**と定められている。（労働安全衛生規則第638条の3）

2○ 特定元方事業者は，**当該作業場所の巡視**を**毎作業日に少なくとも1回は行わなければならない**と定められている。（同規則第637条第1項）

3○ **特定元方事業者**は，関係請負人が行う**労働者の安全または衛生のための教育に対する指導及び援助（場所の提供，教育に用いる資料の提供等）を行わなければならない**と定められている。（同規則第638条）

4○ **特定元方事業者**は，**次の場合に行う警報を統一的に定め，関係請負人に周知させなければならない**と定められている。（同規則第642条第1項第3号～第5号）

三 当該場所において**発破が行われる場合**

四 当該場所において**火災が発生した場合**

五 当該場所において，**土砂の崩壊，出水若しくはなだれが発生した場合**またはこれらが発生するおそれのある場合

No.8 安全管理（安全衛生管理体制）

【正答 1】

1× 特定元方事業者は，**関係請負人の労働者を含め，常時50人以上となる事**

業場（ただしずい道，圧気工法，一定の橋梁工事では常時30人以上）では，統括安全衛生責任者を選任することと定められている。（労働安全衛生法第15条第1項，第3項，同法施行令第7条第2項第1号，第2号）

2 ○　労働者数が常時20人以上となる事業場（ずい道等の建設，圧気工法による作業，一定の橋梁の建設，鉄骨造等の建築物の建設に限る）で，統括安全衛生責任者を選任しない事業場では，店社安全衛生管理者を選任すると定められている。（同法第15条の3第1項，同規則第18条の6第1項，第2項）

3 ○　統括安全衛生責任者が選任された事業場では，元方安全衛生管理者を選任すると定められている。（同法第15条の2第1項）

4 ○　統括安全衛生責任者が選任された事業場の下請事業場では，安全衛生責任者を選任すると定められている。（同法第16条第1項）

No.9　安全管理（労働災害防止対策）

【正答　4】

1 ○　足場，鉄骨等物体の落下しやすい高所には物を置かないこととする。ただし，やむを得ず足場上に材料等を集積する場合には，集中荷重による足場のたわみ等の影響に留意することと定められている。（国土交通省「土木工事安全施工技術指針」第2章第6節4. 高所作業・掘削箇所周辺の材料等の集積）

2 ○　飛来落下の防止措置として，構造物の出入口と外部足場が交差する場所の出入口上部には，ネット，シート等による防護対策を講じることと定められている。（同指針第2章第6節1. ネット・シート等による防護）

3 ○　工事現場の周囲は，必要に応じて鋼板，シートまたはガードフェンス等の立入防止施設を設置し，作業員及び第三者に対して工事区域を明確にすることと定められている。（同指針第2章第2節1. 工事区域の立入防止施設）

4 ×　土留・支保工内の掘削においては，適宜通路を設けることとし，切梁，腹起しなどの土留・支保工部材上を通路として使用することは禁じられている。（同指針第2章第5節3. 掘削作業における墜落防止措置）

No.10　安全管理（足場・作業床の組立て）

【正答　1】

1 ×　事業者は，高さ2m以上の足場で作業を行う場合，組み立てられた足場の作業床の床材間の隙間は，つり足場以外では3cm以下とし，かつ，床材と建地との隙間は12cm未満としなければならないと定められている。（労働安全衛生規則第563条第1項第2号）

2 ○　事業者は，高さ2m以上の足場（つり足場を除く）の床材は，原則として転位し，または脱落しないように2以上の支持物に取り付けなければならないと定められている。（同規則第563条第1項第5号）

3 ○　事業者は，高さ2m以上の足場組立て等作業において，足場材の緊結，取り外し，受渡し等を行う際は，原則として幅40cm以上の作業床を設け，要求性能墜落制止用器具を使用させる等の墜落防止措置を講じなければなら

ないと定められている。（同規則第 564 条第 1 項第 4 号）

4○　事業者は，高さ 2m 以上の足場組立て等作業において，材料，器具，工具等を上げ，または下ろすときは，つり綱，つり袋等を労働者に使用させなければならないと定められている。（同規則第 564 条第 1 項第 5 号）

No.11　安全管理（明り掘削作業）

【正答　3】

明り掘削作業に関する安全管理の諸規定は，労働安全衛生規則第 2 編第 6 章（掘削作業等における危険の防止）第 1 節（明り掘削の作業）に定められている。

1○　地山の崩壊等により労働者に危険を及ぼすおそれのあるときは，事業者は，あらかじめ，土止め支保工や防護網の設置，及び労働者の立入禁止等の措置を講じなければならないと定められている。（同規則第 361 条）

☆令和 7 年 4 月 1 日施行同規則第 361 条の改正により，「地山の崩壊又は土石の落下により危険を及ぼすおそれのあるときは，あらかじめ，土止め支保工を設け，防護網を張り，当該作業場において作業に従事する者の立入りを禁止する等当該危険を防止するための措置を講じなければならない」と変更される。

2○　明り掘削の作業を行うときは，あらかじめ，運搬機械，掘削機械及び積込機械の運行の経路，これらの機械の土石の積卸し場所への出入りの方法を定めて，事業者が関係労働者に周知させなければならないと定められている。（同規則第 364 条）

3×　事業者は，掘削機械，積込機械及び運搬機械の使用によるガス導管や地中電線路等の損壊により労働者に危険を及ぼすおそれがある場合は，これらの機械を使用してはならないと定められている。（同規則第 363 条）

4○　事業者は，地山の崩壊等による労働者の危険を防止するため，点検者を指名して，その日の作業を開始する前，大雨の後及び中震（震度 4）以上の地震の後，浮石及びき裂の有無及び状態並びに含水，湧水及び凍結の状態の変化を点検させなければならないと定められている。（同規則第 358 条第 1 号）

No.12　安全管理（墜落災害の防止）

【正答　4】

1×　高さ 2m 以上の作業床の端，開口部等で墜落により労働者に危険を及ぼすおそれのある箇所には，囲い，手すり，覆い等を設けなければならないと定められている。（労働安全衛生規則第 519 条第 1 項）

2×　高さ 2m 以上の箇所で囲い等の設置が困難なとき，または作業上囲いを取りはずすときは，防網を張り，労働者に要求性能墜落制止用器具を使用させる等，墜落による労働者の危険を防止するための措置を講じなければならないと定められている。（同規則第 519 条第 2 項）

3×　高さ 2m 以上の箇所での作業で，労働者に要求性能墜落制止用器具等を使用させるときは，要求性能墜落制止用器具等の取付設備等を設けなければならないと定められている。また，要求性能墜落制止用器具及びその取付設備等については，異常の有無を随時点検

しなければならないと定められている。（同規則第 521 条）

４○　事業者は，高さまたは深さが 1.5m を超える箇所で作業を行うときは，原則として，当該作業に従事する労働者が安全に昇降するための設備等を設けなければならないと定められている。（同規則第 526 条第１項）

No.13　安全管理（コンクリート構造物の解体作業）

【正答　4】

コンクリート構造物の解体作業に係る安全管理については，建設業労働災害防止協会「コンクリート工作物解体工事の作業指針」等に定められている。

１○　ワイヤソーによる取壊しでは，切断の進行に合わせ，適宜切断面へのキャンバー打込み，ずれ止めを設置しなければならない。また，ワイヤーの破断による事故を防止するため，防護ネットなどで防護養生を行う。

２○　圧砕機及び大型ブレーカによるコンクリート構造物の取壊し作業においては，解体する構造物からコンクリート片の飛散，落下する範囲及び構造物自体の倒壊，崩落範囲を予測し，作業員，建設機械を安全な作業位置に配置しなければならない。また，建設機械と作業員の接触を防止するため，誘導員を適切な位置に配置しなければならない。

３○　カッタによる取壊しでは，ブレード，防護カバーを確実に設置し，特にブレード固定用ナットは十分に締め付ける。また，撤去側躯体ブロックへのカッタ取付けを禁止するとともに，切断面付近へのシートの設置による冷却水の飛散防止を図る。

４×　転倒方式による取壊し作業において，解体する主構造部に複数本の引きワイヤを堅固に取り付け，引きワイヤで加力する際は，引きワイヤが外れるなどの危険が発生するおそれがあるため，繰返し荷重をかけてゆすってはならず，一度の荷重で転倒させるようにしなければならない。

No.14　品質管理（アスファルト舗装の品質管理）

【正答　3】

１○　工事の途中で作業員や施工機械などの組合せを変更する場合は，変更によって異常が生じやすくなるため，品質管理の各項目に関する試験の頻度を増し，新たな組合せによる品質の確認を行う。

２○　アスファルト舗装の品質管理の合理化を図るためには，試験や測定にかかる時間の短縮のため，密度や含水比等を非破壊で測定する機器を導入したり，品質管理を作業と同時に実施可能な機能を有する敷均し機械や締固め機械等を活用したりすることが望ましい。

３×　各工程の進捗に伴い，管理の限界を十分満足できることが明確になれば，品質管理に関する試験頻度を適宜減らすことができる。ただし，一般に試験項目を減らすことはない。

４○　アスファルト舗装の品質管理において，管理の結果を工程能力図にプロットした際に，管理の限界をはずれる，一方に片寄っているなどの結果が生じ

た場合には，直ちに試験頻度を増やして異常の有無を確認する。

No.15　品質管理（路床・路盤の品質管理に用いる試験）

【正答　3】

1 ○　平板載荷試験は，路床工や路盤工において，品質特性として地盤支持力係数 *K* 値を求め，路床や路盤の支持力の把握を目的として実施する試験である。

2 ○　修正 CBR 試験は，現地で採取した試料を室内で試験する室内 CBR 試験の一種で，路盤材料を最大乾燥密度の 95%で締め固めたものに対する修正 CBR を把握し，路盤材料の評価や選定の指標として利用することを目的として実施される。

3 ×　プルーフローリング試験は，目視でたわみ量をチェックして路床や路盤の締固めが適切かどうかや不良箇所の有無を確認する目的で，施工時の転圧機械と同等以上のもので追加転圧の実施後に数回走行し，強度・変形の具合（たわみ具合）をみる試験である。

4 ○　RI による密度の測定は，現場密度の測定方法の一種で，路床や路盤等の現場における締め固められた材料の密度及び含水比を求めることを目的として実施する。

No.16　品質管理（レディーミクストコンクリートの受入れ検査）

【正答　1】

1 ○　土木学会「コンクリート標準示方書」においては，スランプの許容誤差は，スランプ 5cm 以上 8cm 未満の場合は ± 1.5cm，スランプ 8cm 以上 18cm 以下の場合は ± 2.5cm である。したがって，スランプ 12.0cm の指定に対して 14.5cm の場合，誤差は＋ 2.5cm であるため合格と判定される。

2 ×　フレッシュコンクリートの空気量試験の合格基準は，レディーミクストコンクリートの空気量の設定値によらず，± 1.5%の範囲である。空気量試験を行った際に，4.5%の指定に対して 6.5%であった場合は，＋ 2.0%なので不合格と判定される。

3 ×　JIS A 5308 においては，塩化物含有量が「荷おろし地点で，塩化物イオン（Cl^-）量として 0.3kg/m^3 以下でなければならない」としている。したがって，塩化物含有量の検査結果が塩化物イオン（Cl^-）量として 1.2kg/m^3 であれば，不合格と判定される。

4 ×　国土交通省「アルカリ骨材反応抑制対策（土木・建築共通）」によれば，アルカリ骨材反応抑制対策として，配合計画書に示されるコンクリート中のアルカリ総量の計算結果を Na_2O 換算で 3.0kg/m^3 以下にすると定められている。

　したがって，コンクリート中のアルカリ総量が 4.0kg/m^3 であれば，不合格と判定される。

No.17　建設工事の環境保全対策

【正答　3】

1 ○　建設工事周辺地域の生活環境を損なわないために，事業者は，住民の生活に影響の少ない時間帯を作業時間とすることや，建設機械の整備や取扱いを適正にするなど，発生源での騒音防止対策に努めなければならない。

２○　工事用車両による沿道交通への障害の防止対策として，工事現場周辺の道路における交通量，通学路等の有無，迂回路の状況について，事前に十分調査を行う。

３×　遮音壁は，音が直進する性質を利用し，発生源と受音点との間に遮蔽物を設けて音の直進を阻むことで騒音低減を図るものである。ただし，音の一部は遮音壁を回り込む形で受音点に到達するもの（回折音）もあるため，遮音壁は，長ければ長いほどより高い効果が期待できる。

４○　土砂を運搬する時は，飛散の防止のために荷台のシート掛け等を行う。また，作業場から公道に出る際にはタイヤに付着した土の除去などを行うなど，土砂の散逸防止に努める。

No.18　建設工事における土壌汚染対策

【正答　４】

１○　地盤汚染対策工事においては，汚染土壌対策の作業エリアを区分し，作業エリアと場外の間に除洗（除染）区域を設置し，作業服の着替え等を行うことで，汚染土壌が場外に流出，漏出しないようにする。

２○　地盤汚染対策工事においては，土壌汚染対策として，工事車両のタイヤ等に汚染土壌が付着し，場外に出ることのないようにする。車両の出口にタイヤ洗浄装置及び車体の洗浄施設を備え，洗浄水は直ちに場外に排水せず，適切な水質汚濁処理を行ってから排水を行う。

３○　地盤汚染対策工事における屋外掘削の場合，掘削に伴い巻き上げられた汚染土壌が粉塵となって飛散するおそれがある。そのため，飛散防止ネットの設置や散水などで汚染土壌の飛散を防止する。

４×　汚染土壌の運搬については，土壌汚染対策法施行規則に基準が定められており，汚染土壌の運搬の過程において，汚染土壌から岩，コンクリートくずその他の物を分別してはならないとされている。（土壌汚染対策法施行規則第65条第５号ロ）

No.19　建設リサイクル法

【正答　２】

１○　建設リサイクル法（「建設工事に係る資材の再資源化等に関する法律」）上において，「再資源化」とは，分別解体等に伴って生じた建設資材廃棄物について，資材や原材料または燃焼により熱を得ることに利用することができる状態にする行為と定義されている。（同法第２条第４項）

２×　建設資材とは，建設リサイクル法上，「土木建設に関する工事に使用する資材」と定義されており，伐採木，伐根材，梱包材等は，建設資材ではない。（同法第２条第１項）

また，建設リサイクル法による分別解体等・再資源化等の義務づけの対象となっているのは，政令で定める一定規模の工事における特定建設資材（①コンクリート，②コンクリート及び鉄からなる建設資材，③木材，④アスファルト・コンクリート）のみである。（同法第９条，第16条）

３○　建設廃棄物の分別解体等実施義務の対象となる建設工事の規模は同法施行

令第2条各号により，以下のように定められている。

・建築物に係る解体工事…床面積の合計が 80m² であるもの（第1号）
・建築物に係る新築または増築工事…床面積の合計が 500m² であるもの（第2号）
・建築物の修繕または模様替工事…請負代金 1 億円（第3号）
・建築工事以外のものに係る解体工事または新築工事等…請負代金 500 万円（第4号）

都道府県は，建設廃棄物のリサイクルが十分に推進できない地域が存在する場合，上記の**対象建設工事の規模の基準**について，**条例により上乗せ基準を設定することができる**。（同法第9条第4項）

4 ○　**解体工事業者**は，**解体工事における技術管理者**に，分別解体の機械操作等について，**解体工事の施工に従事する他の者の監督を行わせなければならない**と定められている。（同法第32条）

No.20　廃棄物処理法

【正答　1】

1 ×　**廃棄物が地下にある土地で，指定区域として指定された土地の形質を変更しようとする者**は，その**土地の形質の変更に着手する日の 30 日前までに**土地の形質の変更の種類，場所，施工方法及び着手予定日等を，**原則として都道府県知事に届け出なければならない**と定められている。（廃棄物の処理及び清掃に関する法律第15条の19第1項）

2 ○　建設業に係るコンクリートの破片等**産業廃棄物**（石綿含有産業廃棄物を除く。）**の再生を行う処理施設**において，**保管できる当該産業廃棄物の数量**は，**当該施設の処理能力により定められる**。（同法施行令第6条第1項第1号ホ）

3 ○　**事業者**は，**産業廃棄物の運搬または処分を委託する場合**には，**当該産業廃棄物の処理の状況に関する確認**を行い，**当該産業廃棄物の発生から最終処分終了までの一連の処理の行程における処理が適正に行われるよう，必要な措置を講ずる**ように努めなければならないと定められている。（同法第12条第7項）

4 ○　**建設工事に伴い生ずる産業廃棄物**について，**当該建設工事の下請負人が行う保管**に関しては，**当該下請負人も事業者とみなされる**。そのため，当該産業廃棄物の保管を行う下請負人も産業廃棄物保管基準の遵守（同法第12条第2項）や改善命令（同法第19条の3）の対象となる。（同法第21条の3第2項）

No.21　施工計画（仮設工事計画立案の留意事項）

【正答　4】

仮設工事計画の立案に際する留意事項に関する語句の空所補充問題である。

・仮設工事計画では，取扱いが容易で**（イ）ユニット化を心がける**と共に，**作業員不足を考慮し，省力化が図れる計画とする。**
・仮設工事計画では，**材料は（ロ）市販品を使用し，可能な限り（ハ）規格を統一する**。また，**他工事にも転用できるような計画とする。**
・仮設工事計画では，**仮設物の運搬，設置，**

運用，メンテナンス，撤去等の面から（ニ）総合的に考慮する。

したがって，4が正答である。

No.22　施工計画（関係機関への届出及び許可）

【正答　2】

①○　打設しようとするコンクリート構造物において，**型枠支保工の支柱高さが3.5m以上の場合**は，**当該工事の開始の日の30日前までに**，**所轄の労働基準監督署長に工事の計画を届け出なければならない**と定められている。(労働安全衛生法第88条第1項，同規則第85条，別表第7第10号)

②○　**道路上に工事用板囲，足場，詰所その他の工事用施設を設置し，継続して道路を使用する者**は，**道路管理者から道路占用許可を受けなければならない**と定められている。(道路法第32条)

③×　**車両の構造または車両に積載する貨物が特殊な車両**にあたる**自走式建設機械を通行させようとする者**は，**道路管理者に申請し，特殊車両の通行許可を受けなければならない**と定められている。(同法第47条の2)

尚，**道路管理者**の所轄は公道の種類によって異なり，原則として，**高速自動車国道及び一般国道**の場合は**国土交通大臣**，**都道府県道**の場合は**都道府県知事**，**市町村道**の場合は**市町村長**となる。

④×　**つり足場または張出し足場以外の足場で，高さが10m以上，組立てから解体までの期間が60日以上**の場合は，**当該工事の開始の日の30日前までに，所轄の労働基準監督署長に工事の計画を届け出なければならない**と定められている。(労働安全衛生法第88条第1項，同規則第85条，別表第7第12号)

したがって，①～④の4つの記述のうち適当なものは①②の**2つ**であり，2が正答である。

No.23　施工計画（土留め工の施工）

【正答　1】

土留め工の施工に関する語句の空所補充問題である。

・**親杭横矢板壁**は，**壁面に（イ）止水性がない**ため，地下水の状況に注意を払い，**必要に応じて地下水位低下工法等の検討を行う**。

・**鋼杭の現場継手**を溶接で行う場合，原則として**（ロ）アーク溶接を用いる**。

・**油圧圧入工法を硬質地盤に適用する場合**で，**ウォータジェット等を併用する際**には，**（ハ）地盤の緩み**に注意する。

・**親杭及び鋼矢板の割付け**は，**隅角部の（ニ）杭配置や隅矢板等の形状を考慮して計画を行う**。

したがって，1が正答である。

No.24　施工計画（建設機械の選定）

【正答　3】

①○　**組合せ建設機械の選定**においては，従作業機械の施工能力の問題により発生した**従作業の遅れが主作業に波及し，主作業の作業効率が低下することを回避するため，従作業の施工能力**は**主作業の施工能力と同等，あるいは幾分高めにする**。

②○　組合せ建設機械の選定においては，**主要機械の能力を最大限に発揮させるため作業体系を並列化する**。

③○　建設機械の使用計画を立案する際の

建設機械の選定においては，作業量をできるだけ平滑化し，施工期間中の使用機械の必要量が大きく変動しないように計画するのが原則である。

④×　建設機械の選定においては，機械の能力・性能，作業場の面積等により最も適したものを選定し，その機械が最大の能力を発揮できる施工法を選定することが合理的かつ経済的である。

したがって，①～④の4つの記述のうち適当なものは①②③であり，3が正答である。

No.25　工程管理（工程表の特徴）

【正答　2】

①○　ガントチャートは，各作業の完了時点を100%として，横軸にその達成度をとる方法で，各作業の進捗度合いは明確であるが，工期に影響を与える作業がどれか不明である。バーチャートは，ガントチャートの欠点をある程度改良，発展させて作成されたものである。工種を縦軸に取り，工期を横軸にとって各工種の工事期間を横棒で表現している。

②×　ネットワーク式工程表は，各作業を施工の順序に矢印で左から右に結び，工事全体を網状の矢線図で表した工程表である。ネットワーク式工程表は，工程遅延の処置においてどの作業を早めたらよいかを的確に判断できる。

③×　バーチャートは，作業の流れが左から右に移行していくことで，各作業の進捗度合いがわかる。また，各作業の開始日から終了日までの所要日数が把握可能で，各作業間の関連も一定程度把握することができる。

④○　バーチャートの作成には，全作業が工期内に完成できるように，各作業の所要時間と施工期間，施工順序を勘案のうえ，各作業を工程表に割り付ける。各作業の日程割り付けの方法としては，竣工期日から辿って着手日を決める逆算法と，施工順序に従って最初の工種の着手日から順に各工種の着手日と終了日を定め，竣工期日の調整を行う順行法がある。

したがって，①～④の4つの記述のうち適当なものは①④の2つであり，2が正答である。

No.26　工程管理（品質・工程・原価の関係）

【正答　1】

品質・工程・原価の関係に関する語句の空所補充問題である。

・品質と原価の関係は，悪い品質のものは一般的に安くでき，良い品質のものは原価が（イ）高くなる。
・品質と工程の関係は，品質の良いものは一般的に時間がかかり，施工を速めて突貫作業をすると品質は（ロ）悪くなる。
・工程と原価の関係は，施工を速めていくと原価は段々安くなるが，さらに施工を速めて突貫作業を行うと原価は（ハ）逆に高くなる。
・品質・工程・原価の間には相反する性質があり，（ニ）これらを良く調整して計画することが大切である。

したがって，1が正答である。

No.27　工程管理（工程管理曲線）

【正答　4】

①×　予定工程曲線が許容限界内に入っているときは，S形工程曲線の中期にお

ける工程を，許容限界から逸脱しない範囲で**できるだけ緩やかな勾配になるように工程を調整する**。

②×　**実施工程曲線が予定工程曲線の下方限界に接近しているときは**，**工程に遅れが生じつつある**ことを意味しているため，できるだけ**早くその状態から脱却するように対策をとる**必要がある。

③○　**予定工程曲線がバナナ曲線の上方及び下方の許容限界からはずれるとき**は，**不合理な工程計画**と考えられる。

一般的に，**上方に外れるときは過度に速過ぎる計画**，**下方に外れるときは過度に遅過ぎる計画**と解される。こうした場合は，工程の再検討を要する。

④○　**実施工程曲線**が**バナナ曲線の上方限界を超えたとき**は，必要以上に大型機械を入れているなど，**工事に不経済な要素が存在する**こと等により**工程が進み過ぎている状態を表している**ため，施工計画を再検討する。

したがって，①～④の4つの記述のうち適当なものは③④であり，**4**が正答である。

No.28　安全管理（車両系建設機械の安全確保）

【正答　3】

車両系建設機械の災害防止や安全対策については，労働安全衛生規則第2編第2章（建設機械等）等に記載がある。

①○　事業者は，**車両系建設機械**について，路肩や傾斜地等における転倒または転落に備え，**転倒時保護構造を有し，かつ，シートベルトを備えたもの以外の機械を使用しないように努めなければならない**と定められている。（同規則第157条の2）

②×　事業者は，車両系建設機械のうち，**コンクリートポンプ車における輸送管等の組立てや解体**では，作業方法や手順を定めて労働者に周知し，かつ，**作業を指揮する者を指名して直接指揮にあたらせなければならない**と定められている。（同規則第171条の3）

③○　事業者は，車両系建設機械の**ブームやアームを上げ，その下で修理や点検を行う場合**は，労働者の危険を防止するため，**安全支柱，安全ブロック等を使用させなければならない**と定められている。（同規則第166条第1項）

④○　事業者は，車両系建設機械の運転について**誘導者を置くとき**は，**一定の合図を定め，誘導者に当該合図を行わせなければならない**と定められている。（同規則第159条第1項）

したがって，①～④の4つの記述のうち正しいものは①③④の**3つ**であり，**3**が正答である。

No.29　安全管理（移動式クレーンの安全確保）

【正答　4】

移動式クレーンの安全確保に関する語句の空所補充問題である。

移動式クレーンの災害防止や安全対策については，クレーン等安全規則等に記載がある。

・クレーン機能付き油圧ショベルを小型移動式クレーンとして使用する場合，**車両系建設機械の運転技能講習を修了している者**を，クレーン作業の運転者として**従事させることが（イ）できない**。

※クレーン機能付き油圧ショベルを小型移動式クレーンとして使用する場合，

クレーン作業の運転者として従事させることができるのは，**小型移動式クレーンの運転技能講習を修了している者**である。（同規則第 68 条）

・移動式クレーンの**定格荷重**とは，フックやグラブバケット等の**つり具の重量を（ロ）含まない荷重**をいい，ブームの傾斜角や長さにより変化する。

※**定格荷重**は，クレーンの運転者及び玉掛けをする者が常時知ることができるよう，**表示その他の措置を講じなければならない**。（同規則第 24 条の 2）

・移動式クレーンを用いて作業を行うときは，**（ハ）その日の作業を開始する前**に，**巻過防止装置，過負荷警報装置等の機能について点検を行わなければならない**。（同規則第 78 条）

※点検を行わなければならないのは，巻過防止装置，過負荷警報装置の他，その他の警報装置，ブレーキ，クラッチ及びコントローラーである。

・移動式クレーンを用いる作業においては，移動式クレーンの運転者が単独で作業する場合を除き，**（ニ）合図を行う者を指名しなければならない**。（同規則第 71 条第 1 項）

したがって，**4** が正答である。

No.30　安全管理（埋設物，架空線等上空施設の保安措置）

【正答　3】

埋設物や架空線等上空施設の保安措置については，国土交通省「建設工事公衆災害防止対策要綱土木工事編」や国土交通省「架空線等上空施設の事故防止マニュアル」等に記載がある。

①○　施工者は，**管理者の不明な埋設物を発見した場合**，必要に応じて**専門家の立会い**を求め，**埋設物に関する調査**を再度行い，**安全を確認した後に措置しなければならない**と定められている。（国土交通省「建設工事公衆災害防止対策要綱土木工事編」第 42 第 4 項）

②×　架空線等上空施設に近接して工事を行う場合は，**必要に応じて，管理者に施工方法の確認や立会いを求める**と定められている。（国土交通省「架空線等上空施設の事故防止マニュアル」7)）

③○　架空線等上空施設に近接した工事の施工にあたっては，**架空線等と機械，工具，材料等について安全な離隔を確保する**ことと定められている。（国土交通省「架空線等上空施設の事故防止マニュアル」9)）

④○　発注者または**施工者**は，**試掘等によって埋設物を確認した場合**においては，その**位置や周辺地質の状況等の情報を道路管理者及び埋設物の管理者に報告しなければならない**と定められている。（国土交通省「建設工事公衆災害防止対策要綱土木工事編」第 42 第 3 項）

したがって，①～④の 4 つの記述のうち適当なものは①③④であり，**3** が正答である。

No.31　安全管理（酸素欠乏症等防止規則）

【正答　3】

①×　事業者は，**第一種酸素欠乏危険作業に係る業務**に労働者を就かせるときは，**当該労働者**に対し，**酸素欠乏症の防止等に関する特別の教育を行わなければならない**。（酸素欠乏症等防止規

則第 12 条第 1 項)

なお，上記「特別の教育」に含まれる科目は以下のとおりである。

1) 酸素欠乏の発生の原因
2) 酸素欠乏症の症状
3) 空気呼吸器等の使用の方法
4) 事故の場合の退避及び救急蘇生の方法
5) 上記の他，酸素欠乏症防止に関し必要な事項

②○　事業者は，硫化水素の発生のおそれがある第二種酸素欠乏危険作業に労働者を従事させるときは，その日の作業を開始する前に，空気中の酸素及び硫化水素の濃度を測定しなければならないと定められている。(同規則第 3 条第 1 項)

なお，上記の条文では，第一種酸素欠乏危険作業に労働者を従事させるときは，その日の作業の開始前に，空気中の酸素濃度を測定しなければならないと定められている。

③○　事業者は，労働者が酸素欠乏症等にかかって転落するおそれがあるときは，労働者に要求性能墜落制止用器具その他の命綱を使用させなければならない，また，要求性能墜落制止用器具等を安全に取り付けるための設備等を設けなければならないと定められている。(同規則第 6 条第 1 項，第 2 項)

④○　労働者が酸素欠乏症等にかかったとき，または酸素濃度調査の結果酸素欠乏の空気が漏出しているときは，遅滞なく，その旨を当該作業を行う場所を管轄する労働基準監督署長に報告しなければならないと定められている。(同規則第 29 条)

したがって，①～④の 4 つの記述のうち適当なものは②③④の３つであり，３が正答である。

No.32　品質管理（管理図）

【正答　4】

$\bar{x}-R$ 管理図は，それまでの測定で得られた平均値やばらつきの範囲を中心線（CL）と上方管理限界線（UCL）及び下方管理限界線（LCL）で表した図である。中心線から等間隔に品質特性に対する上・下方管理限界線を引き，得られた試験値を記入することで，品質のばらつきが判定しやすく早期にわかる。

①×　点が管理限界線内の範囲にあり，中心線の近くに全ての点が集まる場合は，群分けの方法が適正でなくばらつきが把握しにくい状態と考えられる。そのため，群分けを見直すなどの検討や改善が必要である。

②○　点が管理限界線内の範囲にあっても，管理限界線に接近してしばしば現われる場合，工程が安定していない状態であり，工程に異常があったと考えられる。

③○　点が管理限界線内の範囲にあり，連続して上昇または下降するような傾向がない場合は，品質が安定していると見なされるので，改善の必要はない。ただし，点が管理限界線の範囲にあっても，連続７点以上が上昇または下降の状態を示している場合，点の並び方にクセがあると見なし，工程が安定していない状態と判断する。

④○　点が管理限界線内の範囲にあっても，中心線に対して，上下どちらか一

方の側に並んでいた場合（点が中心線の片側に7点以上連続している場合），点の並び方にクセがあると見なし，工程が安定していない状態となっており，工程に異常があったと考えられる。

したがって，①～④の4つの記述のうち適当なものは②③④であり，4が正答である。

No.33　品質管理（情報化施工による盛土の締固め管理）

【正答　4】

情報化施工おけるTS（トータルステーション）及びGNSS（全球測位衛星システム）を用いた盛土の締固め管理に関する語句の空所補充問題である。

・TS・GNSSを用いて締固め機械の走行記録をもとに，盛土の締固め管理をする方法は，(イ) 工法規定方式の1つである。

・TS･GNSSを用いた盛土の締固め管理は，締固め機械の走行位置をリアルタイムに計測し，(ロ) 締固め回数を確認する。

・盛土材料をまき出す際は，盛土施工範囲の全面にわたって，試験施工で決定したまき出し厚（ハ）以下のまき出し厚となるように管理する。

・盛土材料を締め固める際は，盛土施工範囲の全面にわたって，(ニ) 規定回数だけ締め固めたことを示す色が車載パソコンのモニタに表示されるまで締め固める。

したがって，4が正答である。

No.34　品質管理（鉄筋の継手）

【正答　1】

①×　重ね継手における鉄筋の重ね合わせ長さは，原則として鉄筋径の20倍以上とする。したがって，鉄筋径が大きい場合は，小さい場合に比べて重ね合わせ長さは長くなる。

②×　重ね継手の部分は，焼なまし鉄線によりしっかりと緊結する必要がある。ただし，焼なまし鉄線を巻く長さを必要以上に長くするとコンクリートと鉄筋との付着強度が低下し，継手の強度が低下する原因になる。

③×　直近の異なる径の鉄筋の接合は，手動ガス圧接継手で行うことができる。

④○　モルタル充填継手では，鉄筋の長さが十分であることを，マーキングの位置で確認する。また，施工後にモルタルが排出孔から排出していることを確認する。

したがって，①～④の4つの記述のうち適当なものは④の1つであり，1が正答である。

No.35　品質管理（コンクリート構造物の強度測定）

【正答　3】

①○　リバウンドハンマによるコンクリート表層の反発度は，コンクリートの含水状態や中性化の影響を受ける。そのため，反発度の測定結果のみで一定以上の材齢が経過したコンクリートの圧縮強度を推定しようとすると，含水状態や中性化の干渉を受ける分だけ測定精度は低下し，圧縮強度を精度良く推定することは困難になる。

②×　超音波法によるコンクリートの強度推定は，測定位置によっては構造物中の鉄筋の影響を受ける可能性がある。そのため，配筋状況を把握した上で，鉄筋の影響を受けないよう，鉄筋に対して斜めに測定する。

③○　**衝撃弾性波法**とは，測定対象のコンクリート内部を伝搬する弾性波の速度を測定することでコンクリートの圧縮強度を推定する方法である。**衝撃弾性波法**でコンクリートの強度を精度良く推定するためには，**強度を推定しようとするコンクリートごとに，伝播する弾性波の速度と強度の関係を事前に求めておく**必要がある。

④○　コンクリートの**圧縮強度試験**を通常のコアサンプル（ϕ100mm 程度）よりも小さい**小径コア（ϕ50mm 以下として）で行うとき**には，通常用いられている**ϕ100mm コアに対する強度補正方法が確立されている方法で行う**。

したがって，①～④の4つの記述のうち適当なものは①③④であり，**3** が正答である。

令和5年度

第一次検定　問題A（選択問題）

No.1　土質試験結果の活用

【正答　2】

1○　土の**含水比試験結果**は，土粒子の質量に対する間隙に含まれる水の質量の割合を表した**含水比**で示される。**含水比**は，**乾燥密度**（土の体積に含まれる土粒子の割合）**との関係から，締固め曲線の作成等，盛土の締固めの管理に用いられる**。

2×　**CBR試験**は，標準寸法のピストンを土の中に貫入させるのに必要な荷重強さを測定して土の強さの大小を判定する試験であり，試験結果は締め固められた土の強さを表す**CBR**で示される。**CBR試験結果**は，供試体表面に貫入ピストンを一定量貫入させたときの**荷重強さを標準荷重強さに対する百分率で表したもの**で，**設計CBR**が**アスファルト舗装の舗装厚さの決定に用いられる**。また，**CBR**は，**路盤材料の適否の検討**や，道路や飛行場滑走路の設計の尺度として**路床土支持力**を直接測定するためにも利用される。

3○　**土の圧密試験結果**は，圧縮性を示す圧縮指数や**体積圧縮係数**，**圧密係数**や透水係数などで示される。試験結果は，求められた圧密係数や体積圧縮係数から，**飽和粘性土地盤の沈下量の計算**や，**沈下時間の推定**に用いられる。

4○　土の**一軸圧縮試験結果**は，飽和した粘性土地盤の強度を求め，盛土及び構造物の安定性の検討に用いられる他，求められた**自然地盤の非排水せん断強さ**から，**地盤の土圧や支持力**，**斜面安定等の強度定数の算定に用いられる**。

No.2　法面保護工の施工

【正答　4】

1○　**植生土のう工**は，種子，肥料，土壌などを詰めた**植生土のうを法面に充填する工法**である。植生土のうを法枠工の中詰とする場合は，施工後の沈下やはらみ出しが起きないように，**土のうの表面を平滑に仕上げる**。

2○　**種子散布工**は，吹付専用機械で植生基材･浸食防止材･肥料･種子を混合し，低粘度スラリー状にした**種子を直接法面に吹き付け，散布する工法**である。種子散布工の施工に際しては，各材料を計量した後，**水**，**木質材料**，**浸食防止材**，**肥料**，**種子の順序でタンクへ投入**し，十分攪拌して法面へムラなく散布する。

3○　**モルタル吹付工**は，亀裂の多い岩の法面における風化や剥落，崩壊を防ぐため，**法面にモルタルを吹き付ける工法**である。施工が比較的簡便で地山の風化・浸食防止効果は高いという特徴がある。モルタルの吹付けに先立っては，**法面の浮石，ほこり，泥等を清掃**した後，一般に**菱形金網を法面に張り付けてアンカーピンで固定**することでモルタルの剥落防止を図る。

4×　**ブロック積擁壁工**は，裏込め材・裏込めコンクリートの表面に**積みブロックを積み上げて擁壁を形成する工法**である。ブロック積擁壁工は，原則とし

て胴込めコンクリートを設ける練積で，水平方向の目地が直線とならない谷積で積み上げる。

No.3　盛土の情報化施工

【正答　4】

TS（トータルステーション）・GNSS（全球測位衛星システム）を用いた情報化施工による盛土工を行う場合に必要な事項については，国土交通省が「TS・GNSSを用いた盛土の締固め管理要領」をとりまとめ，公開している。

1○　同要領（2.4 機能の確認）では，盛土の締固め管理システムは，①締固め判定・表示機能，②施工範囲の分割機能の他，③締固め幅設定機能，④オフセット機能，⑤システムの起動とデータ取得機能，⑥座標取得データの選択機能，⑦締固め層厚分布図作成機能を有するものとし，システムを選定する段階でカタログその他によって確認すると定められている。

2○　同要領（2.5 精度の確認）では，TS·GNSSを施工管理に用いる際，「現場内の座標既知点においてTSまたはGNSSが正しい座標を計測できることを，実測により確認しなければならない」と定められており，現場内に設置している工事基準点等の座標既知点を複数箇所で観測し，既知座標とTS・GNSSの計測座標が合致していることを確認するとしている。

3○　同要領（3.2 材料のまき出し）では，「盛土材料をまき出す際には，盛土施工範囲の全面にわたって，試験施工で決定したまき出し厚以下のまき出し厚となるよう，適切に管理するものとする」と定められており，まき出し厚さは，まき出しが完了した時点から締固め完了までに仕上り面の高さが下がる量を事前の試験施工により確認し，これを基に決定する。

4×　盛土材料の品質，まき出し厚及び締固め回数等が，いずれも規定どおりとなっている場合，原則として現場密度試験を省略できる。ただし，同要領によれば，「試験施工と同様の品質で所定の含水比の範囲が保たれる盛土材料を使用していない場合や，所定のまき出し厚・締固め回数で施工できたことを確認できない場合には，現場密度試験を実施して規格値を満足しているか確認する」としている。

No.4　道路土工における地下排水工

【正答　1】

1×　地下排水工におけるしゃ断排水層は，降雨による路盤への水の浸透の遮断のため，路盤よりも下方に透水性の極めて高い荒目の砂利や砕石を用いて施工する。降雨による盛土内の浸透水の排水を目的に施工するのは，地下排水溝や水平排水層である。

2○　地下排水工における水平排水層は，盛土内部の間隙水圧を低下させて浸透水を排除し，盛土の安定性を高めるため，透水性の高い，かつ粒配合の良い材料を用い，適切な排水勾配及び層厚を確保し施工する。

3○　基盤排水層は，地山から盛土への水の浸透を防止するため，地山の表面に砕石または砂等の透水性が高く，せん断強さが大きい材料を用い，層厚50cm程度以上の適切な厚さで施工す

る。

4 ○ **地下排水溝**は，主に盛土内に浸透してくる地下水や地表面近くの浸透水を排水するものであり，施工中における盛土の変位や不慮の破損，目詰まりなどを考慮して**網目状に配置するのが普通である**。ただし，**山地部の沢部を埋めた盛土では，旧沢地形に沿って施工する**。

No.5 軟弱地盤における道路盛土の施工

【正答 4】

1 ○ 盛土荷重の載荷による**軟弱地盤の変形**は，**非排水せん断変形による沈下及び隆起・側方変位**と，**圧密による沈下**とに大別される。

2 ○ 軟弱地盤上における道路盛土は，側方移動や沈下によって丁張りの移動や傾斜がみられることがある。そのため，**現地条件等を把握し，工事の進捗状況や地盤の挙動，土工構造物の品質，形状・寸法等を確認しながら施工を行う**必要がある。

3 ○ 軟弱地盤では，盛土中央付近の沈下量が法肩部分付近に比較して大きい。そのため，盛土の施工中は，**施工面に4～5%の横断勾配をつけて，表面を平滑に仕上げる**ことで雨水の浸透を防止する。

4 × **サンドマット施工時や盛土高が低い間**は，局部破壊を防止するため，**法尻から盛土中央に向かって施工する**。

No.6 コンクリート用骨材

【正答 1】

1 × **異なる種類の細骨材を混合して用いる場合の吸水率**については，**混合前と混合後の両方の試料で吸水率を測定し，規定と比較する**。

2 ○ **凍結融解の繰返しに対する骨材品質の適否の判定**は，**硫酸ナトリウムによる骨材の安定性試験方法**によって行う。**硫酸ナトリウムによる骨材の安定性試験**は，硫酸ナトリウムの結晶圧によって，骨材に含まれる水が凍結する際に作用する**膨張圧**を与えることで，骨材の**凍結融解**に対する抵抗性を測定するものである。

3 ○ **コンクリート骨材に砕石を用いた場合**は，ワーカビリティーの良好なコンクリートを得るために，砂利を用いた場合と比べて**単位水量を大きくする必要がある**。

4 ○ **粗骨材**は，清浄，堅硬，劣化に対する抵抗性を持ったものが必要である。**耐火性を必要とする場合には，砂岩や安山岩など，耐火性にすぐれた粗骨材を用いる**。

No.7 コンクリートに用いるセメント

【正答 4】

1 ○ **普通ポルトランドセメント**は，幅広い工事で使用されているセメントで，土木，建築，セメント製品など用途が多岐にわたっており，**小規模工事や左官用モルタルでも使用される**。

2 ○ **早強ポルトランドセメント**は，普通ポルトランドセメントよりケイ酸3カルシウムや石膏の含有量が**多く**，**初期強度が大きいセメント**である。**初期強度を要するプレストレストコンクリート工事等に使用される**。

3 ○ **中庸熱ポルトランドセメント**は，普通ポルトランドセメントよりケイ酸3カルシウムの含有量が**少なく**，ケイ酸

２カルシウムや鉄アルミン酸カルシウムの含有量が多いセメントである。水和熱を抑制しやすく，長期強度が大きいため，水和熱の抑制が求められるダムコンクリート工事等に使用される。

４ × 耐硫酸塩ポルトランドセメントは，普通ポルトランドセメントよりアルミン酸３カルシウムの含有量を少なくしたセメントである。硫酸塩に対する抵抗性が優れており，海岸など塩分が飛来する環境に使用される。製鉄所から出る高炉スラグの微粉末を混合したセメントは高炉セメントである。

No.8　コンクリート用混和材料

【正答　3】

１ ○ フライアッシュを適切に用いると，コンクリートのワーカビリティーを改善し単位水量の減少や長期材齢強度の増進，水和熱による温度上昇の低減，アルカリシリカ反応の抑制等の効果を期待できる。

２ ○ 膨張材は，硬化過程において膨張を起こさせるコンクリート用混和材である。膨張材を適切に用いると，コンクリートの乾燥収縮や硬化収縮等に起因するひび割れ発生を低減できる。

３ × 石灰石微粉末を適切に用いると，ブリーディングの抑制や材料分離抵抗性の改善，水和熱の改善などの効果がある。アルカリシリカ反応の抑制に効果があるのはフライアッシュである。

４ ○ 高性能 AE 減水剤は，空気連行性やスランプロス低減効果を併せ持つ減水剤で，AE 減水剤に比べ高い減水率を得ることができる。一方で，高性能 AE 減水剤を用いたコンクリートは，通常のコンクリートと比べて，コンクリート温度や使用材料などの諸条件の変化に対し，ワーカビリティーなどが影響を受けやすい傾向にあるので注意が必要である。

No.9　寒中及び暑中コンクリート

【正答　4】

１ ○ コンクリートの施工時，日平均気温が，4℃以下になることが予想される場合は，寒中コンクリートとしての施工を行うことを標準とする。

２ ○ 寒中コンクリートでは，保温養生あるいは給熱養生を行い，養生温度は，所定の圧縮強度が得られるまでは 5℃以上，所定の圧縮強度に到達後もさらに２日間は 0℃以上に保つ必要がある。また，養生終了後に急に寒気にさらすと，表面にひび割れが生じるおそれがある。そのため，適当な方法で表面を保護し急冷を防止する。

３ ○ 日平均気温が 25℃を超える時期にコンクリートを施工することが想定される場合には，暑中コンクリートとしての施工を行うことを標準とする。暑中コンクリートにおいては，練混ぜ後できるだけ早い時期に打ち込まなければならない。そのため，原則として練混ぜ開始から打ち終わるまでは 1.5 時間以内に行う必要がある。

４ × 暑中コンクリートでは，コールドジョイントの発生防止のため，減水剤，AE 減水剤については，経過時間に伴うスランプ低下を改善させるために遅延形のものを用いる。

No.10　コンクリートの打込み・締固め

【正答　2】

1 ×　コンクリート打込み時にシュートを用いる場合は，材料分離を起こしにくい**縦シュートを用いる**のが標準である。**やむを得ず斜めシュートを用いる場合**には，**シュートの傾き**は材料分離を起こさない程度のものとし，**水平 2 に対して鉛直 1 を標準とする**。

2 ○　打ち込んだコンクリートの**粗骨材が分離してモルタル分が少ない部分があれば**，材料分離を解消するため，その**分離した粗骨材をすくい上げ，モルタルの多いコンクリートの中に埋め込んで締め固める**。

3 ×　**型枠内にコンクリートを打ち込む際**は，**目的の位置にコンクリートをおろしてから打ち込む**。**型枠内で横移動させると材料分離が生じる可能性がある**。

4 ×　コールドジョイントの発生を防ぐための**許容打重ね時間間隔**は，**外気温 25℃超**の場合は **2.0 時間，25℃以下**の場合は **2.5 時間**で，**外気温が高いほど短くなる**。

No.11　鉄筋の継手

【正答　3】

1 ○　**重ね継手**は，所定の長さを重ね合せて，**直径 0.8mm 以上の焼なまし鉄線で数箇所緊結する**。ただし，**焼なまし鉄線を巻く長さ**は**必要以上に長くせず，適切な長さを設定する**のがよい。

2 ○　重ね継手における**鉄筋の重ね合わせ長さ**は，**原則として鉄筋径の 20 倍以上とする**。したがって，鉄筋径が大きい場合は，小さい場合に比べて重ね合わせ長さも長くなる。

3 ×　**ガス圧接継手における鉄筋の圧接端面は，軸線に対し直角にして切断しなければならない**。

4 ○　**直近の異なる径の鉄筋の接合**は，**手動ガス圧接継手で行うことができる**。

No.12　道路橋で用いられる基礎形式

【正答　2】

1 ○　**ケーソン基礎**は，鉄筋コンクリート製の箱型の構造物を沈設させることによる基礎形式である。ケーソン基礎は，沈設時に基礎周面の**摩擦抵抗**を低減する措置がとられる。そのため，鉛直荷重に対しては**周面摩擦**による分担支持は期待できず，**基礎底面地盤の鉛直地盤反力のみで抵抗させることを原則とする**。

2 ×　**道路橋における杭基礎**は，摩擦杭基礎として採用されることもあるが，杭先端を支持基盤まで到達させる**支持杭基礎とするのが基本である**。**支持杭基礎**の場合，**水平荷重も鉛直荷重も杭のみで抵抗させる**ことを原則とする。

3 ○　**鋼管矢板基礎**は，鋼管矢板を支持層まで打込む基礎形式のため，**鉛直荷重**は基礎外周面と内周面の鉛直せん断地盤反力で抵抗させるだけでなく，**底面支持力も期待できる**。そのため，圧密沈下が生じると考えられる地盤への打設は，**負の周面摩擦力等による影響を考慮して検討しなければならない**。

4 ○　**直接基礎**は，一般に**支持層位置が浅い場合（地表から 5m 程度）に用いられる**。支持層が浅いため，直接基礎の場合，通常，フーチング周面の摩擦抵抗はあまり期待できないので，**鉛直荷**

重は基礎底面地盤の鉛直地盤反力のみで抵抗させなければならない。

No.13　既製杭の施工

【正答　4】

1 ○　打撃工法における杭の打止め管理では，支持杭基礎の場合，打止め時一打当たりの貫入量及びリバウンド量等が，試験杭と同程度であることを確認する。

2 ○　中掘り杭工法のセメントミルク噴出攪拌方式は，所定の深度まで杭を沈設した後に，セメントミルクを噴出して根固部を築造する方式である。セメントミルク噴出攪拌方式では，支持層付近で掘削速度を極力一定に保ち，掘削抵抗値を測定・記録することにより支持層の確認を行う。

3 ○　プレボーリング杭工法における支持層の確認は，積分電流値の変化が試験杭とは異なる場合，駆動電流値の変化，採取された土の状態，事前の土質調査の結果や他の杭の施工状況等により行う。

4 ×　回転杭工法における支持層の確認は，回転速度，付加する押込み力を一定に保ち，回転トルク（回転抵抗値）とＮ値の変化を対比し，支持層上部よりも回転トルクが増加していることにより確認する。

No.14　場所打ち杭工法の施工

【正答　1】

1 ×　オールケーシング工法は，筒形のケーシングチューブを地中に揺動または回転しながら圧入し，孔壁を保護しながら，グラブバケットによって掘削・土砂を排出し，孔内に鉄筋かごを建て込み，コンクリートを打設する工法である。オールケーシング工法の掘削では，孔壁の崩壊防止等のために，ケーシングチューブの先端が常に掘削底面より下方にあるようにする。

2 ○　オールケーシング工法では，孔底処理時に鉄筋かごの最下端には軸方向鉄筋が自重により孔底に貫入することを防ぐため，一般的には井桁状に組んだ底部鉄筋を配置する。

3 ○　リバース工法では，トレミーによる孔底処理を行う。そのため，一般的には鉄筋かごを吊った状態でコンクリートを打ち込む。

4 ○　リバース工法では，安定液のように粘性があるものを使用しないことから，泥水循環時においては粗粒子の沈降が期待できる。そのため，一次孔底処理により泥水中のスライムはほとんど処理することが可能であるという特徴がある。

No.15　土留め支保工の施工

【正答　1】

1 ○　ヒービングとは，軟弱な粘土質地盤を掘削した時に，土留め背面の土の重量や土留めに接近した地表面での上載荷重等により，掘削底面が盛り上がり，最終的には土留め崩壊に至る現象である。ヒービングに対する安定性が不足すると予測された場合，掘削底面下の地盤改良を行い，強度の増加を図る。

2 ×　盤ぶくれとは，難透水層の地盤の下面に上向きの水圧が作用し，掘削底面が浮き上がり，最終的にボイリング状の破壊に至る現象である。盤ぶくれに対する安定性が不足すると予測された

場合には，掘削底面下の地盤改良により不透水層の層厚を厚くする。

3 × ボイリングとは，砂質地盤で地下水位以下を掘削し遮水性の土留め壁を用いた際に，土留め壁の両側の水位差により上向きの浸透流が生じ，沸騰したように砂が吹き上がって掘削底面の土がせん断抵抗を失い，急激に土留めの安定性が損なわれる現象である。ボイリングに対する安定性が不足すると予測された場合には，水頭差を大きくするため，背面側の地下水位を低下させる。

4 × 土留め壁または支保工の応力度，変形が許容値を超えると予測された場合には，切ばりにプレロードを導入し，支保工の剛性を高める等の対策をとる必要がある。既に導入したプレロードを解除すると，変形がさらに進む危険がある。

No.16 鋼道路橋の架設

【正答 2】

1 ○ ベントとは，鋼橋の架設桁を支持する仮設の構台のことで，桁ブロックの継手付近に仮設したベントの上に移動式クレーンで上部工を架設し，架設桁の連結作業終了後，ベントを解体する工法をベント工法という。供用中の道路に近接するベントと架設橋桁は，架設橋桁受け点位置でズレが生じないよう，ワイヤーロープや治具で固定する。

2 × 箱形の断面を持つ桁を並べることで架設された橋梁のことを箱桁橋という。箱桁橋における箱形断面の桁は，塗装作業及び架設後の維持管理を考慮し，吊り金具や補強材は一般に工場製作の段階で取り付ける必要がある。

3 ○ 曲線桁橋は，軸線が曲線の桁を持つ橋梁形式である。曲線桁橋の桁を，横取り，ジャッキによるこう上または降下等，移動する作業を行う場合は，必要に応じてカウンターウエイト等を用いて重心位置の調整を行う必要がある。

4 ○ トラス橋の架設においては，部材と継手の数が多いために架設の最終段階でのそり（キャンバー）の調整は難しい。そのため，架設の各段階における上げ越し量の確認を入念に行う必要がある。

No.17 鋼道路橋の鉄筋コンクリート床版

【正答 1】

1 × 一般に，鋼道路橋のコンクリート床版の主応力は橋軸に対し直角方向に作用するため，打継目の完全な一体化は困難である。そのため，打継目は，橋軸に対し直角方向に設けた方がよいとされる。

2 ○ 鋼道路橋において片持部床版の張出し量が大きくなると，コンクリート打込み時の振動による影響や型枠のたわみが大きくなる。そのため，コンクリートの打込み時には十分に堅固な型枠支保工を組み立てることが重要である。

3 ○ 鋼道路橋の鉄筋コンクリート床版に縦断勾配及び横断勾配が設けられている場合は，コンクリートが低い方に流動することを防ぐため，コンクリートは低い方から高い方へ向かって打ち込むのがよいとされる。

4 ○　**連続桁**では，ある径間に打ち込まれたコンクリート重量により桁がたわむことで，他径間が持ち上げられることがある。そのため，**コンクリートの打込み順序を検討する際は，床版への引張力が小さくなるよう留意する**。

No.18　鋼道路橋における高力ボルトの施工

【正答　3】

1 ×　**高力ボルトのボルト及びナット**については，原則として**工場出荷の時点でその特性及び品質を保証する試験，検査を行い，規格に合格していることを確認する**。

2 ×　**高力ボルト**は，**継手の外側から中央部に向けてボルトを締め付けると，連結版が浮き上がり，密着性が悪くなる**傾向がある。そのため，**締付け作業は，継手の中央部から外側に向かって実施し，さらに２度締めを行う**ものとする。

3 ○　**回転法または耐力点法によって締め付けた高力ボルト**に対しては，所要の回転角があるか否か，**全数についてマーキングによる外観検査を行う**。回転角が過大なものについては，**ボルトの取り換えを行う**。

4 ×　**ボルト軸力の導入は，ナットを回して行うのを原則とする**。ただし，**やむを得ずボルトの頭を回して締め付ける場合は，トルク係数値の変化を確認する**。

No.19　塩害を受けたコンクリート構造物の補修・補強

【正答　1】

塩害とは，コンクリート中に浸入した塩化物イオンが鉄筋の腐食を引き起こす現象である。鉄筋は，コンクリートの中では不動態被膜に覆われて錆びないようになっているが，塩化物イオンが存在するとこの被膜が破壊される。

1 ×　**断面修復工法**は，コンクリート中の塩化物イオンの除去を主目的として，**塩化物イオンを多く含むコンクリートを除去し，欠損した部分をポリマーセメントなどの断面修復材によって当初の断面寸法まで修復する工法**である。劣化が顕在化した箇所に**部分的に断面修復工法を適用すると，断面修復箇所と断面修復しない箇所の境界部付近においては腐食電流によりマクロセル腐食が発生するおそれがある**。

2 ○　**表面処理工法**は，**表面からの塩化物イオンの浸透量の低減や遮断を目的とする工法**であり，表面被覆工法や表面含浸工法がある。**表面処理工法の適用後からの残存予定供用期間が長い場合には，表面処理材の再塗布を計画しておく必要がある**。

3 ○　**電気防食工法**は，陽極システムを設置し，コンクリート中の鋼材に電流を流すことにより，鉄筋腐食の要因であるアノード反応を抑制する工法である。**塩害の対策として用いられる**が，アルカリシリカ反応と塩害の複合により劣化したコンクリート構造物に適用すると，**通電によってアルカリシリカ反応を促進することがある**。したがって，**電気防食工法を適用する場合には，陽極システムの劣化や電流供給の安定性について考慮しておく必要がある**。

4 ○　**脱塩工法**は，仮設陽極の配置によって**コンクリート中の塩化物イオンを除**

去し，鋼材の腐食停止や腐食速度を抑制するための工法である。脱塩工法では，工法適用後に残存する塩化物イオンの挙動が，補修効果の持続期間に大きく影響する。

No.20　コンクリート構造物のひび割れ

【正答　1】

1 ○　施工後の早い時期に，セメントの水和熱，及び自己収縮に伴うコンクリートの体積変化が拘束されるために発生する温度応力により，コンクリートの収縮時に引張力が発生してひび割れが起きることがある。このひび割れは，拘束されるものがない壁の上部には起こりにくく，土台により体積変化が拘束されている壁の下部に発生しやすい傾向がある。

2 ×　ひび割れが型枠のセパレータの下部付近の発生している。これは，打ち込まれたコンクリートが固化するまでに発生したブリーディングに起因する沈下ひび割れであり，施工後比較的早い時期に発生するものではあるが，水和熱に起因するものではない。

3 ×　構造物に水平に発生する水平ひび割れは，①2の解説にあるブリーディングによる打設層ごとの沈下ひび割れ，②コールドジョイントによるひび割れのいずれかであると考えられるが，水和熱に起因するものではない。なお，コールドジョイントは，上層と下層のコンクリートとの間が完全に一体化しないことにより計画外の箇所に生じる継目であり，コールドジョイントが発生すると，一体化していない不連続の継目に沿ってひび割れが生じることがある。

4 ×　アルカリシリカ反応（アルカリ骨材反応）に起因するひび割れである。アルカリシリカ反応（アルカリ骨材反応）は，反応性骨材中に含まれるシリカ分が劣化要因となり，コンクリート中に含まれるアルカリ性の水分が反応する現象を指す。骨材の表面に膨張性の物質が生成されて吸水膨張することで，鉄筋のない部位には表面に亀甲状のひび割れが，鉄筋のある部位には鉄筋に沿ったひび割れが生じる。

No.21　河川堤防の盛土施工

【正答　3】

1 ○　築堤盛土の締固めは，堤防縦断方向に，つまり法線に対して平行に行うことが望ましい。また，締固めに際しては，締固め幅が重複するように常に留意して施工する必要がある。

2 ○　築堤盛土の施工中は，法面の一部に雨水が集中して流下すると法面侵食の主要因となるため，侵食の防止対策として，法面に適当な間隔で仮排水溝を設ける。また，堤防には横断方向に3～5%程度の排水勾配を設ける。

3 ×　既設の堤防に腹付けを行う場合は，新旧法面をなじませるため段切りを行う。段切りの大きさは，一般に，堤防締固め1層仕上り厚の倍の50～60cm程度とすることが多い。

4 ○　築堤盛土の施工において，高含水比粘性土を盛土材料として使用する場合は，運搬機械によるわだち掘れやこね返しによる強度低下を防ぐため，別途の運搬路の設置や，接地圧の小さいブルドーザによる盛土箇所までの二次運

搬を行う。

No.22　河川護岸の施工

【正答　4】

1 ○　法覆工に連節ブロック等の透過構造を採用する場合は，裏込め材の設置は不要となる。ただし，背面土砂の吸出しを防ぐため，裏込め材の代わりに吸出し防止材の設置が必要となる。

2 ○　石張りまたは石積みの護岸工の施工方法には，谷積みと布積みがある。護岸工における張り石の際は，一般には強度の強い谷積みを原則とし，張り石の重量を２つの石に等分布させるように張り上げる。

3 ○　かごマットは，かごを工場で完成に近い状態まで加工したもので，これまで熟練工の手作業に頼っていた詰め石作業を機械化するため，蓋編み構造としているという特徴がある。かごマット工では，底面に接する地盤で土砂の吸出し現象が発生する。したがって，これを防止する目的で吸出し防止材を施工する。

4 ×　コンクリートブロック張工では，平板ブロックと控えのある間知ブロックが多く使われている。平板ブロックは流速の大きい所での使用には向かないが，間知ブロックは控えがあるため平板ブロックよりも流速の大きい所での使用が可能である。

No.23　河川堤防の開削工事

【正答　3】

1 ○　堤防の開削は，仮締切工が完成する以前に開始してはならない。また，仮締切工の撤去は，堤防の復旧が完了するか，またはゲート等代替機能の構造物が完成した後に行う。

2 ○　鋼矢板の二重仮締切内の掘削は，鋼矢板の変形，中埋め土の流出，ボイリング・ヒービングが発生しないよう，これらの兆候の有無を監視しながら行う必要がある。

3 ×　仮締切工の撤去は，構造物の構築後，締切り内と外との土圧，水圧をバランスさせつつ実施する必要がある。流水の影響がある場合，仮締切工は，下流側，流水側，上流側の順で撤去する。

4 ○　鋼矢板の二重仮締切工において使用する中埋め土は，鋼矢板等の壁体の剛性の増強や壁体に作用する土圧の低減によって鋼矢板の変形を防止する目的のため，良質の砂質土を用いることを原則とする。

No.24　砂防堰堤の施工

【正答　1】

1 ×　堰堤の安定上，基礎地盤の透水性に問題がある場合は，グラウト等の止水工により改善を図る。また，パイピングに対しては，浸透径路長が不足する場合には堰堤の底幅を広くするか，止水壁（カットオフ）等を設けて改善を図るのが一般的である。

2 ○　砂防堰堤の基礎は，一般に所定の強度が得られる地盤であっても，基礎の不均質性や風化の速度を考慮し，一定以上の根入れを確保する必要がある。基礎地盤の掘削は，砂礫地盤等の場合は2m以上，岩盤の場合は1m以上とする。

3 ○　基礎掘削の完了後は，基礎掘削によって緩められた岩盤を取り除く等の岩盤清掃を行うとともに，湧水や漏水に

より水セメント比が変化しないように，透水性の改良などを図るための基礎処理を行った後に，堤体のコンクリートを打ち込む必要がある。

4 ○ 砂防堰堤の基礎部が砂礫で所要の強度を得ることができない場合は，堰堤の底幅を広くして応力を分散させたり，基礎杭工法やケーソン工法，セメントの混合による土質改良等により改善を図る。また，ドライワークを行う際は水替えを十分に行い，水中掘削は行ってはならない。

No.25 渓流保全工

【正答 4】

1 ○ 渓流保全工の目的は，山間部の平地や扇状地を流下する渓流等において，縦断勾配の規制により渓床や渓岸の侵食等を防止することである。洪水流の乱流や渓床高の変動の抑制のための横工，及び側岸侵食の防止のための縦工を組み合わせて設置される。

2 ○ 渓流保全工は，多様な渓流空間，生態系の保全及び自然の土砂調節機能の観点から，拡幅部や狭窄部等の自然の地形を活かし，必要に応じて床固工，帯工，水制工，護岸工等を配置するよう計画することが求められる。

3 ○ 護岸工は，渓岸の侵食・崩壊の防止，床固工の袖部の保護，山脚の固定，横侵食の防止などを目的に設置される場合が多い。河岸の湾曲部外湾側では河床変動が大きいことから，根固工を併用する等の検討が求められる。

4 × 床固工の設置目的は，渓床の縦侵食防止，河床堆積物の再移動防止により河床を安定させることにある。また，護岸工等の工作物の下流に設置することにより，工作物の基礎を保護する機能も有することになる。

No.26 急傾斜地崩壊防止工

【正答 4】

1 × コンクリート張工は，斜面の風化，侵食及び崩壊等を防止することを目的とし，比較的勾配の緩い斜面（勾配が1：0.5以下）に用いられる。また，コンクリート張工を含む張工は，土圧に対抗することを目的としていないため，設計においては土圧を考慮する必要はない。

2 × 斜面脚部から離して擁壁を設置する工法は待受式コンクリート擁壁工である。もたれ式コンクリート擁壁工は，擁壁自体では自立せず，地山あるいは裏込め土等にもたれた状態で自重によって土圧に抵抗し，斜面崩壊を直接抑止する擁壁で，斜面地形の変化に対し比較的適応性がある。

3 × 切土工は，斜面勾配の緩和，斜面上の不安定な土塊や岩石の一部または全部の除去を目的とした工法である。切土した斜面の高さが5～10mを超え，土質や岩質が変化する場合には，小段の設置の計画が必要である。

4 ○ 重力式コンクリート擁壁工は，自重により土圧を支持するコンクリート製の擁壁で，小規模な斜面崩壊を直接抑止するほか，押さえ盛土の安定，法面保護工の基礎等として用いられる。重力式コンクリート擁壁を施工する際には，擁壁背面の水を排除するために，外径5～10cm程度の水抜き孔を，排水しやすいように勾配をつけて設置す

るなど，排水に対し特に留意する必要がある。

No.27　道路のアスファルト舗装における路床の施工

【正答　2】

1 ○　盛土路床は，施工後の降雨排水対策として，不陸の補正や路面の縁部に仮排水溝を設けておくことが望ましい。また，使用する盛土材の性質をよく把握した上で均一に敷き均す。

2 ×　凍上抑制層は，凍結深さから求めた必要な置換え深さと舗装の厚さを比較し，置換え深さが大きい場合に，路盤の下にその厚さの差だけ凍上の生じにくい材料で置き換え，締め固めて仕上げる工法である。凍上抑制層の１層当たりの敷均し厚の目安は，仕上り厚ベースで 20cm 以下である。

3 ○　路床の施工に用いる安定処理土は，セメント及びセメント系安定材を使用する場合，六価クロムの溶出量が所定の土壌環境基準に適合していることを施工の前に確認する。また，混合が終了した安定処理土は，タイヤローラなどによる仮転圧を行い，所定の形状に整形した後に締固めを行う。

4 ○　構築路床には，盛土工法，安定処理工法，置換え工法といった築造工法がある。構築路床の築造に際しては，適用する工法の特徴を把握し，現状路床の支持力を低下させないように留意しながら，所定の品質，高さ及び形状に仕上げる。

No.28　道路のアスファルト舗装における路盤の施工

【正答　4】

1 ○　アスファルトコンクリート再生骨材を多く含む再生路盤材料は，再生骨材に含まれる古いアスファルト等の影響により，締固めによる骨材のかみ合わせ効果が新規路盤材料ほどは期待できず，締め固めにくい傾向にある。そのため，使用するローラの選択や転圧の方法等に留意して施工する必要がある。

2 ○　下層路盤の路上混合方式によるセメント安定処理工法では，締固め終了後直ちに交通開放しても差し支えない。ただし，その際，含水比を一定に保つとともに，必要に応じて，表面を保護する目的でアスファルト乳剤等を散布するとよい。

3 ○　下層路盤の粒状路盤工法では，締固め密度は最適含水比付近で最大となる。そのため，粒状路盤材料が乾燥しすぎている場合は，適宜散水を実施し，最適含水比付近の状態で締め固める。一方，降雨などで路盤材料の含水比が高くなり締固めが困難な場合には，晴天を待って曝気乾燥を行う。

4 ×　シックリフト工法とは，アスファルト混合物の敷均しと締固めにおいて，１層の敷均しを通常よりも厚く，10cm 超の仕上り厚とする工法である。シックリフト工法による加熱アスファルト安定処理路盤は，早期交通開放すると初期わだち掘れが発生しやすいので，舗装後に冷却などの対策をとる必要がある。

No.29　道路のアスファルト舗装における基層・表層の施工

【正答　3】

1 ○　基層面など既舗装面上に舗装する場合は，付着をよくするためにタックコートを散布する。タックコートには一般にアスファルト乳剤（PK-4）が用いられる。タックコート面の保護や乳剤による施工現場周辺の汚れを防止する必要がある場合は，乳剤散布装置を搭載したアスファルトフィニッシャを使用することがある。

2 ○　アスファルト舗装の施工において，加熱アスファルト混合物の敷均し作業中に雨が降り始めた場合には，作業は中止する。すでに敷き均した混合物については，速やかに締め固めて仕上げる。

3 ×　施工の終了時またはやむを得ず施工を中断した場合は，道路の横断方向に横継目を設ける。横継目の仕上りの良否は走行性に直接影響を与えるので，平坦に仕上げるように留意する。

4 ○　アスファルト混合物の二次転圧において適切な振動ローラを使用すると，タイヤローラを用いた場合よりも少ない転圧回数で所定の締固め度が得られる。ただし，転圧速度が遅すぎると過転圧になり，速過ぎると不陸や小波が発生するおそれがある。そのため，振動ローラにより転圧する場合は，転圧速度に注意する。

No.30　道路のアスファルト舗装の補修工法

【正答　2】

1 ○　オーバーレイ工法は，既設の舗装上にアスファルト混合物の層を重ねる工法である。既設舗装の上に厚さ3cm未満の薄層の加熱アスファルト混合物を舗設する薄層オーバーレイ工法と，既設アスファルト混合物層を切削により撤去し，その上に加熱アスファルト混合物を舗設する切削オーバーレイ工法に大別される。既設舗装の破損が著しく，その原因が路床や路盤の欠陥によると思われる場合は，局部的に打ち換える。

2 ×　表層・基層打換え工法は，既設舗装を表層または基層まで打ち換える工法で，一般に流動によるわだち掘れや線状に発生したひび割れが大きい場合の補修に用いられる。コンクリート床版に不陸があって舗装厚が一定でない場合，床版を削らないように既設舗装を適宜切削して舗装厚を一定にする。

3 ○　路上表層再生工法は，現位置において既設アスファルト混合物層を加熱する，かきほぐす，必要に応じて再生用添加剤を加えるなどして，新しい表層として再生する工法である。再生するアスファルト混合物は締固め温度が通常より低いため，締固め能力の大きい締固め機械を用いる。

4 ○　打換え工法は，既設舗装のひび割れの程度が大きい場合に，既設舗装のすべてまたは路盤の一部まで打ち換える工法である。路盤以下の掘削時は，地下埋設物占有者の立会を求める等して既設埋設管等の占用物の調査を行い，試掘を行う等，既設埋設管等を破損しないように施工する。

No.31　道路のアスファルトの各種舗装

【正答　3】

1 ×　グースアスファルト舗装は，グースアスファルト混合物を用いた不透水性やたわみ性等の性能を有する舗装である。一般に鋼床版の橋面舗装の基層に用いられる。コンクリート床版の橋面舗装は，加熱アスファルト混合物を用いた舗装が一般的である。

2 ×　大粒径アスファルト舗装は，最大粒径の大きな骨材をアスファルト混合物に用いる舗装で，耐流動性や耐摩耗性等の性能を有する。一般に，早期交通解放が必要な重交通路線の道路の橋面舗装に用いられる。

　鋼床版の橋面舗装に用いられるのは，グースアスファルト舗装である。

3 ○　フォームドアスファルト舗装は，加熱アスファルト混合物を製造する際に，アスファルトを泡状にし，粘度を下げたり容積を増大させたりすることで混合性を高めた混合物を用いる舗装である。期待される主な効果としては，施工性の改善機能が挙げられる。

4 ×　砕石マスチック舗装は，細骨材に対するフィラーの量が多いアスファルトモルタルで粗骨材の骨材間隙を充填した，ギャップ粒度のアスファルト混合物を用いる舗装である。期待される主な効果としては，耐流動性や耐摩耗性，水密性があり，重交通道路の表層や橋面舗装の表層・基層に用いられる。

No.32　道路のコンクリート舗装の補修工法

【正答　1】

1 ○　道路のコンクリート舗装の補修における注入工法は，コンクリート版と路盤との間にできた空隙や空洞を注入材で充填し，沈下を生じた版を押し上げて平常の位置に戻す工法である。注入材にはセメント系とアスファルト系があるが，一般的には施工後の養生が比較的短時間で済むアスファルト系注入材を用いることが多い。

2 ×　粗面処理工法は，コンクリート舗装面を機械または薬剤により粗面に仕上げ，舗装版の表面のすべり抵抗性を回復させる目的で実施される工法である。

3 ×　付着オーバーレイ工法は，既設コンクリート版とコンクリートオーバーレイとが一体となるように，既設コンクリートを切削し，付着性を高めるための下地処理を施した上で薄層のコンクリートオーバーレイを敷設して一体化させる工法である。路盤紙は，コンクリートの収縮によって生じる路盤摩擦及びコンクリート版のひび割れ発生の抑制を目的に，コンクリート版と路盤との間に敷いて用いられるものであり，既設コンクリート版の表面には用いない。

4 ×　バーステッチ工法とは，既設コンクリート版に発生したひび割れ部に対し直角の方向にカッタ溝を切り込み，そのカッタ溝の中に異形棒鋼あるいはフラットバー等の鋼材を埋設する工法である。ひび割れ部での荷重伝達を確保する目的で，高速道路や一般道路，空港等の既設コンクリート舗装のひび割れ補強に用いられる。

No.33　ダムの基礎処理

【正答　2】

1 ○　重力式コンクリートダムのコンソリデーショングラウチングは，着岩部付近における遮水性の改良や基礎地盤弱部の補強を目的として行う。一般的に，コンソリデーショングラウチングの孔配置は，規定孔を格子状に配置し，中央内挿法により施工する。

2 ×　グラウチングは，ルジオン値に応じた初期配合及び地盤の透水性状などを考慮した配合切換え基準をあらかじめ定めておき，グラウトの濃度の薄いものから濃いものへ順次切り換えつつ注入を行う。

3 ○　カーテングラウチングの施工位置は，コンクリートダムの場合は上流フーチングまたは堤内通廊から，ロックフィルダムの場合は監査廊から行うのが一般的である。

4 ○　効率的かつ経済的な施工のために，グラウチングの仕様は，日々の施工の結果から当初計画を常に見直し，必要に応じて修正していくことが重要である。

No.34　重力式コンクリートダムのダムコンクリート

【正答　4】

1 ×　着岩コンクリートとは，岩盤と接する箇所で使用されるコンクリートのことで，岩盤との付着性や，不陸のある岩盤に対しても容易に打ち込めて一体性を確保できる打込み易さが要求される。所要の水密性，すりへり作用に対する抵抗性や凍結融解作用に対する抵抗性が要求されるのは，堤体の上下流面と堤頂部に使用される外部コンクリートである。

2 ×　内部コンクリートの説明である。外部コンクリートは，1 の説明にもあるように堤体の上下流面と堤頂部に使用されるコンクリートのことで，所要の水密性，すりへり作用や凍結融解作用に対する抵抗性が要求される。

3 ×　着岩コンクリートの説明である。内部コンクリートは，コンクリートダムの堤体内部を構成するコンクリートのことで，2 の選択肢にもあるように，水圧などの作用を自重で支える機能を持ち，所要の単位容積質量や圧縮強度が要求される。また，発熱量が小さく，大量の施工を考慮した打込み性も要求される。

4 ○　構造用コンクリートとは，ダムの堤体にある構造物（監査廊，放水路，エレベーターシャフト，機械室等）の周囲に，鉄筋コンクリートとして使用されるコンクリートのことである。構造用コンクリートは，鉄筋や埋設構造物との付着性，鉄筋や型枠等の狭隘部への施工性に優れていることが必要である。

No.35　トンネルの山岳工法の支保工

【正答　2】

1 ○　トンネルの山岳工法の支保工における吹付けコンクリートは，防水シートの破損防止や覆工コンクリートのひび割れ防止のために，できるだけ吹付け面の凹凸を埋め，平滑に仕上げなければならない。また，鋼製支保工がある場合には，鋼製支保工の背面に空隙を残さないように注意して吹き付ける必

要がある。

2 ×　トンネルの山岳工法の支保工における吹付けコンクリートの施工では，はね返りを少なくするために，吹付けノズルを吹付け面に対して直角に保ち，ノズルと吹付け面の距離や衝突角度が適正となるように行う必要がある。

3 ○　トンネルの鋼製支保工は，一般に自立性が悪いなど，地山条件が悪い場合に用いられる。建込みは，掘削後，または一次吹付けコンクリート施工後速やかに行う。

4 ○　トンネルの鋼製支保工は，吹付けコンクリートの補強や掘削断面の切羽の早期安定などの目的で行う。鋼製支保工は，十分な支保効果を確保するために，吹付けコンクリートと一体化させなければならない。

No.36　トンネルの山岳工法の施工時の観察・計測

【正答　4】

1 ○　トンネルの山岳工法の施工時における観察・計測の目的は，施工中の切羽の状況や既施工区間の支保部材，周辺地山の安全性を確認し，現場の実情にあった設計に修正することで，工事の安全性と経済性を確保することにある。

2 ○　トンネルの山岳工法の施工時における観察・計測の項目には，坑内からの切羽の観察調査，内空変位測定，天端沈下測定や，坑外からの地表等の観察調査，地表面沈下測定等がある。上記の各種測定により地山の変位挙動を測定し，トンネルの安定性と支保工の妥当性を評価する。

3 ○　観察調査結果や変位計測結果として収集された計測データは，施工中のトンネルの現状を把握し，支保パターンの変更等施工に反映しやすくするために，速やかに整理しなければならない。

4 ×　トンネルの山岳工法においては，掘削による地山の挙動は掘削の直前・直後が一番大きく，その後切羽が離れるに従って小さくなるのが一般的な傾向である。したがって，変位計測の測定頻度は，地山と支保工の挙動の経時変化ならびに経距変化が把握できるように，掘削直後は密に，切羽が離れるに従って疎に設定する。

No.37　海岸の養浜の施工

【正答　2】

1 ○　投入土砂の粒度組成は，養浜箇所の生物の生息や，周辺海域に影響を与えることがある。したがって，養浜材として浚渫土砂などの混合粒径土砂を用いる場合は，シルト分による海域への濁りの発生を抑えるために，あらかじめ投入土砂の粒度組成を調整することが望ましい。

2 ×　投入する土砂の養浜効果には投入土砂の粒径が重要である。養浜場所にある砂よりも粗な粒径を用いた場合，その平衡勾配が大きく，陸側に砂が残りやすいために効率的に汀線を前進させることができ，汀線付近での保全効果の発揮が期待できる。

3 ○　養浜の施工においては，陸上であらかじめ汚濁の発生源となるシルト，有機物，ごみ等を養浜材から除去する，投入土砂の粒度組成を調整するなど，適切な方法により汚濁の発生防止に努

める。

4○　養浜の陸上施工においては，周辺への影響について十分検討するとともに，工事用車両の搬入路の確保や，投入する養浜砂の背後地への飛散などに配慮し，慎重に施工する。

No.38　離岸堤の施工

【正答　2】

1○　離岸堤の開口部や堤端部は，施工後の波浪によって洗掘が激しくなることが多い。したがって，計画の１基分はなるべくまとめて施工するようにするのが得策である。

2×　砕波帯付近は沈下が生じやすいため，離岸堤を設置する場合は，沈下対策を講じる必要がある。離岸堤の沈下対策としては，従来の施工例を鑑みると，破損の可能性があるマット，シート類よりも捨石工やフトンかごが優れている。

3○　離岸堤を大水深に設置する場合，沈下の影響は比較的少ないが，荒天時には一気に沈下するおそれがある。したがって，容易に補強や高上げが可能な工法を選ぶ等の配慮が必要になる。

4○　離岸堤は，侵食区域の上手側（漂砂供給源に近い側）から設置すると下手側の侵食傾向を増長させることになる。したがって，離岸堤は原則として下手側から着手し，順次上手に施工する。

No.39　浚渫工事の事前調査

【正答　1】

1×　浚渫工事では，海底土砂の硬さや強さ，その締まり具合や粒の粗さなどといった，海底の土砂の性質が浚渫工事の工期，工費に大きく影響するため，土質調査が必要である。調査の具体的な内容としては，一般的に粒度分析，比重試験，標準貫入試験を実施し，平板載荷試験は実施しない。

2○　音響測深機による深浅測量は，連続的な記録がとれる利点がある。また，測線間隔が小さく，未測深幅が狭いほど測深精度が高くなるため，海底の状況をより詳細に測深する必要がある場合は，送受波機の素子数を多くし，未測深幅を狭くする。

3○　水質調査の目的は，海水汚濁の原因が，バックグラウンド値か浚渫工事による濁りかを判定，確認するために実施するものである。そのため，浚渫工事完成後に調査を行っても意味はなく，事前，及び浚渫中の調査が必要である。

4○　磁気探査は，港・漁港内外の構造物建設及び航路の浚渫工事において，事前に海底下の磁気異常物や危険物の有無を確認するための探査である。磁気探査は磁気探知器を用いて行われ，磁気探査を行った結果，一定値以上の磁気反応を示す異常点がある場合は，その位置を求め潜水探査を実施する。

No.40　水中コンクリート

【正答　3】

1○　コンクリートは，水中に落下させると材料分離が発生する。そのため，コンクリートポンプを用いた水中コンクリートの打込みでは，トレミー及びポンプの先端部分は十分な質量を持たせるか，または固定することで，管の先端部分が動揺する可能性がある場合で

も，コンクリートをかき乱すことのないようにするのが望ましい。

2 ○　水中不分離性コンクリートは，水中不分離性混和剤を添加したコンクリートのことを指す。水中不分離性コンクリートは，水中落下させても信頼性の高い性能を有するが，原則として，静水中で水中落下高さは50cm以下，水中流動距離5m以下とし，トレミー管の筒先を打ち込まれたコンクリートに埋め込んだ状態で打ち込むことが望ましい。

3 ×　水中不分離性コンクリートをポンプ圧送する場合は，通常のコンクリートに比べ，圧送圧力は大きく，打込み速度は遅くなるので注意を要する。

4 ○　水中コンクリートの打込みに際しては，打ち上がりの表面をなるべく水平に保ちながら所定の高さまたは水面上に達するまで，連続して打ち込む。打込みを中断する場合は，コンクリートの表面のレイタンスを完全に除去する。

No.41　鉄道のコンクリート路盤の施工

【正答　4】

1 ○　路盤には土路盤のほか，粒度調整砕石や粒度調整スラグ砕石を材料として使用する強化路盤がある。路盤にコンクリートを打ち込む前の粒度調整砕石層の締固めは，ロードローラまたは振動ローラ等にタイヤローラを併用し，所定の密度が得られるまで十分に締め固める。

2 ○　プライムコートの施工は，粒度調整砕石層を仕上げた後，速やかに散布する。プライムコートは，粒度調整砕石に十分に浸透させ砕石部を安定させるため，使用する材料を適切に選択しなければならない。

3 ○　コンクリート路盤の鉄筋コンクリート版の鉄筋は，コンクリートの打込みの際に移動しないように正しい位置に配置し鉄筋相互を十分堅固に組み立てる。また同時に，スペーサーを介して型枠に接する状態となっていることを原則とする。

4 ×　鉄筋コンクリート版のコンクリートは，傾斜部に打設する場合，低い方から高い方へ打ち込み，棒状バイブレータを用いて十分に締め固める。

No.42　鉄道の軌道の維持管理

【正答　2】

1 ○　スラブ軌道は，プレキャストコンクリートスラブを高架橋等の堅固な路盤に据え付け，スラブと路盤との間に填充材を注入したもので，軌道狂いが起こりにくいため，バラスト軌道に比較して，保守作業の軽減を図ることができる反面，敷設位置の修正が困難であるという特徴がある。

2 ×　水準変位は，左右のレールの高さの差のことであり，曲線部では外側レールが沈みやすく，一様に連続した水準変位が発生する傾向がある。

3 ○　PCマクラギはコンクリート製マクラギの一種で，1本当たり数百キログラムの重量があるため，木マクラギに比べ初期投資は多額となり，敷設や交換などの施工は困難である。しかし，耐用年数は50年程度と木マクラギ(防腐処理済のものでも10～25年程度)と比べて長いため，保守費の削減が可

令和5年解説

能である。

4 ○　軌道変位は，列車の繰返し荷重を受けることによって軌道が次第に変形し，車両走行面の不整が生じる現象である。軌道変位の増大は，脱線事故にもつながる可能性があるため，軌道変位の状態を常に把握し不良箇所は速やかに補修する必要がある。

No.43　鉄道の営業線近接工事における保安対策

【正答　4】

鉄道の営業線近接工事における保安対策については，日本鉄道施設協会「営業線工事保安関係標準仕様書（在来線）」などに記載されている。

1 ○　既設構造物等に影響を与えるおそれのある工事の施工にあたっては，異常の有無を検測し，これを監督員等に報告することと定められている。（国土交通省「土木工事安全施工技術指針」第11章鉄道付近の工事）

2 ○　建設用大型機械は，直線区間の建築限界の外方1m以上離れた場所で，かつ列車の運転保安及び旅客公衆等に対し安全な場所に留置する。建築限界内に進入させる場合は，同時に載線する（踏切等から軌道上に乗り入れる）機械の台数に応じて，個別の機械ごとに誘導員を配置しなければならない。

3 ○　列車見張員とは，鉄道における施工・保安に関する資格の1つで，線路に近接している作業現場において，列車の往来を監視し，列車の安全運行と作業員の安全確保に努めるために配置される。列車見張員の配置場所は，作業などの責任者及び従事員に対して列車接近の合図が可能な範囲内で，安全が確保できる離れた場所とする。

4 ×　線閉責任者は，工事管理者に列車又は車両の運転に支障がないことを確認するとともに，線閉責任者自らも作業区間における建築限界内支障物の確認を行う。

No.44　シールド工法の施工

【正答　3】

1 ○　掘進にあたっては，土質，土被り等の変化に留意しながら，掘削土砂の取り込み過ぎや，チャンバー内の閉塞を起こさないように留意する必要がある。そのために，添加材注入によるチャンバー内への掘削土砂付着防止や掘削土量管理，カッターチャンバーの圧力管理など行いながら，切羽の安定を図らなければならない。

2 ○　セグメントの組立ては，トンネル断面において所定の内空を確保するために正確かつ堅固に施工する必要がある。そのため，セグメントの目開きや目違い等の防止について，精度の高い管理を行う。また，セグメントの継手ボルトを定められたトルクで十分に締め付けるようにする必要がある。

3 ×　シールド工法における裏込め注入工は，地盤の緩み・沈下やセグメントからの漏水の防止，セグメントの早期安定，トンネルの蛇行防止を目的とするものである。そのため裏込めの止水注入はシールド掘進と同時，または掘進後即時に行わなければならない。

4 ○　シールド掘進中の蛇行修正は，周囲の地山を緩め，地盤変位の原因となる。これを防止するためには，掘進に伴う

シールドと地山との摩擦を低減し，周辺地山をできるかぎり乱さないようにすることで，ヨーイングやピッチング等を少なくして蛇行を防止することが重要である。

No.45　鋼橋の防食法

【正答　4】

1 ○　塗装は，鋼材表面に形成した塗膜によって，酸素や水といった腐食の原因物質や，塩類などの腐食を促進する物質を遮断し，鋼材を保護する防食法である。遮断を図りたい腐食因子や施工条件に応じ，複数の塗膜を組み合わせることによって鋼材を保護する。

2 ○　耐候性鋼は，腐食速度を低下させる性質を持つ合金元素を添加した低合金鋼である。鋼材表面に生成される緻密な保護性の錆層によって腐食の原因となる酸素や水から鋼材を保護する防食性の鋼材である耐候性鋼において鋼材表面に緻密な錆層を生成させるためには，鋼材の表面が大気中にさらされ適度な乾湿の繰返しを受けることが必要である。

3 ○　電気防食は，鋼材に電流を流すことで表面の電位差を解消し，腐食電流の回路を形成させない防食法である。流電陽極方式と外部電源方式がある。

4 ×　金属溶射は，被覆による防食の一種（金属被覆 / 無機被覆）で，亜鉛，アルミニウムやその合金など，加熱溶融した微細な金属粒子を被覆材として吹き付け（溶射），鋼材の表面に皮膜を形成する防食法である。得られた皮膜の表面は平滑さがなく粗面となる。金属溶射の施工にあたっては，温度や湿度など，施工が可能な環境条件の制限がある。そのため，下地処理と粗面処理の品質確保が重要である。

No.46　上水道の管布設工

配水管の埋設位置および深さに関しては，厚生労働省「水道施設設計指針」（7.5.6 埋設位置及び深さ）に規定されている。

【正答　3】

1 ○　道路に上水道管を布設する場合には，配水管は維持管理の容易性に配慮し，原則として公道に布設する。この場合は道路法及び関係法令によるとともに，道路管理者との協議による。配水本管は道路の中央寄りに布設し，配水支管は，給水管の分岐の都合上，なるべく道路の片側寄りに布設する。

2 ○　道路法施行令第11条の3第1項第2号ロでは，歩道での土被り（埋設深さ）について，「1.2m（工事実施上やむを得ない場合にあっては，0.6m）以下を超えている」と規定されている。ただし，土被りを標準または規定値までとれない場合は，道路管理者と協議し，必要に応じて防護措置を施すこと等を条件に，土被りを減少することが可能である。

3 ×　配水管を他の地下埋設物と交差または近接して布設するときは，補修などの維持管理時の利便性や加害事故発生防止の観点から，少なくとも0.3m以上の間隔を保つ必要がある。

4 ○　地下水位が高い場合または高くなることが予想される場合には，管内空虚時に配水管が浮上する懸念があるため，最小土被りを確保するなどの浮上防止の対策をとる。

No.47　下水道管渠の更生工法

【正答　2】

1 ×　反転工法の説明となっている。製管工法は，既設管渠内に硬質塩化ビニル材などをかん合させながら製管する工法で，樹脂パイプと既設管渠との間隙にモルタルなどの充填剤を注入することで管を構築する。

2 ○　形成工法は，熱硬化性樹脂を含浸させたライナーや熱可塑性樹脂で成形したライナーを既設管渠内に引込み，水圧または空気圧などで加圧して拡張・圧着した後に硬化や冷却固化させることで管を形成，構築する工法である。

3 ×　さや管工法の説明となっている。反転工法は，既設のマンホールから既設管渠内に，熱硬化性樹脂を含浸させた材料を反転加圧させながら挿入し，既設管渠内で加圧状態のまま樹脂が硬化することで管を構築する工法である。

4 ×　製管工法の説明となっている。さや管工法は，既設管渠より小さな管径で製作された管渠をけん引挿入する工法で，既設管渠との間隙にモルタルなどの充填材を注入することで管を構築する。

No.48　小口径管推進工法

【正答　2】

小口径管推進工法とは，小口径推進管または誘導管の先端に小口径管先導体を接続し，掘削，排土，圧入を行いながら推進管を敷設する工法である。

1 ○　圧入方式は，排土せずに土を推進管周囲へ圧密させて推進するため，適用する地盤の土質や，推進路線に近接する既設建造物に対する影響に注意する必要がある。また，誘導管推進の途中で中断し時間をおくと，土質によっては推進管が締め付けられ推進が不可能となる場合があるため，推進中は中断せず一気に到達させなければならない。

2 ×　オーガ方式は，先導体内に装着したオーガヘッドやスクリューコンベヤーの回転により掘削排土を行いながら推進管の推進を行う方式であるが，高地下水圧に対抗する装置は有していない。そのため，地下水位以下の砂質土地盤に適用する場合は，取り込み土量が過多にならないよう，土量管理への注意が必要である。一方，粘性土地盤に適用する場合は，推進中に先導体ヘッド部に土が付着し先端抵抗力が急増する場合があるので，注水により切羽部の土を軟弱にするなどの対策が必要である。

3 ○　ボーリング方式では，先導体の前面が開放している。そのため，地下水位以下の砂質土地盤に対してボーリング方式を採用する場合は，前提として補助工法により地盤の安定処理を行う必要がある。

4 ○　泥水方式は，掘進機の変位を直接制御することができない。そのため，方向修正を加える場合は変位の小さなうちとし，掘進軌跡の最大値が許容値を超えないように注意する。

No.49　薬液注入工事の施工

【正答　3】

1 ○　薬液の注入量が500kL以上の大型の工事では，水ガラスの原料タンクと調合槽との間に流量積算計の設置が義

務づけられている。したがって，流量積算計により水ガラスの使用量を確認する。

2○　薬液注入工事における削孔時の施工管理項目は，深度，角度及び地表に戻ってくる削孔水の状態の管理が挙げられる。特に，削孔中は削孔水の状態を観察し，調査ボーリングと異なっていないか確認する。

3×　材料の調合に使用する水は原則として水道水を使用するものとする。水道水が使用できない時は，水質基準のpHが8.6以下の水を使用し，アルカリ性が強い水の使用は避けることが望ましい。

4○　薬液注入工事における埋設物の損傷等の防止対策として，埋設管がある深度においては，ロータリーによるボーリングを避け，ジェッテングによる削孔を行うことが望ましい。

No.50　労働基準法（労働者に支払う賃金）

【正答　1】

1×　使用者は，労働者に対し，労働契約の不履行に関する違約金を定める契約や，損害賠償額を予定する契約をしてはならないと定められている。（労働基準法第16条）

2○　使用者は，労働者が出産，疾病など非常の場合の費用に充てるために請求する場合においては，支払期日前であっても，既往の労働に対する賃金を支払わなければならないと定められている。（同法第25条）

3○　使用者は，出来高払制その他の請負制で使用する労働者については，労働時間に応じ一定額の賃金の保障をしなければならないと定められている。（同法第27条）

4○　使用者は，労働契約の締結に際し，労働者に対して賃金の決定，計算及び支払の方法，賃金の締切り及び支払の時期並びに昇給に関する事項を明示しなければならないと定められている。（同法第15条第1項，同法施行規則第5条第1項第3号）

No.51　労働基準法（災害補償）

【正答　3】

1○　労働者が業務上負傷し，または疾病にかかったことによる療養のため，労働することができないために賃金を受けられない場合，使用者は，労働者の療養中，平均賃金の100分の60の休業補償を行わなければならないと定められている。（労働基準法第76条第1項）

2○　業務上負傷し，または疾病にかかり療養補償を受ける労働者が，療養開始後3年を経過しても負傷または疾病が治らない場合においては，使用者は，平均賃金の1,200日分の打切補償を行い，その後はこの法律の規定による補償を行わなくてもよいと定められている。（同法第81条）

3×　使用者は，労働者が業務上負傷し，または疾病にかかった場合は，必要な療養を行い，または必要な療養の費用を負担しなければならないと定められている。（同法第75条第1項）

「100の50（以上）」といったように，負担の割合については規定されていないことに注意を要する。

4○　使用者は，**労働者が重大な過失によって業務上負傷し，または疾病にかかり，かつ使用者がその過失について行政官庁の認定を受けた場合**においては，**休業補償または障害補償を行わなくてもよい**と定められている。（同法第78条）

No.52　労働安全衛生法（作業主任者の選任を必要とする作業）

【正答　2】

作業主任者の選任を必要とする作業については，労働安全衛生法施行令第6条（作業主任者を選任すべき作業）の各号に規定がある。

1×　**地山の掘削作業主任者**の選任を必要とするのは，**掘削面の高さが2m以上**の地山の掘削の作業である。（同法施行令第6条第9号）

本肢の場合，掘削面の高さが上記の要件を満たしていないため，作業主任者の選任は必要ない。

2○　**土止め支保工の切りばり，腹おこしの取付けまたは取りはずしの作業**には，**高さに関係なく，土止め支保工作業主任者**を必要とする。（同法施行令第6条第10号）

3×　**足場の組立て等作業主任者**の選任を必要とするのは，つり足場，張出し足場または**高さが5m以上の足場の組立て，解体，変更の作業**（ゴンドラのつり足場は除く）である。（同法施行令第6条第15号）

本肢の場合，足場の高さが上記の要件を満たしていないため，作業主任者の選任は必要ない。

4×　**コンクリート橋架設等作業主任者**の選任を必要とするのは，**高さ5m以上または橋梁支間30m以上**のコンクリート橋梁上部構造の架設，変更の作業である。（同法施行令第6条第16号）

本肢の場合，高さが上記の要件を満たしていないため，作業主任者の選任は必要ない。

No.53　労働安全衛生法（コンクリート造の工作物の解体等作業時における危険防止）

【正答　3】

コンクリート造の工作物の解体等の作業における危険の防止については，**労働安全衛生規則第2編第8章の5**に定められている。

1○　**事業者**は，外壁，柱等の引倒し等の作業を行うときは**引倒し等について一定の合図を定め，関係労働者に周知させなければならない**と定められている。（同規則第517条の16第1項）

2○　**コンクリート造の工作物の解体等作業主任者**は，**作業の方法及び労働者の配置を決定し，作業を直接指揮しなければならない**と定められている。（同規則第517条の18第1号）

3×　**事業者**は，**作業を行う区域内には，関係労働者以外の労働者の立入りを禁止すること**と定められている。（同規則第517条の15第1号）

☆令和7年4月1日施行同規則第517条の15第1号の改正により，「当該作業を行う区域内に**当該作業に関係する者**以外の者が立ち入ることについて，**禁止する旨を見やすい箇所に表示すること**その他の方法により禁止すること」と変更される。

4○　**事業者**は，**強風，大雨，大雪等の悪**

天候のため，作業の実施について危険が予想されるときは，**当該作業を中止しなければならない**と定められている。（同規則第517条の15第2号）

No.54　建設業法（元請負人の義務）

【正答　2】

1 ○　**元請負人の責務**として，請け負った建設工事を施工するために**必要な工程の細目，作業方法を定めようとするとき**は，**あらかじめ下請負人の意見をきかなければならない**と定められている。（建設業法第24条の2）

2 ×　元請負人は，**請負代金の出来形部分に対する支払を受けたとき**は，その支払の対象となった建設工事を施工した下請負人に対して，その下請負人が施工した出来形部分に相応する下請代金を，**当該支払を受けた日から一月以内で，かつ，できる限り短い期間内に支払わなければならない**と定められている。（同法第24条の3第1項）

3 ○　元請負人は，**前払金の支払を受けたとき**は，下請負人に対して，資材の購入，労働者の募集その他建設工事の着手に必要な費用を**前払金として支払うよう適切な配慮をしなければならない**と定められている。（同法第24条の3第3項）

4 ○　元請負人は，**下請負人から請け負った建設工事が完成した旨の通知を受けたとき**は，**通知を受けた日から20日以内**で，かつ，できる限り短い期間内に，**完成を確認するための検査を完了しなければならない**と定められている。（同法第24条の4第1項）

No.55　火薬類取締法

【正答　1】

1 ○　**火薬類取扱所**には，帳簿を備え，責任者を定めて，**火薬類の受払い及び消費残数量をその都度明確に記録させること**と定められている。（火薬類取締法施行規則第52条第3項第12号）

2 ×　消費場所において火薬類を取り扱う場合，**火薬類を収納する容器**は，木その他**電気不良導体で作った丈夫な構造のもの**とし，**内面には鉄類を表さない**ことと定められている。（同法施行規則第51条第1項第1号）

3 ×　**火薬類取扱所**には**平家建の建物**を設け，その構造は，**火薬類を存置するときに見張人を常時配置する場合を除き，盗難及び火災を防ぎ得る構造とすること**と定められている。（同法施行規則第52条第3項第2号）

☆令和6年7月28日施行同法施行規則第52条第3項第2号の改正により，現在は，「火薬類取扱所には**平家建**の建物を設け，**盗難及び火災を防止するための措置**を講ずること」となり、「**見張人を常時配置する場合を除き**」の部分も×となる。

4 ×　**火薬類取扱所の周囲には，適当な境界柵を設け**，かつ，「立入禁止」，「火気厳禁」等と書いた警戒札を掲示することと定められている。（同法施行規則第52条第3項第7号）

No.56　道路法（道路上で行う工事または行為についての許可または承認）

【正答　1】

1 ×　沿道で行う工事のために交通に支障を及ぼすおそれのない場合でも，**道路**

管理者以外の者が，道路の区域内に工事用材料の置き場を設ける場合は，道路管理者の許可を受けなければならないと定められている。(道路法第 32 条，同法施行令第 7 条)

2 ○　道路管理者以外の者が，民地への車両乗入れのために歩道切下げ工事を行う場合，道路使用許可を受けていても道路管理者の承認を受けなければならないと定められている。(法第 24 条)

3 ○　道路占用者が電線，上下水道，ガス等の施設を道路に設け，継続して道路を使用する場合は，あらためて道路管理者の許可を受けなければならないと定められている。(同法第 32 条第 1 項第 1 号，第 2 号)

4 ○　道路占用者が，占用許可を受けた事項を変更しようとする場合においては，「道路の構造又は交通に支障を及ぼすおそれのないと認められる軽易なもの」で政令で定めるものである場合を除く外，あらかじめ道路管理者の許可を受けなければならないと定められている。(同法第 32 条第 3 項)

この「道路の構造又は交通に支障を及ぼすおそれのないと認められる軽易なもの」として，以下が挙げられている。

一　占用物件の構造の変更であって重量の著しい増加を伴わないもの

二　道路の構造または交通に支障を及ぼすおそれのない物件の占用物件に対する添加であって，当該道路占用者が当該占用の目的に附随して行うもの

したがって，本肢のようなケースでは，あらためて道路管理者の許可を受ける必要はない。(同法施行令第 8 条)

No.57　河川法（河川区域内の工事の手続き）

【正答　2】

1 ○　河川法第 24 条の土地の占用許可に関する規定，同法第 26 条の工作物の新築等の許可に関する規定は，いずれも河川の上空や地下に建設されるものに対しても適用される。したがって，河川区域内の地下を横断して工業用水のサイホンを設置する場合は，河川管理者の許可を受けなければならない。

2 ×　河川区域内の土地において工作物を新築，改築，または除却しようとする場合には，河川管理者の許可を受けなければならないと定められている。(同法第 26 条第 1 項)

したがって，河川区域内の野球場に設置されている老朽化したバックネットを撤去する場合，バックネットの撤去は工作物の除却に当たるため，河川管理者から許可を受ける必要がある。

3 ○　同法第 27 条で，河川区域内において土地の掘削，盛土など土地の形状を変更する行為は，河川管理者から許可を受けなければならないと定められている。ただし，同法施行令第 15 条の 4 において，許可を必要としない「軽易な行為」が定められている。その中には，「許可を受けて設置された取水施設又は排水施設の機能を維持するために行う取水口又は排水口の付近に積もった土砂等の排除」が含まれている。

したがって，河川管理者の許可を受けて設置された取水施設の機能を維持

するため行う取水口付近の堆積土砂の撤去は，河川管理者から許可を受ける必要がない。

４○　一時的な仮設としての資材置場であっても，河川区域内の土地において工作物を新築，改築，または除却しようとする場合には，河川管理者の許可を受けなければならないと定められている。(同法第 26 条第 1 項)

No.58　建築基準法（仮設建築物）

【正答　4】

建築基準法第 85 条の規定により，工事現場に設ける現場事務所等の仮設建築物に関しては，建築基準法の適用除外や制限の緩和措置が講じられている。

１×　建築主は，別号で定められた一定の基準以上の建築物を建築，または大規模の修繕若しくは大規模の模様替をしようとする場合，当該工事に着手する前に，その計画が建築基準関係規定に適合するものであることについて，確認の申請書を提出して建築主事の確認を受けなければならないと定められている（建築物の建築等に関する申請及び確認)。(同法第 6 条）ただし，この確認申請は，仮設建築物に関する制限の緩和が適用されるため，仮設の現場事務所には必要とされない。

☆令和 6 年 4 月 1 日施行同法第 6 条の改正により，その計画が建築基準関係規定に適合するものであることについて，確認の申請書を提出し確認をうけるのは，「建築主事または建築副主事（建築主事等という)」に変更された。

２×　湿潤な土地，出水のおそれの多い土地に建築物を建築する場合においては，盛土，地盤の改良その他衛生上または安全上必要な措置を講じなければならないと定められている（同法第 19 条第 2 項)。ただし，この措置に対しては，仮設建築物に関する制限の緩和が適用されるため，仮設の現場事務所には必要とされない。

３×　建築物ががけ崩れ等による被害を受けるおそれのある場合においては，擁壁の設置その他安全上適当な措置を講じなければならないと定められている（同法第 19 条第 4 項)。ただし，この措置に対しては，仮設建築物に関する制限の緩和が適用されるため，仮設の現場事務所には必要とされない。

４○　建築物は，自重，積載荷重，積雪荷重，風圧，土圧及び水圧並びに地震その他の振動及び衝撃に対して安全な構造のものとし，定められた技術基準に適合するものでなければならないと定められている。(同法第 20 条第 1 項)

上記の規定は，仮設建築物に関する制限の緩和が適用されないため，仮設建築物にも適用されるものである。したがって，仮設の現場事務所についても上記の安全な構造でなければならない。

No.59　騒音規制法（特定建設作業の規制基準）

【正答　1】

騒音規制法上の「特定建設作業」は，同法第 15 条に基づく「特定建設作業に伴って発生する騒音の規制に関する基準」で定められている。

１×　特定建設作業に伴って発生する騒音は，特定建設作業の場所の敷地の境界

線において，85dB を超える大きさのものでないことと定められている。（同基準第 1 号）

2 ○　都道府県知事が指定した第 1 号区域では，原則として午後 7 時から翌日の午前 7 時まで行われる特定建設作業に伴って騒音が発生するものでないことと定められている。（同基準第 2 号，同基準別表第 1 号）

3 ○　特定建設作業の全部または一部に係る作業の期間が当該特定建設作業の場合においては，原則として連続して 6 日間を超えて行われる特定建設作業に伴って騒音が発生するものでないことと定められている。（同基準第 4 号）

4 ○　都道府県知事が指定した第 1 号区域では，原則として 1 日 10 時間を超えて行われる特定建設作業に伴って騒音が発生するものでないことと定められている。（同基準第 3 号，同基準別表第 1 号）

No.60　振動規制法（特定建設作業）

【正答　3】

振動規制法上の「特定建設作業」は，同法第 2 条第 3 項，及び同法施行令第 2 条（別表第 2）に規定されている。

1 ○　「ジャイアントブレーカを使用したコンクリート構造物の取り壊し作業」については，手持ち式でないブレーカーを使用し，かつ設問条件により 1 日で終了しない作業のため，特定建設作業に該当する。（同法施行令第 2 条別表第 2 第 4 号）

2 ○　「1 日の移動距離が 50m 未満の舗装版破砕機による道路舗装面の破砕作業」は，舗装版破砕機を使用し，作業地点が連続的に移動する作業で 1 日の移動距離が 50m を超えない作業のため，特定建設作業に該当する。（同法施行令第 2 条別表第 2 第 3 号）

3 ×　「振動ローラによる路体の締固め作業」は，移動距離に関係なく特定建設作業に該当しない。

使用によって特定建設作業に該当する可能性のある建設機械は，以下のとおりである。（同法施行令第 2 条別表第 2 第 1 号～第 4 号）

①くい打機（もんけん及び圧入式くい打機を除く。），くい抜機（油圧式くい抜機を除く。）またはくい打くい抜機（圧入式くい打くい抜機を除く。）

②鋼球

③舗装版破砕機

④ブレーカー（手持式のものを除く。）

4 ○　「ディーゼルハンマによる既製コンクリート杭の打込み作業」は，「くい打機（もんけん及び圧入式くい打機を除く）を使用する作業」に該当するため，特定建設作業に該当する。（同法施行令第 2 条別表第 2 第 1 号）

No.61　港則法（港長の許可または届出）

【正答　3】

1 ×　特定港内または特定港の境界附近で工事または作業をしようとする者は，港長の許可を受けなければならないと定められている。（港則法第 31 条第 1 項）

2 ×　船舶は，特定港に入港したときまたは特定港を出港しようとするときは，国土交通省令の定めるところにより，

港長に届け出なければならないと定められている。許可までは必要としない。(同法第 4 条)

3 ○　特定港内において竹木材を船舶から水上に卸そうとする者は，港長の許可を受けなければならないと定められている。(同法第 34 条第 1 項)

4 ×　船舶は，特定港内または特定港の境界付近において危険物を運搬しようとするときは，港長の許可を受けなければならないと定められている。(同法第 22 条第 4 項)

第一次検定　問題Ｂ（必須問題）

No.1　測量（トータルステーション）

【正答　1】

TS（トータルステーション）は，デジタルセオドライトと光波測距儀を一体化した測量器械である。

1 ×　TS での鉛直角観測は，1 視準 1 読定（1 方向をみて，1 回角度を観測する），望遠鏡正及び反の観測を 1 対回（正・反の観測を 1 対）とする。

2 ○　TS での水平角観測における対回内の観測方向数は，5 方向以下とする。また，水平角観測においては，1 級～4 級の各級における登記基準点測量のうち，2 級登記基準点観測（2 級トータルステーション及び 2 級セオドライト）においては 3 対回，それ以外の級においては 2 対回の観測を行う。ただし，目盛変更が不可能な機器については，1 対回の繰り返し観測を行う。

3 ○　TS での距離測定は，1 視準 2 読定（1 方向をみて，2 回距離を観測する）を 1 セットとする。また，距離測定に際しては，測定開始直前または終了直後に，気象補正のための気温及び気圧の測定を行う。

4 ○　TS では，1 回の視準によって，水平角観測，鉛直角観測及び距離測定を同時に行うことができる。また，水平角観測の必要対回数に合わせ，取得された距離測定値及び鉛直角観測値は，すべて採用し，その平均値を用いることができる。

No.2　公共工事標準請負契約約款

【正答　3】

1 ○　工期を変更する場合は，発注者と受注者が協議して定めるが，所定の期日までに協議が整わないときは，発注者が定めて受注者に通知すると定められている。(公共工事標準請負契約約款第24条第1項)

2 ○　発注者は，必要があると認めるときは，設計図書の変更内容を受注者に通知して，設計図書を変更することができると定められている。ただし，この場合，発注者は，必要があると認められるときは工期若しくは請負代金額を変更しなければならない。または受注者に損害を及ぼしたときは必要な費用を負担しなければならないと定められている。(同約款第19条)

3 ×　受注者は，原則として現場代理人を工事現場に常駐させなければならない。ただし，例外として，工事現場における運営などに支障がなく，かつ，発注者との連絡体制が確保されると発注者が認めれば，工事現場への常駐を必要としないことができると定められている。(同約款第10条第2項，第3項)

4 ○　受注者は，工事目的物の引渡し前に，天災等，発注者と受注者のいずれの責めにも帰すことができない不可抗力により，工事目的物等（工事目的物，仮設物または工事現場に搬入済みの工事材料若しくは建設機械器具）に損害が生じたときは，受注者は，その事実の発生後直ちにその状況を発注者に通知しなければならないと定められている。(同約款第30条第1項)

また，上記の通知した内容を発注者が確認し，受注者に通知したときには，損害による費用の負担を発注者に請求することができると定められている。(同約款第30号第2項，第3項)

No.3　擁壁の配筋図

【正答　1】

擁壁の配筋図の読み取り問題である。

擁壁のたて壁については，主働土圧により倒れるため，引張鉄筋は③ D22 となる。かかと部（底版のうち，たて壁の背面側）に対しては，たて壁の倒れによる引張応力が発生するため，底版上部筋である① D22 が引張鉄筋，② D13 が圧縮鉄筋となる。なお，④ D13 は底版配力筋である。

したがって，1 が正しい。

No.4　道路工事における締固め機械

【正答　2】

1 ○　振動ローラは，自重による重力に加え，転圧輪を強制振動させて締め固める建設機械である。比較的小型でも高い締固め効果を得ることができるという特徴を持つ。また，砂や砂利のほか，岩塊や砂質土（ただし含水比の高い砂質土には不向き）など，適応土質が幅広く，路床の締固めにも適している。

2 ×　タイヤローラは，大型のゴムタイヤによって締め固める建設機械である。タイヤの空気圧を変えて接地圧を調整し，バラストを付加して輪荷重を増加させることで締固め効果を大きくすることができるという特徴がある。主に路床，路盤の施工に使用される。

3 ○　ロードローラは，鉄輪を用いた締固め機械で，アスファルト混合物や路盤の締固め及び路床の仕上げ転圧等に使

用される。ロードローラには，車体前方に２つと後方に１つの３輪を備えたマカダム型と，車体の前後に１つずつ車輪を備えたタンデム型がある。

4 ○　タンピングローラは，土塊や岩塊などの破砕や締固めや土工作業での重転圧に用いられる建設機械である。突起の先端に荷重を集中させることができ，厚層の土の転圧に適している。

No.5　施工計画の事前調査

【正答　3】

施工計画の作成にあたっては，まず事前調査を実施し，その結果から工事の制約条件や課題を明らかにするのが肝要である。そのうえで，明らかになった工事の制約条件を加味しつつ，工事の基本方針を策定する。

1 ○　市街地の工事や既設施設物に近接した工事の事前調査では，既設施設物の存在や変状による使用空間の制約が生じる可能性があることを考慮し，既設施設物の変状防止対策や使用空間の確保などを施工計画に反映する必要がある。

2 ○　下請負業者の選定にあたっての調査では，技術力，過去の実績，労働力の供給，信用度，専門性等と安全管理能力を持っているか等について調査することで，業者の工事遂行能力に関して多面的な角度から検証することが重要である。

3 ×　資機材の輸送調査では，事前に輸送ルートの道路状況や交通規制などを把握し，不明な点がある場合は，必要に応じて道路管理者や警察署等に相談して解決しておくことが重要である。

4 ○　現場条件の調査では，調査項目の落ちがないよう選定し，複数の人で調査をしたり，調査回数を重ねるなどにより精度を向上させ，個人的偶発的要因による錯誤や調査漏れの可能性をあらかじめ除外するよう努めることが重要である。

No.6　工程管理（ネットワーク式工程表）

【正答　2】

本問のネットワーク式工程表において，イベント⑦に至る各ルートのうち，最も時間がかかるルート（クリティカルパス）は，イベント⓪→②┈→③→⑤→⑦であり，工期は，作業Ｃ，Ｅ，Ｉ（作業ＣからＥに至るダミー作業を含む）の合計で，６日＋12日＋12日＝30日である。

作業Ｆはクリティカルパス上にある作業ではないが，作業Ｆに４日間の遅延が生じた場合，作業Ｆの日数は４日＋４日＝８日となり，イベント②→⑤の所要日数は，当初のクリティカルパス上の作業（イベント②┈→③→⑤）である作業Ｅ（12日）より，作業Ｆ＋作業Ｇの合計（８日＋６日＝14日／イベント②→④→⑤）の方が２日長くなることになる。その結果，クリティカルパスの経路はイベント⓪→②┈→③→⑤→⑦から⓪→②→④→⑤→⑦に変更になる。また，全体の工期は作業Ｃ，Ｆ，Ｇ，Ｉの合計で，６日＋８日＋６日＋12日＝32日となり，当初の工期より２日遅れることになる。

したがって，２が正答である。

No.7　安全管理（特定元方事業者が講ずべき措置）

【正答　4】

1 ○　特定元方事業者は，すべての関係請負人が参加する協議組織を設置し，定期的に開催する等，会議の運営を行わなければならないと定められている。（労働安全衛生規則第 635 条第 1 項第 1 号，第 2 号）

2 ○　特定元方事業者は，関係請負人が行う労働者の安全または衛生のための教育に対する指導及び援助（場所の提供，教育に用いる資料の提供等）を行わなければならないと定められている。（同規則第 638 条）

3 ○　特定元方事業者は，工程に関する計画並びに作業場所における主要な機械，設備及び作業用の仮設の建設物の配置に関する計画を作成しなければならない。（同規則第 638 条の 3）

4 ×　特定元方事業者は，当該作業場所の巡視を毎作業日に少なくとも 1 回は行わなければならないと定められている。（同規則第 637 条第 1 項）

No.8　安全管理（安全衛生管理体制）

【正答　4】

1 ○　元方事業者は，関係請負人の労働者を含め，常時 50 人以上となる事業場（ただしずい道，圧気工法，一定の橋梁工事では常時 30 人以上）では，統括安全衛生責任者を選任することと定められている。（労働安全衛生法第 15 条第 1 項，第 3 項，同法施行令第 7 条第 2 項第 1 号，第 2 号）

2 ○　元方事業者は，関係請負人の労働者を含め，常時 50 人以上となる事業場では，安全管理者を選任することと定められている。（同法第 11 条第 1 項，同法施行令第 3 条）

3 ○　元方事業者は，関係請負人の労働者を含め，常時 50 人以上となる事業場では，衛生管理者を選任することと定められている。（同法第 12 条第 1 項，同法施行令第 4 条）

4 ×　元方事業者は，関係請負人の労働者を含め，常時 10 人以上 50 人未満となる事業場では，安全衛生推進者を選任することと定められている。（同法第 12 条の 2，同規則第 12 条の 2）

No.9　安全管理（異常気象時の安全対策）

【正答　2】

異常気象時の安全対策については，国土交通省「土木工事安全施工技術指針」の「第 2 章第 7 節異常気象時の対策」に指針が規定されている。

1 ○　降雨によって冠水流出のおそれがある仮設物は，早めに撤去するか，水裏から仮設物内に水を呼び込み内外水位差による倒壊を防ぐか，補強する等の措置を講じることと定められている。（同指針第 2 章第 7 節 4. 大雨に対する措置（作業現場及び周辺の整備））

2 ×　警報及び注意報が解除された場合は，作業を再開する前に，工事現場の地盤のゆるみ，崩壊，陥没等の危険がないか入念に点検することと定められている。（同指針第 2 章第 7 節 3. 作業の中止，警戒及び各種点検）

3 ○　強風によってクレーン，杭打ち機等のような風圧を大きく受ける作業用大型機械の休止場所での転倒，逸走防止

には十分注意することと定められている。（同指針第２章第７節5. 強風に対する措置）

４ ○　異常気象等の気象情報の収集や対応については，事務所にインターネットやテレビ，ラジオを常備するなど常に最新の情報入手に努めるとともに，事務所，現場詰所及び作業場所間の異常情報の伝達のため，複数の連絡手段を確保し瞬時に連絡できるようにすることと定められている。（同指針第２章第７節2. 気象情報の収集と対応）

No.10　安全管理（足場，作業床の組立て）

【正答　4】

１ ○　高さ2m以上の足場（一側足場及びつり足場を除く）の組立て等の作業で，足場材の緊結，取り外し，受渡し等を行う際は，幅40cm以上の作業床を設け，要求性能墜落制止用器具を使用させる等の墜落防止措置を講じなければならないと規定されている。（労働安全衛生規則第564条第１項第４号）

２ ○　高さ2m以上の足場（一側足場及びわく組足場を除く）の作業床であって墜落の危険のある箇所には，高さ85cm以上の手すりまたはこれと同等以上の機能を有する設備を設けなければならないと定められている。（同規則第552条第１項第４号イ）

３ ○　高さ2m以上の足場（一側足場及びわく組足場を除く）の作業床であって墜落の危険のある箇所には，高さ35cm以上50cm以下の桟またはこれと同等以上の機能を有する設備を設けなければならないと定められている。（同規則第552条第１項第４号ロ）

４ ×　高さ2m以上の足場（一側足場を除く）の作業床で，作業のため物体が落下し労働者に危険を及ぼすおそれのあるときは，原則として高さ10cm以上の幅木，メッシュシート若しくは防網等を設けなければならないと定められている。（同規則第563条第１項第６号）

No.11　安全管理（明り掘削作業）

【正答　3】

明り掘削作業に関する安全管理の諸規定は，労働安全衛生規則第２編第６章（掘削作業等における危険の防止）第１節（明り掘削の作業）に定められている。

１ ○　地山の崩壊等による労働者の危険を防止するため，点検者を指名して，その日の作業を開始する前，大雨の後及び中震（震度４）以上の地震の後，浮石及びき裂の有無及び状態並びに含水，湧水及び凍結の状態の変化を点検させなければならないと定められている。（同規則第358条第１号）

２ ○　地山の崩壊または土石の落下により労働者に危険を及ぼすおそれのあるときは，事業者は，あらかじめ，土止め支保工や防護網の設置や，労働者の立入禁止等の措置を講じなければならないと定められている。（同規則第361条）

☆令和７年４月１日施行同規則第361条の改正により，「地山の崩壊又は土石の落下により危険を及ぼすおそれのあるときは，あらかじめ，土止め支保工を設け，防護網を張り，当該作業場において作業に従事する者の立入りを禁止する等当該危険を防止するための措置を講じなけれ

ばならない」と変更される。

3 × 土止め支保工の部材の取付け等については，切りばり及び腹おこしは，脱落を防止するため，矢板，くい等に確実に取り付けなければならない。また，圧縮材（火打ちを除く）の継手は，突合せ継手としなければならないと定められている。(同規則第 371 条第 1 号，第 2 号)

4 ○ 運搬機械等が，労働者の作業箇所に後進して接近するとき，または転落するおそれのあるときは，誘導者を配置し，その者にこれらの機械を誘導させなければならないと定められている。(同規則第 365 条第 1 項)

☆令和 7 年 4 月 1 日施行同規則第 365 条第 1 項の改正により，「当該作業箇所」に変更される。

No.12 安全管理（墜落災害の防止）

【正答 4】

1 × 高さ 2m 以上の作業床の端，開口部等で墜落により労働者に危険を及ぼすおそれのある箇所には，囲い，手すり，覆い等を設けなければならないと定められている。(労働安全衛生規則第 519 条第 1 項)

2 × 高さ 2m 以上の箇所で囲い等の設置が困難なとき，または作業上囲いを取りはずすときは，防網を張り，労働者に要求性能墜落制止用器具を使用させる等，墜落による労働者の危険を防止するための措置を講じなければならないと定められている。(同規則第 519 条第 2 項)

3 × 高さ 2m 以上の箇所での作業で，労働者に要求性能墜落制止用器具等を使用させるときは，要求性能墜落制止用器具等の取付設備等を設けなければならないと定められている。また，要求性能墜落制止用器具及びその取付設備等については，異常の有無を随時点検しなければならないと定められている。(同規則第 521 条第 1 項，第 2 項)

4 ○ 高さ 2m 以上の箇所で作業を行うときは，当該作業を安全に行うため必要な照度を保持しなければならないと定められている。(同規則第 523 条)

No.13 安全管理（コンクリート構造物の解体作業）

【正答 2】

コンクリート構造物の解体作業に係る安全管理については，建設業労働災害防止協会「コンクリート工作物解体工事の作業指針」に定められている。

1 ○ 圧砕機及び大型ブレーカによるコンクリート構造物の取壊し作業においては，解体する構造物からコンクリート片の飛散，落下する範囲及び構造物自体の倒壊，崩落範囲を予測し，作業員，建設機械を安全な作業位置に配置しなければならない。また，建設機械と作業員の接触を防止するため，誘導員を適切な位置に配置しなければならない。

2 × 転倒方式による取壊しにおいて，解体する主構造部に複数本の引きワイヤを堅固に取付け，引きワイヤで加力する際は，繰り返して荷重をかけた場合，引きワイヤが外れるなどの危険が発生するおそれがあるため，繰返し荷重をかけてゆすってはならず，一度の荷重で転倒させるようにしなければならな

い。

3 ○　カッタによる取壊しでは，ブレード，防護カバーを確実に設置する。また，撤去側躯体ブロックへのカッタ取付けを禁止するとともに，切断面付近へのシートの設置による冷却水の飛散防止を図る。

4 ○　ウォータージェットによるコンクリート構造物の取壊し作業においては，取壊し対象物周囲に防護フェンスを設置するとともに，ウォータージェットの水流が取壊し対象物の裏側に貫通するので立入禁止とする。また，取壊し対象物が病院，民家などに隣接している場合は，ノズル付近に防音カバーを使用する，周辺に防音シートを設置するなどの防音対策を実施する。

No.14　品質管理（アスファルト舗装の品質管理）

【正答　4】

1 ○　アスファルト舗装の品質管理において，管理の結果を工程能力図にプロットした際に，限界をはずれる，一方に片寄っているなどの結果が生じた場合には，直ちに試験頻度を増して異常の有無を確認する。

2 ○　アスファルト舗装の品質管理の合理化を図るためには，試験や測定にかかる時間の短縮のため，密度や含水比等を非破壊で測定する機器を導入したり，品質管理を作業と同時に実施可能な機能を有する敷均し機械や締固め機械等を活用したりすることが望ましい。

3 ○　アスファルト舗装の各工程の初期においては，品質管理の各項目に関する試験を適切な頻度で増やし，その時点での作業員や施工機械等の組合せによる作業工程を速やかに把握する。また，各項目の数値や施工状況に注意して管理を行う。

4 ×　下層路盤の締固め度の管理において，試験施工あるいは工程の初期におけるデータから，所定の締固め度を得るのに必要な転圧回数が求められた場合は，密度試験を必ずしも実施する必要はなく，転圧回数で管理することができる。

No.15　品質管理（路床・路盤の品質管理に用いる試験）

【正答　1】

1 ×　修正 CBR 試験は，現地で採取した試料を室内で試験する室内 CBR 試験の一種で，路盤材料を最大乾燥密度の95％で締め固めたものに対する修正 CBR を把握し，路盤材料の評価や選定の指標として利用することを目的として実施される。所要の締固め度における路盤材料の支持力値を把握するために実施されるのは，現場 CBR 試験であり，現場での施工管理（品質管理）に用いられる。

2 ○　RI による密度の測定は，現場密度の測定方法の一種で，路床や路盤等の現場における締め固められた材料の密度及び含水比を求めることを目的として実施される。

3 ○　平板載荷試験は，路床工や路盤工において，品質特性として地盤支持力係数 K 値を求め，路床や路盤の支持力の把握を目的として実施する試験である。

4○　プルーフローリング試験は，路床，路盤の表面の浮き上がりや緩みが十分に締め固められているかを確認し，かつ不良箇所を発見することを目的として，ローラ等で走行し，強度・変形の具合（たわみ具合）をみる試験である。

No.16　品質管理（レディーミクストコンクリートの受入れ検査）

【正答　4】

1○　受入側の専門技術者は，荷卸し時におけるフレッシュコンクリートのワーカビリティーの良否を，目視によって確認しなければならない。

2○　コンクリートのコンシステンシーとは，フレッシュコンクリート等の変形や流動に対する抵抗性の程度を表す。スランプ試験は，コンクリートに一定の外力を与えたときの変形量を測定することによってコンシステンシーを評価する試験方法の一種である。

3○　フレッシュコンクリートの単位水量を推定する試験方法には，採取したモルタルを加熱乾燥する加熱乾燥法や，空気量と質量を同時に測定するエアメータ法，コンクリートの水中重量を求める水中質量法等がある。

4×　アルカリシリカ反応対策を確認する方法として，荷卸し時に，荷卸し時の試料を採取して塩化物含有量の検査を行う。

モルタルバー法は，骨材の選定時に実施する，アルカリシリカ反応性試験の一種である。アルカリシリカ反応の抑制対策として，骨材のアルカリシリカ反応性試験（化学法またはモルタルバー法）の結果で無害と確認された骨材を使用することとされている。

No.17　建設工事の濁水処理対策

【正答　1】

1○　発生した濁水は，排水処理装置や沈殿池等で浄化処理して放流する。その際，濁水量が多いほど処理が困難となるため，処理が不要な清水は，できるだけ濁水と分離する。

2×　建設工事からの排出水が一時的なものであっても，明らかに河川，湖沼，海域等の公共水域を汚濁する場合，水質汚濁防止法に基づく排出基準に従って濁水を処理しなければならない。

3×　濁水は，切土面や盛土面の表流水として発生することが多い。したがって，濁水の発生抑制のためには，他の条件が許す限り，できるだけ切土面や盛土面の面積が小さくなるよう計画する。

4×　水質汚濁処理技術には，排水内の粒子を凝集剤で凝集させて沈降を早め，分離処理する沈降・凝集処理，主にアルカリ化した排水を中和する中和処理，濁水から分離した混入物を脱水し，処理しやすい固形物にする脱水処理がある。脱水処理には，天日乾燥，遠心力を利用する遠心脱水機，加圧力を利用するフィルタープレスやベルトプレス脱水装置等による方法がある。

No.18　建設工事における周辺環境対策

【正答　1】

1×　リバース工法では，比重の高い泥水等を用いて孔壁の安定を図るが，掘削速度を速くすると保護膜（マッドケーキ）が不完全となり孔壁崩壊の原因となる。

2○　既製杭工法は，打撃工法や振動工法

等，杭を動的に貫入させる打込み工法と，地盤にあらかじめ孔を掘削し，この孔に既製杭を静的に貫入させる埋込み工法に大別される。打込み工法は，騒音・振動等による周辺環境への影響が大きいため都市部では減少傾向にあり，騒音・振動対策面で有利な埋込み工法の方が採用されることが多い。

３ ○　盛土工事による近接施工では，盛土の安定や周辺地盤の側方変位抑制対策として，法先付近の地盤に深層撹拌混合処理工法等で改良体を造成する。

４ ○　シールド工事において，シールドトンネルの土被りが少なく，シールドトンネル直上またはその付近に民家等がある場合，砂礫層等を掘進すると民家等に振動が発生する可能性があるため，掘進には注意が必要である。

No.19　建設リサイクル法

【正答　３】

１ ×　元請業者は，建設発生土について，適切な工法の選択等により発生の抑制に努めるとともに，現場外搬出ではなく現場内利用の促進等により搬出の抑制に努めなければならないと定められている。（国土交通省「建設副産物適正処理推進要綱」第16）

２ ×　元請業者は，当該工事に係る特定建設資材廃棄物の再資源化等が完了した時に，その旨を当該工事の発注者に書面で報告しなければならないと定められている。（建設工事に係る資材の再資源化等に関する法律第18条第1項）

３ ○　排出事業者は，建設廃棄物の処理を他人に委託する場合，収集運搬業者及び中間処理業者または最終処分業者とそれぞれ事前に委託契約を書面にて行うと定められている。（廃棄物の処理及び清掃に関する法律施行令第6条の2第1号，第2号，第4号）

４ ×　建設資材とは，建設リサイクル法上，「土木建築に関する工事に使用する資材」と定義されており（同法第2条第1項），伐採木，伐根材，梱包材等は，建設資材ではない。

ただし，同法による分別解体等・再資源化等の義務づけの対象となっているのは，政令で定める一定規模の工事における特定建設資材（①コンクリート，②コンクリート及び鉄からなる建設資材，③木材，④アスファルト・コンクリート）のみである。（同法第9条，第16条，同法施行令第1条）

伐採木，伐根材，梱包材は，建設リサイクル法による分別解体等・再資源化等の義務づけの対象とはならない。

No.20　廃棄物処理法

【正答　２】

１ ○　産業廃棄物収集運搬業者は，産業廃棄物が飛散し，及び流出し，並びに悪臭が漏れるおそれのない運搬車，運搬船，運搬容器その他の運搬施設を有していなければならないと定められている。（廃棄物の処理及び清掃に関する法律施行令第6条第1項）

２ ×　排出事業者は，産業廃棄物の運搬または処分を業とする者に委託した場合には，その受託者に対し産業廃棄物管理票（マニフェスト）を交付しなければならないと定められている。（同法第12条の3第1項）

上記の産業廃棄物管理票の交付は，

当該廃棄物の引渡しと同時に行わなければならない。

3 ○　国，地方公共団体，事業者その他の関係者は，非常災害時における廃棄物の適正な処理が円滑かつ迅速に行われるよう適切に役割分担，連携，協力するよう努めなければならないと定められている。(同法第 4 条の 2)

4 ○　排出事業者は，当該産業廃棄物を生ずる事業場の外において，自ら保管を行おうとするときは，あらかじめ都道府県知事に届け出なければならないと定められている。(同法第 12 条第 3 項)

No.21　調達計画立案の留意事項

【正答　1】

調達計画の立案に際する留意事項に関する語句の空所補充問題である。

・資材計画では，特別注文品等，（イ）長い納期を要する資材の調達は，施工に支障をきたすことのないよう品質や納期に注意する。

・下請発注計画では，すべての職種の作業員を常時確保することは極めてむずかしいので，作業員を常時確保するリスクを避けてこれを下請業者に（ロ）分散するように計画することが多い。

・資材計画では，用途，仕様，必要数量，納期等を明確に把握し，資材使用予定に合わせて，無駄な費用の発生を（ハ）最小限にする。

・機械計画では，機械が効率よく稼働できるよう（ニ）平均化して所用台数を計画することが最も望ましい。

したがって，1 が正答である。

No.22　施工計画立案（工事の安全確保及び環境保全）

【正答　3】

①○　施工機械の選定にあたっては，沿道環境等に与える影響を考慮し，低騒音型，低振動型及び排出ガスの低減に配慮したものを採用する，夜間，早朝を避けるなど沿道環境に最も影響の少ない稼働時間帯を選択する等の検討を行う。

②○　工事の着手にあたっては，工事に先がけ現場に広報板を設置する，必要に応じて地元の自治会等に挨拶や説明を行う，戸別訪問による工事案内やチラシ配布を行う等，近隣住民への配慮が必要である。

③×　公道上で掘削を行う工事の場合は，電気，ガス及び水道等の地下埋設物の保護が重要である。そのため，施工計画段階で調査を行い，埋設物の位置，深さ等を確認する際は道路管理者の立ち会いを求める。

④○　施工現場への資機材の搬入及び搬出等の際は，施工計画の段階で資機材の搬入経路や交通規制方法等を十分に検討し，交通への影響をできるだけ低減できるような，最適な計画を立てる。

したがって，①～④の 4 つの記述のうち適当なものは①②④の 3 つである。

No.23　施工管理体制

【正答　2】

施工管理体制に関する語句の空所補充問題である。施工体制台帳の作成については，建設業法第 24 条の 8 等に規定されている。

・元請負者は，すべての関係請負人の（イ）役割分担を明確にして，これらのすべて

を管理・監督しつつ工事の適正な施工の確保を図ることが必要である。

・元請負者は，下請負人の名称，当該下請負人に係る（ロ）工事の内容及び工期等を記載した施工体制台帳を現場ごとに備え付け，発注者から請求があれば，閲覧に供しなければならない。

・元請負者は，下請負人に対して，その下請けした工事を他の建設業者に下請けさせた場合は，（ハ）再下請通知書の提出を書面で義務づけ，その書面を工事現場の見やすい場所に掲示しなければならない。

・元請負者は，各下請負人の施工分担関係を表示した（ニ）施工体系図を作成し，工事関係者全員に施工分担関係がわかるように工事現場の見やすい場所に掲示しなければならない。

したがって，2が正答である。

No.24　工事原価管理

【正答　3】

①○　原価管理とは，工事受注後に策定した施工計画に基づき，実行予算を作成し，実際原価が実行予算内に収まるように管理・統制する機能のことを指す。その目的は工事の適正な利潤の確保であり，また，原価管理の対象は，工事遂行過程で投入・消費されるすべての資材・労務・機械や，施工管理等に費やされるすべての費用に及ぶ。

②×　コストコントロールとは，施工計画に基づきあらかじめ設定された予定原価に対し，適正な品質を維持しつつより安価となることを採用し，原価をコントロールすることにより，工事原価の低減を図るものである。

③○　コストコントロールの結果得られた実施原価をフィードバックし，以降の工事に反映させることにより，工事の経済性向上を図る総合的な原価管理をコストマネジメントという。

④○　品質・工程・安全・環境の各管理項目の判断基準として，費用対効果が常に考慮される。そのため，原価管理は，品質・工程・安全・環境の各管理項目と並んで施工管理を行う上で不可欠な管理要素として重要である。

したがって，①～④の４つの記述のうち適当なものは①③④であり，3が正答である。

No.25　工程管理

【正答　4】

①○　工程の設定においては，施工のやり方，施工の順序によって工期，工費が大きく変動するおそれがある。そのため，施工手順・組合せ機械の検討を経て，最も適正な施工方法を選定する。

②○　工程計画の策定は，施工計画の初期段階で設定した施工方法に基づき，工事数量の正確な把握と作業可能日数及び作業能率を的確に推定し，各部分工事の経済的な所要時間を見積もることから始める。

③○　作業可能日数は，工期中の暦日による日数から休日と作業不可能日数を差し引くことで求められる。作業不可能日数は，現場の地形，地質，気象等の自然条件や工事の技術的特性から推定する。

④○　各部分作業の時間見積りが完成したら，タイムスケール上に割付ける。そして，割付けたタイムスケールを基準

に，**全体の工期を超過した場合**には**投入する人数・機械台数の変更や工法の修正**等の試行錯誤を繰り返し，工期に収まるように調整する。

したがって，①～④の4つの記述の**すべて**が適当な内容のため，適当なものの数は**4つ**であり，**4**が正答である。

No.26　工程表の特徴

【正答　1】

工程管理に用いられる各工程表の特徴に関する語句の空所補充問題である。

・**座標式工程表**は，**一方の軸に工事期間**を，**他の軸に工事量**等を座標で表現するもので，**（イ）路線に沿った工事では工事内容を確実に示すことができる**。

・**グラフ式工程表**は，**横軸に工期**を，**縦軸に各作業の（ロ）出来高比率**を表示し，**予定と実績の差を直視的に比較でき，施工中の作業の進捗状況もよくわかる**。

・**バーチャート**は，**横軸に時間をとり各工種が時間経過に従って表現**され，作業間の関連がわかり，**工期に影響する作業がどれであるか（ハ）は掴みにくい**。

・**ネットワーク式工程表**は，**1つの作業の遅れや変化が工事全体の工期にどのように影響してくるか**を**（ニ）正確に捉えることができる**。

したがって，**1**が正答である。

No.27　工程管理曲線

【正答　4】

①×　**工程計画**は，全工期に対する出来高を表す**バナナ曲線**（**工程管理曲線**）の勾配が，**工事の初期→中期→後期において，緩→急→緩となるように調整する**。

②○　**実施工程曲線**が限度内に進行を維持しながらも，**バナナ曲線の下方限界に接近している場合**は，**工程に遅れが生じつつある**ことを意味しているため，直ちに対策をとる必要がある。

③×　**実施工程曲線**が**バナナ曲線の上方限界を超えたとき**は，必要以上に大型機械を入れているなど，工事に不経済な要素が存在すること等により**工程が進みすぎている状態を表している**ため，施工計画を再検討する。

④○　**予定工程曲線がバナナ曲線の上方及び下方の許容限界からはずれるとき**には，一般的に**不合理な工程計画**と考えられる。こうした場合は，工程の再検討を要する。

したがって，①～④の4つの記述のうち適当なものは②④であり，**4**が正答である。

No.28　安全管理（車両系建設機械の災害防止）

【正答　3】

車両系建設機械の災害防止や安全対策については，労働安全衛生規則第2編第2章（建設機械等）等に記載がある。

①○　**車両系建設機械を用いて作業を行うときは，あらかじめ**，使用する車両系建設機械の種類及び能力，運行経路，作業の方法を示した**作業計画を定め，作業計画に基づき作業を行わなければならない**と定められている。（同規則第151条の3）

②○　路肩，傾斜地等で車両系建設機械を用いて作業を行う場合で，当該**車両系建設機械が転倒または転落する危険性があるとき**は，事業者は，**誘導者を配置し，その者に当該機械を誘導させなければならない**と定められている。（同

規則第 157 条第 2 項)

③○　事業者は，車両系建設機械を用いて作業を行うときは，**運転中の車両系建設機械に接触することにより労働者に危険が生ずるおそれのある箇所**に，**労働者を立ち入らせてはならない**と定められている。(同規則第 158 条第 1 項)

☆令和 7 年 4 月 1 日施行同規則第 158 条第 1 項の改正により，「運転中の車両系建設機械に接触することにより危険が生ずるおそれのある箇所に**当該作業場において作業に従事する者**が**立ち入ることについて，禁止する**旨を見やすい箇所に表示することその他の方法により禁止しなければならない」と変更される。

④×　車両系建設機械の**運転者が離席する時**は，**原動機を止め**，**かつ**，**走行ブレーキをかける**等の**逸走を防止する措置**を講じなければならないと定められている。(同規則第 160 条第 1 項第 2 号)

したがって，①～④の 4 つの記述のうち正しいものは①②③の **3 つ**であり，**3** が正答である。

No.29　安全管理（移動式クレーンの災害防止）

【正答　4】

移動式クレーンの災害防止や安全対策については，クレーン等安全規則等に記載がある。

・**移動式クレーンの運転者及び玉掛けをする者**が当該移動式クレーンの **(イ) 定格荷重**を**常時知ることができるよう，表示その他の措置を講じなければならない**。(同規則第 24 条の 2)

・移動式クレーンの運転について**一定の合図を定め，合図を行う者を (ロ) 指名して，その者に合図を行わせなければならない**。(同規則第 25 条第 1 項)

※ただし，移動式クレーンの運転者が単独で作業する場合を除く。

・移動式クレーンを使用する作業において，クレーン上部旋回体と接触するおそれのある箇所や **(ハ) つり上げられている荷**の下に労働者を立ち入らせてはならない。(同規則第 74 条，第 74 条の 2)

・**強風のため，移動式クレーンの作業の実施について危険が予想されるとき**は，**当該作業を (ニ) 中止しなければならない**。(同規則第 74 条の 3)

したがって，**4** が正答である。

☆令和 7 年 4 月 1 日施行同規則第 74 条，第 74 条の 2 の改正により，「**当該作業場において作業に従事する者**」が移動式クレーンの上部旋回体と接触することにより危険が生ずるおそれのある箇所またはつり上げられている荷の下に「**立ち入ることについて，禁止する旨を見やすい箇所に表示することその他の方法により禁止しなければならない**」と変更される。

No.30　安全管理（工事中の埋設物損傷防止）

【正答　2】

安全管理のうち，埋設物損傷防止に関する語句の空所補充問題である。埋設物の損傷防止については，国土交通省「建設工事公衆災害防止対策要綱土木工事編」等に記載がある。

①○　発注者または施工者は，**施工に先立ち**，埋設物の管理者等が保管する**台帳と設計図面を照らし合わせて位置を確認した上で，細心の注意のもとで試掘等を行い**，その**埋設物の種類，位置，**

規格，構造等を原則として目視により確認しなければならないと定められている。（同要綱第 42 第 2 項）

②○　発注者または施工者は，試掘等によって埋設物を確認した場合においては，その位置や周辺地質の状況等の情報を道路管理者及び埋設物の管理者に報告しなければならないと定められている。（同要綱第 42 第 3 項）

③○　発注者または施工者は，埋設物に近接して工事を施工する場合には，あらかじめその埋設物の管理者及び関係機関と協議し，埋設物の防護方法，立会の有無，緊急時の連絡先及びその方法等を決定するものとすると定められている。（同要綱第 44 第 1 項）

④×　発注者または施工者は，埋設物の位置，名称，管理者の連絡先等を記載した標示板を取り付ける等により明確に認識できるようにし，工事関係者等に確実に伝達しなければならないと定められている。（同要綱第 44 第 1 項）

したがって，①～④の 4 つの記述のうち適当なものは①②③であり，2 が正答である。

No.31　安全管理（酸素欠乏症等防止規則）

【正答　2】

①×　酸素欠乏危険場所においては，その日の作業を開始する前に，空気中の酸素の濃度を測定し，測定日時や測定方法及び測定結果等の記録を 3 年間保存しなければならないと定められている。（酸素欠乏症等防止規則第 3 条第 1 項，第 2 項）

②○　酸素欠乏危険作業に労働者を従事させる場合で，爆発，酸化等を防止するため換気することができない場合または作業の性質上換気することが著しく困難な場合は，同時に就業する労働者の人数と同数以上の空気呼吸器等を備え，労働者に使用させなければならないと定められている。（同規則第 5 条の 2 第 1 項）

③×　酸素欠乏危険作業に労働者を従事させるときは，労働者を当該作業を行う場所に入場させ，及び退場させる時に，人員を点検しなければならないと定められている。（同規則第 8 条第 1 項）

保護具の点検をしなければならないのは，その日の作業を開始する前である。（同規則第 7 条）

④○　酸素欠乏危険場所またはこれに隣接する場所で作業を行うときは，酸素欠乏危険作業に従事する労働者以外の労働者が当該酸素欠乏危険場所に立ち入ることを禁止し，かつ，その旨を見やすい箇所に表示しなければならないと定められている。（同規則第 9 条第 1 項）

したがって，①～④の 4 つの記述のうち正しいものは②④の 2 つであり，2 が正答である。

☆令和 5 年 4 月 1 日施行同規則第 9 条第 1 項の改正により，酸素欠乏危険作業に「従事する者以外の者」が酸素欠乏危険場所に立ち入ることについて，「禁止する旨を見やすい箇所に表示することその他の方法により禁止するとともに，表示以外の方法により禁止したときは，当該酸素欠乏危険場所が立入禁止である旨を見やすい箇所に表示しなければならない」と変更された。

No.32　土木工事の品質管理

【正答　2】

①○　品質はある値付近にばらつく傾向がある。したがって，設計値を十分満足するような品質を実現するためには，実際の施工品質のばらつきの度合いを考慮し，余裕を持った品質を目標とする必要がある。こうした，現場施工の際に実現しようとする品質の目標を品質標準と呼ぶ。

②×　品質管理は，施工計画立案の段階で管理特性を検討し，その管理特性を施工段階でつくり込むプロセス管理の考え方である。

③○　品質管理の目的は，品質特性や品質標準を決定し，作業標準に従って実施し，できるだけ早期に異常を見つけ品質の安定を図ることである。

④×　品質特性を決める場合には，構造物の品質に重要な影響を及ぼすこと，測定しやすい特性であること，工程に対して処置をとりやすいようにすぐに結果がわかること等に留意する。

したがって，①～④の４つの記述のうち適当なものは①③であり，2が正答である。

No.33　品質管理（情報化施工による盛土の締固め管理）

【正答　3】

情報化施工による盛土の締固め管理に関する語句の空所補充問題である。

・盛土材料を締め固める際には，モニタに表示される締固め回数分布図において，盛土施工範囲の（イ）全面について，規定回数だけ締め固めたことを示す色になるまで締め固める。

・盛土施工に使用する材料は，事前の土質試験で品質を確認し，試験施工でまき出し厚や（ロ）締固め回数を決定したものと同じ土質の材料であることを確認する。

・TS·GNSSを用いた盛土の締固め管理は，締固め機械の走行位置を（ハ）リアルタイムに計測し，（ロ）締固め回数を確認する。

・TS・GNSSを用いた盛土の締固め管理システムの適用にあたっては，（ニ）地形条件や電波障害の有無等を事前に調査して，システムの適用の可否を確認する。

したがって，3が正答である。

No.34　品質管理（鉄筋の組立ての検査）

【正答　3】

①○　鉄筋の組立ての検査における測定項目として鉄筋の平均間隔を求める際には，配置された10本程度の鉄筋間隔の平均値とする。

②○　型枠に接するスペーサは，原則として，本体のコンクリートと同等程度以上の品質を有するコンクリート製あるいはモルタル製とする。

③×　鉄筋のかぶりは，コンクリート表面から鉄筋までの最小距離を指し，設計上のコンクリート表面から主鉄筋の中心までの距離とは異なる。

④○　設計図書に示されていない鋼材等（組立用鉄筋や金網，配管等）を配置する場合，それらの鋼材についても，所定のかぶりを確保しなければならない。

したがって，①～④の４つの記述のうち適当なものは①②④の３つであり，3が正答である。

No.35　品質管理（プレキャストコンクリート構造物の施工）

【正答　2】

①○　プレキャストコンクリートの部材の接合に際しては，接合面の密着性を確保するとともに，接合部の断面やダクトを正確に一致させておく必要がある。

②×　ダクトの接合部に塗布する接着剤は，接合に必要な量をダクト内に流入させないように用いる。

③○　プレキャストコンクリートのブロック接合等に用いる接着剤は，人体などに有害な化学物質を含有している。そのため，接着剤の取扱いについては，伝達対象となる化学物質の危険有害性情報を記載した製品安全シート（製品安全データシート/SDS）に従った安全対策を講じる。

④×　モルタルやコンクリートを接合材料として用いる場合は，これらを打ち込む前に，接合面のコンクリートを湿潤状態にしておく必要がある。

したがって，①～④の4つの記述のうち適当なものは①③であり，2が正答である。

第二次検定（解答例）

必須問題

問題１　施工経験記述

【重点解説】

〔設問 1〕

受検者が施工管理に関する経験，知識を十分に有していて，しかもそれを的確に表現する能力があるかを判別するための問題である。趣旨を把握して，具体的に簡潔かつ的確に記述することを心掛ける。

なお，〔注意〕にあるように，「経験した土木工事」は，受検者が工事請負者の技術者の場合は，受検者の所属会社が受注した工事について記述すること（所属会社が二次下請業者の場合は，発注者名は一次下請業者名）。また，受検者が発注機関の技術者の場合は，発注者名は所属機関名となる。

(1)　**工事名**は，受検者自身が実際に従事して経験した工事，あるいは，受検者が工事請負者の技術者の場合は，受検者の所属会社が受注した工事の名称を記述する。

(2)　**工事の内容**は，問題に指示があるとおり，①発注者名，②工事場所，③工期，④主な工種，⑤施工量，を具体的に，明確に記述する。なお，主な工種とは，路体盛土工，コンクリート擁壁工，基礎工，アスファルト舗装工，法面工等具体的な工事の工種を記述する。

(3)　**工事現場における施工管理上のあなたの立場**とは，工事現場における施工管理者としての立場の役割名称であり，例えば現場代理人，工事主任，発注者監督員等のように記述する。会社内の役職の課長，係長や職長などの役割ではないので注意すること。

〔設問 2〕

過去の問題では，施工管理上の分野として，「品質管理」，「工程管理」，「安全管理」，「出来形管理」が出題され，令和５年度は，**現場状況から特に留意した品質管理**であった。

品質管理に関する記述をするにあたっては，様々な現場条件のもとで，様々な工事を行うなかで特に留意して実施した品質管理の経験を明確に記述することが前提である。そのうえで，**具体的な現場状況と特に留意した技術的課題**では，現場の工事目的や工事内容を説明し，現地条件と工事の関係を説明して，課題が発生した理由を明確にして技術的課題を説明する。

技術的課題を解決するために**検討した項目と検討理由及び検討内容**では現場の状況から発生した課題に対して，検討項目を抽出して，検討理由を明確にして検討内容を説明する。対策まで書かないように注意する。

技術的な課題に対して**現場で実施した対応処置とその評価**では検討によって決定した方法を具体的に説明し，課題を解決できたことを明記する。必ず課題の解決になる方法であることが必要である。

それぞれの現場ごとに技術的課題があるはずで，工事を進めるにあたり，その技術的課題に対して，「品質管理」の面でどのように工夫して取り組み，自らの判断によってどのような対応処置を実施したかを簡潔に要領よくまとめる。

必須問題

問題２　安全管理

コンクリートの構造物において行われる調査及び検査に関する文の空所補充問題である。

解答に関連する技術基準を記した典拠としては，土木学会「コンクリート標準示方書［施工編］」，日本規格協会「JIS ハンドブック（生コンクリート）」などが挙げられる。

(1) たたきによる方法は，コンクリート表面をハンマ等により打撃した際の打撃音により，コンクリート表層部の **(イ) 欠陥**を把握する方法である。

(2) 反発度法（テストハンマー法）は，コンクリート表層の反発度を測定した結果から，コンクリートの **(ロ) 強度**を推定するために用いられる。反発度法による推定結果が所定の **(ロ) 強度**に達しない場合には，原位置でコンクリートの **(ハ) コア**を採取して試験を行う。

(3) 電磁波レーダ法や電磁誘導法は，コンクリート中の鉄筋等の鋼材の径や **(ニ) 位置**を推定する方法である。

(4) 自然電位法は，コンクリート中の鉄筋の **(ホ) 腐食**状態を推定する方法である。

(イ)	(ロ)	(ハ)	(ニ)	(ホ)
欠陥 (別解：空隙，剥離，劣化等)	強度	コア	位置	腐食

必須問題

問題３　安全管理

労働安全衛生法令に定められている，つり足場，張出し足場または高さが 2m 以上の構造の足場の組立て，解体または変更の作業を行う際に事業者が講じなければならない措置に関する記述問題である。おおよそ下記のような主旨の内容を 2 つ記述できればよい。

解答に関連する法規や技術基準としては，労働安全衛生規則の第 2 編第 10 章第 2 節第 2 款「足場の組立て等における危険の防止」（第 564 条～第 568 条）などが挙げられる。

事業者が講じなければならない措置
・足場の組立て，解体または変更の**時期**，**範囲**及び**順序**を，当該作業に従事する労働者に周知させる。 ・足場の組立て，解体または変更の**作業を行う区域内**への，**関係労働者以外の労働者の立入りを禁止**する。 ・**強風**，**大雨**，**大雪**等の悪天候により作業の実施について危険が予想されるときは，作業を**中止**する。 ・足場材の緊結，取り外し，受渡し等の作業に際し，労働者の墜落を防止するため，幅 40cm 以上の**作業床**を設ける。 ・足場材の緊結，取り外し，受渡し等の作業に際し，**要求性能墜落制止用器具**を安全に取り付けるための**設備**等を設け，かつ，労働者に**使用させる**措置を講ずる。 ・材料，器具，工具等の上げ下ろしの際に，**つり綱**，**つり袋**等を労働者に使用させる。 ・足場における作業を行う際，**点検者を指名**して，その日の作業を**開始する前**に，足場用墜落防止設備の取り外し及び脱落の有無について**点検**させる。 ・足場における作業を行う際，その日の作業を開始する前に，足場用墜落防止設備の取り外し及び脱落の有無について点検し，**異常を認めた**ときは，**直ちに補修**させる。

☆令和 7 年 4 月 1 日施行同規則第 564 条第 1 項第 2 号の改正により，「**当該作業に関係する者以外の者**が**立ち入ることについて，禁止する**旨を見やすい箇所に表示することその他の方法により禁止すること」と変更される。

選択問題（1）

問題4　土工

切土法面の施工時における排水対策に関する留意点を記した文の空所補充問題である。

解答に関連する技術基準を記した典拠としては，国土交通省「土木工事共通仕様書（第1編共通編）」，日本道路協会「道路土工－盛土工指針」などが挙げられる。

(1) 切土法面は気象条件によって種々の影響を受けるが，最も多いのは雨水の流下による **(イ) 浸食**であり，集排水が十分であれば法面損傷防止に役立つ。

(2) 地山の崩壊は，ほとんどが不完全な排水処理によって生じているので，排水工の位置を決定する場合には十分な **(ロ) 現地調査**が必要である。

(3) **(ハ) 地下水**の水位が高い切土部では，切土の各段階毎にその水位を下げるため，**(ハ) 地下水**のある側に十分な深さの **(ニ) トレンチ**を設けることが望ましい。

(4) 切土部の地質は，工事前の調査のみでは完全に把握できないので，切土作業中にも地質や **(ホ) 湧水**の状況を注意して観察し，排水工や法面保護工の必要性の有無を常に考えながら，対応策をとることが大切である。

(イ)	(ロ)	(ハ)	(ニ)	(ホ)
浸食（侵食）	**現地調査** (別解：**地質調査**，**現地踏査**等)	地下水	トレンチ	湧水

選択問題（1）

問題5　コンクリート

コンクリートの運搬，打込み，締固めに関する文の空所補充問題である。

解答に関連する技術基準を記した典拠としては，土木学会「コンクリート標準示方書［施工編］」などが挙げられる。

(1) コンクリートを練り混ぜてから打ち終わるまでの時間は，外気温が25℃以下のとき**(イ) 2**時間以内とする。

(2) コンクリートを2層以上に分けて打ち込む場合，**(ロ) コールドジョイント**が発生しないよう許容打重ね時間間隔を外気温25℃以下では2.5時間以内とする。

(3) 梁のコンクリートが柱のコンクリートと連続している場合には，柱のコンクリートの**(ハ) 沈下**がほぼ終了してから，梁のコンクリートを打ち込む。

(4) 棒状バイブレータは，コンクリートの**(ニ) 材料分離**の原因となる横移動を目的として使用してはならない。

(5) コンクリートをいったん締め固めた後，**(ホ) 再振動**を適切な時期に行うことによって，コンクリート中にできた空隙や余剰水を少なくすることができる。

(イ)	(ロ)	(ハ)	(ニ)	(ホ)
2	コールドジョイント	沈下	材料分離	再振動

選択問題（1）

問題6　安全管理

労働安全衛生規則に定められている，型枠支保工における労働災害防止のために事業者が実施すべき措置に関する文の空所補充問題である。

解答に関連する法規や技術基準としては，労働安全衛生規則の第2編第3章「型わく支保工」（第237条～第247条）などが挙げられる。

(1) 型枠支保工の材料については，著しい損傷，**(イ) 変形**又は腐食があるものを使用してはならない。

(2) 型枠支保工を組み立てるときは，支柱，**(ロ) はり**，つなぎ，筋かい等の部材の配置，接合の方法及び寸法が示されている組立図を作成し，かつ，当該組立図により組み立てなければならない。

(3) 型枠支保工の設計荷重は，型枠支保工が支える物の重量に相当する荷重に，型枠 $1m^2$ につき **(ハ) 150** kg以上の荷重を加えた荷重によるものとすること。

(4) 支柱の継手は，**(ニ) 突合せ**継手又は差込み継手とし，鋼材と鋼材との接続部及び交差部は，ボルト，クランプ等の金具を用いて緊結すること。

(5) 鋼管（パイプサポートを除く。）を支柱として用いる場合は，高さ **(ホ) 2**m以内ごとに水平つなぎを2方向に設け，かつ，水平つなぎの変位を防止すること。

(イ)	(ロ)	(ハ)	(ニ)	(ホ)
変形	はり	150	突合せ	2

選択問題（1）

問題７　建設副産物

「廃棄物の処理及び清掃に関する法律（廃棄物処理法）」に基づく産業廃棄物管理票（マニフェスト）の交付等に関する文の空所補充問題である。

解答に関連する法規としては，廃棄物の処理及び清掃に関する法律第３章第１節「産業廃棄物の処理」第12条の３（産業廃棄物管理票）が挙げられる。

(1)　産業廃棄物を生ずる事業者は，その産業廃棄物の運搬又は処分を他人に委託する場合には，当該委託に係る産業廃棄物の引渡しと **(イ) 同時**に当該産業廃棄物の運搬又は処分を受託した者に対し，管理票を交付しなければならない。

(2)　管理票には，当該委託に係る産業廃棄物の **(ロ) 種類**及び **(ハ) 数量**，運搬又は処分を受託した者の氏名又は名称その他環境省令で定める事項を記載するものとする。

(3)　管理票を交付した者は，当該管理票の写しを当該交付をした日から **(ニ) ５**年間保存しなければならない。

(4)　管理票を交付した者は，当該管理票に関する報告書を作成し，これを **(ホ) 都道府県知事**に提出しなければならない。

(イ)	(ロ)	(ハ)	(ニ)	(ホ)
同時	種類	数量	5	都道府県知事

選択問題（2）

問題8　コンクリート

コンクリートの養生における施工上の留意点に関する記述問題である。おおよそ下記のような主旨の内容を，5つ記述できればよい。

解答に関連する技術基準を記した典拠としては，土木学会「コンクリート標準示方書」，日本規格協会「JIS ハンドブック（生コンクリート）」などが挙げられる。

施工上の留意点
・打込み後のコンクリートの表面を，部位に応じた適切な養生方法により，一定期間十分な**湿潤状態**に保つ。
・セメントの種類や環境温度等に応じ，適切な**養生期間**を定める。
・日平均気温が 15℃以上で普通ポルトランドセメントを使用する場合は，コンクリートの湿潤養生期間を **5** 日は確保する。
・日平均気温が 15℃以上で早強ポルトランドセメントを使用する場合は，コンクリートの湿潤養生期間を **3** 日は確保する。
・暑中コンクリートについては，気温が特に高く，または湿度が低い場合には，**散水**または**覆い**等，**表面の乾燥を抑える**処置をとる。
・打込み後のコンクリートの打上がり面に対し，**湛水**，**散水**，あるいは十分に水を含む**養生材**による給水を行う。
・混合セメントを使用する場合は，普通ポルトランドセメントより養生期間を**長く**する。
・膜養生剤の散布や塗布によってコンクリートの露出面の養生を行う場合は，所要の性能が確保できる**使用量**や**施工方法**を事前に確認する。
・マスコンクリートの養生では，断熱性の高い材料で保温し，コンクリート部材内外の**温度差が大きくならない**ように留意する。
・マスコンクリートの養生では，コンクリートの**温度低下**が急激になり過ぎないよう，**必要以上**の散水は避ける。
・日平均気温が 4℃以下になることが予想されるときは，初期凍害を防止できる強度が得られるまではコンクリート温度を **5**℃以上に保つ。さらにその後，2 日間はコンクリート温度を **0**℃以上に保つ。
・寒中コンクリートにおいて給熱養生を行う場合は，コンクリートからの**水分の蒸発**を抑制して**乾燥ひび割れ**が起こらないよう加熱の加減等に注意する。

選択問題（2）

問題９　品質管理

TS（トータルステーション）・GNSS（全球測位衛星システム）を用いた盛土の締固め管理に関する記述問題である。

①～④のうち２つについて，下記のような主旨の内容を記述できればよい。

解答に関連する技術基準を記した資料としては，国土交通省「TS・GNSS を用いた盛土の締固め管理要領」などがある。

番号	作成時の留意事項
①	・事前に土質試験で品質を確認し，試験施工で施工仕様を決定した材料と同じ土質の材料であることを確認できる記録として，盛土に使用した材料を搬出した**土取場**を記録する。 ・当該土取場に複数の土質の材料がある場合は，それら複数の材料を区別するための**土質名**を記録する。 ・盛土に使用した材料の**含水比（施工含水比）**を記録する。
②	・まき出し作業における確認用の記録として，200m に１回の頻度でまき出し厚の**写真撮影**を行う。 ・毎回の盛土施工における施工機械の**走行標高**データをログファイルに記録する。 ・まき出し厚管理時の写真撮影を省略する場合は，締固め範囲の全数・全層について，各層の平均層圧を記載した**締固め層厚分布図**をシステムにより作成する。
③	・毎回の締固め終了後に，全数・全層について，計測データ（ログファイル）を電子媒体に保存し，**締固め回数分布図**と**走行軌跡図**を作成・出力する。 ・１日の締固めが複数回・複数層に及ぶ場合は，その**都度**，所定の内容が記載された**締固め回数分布図**と**走行軌跡図**を作成・出力する。
④	・毎回の締固め終了後に，全数・全層について，計測データ（ログファイル）を電子媒体に保存し，**締固め層厚分布図**を作成・出力する。 ・１日の締固めが複数回・複数層に及ぶ場合は，その**都度**，所定の内容が記載された**締固め層厚分布図**を作成・出力する。 ・管理ブロックごとに締固め層厚を表示し，当該帳票が何層目にあたるかを明示した上で，**平均層厚**を記録する。

選択問題（2）

問題 10　安全管理

車両系建設機械による労働者の災害防止対策に関する記述問題である。

問題文の指示どおり，車両系建設機械による労働者の災害防止に関する具体的な安全対策について，下記の解答例のような主旨の内容を 5 つ挙げればよい。

解答に関連する法規や技術基準としては，労働安全衛生規則の第 2 編第 2 章第 1 節「車両系建設機械」（第 151 条の 175～第 171 条の 6）などが挙げられる。

具体的な安全対策
・岩石の落下等により労働者に危険が生ずるおそれのある場所で，車両系建設機械を使用するときは，その建設機械に**堅固なヘッドガード**を備えさせる。 ・車両系建設機械の転倒または転落により運転者に危険が生ずるおそれのある路肩，傾斜地等では，**転倒時保護構造**を有し，かつ**シートベルト**を備えたもの以外の車両系建設機械を使用しないように徹底させる。 ・車両系建設機械の転倒または転落により運転者に危険が生ずるおそれのある路肩，傾斜地等では，運転者に**シートベルト着用**を徹底させる。 ・車両系建設機械の運転者が運転位置から離れるときは，バケット等の**作業装置を下ろさせる，原動機を止め走行ブレーキをかける**等の措置を徹底させる。 ・車両系建設機械を用いて作業を行う際，運転中の車両系建設機械に接触するおそれのある箇所に，労働者を**立ち入らせない**(1)ようにする。 ・車両系建設機械を用いて作業を行う際，当該車両系建設機械の運行経路について路肩の**崩壊防止**，地盤の**不同沈下防止**，**幅員確保**等の必要な措置を講じる。 ・パワーショベルによる荷の吊り上げや，クラムシェルによる労働者の昇降等，当該車両系建設機械の主要用途以外の用途に**使用しない**よう徹底させる。 ・車両系建設機械を用いて作業を行うときは，あらかじめ，作業場所の地形，地質の状態等に応じた適正な**制限速度**を定め，その制限速度を遵守させる。 ・車両系建設機械を移送する際に，自走またはけん引により貨物自動車に積卸しを行う場合は，**平坦で堅固な**場所において行わせる。 ・車両系建設機械を用いて作業を行う際，労働者(2)を乗車席以外の箇所に**乗せないよう**徹底させる。

☆令和 7 年 4 月 1 日施行同規則第 158 条第 1 項の改正により，「運転中の車両系建設機械に接触することにより危険が生ずるおそれのある箇所に**当該作業場において作業に従事する者**が**立ち入ることについて，禁止する**旨を見やすい箇所に表示することその他の方法により禁止しなければならない」と変更される。（下線（1））

☆令和７年４月１日施行同規則第162条の改正により，「**当該作業場において作業に従事する者**」に変更される。（下線（2））

選択問題（2）

問題 11　施工計画

プレキャストボックスカルバートの施工手順に関する知識を問う問題である。

問題文の指示どおり，管渠を敷設する場合の施工手順が次の表に示されているが，施工手順①～④のうちから２つ選び，それぞれの番号，該当する工種名及び施工上の具体的な留意事項について，下記の解答例のように記述できればよい。

解答に関連する内容を記した資料としては，日本道路協会「道路土工－カルバート工指針」，国土交通省「土木工事共通仕様書」などが挙げられる。

番号	工種名	施工上の留意事項
①	床掘り工	・基礎床付け面以下まで深掘りして**地盤支持力を緩ませない**よう留意する。 ・仕上り面において，地山を**乱さない**ように，かつ**不陸**が生じないように施工する。
②	敷設工	・基礎の**低い**方から**高い**方に向けて敷設する。
③	連結工	・PC鋼材による縦連結の場合は，所定の**緊張力**が導入されているか確認する。 ・接合後の目地詰めの際は，ボックスカルバート内面を**平滑**に仕上げる。
④	埋戻し工	・１層の仕上り厚は**30**cm以下を基本として，十分締め固めながら埋め戻す。 ・埋戻し箇所に湧水及び滞水などがある場合には，**施工前に排水**する。

令和４年度

第一次検定　問題Ａ（選択問題）

No.1　土質試験結果とその利用

【正答　3】

1 ×　**土の粒度試験結果**は，土中に含まれている土粒子の粒径の分布状態を表す粒径加積曲線で示される。試験結果は**土の力学的性質の推定**や**建設材料としての土の適否の判定**に用いられ，例えば，粒径が広い範囲にわたって分布する特性を有する土は，締固め特性がよい土と判定される。

2 ×　**土の液性限界・塑性限界試験**は，別名コンシステンシー**試験**とも呼ばれ，ボーリング調査などによって採取した試料の物理特性・力学特性などを，室内において，測定，解析する室内試験の一種である。その名のとおり，**コンシステンシー限界**（**液性限界**や**塑性限界**，**収縮限界**の総称）の値を求めるのに用いられるが，求められた液性限界や塑性限界の値によって土の状態を判定することで，盛土材料の選別に用いられる。

地盤の沈下量の推定に用いられる試験としては圧密**試験**（圧密**特性**を求めることで**粘性土地盤の沈下量・沈下速度の推定**に用いられる）等が挙げられる。

3 ○　**突固めによる土の締固め試験**からは，最大乾燥密度や最適含水比を判定するための締固め曲線が求められ，試験結果は盛土の締固め管理基準（締固め度や施工含水比等）の**決定**に用いられる。

4 ×　**土の一軸圧縮試験**は，円筒形に成形した粘性土を上下方向に圧縮することでせん断強さを求める試験である。**一軸圧縮試験の結果**は，**飽和した粘性土地盤の**強度，**盛土及び構造物の**安定性**の検討**や支持力**の推定**などに用いられる。

基礎工の施工法の決定に用いられる試験としては，現場試験の一種として地盤の支持力特性を調べる平板載荷**試験**などが挙げられる。

No.2　法面保護工の施工

【正答　1】

1 ×　**モルタル吹付工**は，亀裂の多い岩の法面における風化やはく落，崩壊を防ぐため，法面にモルタルを吹き付ける工法である。施工が比較的簡便で，地山の風化・浸食防止効果が高いという特徴がある。施工においては，**モルタルの吹付け前に，法面の浮石，ほこり，泥等を清掃**した後，一般に**菱形金網を法面に張り付けてアンカーピンで固定**することでモルタルのはく落防止を図る。

2 ○　**植生マット工**は，種子・植生基材・肥料・浸食防止材等を装着したマットを法面に敷き詰めて法面を被覆する工法である。植生マット工の施工に際しては，法面に凹凸が生じるとマットが付着しにくくなり，浮き上がったり風に飛ばされたりする原因となるため，**あらかじめ法面の凹凸を**ならして**設置する**。

3○　植生土のう工は，種子や肥料，土などを詰めた土のうを，整地した法面に充填していく工法である。植生土のう工の施工で法枠工の中詰とする場合には，施工後の沈下やはらみ出しが起きないように，土のうの表面を平滑に仕上げることが必要である。

4○　コンクリートブロック枠工は，工場製品であるコンクリートブロック枠を法面上で組み立てて固定し，法面表層部の浸食や風化や崩落からの保護を図る工法である。コンクリートブロック枠の交点部分には，滑り止めとして所定の長さのアンカーバー等を設置し，一般に枠内は良質土で埋め戻し，植生で保護するのが望ましいとされている。

No.3　盛土の情報化施工

【正答　3】

1○　TS（トータルステーション）・GNSS（全球測位衛星システム）を用いた盛土の締固め回数の管理においても，従来の品質管理と同様，盛土施工に使用する材料は，事前の土質試験や試験施工で確認した品質・施工仕様と同一であることを確認する。もし事前の確認内容と異なっている場合は，その材料について土質試験や試験施工を改めて実施し，再確認をする必要がある。

2○　盛土材料を締め固める際には，TS・GNSSを用いた盛土の締固め管理システムによって管理する。締固め管理システムでは，締固め回数分布図が車載パソコンのモニタに表示される。オペレータは，締固め回数分布図を見ながら，盛土施工範囲の全面にわたって，試験施工で決定した規定の締固め回数を確保したことを示す色になるまで締固めを実施することで，締固め回数の管理を容易に行うことができる。

3×　TS・GNSSを用いた情報化施工による盛土の締固め管理技術は，事前の試験施工の仕様に基づくまき出し厚の管理や締固め回数の管理を行う工法規定方式にすることで，品質の均一化や過転圧の防止を図りつつ，同時に締固め状況の早期把握による工程短縮などの実現も図るものである。

4○　盛土の施工管理も含めて，情報化施工を実施するメリットとしては，施工管理データの取得によって，工事のトレーサビリティが確保されること，高精度の施工やデータ管理の簡略化・書類の作成に係る負荷の軽減等が可能になること等が挙げられる。

No.4　ボックスカルバート周辺の裏込めの施工

【正答　4】

1○　ボックスカルバート周辺の裏込めには，締固めが容易で，非圧縮性，透水性があり，かつ，水の浸入によっても強度の低下が少ないような安定した材料を使用し，供用開始後の段差の発生を抑制するようにする。

2○　ボックスカルバート周辺の裏込め部付近は，施工中，施工後において水が集まりやすいため，これに伴う沈下や崩壊も多い。したがって，施工中の排水勾配の確保，地下排水溝の設置等の十分な排水対策を講じる必要がある。

3○　軟弱地盤上の裏込め部は，特に沈下

が大きくなりがちな部位である。そのため，プレロード等の処理を行い，供用開始後の基礎地盤の沈下をできるだけ少なくする処置が必要である。

4 ×　道路の盛土部に設置するボックスカルバート周辺の裏込め部については，確実な締固めができるスペースの確保，施工時の排水処理の容易さから，裏込めを盛土に先行させて施工するのが望ましい。

No.5　軟弱地盤対策工法

【正答　1】

1 ×　サンドマット工法は，軟弱地盤上の表面に透水性の高い砂または砂礫を50 ～ 120cm の厚さで敷設し，軟弱層の圧密のための上部排水の促進と施工機械のトラフィカビリティーの確保を図る工法である。

2 ○　緩速載荷工法は，地盤の破壊が発生しない程度の盛土荷重をかけることにより，ゆっくりと圧密沈下を起こしながら地盤の強化を図る工法である。できるだけ軟弱地盤の処理を行わない代わりに，圧密沈下の進行に合わせ時間をかけてゆっくりと盛土することで，地盤の強度増加を進行させて地盤の安定を図る。

3 ○　サンドドレーン工法は，透水性の高い砂を用いた砂柱を地盤中に鉛直に造成することにより，水平方向の排水距離を短縮する工法である。これによって，圧密の促進と地盤の強度増加を図る。

4 ○　表層混合処理工法は，固結工法の一種で，表層部分の軟弱なシルトや粘土にセメント系や石灰系などの添加材を攪拌混合することにより，地盤の安定や施工機械のトラフィカビリティーの確保を図る工法である。

No.6　コンクリート用細骨材の品質

【正答　2】

1 ○　コンクリート用骨材として使用する砕砂は，粒形判定実績率試験により粒形の良否を判定し，粒形判定実績率の値を算出する際の判断に用いる。形状としては，角ばりの形状はできるだけ小さく，細長い粒や偏平な粒の少ないものを選定する。

2 ×　砕砂に含まれる微粒分の石粉は，コンクリートの単位水量を減少させ，強度の増加効果や材料分離の抑制効果がある。ワーカビリティーの改善などが期待できるため，適量であれば石粉が含まれるものが望ましい。

3 ○　細骨材中に含まれる多孔質の粒子は，一般に密度が小さく骨材の吸水率が大きい。そのため，強度が小さくなり，コンクリートの耐凍害性を損なう原因となる。

4 ○　異なる種類の細骨材を混合して用いる場合，塩化物量については，混合後の試料の塩化物量を測定し，規定に適合していることを確認すればよい。混合前の各種の細骨材の測定や，全量の測定は必要ない。

No.7　コンクリートの品質

【正答　1】

1 ×　コンクリートポンプを用いた圧送を行う場合，管内閉塞を生じることなく円滑な圧送を行うために，単位粉体量や細骨材率はできるだけ大きく，粗骨材の最大寸法はできるだけ小さくする

必要がある。

2 ○　単位セメント量の増加によってセメントの水和に起因するひび割れが問題となる場合には，セメントの種類の変更や，石灰石微粉末等の不活性な粉体の使用を検討する。石灰石微粉末を適切に用いると，ブリーディングの抑制や材料分離抵抗性の改善，水和熱の改善などの効果がある。

3 ○　所要の圧縮強度を満足するよう配合設計を行う場合は，水セメント比（W/C）の逆数であるセメント水比（C/W）と圧縮強度の関係がある程度の範囲内で直線的になることを利用する。

4 ○　水セメント比とは，コンクリートやモルタルにおける水とセメントとの割合で，水セメント比＝水量（W）/セメント量（C）の百分率で示される。水セメント比の値が小さくなるほど，強度，耐久性，水密性は高くなるが，値があまり小さくなりすぎると，単位セメント量が大きくなり，水和熱や自己収縮が増大する。所要の水密性を満足するよう配合設計する場合は，水セメント比を小さくし，単位水量を低減させる。

No.8　コンクリートの養生

【正答　4】

1 ○　マスコンクリートの養生では，コンクリート部材内外の温度差が大きくならないように留意する必要がある。そのため，コンクリート温度をできるだけ緩やかに外気温に近づけるよう，断熱性の高い材料で保温する。また，温度低下が急激になり過ぎないよう，必要以上の散水は避ける。

2 ○　コンクリートの湿潤養生期間の標準は，日平均気温が15℃以上の場合，普通ポルトランドセメント使用時で5日，早強ポルトランドセメント使用時で3日である。

3 ○　日平均気温が4℃以下になることが予想されるときは，初期凍害を防止できる強度が得られるまではコンクリート温度を5℃以上に保つ。さらにその後，2日間は0℃以上に保つことが標準である。

4 ×　給熱養生とは，寒中コンクリートにおける初期凍害の防止を目的とし，ヒーターなどで加熱することによりコンクリートを凍結温度以上に保つ養生方法である。給熱養生を行う場合は，コンクリートからの水分の蒸発を抑制して乾燥ひび割れが起こらないように加熱の加減等に注意する。

No.9　コンクリートの配合

【正答　3】

1 ○　水セメント比は，値が小さくなるほど，強度，耐久性，水密性は高くなる。したがって，コンクリートに要求される強度，耐久性などを考慮して，これらから定まる水セメント比のうち，作業可能な範囲内で最も小さい値を設定する。

2 ○　コンクリートの単位水量が大きくなると，材料分離抵抗性が低下するほか，乾燥収縮が増加するなど，コンクリートの品質は低下する。

3 ×　コンクリートのスランプは，円滑かつ密実に型枠内へ打ち込めるよう，運搬，打込み，締固めなどの作業に適する範囲内で，できるだけ小さくなるよ

うに設定する。

4○　**試し練り**（試験練り）とは，工事に用いるコンクリートが，指定された材料の規定に適合しているかどうかを判断するために，小型ミキサで少量のコンクリートを練るなどして実施する。ただし，**コンクリート工場の実績や，JIS マーク表示のあるコンクリートなど，計画配合が配合条件を満足することを確認できる場合**は，**試し練りを省略できる**。

No.10　暑中コンクリート

【正答　1】

1○　**暑中コンクリート**で使われる**減水剤**や **AE 減水剤，流動化剤**については，コールドジョイントの発生防止の観点から，経過時間に伴うスランプ低下を改善させるために**遅延形のものを用いる**。

2×　**暑中コンクリート**の練混ぜにおいては，**練上がりコンクリートの温度を低くするために，なるべく低い温度の練混ぜ水を用いる**必要がある。

3×　**暑中コンクリート**では，**運搬中のスランプの低下**や**連行空気量の減少**，コールドジョイント発生などの傾向がある。そのため，**コンクリートの打込み温度の上限は 35℃以下を標準とし，できるだけ低くする**のが望ましいとされている。

4×　**暑中コンクリート**においては，**練混ぜ後できるだけ早い時期に打ち込まなければならない**。そのため，原則として**練混ぜ開始から打ち終わるまでは 1.5 時間以内に行う**必要がある。

No.11　型枠に作用するフレッシュコンクリートの側圧

【正答　4】

コンクリート型枠を用いた施工においては，コンクリート型枠内に生コンクリートが打設される。**生コンクリート**は，下側に広がろうとするため，**その圧力は堰板を側方に押す側圧として作用する**。

1○　施工条件が同じ場合，コンクリートの**温度**が**高くなるほど，型枠への側圧は小さく作用する**。

2○　施工条件が同じ場合，コンクリートの**単位重量**が**大きくなるほど，型枠への側圧は大きく作用する**。

3○　施工条件が同じ場合，コンクリートの**打上がり速度**が**大きくなるほど，型枠への側圧は大きく作用する**。

4×　施工条件が同じ場合，コンクリートの**スランプ**が**大きくなるほど，型枠への側圧は大きく作用する**。

No.12　道路橋における直接基礎

【正答　1】

1×　**直接基礎のフーチング底面**は，**支持地盤に密着させる**ことにより，**滑動抵抗が十分に発現できるように処理を行う**。

2○　直接基礎のフーチング**底面に突起をつける場合**，均しコンクリート等で処理した層を貫き，**十分に支持層に貫入させる**。

3○　直接基礎の**基礎地盤が砂地盤の場合**は，**ある程度の不陸は残しつつ底面地盤を整地し，その上に栗石や砕石を配置する**のが一般的である。

4○　直接基礎の**基礎地盤が岩盤の場合**は，擁壁の安定性を確保するため，掘

削面は完全には整正せずにある程度の不陸を残し，平滑な面としないようにしたうえで均しコンクリートを用いて施工する。

No.13　既製杭の施工

【正答　3】

1 ○　プレボーリング杭工法では，硬い地盤ではロッドの破損等が生じないように，軟弱地盤では周りの地盤への影響を考慮しながら，掘削速度を試験杭により判断する。

2 ○　中掘り杭工法の先端処理には，最終打撃方式とセメントミルク噴出攪拌方式，コンクリート打設方式がある。セメントミルク噴出攪拌方式は，所定の深度まで杭を沈設した後に，セメントミルクを噴出して根固部を築造する方式である。なお，沈設中に杭径以上の拡大掘りや 1m 以上の先掘りを行ってはならない。

3 ×　プレボーリング杭工法では，地盤の掘削抵抗を減少させる必要がある。そのため，掘削液を掘削ヘッドの先端部から吐出させるとともに，孔内を泥土化し，孔壁を軟化させる。

4 ○　中掘り杭工法の先端処理の一種である最終打撃方式は，ある深さまで中掘り工法で沈設した杭を，途中から打撃に切り替えて所定の深さまで打ち込み，打ち止めを行う方式である。中掘りから打込みへは，支持層上面から杭径の 3 倍程度以上を残して切替えるのがよいとされている。

No.14　場所打ち杭工法の施工

【正答　2】

1 ×　アースドリル工法は，地表部に長さ 2 ～ 4m の表層ケーシングチューブを建て込み，以深は安定液によって形成されるマッドケーキと，地下水との水位及び比重の差による相互作用で孔壁を安定させる工法である。アースドリル工法では，掘削土で満杯になったドリリングバケットを孔底から急速に引き上げると，地盤との間にバキューム現象が発生する。

2 ○　場所打ち杭工法のコンクリート打込みは，一般に泥水中等で打込みが行われることが多い。そのため，打込みには水中コンクリートを使用し，トレミーを用いてコンクリートが水に触れない状態を保持しながらコンクリートを打設場所まで運んで打ち込む。

3 ×　支持層の確認において，掘削速度や掘削抵抗等の施工データを参考とし，ハンマグラブを一定高さから落下させたときの土砂のつかみ量も判断基準とするのはオールケーシング工法である。

アースドリル工法の支持層の確認においては，ドリリングバケット内に収納された支持層と判断できる土砂と，設計図書及び土質調査試料等と比較する。

4 ×　鉄筋かごの組立ては，一般に鉄筋かごの径が大きくなるほど変形しやすくなる。そのため，組立用補強材は剛性の大きいものを使用するとともに，内側を十字状または井げた状の補強材によって補強する。

No.15　各種土留め工の特徴と施工

【正答　1】

1 ×　アンカー式土留めは，土留めアンカ

ーの定着と掘削側の地盤の抵抗によって土留め壁を支持する工法である。掘削面内に切梁がないので掘削が容易であるが，良質な定着地盤が必要である。また，掘削地周辺にアンカー打設が可能な敷地の確保も必要になる。

2 ○　控え杭タイロッド式土留めは，控え杭と土留め壁をタイロッドでつなげ，これと地盤の抵抗により土留め壁を支持する工法で，比較的良質で浅い地盤の掘削に適する。また，アンカー式土留めに比べると経済的である。

3 ○　自立式土留めは，切梁や腹起しなどの支保工を用いることなく，主に掘削側の地盤の抵抗によって土留め壁を支持する工法である。掘削面内に支保工がないので掘削が容易である反面，支保工がないために土留め壁の変形が大きくなる傾向がある。比較的良質な地盤で浅い掘削に適する。

4 ○　切梁式土留めは，切梁や腹起し等の支保工と掘削側の地盤の抵抗により土留め壁を支持する工法である。現場の状況に応じて支保工の数，配置などの変更が可能である一方，機械掘削時に支保工が障害になる可能性がある。

No.16　鋼道路橋の架設

【正答　1】

1 ×　ベント工法は，桁ブロックの継手付近に仮設したベント（架設桁を支持する仮設の構台）の上に移動式クレーンで上部工を架設し，架設桁の連結作業終了後，ベントを解体する工法である。これに対し，片持ち式工法は，トラスの上面にレール等を敷き，トラベラークレーンを用いて部材を運搬して組み立てていく工法で，河川上や山間部でベントが組めない場合に使用される。同一の構造物では，ベント工法で架設する場合と片持ち式工法で架設する場合における鋼自重による死荷重応力は変わってくる。

2 ○　箱形の断面を持つ桁を並べることで架設された橋梁のことを箱桁橋という。箱桁橋における箱形断面の桁は，塗装作業及び架設後の維持管理を考慮し，吊金具や補強材は一般に工場製作の段階で取り付けるものとする。

3 ○　連続桁をベント工法で架設する場合，ジャッキによって支点部を強制変位させ，桁の変形及び応力調整を行う方法を用いることができる。

4 ○　曲線桁橋は，軸線が曲線の桁を持つ橋梁形式である。曲線桁橋の架設にあたっては，架設中の各段階において，ねじれ，傾き及び転倒などのないように重心位置を把握し，ベントなどの反力を検討する必要がある。

No.17　鋼橋に用いる耐候性鋼材

【正答　3】

1 ○　耐候性鋼材の利用にあたっては，防食上重要な緻密なさび形成における最大の阻害要因となる，飛来等により外部から供給される鋼材表面への塩分付着が少ないこと等が条件となる。ただし，近年は，塩分に対する耐食性を向上させた耐候性鋼材も使用されている。

2 ○　耐候性鋼材を用いた鋼橋に適する環境であるかどうかを検討するにあたっては，地域環境（架橋地点の飛来塩分量に関連する地域的要因）や地形環境

（架橋地点の地形に関連する要因），局部環境（部材そのものによって作り出される局部的な環境）に留意する必要がある。桁の端部等の局部環境の悪い箇所に耐候性鋼材を適用する場合には，橋全体の耐久性を確保するため，塗装等の防食法の併用等も検討することが必要である。

3 ×　耐候性鋼材で緻密な保護性さび層が形成される条件としては，雨水の滞留等で長い時間湿潤の状態に置かれる環境が継続しないこと，大気中において乾湿の繰返しを受けること等が要求される。

4 ○　耐候性鋼材は，普通鋼材に銅やクロムといった耐候性に有効な合金元素を添加することにより，表面に緻密なさび層を形成させた鋼材である。さび層が鋼材表面を保護することで，鋼材の腐食を抑制するという性質を有する。

No.18　鋼道路橋の溶接

【正答　4】

1 ×　鋼道路橋の溶接について，設計図書において特に仕上げの指定のない開先溶接の余盛は，ビード幅を基準にした余盛高さが規定の範囲内であれば，仕上げをしなくてもよい。

2 ×　ビード表面のピットは，異物や水分の存在によって発生したガスの抜け穴である。小径で散発的なピットは強度に影響しないが，径が大きいピットや集中的に発生したピットは応力集中の原因となる。そのため，主要部材の突合せ継手や断面を構成するＴ継手，十字継手，角継手ではピットがあってはならないとされている。一方，部分溶込み開先溶接継手及びすみ肉溶接継手においては，ビットがあっても若干なら許される。

3 ×　すみ肉溶接の脚長を不等脚とすると，材片に対する溶接棒の角度が一方に偏るため，等脚の場合と比べてアンダーカット等の欠陥を生じる原因になりやすい。

4 ○　組立溶接は，本溶接の溶接方法によっては全て再溶融される場合もあるが，一般には再溶融せずに残留することが多いため，組立溶接の品質を確保するためには本溶接と同様な管理が必要となる。したがって，組立終了時までにスラグを除去し，溶接部表面に割れがないことを確認しなければならない。

No.19　アルカリシリカ反応が生じたコンクリート構造物の補修・補強

【正答　2】

アルカリシリカ反応とは，骨材中のシリカ分とセメントなどに含まれるアルカリ性の水分が反応することによって生成された膨張性の物質が吸水膨張することによって発生する劣化現象である。

1 ○　電気防食工法は，陽極システムを設置し，コンクリート中の鋼材に電流を流すことにより，鉄筋腐食の要因であるアノード反応を抑制する工法である。塩害の対策として用いられるが，アルカリシリカ反応と塩害による複合劣化が生じたコンクリート構造物に適用すると，通電によってアルカリシリカ反応を促進することがある。したがって，複合劣化の生じたコンクリート

構造物において鉄筋の防食のために電気防食工法を適用する場合，防食電流の供給システムの性能と耐久性などを把握し，システム全体の維持管理を適切に行うなどの配慮をする必要がある。

2 × アルカリシリカ反応に起因するコンクリート膨張量が大きいと予想される場合，プレストレス導入や FRP 巻立て等，膨張拘束のための対策はひび割れ防止の効果が期待できる。したがって，プレストレス導入や FRP 巻立ては，検討するに値する対策である。

3 ○ アルカリシリカ反応によりコンクリートの膨張が進み，ひび割れが顕著になると，鉄筋の曲げ加工部に亀裂や破断が生じるおそれがある。したがって，補修・補強対策を施す必要がある。

4 ○ 水分は，アルカリシリカ反応の発生，促進における主要因子である。したがって，アルカリシリカ反応の補修・補強の時には，できるだけ水分を遮断しコンクリートを乾燥させる対策を講じる必要がある。

No.20　コンクリート構造物の中性化

【正答　2】

中性化は，大気中の二酸化炭素とセメント内の水酸化カルシウムとの化学反応により炭酸カルシウムが発生し，コンクリート中の pH が低下する現象である。

1 ○ 大気中の二酸化炭素によるコンクリート構造物の中性化の速度は，乾燥・湿潤が繰り返される場合と比べて，コンクリートが常時乾燥している場合の方が速い。

2 × 中性化と水の浸透に伴う鉄筋腐食の速度は，乾燥・湿潤が繰り返され，コンクリート構造物中のセメントが空気に曝されやすい場合と比べて，常時滞水している場合の方が遅い。

3 ○ 塩分浸透によりコンクリート中に塩化物が含まれている場合，中性化の進行に伴ってセメント水和物に固定化されていた塩化物イオンが解離し，未中性化領域に濃縮するため腐食の開始が早まる可能性がある。

4 ○ コンクリートの中性化深さの測定方法は，JIS A 1152：2018 で規定されている。測定に際しては，フェノールフタレイン溶液を噴霧し，コンクリート表面から，赤紫色の発色が認められない範囲までの深さを測定する。

No.21　河川堤防の盛土施工

【正答　4】

1 × 築堤盛土の施工では，降雨による法面侵食の防止対策として，法面には適当な間隔で仮排水溝を設ける。また，降った雨水が集中するのを防ぐため，堤防横断方向に 3 ～ 5%程度の排水勾配を設ける。

2 × 築堤盛土の施工開始にあたっては，基礎地盤と盛土の一体性を確保するために地盤の表面を所定の厚さまで掻き起こして平坦にならし，盛土材料とともに締め固める必要がある。

3 × 既設の堤防に腹付けを行う場合は，新旧法面をなじませるため段切りを行う。段切りの大きさは，一般に，堤防締固め 1 層仕上り厚の倍の 50 ～ 60cm 程度とすることが多い。

4 ○ 築堤盛土の締固めは，堤防縦断方向に，つまり法線に対して平行に行うこ

とが望ましい。また，締固めに際しては，締固め幅が重複するように常に留意して施工する。

No.22　河川護岸の施工

【正答　3】

1 ○　かごマットは，かごを工場で完成に近い状態まで加工したもので，これまで熟練工の手作業に頼っていた詰め石作業を機械化するため，蓋編み構造としているという特徴がある。かごマット工では，底面に接する地盤での土砂の吸出し現象の発生を防止する目的で，吸出し防止材を施工する。

2 ○　透過構造の法覆工である連節ブロックを採用する場合は，裏込め材の設置は不要となる。ただし，背面土砂の吸出しを防ぐため，裏込め材の代わりに吸出し防止材の設置が必要となる。

3 ×　練積の石積み構造物は，最近では裏込めコンクリートやアンカーボルト等によって固定する場合も多い。しかし，本来は，構造物の強度に配慮すれば，こうした固定の有無に関係なく，石と石のかみ合わせを重視して構造的な安定を図るのが基本である。

4 ○　すり付け護岸には，屈撓性があり，かつ，表面形状に凹凸のある連節ブロックやかご工等が適している。ただし，すり付け護岸の設置に際しては，局部洗掘や上流端からのめくれ等への対策が必要である。

No.23　河川堤防の開削工事

【正答　2】

1 ○　鋼矢板の二重締切り工においては，使用する中埋め土は，鋼矢板等の壁体の剛性の増強や壁体に作用する土圧の低減によって鋼矢板の変形を防止する目的のため，良質の砂質土を用いることを原則とする。

2 ×　仮締切り工は，開削する堤防と同等の機能が要求されるものである。したがって，天端高さや堤体の強度の確保はもとより，流水による越流・越波への対策や，法面・河床の洗掘対策が必要である。

3 ○　仮締切り工の平面形状は，河川の流水の状況，流下能力等にできるだけ支障を及ぼさないものとする。また，河道に対しての影響を最小にするとともに，流水による洗掘，堆砂等の異常現象を発生させない形状とする。

4 ○　樋門工事における堤防開削による床付け面は，荷重の除去に伴って緩むことが多く，ボイリングやヒービングなどの破壊現象の発生原因にもなり得る。そのため，掘削面は極力乱さないで施工するとともに，転圧によって締め固め，支持力を確保することが望ましい。

No.24　不透過型砂防堰堤

【正答　2】

1 ○　砂防堰堤の水抜き暗渠は，一般には施工中の流水の切替え，堆砂後の浸透水圧の減殺，洪水流量や流砂量の調節を主目的として設置される。また，水抜き暗渠を設置することにより，後年に補修が必要になった際に施工を容易にするという目的もある。

2 ×　砂防堰堤の水通しの位置は，原則としてその中心が現河床の中央に位置するように定めるものとする。ただし，堰堤下流部基礎の一方が岩盤で他方が

砂礫層や崖錐の場合，流水による洗掘を防止するため，**岩盤側に寄せて設置する**。

3 ○　砂防堰堤の基礎地盤が岩盤で，**基礎の一部に弱層，風化層，断層等の軟弱部をはさむ場合**は，地盤支持力やせん断摩擦抵抗力の改善のため，**軟弱部をプラグで置き換えて補強する**のが一般的である。

4 ○　砂防堰堤の材料のうち，**地すべり箇所や地盤支持力の小さい場所**では，**屈撓性**のある**コンクリートブロックや鋼製枠が用いられる**。

No.25　渓流保全工

【正答　1】

1 ○　**床固工の設置目的**は，**渓床の縦侵食及び渓床堆積物流出の防止・軽減**による**渓床の安定**や，護岸などの**工作物の基礎の保護**である。

2 ×　**護岸工**は，**渓岸の侵食・崩壊防止，床固工の袖部の保護**，山脚の固定，横侵食の防止などを目的に設置される場合が多い。

3 ×　**渓流保全工**は，**洪水流の乱流や渓床高の変動の抑制**のための**横工**，及び**側岸侵食の防止**のための**縦工**を組み合せて設置される。

4 ×　**帯工**は，同一の勾配が長い距離で続く場合に，**過度の渓床変動を抑制することを目的に設置される**。**床固工の間隔が広い場合**，設置の際は，**天端高と計画河床高の差は同一として落差を設けない**。

No.26　急傾斜地崩壊防止工

【正答　3】

1 ○　**排水工**は，流入水を速やかに集めて斜面外の安全なところへ排水することにより，**傾斜地崩壊の主要因となる地表水や地下水の斜面への流入を防止**し斜面を安定化させ，斜面自体や急傾斜地崩壊防止施設の安全性を高めることを目的に設けられる。排水工は，一般に**地表水排除工と地下水排除工の2つに大別される**。

2 ○　**法枠工**は，斜面の風化や侵食の防止，法面の表層破壊の抑制を目的とし，**斜面に枠材を設置し，法枠内を植生工や吹付け工，コンクリート張工などで被覆する工法**である。湧水のある斜面の場合は，法枠背面の排水処理を行い，吸出しに十分配慮する。

3 ×　**落石対策工**は，落石予防工と落石防護工に大別される。**落石防護工**は**発生した落石を斜面下部や中部で止めるもの**であり，**落石予防工**は斜面上の転石の除去などにより**落石の発生を未然に防ぐもの**である。

4 ○　**擁壁工**（**待受け式コンクリート擁壁工**）は，斜面上部からの**崩壊土砂を斜面下部で待ち受け，一定の場所（ポケット）に堆積させる**ことで，土砂が建築物の敷地に到達すること防止する目的で設けられる。**基礎掘削や斜面下部の切土は，斜面の安定に及ぼす影響が大きいので最小限になるよう検討**し，ポケット容量が不足するからといって，**斜面の不安定化につながる地山の切土は行ってはならない**。

No.27　道路のアスファルト舗装における路床の施工

【正答　3】

1 ○　路上混合方式による場合，安定処理の効果を十分に発揮させるには，**ロードスタビライザ**などの**混合機により対象の路床土を所定の深さまでむらなくかき起こし，安定剤を均一に散布・混合し締め固める**ことが重要である。

2 ○　路上混合方式において，市街地での施工など，安定材の散布及び混合に際して**粉塵対策を施す必要がある場合**には，**防塵型の安定材の使用**や，**混合機の周囲へのシート設置**等の対策をとる。

3 ×　路上混合方式による場合，**粒状の生石灰を用いるとき**には，一般に，**一回目の混合が終了したのち仮転圧して散水**し，**生石灰の消化（水和反応）が終了した後に再度混合**し転圧する。

4 ○　舗装における路床の安定処理を**路上混合方式**で行う場合，**混合にはバックホゥやブルドーザを使用することもある**。しかし，均一に混合するには，**ロードスタビライザ**などの混合機械を用いて，**安定処理材と路床土を所定の深さまでむらなくかき起こし十分に混合する**。

No.28　道路のアスファルト舗装における路盤の施工

【正答　1】

1 ○　**上層路盤の粒度調整路盤**は，**1 層の仕上り厚さは，20cm 以下を標準とする**。ただし，1 層の**仕上り厚さが 20cm を超える場合**でも，**所要の締固め度が保証される施工方法が確認されていれば，その仕上り厚さを用いてもよい**。

2 ×　上層路盤の加熱混合方式による**瀝青安定処理路盤**は，**1 層の施工厚さが 10cm までは一般的なアスファルト混合物の施工方法に準じて施工する**。**10cm を超える場合**は，**シックリフト工法を採用する**。

3 ×　下層路盤の粒状路盤工法では，**締固め密度は最適含水比付近で最大となる**ため，**粒状路盤材料が乾燥しすぎている場合**は，適宜**散水を実施**し，**最適含水比**付近の状態で締め固める。一方，**降雨などで路盤材料の含水比が高くなり締固めが困難な場合**には，晴天を待って**曝気乾燥を行う**。

4 ×　下層路盤の路上混合方式による**セメント安定処理工法**では，**締固め終了後直ちに交通開放しても差し支えない**が，**含水比を一定に保つ**とともに，必要に応じて，**表面を保護するためにアスファルト乳剤等を散布する**とよい。

No.29　道路のアスファルト舗装における基層・表層の施工

【正答　2】

1 ×　**アスファルト混合物の敷均し前**は，アスファルト混合物のひきずりの原因とならないように，事前に**アスファルトフィニッシャのスクリードプレートの予備加熱を十分に行い，作業中も継続的に加熱する**。

2 ○　**アスファルト混合物の敷均し時**の余盛高は，混合物の種類や使用するアスファルトフィニッシャの能力により異なる。そのため，施工実績がない場合は**試験施工等を行った上で適切な余盛**

令和４年解説

高を決定する。

3 × アスファルト混合物の転圧開始時は，ローラが進行する方向に駆動輪を配置するのが一般的である。案内輪が混合物を左右に押し出してしまうことを防ぐためである。

4 × アスファルト混合物の締固め作業は，所定の密度が得られるように締固め，継目転圧→初転圧→二次転圧及び仕上げ転圧の順序で行う。

No.30 アスファルト舗装の補修工法

【正答 2】

1 ○ 表層・基層の打換え工法は，一般に流動によるわだち掘れや線状に発生したひび割れが著しい箇所の補修に用いられる工法である。鋼床版上で表層・基層打換えを行う場合は，事前に発錆状態を調査しておき，発錆の程度に応じた経済的な表面処理を施すことで，舗装と床版の接着性を確保する。

2 × 線状打換え工法とは，打換え工法の一種で，既設舗装に線状にひび割れが生じている場合に，その線状のひび割れ部分のみを打ち換える工法である。線状打換え工法で複数層の施工を行うときは，既設舗装の撤去にあたり，締固めを行いやすくするため，上下層の撤去位置は合わせないようにする。

3 ○ 薄層オーバーレイ工法は，既設舗装の上に，厚さ3cm未満の薄層の加熱アスファルト混合物を舗設する工法であり，予防的維持工法として用いられることが多い。既設舗装への薄層オーバーレイ工法の施工にあたっては，舗設厚さが薄く混合物の温度低下が早いため，寒冷期等は迅速な施工を行うことが必要である。

4 ○ 切削オーバーレイ工法は，既設アスファルト混合物層を切削により撤去してから，その上に加熱アスファルト混合物を舗設する工法である。ポーラスアスファルト舗装を切削オーバーレイ工法で補修する場合は，切削面に直接雨水等が作用するため，原則としてゴム入りアスファルト乳剤を使用する。

No.31 排水性舗装

【正答 4】

1 ○ 排水性舗装の敷均しでは，異種の混合物を表層と基層の2層同時に敷き均せるアスファルトフィニッシャや，タックコートの散布装置付きフィニッシャが使用されることがある。

2 ○ 排水性舗装における締固めは，供用後の耐久性及び機能性に大きく影響を及ぼす。そのため，所定の締固め度を確保することが特に重要である。

3 ○ 排水性舗装における敷均しは，通常のアスファルト舗装の場合と同様に行う。ただし，混合物の温度低下が通常の混合物よりも早いため，できるだけ速やかに施工を行う必要がある。

4 × 排水性舗装における締固めは，一般に10～12tのロードローラを用いた締固めにより，初転圧及び二次転圧の段階で所定の締固め度を確保する。

No.32 道路のコンクリート舗装

【正答 2】

1 ○ 転圧コンクリート版は，通常の舗装コンクリートに比べて単位水量の少ない硬練りのコンクリートを，アスファルト舗装用の舗設機械を使用して敷き均し，ローラによって締め固める。転

圧コンクリート版の施工では，コンクリートは，舗設面が乾燥しやすいため，敷均し後できるだけ速やかに転圧を開始することが重要である。

2 ×　連続鉄筋コンクリート版の施工では，横方向鉄筋上に縦方向鉄筋をあらかじめ連続的に設置した後，フレッシュコンクリートを打設し，振動締固めによって締め固める。コンクリートの敷均しと締固めは１層で行い，コンクリートが十分にいきわたるように締め固めることが重要である。

3 ○　プレキャストコンクリート版舗装は，工場で製作したコンクリート版を路盤上に敷設し，必要に応じて相互の版をバーなどで結合して築造する舗装である。施工後早期に交通開放ができるため，修繕工事に適するという特徴がある。

4 ○　普通コンクリート版は，フレッシュコンクリートを振動締固めによってコンクリート版とするもので，目地の設置は版と版の間の荷重伝達を図るバーを用いて行う。コンクリートの敷均しにはスプレッダを使用し，鉄網を用いる場合は２層で，鉄網を用いない場合は１層で敷き均す。

No.33　ダムの基礎処理

【正答　2】

1 ○　ダムの基礎グラウチングとして施工されるステージ注入工法は，注入孔の全長をいくつかのステージに分割し，上位のステージから下位のステージに向かってボーリング（削孔）とグラウチング（注入）を交互に行う工法である。

2 ×　コンクリートダムの着岩部付近における遮水性の改良を目的として実施するグラウチングは，コンソリデーショングラウチングである。

ブランケットグラウチングは，フィルダムにおける遮水ゾーンと基礎岩盤との連結部分で実施するグラウチングのことである。

3 ○　ダムの基礎処理におけるコンソリデーショングラウチングを行う目的は，2の解説のように着岩部付近における遮水性の改良や基礎地盤弱部の補強である。

4 ○　ダムの基礎処理におけるカーテングラウチングは，ダムの基礎地盤及びリム部の地盤における，浸透路長が短い部分と貯水池外への水みちとなるおそれのある高透水部の遮水性の改良を目的として行われる。カーテングラウチングの施工位置は，コンクリートダムの場合は上流フーチングまたは堤内通廊から，ロックフィルダムの場合は監査廊から行うのが一般的である。

No.34　ダムコンクリートの工法

【正答　4】

1 ○　RCD工法は，超硬練りコンクリートをブルドーザで敷き均し，振動ローラで締め固める工法である。RCD用コンクリートは，0.75mリフトの場合は３層に，1mリフトの場合は４層に分割して仕上げるのが一般的である。

2 ○　ダムコンクリートの打込みは，スランプ2～5cm程度の有スランプコンクリートは１時間当たり4mm以上，超硬練りのRCD用コンクリートは１

令和４年解説

時間当たり2mm以上の降雨強度時に中止することが多い。

3 ○ RCD用コンクリートの練混ぜから締固めまでの許容時間は，ダムコンクリートの材料や配合，気温や湿度などによって異なるが，夏季では3時間程度，冬季では4時間程度を標準とし，できるだけ速やかに行う。

4 × ダムコンクリートに用いる骨材の貯蔵においては，安定した表面水率を確保するため，特に細骨材は雨水を避ける上屋を設け，7日以上の水切り時間を確保する。

No.35 トンネルの山岳工法の掘削工法

【正答 4】

1 ○ 導坑先進工法は，トンネル全断面を一度に掘削するのではなく，トンネル断面を数個の小断面に分け，導坑を先行させて徐々に切り広げていく工法であり，導坑設置位置によって，頂設導坑，中央導坑，底設導坑等に分類される。導坑をトンネル断面内に設ける場合，前方の地質確認や水抜き等の効果がある。

2 ○ ベンチカット工法は，上部半断面と下部半断面に分割して掘進する工法であり，一般に全断面では切羽が安定しない場合に適用される。地山の状態の良否に応じてベンチ長を決定し，例えば，地山の状態が不良で，周囲の地山を安定させることが必要な場合にはベンチ長を短くする。

3 ○ 補助ベンチ付き全断面工法は，全断面工法では施工が困難となる地山において，ベンチを付けることにより切羽の安定を図るとともに，掘削効率の向上を図るために，上部半断面と下部半断面の同時施工を行う工法である。地山の大きな変位や地表面沈下を抑制するために，一次インバートを早期に施工する場合もある。

4 × 全断面工法は，小断面のトンネルや地質が安定した地山で採用される工法である。切羽が単独のため，作業の錯綜が起こりにくく，安全管理が行いやすいなどの長所がある一方で，施工途中での地山条件の変化に対する順応性が低いという短所もある。

No.36 トンネルの山岳工法における切羽安定対策

【正答 1】

1 × 天端部の安定対策は，天端の崩壊・崩落防止対策として実施されるもので，充填式フォアポーリングや注入式フォアポーリング，長尺フォアパイリングなどがある。サイドパイルは，主に側壁に対する沈下や変位抑制対策のための工法である。

2 ○ 鏡面の安定対策は，鏡面の崩壊防止対策として実施するもので，鏡吹付けコンクリート，鏡ボルト，注入工法等がある。鏡面の安定対策を実施する場合，まず鏡吹付けコンクリートで対処可能か検討し，安定性が確保できないと判断される場合に鏡ボルトの併用を検討するのが一般的である。

3 ○ 脚部の安定対策は，脚部の沈下防止対策として実施するもので，仮インバート，レッグパイル，ウィングリブ付き鋼製支保工等がある。脚部の安定対策を実施する場合，まず脚部の皿板見直しや脚部吹付け厚の増加等の簡便な

対処が可能か検討し，効果が得られないと判断される場合にウィングリブ付き鋼製支保工等の採用を検討する。

4 ○　地下水対策は，湧水による切羽の不安定化防止対策として実施するもので，水抜きボーリング，水抜き坑，ウェルポイント，ディープウェル等がある。地下水対策を実施する場合，まず水抜きボーリングで対処が可能か検討し，対処困難と判断される場合に水抜き坑やディープウェル等の採用を検討する。

No.37　海岸堤防の根固工

【正答　2】

1 ○　異形ブロック根固工においては，適度なかみ合わせ効果を期待する理由で，天端幅は最小限 2 個並び，層厚は 2 層以上とすることが多い。

2 ×　異形ブロック根固工は，異形ブロック間の空隙が大きい。そのため，異形ブロックの下部に空隙の小さい捨石層を設けることが望ましい。

3 ○　捨石根固工を汀線付近に設置する場合は，海底土砂の吸い出し防止のため，地盤を 1m 以上掘り込むか，天端幅を広くとる。

4 ○　捨石根固工は，一般に表層に所要の質量の捨石を 3 個並び以上とし，根固工の内部に向かって次第に小さい石を用いる。中詰石を用いる場合は，表層よりも質量の小さいものを大小とり混ぜて用いることで海底をカバーし，土砂が吸い出されるのを防ぐ。

No.38　海岸の潜堤・人工リーフの機能や特徴

【正答　1】

1 ×　潜堤や人工リーフは，天端水深，天端幅により堤体背後への透過波を変化させる機能を持つ。その結果，小さな波浪はほとんど透過し，大きな波浪を選択的に減衰させる。

2 ○　潜堤や人工リーフでは，天端が海面下であり，構造物が見えないため，景観を損なわないという特徴がある。一方で，天端が海面下であることから，構造物と船舶が接触する危険があるため，設計の段階から船舶の航行，漁船の操業などの安全に配慮しなければならない。

3 ○　人工リーフは，潜堤のうち，天端水深を深く，天端幅を広くしたものを指し，天端水深をある程度深くすることで反射波を抑える一方，天端幅を広くすることで波の進行に伴う波浪減衰を効果的に得ることができる。

4 ○　潜堤は，堤体が水面下に没した消波構造物であり，天端幅を狭く，天端水深を浅くすることで，反射波と強制砕波による波浪減衰効果を得るものである。

No.39　ケーソンの施工

【正答　3】

1 ○　ケーソン製作に用いるケーソンヤードには，斜路式，ドック式，吊り降し方式等がある。ケーソンヤードの方式の選択・採用の際は，製作函数，製作期間，製作条件，用地面積，土質条件，据付現場までの距離，工費等を検討する。

2 ○　ケーソンの据付けの際は，ケーソンを所定の位置上まで曳航し，注水を開始するが，函体が基礎マウンド上に達する直前 10 ～ 20cm の位置でいったん注水を中止する。その後，最終的なケーソン引寄せを行い，据付け位置を確認，修正を行ったうえで天端まで一気に注水着底させる。

3 ×　ケーソン据付け時の注水は，気象，海象の変わりやすい海上の作業を手際よく進めるために，できる限り短時間で行わなければならない。ただし，隔室 1 つずつ順次満水にするのではなく，各隔室の水頭差は 1m 以内を厳守し，隔室ごとに平均的にバランスよく注水しなければならない。

4 ○　据付け直後のケーソンは，比較的軽量で浮力が働くために波浪の影響を受けやすい。したがって，ケーソンの中詰作業は，ケーソンの安定を図るために据付け後直ちに行う必要がある。中詰材の投入の際は，ケーソンの不同沈下や傾斜を避けるため，中詰材がケーソンの各隔室でほぼ均等に立ち上がるように留意する。

No.40　港湾の防波堤の施工

【正答　1】

1 ×　ケーソン式の直立堤は，堤体の一体性が確保できるために波力に対し強い防波堤となるうえ，本体製作をドライワークで行うことができるため，施工が確実であるといった長所がある。一方で，ケーソンの製作設備や施工設備に相当な工種や工費を要する上に，海上施工で必要となる工種も多く，荒天日数の多い場所では海上施工日数に著しい制限を受けやすいといった短所がある。

2 ○　ブロック式の直立堤は，コンクリートブロックを積み上げる形で直立式の堤体を形成する防波堤である。ブロック式は，施工が確実で容易，施工設備が簡単などの長所を有する一方，海上作業期間が一般的に長くなる傾向がある。また，ブロック数が多い場合は広い製作用地を必要とする，ケーソン式に比べ堤体の一体性に欠けるという短所も存在する。

3 ○　傾斜堤は，捨石や消波ブロックを積み上げて建設する防波堤である。施工設備が簡単なうえ，工程が単純で施工管理が容易という長所がある。一方で，底面の幅が広くなるため，水深が大きくなると捨石や消波ブロック等の堤体材料が多量に必要になる，それにつれて設置のための多量な労力も必要になるといった短所もある。

4 ○　混成堤は，捨石の上に直立壁を設置する形式の防波堤で，傾斜堤と直立堤の両方の機能を併せ持つ。混成堤は，水深の大きい箇所や比較的軟弱な地盤にも適し，経済的な断面になるよう，捨石部と直立部の高さの割合を調整することができるという長所がある一方，施工法及び施工設備が多様で複雑になるという短所がある。

No.41　鉄道の路床の施工

【正答　4】

1 ○　路床は，軌道や路盤を安全に支持し，安定した列車走行と良好な保守性を確保するうえで重要な部位である。したがって，路床は，軌道及び路盤に変状

を発生させない等の機能を有するものとする必要がある。

2 ○　路床の範囲に軟弱な層が存在する場合，軌道の保守性の低下や，走行安定性に影響が生じるおそれがある。そうした場合，軟弱層にはシート工法等での地盤改良を行う。

3 ○　鉄道路床の切土及び素地において，路床の範囲とは，一般に列車荷重の影響が大きい施工基面から下3mまでのうち，路盤を除いた地盤部を指す。

4 ×　地下水及び路盤からの浸透水を速やかに排水するため，路床の表面には，排水工設置位置へ向かって3%程度の適切な排水勾配を設ける。

No.42　鉄道の軌道の維持管理

【正答　2】

1 ×　ロングレールとは，定尺レールを溶接してつないだレールで，長さ200m以上のレールを指す。ロングレールでは，温度変化による伸縮は，レール両端から一定の範囲に限り発生する。

2 ○　犬くぎは，鉄道のレールを固定する締結装置の一種で，犬の鼻先や耳を想起させる特殊な形状をした大型の釘である。マクラギ上のレールの位置の保持や，レールの浮き上がりの防止のために使用される。

3 ×　重量が重いレールを使用すると，列車のスピードアップや乗り心地の向上，騒音・振動の減少等に効果があり，かつ，軌道狂いが生じにくくなるため，保守量が減少する傾向にある。ただし，レール自体のコストや敷設にかかるコストは増大するため，走行する車両の荷重，速度，輸送量等に応じて使用するレールを決める必要がある。

4 ×　列車の通過によるレールの摩耗は，直線区間ではレールの頭部に，曲線区間では曲線の外側のレールの頭部に顕著に生じやすい傾向がある。

No.43　鉄道の営業線近接工事における保安対策

【正答　4】

鉄道の営業線近接工事における保安対策については，日本鉄道施設協会「営業線工事保安関係標準仕様書（在来線）」などに記載されている。

1 ○　営業線近接工事において，踏切と同種の設備を備えた工事用通路には，工事用しゃ断機，列車防護装置，列車接近警報機を備えておくものとする。

2 ○　営業線近接工事における建設用大型機械の留置場所は，直線区間の建築限界の外方1m以上離れた場所で，かつ列車の運転保安及び旅客公衆等に対し安全な場所とする。

3 ○　営業線に近接する箇所での線路閉鎖工事実施中の線閉責任者の配置については，必要により一時的に現場を離れた場合でも速やかに現場に帰還できる範囲内とする。

4 ×　営業線近接工事において停電責任者は，停電時刻の10分前までに，電力指令に作業の申込みを行い，き電停止の要請を行うものとされている。また，手続きに先立っては，使用間合，時間，作業範囲，競合作業等について，あらかじめ監督員などと十分打合せを行わなければならない。

No.44　シールド工法の施工管理

【正答　3】

シールド工法とは，シールドと呼ばれるトンネル掘削機を地中に設置して，シールドの外殻やセグメントなどで坑壁の崩壊を防止しながら，掘削，覆工を行いトンネルを構築していく工法である。都市部の下水道工事や地下鉄工事など，開削工法が困難な場所でのトンネル構築で用いられる。

1 ○　泥水式シールド工法とは，掘削部分に泥水を加圧することで切羽の安定を図る工法である。泥水式シールド工法において切羽の安定を図る際には，地山の条件に応じて比重や粘性といった品質を調整した泥水を加圧循環し，その泥水圧によって切羽の土水圧に対抗させるのが基本である。

2 ○　土圧式シールド工法とは，掘削土を泥土化して圧力を加えることで切羽の安定を図る工法である。土圧式シールド工法において切羽の安定を保持する際には，泥土圧の管理及び泥土の塑性流動性管理と排土量管理を中心に，慎重に行わなければならない。

3 ×　ローリングとは，シールドの掘進にあたり，シールド機が中心軸回りに回転する現象を指す。シールドにローリングが発生した場合は，シールドジャッキの操作によってシールドに逆の回転モーメントを与え，修正するのが一般的である。

4 ○　シールド掘進に伴うシールドテールが通過した直後に生じる沈下あるいは隆起の発生原因としては，テールボイドの発生による応力解放や過大な裏込め注入圧等が挙げられる。

No.45　鋼構造物の防食法

【正答　3】

1 ○　海岸地域で現場塗装を行う場合，飛来塩分や海水の波しぶき等によって，塩分が被塗装面に付着し，腐食が発生するおそれがあるため，確実な養生を行う必要がある。

2 ○　耐候性鋼材は，鋼材表面に生成される保護性さびによってさびの進展を抑制するものである。耐候性鋼材でも，保護性さびの生成過程の初期の段階では，普通鋼材と同様にさびむらやさび汁が生じることがある。原則として補修の必要はないが，塩分過多な地域など，構成部材の部位が厳しい環境にさらされると予想される場合に，供用初期のさび汁発生の抑止や保護性さびの生成促進を目的として，耐候性鋼用表面処理を併用することがある。

3 ×　溶融亜鉛めっきは，被覆による防食の一種（金属被覆 / 無機被覆）であり，良好に施工された場合，母材表面に合金層が形成されるため，損傷しにくいという特長がある。ただし，一旦損傷を生じると部分的に再めっきを行うことが困難である。そのため，溶融亜鉛めっきの損傷部の補修は，塗装や金属溶射などの，溶融亜鉛めっき以外の防食法で行う必要がある。

4 ○　金属溶射は，被覆による防食の一種（金属被覆 / 無機被覆）で，亜鉛，アルミニウムやその合金など，被覆材となる金属を加熱溶融して吹き付け（溶射），鋼材の表面に皮膜を形成する手法である。金属溶射の施工にあたっては，温度や湿度など，施工が可能な環

境条件の制限がある。そのため，下地処理と粗面処理の品質確保が重要である。

No.46　上水道管の更新・更生工法

【正答　2】

1 ○　既設管内挿入工法は，既設管をさや管として使用し新管を布設する工法である。立坑部，付属設備及び給水管のための部分的な開削を除けば，地表面を掘削することなく施工できるメリットがある。挿入管としてダクタイル鋳鉄管及び鋼管等が使用されているが既設管の管径や屈曲によって適用条件が異なる場合があるため，挿入管の管種や口径等の検討が必要である。

2 ×　既設管内巻込工法は，縮径した巻込鋼管を引き込み，管内で拡管・溶接し，既設管と新設管の間にモルタルなどを注入する工法である。更新管路は既設管に近い管径を確保することができ，かつ曲がりに対しても対応できるという特徴がある。

3 ○　合成樹脂管挿入工法は，やや管径の小さい合成樹脂管を挿入する工法である。挿入された合成樹脂管により管路の補強が図られ，かつ管内面が平滑であり摩擦抵抗が小さい。そのため，耐摩耗性がよく流速係数も大きい。ただし，合成樹脂管の接着作業時の低温には十分注意する。

4 ○　被覆材管内装着工法は，接着剤を塗布した薄肉状の管を引き込み，空気圧などで管内面に圧着させてから加熱してライニング層を形成する工法である。管路の動きに対する追随性があり，曲線部の施工も容易という特徴がある。同工法には被覆材を管内で反転挿入し圧着する方法と，管内に引き込み後，加圧し膨張させる方法とがあり，適用条件を十分調査のうえで採用する。

No.47　下水道管渠の更生工法

【正答　4】

1 ×　さや管工法の説明である。反転工法は，既設のマンホールから既設管渠内に，熱硬化性樹脂を含浸させた材料を反転加圧させながら挿入し，既設管渠内で加圧状態のまま樹脂が硬化することで管を構築する工法である。

2 ×　反転工法の説明である。形成工法は，熱硬化性樹脂を含浸させたライナーや熱可塑性樹脂で成形したライナーを既設管渠内に引き込み，水圧または空気圧などで加圧して拡張・圧着した後に硬化や冷却固化させることで管を形成，構築する工法である。

3 ×　形成工法の説明である。さや管工法は，既設管渠より小さな管径で製作された管渠をけん引挿入する工法で，既設管渠との間隙にモルタルなどの充填材を注入することで管を構築する。

4 ○　製管工法の説明である。製管工法は，既設管渠内に硬質塩化ビニル材などをかん合させながら製管する工法で，樹脂パイプと既設管渠との間隙にモルタルなどの充填材を注入することで管を構築する。

No.48　小口径管推進工法

【正答　4】

小口径管推進工法とは，小口径推進管または誘導管の先端に小口径管先導体を接続し，掘削，排土，圧入を行いながら推進管

を敷設する工法である。

1 × 滑材の注入にあたり含水比の小さな地盤では，推進力低減効果の低下や，圧密による推進抵抗の増加が生じることがあるので，特に滑材の選定，注入管理に留意しなければならない。

2 × 推進管理測量を行う際に，鉛直方向については，先導体と発進立坑の水位差で管理する液圧差レベル方式を用いることで，リアルタイムに比較的高精度の位置管理が可能となる。

3 × 小口径管推進工法において先導体を曲進させる際には，機構を簡易なものとするために全断面を掘削し，外径を大きくする方法を採用するのが一般的である。

4 ○ 先導体の到達にあたっては，切羽部の地盤が不安定な場合は重大事故につながるおそれがあるため，先導体の位置を確認し，地山の土質，補助工法の効果の状況，湧水の状態等に留意し，その対策を施してから到達の鏡切りを行う必要がある。

No.49 薬液注入工法における注入効果の確認方法

【正答 3】

1 ○ 現場透水試験の評価は，注入改良地盤で行った現場試験の結果に基づき，透水性に関する目標値，設計値，得られた透水係数のばらつき等から総合的に評価する。例えば，透水係数 10^{-5}cm/s のオーダーの数値が得られたら，薬液注入による地盤の改良度合いは十分であると判断する。

2 ○ 下水道工事に先立って行う地盤改良において，薬液注入による地盤の不透水化の改良効果を室内透水試験により評価する際は，比較対象として未注入地盤の透水係数か目標とする透水係数のいずれかを採用する。

3 × 標準貫入試験結果の評価は薬液注入前後のＮ値の増減を見て行い，評価を行う際には，改良地盤における注入改良前後のＮ値を測定，記録して評価する。

4 ○ 室内強度試験は，薬液注入によって改良された地盤の強度特性や変形特性等を求め改良効果を評価する試験である。薬液注入後の乱さない試料が得られた場合に実施が可能である。

No.50 労働基準法（就業規則）

【正答 2】

常時 10 人以上の労働者を使用する使用者は，就業規則を作成し，行政官庁に届け出なければならないと定められている。（労働基準法第 89 条）

同法89条の各号には，就業規則を作成し，届出をする際に記載しなければならない事項が示されている。

1 × 臨時の賃金等（退職手当を除く。）及び最低賃金額の定めをする場合においては，これに関する事項を記載しなければならないと定められている。（同法第 89 条第 4 号）

2 ○ 退職に関する事項（解雇の事由を含む。）は，就業規則に必ず記載しなければならない事項に含まれている。（同法第 89 条第 3 号）

3 × 災害補償及び業務外の傷病扶助に関する定めをする場合においては，これに関する事項を記載しなければならないと定められている。（同法第 89 条第

8 号)

4 ×　**安全及び衛生**に関する定めをする場合においては，これに関する事項を記載しなければならないと定められている。(同法第 89 条第 6 号)

1，3，4 はいずれも「定めをする場合において」という留保が付されているため，**就業規則に必ず記載しなければならない事項とはいえない**。したがって，2 が正答である。

なお，「定めをする場合において」という留保がなく，2 と同様に**必ず記載しなければならない事項**と解される主な事項としては，**始業及び終業の時刻**，**休憩時間**，**休日**，**休暇**（同法第 89 条第 1 号），**賃金の決定，計算及び支払の方法，締切り及び支払の時期**(同法第 89 条第 2 号) などが挙げられる。

No.51　労働基準法（労働時間，休憩）

【正答　1】

1 ×　**災害その他避けることのできない事由によって，臨時の必要がある場合**においては，使用者は，**行政官庁の許可を受けた場合は，労働時間の延長や休日に労働させることが可能になる**。また，**事態急迫のために行政官庁の許可を受ける暇がない場合においては，事後に遅滞なく届け出なければならない**と定められている。(労働基準法第 33 条第 1 項)

したがって，**事態が急迫した場合は，事前に許可を受けなくてもよい**。

2 ○　使用者は，労働者に，休憩時間を除き **1 週間について 40 時間を超えて労働させてはならない**，また，1 週間の各日については，労働者に，休憩時間を除き **1 日について 8 時間を超えて労働させてはならない**と定められている。(同法第 32 条)

3 ○　使用者は，労働時間を延長し，労働させた場合においては，原則として**通常の労働時間の賃金の計算額の 2 割 5 分以上 5 割以下**の範囲内で**割増賃金を支払わなければならない**と定められている。(同法第 37 条第 1 項)

4 ○　使用者は，労働時間が **6 時間を超える場合においては少なくとも 45 分，8 時間を超える場合においては少なくとも 1 時間**の休憩時間を労働時間の途中に，原則として一斉に与えなければならないと定められている。(同法第 34 条)

No.52　労働安全衛生法（作業主任者の選任を必要とする作業）

【正答　2】

作業主任者の選任を必要とする作業については，労働安全衛生法施行令第 6 条（作業主任者を選任すべき作業）の各号に規定がある。

1 ×　**コンクリート造の工作物の解体等作業主任者**の選任を必要とするのは，**高さが 5m 以上のコンクリート造の工作物の解体または破壊の作業**である。(同法施行令第 6 条第 15 号の 5)

本肢の場合，高さが上記の要件を満たしていないため，作業主任者の選任は必要ない。

2 ○　**土止め支保工の切りばり，腹起しの取付けまたは取りはずしの作業**には，高さに関係なく**地山の掘削及び土止め支保工作業主任者**を必要とする。(同法施行令第 6 条第 10 号)

3 ×　**コンクリート橋架設等作業主任者**の

選任を必要とするのは，高さ 5m 以上または橋梁支間 30m 以上のコンクリート橋梁上部構造の架設または変更の作業である。（同法施行令第 6 条第 16 号）

本肢の場合，高さも支間も上記の要件を満たしていないため，作業主任者の選任は必要ない。

4 × 足場の組立て等作業主任者の選任を必要とするのは，つり足場，張出し足場または高さが 5m 以上の足場の組立て，解体，変更の作業（ゴンドラのつり足場は除く）である。（同法施行令第 6 条第 15 号）

本肢の場合，足場の高さが 3m で上記の要件を満たしていないため，作業主任者の選任は必要ない。

No.53 労働安全衛生法（コンクリート造の工作物の解体等作業における危険防止）

【正答 3】

コンクリート造の工作物の解体等の作業における危険の防止のために事業者，または作業主任者が行わなければならない事項については，労働安全衛生規則第 2 編第 8 章の 5 に定められている。

1 ○ 事業者は，器具，工具等を上げ，または下ろすときは，つり綱，つり袋等を労働者に使用させることと定められている。（同規則第 517 条の 15 第 3 号）

2 ○ 事業者は，あらかじめ，当該工作物の形状，き裂の有無，周囲の状況等を調査し，当該調査により知り得たところに適応する作業計画を定め，かつ，当該作業計画により作業を行わなければならないと定められている。（同規則第 517 条の 14 第 1 項）

3 × 事業者は，外壁，柱等の引倒し等の作業を行うときは引倒し等について一定の合図を定め，関係労働者に周知させなければならないと定められている。（同規則第 517 条の 16 第 1 項）

4 ○ 事業者は，強風，大雨，大雪等の悪天候のため，作業の実施について危険が予想されるときは，当該作業を中止しなければならないと定められている。（同規則第 517 条の 15 第 2 号）

No.54 建設業法（元請負人の義務）

【正答 4】

1 ○ 元請負人の責務として，請け負った建設工事を施工するために必要な工程の細目，作業方法を定めようとするときは，あらかじめ下請負人の意見を聞かなければならないと定められている。（建設業法第 24 条の 2）

2 ○ 元請負人は，請負代金の出来形部分に対する支払を受けたときは，その支払の対象となった建設工事を施工した下請負人に対して，その下請負人が施工した出来形部分に相応する下請代金を，当該支払を受けた日から一月以内で，かつ，できる限り短い期間内に支払わなければならないと定められている。（同法第 24 条の 3 第 1 項）

3 ○ 元請負人は，前払金の支払を受けたときは，下請負人に対して，資材の購入，労働者の募集その他建設工事の着手に必要な費用を前払金として支払うよう適切な配慮をしなければならないと定められている。（同法第 24 条の 3 第 3 項）

4 × 元請負人は，下請負人から請け負っ

た建設工事が完成した旨の通知を受けたときは，通知を受けた日から20日以内で，かつ，できる限り短い期間内に，完成を確認するための検査を完了しなければならないと定められている。（同法第24条の4第1項）

No.55　火薬類取締法

【正答　3】

1 ○　何人も，火薬類の製造所または火薬庫においては，製造業者または火薬庫の所有者若しくは占有者により指定された場所以外の場所で喫煙し，または火気を取り扱ってはならないと定められている。（火薬類取締法施行規則第51条第17号）

2 ○　製造業者，販売業者，消費者等の火薬類を取り扱う者は，その所有し，または占有する火薬類，譲渡許可証，譲受許可証または運搬証明書を喪失し，または盗取されたときは，遅滞なく警察官または海上保安官にその旨を届け出なければならないと定められている。（同法第46条第1項）

3 ×　発破場所においては，責任者を定め，火薬類の受渡し数量，消費残数量及び発破孔または薬室に対する装填方法をその都度記録させることと定められている。（同法施行規則第53条第2号）

4 ○　発破に際しては，あらかじめ定めた危険区域に関係人のほかは立ち入らないような措置を講じ，付近の者に発破する旨を警告し，危険がないことを確認した後でなければ点火してはならないと定められている。（同法施行規則第53条第16号）

No.56　道路法（道路占用工事における道路の掘削）

【正答　3】

道路占用工事における道路の掘削については，道路法施行規則に定められている。

1 ○　占用のために掘削した土砂の埋戻しの方法としては，各層ごとに（厚さは原則0.3m以下，路床部は0.2m以下）ランマーその他の締固め機械等で確実に締め固めて行うことと定められている。（同法施行規則第4条の4の6第1号）

2 ○　舗装道の舗装の部分の切断は，のみまたは切断機を用いて，原則として直線に，かつ，路面に垂直に行うことと定められている。（同法施行規則第4条の4の4第1号）

3 ×　わき水またはたまり水の排出にあっては，道路の排水に支障を及ぼすことのないように措置して道路の排水施設に排出する場合を除き，道路の排水施設や路面に排出しないよう措置することと定められている。（同法施行規則第4条の4の4第4号）

「いかなる場合でも」措置が必要なわけではない。

4 ○　道路の掘削面積は，工事の施工上やむを得ない場合において，道路の交通に著しい支障を及ぼすことのないよう覆工を施工するなどの措置をした場合を除き，当日中に復旧可能な範囲とすることと定められている。（同法施行規則第4条の4の4第5号）

No.57　河川法（河川区域で行う行為の許可）

【正答　4】

1 ○　河川区域内の土地において**土地の掘削，盛土若しくは切土その他土地の形状を変更する行為**，または**竹木の栽植若しくは伐採**をしようとする者は，河川管理者の許可を受けなければならないと定められている。（河川法第27条第1項）

ただし，河川管理者が**治水上及び利水上影響が少ないと認めて指定した行為**については，**許可を要しない**ものとされている。（同法施行令第15条の4第1項第4号）

モルタル練り混ぜ水として河川からバケツなどでごく少量の水を汲み上げる取水は，上記の治水上及び利水上影響が少ないと認めて指定した行為と解される。

2 ○　**河川区域内の土地において土石（砂を含む）を採取しようとする者**は，**河川管理者の許可を受けなければならない**と定められている。（同法第25条）

したがって，水道取水施設の補修で河川区域内の転石や浮石を工事材料として採取する場合は，河川管理者の許可が必要である。

3 ○　同法第24条の**土地の占用許可**に関する規定，同法第26条の**工作物の新築等の許可**に関する規定は，いずれも**河川の上空や地下に建設されるものに対しても適用される**。したがって，河川区域内に電柱を設けず上空を通過する電線を設置する場合でも，**河川管理者の許可が必要である**。

4 ×　河川管理者以外の者が管理する**民有地であっても，河川区域内の土地において工作物を新築，改築，または除却しようとする場合**には，**河川管理者の許可を受けなければならない**と定められている。（同法第26条第1項）

したがって，河川区域内の民有地における公園の整備には，河川管理者の許可が必要と解される。

No.58　建築基準法（仮設建築物の制限の緩和）

【正答　4】

建築基準法第85条の規定により，工事現場に設ける現場事務所等の仮設建築物に関しては，建築基準法の適用除外や制限の緩和措置が講じられている。

1 ×　「建築物の敷地は，これに**接する道の境より高くなければならず**，建築物の地盤面は，これに**接する周囲の土地より高くなければならない**」という建築物の敷地に関する規定（同法第19条第1項）は，**仮設物に関する制限の緩和の対象である**。したがって，本肢のような仮設現場事務所を設置する場合には同法第19条の規定は**適用されない**。

2 ×　**建築面積の敷地面積に対する割合**（**建蔽率**。同法第53条）に関する規定は，**仮設物に関する制限の緩和の対象である**。したがって，本肢のような仮設現場事務所を設置する場合には同法第53条の規定は**適用されない**。

3 ×　「**防火地域又は準防火地域内の建築物の屋根の構造**」については，「（略）政令で定める技術的基準に適合するもので，国土交通大臣が定めた構造方法

を用いるものまたは国土交通大臣の認定を受けたものとしなければならない」(同法第62条)とある。この規定は，延べ面積50m^2以内の仮設建築物については，仮設物に関する制限の緩和の対象である。本肢は「延べ面積45m^2の仮設現場事務所」に関する記述であるため，同法第62条の規定は適用されない。

4 ○　「居室には，換気のための窓などの開口部を設け，その換気に有効な部分の面積は，その居室の床面積に対して，原則として20分の1以上としなければならない」という同法第28条の規定は，仮設物に関する制限の緩和の適用対象外である。したがって，本肢のような仮設現場事務所を設置する場合にも，同法第28条の規定は適用される。

No.59　騒音規制法（特定建設作業）

【正答　2】

騒音規制法上の「特定建設作業」は，騒音規制法第2条第3項，及び同法施行令第2条に規定されている。

1 ○　特定建設作業の1つとして，原動機の定格出力が70kW以上のトラクターショベルを使用する作業が挙げられている。(同法施行令第2条別表第2第7号)

したがって，本肢の原動機の定格出力が70kW以上のトラクターショベルを使用して行う掘削積込み作業は，特定建設作業に該当する。

2 ×　特定建設作業に該当するのは，電動機以外の原動機の定格出力が15kw以上の空気圧縮機を使用する作業である。(同法施行令第2条別表第2第4号)

本肢の電動機を動力とする空気圧縮機を使用する削岩作業は，空気圧縮機の動力が電動機のため，特定建設作業に該当しない。

3 ○　特定建設作業の1つとして，くい打機（もんけんを除く），くい抜機またはくい打くい抜機（圧入式くい打くい抜機を除く）を使用する作業（くい打機をアースオーガーと併用する作業を除く）が挙げられている。(同法施行令第2条別表第2第1号)

したがって，本肢のアースオーガーと併用しないディーゼルハンマを使用するくい打ち作業は，特定建設作業に該当する。

4 ○　特定建設作業の1つとして，原動機の定格出力が40kW以上のブルドーザを使用する作業が挙げられている。(同法施行令第2条別表第2第8号)

したがって，本肢の原動機の定格出力が40kW以上のブルドーザを使用する盛土の敷均し作業は，特定建設作業に該当する。

No.60　振動規制法（特定建設作業における環境基準）

【正答　3】

1 ○　特定建設作業における振動規制基準は，特定建設作業の振動が，特定建設作業の場所の敷地の境界線において，75dBを超える大きさのものでないことと定められている。(振動規制法施行規則第11条別表第1の1)

2 ○　振動規制法上の特定建設作業においては，規制基準を満足しないことにより周辺住民の生活環境に著しい影響を与えている場合には，各市町村長より

改善勧告が出される。また，上記の改善勧告に従わないで特定建設作業を行っている者に対しては，**期限を定めてその勧告に従うべきことを命ずることができる**。（同法第12条第1項，第2項）

3 × 住居が集合している地域，病院または学校の周辺の地域その他の地域において，特定建設作業を伴う建設工事における振動を防止することにより，**住民の生活環境を保全する必要がある地域を指定しようとする都道府県知事**は，**関係町村長**の意見を聴かなければならないと定められている。（同法第3条第1項，第2項）

なお，**市の区域内**については，上記の生活環境を保全するための**地域を指定するのは各市長である**。（同法第3条第1項）

4 ○ **指定地域内において特定建設作業を伴う建設工事を施工しようとする者**は，当該**特定建設作業の開始の日の7日前までに**，環境省令で定めるところにより，**市町村長に届け出なければならない**と定められている。（同法第14条第1項）

No.61 港則法（船舶の入出港及び停泊）

【正答 1】

1 × 船舶は，**特定港に入港したときまたは特定港を出港しようとするとき**は，国土交通省令の定めるところにより，**港長に届け出なければならない**と定められている。（港則法第4条）

したがって，**許可までは必要としない**。

2 ○ 特定港内においては，汽艇等以外の**船舶を修繕し，または係船しようとする者**は，その旨を**港長に届け出なければならない**と定められている。（同法第7条第1項）

3 ○ **特定港内に停泊する船舶**は，港長にびょう地を指定された場合を除き，国土交通省令の定めるところにより，各々そのトン数または積載物の種類に従い，当該**特定港内の一定の区域内に停泊しなければならない**と定められている。（同法第5条第1項，第2項）

4 ○ **汽艇等及びいかだ**は，港内においては，**みだりに係船浮標若しくは他の船舶に係留し，他の船舶の交通の妨げとなるおそれのある場所に停泊・停留させてはならない**と定められている。（同法第8条）

第一次検定　問題Ｂ（必須問題）

No.1　測量（トータルステーション）

【正答　3】

TS（トータルステーション）は，デジタルセオドライトと光波測距儀を一体化した測量器械である。1回の視準によって，水平角観測，鉛直角観測及び距離測定を同時に行うことができる。

1 ○　TS での距離測定に際しては，測定開始直前または終了直後に，気象補正のための気温及び気圧の測定を行う。

2 ○　TS での水平角観測においては，1～4級の各級における登記基準点測量のうち，2級登記基準点観測（2級トータルステーション及び2級セオドライト）においては3対回，それ以外の級においては2対回の観測を行う。ただし，目盛変更が不可能な機器については，1対回の繰り返し観測を行う。

3 ×　TS では，器械高，反射鏡高及び目標高は，ミリメートル位まで測定を行う。センチメートル位で表示するのは，基準点または TS 点から地形，地物等の測定における標高点数値である。

4 ○　TS では，水平角観測の必要対回数に合わせ，取得された距離測定値及び鉛直角観測値は，すべて採用し，その平均値を用いることができる。

No.2　公共工事標準請負契約約款

【正答　1】

1 ×　受注者は，設計図書において監督員の検査を受けて使用すべきものと指定された工事材料が検査の結果不合格と決定された場合，決定を受けた日から契約書に定められた日以内に工事現場外に搬出しなければならないと定められている。（公共工事標準請負契約約款第13条第5項）

2 ○　工事目的物の引渡し前に，天災等，発注者と受注者のいずれの責めにも帰すことができない不可抗力により，工事目的物等（仮設物または工事現場に搬入済みの工事材料若しくは建設機械器具）に損害が生じたときは，受注者は，その事実の発生後直ちにその状況を発注者に通知しなければならないと定められている。（同約款第30条第1項）

3 ○　発注者は，工期の延長または短縮を行うときは，この工事に従事する者の労働時間その他の労働条件が適正に確保されるよう，やむを得ない事由により工事等の実施が困難であると見込まれる日数等を考慮しなければならないと定められている。いわゆる「著しく短い工期の禁止」に関する規定である。（同約款第21条）

4 ○　発注者は，必要があると認めるときは，設計図書の変更内容を受注者に通知して，設計図書を変更することができると定められている。ただし，この場合，発注者は，必要があると認められるときは工期若しくは請負代金額を変更しなければならない。または受注者に損害を及ぼしたときは必要な費用を負担しなければならないと定められている。（同約款第19条）

No.3　ボックスカルバートの配筋図

【正答　3】

ボックスカルバートの配筋図の読み取り問題である。

1 ○　頂版図より，頂版の主鉄筋は上面，下面ともにS1で，いずれもD19（径19mmの異形棒鋼）であると示されている。

2 ○　頂版図より，頂版の下面主鉄筋は「10 × 250 = 2,500」，つまりボックスカルバート軸方向に250mm間隔で10本配置されていることがわかる。

3 ×　側壁図より，側壁の内面主鉄筋はW1であるが，D13とあるため，径13mmの異形棒鋼であると示されている。径22mmの異形棒鋼（D22）が使われているのは，外部主鉄筋の下面（F1）である。

4 ○　側壁図より，側壁の外面主鉄筋は上面がS1，下面がF1であるが，「10 × 250 = 2,500」，つまりボックスカルバート軸方向に250mm間隔で10本配置されていることがわかる。

No.4　工事用電力設備

【正答　4】

1 ○　工事現場における電気設備の容量は，電気供給約款に基づき，月別の電気設備の電力合計を求め，このうち最大となる負荷設備容量に対して受電容量不足をきたさないよう，需要率などを加味して決定する。

2 ○　工事現場において，低圧の電力の供給を受けるのは，電力会社と契約する電力が電灯・動力を含め50kW未満の場合である。契約電力が50kW以上500kW未満の場合は，高圧電力Aの供給を受けることになる。

3 ○　工事現場で高圧にて受電し，現場内の自家用電気工作物に配電する場合，電力会社との責任分界点に保護施設を備えた受電設備を設置する。なお，高圧で受電する場合，電力会社からは3相3線式6kVの電圧で供給を受け，低圧で受電する場合は3相3線式200Vの電圧で供給を受ける。

4 ×　工事現場に設置する変電設備の位置は，一般にできるだけ負荷の中心から近い位置を選定する。

No.5　施工計画の立案

【正答　2】

1 ○　施工計画立案に使用した諸資料は，施工過程における計画変更の検討や，工事を安全に完成するために必要な施工管理を行う上での参考資料となる重要なものである。したがって，立案実施後も折に触れて参照可能な状態にしておくことが肝要である。

2 ×　施工計画立案のための資機材の輸送調査では，輸送ルートの道路状況や交通規制などを把握し，不明な点がある場合は，必要に応じて道路管理者や警察署等に相談して解決しておくことが重要である。

3 ○　施工計画の立案にあたっては，労働力や資材，機械などの保有状況や確保の状況によっては，発注者から指示された工期が最適な工期であるとは限らない。したがって，指示された工期の範囲でさらに経済的な工程を模索することが重要である。

4 ○　施工計画の立案にあたっては，安全を最優先にした施工を基本にするとともに，発注者の要求品質の確保，及び発注者の要求する工期の遵守を図っていく。

No.6　工程管理（ネットワーク式工程表）

【正答　1】

本問のネットワーク式工程表において，イベント⑦に至る各ルートのうち，**最も時間がかかるルート（クリティカルパス）**は，**イベント⓪→②⋯→③→⑤→⑦**で，工期は，**作業C，E，I（作業CからEに至るダミー作業を含む）の合計**で，**6日＋12日＋12日＝30日**である。

作業Gはクリティカルパス上にある作業ではないが，**作業Gに3日間の遅延が生じた場合，作業Gの日数は6日＋3日＝9日**となり，**イベント②→⑤の所要日数は，当初のクリティカルパス上の作業（イベント②⋯→③→⑤）である作業E（12日）より，作業F＋作業Gの合計（4日＋9日＝13日/イベント②→④→⑤）の方が1日長くなることになる**。その結果，**クリティカルパスの経路はイベント⓪→②⋯→③→⑤→⑦から⓪→②→④→⑤→⑦に変更**になる。また，**全体の工期は作業C，F，G，Iの合計**で，**6日＋4日＋9日＋12日＝31日**となり，**当初の工期より1日遅れる**ことになる。

したがって，1が正答である。

No.7　安全管理（元方事業者が講ずべき措置）

【正答　1】

1×　**元方事業者**は，関係請負人または関係請負人の労働者が，当該仕事に関し，法律またはこれに基づく命令の規定に違反していると認めるときは，**是正のために必要な指示を行わなければならない**と規定されており，**是正の措置の全てを自ら行わなければならないわけではない**。（労働安全衛生法第29条第2項）

2○　**元方事業者**は，関係請負人及び関係請負人の労働者が，当該仕事に関し，**法律またはこれに基づく命令の規定に違反しないよう必要な指導を行わなければならない**と定められている。（同法第29条第1項）

3○　元方事業者は，**土砂等が崩壊するおそれのある場所**や機械等が転倒するおそれのある場所**において，関係請負人の労働者が当該事業の仕事の作業を行うとき**は，当該場所に係る危険を防止するための措置が適正に講ぜられるように，**技術上の指導その他の必要な措置を講じなければならない**と定められている。（同法第29条の2）

4○　元方事業者の講ずべき**技術上の指導その他の必要な措置**の中には，技術上の指導のほか，危険を防止するために必要な**資材等の提供**，元方事業者が自らまたは関係請負人と**共同して危険を防止するための措置を講じること**等が含まれている。（同法第29条の2）

No.8　安全管理（保護具の使用）

【正答　4】

1×　**保護帽**は，**一度でも大きな衝撃を受けた場合は，外観に異常がなくても使用しない**。衝撃を受けた保護帽は性能が低下しているため，次に衝撃を受けたとき頭部を十分に保護することができないおそれがある。（日本ヘルメット工業会「保護帽の取扱いマニュアル」2警告③）

2×　防毒マスク及び防塵マスクは，有毒ガスや粉塵の吸入を防ぐための保護具であり，酸素欠乏症の防止には全く効

力がない。したがって，**酸素欠乏危険作業の際に防毒マスクや防塵マスクを用いてはならない**。（厚生労働省通達平成 19.6.18 基安労発第 0618001 号別添 1 他）

3 × **手袋**は，作業区分をもとに用途や職場環境に応じたものを使用するが，**ボール盤等の回転する刃物に手などが巻き込まれるおそれがある作業の場合は手袋を使用してはならない**と定められている。（労働安全衛生規則第 111 条第 1 項）

4 ○ **事業者**は，作業中の労働者に，通路等の構造または当該作業の状態に応じて，**安全靴その他の適当な履物を定め，当該履物を使用させなければならない**と定められている。（同規則第 558 条第 1 項）

No.9 安全管理（労働災害防止対策）

【正答 1】

1 × ロープ高所作業においては，危険防止のため**メインロープ及びライフライン**を設け，**作業箇所の上方にあるそれぞれ異なる堅固な支持物に外れないように緊結し作業する**と規定されている。（労働安全衛生規則第 539 条の 3）

2 ○ **墜落のおそれのある人力のり面整形作業**等では，**親綱を設置**し，**要求性能墜落制止用器具を使用させる**ことと定められている。また，その際，親綱の上方法面との接触による土砂等の崩壊等が生じないように配慮することとも定められている。（国土交通省「土木工事安全施工技術指針」第 2 章第 5 節 3. 掘削作業における墜落防止措置）

3 ○ 工事現場における**架空線等上空施設**について，**施工に先立ち，現地調査を実施**し，種類，位置（場所，高さ等）及び管理者を確認することと定められている。（同指針第 3 章第 2 節 1. 事前確認）

4 ○ **上下作業は極力避ける**こととするが，やむを得ず上下作業を行うときは，**両者の作業責任者と場所，内容，時間などを事前によく調整し，安全確保を図る**ことと定められている。（同指針第 2 章第 6 節 5. 上下作業時の連絡調整）

No.10 安全管理（足場・作業床の組立て）

【正答 2】

1 ○ 事業者は，**足場の組立て等作業主任者**に，**作業の方法及び労働者の配置を決定**し，**作業の進行状況を監視**するほか，**材料の欠点の有無を点検し，不良品を取り除かせなければならない**と定められている。（労働安全衛生規則第 566 条第 1 号，第 3 号）

2 × 事業者は，**強風，大雨，大雪等の悪天候若しくは中震（震度 4）以上の地震の後**において，足場における作業を行うときは，**作業を開始する前に点検しなければならない**と定められている。（同規則第 567 条第 2 項）

☆令和 5 年 10 月 1 日施行の同規則同条同項の改正により，事業者が**自ら点検**する義務が，**点検者を指名**して，**点検者に点検させる**義務に変更された。したがって，現在では，この下線部分の表記も誤りとなる。

3 ○ 事業者は，足場の組立て等作業において，**材料，器具，工具等を上げ，または下ろすとき**は，**つり綱，つり袋等**

を労働者に使用させなければならないと定められている。（同規則第564条第１項第５号）

４○　事業者は，足場の構造及び材料に応じて，**作業床の最大積載荷重を定め，かつ，これを超えて積載してはならない**と定められている。（同規則第562条第１項）

No.11　安全管理（墜落防止用の安全ネット）

【正答　1】

労働安全衛生法第28条第１項に基づく，**安全ネット（防網）に関する規定**として，厚生労働省「**墜落による危険を防止するためのネットの構造等の安全基準に関する技術上の指針**」が定められている。

１×　墜落による危険を防止するためのネットが，**人体またはこれと同等以上の重さの落下物による衝撃を受けた場合**は，**使用してはならない**と定められている。（同指針４－６－(2)）

２○　安全ネットの**損耗が著しい場合**，安全ネットが**有毒ガスに暴露された場合**等においては，**安全ネットの使用後に試験用糸について等速引張試験を行う**と定められている。（同指針４－４－２）

３○　墜落による危険を防止するためのネットの**破損した部分が補修されていない場合**は，**使用してはならない**と定められている。（同指針４－６－(3)）

４○　安全ネットの**材料は合成繊維**とし，**支持点の間隔**は，**ネット周辺からの墜落による危険がないもの**であることと定められている。（同指針２－２，４－３）

No.12　安全管理（明り掘削作業）

【正答　2】

明り掘削作業に関する安全管理の諸規定は，労働安全衛生規則第２編第６章（掘削作業等における危険の防止）第１節（明り掘削の作業）に定められている。

１×　明り掘削の作業を行うときは，あらかじめ，**運搬機械，掘削機械及び積込機械の運行の経路，これらの機械の土石の積卸し場所への出入りの方法**を定めて，**事業者が関係労働者に周知させなければならない**と定められている。（同規則第364条）

２○　事業者は，**掘削機械，積込機械及び運搬機械の使用**による**ガス導管や地中電線路等の損壊により労働者に危険を及ぼすおそれがある場合**は，これらの**機械を使用してはならない**と定められている。（同規則第363条）

３×　**地山の崩壊等により労働者に危険を及ぼすおそれのあるとき**は，事業者は，あらかじめ，**土止め支保工や防護網の設置**や，**労働者の立入禁止等の措置**を講じなければならないと定められている。（同規則第361条）

☆令和７年４月１日施行同規則第361条の改正により，「地山の崩壊又は土石の落下により危険を及ぼすおそれのあるときは，あらかじめ，土止め支保工を設け，防護網を張り，**当該作業場において作業に従事する者の立入りを禁止する**等当該危険を防止するための措置を講じなければならない」と変更される。

４×　**掘削面の高さが2m以上**の場合，**地山の掘削作業主任者に，作業の方法を決定し，作業を直接指揮すること，器**

具及び工具を点検し，不良品を取り除くことを行わせると定められている。(同規則第360条第1号，第2号)

No.13　安全管理（コンクリート構造物の解体作業）

【正答　3】

コンクリート構造物の解体作業に係る安全管理については，建設業労働災害防止協会「コンクリート工作物解体工事の作業指針」に定められている。

1 ○　転倒方式による取壊し作業において，解体する主構造部に複数本の引きワイヤを堅固に取り付け，引きワイヤで加力する際は，繰り返して荷重をかけた場合，引きワイヤが外れるなどの危険が発生するおそれがあるため，繰返し荷重をかけてゆすってはならず，一度の荷重で転倒させるようにしなければならない。

2 ○　ウォータージェットによるコンクリート構造物の取壊し作業においては，取壊し対象物周囲に防護フェンスを設置するとともに，ウォータージェットの水流が取壊し対象物の裏側に貫通するので立入禁止とする。また，取壊し対象物が病院，民家などに隣接している場合は，ノズル付近に防音カバーを使用する，周辺に防音シートを設置するなどの防音対策を実施する。

3 ×　カッタによる取壊しでは，ブレード，防護カバーを確実に設置する。また，撤去側躯体ブロックへのカッタ取付けを禁止するとともに，切断面付近へのシートの設置による冷却水の飛散防止を図る。

4 ○　圧砕機及び大型ブレーカによるコンクリート構造物の取壊し作業においては，解体する構造物からコンクリート片の飛散，落下する範囲及び構造物自体の倒壊，崩落範囲を予測し，作業員，建設機械を安全な作業位置に配置しなければならない。また，建設機械と作業員の接触を防止するため，誘導員を適切な位置に配置しなければならない。

No.14　品質管理（アスファルト舗装の品質管理）

【正答　3】

1 ○　アスファルト舗装の表層・基層の締固め度の管理については，通常は切取コアの密度を測定して行う。この切取コアの採取の頻度は，各工程の初期においては，適切な頻度で多めにする。その後，管理の限界を十分満足できることが明確になったら，それ以降は採取の頻度を少なくし，混合物の温度と締固め状況に注意しながら管理を行う。

2 ○　工事の途中で作業員や施工機械などの組合せを変更する場合は，変更によって異常が生じやすくなるため，品質管理の各項目に関する試験頻度を増し，新たな組合せによる品質の確認を行う。

3 ×　下層路盤の締固め度の管理については，試験施工あるいは工程の初期におけるデータから，現場の作業を定常化して締固め回数による管理に切り替えた場合には，密度試験による確認は必ずしも必要ではなく，現場密度の測定による確認を行い，締固め回数や転圧回数でその品質を管理する。

4 ○　アスファルト舗装の品質管理において，管理の結果を工程能力図にプロットした際に，限界をはずれる，一方に片寄っているなどの結果が生じた場合には，直ちに試験頻度を増やして異常の有無を確認する。

No.15　品質管理（路床・路盤の品質管理に用いる試験）

【正答　4】

1 ○　突固めによる土の締固め試験は，土工における最適含水比（土が締め固められた時の乾燥密度と含水比の関係から導出される，最大乾燥密度が得られ，盛土が最もよく締まるとされる含水比）を測定する試験で，路床や路盤を構築する際の材料の選定や管理を目的として実施される。

2 ○　RI による密度の測定は，現場密度の測定方法の一種で，路床や路盤等の現場における締め固められた材料の密度及び含水比を求めることを目的として実施する。

3 ○　路床工や路盤工において，品質特性として地盤支持力係数 K 値を求め，路床や路盤の支持力の把握を図る場合は，平板載荷試験を実施する。

4 ×　プルーフローリング試験は，路床や路盤の締固めが適切かどうかを確認する目的で，ローラ等で走行し，強度・変形の具合（たわみ具合）をみる試験である。

路床や路盤のトラフィカビリティーの判定を目的とする試験としては，コーン貫入抵抗値を測定して単位面積当たりのコーン指数を求めるポータブルコーン貫入試験等がある。

No.16　品質管理（レディーミクストコンクリートの受入れ検査）

【正答　3】

1 ○　土木学会「コンクリート標準示方書」においては，スランプの許容誤差は，スランプ 5cm 以上 8cm 未満の場合は ±1.5cm，スランプ 8cm 以上 18cm 以下の場合は±2.5cm である。したがって，スランプ 12.0cm の指定に対して 10.0cm の場合，誤差は－2.0cm であるため合格と判定したのは適切である。

2 ○　フレッシュコンクリートの空気量試験の合格基準は，レディーミクストコンクリートの空気量の設定値によらず，±1.5%の範囲である。空気量試験を行った際に，4.5％の指定に対して 3.0％であった場合は，－1.5%なので合格となる。

3 ×　JIS A 5308 においては，塩化物含有量が「荷おろし地点で，塩化物イオン（Cl^-）量として 0.3kg/m^3 以下でなければならない」としている。したがって，塩化物含有量の検査結果が塩化物イオン（Cl^-）量として 1.0kg/m^3 であれば，不合格と判定される。

4 ○　国土交通省「アルカリ骨材反応抑制対策（土木・建築共通）」によれば，アルカリ骨材反応抑制対策として，配合計画書に示されるコンクリート中のアルカリ総量の計算結果を Na_2O 換算で 3.0kg/m^3 以下にすると定められている。

したがって，コンクリート中のアルカリ総量が 2.0kg/m^3 であれば，合格と判定される。

No.17　建設工事の騒音・振動対策

【正答　4】

1 ○　騒音・振動の防止対策として，騒音・振動の大きさの絶対値を下げることのほか，発生期間の短縮を検討するなど，全体的に影響が小さくなるよう検討しなければならない。そのためには，騒音の少ない建設機械を採用する，発生源から受音点の間に遮蔽物を設けるなどのハード的対策の他，建設機械が一時的に集中して稼働しないようにする，車両の低速走行を徹底する，苦情が寄せられやすい時間帯の作業は避けるなどのソフト的対策も重要である。

2 ○　建設工事に伴う騒音防止対策は，音源対策（そもそもの騒音を発生させない）が基本である。しかし，音源対策のみでは不十分な場合や音源対策のコストが高い場合など，状況に応じて，伝搬経路対策（発生した騒音を受音点に伝搬させない）や受音側の防音対策（受音側に音が伝わらないようにする）もバランスよく実施し，全体としての防止対策の効果発揮に努める。

3 ○　建設工事に伴う地盤振動対策は，振動エネルギーが拡散した状態となる受振対象で実施しても，一般に大規模になりがちな割に効果的ではないことが多い。したがって，発生振動レベル値の小さい機械や工法の選定など，発生源で発生する振動をいかに少なくするかの対策が基本原則である。

4 ×　建設機械の内燃機関が音源となって発生する騒音については，作業効率との間の相関関係は薄い。そのため，低騒音型の機械を導入しても作業効率を損なう可能性が少ないので，騒音対策として有効である。

No.18　建設工事における土壌汚染対策

【正答　2】

1 ○　土壌汚染対策は，汚染状況（汚染物質，汚染濃度等），将来的な土地の利用方法，事業者や土地所有者の意向等を考慮し，覆土，完全浄化，原位置封じ込め等，状況に応じた適切な対策目標を設定することが必要である。

2 ×　地盤汚染対策工事においては，工事車両のタイヤ等に汚染土壌が付着し，場外に出ることのないよう，車両の出口にタイヤ洗浄装置及び車体の洗浄施設を備え，洗浄水は適切な水質汚濁処理を行ってから排水を行う。

3 ○　地盤汚染対策工事においては，汚染土壌対策の作業エリアを区分し，作業エリアと場外の間に除洗（除染）区域を設置し，作業服の着替え等を行うことで，汚染土壌が場外に流出，漏出しないようにする。

4 ○　地盤汚染対策工事における屋外掘削の場合，掘削に伴い巻き上げられた汚染土壌が粉塵となって飛散するおそれがある。そのため，飛散防止ネットの設置や散水などで汚染土壌の飛散を防止する。

No.19　建設リサイクル法

【正答　1】

1 ○　発注者に義務づけられている対象建設工事の事前届出に関し，元請負業者は，届出に係る分別解体等の計画やその他の事項について，発注者に書面で説明しなければならないと定められている。（国土交通省「建設副産物適正

処理推進要綱」第9（工事全体の手順））

2 ×　**建設リサイクル法（「建設工事に係る資材の再資源化等に関する法律」）**に定められている**特定建設資材**としては，以下の4品目が定められている。（同法施行令第1条）

①**コンクリート**

②**コンクリート及び鉄から成る建設資材**

③**木材**

④**アスファルト・コンクリート**

したがって，**「プラスチック」は，特定建設資材には含まれない。**

3 ×　対象建設工事の受注者は，**分別解体等に伴って生じた特定建設資材廃棄物**について，**原則として再資源化をしなければならない**と定められている。（同法第16条）

ただし，上記の例外として，**当該特定建設資材廃棄物が発生する工事現場から再資源化施設までの距離が50kmを超える場合**や，道路が整備されていない等の事情で，**廃棄物を縮減するために運搬する費用より再資源化する際の費用が上回るなど，経済性に制約が生じるような場合**は，**再資源化に代えて縮減をすれば足りることもある**。（同法施行規則第3条，第4条）

4 ×　**解体工事業者**は，工事現場における解体工事の施工の技術上の管理をつかさどる**技術管理者を選任しなければならない**と定められている。（同法第31条）

No.20　廃棄物処理法

【正答　1】

1 ○　**多量排出事業者**は，当該事業場に係る産業廃棄物の減量その他その**処理に関する計画を作成**し，**都道府県知事に提出しなければならない**。（廃棄物の処理及び清掃に関する法律第12条第9項）

2 ×　排出事業者は，当該産業廃棄物を生ずる事業場の外において，**自ら保管を行おうとするとき**は，**あらかじめ都道府県知事に届け出なければならない**と定められている。（同法第12条第3項）

3 ×　**排出事業者**は，**産業廃棄物の運搬または処分を他人に委託する場合**には，その受託者に対し**当該産業廃棄物の引渡しと同時に産業廃棄物管理票（マニフェスト）を交付しなければならない**と定められている。（同法第12条の3第1項）

4 ×　**排出事業者**は，**非常災害時に応急処置として行う建設工事に伴い生ずる産業廃棄物を事業場の外に保管する場合**には，**保管をした日から14日以内に都道府県知事に届け出なければならない**と定められている。（同法第12条第3項，第4項）

No.21　仮設工事計画立案の留意事項

【正答　2】

仮設工事計画の立案に際する留意事項に関する語句の空所補充問題である。

・**仮設工事の材料**は，一般の市販品を使用して**可能な限り規格を統一**し，**その主要な部材については他工事（イ）にも転用できる計画にする。**

・**仮設構造物設計における安全率**は，**本体構造物よりも割引いた値を（ロ）採用することが多い。**

・仮設工事計画では，取扱いが容易で**でき**

るだけユニット化を心がけるとともに，（ハ）作業員不足を考慮し，省力化が図れるものとする。

・仮設構造物設計における荷重は短期荷重で算定する場合が多く，また，転用材を使用するときには，一時的な短期荷重扱い（ニ）は妥当ではない。

※短期荷重とは，比較的短時間に構造物にかかる荷重のことを指す。例として，積雪荷重，風圧，地震力などが挙げられる。これに対し，長期荷重とは，固定荷重や積載荷重など，構造物に半永久的に働く荷重のことを指す。

したがって，2が正答である。

No.22　公共工事における施工体制台帳

【正答　3】

公共工事における施工体制台帳に関する語句の空所補充問題である。

・下請業者は，請負った工事をさらに他の建設業を営む者に請け負わせたときは，施工体制台帳を修正するため再下請通知書を（イ）元請業者に提出しなければならない。（建設業法第24条の8第2項）

・施工体制台帳には，建設工事の名称，内容及び工期，許可を受けて営む建設業の種類，（ロ）健康保険の加入状況等を記載しなければならない。（同法施行規則第14条の2第1項第2号）

・発注者から直接工事を請負った建設業者は，当該工事を施工するため，（ハ）下請金額にかかわらず，施工体制台帳を作成しなければならない。（公共工事の入札及び契約の適正化の促進に関する法律第15条第1項）

※上記は公共工事の場合である。民間工事の場合は，下請金額が一定額以上（建築一式工事の場合は7,000万円以上，それ以外の工事は4,500万円以上）の場合に施工体制台帳の作成が必要になる。（建設業法第24条の8第1項，同法施行令第7条の4）

・元請業者は，施工体制台帳と合わせて施工の分担関係を表示した（ニ）施工体系図を作成し，工事関係者や公衆が見やすい場所に掲げなければならない。（同法第24条の8第4項）

したがって，3が正答である。

No.23　掘削底面の破壊現象

【正答　2】

土留め壁を構築する場合における掘削底面の破壊現象に関する語句の空所補充問題である。

・ボイリングとは，遮水性の土留め壁を用いた場合に水位差により上向きの浸透流が生じ，この浸透圧が土の有効重量を超えると，沸騰したように沸き上がり掘削底面の土が（イ）せん断抵抗を失い，急激に土留めの安定性が損なわれる現象である。

・パイピングとは，地盤の弱い箇所の（ロ）土粒子が浸透流により洗い流され地中に水みちが拡大し，最終的にはボイリング状の破壊に至る現象である。

・ヒービングとは，土留め背面の土の重量や土留めに接近した地表面での上載荷重等により，掘削底面（ハ）の隆起が生じ最終的には土留め崩壊に至る現象である。

・盤ぶくれとは，地盤が（ニ）難透水層のとき上向きの浸透流は生じないが（ニ）難透水層下面に上向きの水圧が作用し，これが上方の土の重さ以上となる場合

は，掘削底面が浮き上がり，最終的にはボイリング状の破壊に至る現象である。

したがって，２が正答である。

No.24　建設機械の選定

【正答　４】

建設機械の選定に関する語句の空所補充問題である。

・建設機械の組合せ選定は，従作業の施工能力を主作業の施工能力と同等，あるいは幾分（イ）高めにする。

・建設機械の選定は，工事施工上の制約条件より最も適した建設機械を選定し，その機械が（ロ）最大の能力を発揮できる施工法を選定することが合理的かつ経済的である。

・建設機械の使用計画を立てる場合には，作業量をできるだけ（ハ）平滑化し，施工期間中の使用機械の必要量が大きく変動しないように計画するのが原則である。

・機械施工における（ニ）経済性の指標として施工単価の概念を導入して，施工単価を安くする工夫が要求される。

※従作業の施工能力を主作業の施工能力と同等，あるいは幾分高めに設定する理由は，従作業機械の施工能力の問題によって発生した従作業の遅れが主作業に波及し，主作業の作業効率が低下することを回避するためである。建設機械の作業能力に大きな格差を生じないよう，建設機械の規格と台数を決めることが必要になる。

したがって，４が正答である。

No.25　工程管理

【正答　３】

工程管理の考え方に関する語句の空所補充問題である。

・施工計画では，施工順序，施工法等の施工の基本方針を決定し，（イ）工程計画では，手順と日程の計画，工程表の作成を行う。

・施工計画で決定した施工順序，施工法等に基づき，（ロ）工事実施では，工事の指示，施工監督を行う。

・工程管理の統制機能における（ハ）進度管理では，工程進捗の計画と実施との比較をし，進捗報告を行う。

・工程管理の改善機能は，施工の途中で基本計画を再評価し，改善の余地があれば計画立案段階にフィードバックし，（ニ）是正措置では，作業の改善，工程の促進，再計画を行う。

※工程管理は，施工計画の立案，計画を施工の面で実施する統制機能と，施工途中で計画と実績を評価，欠陥や不具合等があれば処置を行う改善機能とに大別できる。

したがって，３が正答である。

No.26　工程表の特徴

【正答　４】

工程管理に用いられる各工程表の特徴に関する語句の空所補充問題である。

・トンネル工事のように工事区間が線上に長く，工事の進行方向が一定方向に進捗していく工事には（イ）斜線式工程表が用いられることが多い。

※斜線式工程表では，横軸に区間（距離），縦軸に工期（日数）をとり，各作業を斜線で記入する。

・１つの作業の遅れや変化が工事全体の工程にどのように影響してくるかを早く，正確に把握できるのが（ロ）ネットワー

ク式工程表である。

※ネットワーク式工程表は，作業をアクティビティ（矢線→）で，各作業の結節点をイベント（○）で表す。**各作業の関連性を矢線と結節点で明確に表現できる**ため，1つの作業の遅れや変化が工事全体の工程にどのように波及するかを正確に把握することが可能になる。

・**各作業の予定と実績との差を直視的に比較するのに便利**であり，施工中の作業の進捗状況もよくわかるのが**（ハ）グラフ式工程表**である。

・**各作業の開始日から終了日までの所要日数がわかり，各作業間の関連も把握することができる**のが**（ニ）バーチャート**である。

したがって，**4**が正答である。

No.27　品質・工程・原価の関係

【正答　2】

品質・工程・原価の関係に関する語句の空所補充問題である。

・一般的に**工程と原価の関係**は，**施工を速めると原価は段々安くなっていき**，さらに施工速度を速めて**突貫作業を行うと，原価は（イ）逆に高くなる**。

・**原価と品質の関係**は，**悪い品質のものは安くできる**が，**良いものは原価が（ロ）高くなる**。

・一般的に**品質と工程の関係**は，**品質の良いものは時間がかかり**，施工を速めて**突貫作業をすると，品質は（ハ）悪くなる**。

・**工程，原価，品質との間には相反する性質があり，（ニ）これらの調整を図りながら**計画し，工期を守り，品質を保つように管理することが大切である。

したがって，**2**が正答である。

No.28　安全管理（車両系建設機械の安全確保）

【正答　4】

安全管理のうち，車両系建設機械を用いる作業の安全確保のために事業者が講じるべき措置に関する語句の空所補充問題である。車両系建設機械の災害防止や安全対策については，労働安全衛生規則第2編第2章（建設機械等）等に記載がある。

・事業者は，車両系建設機械を用いて作業を行うときは，**（イ）その日の作業を開始する前にブレーキやクラッチの機能について点検を行わなければならない**。（同規則第170条）

・事業者は，車両系建設機械の運転について**誘導者を置くとき**は，**（ロ）一定の合図を定め，誘導者に当該合図を行わせなければならない**。（同規則第159条第1項）

・事業者は，**車両系建設機械の修理又はアタッチメントの装着若しくは取り外しの作業を行うとき**は，**（ハ）作業指揮者**を定め，作業手順の決定等の措置を講じさせなければならない。（同規則第165条）

・事業者は，車両系建設機械を用いて作業を行うときは，**（ニ）乗車席以外の箇所に労働者を乗せてはならない**。（同規則第162条）

したがって，**4**が正答である。

☆令和7年4月1日施行同規則第162条の改正により，「**当該作業場において作業に従事する者**」に変更される。

No.29　安全管理（移動式クレーンの災害防止）

【正答　2】

安全管理のうち，移動式クレーンの安全

確保に関する語句の空所補充問題である。移動式クレーンの災害防止や安全対策については，クレーン等安全規則に記載がある。

・移動式クレーンの運転者は，**荷をつったままで運転位置を（イ）離れてはならない。**（同規則第32条第2項）

・移動式クレーンの**定格荷重**とは，フックやグラブバケット等の**つり具の重量を（ロ）含まない荷重**をいい，ブームの傾斜角や長さにより変化する。

※**定格荷重**は，クレーンの運転者及び玉掛けをする者が常時知ることができるよう，**表示その他の措置を講じなければならない。**（同規則第24条の2）

・事業者は，アウトリガーを有する移動式クレーンを用いて作業を行うときは，原則として**アウトリガーを（ハ）最大限に張り出さなければならない。**（同規則第70条の5）

・事業者は，移動式クレーンを用いる作業においては，移動式クレーンの運転者が単独で作業する場合を除き，**（ニ）合図を行う者を指名しなければならない。**（同規則第71条第1項）

したがって，**2**が正答である。

No.30　安全管理（工事中の埋設物損傷防止）

【正答　4】

安全管理のうち，埋設物損傷防止に関する語句の空所補充問題である。埋設物の損傷防止については，国土交通省「建設工事公衆災害防止対策要綱土木工事編」に記載がある。

・発注者又は施工者は，**施工に先立ち**，埋設物の管理者等が保管する**台帳と設計図面を照らし合わせ**，細心の注意のもとで**試掘等を行い**，原則として**（イ）目視確認をしなければならない。**（同要綱第42第2項）

※目視確認しなければならない事項は**埋設物の種類，位置（平面・深さ），規格，構造**などである。

・施工者は，**管理者の不明な埋設物を発見した場合**，必要に応じて**（ロ）専門家の立会い**を求め，**埋設物に関する調査**を再度行い，**安全を確認した後に措置しなければならない。**（同要綱第42第4項）

・施工者は，埋設物の位置が**掘削床付け面より（ハ）高い等，通常の作業位置からの点検等が困難な場合**には，原則として，**あらかじめ点検等のための通路を設置しなければならない。**（同要綱第44第4項）

・発注者又は施工者は，**埋設物の位置，名称，管理者の連絡先等を記載した標示板の取付け等を工夫する**とともに，**（ニ）工事関係者等に確実に伝達しなければならない。**（同要綱第44第1項）

したがって，**4**が正答である。

No.31　安全管理（酸素欠乏症等防止規則）

【正答　1】

安全管理のうち，酸素欠乏のおそれのある工事を行う際に事業者が行うべき措置に関する語句の空所補充問題である。

・事業者は，作業の性質上換気することが著しく困難な場合，**同時に就業する労働者の（イ）人数と同数以上の空気呼吸器等を備え，労働者にこれを使用させなければならない。**（酸素欠乏症等防止規則第5条の2第1項）

・事業者は，**第一種酸素欠乏危険作業に係る業務**に労働者を就かせるときは，**（ロ）**

当該労働者に対し，酸素欠乏症の防止等に関する特別教育を行わなければならない。(同規則第 12 条第 1 項)

※上記「特別（の）教育」に含まれる科目は次のとおりである。

①酸素欠乏の発生の原因

②酸素欠乏症の症状

③空気呼吸器等の使用の方法

④事故の場合の退避及び救急そ生の方法

⑤上記の他，酸素欠乏症防止に関し必要な事項

・事業者は，酸素欠乏危険作業に労働者を従事させるときは，入場及び退場の際，(ハ)人員を点検しなければならない。(同規則第 8 条)

・事業者は，第二種酸素欠乏危険作業に労働者を従事させるときは，（ニ）その日の作業を開始する前に，空気中の酸素及び硫化水素の濃度を測定しなければならない。(同規則第 3 条第 1 項)

※第一種酸素欠乏危険作業に労働者を従事させるときは，その日の作業の開始前に空気中の酸素濃度を測定しなければならない。

したがって，1 が正答である。

No.32　土木工事の品質管理

【正答　3】

土木工事における品質管理の考え方に関する語句の空所補充問題である。

・品質管理の目的は，契約約款，設計図書等に示された規格を十分満足するような構造物等を最も（イ）経済的に施工することである。

・品質（ロ）特性は，構造物の品質に重要な影響を及ぼすもの，工程に対して処置をとりやすいようにすぐに結果がわかるもの等に留意して決定する。

・品質（ハ）標準では，設計値を十分満たすような品質を実現するため，品質のばらつきの度合いを考慮して，余裕を持った品質を目標にしなければならない。

・作業標準は，品質（ハ）標準を実現するための（ニ）各段階の作業での試験方法等に関する基準を決めるものである。

したがって，3 が正答である。

No.33　品質管理（情報化施工による盛土の締固め管理）

【正答　4】

情報化施工による盛土の締固め管理に関する語句の空所補充問題である。

・盛土材料をまき出す際は，盛土施工範囲の全面にわたって，試験施工で決定したまき出し厚（イ）以下のまき出し厚となるように管理する。

・盛土材料を締め固める際は，盛土施工範囲の全面にわたって，（ロ）規定回数だけ締め固めたことを示す色がモニタに表示されるまで締め固める。

・TS・GNSS を用いた盛土の締固め管理システムの適用にあたっては，地形条件や電波障害の有無等を（ハ）事前に調査し，システムの適用可否を確認する。

・TS・GNSS を用いて締固め機械の走行記録をもとに，盛土の締固め管理するを方法は，（ニ）工法規定の一つである。

したがって，4 が正答である。

No.34　品質管理（鉄筋コンクリート構造物の非破壊試験）

【正答　3】

鉄筋コンクリート構造物においてコンクリート中の鉄筋位置を推定する非破壊試験

に関する語句の空所補充問題である。

・かぶりの大きい橋梁下部構造の鉄筋位置を推定する場合,（イ）電磁波レーダ法が,（ロ）電磁誘導法より適する。

※電磁誘導法は，鉄筋位置とかぶりの測定が同時にでき，コンクリート表面の影響を受けないという特徴があるが，測定可能なかぶり厚が浅い。

※電磁波レーダ法は，電磁誘導法に比べて深いかぶり厚が測定可能である。

・（イ）電磁波レーダ法は，コンクリートが（ハ）水を多く含んでいると，測定が困難になる可能性がある。

・（ロ）電磁誘導法において，かぶりの大きさを測定する場合，鉄筋間隔が設計かぶりの（ニ）1.5倍以下の場合は補正が必要になる。

したがって，３が正答である。

No.35　品質管理（コンクリートの施工）【正答　1】

コンクリートの施工の品質管理に関する語句の空所補充問題である。

・打込み時の材料分離を防ぐためには,（イ）縦シュートの使用を標準とする。

※上記のとおり縦シュートの使用を標準とするが，やむを得ず斜めシュートを用いる場合には，シュートの傾きは材料分離を起こさない程度のものとし，水平２に対して鉛直１を標準とする。

・棒状バイブレータにより締固めを行う際，スランプ12cmのコンクリートでは，一箇所あたりの締固め時間は，（ロ）5～15秒程度とすることを標準とする。

・コンクリートを打ち重ねる場合，上層のコンクリートの締固めでは，棒状バイブレータが下層のコンクリートに（ハ）10cm程度入るようにして締め固める。

・コンクリートの仕上げは，締固めが終わり，上面にしみ出た水が（ニ）なくなった状態で行う。

したがって，１が正答である。

第二次検定（解答例）

必須問題

問題 1　施工経験記述

【重点解説】

〔設問 1〕

受検者が施工管理に関する経験，知識を十分に有していて，しかもそれを的確に表現する能力があるかを判別するための問題である。趣旨を把握して，具体的に簡潔かつ的確に記述することを心掛ける。

なお，〔注意〕にあるように，「経験した土木工事」は，受検者が工事請負者の技術者の場合は，受検者の所属会社が受注した工事について記述すること（所属会社が二次下請業者の場合は，発注者名は一次下請業者名）。また，受検者が発注機関の技術者の場合は，発注者名は所属機関名となる。

(1)　**工事名**は，受検者自身が実際に従事して経験した工事，あるいは，受検者が工事請負者の技術者の場合は，受検者の所属会社が受注した工事の名称を記述する。

(2)　**工事の内容**は，問題に指示があるとおり，①発注者名，②工事場所，③工期，④主な工種，⑤施工量，を具体的に，明確に記述する。なお，主な工種とは，路体盛土工，コンクリート擁壁工，基礎工，アスファルト舗装工，法面工等具体的な工事の工種を記述する。

(3)　**工事現場における施工管理上のあなたの立場**とは，工事現場における施工管理者としての立場の役割名称であり，例えば現場代理人，工事主任，発注者監督員等のように記述する。会社内の役職の課長，係長や職長などの役割ではないので注意すること。

〔設問 2〕

過去の問題では，施工管理上の分野として，「品質管理」，「工程管理」，「安全管理」，「出来形管理」が出題され，令和 4 年度は，**現場状況から特に留意した安全管理**であった。

安全管理に関する記述をするにあたっては，様々な現場条件のもとで，様々な工事を行うなかで特に留意して実施した安全管理の経験を明確に記述することが前提である。そのうえで，**具体的な現場状況と特に留意した技術的課題**では，現場の工事目的や工事内容を説明し，現地条件と工事の関係を説明して，課題が発生した理由を明確にして技術的課題を説明する。

技術的課題を解決するために**検討した項目と検討理由及び検討内容**では現場の状況から発生した課題に対して，検討項目を抽出して，検討理由を明確にして検討内容を説明する。対策まで書かないように注意する。

技術的な課題に対して**現場で実施した対応処置とその評価**では検討によって決定した方法を具体的に説明し，課題を解決できたことを明記する。必ず課題の解決になる方法であることが必要である。

それぞれの現場ごとに技術的課題があるはずで，工事を進めるにあたり，その技術的課題に対して，「安全管理」の面でどのように工夫して取り組み，自らの判断によってどのような対応処置を実施したかを簡潔に要領よくまとめる。

必須問題

問題２　安全管理

地下埋設物・架空線等に近接した作業の安全対策に関する留意点を記した文の空所補充問題である。

解答に関連する基準を記した典拠としては，国土交通省「建設工事公衆災害防止対策要綱土木工事編」，国土交通省「土木工事安全施工技術指針」などが挙げられる。

(1)　掘削影響範囲に埋設物があることが分かった場合，その **(イ) 埋設物の管理者**及び関係機関と協議し，関係法令等に従い，防護方法，立会の必要性及び保安上の必要な措置等を決定すること。

(2)　掘削断面内に移設できない地下埋設物がある場合は，**(ロ) 試掘**段階から本体工事の埋戻し，復旧の段階までの間，適切に埋設物を防護し，維持管理すること。

(3)　工事現場における架空線等上空施設について，建設機械等のブーム，ダンプトラックのダンプアップ等により，接触や切断の可能性があると考えられる場合は次の保安措置を行うこと。

①架空線等上空施設への防護カバーの設置

②工事現場の出入り口等における **(ハ) 高さ制限**装置の設置

③架空線等上空施設の位置を明示する看板等の設置

④建設機械のブーム等の旋回・**(ニ) 立入禁止**区域等の設定

(4)　架空線等上空施設に近接した工事の施工に当たっては，架空線等と機械，工具，材料等について安全な **(ホ) 離隔**を確保すること。

(イ)	(ロ)	(ハ)	(ニ)	(ホ)
埋設物の管理者	試掘	高さ制限	立入禁止	離隔

必須問題

問題３　品質管理

盛土の品質管理における試験・測定方法に関する記述問題である。①～⑤の試験・測定方法から２つ選び，試験・測定方法の内容及び結果の利用方法について，おおよそ以下のような記述ができればよい（ただし，解答欄に例示されている内容（非公開）の解答は除く）。

解答に関連する技術基準を記した資料としては，国土交通省「土木工事共通仕様書（第１

編共通編)」，日本道路協会「道路土工ー盛土工指針」などがある。

試験・測定方法名	試験・測定方法の内容	結果の利用方法
①砂置換法	掘出し跡の穴を試験用の**乾燥砂**で**置換え**し，埋め戻した砂の体積と掘り出した土の質量から，**湿潤密度**を測定する。	**締固め度**の管理
② RI 法	RI 計器を用いて，盛土に**ガンマ線**や**中性子線**を照射し非破壊かつ短時間のうちに**湿潤密度**や**乾燥密度**，**含水比**などを測定する。	**締固め度**, **飽和度**, **空気間隙率**, **含水量**の管理
③現場 CBR 試験	施工現場の地盤に直接ピストンを貫入し，路床や路盤の**支持力**を**直接測定**する。	道路の路床・路盤の**締固め**の管理
④ポータブルコーン貫入試験	ロッドの先端にコーンを装着した貫入棒を人力により地中に貫入させ，測定した**コーン貫入抵抗値**から単位面積当たりの**コーン指数**を求める。	トラフィカビリティーに基づく**施工機械**の選定
⑤プルーフローリング試験	締固め施工後の路床や路盤をローラ等で走行し，**強度**・**変形**の具合（**たわみ**具合）を測定する。	道路の路床・路盤の**締固め**の管理

選択問題（1）

問題４　コンクリート

コンクリートの打継目の施工に関する留意点を記した文の空所補充問題である。

解答に関連する技術基準を記した典拠としては，土木学会「コンクリート標準示方書［施工編］」などが挙げられる。

(1) 打継目は，できるだけせん断力の **(イ) 小さい**位置に設け，打継面を部材の圧縮力の作用方向と直交させるのを原則とする。海洋及び港湾コンクリート構造物等では，外部塩分が打継目を浸透し，**(ロ) 鉄筋**の腐食を促進する可能性があるのでできるだけ設けないのがよい。

(2) コンクリートを水平に打ち継ぐ場合には，既に打ち込まれたコンクリートの表面のレイタンス，品質の悪いコンクリート，緩んだ骨材粒等を完全に取り除き，コンクリート表面を **(ハ) 粗**にした後，十分に吸水させなければならない。

(3) 既に打ち込まれ硬化したコンクリートの鉛直打継面は，ワイヤブラシで表面を削るか，**(ニ) チッピング**等により **(ハ) 粗**にして十分吸水させた後，新しいコンクリートを打ち継がなければならない。

(4) 水密性を要するコンクリート構造物の鉛直打継目には，**(ホ)** **止水板**を用いることを原則とする。

(イ)	(ロ)	(ハ)	(ニ)	(ホ)
小さい	鉄筋	粗	チッピング	止水板

選択問題（1）

問題５　品質管理

土の締固めにおける試験及び品質管理に関する文の空所補充問題である。

解答に関連する技術基準を記した資料としては，国土交通省「土木工事共通仕様書（第１編共通編）」，日本道路協会「道路土工－盛土工指針」などが挙げられる。

(1) 土の締固めで最も重要な特性として，下図に示す締固めの含水比と密度の関係が挙げられ，これは締固め曲線と呼ばれ，ある一定のエネルギーにおいて最も効率よく土を密にすることができる含水比を **(イ)** **最適含水比**といい，その時の乾燥密度を最大乾燥密度という。

(2) 締固め曲線は土質によって異なり，一般に礫や **(ロ)** **砂**では，最大乾燥密度が高く曲線が鋭くなり，シルトや **(ハ)** **粘性土**では最大乾燥密度は低く曲線は平坦になる。

(3) 締固め品質の規定は，締め固めた土の性質の恒久性を確保するとともに，盛土に要求する **(ニ)** **性能**を確保できるように，設計で設定した盛土の所要力学特性を確保するためのものであり，**(ホ)** **盛土材料**や施工部位によって最も合理的な品質管理方法を用いる必要がある。

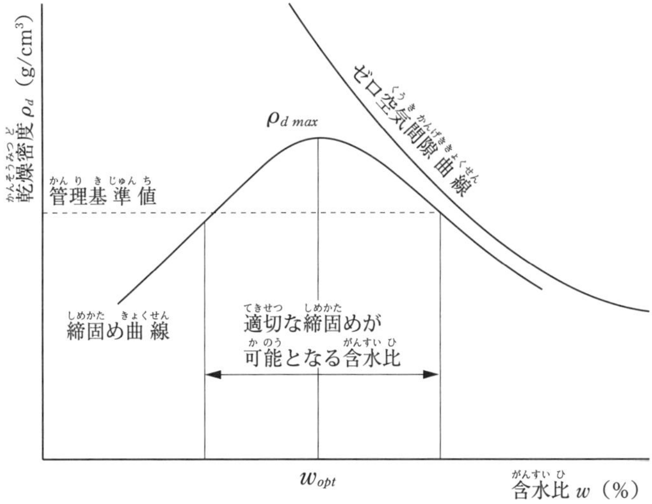

(イ)	(ロ)	(ハ)	(ニ)	(ホ)
最適含水比	砂	粘性土	性能	盛土材料

選択問題（1）

問題６　安全管理

労働安全衛生規則に定められている，建設工事の現場における墜落等による危険の防止に関する文の空所補充問題である。

解答に関連する法規や技術基準としては，労働安全衛生規則第２編第９章「墜落，飛来崩壊等による危険の防止」（第518条～第530条），同規則第２編第10章「通路，足場等」（第552条），並びに厚生労働省「墜落制止用器具の安全な使用に関するガイドライン」などが挙げられる。

(1)　事業者は，高さが2m以上の **(イ) 作業床**の端や開口部等で，墜落により労働者に危険を及ぼすおそれのある箇所には，囲い，手すり，覆い等を設けなければならない。

(2)　墜落制止用器具は **(ロ) フルハーネス**型を原則とするが，墜落時に **(ロ) フルハーネス**型の墜落制止用器具を着用する者が地面に到達するおそれのある場合（高さが6.75m以下）は胴ベルト型の使用が認められる。

(3)　事業者は，高さ又は深さが **(ハ) 1.5**m をこえる箇所で作業を行なうときは，当該作業に従事する労働者が安全に昇降するための設備等を設けなければならない。

(4)　事業者は，作業のため物体が落下することにより労働者に危険を及ぼすおそれのあるときは，**(ニ) 防網**の設備を設け，立入区域を設定する等当該危険を防止するための措置を講じなければならない。

(5)　事業者は，架設通路で墜落の危険のある箇所には，高さ **(ホ) 85**cm以上の手すり等と，高さが35cm以上50cm以下の桟等の設備を設けなければならない。

(イ)	(ロ)	(ハ)	(ニ)	(ホ)
作業床	フルハーネス	1.5	防網	85

選択問題（1）

問題７　土工

情報化施工におけるTS（トータルステーション）・GNSS（全球測位衛星システム）を用いた盛土の締固め管理に関する文の空所補充問題である。

解答に関連する規定としては，国土交通省「TS・GNSSを用いた盛土の締固め管理の監督・検査要領」などが挙げられる。

(1)　施工現場周辺のシステム運用障害の有無，TS・GNSS を用いた盛土の締固め管理システムの精度・機能について確認した結果を **(イ) 監督職員**に提出する。

(2)　試験施工において，締固め回数が多いと **(ロ) 過転圧**が懸念される土質の場合，**(ロ) 過転圧**が発生する締固め回数を把握して，本施工での締固め回数の上限値を決定する。

(3)　本施工の盛土に使用する材料の **(ハ) 含水比**が，所定の締固め度が得られる **(ハ) 含水比**の範囲内であることを確認し，補助データとして施工当日の気象状況（天気・湿度・気温等）も記録する。

(4)　本施工では盛土施工範囲の **(ニ) 全面**にわたって，試験施工で決定した **(ホ) まき出し**厚以下となるように **(ホ) まき出し**作業を実施し，その結果を確認するものとする。

(イ)	(ロ)	(ハ)	(ニ)	(ホ)
監督職員	過転圧	含水比	全面	まき出し

選択問題（2）

問題８　土工

切梁式土留め支保工の施工に関する記述問題である。おおよそ下記のような主旨の内容を，3 つの工法のうちから 2 つ選んで記述できればよい（ただし，解答欄に例示されている内容（非公開）の解答は除く）。

解答に関連する技術基準を記した資料としては，国土交通省「土木工事共通仕様書（第 1 編共通編）」，日本道路協会「道路土工－盛土工指針」などがある。

項目	実施方法又は留意点
①掘削順序	・**中央部分**より掘削し，土留め壁の前面掘削開放による**応力的に不利な状態**が短くなるようにする。 ・**左右対称**に掘削し，**偏土圧**が作用しないように配慮する。
②軟弱粘性土地盤の掘削	・背面地盤の沈下による**変位**を最小限にとどめ，**近接構造物等に悪影響を及ぼさない**ために，軟弱粘性土地盤の掘削後は**速やかに支保工を設置**する。
③漏水・出水時の処理	・漏水・出水による地山の崩壊を防ぐため，掘削時には**洗掘防止工**として，地山の段掘り部をコンクリートによって被覆する。

選択問題（2）

問題９　コンクリート

コンクリートに発生したひび割れ等の防止対策に関する記述問題である。

おおよそ下記のような主旨の内容を，①～④のうちから２つ選んで記述できればよい。

解答に関連する技術基準を記した資料としては，土木学会「コンクリート標準示方書［施工編］」などがある。

状況図	防止対策
①沈みひび割れ	・打込み時に，**単位水量を減らした**，ブリーディングの少ないコンクリートを使用する。 ・材料分離が生じないような適切な速度（30 分当たり **1 ～ 1.5**m 程度）でコンクリートを打ち込む。 ・再振動によってコンクリートの締固めが可能な範囲で**できるだけ遅い時期**に，再振動を行う。　他
②コールドジョイント	・下層のコンクリートが固まり始める前に上層のコンクリートを打ち込むなど**上・下層が一体**となるように施工する。 ・許容打重ね時間間隔を，外気温 25℃超の場合は **2.0** 時間，25℃以下の場合は **2.5** 時間とする。　他
③水和熱による温度ひび割れ	・**水和発熱の小さい**セメントを使用する。 ・**単位セメント量を低減**させたコンクリートを使用する。 ・**パイプクーリング**を行い，コンクリートの温度上昇を抑制する。 ・**養生シート**などで打設後のコンクリートを覆う。　他
④アルカリシリカ反応によるひび割れ	・骨材のアルカリシリカ反応性試験の結果によって，**無害**と判定された骨材を使用する。 ・コンクリート中のアルカリ総量を **3** kg /m³ 以下になるよう調整する。 ・**プレストレス導入**や **FRP 巻立て**等，膨張拘束のための対策を講じる。 ・シラン系表面含浸材を用いた**表面処理工法**などにより，コンクリート中の水分を低減させる。　他

選択問題（2）

問題 10　安全管理

建設工事現場で事業者が行うべき労働災害防止の安全管理に関する文の語句訂正問題である。

①～⑥のうち５つについて，以下のように語句を解答できればよい。

解答の典拠となる法令は次ページの表のとおりである。

番号	誤っている語句又は数値	正しい語句又は数値	（参考：典拠となる法令）
①	指揮者を届け出て	指揮者を定め	・労働安全衛生規則第 194 条の 10
②	3m	5m	・同法施行令第 6 条第 15 号の 5 ・同規則第 517 条の 14 第 1 項
③	48 時間	24 時間	・同規則第 575 条の 11
④	14 日前	30 日前	・同法第 88 条第 1 項 ・同規則第 86 条第 1 項 ・同規則別表第 7 第 10 号
⑤	防毒マスク	空気呼吸器等	・酸素欠乏症等防止規則第 5 条第 1 項 ・同規則第 5 条の 2 第 1 項
⑥	重ね継手	突合せ継手	・労働安全衛生規則第 371 条第 2 号

選択問題（2）

問題 11　環境保全・建設リサイクル

建設廃棄物の再生利用等による適正処理に関する知識を問う問題である。

問題文の指示どおり，廃棄物の処理及び清掃に関する法律（廃棄物処理法）第 1 章「総則」（第 3 条）及び「建設廃棄物処理指針」に則して，建設廃棄物を現場内で保管する場合に「分別・保管」を行う場合に排出事業者が作業所（現場）内において実施すべき具体的措置について，下記の解答例のような主旨の内容を 5 つ挙げればよい。

具体的措置
・廃棄物が飛散・流出しないよう，**シート等で覆い**，**散水**や**囲い**の設置などを行う。 ・保管物の**種類**や**責任者**，**連絡先**などを看板，掲示板などで明示する。 ・保管場所にねずみが生息したり，蚊，ハエその他の害虫が発生したりしないよう**薬剤を散布**する。 ・汚水が生ずるおそれがある場合は，公共水域や地下水の汚染防止のため，**排水溝**，その他の**汚染防止設備**を設ける。 ・作業員等の関係者に**保管方法**等を**周知徹底**する。 ・建設汚泥など，液状の廃棄物については**貯留槽**等を設置して保管する。 ・**可燃性**の廃棄物を保管する場合は，火災発生時の備えとして**消火設備**等を設ける。 等

令和3年度

第一次検定　問題A（選択問題）

No.1　土質試験結果の活用

【正答　3】

1 ○　土の粒度試験結果は，土中に含まれている土粒子の粒径の分布状態を表す粒径加積曲線で示される。試験結果は建設材料としての土の適否の判定に用いられ，粒径が広い範囲にわたって分布する特性を有する土は，締固め特性が良い土として用いられる。

2 ○　土の圧密試験結果は，圧縮性を示す圧縮指数や体積圧縮係数，圧密係数や透水係数などで示される。試験結果は，求められた圧密係数や体積圧縮係数から，飽和粘性土地盤の沈下量の計算や，沈下時間の推定に用いられる。

3 ×　土の含水比試験結果は，土の間隙中に含まれる水の質量と土粒子の質量の比である含水比で示される。含水比は，乾燥密度（土の体積に含まれる土粒子の割合）との関係から，盛土の締固めの管理に用いられる。原地盤の透水係数の算定に用いられるのは，現場透水試験である。

4 ○　一軸圧縮試験は，円筒形に成形した粘性土を上下方向に圧縮することでせん断強さを求める試験である。一軸圧縮試験結果は，飽和した粘性土地盤の強度を求め，盛土及び構造物の安定性の検討に用いられる他，求められた非排水せん断強さから，原地盤の土圧や支持力，斜面安定等の強度定数の算定に用いられる。

No.2　法面保護工の施工

【正答　2】

1 ○　種子散布工は，吹付専用機械で植生基材・浸食防止材・肥料・種子を混合し，低粘度スラリー状にした種子を直接法面に吹き付け，散布する工法である。種子散布工の施工に際しては，各材料を計量した後，水，木質材料，浸食防止材，肥料，種子の順序でタンクへ投入し，十分攪拌して法面へムラなく散布する。

2 ×　植生マット工は，種子・植生基材・肥料・浸食防止材等を装着したマットを法面に敷き詰めて法面を被覆する工法である。

植生マット工の施工に際しては，法面に凹凸が生じるとマットが付着しにくくなるため，あらかじめ法面を平滑に仕上げて設置する。

3 ○　モルタル吹付工は，亀裂の多い岩の法面における風化や剥落，崩壊を防ぐため，法面にモルタルを吹き付ける工法である。施工が比較的簡便で地山の風化・浸食防止効果は高いという特徴がある。モルタルの吹付けに先立っては，法面の浮石，ほこり，泥等を清掃した後，一般に菱形金網を法面に張り付けてアンカーピンで固定することでモルタルの剥落防止を図る。

4 ○　コンクリートブロック枠工は，法面表層部の浸食や風化，崩落からの保護を図るために，工場製品であるコンクリートブロック枠を法面上で組み立てて固定する工法である。コンクリート

ブロック枠の交点部分には，**滑り止めとして所定の長さのアンカーバー等を設置**し，一般に枠内は良質土で埋め戻し，植生で保護するのが望ましいとされている。

No.3　情報化施工による盛土工

【正答　4】

TS（トータルステーション）･GNSS（全球測位衛星システム）を用いた情報化施工による盛土工を行う場合に必要な事項については，国土交通省が「TS・GNSSを用いた盛土の締固め管理要領」（以下「要領」と表記）をとりまとめ，公開している。

1 ○　「要領」によれば，TS・GNSSを用いた**盛土の締固め管理システムの適用可否**については，「**使用機械，施工現場の地形や立地条件，施工規模及び土質の変化などの条件を踏まえて判断しなければならない。**」と定められている。

2 ○　施工現場及び周辺において，無線通信障害発生の可能性がある場合や，TSからの視準遮断等の可能性がある場合，**TSまたはGNSSを用いたシステムを適用できない可能性**がある。このような場合，盛土の締固め管理システムの位置把握にTSを採用するか，GNSSを採用するか検討し，**TS，GNSSどちらの適用も困難な範囲では，従来の品質管理方法を用いなければならない。**

3 ○　盛土材料については，土質の変化の有無に注意を払い，**事前の土質試験や試験施工で品質・施工仕様を決定したものと同じ土質であること**，さらに，盛土に先立ち，**含水比が所定の締固め度が得られる含水比の範囲内であること**を確認しなければならない。品質確認方法については，**従来の管理方法と同様に，目視による色の確認や手触り等による性状確認を行う。**

4 ×　**試験施工と同じ土質，含水比の盛土材料を使用し，試験施工で決定したまき出し厚，締固め回数で施工できたことを確認した盛土**については，**原則として現場密度試験を省略できる**。ただし，「要領」によれば，「試験施工と同様の品質で所定の含水比の範囲が保たれる盛土材料を使用していない場合や，所定のまき出し厚・締固め回数等で施工できたことを確認できない場合には，現場密度試験を実施して規格値を満足しているか確認する。」としている。

No.4　建設発生土の利用

【正答　2】

1 ○　**埋戻しに用いる土**については，埋設管下部への充填性，埋設物への影響を考慮する。**道路の供用開始後に工作物との間に隙間や段差が生じないように，圧縮性の小さい材料を用いる。**

2 ×　建設発生土を安定処理して使う場合は，一般に**原位置に建設発生土を敷き均し，その上に改良材を散布してから，**スタビライザーなどにより対象土と改良材を混合しなければならない。

3 ○　**埋戻し材の最大粒径に関する基準は，**所定の締固め度が得られるとともに，埋設物への損傷防止のための配慮も含め，**埋設物の種類や工法により異なる基準が適用される。**

4 ○　埋戻しに用いる土については，埋設

管の近傍など狭あいな箇所は締め固めにくい，また，道路においては**埋戻し材の上部に路盤，路床と同等の支持力を要求される場合もある**など，使用場所や環境によって異なる品質が要求されることがある。したがって**使用場所に応じた材料を選定する必要がある**。

No.5　軟弱地盤対策工法

【正答　4】

1○　**サンドコンパクションパイル工法**は，**地盤内に鋼管を貫入して管内に砂等を投入**し，**振動により締め固めた砂杭を地中に造成することにより，支持力の増加を図る工法**である。砂杭の支持力によって地盤の安定性を強化し，沈下を抑制する。

2○　**ディープウェル工法**は，井戸用の鋼管を地中深くに設置し，**井戸の中に流入した地下水をポンプでくみ上げることで地盤中の地下水位を低下させる工法**である。地下水位の低下により，それまで受けていた浮力に相当する荷重を下層の軟弱層に載荷して，圧密促進や地盤の強度増加を図る。

3○　**深層混合処理工法**は，固結工法の一種で，主として**セメント系の固化材を地中に供給し，原位置の軟弱土と攪拌混合する**ことにより，地中に強固な柱体状等の安定処理土を形成し，**すべり抵抗の増加や沈下の低減**など，地盤の強度を増加する工法である。

4×　排水距離を短縮して圧密排水を促進することで地盤の強度増加を図るのは**バーチカルドレーン工法**である。**表層混合処理工法**は，固結工法の一種で，**軟弱地盤の表層部分のシルト・粘土とセメント系や石灰系などの固化材を攪拌混合**して改良することにより，**地盤の変形抑制や施工機械のトラフィカビリティーを確保する工法**である。

No.6　コンクリート用粗骨材

【正答　1】

1×　**コンクリート骨材に砕石を用いた場合**は，ワーカビリティーの良好なコンクリートを得るために，砂利を用いた場合と比べて**単位水量を大きくする必要がある**。

2○　コンクリートの耐火性は，骨材の岩質による影響が大きい。例えば，**石灰岩は耐火性に劣り，火山岩系のうち，安山岩等は耐火性に優れる**。また，砂岩も一般的には**耐火性**に優れたものが多い。

3○　**舗装コンクリートに用いる粗骨材の品質を評価する試験方法**として，鋼製のドラムの中に一定の粒度の試料と鋼球を入れて回転させ，試料がすり減った量を測定する**ロサンゼルス試験機による粗骨材のすりへり試験**がある。

4○　**再生粗骨材Ｍの耐凍害性を評価する試験方法**として，試料を水とともに容器に入れて凍結と融解を繰り返し，試料の粒度分布の変化を測定する**再生粗骨材Ｍの凍結融解試験方法**がある。

No.7　混和材を用いたコンクリートの特徴

【正答　3】

1×　普通ポルトランドセメントの一部を高炉スラグ微粉末で置換すると，**水密性の向上や水和熱の発生速度の抑制，コンクリートの長期強度の増進**などの効果が期待できる。ただし，一定の湿

潤養生期間確保が必要であり，湿潤養生期間の短縮効果はない。また，アルカリシリカ反応の抑制効果は，フライアッシュの使用により期待できる効果である。

2 ×　普通ポルトランドセメントの一部を良質のフライアッシュで置換すると，コンクリートのワーカビリティーを改善し，単位水量の減少や長期材齢強度の増進，乾燥収縮の低減などの効果が期待できる。

3 ○　膨張材は，硬化過程において膨張を起こさせるコンクリート用混和材である。膨張材を適切に用いることで期待できる効果は，コンクリートの乾燥収縮や硬化収縮に起因するひび割れの発生の低減などである。

4 ×　シリカフュームとは，けい石や石英，鉄くずと還元剤としての石炭などから生成される，SiO_2 を主成分とする混和材である。シリカフュームを適切に用いると，ブリーディングや材料分離の低減や，水密性や化学抵抗性の向上が期待できる。さらに，高性能AE減水剤との併用により所要の流動性が得られる。単位水量の減少やAE減水剤の使用量の減少は，シリカフュームの使用効果には該当しない。

No.8　コンクリートの打込み

【正答　3】

1 ○　コンクリート打込み時にシュートを用いる場合は，材料分離を起こしにくい縦シュートを用いるのが標準である。やむを得ず斜めシュートを用いる場合には，シュートの傾きは材料分離を起こさない程度のものとし，水平2に対して鉛直1を標準とする。

2 ○　スラブのコンクリートが壁または柱のコンクリートと連続している場合には，沈みひび割れを防止するために，連続的にコンクリートを打ち込まず，壁または柱のコンクリートの沈下がほぼ終了するのを待ってからスラブのコンクリートを打ち込む。

3 ×　コールドジョイントの発生を防ぐための許容打重ね時間間隔は，外気温25℃超の場合は2.0時間，25℃以下の場合は2.5時間で，外気温が高いほど短くなる。

4 ○　1回の打込み面積が大きく許容打重ね時間間隔の確保が困難な場合には，コールドジョイントが発生するリスクを軽減するため，ダムコンクリートで一般的に行われている階段状にコンクリートを打ち込む手法が有効である。

No.9　コンクリートの配合

【正答　1】

1 ×　水セメント比は，値が小さくなるほど，強度，耐久性，水密性は高くなる。ただし，値があまり小さくなりすぎると，単位セメント量が大きくなり，水和熱や自己収縮が増大する。したがって，コンクリートに要求される強度，耐久性及び水密性などを考慮して，これらから定まる水セメント比のうち，作業可能な範囲内で最も小さい値を設定する。

2 ○　コンクリートの単位水量が大きくなると，材料分離抵抗性が低下するほか，乾燥収縮が増加するなど，コンクリートの品質は低下する。

3 ○　コンクリートのスランプは，円滑か

つ密実に型枠内へ打ち込めるよう，運搬，打込み，締固めなどの**作業に適する範囲内で，できるだけ小さくなるように設定する**。

4 ○　水セメント比が一定の場合，コンクリート内の**空気量が増すと，コンクリートの強度は小さくなり，品質のばらつきも大きくなる**傾向にある。

No.10　鉄筋の組立て・継手

【正答　2】

1 ○　鉄筋を組み立ててから長時間が経過した場合，コンクリートを打ち込む前に**鉄筋に生じた浮き錆**は，鉄筋とコンクリートの付着を害するおそれがあるため，**清掃して除去する必要がある**。

2 ×　**エポキシ樹脂塗装鉄筋**とは，コンクリート構造物の早期劣化を防ぐために，エポキシ樹脂塗料を塗装し，表面に高膜厚を形成させた鉄筋である。塗膜によって鉄筋が防護されるため，腐食は生じにくくなるが，**曲げ加工や組立て時に塗膜が損傷しやすい**。そのため，損傷に対する補修をしない場合は損傷部から**腐食が進む可能性がある**ことから，**塗膜に損傷が生じた場合はすぐに補修を行わなければならない**。

3 ○　重ね継手における**鉄筋の重ね合わせ長さ**は，**原則として鉄筋径の20倍以上とする**。したがって，鉄筋径が大きい場合は，小さい場合に比べて重ね合わせ長さも長くなる。

4 ○　**型枠に接するスペーサ**には，鋼製スペーサは使用せず，本体のコンクリートと同等程度以上の品質を有する**モルタル製またはコンクリート製のスペーサを使用する**。

No.11　コンクリートの養生

【正答　3】

1 ○　**高流動コンクリート**は，ブリーディングが通常のコンクリートに比べて少ないが**表面の乾燥が早い**ため，**プラスティック収縮ひび割れが生じやすい**傾向がある。したがって，プラスティック収縮ひび割れの防止のために，打込み後，表面を直ちにシートや養生マットで覆い，散水による湿潤養生を施すなど，**表面の乾燥を防ぐ対策を行う必要がある**。

2 ○　膨張材を混和材として用いた**膨張コンクリート**は，膨張材の作用により乾燥収縮ひび割れの発生を抑制するという特徴がある。膨張コンクリートが所定の強度発現及び膨張力を得るためには，打込み後のコンクリートを養生によって**湿潤状態を保つことが重要になる**。

3 ×　**マスコンクリート部材**では，硬化が十分に進むように**温度制御養生**を行い，**コンクリート表面の温度を急激に上下させるようなことは避ける**。

4 ○　**コンクリートの湿潤養生**は，湛水，散水等によりコンクリート表面に**直接水分を供給する方法**と，せき板の存置や被覆，膜養生剤の散布による**水分の逸散を抑制する方法**とに大別される。**シートやフィルムによる被覆**を行う場合は，養生のために型枠を取り外した後，**できるだけ速やかに実施する**。

No.12　道路橋で用いられる基礎形式

【正答　4】

1 ○　**道路橋における杭基礎**は，摩擦杭基礎として採用されることもあるが，杭

先端を支持基盤まで到達させる**支持杭基礎とするのが基本である**。支持杭基礎における杭先端の**支持層への根入れ深さ**は，設計段階では少なくとも**杭径程度以上を確保する**ことが基本となる。

2 ○　**鋼管矢板基礎**は，鋼管矢板を支持層まで打ち込む基礎形式である。鋼管矢板基礎の施工に際しては，**打込み工法，または中掘り工法による先端支持**とする。また，鋼管矢板基礎は井筒部の下端拘束を地盤により期待する構造体のため，**支持層への根入れが必要**となる。

3 ○　**道路橋の杭基礎**は，支持杭基礎と摩擦杭基礎に区分される。一般的には，長期的な基礎の鉛直変位を防止するために，先端を支持層まで到達し，杭の先端に働く反力で橋梁を支えることのできる**支持杭基礎とするのがよい**とされている。**摩擦杭基礎を採用する場合**には，長期的な鉛直変位について十分な検討を行い，周面摩擦力によって**所要の支持力を得るのに十分な根入れ深さを確保する**必要がある。

4 ×　**ケーソン基礎**は，鉄筋コンクリート製の箱型の構造物を沈設させることによる基礎形式である。ケーソン基礎は，沈設時に**基礎周面の摩擦抵抗を低減する措置**がとられる。そのため，鉛直荷重に対しては周面摩擦による分担支持は期待できず，**原則として基礎底面のみで支持する**。

No.13　既製杭の施工

【正答　3】

1 ×　**プレボーリング杭工法**では，あらかじめ推定した支持層にオーガ先端が近づいたら，**オーガ回転数やオーガ推進速度を落とす**などして，**過度な掘削や攪拌により周囲の地盤を乱さないように留意して施工する**ことが必要である。

2 ×　**中掘り杭工法**において，**中間層が比較的硬質で沈設が困難な場合**は，杭先端の根固め球根と鋼管杭との荷重伝達を円滑にするために，一般に杭先端部にフリクションカッターを取り付けて掘削・沈設を行う。ただし，掘削中は，原則として**杭径以上の拡大掘りは行わない**。

3 ○　**プレボーリング杭工法**における杭の埋設は，孔壁を削ることのないよう確実に行い，**杭周固定液として使用するソイルセメントが杭頭部からあふれ出ることを確認しなければならない**。

4 ×　**中掘り杭工法**において，**杭先端処理を最終打撃方式で行う場合，中掘りから打込みへの切替え**は，支持層上面から杭径の3倍程度以上を残し，**時間を空けずに連続的に行う**ことが推奨されている。

No.14　場所打ち杭工法の施工

【正答　3】

1 ×　**リバース工法**における**支持層の確認**は，**ホースから排出される循環水に含まれる土砂**を採取し，**設計図書及び土質調査試料等と比較**して行う。**ハンマグラブにより掘削した土**の土質と深度を設計図書及び土質調査試料等と比較し，支持層を確認するのは，**オールケーシング工法**である。

2 ×　**アースドリル工法**は，地表部に長さ2～4mの表層ケーシングチューブを

建て込み，以深は安定液によって形成されるマッドケーキと，地下水との水位及び比重の差による相互作用で孔壁を安定させる工法である。**支持層の確認**においては，**ドリリングバケット内に収納された支持層と判断できる土砂**と，**設計図書及び土質調査試料等と比較**する。

3 ○ **オールケーシング工法**は，筒形のケーシングチューブを地中に揺動または回転しながら圧入し，孔壁を保護しながら，グラブバケットによって掘削・土砂を排出し，孔内に鉄筋かごを建て込み，コンクリートを打設する工法である。**オールケーシング工法における根入れ長さ**は，支持層の確認を行った後，地盤を緩めたり破壊したりしないように掘削し，**掘削完了後に深度を測定して確認する**。

4 × **リバース工法の支持層への根入れは，支持層を確認したのち基準面を設定した上で必要な根入れ長さをマーキング**し，その位置まで掘削機が下がれば掘削完了とする。

深礎工法の支持層への根入れは，**下げ振りなどを用いて鉛直に，支持層を緩めないように慎重に掘削**し，掘削が完了した後に鉄筋かごの挿入または組立てを行う。

No.15　土留め工の施工

【正答　1】

1 × **腹起し材の継手部**は弱点となりやすいため，十分な強度の確保のために**ジョイントプレートを取り付けて補強する**。ただし，**継手位置**は，応力的に余裕のある**切ばりや火打ちの支点から近い箇所**とする。

2 ○ **中間杭**は，切ばりの座屈防止や覆工受桁からの荷重を支持することを目的として設置するものであり，中間杭の**位置精度や鉛直精度が低いと，切ばりの設置や本体構造物の施工に支障となる**。そのため，これらの精度管理を十分に行う必要がある。

3 ○ 土留め工における**タイロッド**は，**水平，または所定の角度**で，**原則として土留め壁に直角になるように正確に取り付ける**必要がある。

4 ○ 土留め工において**数段の切ばりがある場合**には，掘削に伴って設置済みの切ばりに軸力が増加し，ボルトに緩みが生じることがある。そのため，**必要に応じボルトの増締めを行う**。

No.16　鋼道路橋の架設

【正答　2】

1 ○ **部材の組立てに使用する仮締めボルトとドリフトピンの合計**は，架設応力に十分耐えるだけの本数を用い，その合計本数は，**その箇所の連結ボルト数の 1/3 程度を標準とする**。ただし，片持式架設のように大きい架設応力の作用する場合では，その架設応力に十分耐えるに必要な本数を用いる。

2 × 仮設構造物の照査において，**吊り金具**は，本体自重のほかに，**2点吊りの場合には本体自重の 50%，4点吊りの場合には 100%**の不均等荷重を考慮しなければならない。

3 ○ 送出し工法等での鋼橋の架設施工時，**ジャッキをサンドル材で組み上げた架台上にセットする場合**は，**ジャッキの頭部に作用する水平荷重**が，**鉛直**

荷重の10%以上として照査しなければならない。

4 ○　I形断面の鋼桁橋は，主桁の組立てが終わるまでは不安定である上，水平曲げ剛度，ねじり剛度が低い。そのため，I形断面部材の仮置きの際には，風等の横荷重による転倒や横倒れ座屈に対して十分に注意し，汚れや腐食などに対する養生として地面より15cm以上離すものとする。

No.17　鋼道路橋の溶接

【正答　2】

1 ○　外観検査で不合格となったスタッドジベルは，全数ハンマー打撃による曲げ検査を行い，曲げても割れ等の欠陥が生じないものを合格とする。ただし，この場合の合格としたスタッドジベルは元に戻さず，曲げたままにしておく。なお，外観検査に合格したものは，その中から1%について抜き取り曲げ検査を行うものとする。

2 ×　溶接施工試験は，被覆アーク溶接法，ガスシールド溶接法，サブマージアーク溶接法以外の方法で溶接を行う場合に実施される。したがって，被覆アーク溶接法による手溶接を行う場合は，溶接施工試験を行う必要がない。

3 ○　エンドタブは，部材の溶接端部において所定の溶接品質を確保できる寸法形状の材片を使用し，原則として部材と同等な開先を有するエンドタブを取り付け，溶接の始端及び終端が溶接する部材上に入らないようにしなければならない。溶接終了後は，ガス切断法によってエンドタブを除去し，その跡はグラインダ仕上げとする。

4 ○　溶接ビード及びその近傍には，いかなる場合も溶接割れがあってはならない。溶接割れの検査は，溶接線全体を対象として肉眼で行うのが原則であり，疑わしい場合や判定が困難な場合には磁粉探傷試験または浸透探傷試験を行う。

No.18　鋼道路橋における高力ボルトの施工及び検査

【正答　3】

1 ○　溶接と高力ボルトを併用する継手は，それぞれが適切に応力を分担するような設計を行う。また，応力に直角なすみ肉溶接と高力ボルト摩擦接合とは併用することができない。溶接と併用する場合の高力ボルトの締付けは，溶接によりボルトのすべり抵抗が低下しないように，原則として溶接の完了後に行う。

2 ○　フィラーは，継手部の母材に板厚差がある場合に，板厚差を解消するために用いる。肌隙などの不確実な連結及び腐食などを防ぐためには，フィラーを2枚以上重ねて用いてはならない。

3 ×　トルク法による締付け検査においては，締付けトルク値がキャリブレーション時に設定したトルク値の±10%の範囲にあるものを合格とする。±10%を超えたものは，ボルト交換を行う必要がある。

4 ○　トルシア形高力ボルトの締付け検査の際は，全数についてピンテールの切断の確認とマーキングによる外観検査を行うものとする。

No.19　アルカリシリカ反応の抑制対策

【正答　1】

アルカリシリカ反応とは，骨材中のシリカ分とセメントなどに含まれるアルカリ性の水分の反応によって生成された膨張性の物質が吸水膨張することで発生する劣化現象である。

1 ×　平成14年国土交通省通達「アルカリ骨材反応抑制対策（土木・建築共通）」2.3に，「骨材のアルカリシリカ反応性試験の結果で無害と確認された骨材を使用する。」とある。これについて，細骨材の場合に試験を省略することができるとは定められていない。

2 ○　アルカリシリカ反応では，有害な骨材を無害な骨材と混合した場合，有害な骨材を単独で用いるよりもコンクリートの膨張量が大きくなることがある。

3 ○　JIS R 5211「高炉セメント」に適合する高炉セメントB種の使用は，アルカリシリカ反応抑制効果が認められている。高炉セメントB種を使用する場合は，スラグ混合率を40%以上とする。

4 ○　海洋環境（海水や潮風など）の影響を受ける地域，または凍結防止剤を使用している場合は，海水や潮風に運ばれる塩化物，凍結防止剤に含まれる塩化物がコンクリートの表面から浸透する可能性がある。そのため，こうした環境下でアルカリシリカ反応性試験で無害でないと判定された骨材を用いる場合は，塗装等，外部からのアルカリ金属イオンや水分を通じた塩化物の侵入を抑制する対策を行う。

No.20　コンクリート構造物の補強工法

【正答　2】

1 ○　道路橋の床版に対する接着工法では，接着された補強材は，活荷重（補強後に作用する車両の荷重）に対してのみ効果を発揮し，死荷重（構造物自体の重さによる荷重）などに対する既設部材の負担を減らす効果は期待できないことに注意を要する。

2 ×　橋梁の耐震補強では，橋脚の曲げ耐力を過度に大きくすると，想定破壊部位が橋脚から基礎に移る可能性がある。基礎の耐震補強や地震後の復旧には多大な費用と労力が必要になるため，耐震補強に当たっては橋脚の曲げ耐力と基礎の曲げ耐力とのバランスを十分に考慮する必要があり，橋脚の曲げ耐力が基礎の曲げ耐力より大きくなる状態を避けるのが原則である。

3 ○　耐震補強工事の際に，構造物に対し装置を後付けする場合には，装置本来の機能を発揮させるために，その装置が発現する最大の強度と，それを支える取付け部や既存部材との耐力の差を考慮し，強度のバランスが取れるような施工をする必要がある。

4 ○　耐震補強において，連続繊維の接着により補強を行う場合は，既設部材の表面状態が直接確認できなくなるため，帯状に補強部材を配置する等，点検容易性への配慮を行う。

No.21　河川堤防の施工

【正答　4】

1 ○　築堤土は，粒子のかみ合せにより強度発揮に効果のある粗粒分から，透水係数を小さくする効果のある細粒分ま

でが適当に配合された土がよい。土質分類上は粘性土，砂質土，礫質土が適度に含まれていれば締固めを満足する施工が可能である。

2 ○　トラフィカビリティーが確保できない高含水比の土は，地山でのトレンチによる排水や仮置きによる曝気乾燥等により含水比を低下させるなどの改良を施すことで，堤体材料として使用が可能になる。

3 ○　含水比の低下により土のトラフィカビリティーの改善を図る工法としては，石灰やセメントといった処理材の混合による安定処理工法がある。石灰を用いた土質安定処理工法は，石灰が土中水と反応して，吸水，発熱作用を生じて周辺の土から脱水することを主要因とする。石灰と土中水の反応時間は，セメントと比較して長時間が必要である。

4 ×　既設堤防の嵩上げや拡幅に用いる堤体材料は，原則として，表腹付けには既設堤防より透水性の小さい材料を用い，裏腹付けには既設堤防より透水性の大きい材料を用いる。

No.22　河川護岸の施工

【正答　3】

1 ○　河川護岸には，一般に水抜きは設けない。ただし，掘込河道などで残留水圧が大きくなる場合には，残留水圧が作用しないように必要に応じて水抜きを設けることがある。

2 ○　縦帯工は，護岸の法肩部に設けられる構造物で，法肩の施工を容易にし，法肩部の破損を防ぐ役割を有する。一方，横帯工は，法覆工の延長方向の一定区間ごとに設け，護岸の変位や破損が他に波及しないよう絶縁するための構造物である。

3 ×　かご系の護岸は，かごの上に現場発生土を覆土することで植生の復元が期待できるため，多自然型川づくりに適する工法である。現地の残土や土砂等を利用して植生の回復を図るかご系の護岸では，水締め等による空隙の充填を行い，背面土砂の流出を防ぐために吸出し防止材等を設置する。

4 ○　河床が低下傾向の河川において，護岸の基礎を埋め戻す際は，寄石等により，護岸近傍の流速を低減する等の工夫を行う。この場合の寄石は，可能な限り現場発生材で大径の材料を用いるものとする。

No.23　河川堤防における軟弱地盤対策工

【正答　1】

1 ○　表層混合処理工法は，軟弱地盤の表層部分の土とセメント系や石灰系などの添加材を撹拌混合することにより，地盤の変形抑制や施工機械のトラフィカビリティーを確保する工法である。表層混合処理工法における改良強度の確認は，サンプリング試料の場合は一軸圧縮試験により，CBR 値の場合は CBR 試験により実施するのが一般的である。

2 ×　緩速盛土工法で軟弱地盤上に盛土する際の基礎地盤強度の確認を行う場合は，強度増加の精度が把握しやすいボーリング不撹乱試料室内土質試験が多く採用される。

3 ×　堤体材料自体に人工的な材料を加え

て盛土自体を軽くする軽量盛土工法は，圧密沈下量の減少等の効果が得られるが，堤体の強度が低下する可能性があるため，河川堤防の定規断面内には用いられない。

4 × 軟弱な粘性土で構成されている基礎地盤上において，堤防の拡幅工事中に亀裂が発生した場合は，応急措置として速やかにシート等で亀裂を覆う。そして亀裂の進行が終了した後に堤体を切り返して締固めを行う。

No.24 砂防工事の施工

【正答 3】

1 ○ 工事のため樹木を伐採する区域では，幼齢木や苗木はできる限り保存し，伐根は最小限として現場の植栽に役立てる。また，萌芽が期待できる樹木の切株についても，萌芽更新を期待してできる限り保存する。

2 ○ 砂防工事の現場では，土砂の流出の影響が大きいため，土工事では土砂の流出に細心の注意を払う必要がある。したがって，切土や盛土，掘削残土の仮置き場所についても，降雨による土砂の流出を防ぐために表面をシートで保護するなどの対策をとる。

3 × 材料運搬に用いられる索道設置に必要となるアンカーは，既存の樹木を利用せず，原則として埋設アンカーとする。

4 ○ 工事に伴い現場から発生する余剰コンクリートや工事廃棄物は，その都度搬出処理を行い，工事現場内に残さないようにする。

No.25 地すべり防止工

【正答 3】

1 × アンカーの定着長は，地盤とグラウトとの間の付着長及びテンドンとグラウトとの間の付着長について比較を行い，それらのうち長いほうとする。

2 × アンカー工は地すべり抑止工の一種で，高強度の鋼材などの引張り材を削孔に挿入して基盤内に定着させ，地すべり滑動力に対抗させる工法である。アンカー工は基本的には，アンカー頭部とアンカー体，引張り部の 3 つの構成要素により成り立っている。アンカー工の抑止機能には締付け効果（すべり面の垂直応力の増加によりせん断抵抗力を増す効果）を利用するものとひき止め効果（アンカー力によりすべり力の反力を発揮させる効果）を利用するものの 2 つのタイプがあり，地盤や地すべりの状況によりいずれかの効果を重視して設計する。

3 ○ 杭の基礎部への根入れ長さは，杭に加わる土圧による基礎部破壊を起こさないように決定する。せん断杭の場合は原則として杭の全長の 1/4 ～ 1/3 とする。ただし，基礎地盤の強度が低く，N 値が 50 以下の場合，根入れ長さは杭の全長の 1/3 以上とする。

4 × 杭の配列は，地すべりの運動方向に対して概ね直角になるように設計する。杭の間隔は等間隔となるようにし，単位幅当たりの必要抑止力に，削孔による地盤の緩みや土塊の中抜けが生じるおそれを考慮して定める。

No.26　急傾斜地崩壊防止工

【正答　4】

1 ○　**排水工**は，流入水を速やかに集めて排水することにより，**崖崩れの主要因となる地表水や地下水の斜面への流入を防止**し斜面を安定化させ，斜面自体の安全性を高めることを目的に設けられるものである。**排水工は，一般に地表水排除工と地下水排除工の２つに大別される**。

2 ○　**法枠工**は，**斜面の風化や侵食の防止，法面の表層破壊の抑制**を目的とし，斜面に枠材を設置し，法枠内を植生工や吹付け工，コンクリート張り工などで被覆する工法である。

3 ○　**落石対策工**は，**斜面上の転石の除去・固定**などによる**落石発生の未然防止（落石防止工）**や，**発生した落石を斜面下部や中部で止めること（落石防護工）**を目的に設けられる。通常は，急傾斜地崩壊防止施設に付属して設置されることが多い。

4 ×　**待受け式コンクリート擁壁工**は，斜面上部からの**崩壊土砂を斜面下部で待ち受け，一定の場所（ポケット）に堆積させる**ことで，土砂が建築物の敷地に到達することを防止する目的で設けられる。ポケット容量が不足するからといって，**斜面の不安定化につながる地山の切土は行ってはならない**。

No.27　道路のアスファルト舗装における路床

【正答　4】

1 ○　**構築路床**には，**切土工法，盛土工法，安定処理工法，置換え工法**といった築造工法がある。構築路床の築造に際しては，**適用する工法の特徴を把握**し，**現状路床の支持力を低下させないように留意**しながら，所定の品質，高さ及び形状に仕上げる。

2 ○　**置換え工法**は，軟弱な現地盤を所定の深さまで掘削し，**掘削面以下の層をできるだけ乱さないように留意しながら，良質土を原地盤の上に盛り上げて構築路床を築造する工法**である。

3 ○　**安定処理工法**では，安定材の散布を終えた後，**ロードスタビライザ**などの混合機械を用いて，**安定材と路床土を所定の深さまでむらなくかき起こし十分に混合する**。混合むらが生じた場合は再混合を行う。

4 ×　**盛土路床**は，使用する盛土材の性質をよく把握した上で均一に敷き均す。１層の敷均し厚さは，仕上り厚20cm以下を目安とし，**締固めの際は，強度低下の原因になる過転圧は避けるようにする**。

No.28　道路のアスファルト舗装の路盤の施工

【正答　1】

1 ×　**下層路盤の路上混合方式によるセメント安定処理工法**では，**前日の施工端部を乱して新たな施工を行い**，できるだけ早い時期に新しい材料を打ち継ぐことが望ましい。

2 ○　**下層路盤の粒状路盤の施工**で，**降雨などにより粒状路盤材料が著しく水を含み締固めが困難な場合**には，晴天を待って**曝気乾燥を行う**。また，**少量の石灰やセメントを散布・混合**して締め固めることもある。

3 ○　**下層路盤の路上混合方式によるセメ**

ント安定処理工法で，地域産材料や補足材を用いる場合は，整正した在来砂利層等の上に均一に敷き広げる。また，1層の仕上り厚は，15～30cmを標準とする。

4 ○ 下層路盤の粒状路盤の施工で，粒状路盤材料として砂等の締固めを適切に行うためには，その上にクラッシャラン等をおいて同時に締め固めてもよい。1層の仕上り厚さは20cm以下を標準とし，一般に，敷均しはモータグレーダで行う。転圧には10～12tのロードローラや8～20tのタイヤローラを用いるのが一般的である。

No.29 道路のアスファルト舗装における基層・表層の施工

【正答 3】

1 ○ アスファルト舗装の施工において，仕上げ転圧は，不陸の修正，ローラマークの消去を目的として行うものである。通常はタイヤローラまたはロードローラで2回（1往復）程度行うが，高い平坦性が必要な場合は，タンデムローラの使用が効果的である。

2 ○ 寒冷期のアスファルト舗装の舗設においては，中温化技術を使用することにより，混合物温度が低下しても良好な施工性を得ることができる。中温化技術により施工性を改善した混合物を使用する場合，所定の締固め度が得られる範囲内で，適切な転圧温度を設定する。

3 × やむを得ず5℃以下の気温でアスファルト混合物を舗設する場合，敷均しに際しては連続作業を原則とし，アスファルトフィニッシャのスクリードについては充分に予備加熱を行った上で，作業中も継続的に加熱する。

4 ○ ポーラスアスファルトの混合物の敷均しは，通常のアスファルト舗装の場合と同様に行う。ただし，ポーラスアスファルト混合物の温度低下は通常の混合物より早いため，敷均し後速やかに初転圧を行う必要がある。

No.30 道路のアスファルト舗装の補修

【正答 1】

1 × 一般に流動によるわだち掘れや線状に発生したひび割れが大きい場合の補修に用いられるのは，表層・基層の打換え工法である。薄層オーバーレイ工法は，既設舗装の上に，厚さ3cm未満の薄層の加熱アスファルト混合物を舗設する工法であり，予防的維持工法として用いられることが多い。

2 ○ 加熱アスファルト混合物のシックリフト工法は，1層の仕上り厚が厚いため，混合物の温度が低下しにくいという特徴がある。そのため，締固め終了後に即日交通開放する場合，交通開放後早期にわだち掘れを生じることがあるので，舗装の冷却などの対策をとる必要がある。

3 ○ アスファルト舗装の路面のたわみが大きい場合は，補修工法の選定に先立ち，路床や路盤等の開削調査を実施し，そのたわみの原因をよく把握する必要がある。

4 ○ リフレクションクラックとは，ひび割れのある既設舗装の上にアスファルト混合物を施工した際に，下層の目地やひび割れが反映する形で上層部分に生じるひび割れのことを指す。オーバ

ーレイ工法でリフレクションクラックの発生を抑制させるためには，クラック抑制シートの設置や，応力緩和層の採用等を検討する。

No.31　道路のアスファルトの各種舗装

【正答　4】

1 ○　半たわみ性舗装は，アスファルト舗装のたわみ性とコンクリート舗装の剛性を複合的に活用した舗装で，空隙率の大きい開粒度タイプのアスファルト混合物に，浸透用セメントミルクを浸透させて舗装の強度を高め，剛性及び耐久性を増加させる舗装である。自動車荷重による摩耗・わだち掘れ対策として，主に交差点部やバス停などで用いられる。

2 ○　グースアスファルト舗装は，グースアスファルト混合物を用いた不透水性，たわみ性の性能を有する舗装である。主に鋼床版舗装の橋面舗装の基層に用いられる。

3 ○　ポーラスアスファルト舗装とは，道路の表層または表・基層にポーラスアスファルト混合物を用い，その下の層に不透水性の層を設けることで，雨水を速やかに路面下に浸透させる機能を有する。

4 ×　保水性舗装とは，舗装体内に水分を保持する性能を持つ舗装のことを指す。保水機能を持つ表層や表・基層に保水された水分が蒸発する際の気化熱により，路面温度の上昇を抑制する機能がある。

No.32　道路のコンクリート舗装の補修工法

【正答　2】

1 ○　道路のコンクリート舗装のグルービング工法は，既設の舗装表面に専用のカッターで溝を切り，物理的なすべり止めの性能を付与する工法である。雨天時のハイドロプレーニング現象の抑制や，横すべり防止または制動性向上など，すべり抵抗性の改善等を目的として施工される。

2 ×　バーステッチ工法とは，既設コンクリート版に発生したひび割れ部に対し，直角の方向にカッタ溝を切り込み，溝の中に異形棒鋼あるいはフラットバー等の鋼材を埋設してひび割れをはさんだ両側の版を連結させる工法である。

3 ○　道路のコンクリート舗装の表面処理工法は，コンクリート版に摩耗（ラベリングまたはポリッシング），はがれ（スケーリング），表面付近のヘアクラック等が生じた場合に，コンクリート版の表面に薄層の舗装を施工して，車両の走行性やすべり抵抗性や版の防水性を回復させる工法である。

4 ○　道路のコンクリート舗装のパッチング工法は，コンクリート版に生じた欠損箇所や段差等にセメント系やアスファルト系，樹脂系の各種充填材を充填して，路面の平坦性等を応急的に回復させる工法である。

No.33　ダムの基礎処理

【正答　1】

1 ×　パッカー注入工法の説明である。ダムの基礎グラウチングとして施工され

るステージ注入工法は，注入孔の全長をいくつかのステージに分割し，上部のステージからボーリングとグラウチングを交互に行う工法である。

2 ○　ダム基礎グラウチングの施工法には，1 で言及したステージ注入工法とパッカー注入工法のほかに，特殊な注入工法として，A 液を内管，B 液を外管で圧送し，注入孔の先端で両液を混合する二重管式注入工法がある。

3 ○　重力式コンクリートダムのコンソリデーショングラウチングを行う目的は，着岩部付近における遮水性の改良や基礎地盤弱部の補強である。一般的に，コンソリデーショングラウチングの孔配置は，規定孔を格子状に配置し，中央内挿法により施工する。

4 ○　ダムの基礎処理におけるカーテングラウチングは，ダムの基礎地盤及びリム部の地盤における，浸透路長が短い部分と貯水池外への水みちとなるおそれのある高透水部の遮水性の改良を目的として行われる。カーテングラウチングの施工位置は，コンクリートダムの場合は上流フーチングまたは堤内通廊から，ロックフィルダムの場合は監査廊から行うのが一般的である。

No.34　RCD 用コンクリートの打込み

【正答　4】

1 ○　RCD 工法は，ダンプトラックなどで堤体に運搬された超硬練りの RCD 用コンクリートをブルドーザにより薄層に敷き均し，振動目地切り機などで横継目を設置し，振動ローラで締固めを行う工法である。1 層当たりの敷均し厚さは，振動ローラで締め固めた後に 25cm 程度となるように，27cm 程度にする例が多い。

2 ○　RCD 用コンクリートの練混ぜから締固めまでの許容時間は，ダムコンクリートの材料や配合，気温や湿度などによって異なるが，夏季では 1.5 ～ 3 時間程度，冬季では 3 ～ 4 時間程度を標準とする。

3 ○　横継目は，ダム軸に対し直角方向に発生するひび割れを防ぐために設けられる継目であるが，貯水池からの漏水経路になり得る。そのため，漏水を防ぐために，横継目の上流端付近には，主副 2 枚の止水版を設置しなければならない。

4 ×　RCD 工法において，コンクリートの敷均し後，振動目地切機により横継目を設置する際の間隔は，ダム軸に対し直角の方向で 15m である。

No.35　トンネルの山岳工法の補助工法

【正答　2】

1 ○　切羽安定対策のための補助工法は，主に断層破砕帯，崖錐等の不良地山で用いられる。天端の崩壊・崩落防止等，天端部の安定対策として，フォアポーリングや長尺フォアパイリングがある。

2 ×　地下水対策の補助工法としては，地下水が多い場合に，穿孔した孔を利用して水を抜き，水圧，地下水位を下げる工法として，水抜きボーリング工法などがある。止水注入工法は，トンネルの躯体コンクリートのひび割れに注入材を充填して止水を図る工法である。

3 ○　地表面沈下対策のための補助工法

は，地表面の沈下に伴う構造物への影響抑制のために用いられる。補助工法の例としては，鋼管の剛性によりトンネル周辺地山を補強するパイプルーフ工法があるが，一般に大型の設備を要し，工期や工費が大きくなる傾向がある。

４○　近接構造物対策のための補助工法には，遮断壁工法がある。遮断壁工法は，既設構造物とトンネル間を遮断し，変位の伝搬や地下水の低下を抑える工法である。

No.36　トンネルの山岳工法の支保工

【正答　３】

１○　トンネルの山岳工法における支保工の施工は，地山の安定のため，周辺地山の有する支保機能が早期に発揮されなければならない。そのため，施工は掘削後速やかに実施し，支保工と地山をできるだけ密着あるいは一体化させることが必要である。

２○　トンネルの山岳工法の支保工における吹付けコンクリートの施工では，はね返りを少なくするために，吹付けノズルを吹付け面に対して直角に保ち，ノズルと吹付け面の距離や衝突角度が適正となるように行う必要がある。

３×　トンネルの鋼製支保工は，一般的には地山の自立性が悪いなど，条件が良好でない場合に，吹付けコンクリートの補強や掘削断面の切羽の早期安定などの目的で行う。吹付けコンクリートと一体化することで支保機能を高める効果もある。建込みは，掘削後，または一次吹付けコンクリート施工後速やかに行う。

４○　トンネルの山岳工法の支保工におけるロックボルトの施工の際は，所定の定着力を得てロックボルトの性能が十分に発揮できるようにするために，定着後，プレートが掘削面や吹付け面に密着するように，ナットなどで固定する必要がある。

No.37　海岸の傾斜型護岸の施工

【正答　２】

１○　傾斜型護岸は，堤脚位置が海中にある場合には汀線付近で吸出しが発生することがあるので，吸出し防止のために層厚を厚くする。また，裏込め材の粒径は，上層から下層へ向かうにつれ徐々に小さくする。

２×　傾斜型護岸の施工において吸出し防止材を用いる場合には，吸出し防止材を裏込め工の下層に設置する。その際，裏込め工下部の砕石等は省略できない。

３○　傾斜型護岸の表法に設置する裏込め工は，浸透水や浸出水に対するフィルター機能の確保や洗掘低減効果を発揮させるため，現地盤上に栗石・砕石層を50cm以上の厚さとして，十分安全となるように施工する。

４○　緩傾斜型護岸の法面勾配は，１：３より緩くするのが理想である。法尻については，先端のブロックが波を反射して洗掘を助長しないように，ブロックの先端を同一勾配で地盤に突込んで（根入れ）施工する。

No.38　海岸の養浜の施工

【正答　１】

１×　養浜の投入土砂は，現況よりも大きな粒径の材料を用いた場合，陸側に砂

が残りやすいために沖合部の海底面を保持する上で役立つとともに，効率的に汀線を前進させることができ，汀線付近での保全効果の発揮が期待できる。

2 ○　養浜とは，浸食が進む海岸に人工的に砂を供給して海浜の造成を促す施工方法である。養浜に際しては，養浜材の採取場所，運搬距離，社会的要因などを考慮し，最も効率的かつ周辺環境への影響が及びにくい工法を選定する。

3 ○　養浜の陸上施工においては，周辺への影響について十分検討するとともに，工事用車両の搬入路の確保や，投入する養浜砂の背後地への飛散などに配慮し，慎重に施工する。

4 ○　養浜の施工においては，陸上であらかじめ汚濁の発生源となるシルト，有機物，ごみ等を養浜材から除去する，投入土砂の粒度組成を調整するなど，適切な方法により汚濁の発生防止に努める。

No.39　港湾構造物の施工

【正答　2】

1 ○　捨石に用いる石材を施工場所まで運び，投入する際は，台船やグラブ付運搬船（ガット船），石運船等の運搬船を用いるのが一般的である。

2 ×　捨石の均しには荒均しと本均しがある。荒均しは，被覆石や根固ブロック，法面など直接上部構造物と接していない部分を整える作業であり，本均しは，捨石天端など，直接上部構造物と接する部分を組み直し，緩みが発生しないように堅固な構造とする作業である。

3 ○　基礎捨石の荒均しは，均し基準面に対し凸部と凹部の差が生じないように，凸部では石材を除去し，凹部では補充しながら均す作業であり，ほぼ面が揃うまで施工する。

4 ○　基礎捨石の本均しは，均し定規を使用し，大きい石材で基礎表面を形成し，小さい石材は間詰めに使用し，緩みのないようにかみ合わせて施工する。

No.40　浚渫工事の事前調査

【正答　1】

1 ×　音響測深機による深浅測量は，連続的な記録がとれる利点がある。また，測線間隔が小さく，未測深幅が狭いほど測深精度が高くなるため，海底の状況をより詳細に測深する必要がある場合は，送受波機の素子数を多くし，未測深幅を狭くする。

2 ○　浚渫工事では，海底土砂の硬さや強さ，その締まり具合や粒の粗さなどといった，海底の土砂の性質が浚渫工事の工期，工費に大きく影響するため，土質調査が必要である。調査の具体的な内容としては，一般的に粒度分析，比重試験，標準貫入試験を実施する。

3 ○　機雷など危険物が残存すると推定される海域においては，浚渫作業中に危険物と接触することによる爆発事故の危険が存在する。したがって，作業の安全を確保するために，浚渫に先立って工事区域における機雷の有無などの探査を行う必要がある。

4 ○　水質調査の目的は，海水汚濁の原因が，バックグラウンド値か浚渫工事による濁りかを判定，確認するために実施するものである。そのため，浚渫工

事完成後に調査を行っても意味はなく，事前，及び浚渫中の調査が必要である。

No.41　鉄道の砕石路盤の施工

【正答　4】

1 ○　砕石路盤の原料の選定に当たっては，列車荷重を支えるのに十分な強度があることを考慮して，クラッシャラン等の砕石，または良質な自然土等を用いる。また，運搬やまき出しにより粒度が偏ることがないように，十分混合して均質な状態で使用する。

2 ○　砕石路盤の表面の仕上り精度は，設計高さに対して±25mm以内を標準とし，有害な不陸がないようにできるだけ平坦に仕上げることとなっている。

3 ○　砕石路盤の施工は，材料の均質性や気象条件などを考慮して，所定の仕上り厚さや締固めの程度が得られるように入念に行う。締固めに当たっては，ローラで一通り軽く転圧した後に再び整形し，整形後にロードローラ，振動ローラ，タイヤローラなどを併用して十分に締め固める。

4 ×　砕石路盤の敷均しは，モータグレーダまたは人力により行う。また，1層の仕上り厚さは，150mm程度になるよう敷き均す。

No.42　鉄道の軌道の維持管理

【正答　3】

1 ○　バラストとは，路盤の上に敷かれる砕石や砂利のことを指す。バラストは，列車通過のたびに繰り返しこすれ合うことにより，角が摩損し，次第に丸みを帯びるようになる。丸みを帯びたバラストは，軌道変位の原因となるため，順次交換する必要がある。

2 ○　スラブ軌道は，プレキャストコンクリートスラブを高架橋等の堅固な路盤に据え付け，スラブと路盤との間に填充材を注入したもので，軌道狂いが起こりにくいため，バラスト軌道に比較して，保守作業の軽減を図ることができるという特徴がある。

3 ×　PCマクラギはコンクリート製マクラギの一種で，1本当たり数百キログラムの重量があるため，木マクラギに比べ初期投資は多額となり，敷設や交換などの施工は困難である。しかし，寿命は50年程度と木マクラギ（防腐処理済のものでも10～25年程度）と比べて長いため，維持管理の面で有利である。

4 ○　レール継目の遊間は，レールの温度変化に伴う伸縮を容易にするために設けられている。レール継目の遊間は，冬期など，レール温度が下降した時に継目ボルトに過大な力がかからないことなどを考慮して設定する。また，遊間の整正は，温度の変化が大きく，レールの伸縮が著しい夏期や冬期に先立って行うのが適当である。

No.43　鉄道の営業線近接工事における保安対策

【正答　1】

鉄道の営業線近接工事における保安対策については，日本鉄道施設協会「営業線工事保安関係標準仕様書（在来線）」などに記載されている。

1 ×　営業線近接工事においてき電停止を行う場合，その手続きは停電責任者が

行うこととする。また，手続きに先立っては，使用間合，時間，作業範囲，競合作業等について，あらかじめ監督員などと十分打合せを行わなければならない。

2 ○　列車見通し距離が確保できない場合には，確保できるよう複数名の列車見張員を配置しなければならない。列車見張員の増員の際は，1人の列車見張員が掌握できる範囲は前後50m程度とし，列車見張員相互が携帯無線機などで連絡が取れる体制としなければならない。

3 ○　架空電線に接触することを防止する為，営業線近接工事では，原則として，安全高さ内で強制的に機械をストップさせるストッパー機能を備えた工事用重機械を使用するものとする。緊急時等で，やむを得ず，ストッパー機能を有していない工事用重機械を架空電線に接近して使用する場合は，架空電線監視人を配置しなければならない。

4 ○　営業線近接工事において，少人数（作業員が概ね10人以下）で小範囲（範囲が50m以下）の線路閉鎖時の作業については，線閉責任者が作業等の責任者を兼務することができる。

No.44　シールド工法のセグメント

【正答　2】

1 ○　セグメントのくさび継手は，くさび作用を用い，セグメントを引き寄せて締結する継手である。くさび継手には，位置決め後にくさびを挿入する後付け形式の他，セグメントの組立て時間を短縮するために，くさびを先付けする形式のものがある。

2 ×　ピン継手の説明である。ボルト継手は，位置決めとボルト締結の二工程を要し，また，内面を平滑にするため，ボルトボックスの穴埋めが必要になる場合もあることから，作業効率の面では他の方式と比べて不利な継手構造である。

3 ○　鋼製セグメントは，材質が均質で強度も保証されており，比較的軽量であるため施工性も良好である。ただし，鉄筋コンクリート製セグメントと比較すると施工の影響による座屈や変形が起こりやすいため，注意を要する。

4 ○　合成セグメントは，鋼板による鋼殻とコンクリートによる合成構造のセグメントである。合成セグメントは，同じ断面であれば高い耐力と剛性を付与することが可能なことから，鉄筋コンクリート製セグメントと比較して，セグメント高さを低減できるという利点がある。

No.45　鋼構造物塗装における塗膜の劣化

【正答　1】

1 ×　チョーキングに関する説明である。チェッキングとは，乾燥した塗膜の表面に規則的で微細な割れが発生する現象を指す。

2 ○　膨れは，塗膜の層間や鋼材面と塗膜の間に生じる気体，または液体による圧力が，塗膜の付着力や凝集力より大きくなった場合に発生する現象である。浸水や，高湿度な条件下等で生じやすい。

3 ○　クラッキングは，塗膜の内部深く，または鋼材面まで達する，目視で容易

に確認ができる程度の大きな割れが発生する現象を指す。

4 ○　はがれは，塗膜が欠損している状態を指し，浸水や被塗物の収縮等により，塗膜と鋼材面，または塗膜と塗膜間の付着力が低下したときに生じる。結露の生じやすい下フランジ下面等に多くみられる。

No.46　上水道の管布設工

【正答　2】

1 ○　道路に上水道管を布設する場合には，配水管は維持管理の容易性に配慮し，原則として公道に布設する。配水本管は道路の中央寄りに布設し，配水支管は，給水管の分岐の都合上，なるべく道路の片側寄りに布設する。

2 ×　道路法施行令第11条の3第1項第2号ロでは，歩道での土被り（埋設深さ）について，「1.2m（工事実施上やむを得ない場合にあっては，0.6m）を超えていること」と規定されている。ただし，土被りを標準または規定値までとれない場合は，道路管理者と協議し，必要に応じて防護措置を施すこと等を条件に，土被りを減少することが可能である。

3 ○　寒冷地で土地の凍結深度が標準埋設深さよりも深い場合，上水道の配水管は凍結深度以下に埋設する。やむを得ず埋設深度が確保できない場合は断熱マットなどの適当な措置を講じる。

4 ○　配水管を他の地下埋設物と交差または近接して布設するときは，補修などの維持管理時の利便性や事故発生防止の観点から，少なくとも0.3m以上の間隔を保つ必要がある。

No.47　下水道管渠の更生工法

【正答　4】

1 ×　さや管工法の説明となっている。形成工法は，熱硬化性樹脂を含浸させたライナーや熱可塑性樹脂ライナーを既設管渠内に引込み，水圧または空気圧などで拡張，密着させた後に硬化させることで管を形成，構築する工法である。

2 ×　製管工法の説明となっている。さや管工法は，既設管渠より小さな管径で製作された管渠をけん引挿入する工法で，既設管渠との間隙に充填材を注入することで管を構築する。

3 ×　形成工法の説明となっている。製管工法は，既設管渠内に硬質塩化ビニル材などをかん合させながら製管する工法で，既設管渠との間隙にモルタルなどを充填することで管を構築する。

4 ○　反転工法は，既設のマンホールから既設管渠内に，熱硬化性樹脂を含浸させた材料を反転加圧させながら挿入し，既設管渠内で加圧状態のまま樹脂が硬化することで管を構築する工法である。

No.48　小口径管推進工法

【正答　1】

小口径管推進工法とは，小口径推進管または誘導管の先端に小口径管先導体を接続し，掘削，排土，圧入を行いながら推進管を敷設する工法である。

1 ×　オーガ方式は，粘性土地盤では推進中に先導体ヘッド部に土が付着し先端抵抗力が急増する場合があるので，注水により切羽部の土を軟弱にするなどの対策が必要である。

2 ○ 圧入方式は，排土せずに土を推進管周囲へ圧密させて推進するため，適用する地盤の土質や，推進路線に近接する既設建造物に対する影響に注意する必要がある。また，誘導管圧入後の推進管推進時には，スリットから土砂が流入する場合があるので，スリットの開口率を調整する。

3 ○ ボーリング方式では，先導体の前面が開放している。そのため，地下水位以下の砂質土地盤に対してボーリング方式を採用する場合は，補助工法により地盤の安定処理を行う必要がある。

4 ○ 泥水方式は，透水性の高い緩い地盤に適用する場合，泥水圧が有効に切羽に作用しないことがある。そのような場合は，送排泥管の流量計と密度計から掘削土量を計測し，監視をする，切羽の安定を図るために送泥水の比重や粘性を高くする，場合によっては逸泥防止材を使用するなどの対策が必要になる。

No.49 薬液注入工事の施工管理

【正答 2】

1 ○ 薬液注入工事においては，薬液の注入中だけでなく，注入後も一定期間は，地下水を監視する必要がある。地下水監視のための井戸は，注入箇所から10m以内に複数箇所設置する。

2 × 薬液注入工事における注入時の管理を適正な配合とするためには，ゲルタイム（硬化時間）の測定を原則として作業開始前，午前，午後に各1回以上実施する。

3 ○ 瞬結ゲルタイムと緩結ゲルタイムを使い分けた二重管ストレーナー工法（複相型）の普及により，薬液注入工事による構造物への影響は従来より少なくなっている。

4 ○ 薬液注入工事における25m以上の大深度の削孔においては，重要構造物の直下や埋設物に非常に近接した位置での注入などに適している等の理由から，パーカッションドリルを使用して削孔するダブルパッカー工法よりも，ボーリングロッドを注入管として利用する二重管ストレーナー工法（複相型）の方が削孔の精度は低い。

No.50 労働基準法（労働契約）

【正答 4】

1 ○ 使用者は，労働契約の締結に際し，労働者に対して賃金，労働時間等の労働条件を明示しなければならないと定められている。（労働基準法第15条第1項）

2 ○ 使用者は，労働者が業務上負傷し，または疾病にかかり療養のために休業する期間及びその後30日間は，原則として解雇してはならないと定められている。（同法第19条第1項）

ただし，同法81条に基づく打切補償を支払う場合や，天災事変等でやむを得ない事由で事業継続が不可能になった場合はこの限りではない。

3 ○ 使用者は，原則として，労働者に対する解雇の予告を，少なくとも解雇予定日の30日前までにしなければならないと定められている。（同法第20条第1項）解雇の予告をしない場合は，30日分以上の平均賃金を支払わなければならない。

4 × 使用者は，労働者の死亡または退職

の場合において，**権利者の請求があった場合においては，７日以内に賃金を支払い，労働者の権利に属する金品を返還しなければならない**と定められている。（同法第 23 条第 1 項）

No.51　労働基準法（労働時間・休暇・休日）

【正答　1】

1 ○　使用者は，労働者の過半数で組織する労働組合がある場合にはその**労働組合**，ない場合には**労働者の過半数を代表する者との書面による協定**をし，これを行政官庁に届け出た場合においては，**その協定で定めるところによって労働時間を延長し，労働させることができる**と定められている。（労働基準法第 36 条第 1 項）

ただし，その場合でも，**1 箇月に 100 時間以上，労働時間を延長し，または休日に労働させてはならない**。（同法第 36 条第 6 項第 2 号）

2 ×　使用者は，**労働時間が 6 時間を超える場合においては少なくとも 45 分，8 時間を超える場合においては少なくとも 1 時間の休憩時間を労働時間の途中に与えなければならない**と定められている。（同法第 34 条第 1 項）

3 ×　使用者は，その雇い入れの日から起算して **6 箇月間継続勤務し，全労働日の 8 割以上出勤した労働者に対して**，継続し，または分割した **10 労働日の有給休暇を原則として与えなければならない**と定められている。（同法第 39 条第 1 項）

4 ×　使用者は，1 の解説にある協定の定めにより労働時間を延長させ，または休日に労働させる場合でも，**坑内労働においては，1 日について 2 時間を超えて労働時間を延長してはならない**と定められている。（同法第 36 条第 6 項第 1 号）

No.52　労働安全衛生法（統括安全衛生責任者が統括管理する事項）

【正答　4】

事業者が統括安全衛生責任者に統括管理させなければならない事項については，労働安全衛生法第 30 条第 1 項に規定がある。

1. **協議組織の設置及び運営**を行うこと
2. **作業間の連絡及び調整**を行うこと
3. **作業場所を巡視**すること
4. 関係請負人の行う労働者の安全または衛生のための**教育に関する指導及び援助**を行うこと

（5. 一部業種における工程計画，機械設備などの配置計画の作成，作業の指導）

（6. 同規則第 635 条～第 642 条の 3 に規定されている，労働災害を防止するため必要な事項）

1 ○　上記 3. より，**作業場所の巡視**は，統括安全衛生責任者に統括管理させなければならない事項に**含まれている**。

2 ○　上記 4. より，**関係請負人が行う安全衛生教育の指導及び援助**は，統括安全衛生責任者に統括管理させなければならない事項に**含まれている**。

3 ○　上記 1. より，**協議組織の設置及び運営**は，統括安全衛生責任者に統括管理させなければならない事項に**含まれている**。

4 ×　**店社安全衛生管理者**とは，**統括安全衛生責任者を選任する必要のない中規模の現場**で，一定数の労働者や関係請

負人を使用する作業（ずい道，圧気，一定の橋梁では 20 ～ 29 人，それ以外では 20 ～ 49 人）において選任するものである(同規則第 18 条の 6)。つまり，統括安全衛生責任者が選任される工事現場においては，店社安全衛生管理者が選任されることはないため，誤りである。

No.53　労働安全衛生法（コンクリート造の工作物の解体等作業時における危険防止）

【正答　4】

コンクリート造の工作物の解体等の作業における危険の防止のために事業者，または作業主任者が行わなければならない事項については，労働安全衛生規則第 2 編第 8 章の 5 に定められている。

1 ○　コンクリート造の工作物の解体等作業主任者は，作業の方法及び労働者の配置を決定し，作業を直接指揮しなければならないと定められている。（同規則第 517 条の 18 第 1 号）

2 ○　事業者は，外壁，柱等の引倒し等の作業を行うときは引倒し等について一定の合図を定め，関係労働者に周知させなければならないと定められている。（同規則第 517 条の 16 第 1 項）

3 ○　事業者は，コンクリート造の工作物の解体等作業主任者技能講習を修了した者のうちから，コンクリート造の工作物の解体等作業主任者を選任しなければならないと定められている。（同規則第 517 条の 17）

4 ×　事業者は，物体の飛来または落下による労働者の危険を防止するため，当該作業に従事する労働者に保護帽を着用させなければならないと定められている。（同規則第 517 条の 19 第 1 項）

No.54　建設業法（技術者制度）

【正答　3】

1 ○　建設業法上，主任技術者及び監理技術者が，公共工事標準請負契約約款に定められている現場代理人を兼ねることができないと特に定められてはいない。また，公共工事標準請負契約約款第 10 条第 5 項には，監理技術者等（監理技術者，監理技術者補佐又は主任技術者）及び専門技術者は，これを兼ねることができると規定されている。

2 ○　特定建設業者が，発注者から直接請け負った工事で，当該建設工事を施工するために締結した下請契約の請負代金の合計が 4,500 万円以上（建築一式工事は 7,000 万円以上）の場合，工事現場に監理技術者を置かなければならない。（建設業法第 26 条第 2 項，同法第 3 条第 1 項第 2 号，同法施行令第 2 条）

3 ×　主任技術者及び監理技術者は，工事現場における建設工事を適正に実施するため，当該建設工事の施工計画の作成，工程管理，品質管理その他の技術上の管理及び当該建設工事の施工に従事する者の技術上の指導監督を行わなければならないと定められている。（同法第 26 条の 4 第 1 項）

下請契約の締結は，現場代理人の権限である。（公共工事標準請負契約約款第 10 条第 2 項）

4 ○　工事現場における建設工事の施工に従事する者は，主任技術者または監理技術者がその職務として行う指導に従

わなければならないと定められている。(建設業法第 26 条の 4 第 2 項)

No.55　火薬類取締法

【正答　4】

1 ×　火薬類取扱所の建物の屋根の外面は，金属板，スレート板，かわらその他の不燃性物質を使用することと定められている。また，建物の内面は板張りとし，床面にはできるだけ鉄類を表わさないことと定められている。(火薬類取締法施行規則第 52 条第 3 項第 3 号，第 4 号)

2 ×　火薬類取扱所において存置することのできる火薬類の数量は，一日の消費見込量以下とすると定められている。(同法施行規則第 52 条第 3 項第 11 号)

3 ×　装填が終了し，火薬類が残った場合には，ただちに始めの火薬類取扱所または火工所に返送しなければならないと定められている。(同法施行規則第 53 条第 3 号)

4 ○　火薬類の発破を行う場合には，発破場所に携行する火薬類の数量は，当該作業に使用する消費見込量をこえてはならないと定められている。(同法施行規則第 53 条第 1 号)

No.56　道路法（道路上で行う工事または行為についての許可または承認）

【正答　3】

1 ○　道路管理者以外の者が，工事用車両の出入りのために歩道切下げ工事を行う場合，道路使用許可を受けていても道路管理者の承認を受けなければならないと定められている。(道路法第 24 条)

2 ○　沿道で行う工事のために交通に支障を及ぼすおそれのない場合でも，道路管理者以外の者が，道路の区域内に工事用材料の置き場を設ける場合は，道路管理者の許可を受けなければならないと定められている。(同法第 32 条，同法施行令第 7 条)

3 ×　道路占用者が電線，上下水道などの施設を道路に設け，継続して道路を使用する場合は，あらためて道路管理者の許可を受けなければならないと定められている。(同法第 32 条第 1 項第 1 号，第 2 号)

4 ○　道路占用者が，占用許可を受けた事項を変更しようとする場合においては，道路の構造または交通に支障を及ぼすおそれのないと認められる軽易なもので政令で定めるものである場合を除く外，あらかじめ道路管理者の許可を受けなければならないと定められている。(同法第 32 条第 3 項)

この「道路の構造または交通に支障を及ぼすおそれのないと認められる軽易なもの」として，以下が挙げられている。

一　占用物件の構造の変更であって重量の著しい増加を伴わないもの

二　道路の構造または交通に支障を及ぼすおそれのない物件の占用物件に対する添加であって，当該道路占用者が当該占用の目的に附随して行うもの

したがって，本肢のようなケースでは，あらためて道路管理者の許可を受ける必要はない。(同法施行令第 8 条)

No.57　河川法（河川区域内の工事の手続き）

【正答　1】

1 ×　河川法第27条で，河川区域内において土地の掘削，盛土など土地の形状を変更する行為は，河川管理者から許可を受けなければならないと定められている。ただし，同法施行令第15条の4において，**許可を必要としない「軽易な行為」**が定められている。その中には，「許可を受けて設置された取水施設又は排水施設の機能を維持するために行う**取水口又は排水口の付近に積もった土砂等の排除**」**が含まれている**。

したがって，河川管理者の許可を受けて設置された**取水施設の機能を維持するために行う取水口付近の堆積土砂の撤去は，河川管理者から許可を受ける必要はない**。

2 ○　**河川管理者以外の者が管理する民有地であっても**，また**一時的な仮設工作物としての資材置き場であっても**，河川区域内の土地において工作物を新築，改築，または除却しようとする場合には，**河川管理者の許可を受けなければならない**と定められている。（同法第26条第1項）

3 ○　**河川管理者以外の者が所有する民有地であっても，河川区域内の土地において土地の掘削，盛土**若しくは切土その他**土地の形状を変更する行為**または竹木の栽植若しくは伐採をしようとする者は，国土交通省令で定めるところにより，**河川管理者の許可を受けなければならない**と定められている。（同法第27条第1項）

4 ○　同法第24条の**土地の占用許可**に関する規定，同法第26条の**工作物の新築等の許可**に関する規定は，**いずれも河川の上空や地下に建設されるものに対しても適用される**。したがって，河川区域内の上空を通過する電線や通信ケーブルを設置する場合は，**河川管理者の許可を受けなければならない**。

No.58　建築基準法（仮設建築物）

【正答　4】

建築基準法第85条の規定により，工事現場に設ける現場事務所等の仮設建築物に関しては，建築基準法の適用除外や制限の緩和措置が講じられている。

1 ○　同法第6条に，建築主は，別号で定められた一定の基準以上の建築物を建築，または大規模の修繕若しくは大規模の模様替をしようとする場合，当該工事に着手する前に，その計画が建築基準関係規定に適合するものであることについて，確認の申請書を提出して**建築主事の確認を受けなければならない**と規定されている（**建築物の建築等に関する申請及び確認**）。ただし，この**確認申請**は，工事現場に設ける**仮設建築物に関しては制限の緩和が適用されるため，必要とされない**。

☆令和6年4月1日施行同法第6条の改正により，その計画が建築基準関係規定に適合するものであることについて，確認の申請書を提出し確認をうけるのは，「**建築主事**または**建築副主事**（**建築主事等**という）」に変更された。

2 ○　同法第19条第3項に，建築主は，雨水及び汚水を排出し，または処理するための適当な**下水管，下水溝または**

ためますその他これらに類する施設を設置しなければならないと規定されている（**敷地の衛生及び安全**）。ただし，こうした施設は，工事現場に設ける**仮設建築物に関しては制限の緩和が適用されるため，必要とされない**。

3 ○　同法第56条第1項第1号に，**建築物の各部分の高さ**は，**建築物を建築しようとする地域，地区または区域及び容積率の限度の区分に応じて決定される高さ以下としなければならない**と規定されている。ただし，この規定に対しては，工事現場に設ける**仮設建築物に関する制限の緩和が適用される**。したがって，高さについての規定は適用されない。

4 ×　同法第8条第1項に，建築物の所有者，管理者または占有者は，その**建築物の敷地，構造及び建築設備を常時適法な状態に維持するように努めなければならない**と規定されている。この規定に関しては，工事現場に設ける**仮設物に関する制限の緩和は適用されない**。（もしこの規定に制限の緩和が適用されると仮定した場合，仮設構造物に関しては「常時適法な状態を維持するよう努める必要がない」ことを許容してしまうことになることから，常識的に考えて本肢が適切でないと判断することもできる）

No.59　騒音規制法（特定建設作業）

【正答　3】

騒音規制法上の「特定建設作業」は，同法第2条第3項，及び同法施行令第2条（別表第2）に規定されている。

1 ○　**原動機の定格出力が40kW以上のブルドーザ**を使用する作業は，**特定建設作業に該当する**。（同法施行令第2条別表第2第8号）

本肢のブルドーザの定格出力は66kWであるため，**特定建設作業に該当する**。

2 ○　**原動機の定格出力が70kW以上のトラクターショベル**を使用する作業は，**特定建設作業に該当する**。（同法施行令第2条別表第2第7号）

本肢のトラクターショベルの定格出力は108kWであるため，**特定建設作業に該当する**。

3 ×　切削幅に関係なく，**路面切削機を使用して行う道路の切削オーバーレイ作業**は，**特定建設作業に該当しない**。

4 ○　**削岩機を使用する作業**のうち，特定建設作業に該当するのは，作業地点が連続的に移動する場合の**移動距離が1日50mを超えない作業の場合**である。（同法施行令第2条別表第2第3号）

本肢の場合，1日20mの範囲を行う擁壁の取り壊し作業であるため，**特定建設作業に該当する**。

No.60　振動規制法（特定建設作業）

【正答　2】

振動規制法上の「特定建設作業」は，同法第2条第3項，及び同法施行令第2条（別表第2）に規定されている。

1 ○　**舗装版破砕機を使用する作業**は，**作業地点が連続的に移動する作業**で1日の**移動距離が50mを超えない作業**は，**特定建設作業に該当する**。（同法施行令第2条別表第2第3号）

本肢の場合，1日当たりの移動距離が40mの作業であるため，**特定建設作**

業に該当する。

2 × もんけん及び圧入式くい打機を使用する作業，油圧式くい抜機を使用する作業，圧入式くい打くい抜機を使用する作業は，特定建設作業に該当しない。（同法施行令第 2 条別表第 2 第 1 号）

3 ○ 「ディーゼルハンマを使用した PC 杭の打込み作業」は，「くい打機（もんけん及び圧入式くい打機を除く）（中略）を使用する作業」に該当するため，特定建設作業に該当する。（同法施行令第 2 条別表第 2 第 1 号）

4 ○ 「ジャイアントブレーカを使用した橋脚 1 基の取り壊し作業で，3 日間を要する作業」は，手持式でないブレーカーを使用し，かつ 1 日で終了しない作業のため，特定建設作業に該当する。（同法施行令第 2 条別表第 2 第 4 号）

No.61 港則法（船舶の航行及び工事の許可）

【正答 3】

1 × 船舶は，特定港内または特定港の境界付近において危険物を運搬しようとするときは，事後の届出ではなく，（事前に）港長の許可を受けなければならないと定められている。（港則法第 22 条第 4 項）

2 × 特定港内または特定港の境界附近で工事または作業をしようとする者は，港長の許可を受けなければならないと定められている。（同法第 31 条第 1 項）

3 ○ 航路外から航路に入り，または航路から航路外に出ようとする船舶は，航路を航行する他の船舶の進路を避けなければならないと定められている。（同法第 13 条第 1 項）

4 × 汽船が港の防波堤の入口または入口附近で他の汽船と出会うおそれのあるときは，出航する船の進路が優先されると定められている。つまり，入航する汽船は，防波堤の外で，出航する汽船の進路を避けなければならない。（同法第 15 条）

第一次検定　問題Ｂ（必須問題）

No.1　測量（トータルステーション）

【正答　2】

TS（トータルステーション）は，デジタルセオドライトと光波測距儀を一体化した測量器械である。1回の視準によって，水平角観測，鉛直角観測及び距離測定を同時に行うことができる。

1 ○　TS での鉛直角観測は，1 視準 1 読定（1 方向をみて，1 回角度を観測する），望遠鏡正及び反の観測を 1 対回（正・反の観測を一対）とする。

2 ×　TS での水平角観測における対回内の観測方向数は，5 方向以下とする。

3 ○　TS は，キー操作で瞬時にデジタル表示されるばかりでなく，観測の記録の際に観測値をデータコレクタに取得し，コンピュータへデータを転送することができる。観測の記録にデータコレクタを用いない場合は，観測手簿に観測値を記載するものとする。

4 ○　TS では，測定時の気象が指定された条件から外れている場合は気象補正を行う必要がある。気象補正のための気温，気圧などの気象測定は，正確な補正を行うため，距離測定の開始直前，または終了直後に行う。

No.2　公共工事標準請負契約約款

【正答　1】

1 ×　受注者は，設計図書と工事現場が一致しない事実を発見したときは，その旨を直ちに監督員に通知し，確認を請求しなければならないと定められている。（公共工事標準請負契約約款第 18 条第 1 項）

また，この場合の通知は，書面で行わなければならない。（同約款第 1 条第 5 項）

2 ○　発注者は，受注者による完成通知を受けた日から 14 日以内に実施する検査によって工事の完成を確認した後，受注者が工事目的物の引渡しを申し出たときは，直ちに当該工事目的物の引渡しを受けなければならない。（同約款第 32 条第 2 項，第 4 項）

3 ○　受注者は，災害防止等のため必要があると認めるときは，臨機の措置をとらなければならないと定められている。

この場合において，必要があると認めるときは，受注者は，あらかじめ発注者側の監督員の意見を聴かなければならないとされているが，緊急またはやむを得ない事情があるときはこの限りでない。（同約款第 27 条第 1 項）

4 ○　発注者は，受注者の責めに帰すことができない自然的または人為的事象により，工事を施工できないと認められる場合は，工事の全部または一部の施工を一時中止させなければならないと定められている。（同約款第 20 条第 1 項）

No.3　擁壁の配筋図

【正答　2】

鉄筋コンクリート L 型擁壁の配筋図の読み取り問題である。

擁壁のたて壁については，主働土圧により倒れるため，① D16 が引張鉄筋，④ D16 が圧縮鉄筋となる。かかと版に関しては，たて壁の倒れによる引張応力が発生するため，底版上部筋である③ D16 が引

張鉄筋，② **D13 が圧縮鉄筋**となる。

したがって，2 が正しい。

No.4　建設工事における電気設備

【正答　1】

1 ×　事業者は，**可搬式の電動機械器具で，対地電圧が 150 ボルトを超えるもの，**または水等導電性の高い液体によって湿潤している場所で使用するもの，または鉄板上，鉄骨上，定盤上等導電性の高い場所において使用するものについては，漏電による感電の危険を防止するため，適切な**感電防止用漏電遮断装置を接続しなければならない**と定められている。（労働安全衛生規則第 333 条第 1 項）

自動電撃防止装置を使用しなければならないのは，**交流アーク溶接等（自動溶接を除く。）の作業**を行うときである。（同規則 332 条）

2 ○　「事業者は，アーク溶接等（自動溶接を除く。）の作業に使用する**溶接棒等のホルダー**については，**感電の危険を防止するため必要な絶縁効力及び耐熱性を有するものでなければ，使用してはならない。**」と定められている。（同規則第 331 条）

3 ○　同規則第 338 条では，「事業者は，**仮設の配線又は移動電線を通路面において使用してはならない。**」と定められているが，同時に「ただし，当該**配線又は移動電線の上を車両その他の物が通過すること等による絶縁被覆の損傷のおそれのない状態で使用するときは，この限りでない。**」と但し書も付されている。

4 ○　事業者は，電気機械器具の操作の際に，感電の危険または誤操作による危険を防止するため，**当該電気機械器具の操作部分について必要な照度を保持しなければならない**と定められている。（同規則第 335 条）

No.5　施工計画（関係機関への届出及び許可）

【正答　3】

1 ○　騒音規制法に係る指定地域内において**特定建設作業を伴う建設工事を施工しようとする者**は，**当該特定建設作業の開始の日の 7 日前**までに，環境省令で定めるところにより，**市町村長に届け出なければならない**と定められている。（騒音規制法第 14 条第 1 項）

2 ○　道路上に工事用板囲，足場，詰所その他の工事用施設を設置し，**継続して道路を使用する場合**は，**道路管理者から道路占用の許可を受けなければならない**と定められている。（道路法第 32 条第 1 項）

3 ×　**自走式建設機械**を含む，車両の構造または車両に積載する貨物が**特殊な車両を通行させる場合**は，**道路管理者に申請し特殊車両の通行許可を受けなければならない**と定められている。（同法第 47 条の 2 第 1 項）

4 ○　**吊り足場，張出し足場以外の足場**で，**高さが 10m 以上，組立てから解体までの期間が 60 日以上の場合**は，**工事開始日の 30 日前までに，**工事を行う場所を管轄する**労働基準監督署長に計画を届け出なければならない**と定められている。（労働安全衛生法第 88 条第 1 項）

No.6　工程管理(ネットワーク式工程表)

【正答　2】

本問のネットワーク式工程表において，イベント⑦に至る各ルートのうち，**最も時間がかかるルート（クリティカルパス）**は，**ルート⓪→②…→③→⑤→⑦**で，工期は，**作業C，E，I（作業CからEに至るダミー作業を含む）の合計**で，6日＋12日＋12日＝**30日**である。

作業Eはクリティカルパス上にある作業のため，**作業Eに２日間の遅延が生じた場合，全体の工期も当初の工期より２日間遅れる**。また，**クリティカルパスの経路に変更は生じない**。

したがって，**2**が正答である。

No.7　安全管理（安全衛生管理体制）

【正答　2】

1 ○　建設業の事業者は，**労働者及び関係請負人の労働者を合わせた数が常時10人以上50人未満である場合**には，**安全衛生推進者を選任しなければならない**。（労働安全衛生法第12条の2，同規則第12条の2）

本肢の場合，労働者数が**30人程度**とされているため，**安全衛生推進者の選任が必要な事業場**ということになる。

2 ×　**元方安全衛生管理者の指揮，協議組織の設置及び運営**は，いずれも**統括安全衛生責任者の職務**である。（同法第15条第3項，第30条第1項）

安全衛生推進者の職務は，下記のとおりである。（同法第10条第1項第1～5号）

一　**労働者の危険または健康障害を防止するための措置**に関すること

二　労働者の安全または衛生のための**教育の実施**に関すること

三　**健康診断の実施**その他健康の保持増進のための措置に関すること

四　**労働災害の原因の調査**及び再発防止対策に関すること

五　前各号に掲げるもののほか，労働災害を防止するため必要な業務で，厚生労働省令で定めるもの

3 ○　**統括安全衛生責任者**は，当該場所においてその**事業の実施を統括管理する者**が充てられなければならず，また**元方安全衛生管理者の指揮を行う**と規定されている。（同法第15条第2項，第3項）

4 ○　特定元方事業者は，**労働者及び関係請負人の労働者を合わせた数が常時50人以上である場合**には，**統括安全衛生責任者を選任しなければならない**。（同法第15条第1項，同法施行令第7条第2項）

本肢の場合，特定元方事業者の労働者及び関係請負人の労働者を合わせた数が**80人程度**とされているため，**統括安全衛生責任者の選任が必要な事業場**ということになる。

No.8　安全管理(異常気象時の安全対策)

【正答　3】

異常気象時の安全対策については，国土交通省「土木工事安全施工技術指針」の「第2章第7節異常気象時の対策」に指針が規定されている。

1 ○　**気象情報の収集**については，**事務所にテレビ，ラジオ，インターネット等を常備**し，**常に気象情報の入手に努める**ことと定められている。（同指針第2

章第 7 節 2. 気象情報の収集と対応)

2 ○　天気予報等で**あらかじめ異常気象が予想される場合**は，作業中止**を含めて作業予定を検討しておく**ことと定められている。(同指針第 2 章第 7 節 3. 作業の中止，警戒及び各種点検)

3 ×　**警報及び注意報が解除され，中止前の作業を再開する場合**には，**作業と併行してではなく**，作業再開前**に**，地盤のゆるみ，崩壊，陥没等，**工事現場に危険がないか入念に**点検**する**ことと定められている。(同指針第 2 章第 7 節 3. 作業の中止，警戒及び各種点検)

4 ○　**大雨により流出のおそれのある物件**は，**安全な場所に移動する等**流出防止の措置**を講じること**と定められている。(同指針第 2 章第 7 節 4. 大雨に対する措置)

No.9　安全管理（労働災害の防止対策）

【正答　1】

1 ×　足場通路等からの墜落防止措置として，**高さ 2m 以上の作業床設置が困難な箇所で，フルハーネス型の墜落制止用器具を用いて行う作業**は，特別教育**を受けたものが行う**ことと定められている。(労働安全衛生規則第 36 条第 41 号，国土交通省「土木工事安全施工技術指針」第 2 章第 5 節 1. 足場通路等からの墜落防止措置)

2 ○　足場通路等からの墜落防止措置として，**足場及び鉄骨の組立，解体時には，要求性能墜落制止用器具が容易に使用できるよう**親綱**等の設備を設けること**と定められている。(同指針第 2 章第 5 節 1. 足場通路等からの墜落防止措置)

3 ○　飛来落下の防止措置として，**構造物の出入口と外部足場が交差する場所の出入口上部には**，ネット，シート**による防護対策を講じる**ことと定められている。(同指針第 2 章第 6 節 1. ネット・シートによる防護)

4 ○　飛来落下の防止措置として，**やむを得ず高さ 3m 以上の高所から物体を投下する場合**には，投下設備**を設け，立入禁止区域を設定して**監視員**を配置して行う**ことと定められている。(同指針第 2 章第 6 節 3. 投下設備の設置)

No.10　安全管理（型わく支保工の安全対策）

【正答　4】

1 ○　事業者は，型わく支保工を組み立てるときは，支柱，はり，つなぎ，筋かい等の**部材の配置，接合の方法及び寸法が示されている**組立図**を作成し，かつ，当該**組立図**により組み立てなければならない**と定められている。(労働安全衛生規則第 240 条第 1 項，第 2 項)

2 ○　型わく支保工は，あらかじめ作成した組立図にしたがい，**支柱の沈下や滑動を防止するため**，敷角**の使用**，根がらみ**の取付け等の措置を講じなければならない**と定められている。(同規則第 242 条第 2 号)

3 ○　**コンクリートの打設**については，**当該作業箇所の型わく支保工を，その日の**作業を開始する前**にあらかじめ点検し，異常が認められたときは補修を行う**とともに，打設中に異常が認められた際の作業中止のための措置を講じておくことと定められている。(同規則第 244 条)

4 ×　型わく支保工の**材料**については，**著**

しい損傷，変形または腐食があるものを使用してはならないと定められている。（同規則第237条）

No.11　安全管理（墜落防止用の安全ネット）

【正答　2】

労働安全衛生法第28条第1項に基づく，安全ネットに関する規定として，厚生労働省「墜落による危険を防止するためのネットの構造等の安全基準に関する技術上の指針」が定められている。

1 ○　安全ネットの損耗が著しい場合，安全ネットが有毒ガスに暴露された場合等においては，安全ネットの使用後に試験用糸について等速引張試験を行うと定められている。（同指針4－4－2）

2 ×　安全ネットの取付け位置と作業床等との間の許容落下高さは，ネットの短辺の長さ及びネット周辺の支持点の間隔から算出された値以下であることが求められる。ただし，ネットを単体で用いる場合と複数のネットをつなぎ合わせて用いる場合とでは異なる計算式が設定されているため，許容落下高さが同一の値になるとは限らない。

3 ○　安全ネットには，製造者名，製造年月，仕立寸法，網目，新品時の網糸の強度を見やすい箇所に表示しておくことと定められている。（同指針5）

4 ○　安全ネットの支持点の間隔は，ネット周辺からの墜落による危険がないものであることと定められている。（同指針4－3）

No.12　安全管理（明り掘削作業）

【正答　1】

1 ○　事業者は，明り掘削の作業を行う際は，地山の崩壊または土石の落下による危険防止のため，点検者を指名し，その日の作業開始前や大雨や中震以上の地震の後に，浮石及びき裂や湧水の状態等を点検させなければならないと規定されている。（労働安全衛生規則第358条第1号）

2 ×　地山の崩壊等により労働者に危険を及ぼすおそれのあるときは，事業者は，あらかじめ，土止め支保工や防護網の設置や，労働者の立入禁止等の措置を講じなければならないと定められている。（同規則第361条）

☆令和7年4月1日施行同規則第361条の改正により，「地山の崩壊又は土石の落下により危険を及ぼすおそれのあるときは，あらかじめ，土止め支保工を設け，防護網を張り，当該作業場において作業に従事する者の立入りを禁止する等当該危険を防止するための措置を講じなければならない」と変更される。

3 ×　明り掘削の作業を行うときは，あらかじめ，運搬機械，掘削機械及び積込機械の運行の経路，これらの機械の土石の積卸し場所への出入りの方法を定めて，事業者が関係労働者に周知させなければならないと定められている。（同規則第364条）

4 ×　運搬機械等が，労働者の作業箇所に後進して接近するとき，または転落するおそれのあるときは，誘導者を配置し，その誘導者に運搬機械を誘導させなければならないと定められている。（同規則第365条第1項）

☆令和7年4月1日施行同規則第365条第1項の改正により，「当該作業箇所」に変

更される。

No.13　安全管理（コンクリート構造物の解体作業）

【正答　1】

コンクリート構造物の解体作業に係る安全管理については，建設業労働災害防止協会「コンクリート工作物解体工事の作業指針」に定められている。

1 ×　爆破解体ができない場所での建物の解体における**大型ブレーカを用いる二次破砕，小割りは，静的破砕剤を充填後，ひび割れが発生した後に行う**。

2 ○　**静的破砕剤**にはバルクタイプとカプセルタイプがあり，バルクタイプの静的破砕剤は，使用直前に水と混ぜて攪拌し，破砕対象に穿った孔に充填する。**練混ぜ水には清浄な水を使用し，季節や施工状況に応じた適用温度範囲の上限を超えないように注意する**。

3 ○　**大型ブレーカを用いた解体作業**では，解体ガラの落下，飛散による事故発生の危険があるため，物体の落下による危険の防止措置として，**作業所内の立入禁止措置を講じなければならない**と定められている。（労働安全衛生規則第537条）

4 ○　静的破砕剤を充填する孔を穿孔する際は，**穿孔径**について，**削岩機等を用いて破砕リフトの計画高さまで穿孔し，適用可能径の上限を超えていないか確認する**。

No.14　品質管理（アスファルト舗装の品質管理）

【正答　4】

1 ○　**各工程の初期においては，品質管理の各項目に関する試験を適切な頻度で増やし，その時点での作業員や施工機械等の組合せによる作業工程を速やかに把握**する。また，各項目の数値や施工状況に注意して管理を行う。

2 ○　**工事の途中で作業員や施工機械などの組合せを変更する場合**は，変更によって異常が生じやすくなるため，**品質管理の各項目に関する試験頻度を増し**，新たな組合せによる品質の確認を行う。

3 ○　**品質管理の合理化**を図るためには，試験や測定にかかる時間の短縮のため，**密度や含水比等を非破壊で測定する機器を導入**したり，**品質管理を作業と同時に実施可能な機能を有する敷均し機械や締固め機械等を活用**したりすることが望ましい。

4 ×　各工程の進捗に伴い，**工程の中期**において，**管理の限界を十分満足できることが明確になったら，それ以降は工程初期で増やした試験頻度を適宜減らしてもよい**。

No.15　品質管理（工種，品質特性，試験名称）

【正答　4】

1 ×　**コンクリート工において，品質特性としてスランプを求める場合，スランプ試験を実施する。圧縮強度試験**は，**コンクリートが硬化した後の圧縮強度を求める場合に実施する試験である**。

2 ×　**路盤工において，品質特性として締固め度を求める場合**は，砂置換法，コアカッター法，RI計器等による方法で**現場密度の測定**を行う。**CBR試験は，支持力値を求める場合に実施する試験である**。

３× アスファルト舗装工において，品質特性として安定度を求める場合，マーシャル安定度試験を実施する。平坦性試験は，平坦性を求める場合に実施する。

４○ 土工において，品質特性として支持力値を求める場合は，平板載荷試験を実施する。

No.16　品質管理（レディーミクストコンクリートの受入れ検査項目）

【正答　3】

１○ 土木学会「コンクリート標準示方書」においては，現場での荷卸し時や打ち込む前に，コンクリートの状態に異常がないかを受入れ側の技術者が目視により確かめることとし，ワーカビリティーが適切でないと判定されたコンクリートは打ち込んではならないと規定されている。

２○ 土木学会「コンクリート標準示方書」において，スランプ試験は，１回／日，または構造物の重要度と工事の規模に応じて 20 ～ $150m^3$ 毎に１回，及び荷卸し時に品質の変化が認められた時に行うと規定されている。

３× 圧縮強度試験は，１回の試験結果が指定した呼び強度の強度値の 85％以上であり，かつ，３回の試験結果の平均値が指定した呼び強度の強度値以上であることを確認する。

４○ フレッシュコンクリートの単位水量の試験方法には，採取したモルタルを加熱乾燥する加熱乾燥法や，空気量と質量を同時に測定するエアメータ法，コンクリートの水中重量を求める水中質量法等がある。

No.17　情報化施工と環境負荷低減

【正答　1】

１× 情報化施工の目的としては，電子情報の活用による施工管理の効率化や品質の均一化，現場条件等に応じた適切な施工方法の選択や実施などが挙げられる。これらの結果として，環境負荷低減も実現可能なものとなる。施工の画一化は情報化施工の目的ではない。

２○ 情報化施工では，ブルドーザやグレーダのブレードをGNSS（全球測位衛星システム）やTS（トータルステーション）を利用して自動制御することにより，各作業時における建設機械の動きのムダを抑制し，工事に伴う CO_2 の排出量の抑制につなげることができる。

３○ 施工の条件が当初より大幅に変わった場合には，最初の施工計画に従うよりも，現場の条件に合わせて，重機やその使い方を変更する方が，現場条件と重機，及びその使い方のミスマッチの軽減によって重機のエンジンの空ぶかしや作業のやり直しを防止することができ，結果として CO_2 の排出量抑制や騒音・振動抑制などの環境負荷低減につなげることができる。

４○ 情報化施工では，変動する施工条件に柔軟に対応して，資材やエネルギーを有効に利用することができるため，資材やエネルギーの浪費の抑制にも効果を発揮し，結果として環境負荷を低減することにつながる。

No.18　建設工事の騒音・振動対策

【正答　4】

１○ 建設工事に伴う騒音防止対策には，

騒音の少ない建設機械を採用する，発生源から受音点の間に遮蔽物を設けるなどのハード的対策の他，建設機械が一時的に集中して稼働しないようにする，車両の低速走行を徹底する，苦情が寄せられやすい時間帯の作業は避けるなどのソフト的対策も重要である。

2 ○ 建設工事に伴う騒音防止対策は，音源対策（騒音の少ない建設機械を採用するなど），伝搬経路での対策（発生源から受音点の間に遮蔽物を設ける，発生源から受音点までの距離を確保するなど），受音点での対策（受音点の家屋を防音構造にするなど）に分類することができる。騒音防止対策の基本は音源対策（そもそもの騒音を発生させない）及び伝搬経路対策（発生した騒音を受音点に伝搬させない）であり，受音側に負担を強いることになる受音側の防音対策は，音源対策や伝搬経路対策を実施しても，どうしても低減量が目標に達しない場合に，初めて検討すべきものである。

3 ○ 建設工事に伴う地盤振動対策は，発生振動レベル値の小さい機械や工法の選定など，発生源で発生する振動をいかに少なくするかの対策が基本原則である。

4 × 騒音防止対策と同様に，建設工事に伴う振動防止対策は，発生源，伝搬経路，受振対象における対策に分類することができる。最も有効な振動防止対策は発生源での対策（そもそもの振動を発生させない）であり，受振対象に負担を強いることになる受振対象における防振対策は，発生源での対策や伝搬経路対策を実施しても，どうしても低減量が目標に達しない場合に，初めて検討すべきものである。

No.19　建設副産物の有効利用

【正答　3】

1 ○ 元請業者は，建設工事の施工にあたり，建設副産物を排出する事業者として，建設副産物の発生抑制や建設廃棄物の再資源化といった対策を自ら適切に行うため，発注者との連絡調整，管理及び施工体制の整備，協力業者への指導等を責任をもって行わなければならないと定められている。（国土交通省「建設副産物適正処理推進要綱」第6（元請業者及び自主施工者の責務と役割）(3)）

2 ○ 元請業者は，工事現場から排出する建設廃棄物については，再資源化，減量化等に努めなければならないと定められている。（同要綱第21（排出の抑制））コンクリート塊については，分別されたものを破砕するなどにより，再生骨材や路盤材等として再資源化の促進に努めなければならない。（同要綱第26（コンクリート塊））

3 × 元請業者は，分別された建設発生木材を，チップ化することなどにより，木質ボード，堆肥等の原材料として再資源化をしなければならないと定められている。原材料として再資源化を行うことが困難な場合などにおいては，熱回収をしなければならないと定められている。（同要綱第28（建設発生木材）(1)）

4 ○ 元請業者は，施工計画の作成に当たっては，再生資源利用計画及び再生資

源利用促進計画を作成するとともに，廃棄物処理計画の作成に努めなければならないと定められている。（同要綱第13（工事着手前に行うべき事項）(3)）

No.20　建設工事に伴う産業廃棄物の処理

【正答　4】

1 ○　廃棄物処理法における「産業廃棄物」とは，事業活動に伴って生じた廃棄物のうち，燃え殻，汚泥，廃油，廃酸，廃アルカリ，廃プラスチック類その他政令で定める廃棄物と定められている。（廃棄物の処理及び清掃に関する法律第2条第4項）

2 ○　事業活動に伴い産業廃棄物を生ずる事業者は，その産業廃棄物の運搬または処分を他人に委託する場合，環境省令で定めるところにより，運搬を受託した者に対し，当該委託に係る産業廃棄物の種類及び数量，受託した者の氏名または名称等を記載した産業廃棄物管理票を交付しなければならないと定められている。（同法第12条の3第1項）

3 ○　事業者は，産業廃棄物が運搬されるまでの間，環境省令で定める産業廃棄物保管基準に従い，生活環境の保全上支障のないようにその産業廃棄物を保管しなければならないと定められている。（同法第12条第2項）

4 ×　産業廃棄物管理票の交付者は，産業廃棄物管理票に関する報告書を毎年作成し，排出事業場を管轄する都道府県知事等にこの報告書を提出しなければならないと規定されている。（同法第12条の3第7項）

No.21　施工計画作成の留意事項

【正答　3】

施工計画作成の留意事項に関する語句の空所補充問題である。

・施工計画の作成は，発注者の要求する品質を確保するとともに，（イ）安全を最優先にした施工を基本とした計画とする。

・施工計画の検討は，これまでの経験も貴重であるが，新技術や（ロ）新工法を取り入れ工夫・改善を心がけるようにする。

・施工計画の作成は，一つの計画のみでなく，いくつかの代替案を作り比較検討して，（ハ）最良の計画を採用する。

・施工計画の作成にあたり，発注者から指示された工程が最適工期とは限らないので，指示された工程の範囲内でさらに（ニ）経済的な工程を探し出すことも大切である。

したがって，3が正答である。

No.22　公共工事における施工体制台帳の作成

【正答　2】

公共工事における施工体制台帳の作成に関する語句の空所補充問題である。

・発注者から直接工事を請負った建設業者は，施工するために下請契約を締結する場合には，下請金額（イ）にかかわらず，施工体制台帳を作成しなければならない。（公共工事の入札及び契約の適正化の促進に関する法律第15条第1項）

※民間工事の場合は，下請金額が一定額以上（建築一式工事の場合は7,000万円以上，それ以外の工事は4,500万円以上）の場合に施工体制台帳の作成が必要になる。（建設業法第24条の8

第1項，同法施行令第7条の4）

・施工体制台帳を作成する建設工事の下請負人は，その請負った工事を他の建設業を営む者に請け負わせたときは，再下請負通知書を**（ロ）元請業者に提出**しなければならない。（同法第24条の8第2項）

・施工体制台帳には，作成建設業者に関する許可を受けて営む建設業の種類，**（ハ）健康保険等の加入状況**などを記載しなければならない。（同法施行規則第14条の2第1項第1号）

・施工体制台帳を作成する建設業者は，当該工事における**施工の分担関係を表示した（ニ）施工体系図を作成**し，工事関係者及び公衆が見やすい場所に掲示しなければならない。（同法第24条の8第4項）

したがって，**2**が正答である。

No.23　工事の原価管理

【正答　3】

原価管理の基本的な考え方に関する語句の空所補充問題である。

・原価管理は，工事受注後に最も経済的な施工計画を立て，これに基づいた**（イ）実行予算の作成時点から始まって**，工事中の実行予算の管理を経て，管理サイクルを回し，**（ロ）工事決算時点まで実施される**。

・原価管理は，**施工改善・計画修正等があれば修正（イ）実行予算を作成**して，これを基準として，再び管理サイクルを回していくこととなる。

・原価管理を有効に実施するには，管理の重点をどこにおくかの方針を持ち，**どの程度の細かさでの（ハ）原価計算を行うかを決めておくことが必要**である。

・施工担当者は，常に工事の原価を把握し，**（イ）実行予算と（ニ）発生原価の比較対照**を行う必要がある。

したがって，**3**が正答である。

No.24　建設機械の選定

【正答　4】

建設機械の選定に関する語句の空所補充問題である。

・建設機械は，機種・性能により適用範囲が異なり，同じ機能を持つ機械でも現場条件により施工能力が違うので，**その機械が（イ）最大能率を発揮できる施工法**を選定する。

・建設機械の選定で重要なことは，**施工速度に大きく影響する機械の（ロ）作業能率，稼働率の決定**である。

・**組合せ建設機械の選択**においては，主要機械の能力を最大限に発揮させるために**作業体系を（ハ）並列化**する。

・**組合せ建設機械の選択**においては，**従作業の施工能力を主作業の施工能力と同等，あるいは幾分（ニ）高めにする**。

※従作業の施工能力を主作業の施工能力と同等，あるいは幾分高めに設定する理由は，従作業機械の施工能力の問題によって発生した従作業の遅れが主作業に波及し，主作業の作業能率が低下することを回避するためである。建設機械の作業能力に大きな格差を生じないよう，建設機械の規格と台数を決めることが必要になる。

したがって，**4**が正答である。

No.25　工程管理

【正答　3】

工程管理の考え方に関する語句の空所補充問題である。

・工程管理は，**品質，原価，安全等工事管**

理の目的とする要件を総合的に調整し，策定された基本の（イ）工程計画をもとにして実施される。

・工程管理は，工事の施工段階を評価測定する基準を（ロ）時間におき，労働力，機械設備，資材等の生産要素を，最も効果的に活用することを目的とした管理である。

・工程管理は，施工計画の立案，計画を施工の面で実施する（ハ）統制機能と，施工途中で計画と実績を評価，欠陥や不具合等があれば処置を行う改善機能とに大別できる。

・工程管理は，工事の（ニ）施工順序と進捗速度を表す工程表を用い，常に工事の進捗状況を把握し（イ）工程計画と実施のずれを早期に発見し，必要な是正措置を講ずることである。

したがって，3が正答である。

No.26　工程表の特徴

【正答　1】

工程管理に用いられる各工程表の特徴に関する語句の空所補充問題である。

・（イ）ネットワーク式工程表は，各作業の順序を明確に表示でき，各作業に含まれる余裕時間の状況も把握できるが，作業の数が多くなるにつれ煩雑化する。

※ネットワーク式工程表は，作業をアクティビティ（矢線→）で，各作業の結節点をイベント（○）で表す。各作業の関連性を矢線と結節点で明確に表現できるため，時間的に余裕のない経路（クリティカルパス）の確認が容易である。

・（ロ）グラフ式工程表は，横軸に工期を，縦軸に各作業の出来高比率（%）を表示した工程表で，予定と実績との差を直観的に比較するのに便利である。

・（ハ）ガントチャート工程表は，各作業の完了時点を100%として，横軸にその達成度をとる方法で，各作業の進捗度合いは明確であるが，工期に影響を与える作業がどれか不明である。

・（ニ）斜線式工程表は，トンネル工事のように工事区間が線状に長く，しかも工事の進行方向が一定の方向にしか進捗できない工事に適している。

※斜線式工程表では，横軸に区間（距離），縦軸に工期（日数）をとり，各作業を斜線で記入する。座標式工程表は，斜線式工程表の別名である。

※バナナ曲線とは，工程管理曲線ともいい，出来高工程の上下の変域を調べた上で設定した上方許容限界と下方許容限界を用いた，工程管理のための曲線状のグラフである。実施工程曲線が上方許容限界と下方許容限界の範囲内に収まるように工程を管理する。

したがって，1が正答である。

No.27　横線式工程表

【正答　2】

横線式工程表（バーチャート）の特徴に関する語句の空所補充問題である。

・バーチャートは，工種を縦軸にとり，工期を横軸にとって各工種の工事期間を横棒で表現しているが，これは（イ）ガントチャートの欠点をある程度改良したものである。

※ガントチャートの場合，各作業は完了時点を100%として全て同一の長さで表すため，各工種の工期が直観的にわかりづらい（工期が1日間の工種でも

10日間の工種でも同じ長さで表示される）という欠点がある。

・**バーチャートの作成は比較的（ロ）容易**なものであるが，工事内容を詳しく表現すれば，かなり高度な工程表とすることも可能である。

・バーチャートにおいては，**他の工種との相互関係，（ハ）手順**，及び**各工種が全体の工期に及ぼす影響等が明確ではない**。

・バーチャートの作成における，各作業の日程を割り付ける方法としての**（ニ）逆算法**とは，**竣工期日から辿って着手日を決めていく手法**である。

※**順行法**とは，逆算法とは反対に，**施工順序に従い，最初の工種の着手日から順に各工種の着手日と終了日を定め，竣工期日の調整を行っていく**手法である。

したがって，**2**が正答である。

No.28　安全管理（建設機械の災害防止）

【正答　2】

安全管理のうち，建設機械の災害防止に関する語句の空所補充問題である。建設機械の災害防止や安全対策については，労働安全衛生規則第2編第2章（建設機械等）等に記載がある。

・事業者は，車両系建設機械の運転者が**運転席を離れる際**は，**原動機を止め，（イ）かつ，走行ブレーキをかける**等の逸走を防止する措置を講じなければならない。（同規則第226条第1項）

・事業者は，車両系建設機械の**ブームやアームを上げ，その下で修理や点検を行う場合**は，労働者の危険を防止するため，**（ロ）安全支柱，安全ブロック等を使用させなければならない**。（同規則第166条第1項）

・事業者は，車両系荷役運搬機械等を用いた作業を行う場合，**路肩や傾斜地で労働者に危険が生ずるおそれがあるとき**は，**（ハ）誘導者を配置しなければならない**。（同規則第151条の6第2項）

・事業者は，**車両系荷役運搬機械**等を用いた作業を行うときは，**（ニ）作業指揮者を定めなければならない**。（同規則第151条の4）

したがって，**2**が正答である。

No.29　安全管理（移動式クレーンの災害防止）

【正答　4】

安全管理のうち，移動式クレーンの災害防止に関する語句の空所補充問題である。移動式クレーンの災害防止や安全対策については，クレーン等安全規則等に記載がある。

・事業者は，クレーン機能付き油圧ショベルを小型移動式クレーンとして使用する場合，**車両系建設機械の運転技能講習を修了している者**を，クレーン作業の運転者として**従事させることが（イ）できない**。

※クレーン機能付き油圧ショベルを小型移動式クレーンとして使用する場合，クレーン作業の運転者として従事させることができるのは，**小型移動式クレーンの運転技能講習を修了している者**である。（同規則第68条）

・**強風**のため，移動式クレーンの作業の実施について危険が予想されるときは，事業者は，**当該作業を（ロ）中止しなければならない**と定められている。（同規則

第74条の3)

・移動式クレーンの運転者及び玉掛けをする者が**当該移動式クレーンの（ハ）定格荷重を常時知ることができるよう，表示その他の措置を講じなければならない**と定められている。(同規則第70条の2)

・事業者は，移動式クレーンを用いて作業を行うときは，**（ニ）その日の作業を開始する前に**，巻過防止装置，過負荷警報装置その他の警報装置，ブレーキ，クラッチ及びコントローラーの機能について**点検を行わなければならない**。(同規則第78条)

したがって，**４**が正答である。

No.30　安全管理（埋設物及び架空線の防護）

【正答　1】

安全管理のうち，埋設物及び架空線の防護に関する語句の空所補充問題である。架空線の防護については，国土交通省「架空線等上空施設の事故防止マニュアル」等に記載がある。

・事業者は，明り掘削作業で，掘削機械・積込機械・運搬機械の使用に伴う**地下工作物の損壊により労働者に危険を及ぼすおそれのあるとき**は，**これらの機械を（イ）使用してはならない**と定められている。(労働安全衛生規則第363条)

・明り掘削の作業により露出したガス導管のつり防護等の作業には**（ロ）作業指揮者を指名し，作業を行わなければならない**と定められている。(同規則第362条第2項，第3項)

・架空線等上空施設に近接した工事の施工にあたっては，**架空線等と機械，工具，材料等について（ハ）安全な離隔を確保すること**と定められている。(国土交通省「架空線等上空施設の事故防止マニュアル」)

・**架空線等上空施設に近接して工事を実施し**，接触・切断等が想定される場合や高圧線との離隔距離が最少離隔距離以内になる場合等は，必要に応じて**（ニ）その管理者に施工方法の説明と確認や立ち会いを求める**ものとすると定められている。(国土交通省「架空線等上空施設の事故防止マニュアル」)

したがって，**1**が正答である。

No.31　安全管理（労働者の健康管理）

【正答　2】

安全管理のうち，労働者の健康管理に関する語句の空所補充問題である。

・事業者は，休憩時間を除き1週間当たり40時間を超えて労働させた場合，その超えた労働時間が**1月当たり80時間を超え，かつ，疲労の蓄積が認められる労働者の申出により，（イ）医師による面接指導**を行わなければならないと定められている。(労働安全衛生法第66条の8，同規則第52条の2，第52条の3)

・事業者は，常時**特定粉じん作業**に従事する労働者には，**粉じんの発散防止・作業場所の換気方法・呼吸用保護具の使用方法等について（ロ）特別の教育を行わなければならない**と定められている。(同法第59条第3項，粉じん障害防止規則第22条)

・事業者は，**一定の危険性・有害性が確認されている化学物質を取り扱う場合**には，**事業場における（ハ）リスクアセスメント**が義務づけられている。(労働安全衛生規則第34条の2の7第1項)

・事業者は，原則として常時使用する労働者に対し，（ニ）1年以内ごとに1回，定期に，医師による健康診断を行わなければならないと定められている。（同規則第44条第1項）

したがって，2が正答である。

No.32　品質管理

【正答　1】

品質管理の考え方に関する語句の空所補充問題である。

・品質管理は，ある作業を制御していく品質の統制から，施工計画立案の段階で（イ）管理特性を検討し，その管理特性を施工段階でつくり込むプロセス管理の考え方である。

・工事目的物の品質を一定以上の水準に保つ活動を（ロ）品質保証活動といい，品質の向上や品質の維持管理を行う品質管理よりも幅広い概念を含んでいる。

・品質特性とは，工程の状態を総合的に表し，品質に重要な影響を及ぼすものである。品質特性を決める場合には，構造物の品質に重要な影響を及ぼすものであること，（ハ）測定しやすい特性であること等に留意し，その特性を直接的に反映する数値を用いて管理するのが望ましい。

・設計値を十分満足するような品質を実現するためには，実際の施工品質の（ニ）ばらつきの度合いも考慮して，余裕を持った品質を目標とする必要がある。こうした，現場施工の際に実施しようとする品質の目標を品質標準と呼ぶ。

したがって，1が正答である。

No.33　品質管理（情報化施工による盛土の締固め管理）

【正答　2】

情報化施工による盛土の締固め管理に関する語句の空所補充問題である。

・TS（トータルステーション）・GNSS（全球測位衛星システム）を用いて，締固め機械の走行記録をもとに盛土の締固めを管理する方法は，（イ）工法規定方式の1つである。

・TS・GNSSを用いた盛土の締固め管理では，締固め機械の走行位置をリアルタイムに計測することにより，（ロ）締固め回数を確認する。

・盛土の施工仕様（まき出し厚や（ロ）締固め回数など）は，使用予定材料のうち（ハ）全ての種類毎の材料について，事前に試験施工を実施し，各材料の種類ごとの締固め回数と締固め度・表面沈下量の関係を求めた上で決定する。

・盛土材料を締め固める際には，試験施工で決定した締固め回数を確保するよう，TS・GNSSを用いた盛土の締固め管理システムによって管理するものとし，原則として盛土施工範囲の（ニ）全ブロックについて，モニタに表示される（ロ）締固め回数分布図が，規定回数だけ締め固めたことを示す色になることを確認する。

したがって，2が正答である。

No.34　品質管理（機械式鉄筋継手の品質管理）

【正答　4】

機械式鉄筋継手の品質管理に関する語句の空所補充問題である。

・機械式鉄筋継手には，継手用スリーブと

鉄筋がグラウトを介して力を伝達する**モルタル充填継手**や，内面にねじ加工されたカプラーによって接合する**（イ）ねじ節鉄筋継手**がある。

・機械式鉄筋継手の**継手単体の特性**は，一方向引張試験や弾性域正負繰返し試験時の**引張強度や（ロ）すべり量によって確認される**。

※座屈強度は，溶接継手の強度計算によく用いられる指標である。

・**モルタル充填継手の施工**にあたり，鉄筋の挿入長さが十分であることを，**（ハ）マーキング位置で確認する**。

・**施工後のモルタル充填継手**では，モルタルが排出孔から**（ニ）排出していることを確認する**。

したがって，4が正答である。

No.35　品質管理（プレキャストコンクリート構造物の接合）

【正答　3】

プレキャストコンクリート構造物の接合の品質管理に関する語句の空所補充問題である。

・プレキャストコンクリートの接合面に用いる**エポキシ樹脂接着剤**は，**コンクリート温度が（イ）低すぎると粘度が高くなり硬化反応も遅くなる**ことから，使用温度に適したものを選んで使用する。

・プレキャストコンクリートの接合面に接着剤を用いる場合は，**施工前に接合面を十分に（ロ）乾燥させる**。

・プレキャストコンクリートの接合面にモルタルを打ち込んで接合する場合は，**施工前に接合面を十分に（ハ）吸水させる**。

・シールドのセグメント等で用いられる**（ニ）ボルト締めにより接合する方法**は，**部材の製造や接合時に，高精度な寸法管理や設置管理が必要になる**。

したがって，3が正答である。

第二次検定（解答例）

必須問題

問題１　施工経験記述

【重点解説】

〔設問１〕

受検者が施工管理に関する経験，知識を十分に有していて，しかもそれを的確に表現する能力があるかを判別するための問題である。趣旨を把握して，具体的に簡潔かつ的確に記述することを心掛ける。

なお，〔注意〕にあるように，「経験した土木工事」は，受検者が工事請負者の技術者の場合は，受検者の所属会社が受注した工事について記述すること（所属会社が二次下請業者の場合は，発注者名は一次下請業者名）。また，受検者が発注機関の技術者の場合は，発注者名は所属機関名となる。

(1)　**工事名**は，受検者自身が実際に従事して経験した工事，あるいは，受検者が工事請負者の技術者の場合は，受検者の所属会社が受注した工事の名称を記述する。

(2)　**工事の内容**は，問題に指示があるとおり，①発注者名，②工事場所，③工期，④主な工種，⑤施工量，を具体的に，明確に記述する。なお，主な工種とは，路体盛土工，コンクリート擁壁工，基礎工，アスファルト舗装工，法面工等具体的な工事の工種を記述する。

(3)　**工事現場における施工管理上のあなたの立場**とは，工事現場における施工管理者としての立場の役割名称であり，例えば現場代理人，工事主任，発注者監督員等のように記述する。会社内の役職の課長，係長や職長などの役割ではないので注意すること。

〔設問２〕

過去の問題では，施工管理上の分野として，「品質管理」，「工程管理」，「安全管理」，「出来形管理」が出題され，令和３年度は，**現場状況から特に留意した安全管理**であった。

安全管理に関する記述をするにあたっては，様々な現場条件のもとで，様々な工事を行うなかで特に留意して実施した安全管理の経験を明確に記述することが前提である。そのうえで，**具体的な現場状況と特に留意した技術的課題**では，現場の工事目的や工事内容を説明し，現地条件と工事の関係を説明して，課題が発生した理由を明確にして技術的課題を説明する。

技術的課題を解決するために**検討した項目と検討理由及び検討内容**では現場の状況から発生した課題に対して，検討項目を抽出して，検討理由を明確にして検討内容を説明する。対策まで書かないように注意する。

技術的な課題に対して**現場で実施した対応処置とその評価**では検討によって決定した方法を具体的に説明し，課題を解決できたことを明記する。必ず課題の解決になる方法であることが必要である。

それぞれの現場ごとに技術的課題があるはずで，工事を進めるにあたり，その技術的課題に対して，「安全管理」の面でどのように工夫して取り組み，自らの判断によってどのような対応処置を実施したかを簡潔に要領よくまとめる。

必須問題

問題２　コンクリート

コンクリートの養生に関する留意点を記した文の空所補充問題である。

解答に関連する技術基準を記した典拠としては，土木学会「コンクリート標準示方書」，日本規格協会「JIS ハンドブック（生コンクリート）」などが挙げられる。

(1)　打込み後のコンクリートは，セメントの **(イ) 水和**反応が阻害されないように表面からの乾燥を防止する必要がある。

(2)　打込み後のコンクリートは，その部位に応じた適切な養生方法により，一定期間は十分な **(ロ) 湿潤**状態に保たなければならない。

(3)　養生期間は，セメントの種類や環境温度等に応じて適切に定めなければならない。日平均気温 15℃以上の場合，**(ハ) 混合セメントＢ種**を使用した際には，養生期間は７日を標準とする。

(4)　暑中コンクリートでは，特に気温が高く，また，湿度が低い場合には，表面が急激に乾燥し **(ニ) ひび割れ**が生じやすいので，**(ホ) 散水**又は覆い等による適切な処置を行い，表面の乾燥を抑えることが大切である。

(イ)	(ロ)	(ハ)	(ニ)	(ホ)
水和	湿潤	混合セメント Ｂ種	ひび割れ	散水

必須問題

問題３　施工計画

土木工事における施工計画の立案に関する記述問題である。検討項目に対する検討内容について，それぞれ１つずつ，おおよそ次のような記述ができればよい。

解答に関連する技術基準を記した資料としては，国土交通省「土木工事安全施工技術指針」などがある。

検討項目	検討内容
契約書類の確認事項	・工事の目的，工期，契約金額，支払い条件や契約変更の際の条件など，**工事契約**の内容 ・**設計図書**，及び設計図書と現場との**相違点**

現場条件の調査 (自然条件の調査)	・現場における**地形**，**地質**，**土質**，**地下水**の状況 ・現場での施工に影響があると予測される**水文気象**のデータ
現場条件の調査 (近隣環境の調査)	・**騒音**，**振動**発生などに関する規制基準の内容 ・**文化財**や**地下埋設物**などの有無，及び内容 ・**隣接する建物**や**構造物**の工事の状況
現場条件の調査 (資機材の調査)	・資機材の**調達先**，及び**調達経路** ・資機材の調達に要する**費用**
施工手順	・各工程における**施工**方法の素案の作成 ・**施工**方法の素案に対する工期・費用・安全性の各側面からの**評価** ・工期・費用・安全性の各側面からの各工程の最適な組合せの**検証**

選択問題（1）

問題４　土工

建設発生土の現場利用に際して行う安定処理に関する留意点を記した文の空所補充問題である。

解答に関連する技術基準を記した典拠としては，日本道路協会「道路土工－盛土工指針」，国土交通省「土木工事安全施工技術指針」，独立行政法人土木研究所「建設発生土利用技術マニュアル」などが挙げられる。

(1) 高含水比状態にある材料あるいは強度の不足するおそれのある材料を盛土材料として利用する場合，一般に **(イ) ばっ気**乾燥等による脱水処理が行われる。

(イ) ばっ気乾燥で含水比を低下させることが困難な場合は，できるだけ場内で有効活用をするために固化材による安定処理が行われている。

(2) セメントや石灰等の固化材による安定処理工法は，主に基礎地盤や **(ロ) 路床**，路盤の改良に利用されている。道路土工への利用範囲として主なものをあげると，強度の不足する **(ロ) 路床**材料として利用するための改良や高含水比粘性土等の **(ハ) トラフィカビリティー**の確保のための改良がある。

(3) 安定処理の施工上の留意点として，石灰・石灰系固化材の場合，白色粉末の石灰は作業中に粉塵が発生すると，作業者のみならず近隣にも影響を与えるので，作業の際は，風速，風向に注意し，粉塵の発生を極力抑えるようにする。また，作業者はマスク，防塵 **(ニ) メガネ**を使用する。

石灰・石灰系固化材と土との反応はかなり緩慢なため，十分な **(ホ) 養生**期間が必要である。

(イ)	(ロ)	(ハ)	(ニ)	(ホ)
ばっ気	**路床**	**トラフィカビリティー**	**メガネ**	**養生**

選択問題（1）

問題５　品質管理

レディーミクストコンクリートの品質管理に関する文の空所補充問題である。

解答に関連する技術基準を記した典拠としては，JIS A 5308「レディーミクストコンクリート」，土木学会「コンクリート標準示方書」などが挙げられる。

(1) レディーミクストコンクリート工場の選定にあたっては，定める時間の限度内にコンクリートの **(イ) 運搬**及び荷卸し，打込みが可能な工場を選定しなければならない。

(2) レディーミクストコンクリートの種類を選定するにあたっては，**(ロ) 粗骨材**の最大寸法，**(ハ) 呼び**強度，荷卸し時の目標スランプ又は目標スランプフロー及びセメントの種類をもとに選定しなければならない。

(3) **(ニ) 空気量**の変動はコンクリートの強度や耐凍害性に大きな影響を及ぼすので，受入れ時に試験によって許容範囲内にあることを確認する必要がある。

(4) フレッシュコンクリート中の **(ホ) 単位水量**の試験方法としては，加熱乾燥法，エアメータ法，静電容量法等がある。

(イ)	(ロ)	(ハ)	(ニ)	(ホ)
運搬	粗骨材	呼び	空気量	単位水量

選択問題（1）

問題６　安全管理

労働安全衛生規則に定められている，車両系建設機械の労働災害防止のために事業者が実施すべき安全対策に関する文の空所補充問題である。

解答に関連する法規や技術基準としては，労働安全衛生規則の第２編第２章第１節「車両系建設機械」（第 151 条の 175 ～第 171 条の 6）などが挙げられる。

(1) 岩石の落下等により労働者に危険が生ずるおそれのある場所で，ブルドーザ，トラクターショベル，パワーショベル等を使用するときは，当該車両系建設機械に堅固な **(イ) ヘッドガード**を備えなければならない。

(2) 車両系建設機械の転落，地山の崩壊等による労働者の危険を防止するため，あらかじめ，当該作業に係る場所について地形，地質の状態等を調査し，その結果を **(ロ) 記録**しておかなければならない。

(3) 路肩，傾斜地等であって，車両系建設機械の転倒又は転落により運転者に危険が生ずるおそれのある場所においては，転倒時 **(ハ) 保護構造**を有し，かつ，**(ニ) シートベルト**を備えたもの以外の車両系建設機械を使用しないように努めるとともに，運転者に **(ニ) シートベルト**を使用させるように努めなければならない。

(4) 車両系建設機械の転倒やブーム又はアーム等の破壊による労働者の危険を防止するため，その構造上定められた安定度，(ホ) **最大使用**荷重等を守らなければならない。

(イ)	(ロ)	(ハ)	(ニ)	(ホ)
ヘッドガード	記録	保護構造	シートベルト	最大使用

選択問題（1）

問題 7　建設副産物

建設リサイクル法に基づく再資源化を促進する特定建設資材廃棄物に関する文の空所補充問題である。

解答に関連する規定としては，国土交通省「特定建設資材に係る分別解体等及び特定建設資材廃棄物の再資源化等の促進等に関する基本方針（建設リサイクル法基本方針）」などが挙げられる。

(1) コンクリート塊については，破砕，選別，混合物の (イ) **除去**，(ロ) **粒度**調整等を行うことにより再生クラッシャーラン，再生コンクリート砂等として，道路，港湾，空港，駐車場及び建築物等の敷地内の舗装の路盤材，建築物等の埋戻し材，又は基礎材，コンクリート用骨材等に利用することを促進する。

(2) 建設発生木材については，チップ化し，(ハ) **木質**ボード，堆肥等の原材料として利用することを促進する。これらの利用が技術的な困難性，環境への負荷の程度等の観点から適切でない場合には (ニ) **燃料**として利用することを促進する。

(3) アスファルト・コンクリート塊については，破砕，選別，混合物の (イ) **除去**，(ロ) **粒度**調整等を行うことにより，再生加熱アスファルト (ホ) **安定処理**混合物及び表層基層用再生加熱アスファルト混合物として，道路等の舗装の上層路盤材，基層用材料，又は表層用材料に利用することを促進する。

(イ)	(ロ)	(ハ)	(ニ)	(ホ)
除去	粒度	木質	燃料	安定処理

選択問題（2）

問題 8　土工

軟弱地盤対策工法の概要及び期待される効果に関する記述問題である。5 つの工法のうちから 2 つ選び，おおよそ次のような主旨の内容で，工法の概要と期待される効果をそれぞれ

１つずつ記述できればよい。

解答に関連する技術基準を記した資料としては，日本道路協会「道路土工構造物技術基準・同解説」，日本道路協会「道路土工－軟弱地盤対策工指針」などがある。

工法名	工法の概要	期待される効果
サンドマット工法	軟弱地盤の上に適切な粒度分布を持つ透水性のある砂または砂礫を敷設し，圧密排水による排水層を形成する工法。	・せん断変形や強度低下の抑制を図ることができる。 ・強度やすべり抵抗の増加を図ることができる。
サンドドレーン工法	地盤の粘性土層上に複数の砂柱を形成し，水平方向の圧密排水距離を短縮させることで地下水の排除を図る工法。	・軟弱土層における圧密沈下の促進を図ることができる。 ・せん断変形の抑制を図ることができる。 ・地盤支持力の強化を図ることができる。
深層混合処理工法（機械撹拌工法）	セメントや石灰などの安定材と軟弱な原地盤の土を，深層に至るまで機械によって混合・撹拌し安定処理することで，地盤の固結を図る工法。	・深層軟弱地盤の固結により，全沈下量が低減される。 ・すべり抵抗の増加を図ることができる。
薬液注入工法	軟弱地盤の間隙に注入管を通して薬液を注入し，固結させる工法。	・深層軟弱地盤におけるすべり抵抗の増加を図ることができる。 ・固結により透水性が減少し，地盤強度の増加を図ることができる。
掘削置換工法	軟弱地盤の一部または全部を掘削して除去し，良質材で置き換える工法。	・良質材との置換によりせん断抵抗が付与され，安全率が増加する。 ・良質材との置換により全沈下量の減少を図ることができる。

選択問題（2）

問題９　コンクリート

コンクリートの構造物の施工に関する文の語句訂正問題である。

①～④のうち２つについて，下記のように語句を解答できればよい。

解答に関連する技術基準を記した資料としては，土木学会「コンクリート標準示方書［施工編］」などがある。

番号	適切でない語句	適切な語句
①	早い（時期）	遅い（時期）
②	棒状バイブレータ	タンピング
③	乾燥	吸水
④	鉄製	モルタル製（またはコンクリート製）

選択問題（2）

問題 10　安全管理

移動式クレーンを使用したボックスカルバートの設置作業における労働災害防止対策に関する知識を問う問題である。

問題文に「移動式クレーンでボックスカルバートの設置作業」と記載されており，かつ，現場状況の図では土止め支保工が施されていることがわかるため，「クレーン等安全規則」第3章「移動式クレーン」（主に第63条～第75条の2），及び「労働安全衛生規則」第2編第6章第1節第2款「土止め支保工」（第368条～第375条）の規定に則して，労働災害防止対策に必要な措置の内容について，次の解答例の中から5つ挙げればよい。

安全管理上必要な労働災害防止対策
①土止め支保工を設けた後，**7**日を超えない期間ごと，また中震以上の地震や大雨によって地山が軟弱化したおそれが生じたときには，必ず点検を行う。
②点検の結果，土止め支保工に異常が認められた場合は，直ちに**補強**または**補修**する。
③強風のため，移動式クレーンに係る作業の実施について危険が予想されるときは，**作業を中止**する。
④事業者は，移動式クレーンの運転について**一定の合図**を定め，**合図を行う者**を指名し，その者に合図を行わせる。
⑤移動式クレーンのアウトリガーは，**最大限に張り出して作業する**ことを原則とし，**最大限に張り出す**ことができない場合，張り出し幅に応じた定格荷重以上の荷を吊ることとは禁止する。
⑥移動式クレーンの運転者は，荷を吊ったままで**運転位置から離れない**。
⑦移動式クレーンで荷を吊り上げるときは，**外れ止め装置を使用する**。
⑧移動式クレーンの上部旋回体と**労働者**が接触しないよう，接触の危険が生ずるおそれのある箇所には**労働者を立ち入らせない**。
⑨移動式クレーンに吊り上げられている荷の下には，**労働者を立ち入らせない**。

☆令和7年4月1日施行クレーン等安全規則第74条，第74条の2の改正により，「**当該作業場において作業に従事する者**」が移動式クレーンの上部旋回体と接触することにより危険が生ずるおそれのある箇所またはつり上げられている荷の下に「**立ち入ることについて，禁止する旨を見やすい箇所に表示することその他の方法により禁止しなければならない**」と変更される。

選択問題（2）

問題 11　施工計画

管渠の敷設の施工手順に関する知識を問う問題である。

問題文の指示どおり，管渠を敷設する場合の施工手順が次の表に示されているが，施工手順①～③のうちから２つ選び，それぞれの番号，該当する工種名及び施工上の具体的な留意事項について，それぞれ１つずつ，下記の解答例のように記述できればよい。

解答に関連する内容を記した資料としては，日本道路協会「道路土工ーカルバート工指針」，国土交通省「土木工事共通仕様書」などが挙げられる。

番号	工種名	施工上の留意事項 （主要機械の操作及び安全管理に関するものは除く）
①	床掘り工	・仕上り面は，地山を乱さないように留意するとともに，不陸を生じさせないように施工する。 ・仕上り面に当初の想定には無いぜい弱な地盤が露出した場合は，良質材に置き換える。
②	据付け工	・基礎の低い方から高い方に向けて敷設する。
③	埋戻し工	・１層の仕上り厚が 30cm 以下となるように締め固める。 ・偏心や偏土圧がかかるのを防ぐため，左右均等になるように注意しながら締め固める。

令和2年度

学科試験　問題A（選択問題）

No.1　原位置試験の結果とその利用

【正答　3】

1 ×　**RI計器による土の密度試験**は，中性子線とγ（ガンマ）線の2種類の放射線によって，**湿潤密度**をはじめ，**乾燥密度，締固め度，含水比，空気間げき率，含水量，飽和度**といった数値を自動的に測定する試験である。試験結果は，盛土の締固め度など，**土の締まり具合の判定に利用されるが，地盤の許容支持力の算定には利用されない**。

2 ×　**平板載荷試験**は，地表面におかれた直径30cmの鋼製円盤に段階的に荷重を加えていき，各荷重に対する沈下量を測定し，**地盤反力係数を求める試験であり，締固めの施工管理に利用される。地層の厚さの確認には利用されない**。

3 ○　**ポータブルコーン貫入試験**は，ロッドの先端に先端角度30°，底断面積6.45cm^2のコーンを装着したハンドルの付いた貫入棒を1cm/secの速さで人力により地中に貫入させ，そのときのコーン貫入抵抗値から単位面積当たりの**コーン指数を求める試験であり，建設機械などのトラフィカビリティーの判定に利用される**。

4 ×　**標準貫入試験**は，標準貫入試験用サンプラーをロッドに接続してボーリング孔に降ろし，重量63.5kgのハンマにより落下高76cmで30cm貫入させるのに要する打撃回数，すなわち**N値により，地層の判別や硬軟の判定に利用される**。盛土の締固め管理の判定には利用されない。

No.2　土量の変化率

【正答　2】

1 ○　**土量の変化率は，実際の土工の結果から推定するのが最も的確な決め方である**。測定量は，地山土量で200m^3以上が目安であり，可能であれば500m^3以上の測定量が確保できれば，信頼性の高い変化率Cが算出可能である。

2 ×　**土の掘削・運搬中の損失及び基礎地盤の沈下による盛土量の増加は，原則として変化率に含まない**。

3 ○　**土量の変化率C**は，**土工の配分計画**を立てる際に用いられ，C＝締固め土量÷地山の土量の式で，**地山の土量と締め固めた土量の体積比を測定して求める**。

4 ○　**土量の変化率L**は，**土の運搬計画**を立てるうえで重要な指標であり，L＝ほぐした土量÷地山の土量の式で，**地山の土量とほぐした土量の体積比を測定して求める**。土の密度が大きい場合は，過積載のおそれがあるため積載重量によって運搬量が求められる。

No.3　盛土の情報化施工

【正答　1】

1 ×　TS（トータルステーション）・GNSS（衛星測位システム）を用いた**情報化施工による盛土の締固め管理技術は，品質規定方式を工法規定方式にする**ことで，**締固め状況の早期把握による工程短縮**をはかりつつ，同時に品

質の均一化や過転圧の防止などの実現もはかるものである。

２○　マシンガイダンス技術は，オペレータの施工機械操作のサポートを目的として，TS や GNSS の計測技術により，施工機械の位置情報・施工情報及び施工状況と三次元設計データとの差分などの情報をオペレータに提供する技術である。

３○　まき出し厚さは，使用予定材料の種類ごとに事前に実施する試験施工によって決定したまき出し厚さと，締固め回数による施工結果である締固め層厚分布の記録をもって，間接的に管理をするものである。

４○　情報化施工における盛土の締固め管理は，締固め機械の走行位置を追尾・記録することで，規定の締固め度が得られる締固め回数の管理を厳密に行うものである。例えば，走行軌跡の自動追跡によって，所定の締固め回数の確認が容易になり，踏み残し箇所を大幅に削減することが期待できる。

No.4　建設発生土の利用

【正答　4】

１○　道路の路体盛土に用いる土は，敷均し・締固めの施工が容易，締め固めた後の強さが大きい，雨水などの侵食に対して強い，吸水による膨潤性が低いといった土性が求められる。国土交通省「発生土利用基準について」によると，道路の路体盛土には第１種～第３種建設発生土は原則としてそのまま利用可能であり，第４種建設発生土についても適切な土質改良を行えば利用可能である。

２○　建設発生土を盛土に用いる際に，締固めに対するトラフィカビリティーが確保できない場合は，水切り・天日乾燥，強制脱水，良質土混合などの土質改良によって，必要なトラフィカビリティーを確保することが必要である。

３○　第３種建設発生土はコーン指数 $400kN/m^2$ 以上で通常の施工性が確保可能な粘性土，第４種建設発生土は，コーン指数が $200kN/m^2$ 以上で湿地用ブルドーザでないと走行できないような含水比の高い（40～80％程度）粘性土である。道路の路床には路体以上の高い強度が求められるため，路床の盛土に第３種や第４種の建設発生土を用いる場合，締固めを行っても強度が不足するおそれがある。そのため，セメントや石灰などによる安定処理が行われるのが一般的である。

４×　第１種建設発生土は砂，礫及びこれに準ずるもの，第 2a 種建設発生土は細粒分まじり礫であり，いずれも細粒分は少なく含水比は低い。

No.5　軟弱地盤対策工法

【正答　2】

１○　締固め工法は，地盤に砂などを圧入または動的な荷重を与え地盤を締め固めることにより，液状化の防止や支持力増加をはかるなどを目的とする工法である。具体的には，振動棒工法，サンドコンパクションパイル工法，バイブロフローテーション工法などがある。

２×　固結工法は，セメントなどの固化材を土と混合し，化学反応を利用して地盤を固結させることにより，変形の抑

制，液状化防止などを目的とする工法である。**具体的な工法としては，表層混合処理工法，薬液注入工法**などがある。**サンドコンパクションパイル工法**は，**1**の解説にあるとおり**締固め工法**の一種である。

3 ○　**荷重軽減工法**は，土よりも軽量な材料で荷重軽減や地盤の挙動に対応しうる構造体をつくることにより，全沈下量の低減，安定性確保などを目的とする工法である。**具体的な工法としては，軽量盛土工法やカルバート工法などがある**。

4 ○　**圧密・排水工法**は，地盤の排水や圧密促進によって地盤の強度を増加させ，道路供用後の残留沈下量の低減をはかることなどを目的とする工法である。**具体的な工法としては，緩速載荷工法や盛土載荷重工法などがある**。

No.6　コンクリート用骨材

【正答　1】

1 ×　**砂**は**細骨材**であり，材料分離に対する抵抗性を発揮させるためには，**粘土塊量が 1.0%以下のものを用いなければならない**。

2 ○　**同一種類の骨材を混合して使用する場合**，混合した後の絶乾密度の品質が満足されている場合であっても，**混合する前の各骨材について絶乾密度の品質を満足しなければならない**。骨材の**絶乾密度**は，原則として 2.5g/cm^3 以上でなければならない。

3 ○　**JIS A 5021 に規定されるコンクリート用再生粗骨材 H** は，破砕，磨砕，分級（粒径別に分離させること）などの高度な処理を行うことで**通常の骨材とほぼ同様の品質を有している**。再生粗骨材 H は，**吸水率が 3.0%以下でなければならない**。

4 ○　凍結融解の繰返しによる気象作用に対する**骨材の安定性（耐凍害性）を判断するための試験は，硫酸ナトリウムの結晶圧による破壊作用を応用した試験方法により行われる**。硫酸ナトリウムによる安定性試験における損失質量の上限は，原則として細骨材の場合で 10％以下，粗骨材の場合で 12％以下としている。

No.7　コンクリート用混和材料

【正答　2】

1 ○　**膨張材**をコンクリート $1m^3$ 当たり標準使用量 20 ～ 30kg 程度用いてコンクリートを造ることにより，初期の材齢においてコンクリートを膨張させることで収縮率を抑制し，**乾燥収縮や硬化収縮などに起因するひび割れの発生を低減することができる**。

2 ×　**フライアッシュ**を適切に用いると，コンクリートのワーカビリティーを改善し**単位水量の減少や長期材齢強度の増進，水和熱による温度上昇の抑制などの効果を期待できる**。

3 ○　**高性能 AE 減水剤**は，空気連行性やスランプロス低減効果を併せ持つ減水剤で，AE 減水剤に比べ高い減水率を得ることができる。一方で，高性能 AE 減水剤を用いたコンクリートは，**通常のコンクリートと比べて，コンクリート温度や使用材料などの諸条件の変化に対し，ワーカビリティーなどが影響を受けやすい傾向にある**ので注意が必要である。

4 ○　**収縮低減剤**は界面活性剤の一種で，コンクリート $1m^3$ 当たり５～10kg 程度添加することで**コンクリートの乾燥収縮ひずみを 20 ～ 40％程度低減することが可能である。**

No.8　コンクリートの打込み・締固め
【正答　4】

1 ○　打ち込むコンクリートと接する型枠面から水分が吸われると，コンクリート品質の低下などがあるので，**吸水するおそれのある型枠の部分は，散水などであらかじめ湿らせておく必要がある。**

2 ○　打ち込んだコンクリートの**粗骨材が分離してモルタル分の少ない部分があれば**，材料分離を解消するため，その**分離した粗骨材をすくい上げ，モルタルの多いコンクリートの中に埋め込んで締め固める。**

3 ○　**コンクリートを２層に打ち重ねる部位の締固め**は，上層と下層が一体となるように打ち上げるために，**バイブレータを下層コンクリート中に 10cm 程度挿入し，下層コンクリートにも再振動締固めを行う。**

4 ×　締固めを行う際は，あらかじめ棒状バイブレータの挿入間隔及び１箇所当たりの振動時間を定める。**振動時間が経過した後は，棒状バイブレータをコンクリートからゆっくりと引き抜く。**

No.9　コンクリートの配合
【正答　2】

1 ○　**水セメント比**は，値が小さくなるほど, 強度, 耐久性, 水密性は高くなるが，値があまり小さくなりすぎると，単位セメント量が大きくなり，水和熱や自己収縮が増大する。したがって，**コンクリートに要求される強度，耐久性及び水密性などを考慮**して，これらから定まる**水セメント比のうち，作業可能な範囲内で最も小さい値を設定する。**

2 ×　**水セメント比が一定の場合**，コンクリート内の**空気量が増すと，コンクリートの強度は小さくなり，品質のばらつきも大きくなる**傾向にある。

3 ○　**コンクリートのスランプ**は，円滑かつ密実に型枠内へ打ち込めるよう，運搬，打込み，締固めなどの**作業に適する範囲内で，できるだけ小さくなるように設定する。**

4 ○　コンクリートの**単位水量が大きくなると**，**材料分離抵抗性が低下**するほか，**乾燥収縮が増加**するなど，コンクリートの品質は低下する。

No.10　鉄筋の加工・組立て
【正答　1】

1 ○　鉄筋を組み立ててから**コンクリートを打ち込む前に鉄筋に生じた浮きさび**は，鉄筋とコンクリートの付着を害するおそれがあるため，**清掃して除去する必要がある。**

2 ×　**鉄筋を保持するために用いるスペーサー**は適切な間隔で配置することとし，その数は，**$1m^2$ 当たり２～４個程度を目安とするのが一般的である。**

3 ×　**型枠に接するスペーサー**には，**鋼製スペーサーは使用せず，モルタル製またはコンクリート製のスペーサーを使用する。**

4 ×　施工継目において**一時的に曲げた鉄筋を，所定の位置に曲げ戻す必要が生じた場合**は，**900 ～ 1,000℃程度で**

加熱加工する。

No.11　コンクリートの養生

【正答　3】

1 ×　混合セメントＢ種を用いたコンクリートの湿潤養生期間の標準は，普通ポルトランドセメントを用いたコンクリートより長く設定する。

2 ×　日平均気温が4℃以下になることが予想されるときは，初期凍害を防止できる強度が得られるまではコンクリート温度を5℃以上に保つ。さらにその後，2日間は0℃以上に保つことが標準である。

3 ○　コンクリートの露出面に対して，まだ固まらないうちに散水やシート養生などを行う場合には，乾燥収縮を防止するために，コンクリート表面を荒らさないで作業ができる程度に硬化した後に養生を開始することを原則とする。

4 ×　マスコンクリート構造物において，打込み後に実施するパイプクーリング通水用の水は，過度に冷やしすぎるのは禁物である。水温が低過ぎた場合，部材間，または部材内部での温度差が拡大しすぎることにより，かえってひび割れ発生を助長してしまう可能性がある。

No.12　構造物の基礎

【正答　1】

1 ×　橋梁下部の直接基礎の支持層は，砂層及び砂礫層では十分な強度が，粘性土層では圧密のおそれのない良質な層がそれぞれ必要とされるため，洪積世（更新世：約260万年～1万年前）の層に支持させるとよい。沖積世（完新世：1万年前～現在）の新しい表層では，十分な強度が得られないことがある。

2 ○　橋梁下部の杭基礎は，支持杭基礎と摩擦杭基礎に区分される。一般的には，長期的な基礎の変位を防止するためには，先端を支持層まで到達させ，杭の先端に働く反力（先端支持力）で橋梁を支えることのできる支持杭基礎とするのがよいとされている。

3 ○　斜面上や傾斜した支持層などに擁壁の直接基礎を設ける場合は，基礎地盤として不適な地盤を掘削し，基礎地盤をコンクリートで置き換えて施工することが可能である。その際には，浮き石は完全に除去し，底面を水平に掘削して岩盤表面を十分洗浄する。

4 ○　表層の軟弱な部分が比較的浅く，その下に良質な支持層がある地盤を擁壁の基礎とする場合は，掘削置換工法によって良質土による置換えを行い，改良地盤を形成することで基礎地盤とすることができる。

No.13　中掘り杭工法の施工

【正答　2】

1 ×　中掘り杭工法では，杭の沈設後，スパイラルオーガや掘削用ヘッドを引き上げる場合は，負圧の発生によるボイリングを引き起こさないために急速に引き上げずに，徐々に引き上げなければならない。

2 ○　コンクリート打設方式による杭先端処理を行う場合は，コンクリートの打設前にブラシや高圧水などで杭内面を清掃・洗浄し，土質などに応じた適切な方法で孔底の土砂やスライムを確実

に処理する。

3 × 最終打撃方式により杭先端処理を行う場合，**中掘りから打込みへの切替え**は，支持層上面から杭径の3倍程度以上を残し，**時間を空けずに連続的に行うことが推奨されている**。

4 × **中間層が比較的硬質で沈設が困難な場合**は，杭先端の根固め球根と鋼管杭との荷重伝達を円滑にするために，一般に杭先端部にフリクションカッターを取り付ける。ただし，**掘削中は，原則として杭径以上の拡大掘りは行わない**。

No.14　場所打ち杭工法の施工

【正答　4】

1 ○ **オールケーシング工法**は，筒形のケーシングチューブを地中に揺動または回転しながら圧入し，孔壁を保護しながら，グラブバケットによって掘削・土砂を排出し，孔内に鉄筋かごを建て込み，コンクリートを打設する工法である。オールケーシング工法では，一般的に，**コンクリート打込み時**には**ケーシングチューブの先端をコンクリートの上面から所定の深さ以上に挿入する**。

2 ○ オールケーシング工法において，コンクリート打込み完了後，**ケーシングチューブを引き抜く際**は，コンクリートの天端が下がるため，**あらかじめ下がり量を考慮する必要がある**。また，引き抜き後の孔壁に作用する土圧などの外圧とコンクリートの側圧などの内圧とのバランスにより，杭頭部付近の杭径が細る場合がある点にも注意する必要がある。

3 ○ **リバース工法**では，**安定液のように粘性があるものを使用しない**ため，泥水循環時においては粗粒子の沈降が期待できる。また，**一次孔底処理により泥水中のスライムはほとんど処理することが可能**で，**一般に二次孔底処理は必要としない**。

4 × **リバース工法**では，**スタンドパイプの建込みをハンマグラブによる中掘りに先行させる**ことで，地盤が緩んだり，崩壊したりするのを防ぐ。

No.15　土留め支保工の施工

【正答　3】

1 × **切ばり**は，一般に**圧縮部材として設計されている**。そのため，**圧縮応力**以外の応力が作用しないように**腹起しと垂直に，かつ密着して取り付ける**必要がある。

2 × **切ばりは継手のないものを用いるのが望ましい**。ただし，切ばり用鋼材の割付け上の理由により継手を用いる場合には，強度を確保するために**継手位置を中間杭付近に設ける**とともに，**継手部にはジョイントプレートなどを取り付けて補強**し，十分な強度を確保する。

3 ○ 土留め支保工における**腹起しと土留め壁との間**は，すきまが生じやすく密着しない場合が多い。そのため，土留め壁と腹起しの間に**モルタルやコンクリートを裏込めするなど，壁面と腹起しを密着させる必要がある**。

4 × 土留め支保工の腹起し材の継手部は，弱点となりやすいため，**継手位置は応力的に余裕のある切ばりや火打ちの支点から近い箇所に設ける**ものとす

る。

No.16　鋼道路橋の施工

【正答　1】

1 ×　**I形断面の鋼桁橋**は，主桁の組立てが終わるまでは不安定である上，水平曲げ剛度，ねじり剛度が低い。そのため，**I形断面部材の仮置き**の際には，転倒や横倒れ座屈に対して十分に注意し，**汚れや腐食などに対する養生として地面より15cm以上離すものとする**。

2 ○　**片持式工法における連続桁の架設**の際に，側径間をカウンターウエイトとして中央径間で閉合する場合には，**設計時に架設応力や変形を検討のうえ，安全性を確認しておく**必要がある。

3 ○　**部材の組立てに使用する仮締めボルトとドリフトピンの合計**は，架設応力に十分耐えるだけの本数を用いるものとする。**合計数は，その箇所の連結ボルト数の1/3程度を標準とする**が，片持式架設のように大きい架設応力の作用する場合では，その架設応力に十分耐えるのに必要な本数を用いる。

4 ○　箱桁橋とは，箱形の断面を持つ桁を並べることで架設された橋梁のことで，箱形断面の桁は一般に剛性が高い。**箱形断面の桁の架設時のキャンバー調整**を行う場合は，ベントに大きな反力がかかるため，**ベントの基礎やベント自体の強度を十分検討する**必要がある。

No.17　鋼道路橋の耐候性鋼材

【正答　4】

1 ○　**耐候性鋼用表面処理剤**は，耐候性鋼材表面の緻密なさび層の形成を助けることで，**鋼道路橋の供用初期におけるさびむらの発生やさび汁の流出を防ぐことが使用の目的である**。

2 ○　**箱桁**や鉄製橋脚などの**耐候性鋼材の内面部分**は，気密ではなく結露や雨水の浸入によって湿潤になりやすいことなどから，耐候性鋼材の適用可能な環境とならない場合は，**普通鋼材と同様に内面塗装仕様の塗料を塗布する場合がある**。

3 ○　**耐候性鋼材**は，普通鋼材に銅やクロムなどの適量の合金元素を添加することにより，表面に緻密なさび層を形成させた鋼材である。**さび層が鋼材表面を保護することで，鋼材の腐食による板厚減少を抑制する**。

4 ×　**耐候性鋼橋に用いるフィラー板**は，継手部の母材に板厚差がある場合に，板厚差を解消し，肌隙などの不確実な連結を防ぐために用いる。フィラー板は主要構造部材ではないが，**防せい防食の観点から母材の耐候性鋼材と同種の鋼材を使用する**。

No.18　鋼道路橋における高力ボルト締付け作業

【正答　2】

1 ×　トルク法によって締め付けたトルシア形高力ボルトは，**各ボルト群の全数について，ピンテールの切断の確認とマーキングによる外観検査を行う**。

2 ○　ボルト軸力の導入は，ナットを回して行うのを原則とする。ただし，**やむを得ずボルトの頭を回して締め付ける場合は，トルク係数値の変化を確認する**。

3 ×　**回転法によって締め付けた高力ボル**

トは，全数についてマーキングによる外観検査を行う。回転角が過大なものについては，ボルトの取り換えを行う。

4 × 摩擦接合において接合される材片の接触面を塗装しない場合は，所定のすべり係数 0.4 が得られるよう，黒皮，浮きさび，油，泥などを除去し粗面とする。

No.19　コンクリート構造物の劣化

【正答　3】

1 × 中性化は，大気中の二酸化炭素とセメント内の水酸化カルシウムとの化学反応により炭酸カルシウムが発生し，コンクリート中の pH が低下する現象である。中性化と水の浸透に伴う鋼材腐食の速度は，常時滞水している場合より，乾燥・湿潤が繰り返され，コンクリート構造物中のセメントが空気に曝されやすい場合の方が速い。

2 × 塩害環境下においては，一般に構造物の供用中における鉄筋の鋼材腐食による鉄筋の鋼材質量の減少量を考慮した設計を行う必要がある。

3 ○ スケーリングとは，凍害による劣化の一種で，凍結融解作用によりコンクリート表面にうろこ状の細かなひび割れが発生する現象である。道路用コンクリート構造物では，凍結防止剤として塩化ナトリウムの散布が行われるが，凍結防止剤中に含まれる塩化物イオンの影響により，スケーリングによる表面の劣化が著しくなることがある。

4 × アルカリ骨材反応を抑制する方法は，国土交通省通達「アルカリ骨材反応抑制対策」に，次の３つの対策のいずれかについて確認を取らなければならないと定められている。

①コンクリート中のアルカリ総量の抑制

②抑制効果のある混合セメントなどの使用

③安全と認められる骨材の使用

骨材のアルカリシリカ反応性試験で区分Ａ「無害」と判定された骨材を用いる方法は上記の③に該当するが，対策は③だけに限定されているわけではなく，土木構造物については，上記の①及び②を優先すると定められている。

No.20　コンクリート構造物の補修

【正答　1】

1 × 有機系表面被覆工法による補修には塗装工法とシート工法がある。塗装は，乾燥したコンクリート表面への付着性に優れるため，塗装工法を採用する際は，コンクリート表面を十分乾燥させた状態で塗布を行う。

2 ○ 無機系表面被覆工法とは，厚さ１～5mm 程度の単層または複層によって構成されるポリマーセメント系の無機系材料でコンクリート表面を被覆する工法である。無機系表面被覆工法による補修を行う場合には，コンクリート表面の局所的なぜい弱部を除去する。また，空げきはパテにより充てんし，段差や不陸もパテによって解消する。

3 ○ 断面修復工法による補修を行う場合，フェザーエッジ（コンクリートのはつり面端部の角度が緩やかなスロープ状になること）の状態になると，塗布される断面修復材の塗膜が極端に薄

くなり，乾燥ひび割れや浮きの原因になる。したがって，フェザーエッジを回避するために，補修範囲の端部にカッターを入れるなどの措置を行う。

4○　電気防食工法は，陽極システムを設置し，コンクリート中の鋼材に電流を流すことにより，鉄筋腐食の要因であるアノード反応を抑制する工法である。塩害の対策として用いられるが，アルカリシリカ反応と塩害の複合により劣化したコンクリート構造物に適用すると，通電によってアルカリシリカ反応を促進することがある。したがって，外部電源方式の電気防食工法の場合，防食電流の供給システムの性能と耐久性などを把握し，システム全体の維持管理を適切に行う必要がある。

No.21　河川堤防の施工

【正答　2】

1×　築堤盛土の締固めは，堤防縦断方向，つまり，法線に平行に行うことが望ましい。また，締固めに際しては，締固め幅が重複するように常に留意して施工する。

2○　築堤盛土の施工中は，法面の一部に雨水が集中して流下すると法面侵食の主要因となる。そのため，法面侵食の防止対策として，法面には適当な間隔で仮排水溝を設けるとともに，堤防には横断方向に3～5%程度の勾配を設けながら施工する。

3×　築堤盛土の敷均しをブルドーザで施工する場合は，高まきとならないように注意する。また，一般的には，1層当たりの盛土の敷均し厚さは35～45cm，締固め後の仕上り厚さは30cm以下とする。

4×　築堤盛土の施工において，高含水比粘性土を敷き均す場合は，運搬機械によるわだち掘れやこね返しによる強度低下をきたすため，別途の運搬路を設けたり，接地圧の小さいブルドーザによる盛土箇所までの二次運搬を行う。

No.22　河川堤防における軟弱地盤対策工

【正答　1】

1×　緩速載荷工法の説明である。段階載荷工法は，一次盛土後，圧密による地盤の強度を増加させてから，再度盛り立てを行い盛土の安定をはかる工法である。

2○　押え盛土工法は，盛土の側方に押え盛土を施す工法である。押え盛土によってすべりに抵抗するモーメントを増加させ，本体盛土のすべり崩壊を防止する。

3○　掘削置換工法は，軟弱層の一部または全部を除去し，良質材で置き換えることでせん断抵抗を増加させる工法である。掘削置換により，沈下の抑制もはかることができる。

4○　サンドマット工法は，軟弱地盤の表面に透水性の高い砂または砂礫を50～120cmの厚さで敷設することにより，軟弱層の圧密のための上部排水の促進と，施工機械のトラフィカビリティーの確保をはかる工法である。

No.23　多自然川づくりにおける護岸

【正答　3】

1○　石系護岸の材料を現地採取で行う際，採取箇所の河床に点在する径の大きい材料を選択的に採取する場合，河

床の土砂が流れによって移動しやすくなり，**河床低下の原因となる**点に注意を要する。

2 ○　石系護岸の強度の確保においては，石と石のかみ合わせが重要である。**空積みの石積みや石張りの場合，モルタルやコンクリートなどによる石の隙間の充てんを行わない**ため，石のかみ合わせ方に不備があると構造的に安定しないため注意を要する。

3 ×　**かご系護岸**は，屈とう性があり，かつ空げきがある構造のため生物に対して優しい上に，**かごの上に現場発生土を覆土することで植生の復元が期待できるため，多自然型川づくりに適する工法である。**

4 ○　**コンクリート系護岸**は，通常，**彩度（色の鮮やかさ）は問題にならないことが多いが，明度（色の明るさ）は高い傾向にある。**そのため，コンクリート系護岸を採用する際には，周辺環境との明度差が大きくならないよう注意が必要である。

No.24　砂防えん堤の施工

【正答　4】

1 ○　**基礎掘削**は，砂防えん堤本体の基礎地盤へのかん入による支持，滑動，洗掘などに対する抵抗力の改善や安全度の向上をはかるうえで不可欠な，**基礎として適合する地盤を得るために行われる。**

2 ○　**基礎掘削の完了後**は，漏水や湧水により，**水セメント比が変化しないように，**透水性の改良などをはかるための**基礎処理を行った後にコンクリートを打ち込む。**

3 ○　**砂礫基礎の掘削**を掘削用重機によって行う場合でも，**仕上げ面付近の掘削**については，重機のクローラ（履帯）などによって**密実な地盤がかく乱されるのを防止するため，0.5m 程度は人力掘削とする。**

4 ×　砂防えん堤の基礎部が砂礫の場合で基礎の仕上げ面付近にある**大転石**は，その**石の 2/3 以上が地下にもぐっていると予想される場合は取り除く必要はない**ので存置する。地下にもぐっている部分が 1/2 の場合は除去を検討する。

No.25　地すべり防止工

【正答　3】

1 ○　**排土工**は，地すべり頭部の土塊を排除することで，地すべりの活動力の低減をはかる工法である。排土を行うと，応力除荷に伴う吸水膨潤によって**強度劣化**が発生する。そのため，強度劣化の範囲を少なくする目的で，**原則として，地すべり全域に渡らず頭部域において，ほとんど水平に大きな切土を行う。**

2 ○　**地表水排除工**は，斜面に流入する水を速やかに集めて排水することにより，斜面の安定化をはかる工法である。地表水排除工は**浸透防止工**と**水路工**に区分されるが，**水路工は掘込み水路を原則とし，合流点，屈曲部及び勾配変化点に集水ますを設置する。**

3 ×　**杭工は，原則として地すべり運動ブロックの中央部より下部を計画位置とし，**杭の根入れ部となる基盤が強固で地盤反力が期待できる場所に設置する。

4 ○　地下水遮断工は，遮水壁の設置により，地すべり地域内に他の地域から流入する地下水を防ぐ工法であるが，遮水壁の後方に地下水を貯留し地すべりを誘発する危険がある。そのため，事前に地質調査などによって潜在性地すべりがないことを確認する必要がある。

No.26　急傾斜地崩壊防止工

【正答　2】

1 ×　もたれ式コンクリート擁壁工は，擁壁背面が比較的良好な地山において多用される工法であり，重力式コンクリート擁壁と比べると崩壊を比較的小規模な壁体で抑止できるという特徴がある。

2 ○　落石対策工は，落石予防工と落石防護工に大別される。落石予防工は斜面上の転石の除去などにより落石の発生を未然に防ぐものであり，落石防護工は発生した落石を斜面下部や中部で止めるものである。

3 ×　切土工は，斜面を構成している不安定な土層や土塊をあらかじめ切り取る，あるいは斜面を安定な勾配まで削り取る工法である。切土した斜面に対しては，法面勾配や土質などの現地条件に則して，適切な法面保護工を実施する必要がある。

4 ×　現場打ちコンクリート枠工は，切土法面の安定勾配が取れない場合や湧水を伴う場合などに用いられる工法である。桁の構造は一般に鉄筋コンクリートが用いられ，桁の交点には鉄筋またはすべり止め杭を法面に直角に入れて補強する。

No.27　道路のアスファルト舗装における路床の施工

【正答　4】

1 ○　盛土路床は，使用する盛土材の性質をよく把握したうえで均一に敷き均す。施工後の降雨排水対策として，不陸の補正や路面の縁部に仮排水溝を設けておくことが望ましい。

2 ○　安定処理工法による構築路床の施工は，一般に路上混合方式で行う。所定量の安定材を散布機械または人力により均等に散布し，所定の締固め度が得られることが確認できた後，全層を1層で仕上げる。

3 ○　構築路床の施工終了後，舗装の施工までに相当の期間がある場合には，降雨によって軟弱化したり流出したりするおそれがある。そのため，路床の仕上げ面の保護などに配慮する必要がある。

4 ×　アスファルト舗装における路床の置換え工法では，原地盤を所定の深さまで掘削し，掘削面以下の層をできるだけ乱さないように留意しながら，良質土や安定処理した材料を敷き均し，締め固めて仕上げる。

No.28　道路のアスファルト舗装における路盤の施工

【正答　3】

1 ○　下層路盤の粒状路盤工法において，粒状路盤材料が乾燥しすぎている場合は，適宜散水を実施し，最適含水比付近の状態で締め固める。一方，締固め前に降雨などにより路盤材料が著しく水を含み締固めが困難な場合には，晴天を待って曝気乾燥を行う。

2○　下層路盤の路上混合方式による安定処理工法の１層の仕上り厚は15～30cmを標準とする。また，転圧には，タイヤローラやロードローラなど，2種類以上の舗装用ローラを併用すると効果的である。

3×　上層路盤の粒度調整工法では，路盤が水を含むと泥濘化することがある。そのため，75μmふるい通過量は締固めが行える範囲でできるだけ少ないことが望ましい。

4○　上層路盤の瀝青安定処理路盤の施工でシックリフト工法を採用する場合，敷均し作業は連続的に行う。また，基層及び表層用混合物に比べてアスファルト量が少ないので，アスファルトの劣化を防ぐために混合時間が長くならないよう留意する。

No.29　道路のアスファルト舗装における表層・基層の施工

【正答　4】

1○　アスファルト舗装の施工の継目は，舗装の弱点になりやすい。したがって，横継目の施工にあたっては，既設舗装の補修・延伸の場合を除いて，下層の継目の上に上層の継目を重ねないように留意する。

2○　アスファルト混合物の二次転圧は，荷重，振動数及び振幅が適切な振動ローラを使用した場合，タイヤローラを用いた場合よりも少ない転圧回数で所定の締固め度が得られる。ただし，転圧速度が遅すぎると過転圧になり，速過ぎると不陸や小波が発生するおそれがあるので，振動ローラ使用の際には転圧速度に注意する。

3○　改質アスファルト混合物の舗設は，通常の加熱アスファルト混合物に比べて，より高い温度で行う場合が多いが，温度が高すぎる場合，ヘアクラックや過転圧によるブリージングが発生するおそれがある。そのため，適切な温度を保持しているうちに速やかに敷き均すなど，特に温度管理に留意する。

4×　寒冷期のアスファルト舗装の舗設においては，中温化技術を使用することにより，混合物温度が低下しても良好な施工性を得ることができる。ただし，寒冷期の舗設においては，混合温度の低減は行わない。

No.30　道路のアスファルト舗装の補修工法

【正答　2】

1○　打換え工法は，既設舗装のひび割れの程度が大きい場合に，路盤若しくは路盤の一部まで打ち換える工法である。打換え工法で既設舗装の切削作業を行う場合は，地下埋設物占有者の立会を求め，あらかじめ試験掘りを行うなどして位置や深さを確認する。

2×　路上表層再生工法とは，再生用添加剤を加え再生した表層を構築する工法である。路上表層再生工法でリミックス方式による場合，再生表層混合物の初転圧温度が110℃以上になるように路面を加熱し，路上表層再生機により既設混合物をかきほぐさなければならない。既設アスファルトの品質に影響を及ぼすような過度の加熱は行ってはならないが，温度低下してから初転圧を行うという記述は適切でない。

3○　切削オーバーレイ工法は，既設アス

ファルト混合物層を**切削により撤去**してから，**その上に加熱アスファルト混合物を舗設する**工法である。切削オーバーレイ工法で施工する場合は，**切削屑をきれいに除去**し，特に**切削溝の中に切削屑などを残さない**ように注意する。

4 ○　アスファルト舗装の打換え工法において，**表層を施工する場合**は，平たん性を確保するために，**ある程度の面積にまとめてから施工を実施することが望ましいとされている。**

No.31　道路のポーラスアスファルト混合物の舗設

【正答　4】

1 ○　道路の表層または表・基層に**ポーラスアスファルト混合物**を用い，その下の層に**不透水性の層を設ける場合，不透水性の層の上面の勾配や平たん性の確保**に留意する。

2 ○　**ポーラスアスファルト混合物**は，粗骨材が多く空げき率が高いため，すり付けが難しく，骨材も飛散しやすい。そのため，**すり付け最小厚さは粗骨材の最大粒径以上とする必要がある。**

3 ○　**ポーラスアスファルト混合物の締固め**では，ロードローラ，タイヤローラなどを用いるが，振動ローラを無振で使用してロードローラの代替機械とすることもできる。**初転圧及び二次転圧は，一般に 10 ～ 12t のロードローラを用いて行い，初転圧及び二次転圧の締固めで所定の締固め度を確保するのが望ましい。**

4 ×　**ポーラスアスファルト混合物の仕上げ転圧**では，タンデムローラまたはタイヤローラを使用する場合がある。表面のきめを整えて，混合物の飛散を防止する効果も期待して，**タイヤローラを使用することが多い。**

No.32　道路のコンクリート舗装

【正答　3】

1 ○　普通コンクリート版の施工では，**コンクリートの敷均し**は，スプレッダを使用する。**鉄網を用いる場合は 2 層**で，**鉄網を用いない場合は 1 層**で敷き均す。

2 ○　コンクリート版の表面が直射日光や風などによって急激に乾燥すると，ひび割れが発生するおそれがある。そのため，**コンクリート舗装の初期養生は，コンクリート版の表面仕上げに引き続き行い，後期養生ができるまでの間，コンクリート表面の急激な乾燥の防止をはかる。**

3 ×　**連続鉄筋コンクリート版**の施工では，**コンクリートの敷均しと締固めは 1 層で行い**，コンクリートが十分にいきわたるように締め固めることが重要である。

4 ○　**転圧コンクリート版**は，通常の舗装コンクリートに比べて単位水量の少ない超硬練りのコンクリートで舗設し，通常のコンクリートと異なり，鉄網やタイバー，ダウエルバーなどは用いない。転圧コンクリート版の施工では，コンクリートは，舗設面が乾燥しやすい。したがって，**敷均し後できるだけ速やかに，転圧を開始することが重要である。**

No.33　ダムの基礎処理

【正答　1】

1 ×　ダムの基礎グラウチングとして施工される**ステージ注入工法**は，**上位から**

下位のステージに向かってボーリングとグラウチングを交互に行う工法で，ほとんどのダムで採用されている。

2 ○　重力式コンクリートダムのコンソリデーショングラウチングを行う目的は，着岩部付近における遮水性の改良や基礎地盤弱部の補強である。遮水性を高めることにより，基礎岩盤の浸透や構造物への揚圧力の軽減をはかる。また，緩みを一体化させることにより，基礎岩盤の力学定数の向上をはかる。

3 ○　グラウチングは，ルジオン値に応じた初期配合及び地盤の透水性状などを考慮した配合切替え基準をあらかじめ定めておき，濃度の薄いものから濃いものへ順次切り替えつつ注入を行う。施工中は，常にデータを収集分析し，計画の妥当性の検証を行い，必要に応じて計画の見直しを行う。

4 ○　ダムの基礎処理におけるカーテングラウチングは，ダムの基礎地盤及びリム部の地盤において，浸透路長が短い部分と貯水池外への水みちとなるおそれのある高透水部の遮水性の改良を目的として行われる。カーテングラウチングの施工位置は，コンクリートダムの場合は上流フーチングまたは堤内通廊から，ロックフィルダムの場合は監査廊から行うのが一般的である。

No.34　重力式コンクリートダムのダムコンクリート

【正答　3】

1 ×　内部コンクリートの説明である。構造用コンクリートとは，ダムの堤体にある構造物（監査廊，放水路，エレベーターシャフト，機械室等）の周囲に，鉄筋コンクリートとして使用されるコンクリートのことで，鉄筋や埋設構造物との付着性，鉄筋や型枠などの狭あい部での施工性に優れていることが要求される。

2 ×　内部コンクリートは，コンクリートダムの堤体内部を構成するコンクリートのことで，１の選択肢にもあるように，水圧などの作用を自重で支える機能を持ち，単位容積質量，圧縮強度，大量の施工を考慮した打込み性は要求される。しかし，外気や水に直接曝されるわけではないので，すりへり作用や凍結融解作用に対する抵抗性は必ずしも要求されるとは言い難い。

3 ○　着岩コンクリートとは，岩盤と接する箇所で使用されるコンクリートのことで，岩盤との付着性や，不陸のある岩盤に対しても容易に打ち込めて一体性を確保できる打込み易さが要求される。

4 ×　構造用コンクリートの説明である。外部コンクリートとは，堤体の上下流面と堤項部に使用されるコンクリートのことで，水密性，すりへり作用に対する抵抗性，耐凍害性が要求される。

No.35　トンネルの山岳工法の掘削の施工

【正答　1】

1 ×　全断面工法は，小断面のトンネルや地質が安定した地山で採用される工法である。切羽が単独のため，作業の錯綜が起こりにくく，安全管理が行いやすいなどの長所がある一方で，施工途中での地山条件の変化に対する順応性が低いという短所もある。

2○　補助ベンチ付き全断面工法は，全断面工法では施工が困難となる地山において，ベンチをつけて切羽の安定をはかるとともに，掘削効率の向上をはかるために，上部半断面と下部半断面の同時施工を行う工法である。

3○　側壁導坑先進工法は，ベンチカット工法では側壁脚部の地盤支持力が不足する場合や，土被りが小さい土砂地山で地表面沈下を抑制する必要のある場合に適用される工法である。

4○　ベンチカット工法は，上部半断面と下部半断面に分割して掘削する工法であり，一般に全断面では切羽が安定しない場合に適用される。地山の状態の良否に応じてベンチ長を決定し，例えば，地山の状態が不良で，周囲の地山を安定させることが必要な場合にはベンチ長を短くする。

No.36　トンネルの山岳工法の覆工コンクリートの施工

【正答　2】

1○　覆工コンクリートの施工は，原則として，掘削後，支保工により地山の内空変位が収束したことを，掘削後計測によって確認した後に行う。

2×　覆工コンクリートの打込みでは，つま型枠は密閉せず，ブリーディング水や空気を排出するようにしながら，既設の覆工コンクリート側から連続して打ち込む必要がある。つま型枠を密閉しないのは，コンクリート打込みの際に天端部背面に空げきを残さないよう，コンクリートをつま部まで完全に充てんしなければならないからである。

3○　覆工コンクリートの締固めは，コンクリートのワーカビリティーが低下しないうちに，上層と下層が一体となるように行う。また，締固めには原則として内部振動機を用いることとし，コンクリートの材料分離を引き起こさないよう，振動時間の設定には注意を要する。

4○　覆工コンクリートの型枠の取外しは，打ち込んだコンクリートが自重などに耐えられる強度に達した後に行う。また，型枠の取外し時期を決定するコンクリートの材齢強度は，現場条件に養生条件を合わせた供試体を用いた試験によって確認する。

No.37　海岸の潜堤・人工リーフの機能や特徴

【正答　1】

1×　潜堤や人工リーフでは，離岸堤に比較して反射波が小さく，堤体背後の堆砂機能が小さいという特徴がある。

2○　潜堤や人工リーフでは，天端が海面下であり，構造物が見えないため，景観を損なわないという特徴がある。一方で，天端が海面下であるため，構造物と船舶が接触する危険がある。したがって，設計の段階から船舶の航行，漁船の操業などの安全に配慮しなければならない。

3○　潜堤や人工リーフは，捨石などの材料を用いた没水構造物であり，波浪の静穏化や，沿岸漂砂の制御といった機能を有する。

4○　潜堤や人工リーフは，天端水深，天端幅により堤体背後への透過波を変化させる機能を持ち，小さな波浪はほと

んど透過し，大きな波浪を選択的に減衰させる。

No.38　海岸堤防の施工

【正答　3】

1 ○　海上工事となる場合は，波浪，潮汐，潮流の影響を強く受け，作業時間が制限されることが多い。そのため，そうした作業環境の制約を踏まえたうえで，現場の施工条件に対し考慮を行うことが重要である。

2 ○　堤防建設位置は，制約を受けることが多い。強度の低い地盤に施工せざるを得ない場合には，必要に応じて押え盛土，地盤改良などを考慮，検討しなければならない。

3 ×　堤体の盛土材料には，原則として多少のシルト・粘土を含んだ砂質または砂礫質のものを用い，適当な含水量の状態で，各層，全面にわたり均等に締め固めることとされている。

4 ○　堤体の裏法勾配は，堤体の安全性を考慮して定め，堤防の直高が大きい場合には，法面が長くなるため，小段を配置するなど，堤体重量を分散させ，堤体土の収縮や圧密による沈下に適応できる構造とする。

No.39　ケーソンの施工

【正答　4】

1 ○　ケーソンの曳航作業のほとんどは，据付け，中詰，蓋コンクリートなどの連続した作業工程となる。そのため，風や降雨，気温，波浪といった気象状況や海象状況を十分に検討して実施しなければならない。

2 ○　ケーソンに大廻しワイヤを回して長距離を曳航，回航する場合には，原則として二重回しとする。ワイヤの取付け位置はケーソンの吃水線以下とし，可能であれば浮心付近の高さに取り付けるのが望ましい。

3 ○　ケーソン据付け時の注水は，気象，海象の変わりやすい海上の作業を手際よく進めるために，できる限り短時間で行わなければならない。ただし，隔室1つずつ順次満水にするのではなく，各隔室の水頭差は1m以内を厳守し，隔室ごとに平均的にバランスよく注水しなければならない。

4 ×　ケーソンの据付けの際は，ケーソンを所定の位置上まで曳航し，注水を開始するが，函体が基礎マウンド上に達する直前10～20cmの位置でいったん注水を中断する。その後，最終的なケーソン引寄せを行い，据付け位置を確認，修正を行ったうえで天端まで一気に注水着底させる。

No.40　浚渫船の特徴

【正答　2】

1 ×　ポンプ浚渫船は，水中ポンプで，切り取った水底の土砂を水とともに吸い上げる形式の浚渫船である。掘削後の水底面の凹凸が比較的大きいため，構造物の築造箇所の浚渫には不向きで，航路や泊地の浚渫に使用される。

2 ○　ドラグサクション浚渫船は，ポンプ吸入管の先端に取り付けたドラグヘッドを海底に接地・けん引させることにより，水底の土砂を水とともに吸い上げる方式の，自走式の浚渫船である。浚渫土を船体の泥倉に積載し自航できることから機動性に優れ，主に船舶の往来が頻繁な航路などの維持浚渫に使

用されることが多い。

3 × **グラブ浚渫船**は，グラブバケットによって水底の土砂をつかみ取る形式の浚渫船である。適用される地盤は軟泥から岩盤までの範囲できわめて広く，浚渫深度の制限も少ないため，**中小規模の浚渫工事に適しており，主に航路や泊地の浚渫に使用される。**

4 × **バックホゥ浚渫船**は，かき込み型（油圧ショベル型）掘削機を搭載した浚渫船である。**比較的規模の小さい浚渫工事に使用される。**

No.41　鉄道のコンクリート路盤の施工

【正答　4】

1 ○ **鉄筋コンクリート版に用いるセメントは，ポルトランドセメントを標準とする。**使用する骨材の最大粒径は，版の断面形状及び施工性を考慮して，**最大粒径は 25mm** とする。

2 ○ **鉄道のコンクリート路盤相互の連結部となる伸縮目地**は，列車荷重などによるせん断力の伝達を円滑に行うためのものであり，衝撃輪重の原因となり得る**継目落ちや目違いが生じない構造としなければならない。**

3 ○ 路床の仕上り表面の形状は，排水工及び路盤工の設計に応じて決定される。**路床面の仕上り高さの精度は，設計高さに対して± 15mm とし，**雨水による水たまりができて表面の排水が阻害されるような有害な不陸がないように，**できるだけ平坦に仕上げる。**

4 × 鉄道のコンクリート路盤の施工における**粒度調整砕石**について，**締固めの完了後は，速やかにプライムコートを施工しなければならない。**

No.42　鉄道の軌道の維持管理

【正答　2】

1 ○ **バラスト軌道**は，マクラギに固定されたレールをバラスト上に置くだけの簡易な構造の軌道である。**列車の通過による軌道変位が生じやすいため，日常的な保守が必要**である反面，路盤や路床の沈下などが生じても**軌道整備で簡易に補修できるメリットがある。**

2 × 列車の通過による**レールの摩耗**は，**直線区間ではレールの頭部**に，**曲線区間では曲線の外側のレールの頭部**に生じやすい傾向がある。

3 ○ **道床バラスト**に用いる材料は，**①吸水率が小さい**，**②強固でじん性に富む，③適当な粒径と粒度を持つ**，**④摩損に耐える材質である**ことなどが必要である。

4 ○ 軌道変位は，列車の繰返し荷重を受けることによって軌道が次第に変形し，車両走行面の不整が生じる現象である。鉄道軌道の維持管理における**軌道変位の許容値は，通過列車の速度，頻度，重量などの線区状況や，軌道変位の検測頻度，軌道整正の実施までに必要な時間といった保守体制を勘案し決定する。**

No.43　鉄道の営業線近接工事における保安対策

【正答　3】

鉄道の営業線近接工事における保安対策については，日本鉄道施設協会「営業線工事保安関係標準仕様書（在来線）」などに記載されている。

1 ○ **列車見張員**とは，鉄道における施工・保安に関する資格の１つで，線路に近

接している作業現場において，列車の往来を監視し，列車の安全運行と作業員の安全確保に努めるために配置される。ただし，ホーム端から1m以上内側のホーム上の作業などで，当該線を支障するおそれのない作業などを行うときは，配置を省略することができる。

2○　建設用大型機械を建築限界内に進入させる場合は，同時に載線する（踏切等から軌道上に乗り入れる）機械の台数に応じて，個別の機械ごとに誘導員を配置しなければならない。

3×　営業線近接工事における作業などの位置が複数の線にまたがるときは，列車接近警報装置などを適切に配置した場合であっても，列車見張員などの配置を1箇所に省略することはできない。

4○　列車見張員の配置場所は，作業などの責任者及び従事員に対して列車接近の合図が可能な範囲内で，安全が確保できる離れた場所とする。

No.44　シールド工法の施工

【正答　1】

1×　セグメントを組み立てる際は，掘進完了後のシールドジャッキの引き戻しは必要最小限で行い，セグメントをリング状に組み立てなければならない。

2○　シールド工法による工事において，粘着力が大きい硬質粘性土の掘削を行う場合は，カッターチャンバー内やカッターヘッドに掘削土砂が付着するのを防ぐために，掘削土砂に適切な添加材を注入する。

3○　シールド工法における裏込め注入工は，地盤の緩みと沈下を防ぐとともに，セグメントからの漏水の防止，セグメントの早期安定やトンネルの蛇行防止を目的とするものである。また，シールド機テール部及びセグメント背面部の止水にも役立つため，同時，または即時の止水注入を行う。

4○　シールドの掘進に伴う地盤の変状は，シールドの切羽が到達する前から発生する「先行沈下」から，シールドの通過の過程に応じて「切羽前沈下／隆起」，「通過時沈下／隆起」，「テールボイド沈下／隆起」，シールドの通過後に発生する「後続沈下」まで，5段階に分かれて発生する。軟弱粘性土の場合，シールド掘進による全体的な地盤の緩みや乱れ，過剰な裏込め注入などに起因した後続沈下が発生することがある。

No.45　鋼橋の防食

【正答　4】

1○　金属溶射は被覆による防食の一種（金属被覆／無機被覆）で，腐食の原因となる酸素と水や，塩類などの腐食を促進する物質を遮断するために，鋼材表面に形成した溶射被膜によって鋼材を保護する防食法である。

亜鉛，アルミニウムやその合金など，被覆材となる金属を加熱溶融して吹き付け（溶射），鋼材の表面に皮膜を形成する。金属溶射の施工にあたっては，温度や湿度など，施工が可能な環境条件の制限がある。そのため，下地処理と粗面処理の品質確保が重要である。

2○　耐候性鋼は，腐食速度を低下させる性質を持つ合金元素を添加した低合金鋼である。鋼材表面に生成される緻密

な保護性の**さび層によって腐食の原因となる酸素や水から鋼材を保護するもの**で，保護性さびの生成過程の初期段階でさびむらやさび汁が生じることはあるものの，原則として補修を必要としないという特徴を持つ。

3 ○　**塗装**は，鋼材表面に形成した塗膜によって，**酸素や水といった腐食の原因物質や，塩類などの腐食を促進する物質を遮断し，鋼材を保護する防食法である**。遮断をはかりたい腐食因子や施工条件に応じ，複数の塗膜を組み合わせることによって鋼材を保護する。

4 ×　**電気防食**は，**鋼材に電流を流すことで表面の電位差を小さくし，腐食電流の回路を形成させない防食法**である。流電陽極方式と外部電源方式がある。

No.46　軟弱地盤における上水道管布設

【正答　2】

1 ○　砂質地盤で地下水位が高く，地震時に間げき水圧の急激な上昇による**液状化の可能性が高いと判定される地盤**においては，**適切な管種・継手を選定する**とともに，必要に応じて地盤の状況に応じた**適切な地盤改良などを行う**。

2 ×　軟弱地盤における上水道管布設において，**水管橋またはバルブ室など構造物の取付け部**には，不同沈下に伴う応力集中が生じるので，**伸縮可とう性の大きい伸縮継手を使用することが望ましい**。

3 ○　将来，管路の不同沈下を起こすおそれのある**軟弱地盤に管路を布設する場合**には，**地盤状態や管路の沈下量について検討**したうえで，適切な管種，継手，施工方法を用いることが必要である。

4 ○　**軟弱層が深い地盤，あるいは重機械が入れないような非常に軟弱な地盤に管を布設する場合**，薬液注入工法，サンドドレーン工法などの**地盤改良工法によって地盤の強化をはかることが必要である**。

No.47　下水道の剛性管きょの基礎

【正答　1】

1 ×　**砂基礎または砕石基礎**は，砂または細かい砕石などを管きょ外周部にまんべんなく密着するように締め固めて管きょを支持する構造の基礎である。**設置地盤が硬質粘土，礫混じり土及び礫混じり砂といった硬質土の地盤の場合に用いられる**。

2 ○　**コンクリート及び鉄筋コンクリート基礎**は，管きょの底部をコンクリートで巻き立てる構造の基礎である。シルト及び有機質土といった**軟弱土の地盤の場合**や**管きょに働く外圧が大きい場合**に採用する。

3 ○　**はしご胴木基礎**は，まくら木の下部に管きょと平行に縦木を設置してはしご状に作る構造の基礎である。非常に緩いシルト及び有機質土といった**極軟弱土の地盤の場合**や，**土質や上載荷重が不均質な場合**などに採用する。

4 ○　**鳥居基礎**は，はしご胴木の下部を，支持力に応じて所定の間隔で打ち込まれた杭で支える鳥居型の構造の基礎である。**極軟弱地盤でほとんど地耐力を期待できない場合に採用される**。

No.48　小口径管推進工法

【正答　3】

1 ○　**小型立坑での鏡切り**は，切羽部の地

盤が不安定な場合は重大事故につながるおそれがある。そのため，鏡切りを実施する前に，地山や湧水の状態，補助工法の効果などの確認を慎重に行う。

2 ○　推進管理の測量におけるレーザトランシット方式は，発進立坑に据え付けたレーザトランシットから先導体内のターゲットにレーザ光を照射する方式である。レーザトランシットの測量可能距離は，一般に 150 ～ 200m 程度である。

3 ×　低耐荷力方式に関する記述である。高耐荷力方式は，鉄筋コンクリート管，ダクタイル鋳鉄管，陶管等などの高耐荷力管きょを用い，推進方向の管の耐荷力に対し，推進力を直接的に管に負担させて推進する施工方式である。

4 ○　小口径管推進工法において滑材注入による推進力の低減をはかる場合は，滑材吐出口の位置は先導体後部及び発進坑口止水器部に限定され，任意に設定することはできない。そのため，推進開始から推進力の推移をみながら厳密に管理をする。

No.49　薬液注入工事における注入効果の確認方法

【正答　2】

1 ×　透水性の改善度合いを確認する場合は，現場透水試験の結果から，透水係数 10^{-5}cm/s のオーダーの数値が得られたら薬液注入による地盤の改良度合いは十分であると判断する。

2 ○　標準貫入試験による強度の確認方法としては，薬液注入前後のＮ値を測定し比較することで，地盤の強度の増加と傾向を把握する方法がある。具体的には，所定の高さからハンマを自由落下させて，サンプラーを 30cm 打ち込むのに要する打撃数を求める。

3 ×　砂地盤の強度の増加を三軸圧縮試験により確認する場合は，内部摩擦角は変化しないといわれていることから，地盤の粘着力の値の変化で判断する。

4 ×　薬液の浸透状況の確認方法としては，薬液注入を行った箇所周辺を掘削して，試薬（フェノールフタレイン液）がアルカリ系薬液に反応して色が変化した状況を確認する。ただし，試薬による視認では，強度や透水性を数値で評価することはできない。

No.50　労働基準法（就業規則）

【正答　2】

1 ○　使用者は，原則として労働者と合意することなく，就業規則を変更することにより，労働者の不利益に労働契約の内容である労働条件を変更することはできないと定められている。（労働契約法第 9 条）

2 ×　就業規則で定める基準に達しない労働条件を定める労働契約は，その部分については無効とすると定められている。（同法第 12 条）

そして，労働契約と就業規則との関係については同法同条の定めるところによる。（労働基準法第 93 条）

したがって，たとえ労働者と使用者が合意したとしても，労働基準法に基づく就業規則で定める基準に達しない労働条件を定める労働契約は無効である。

3 ○　常時 10 人以上の労働者を使用する

使用者は，就業規則を作成し，行政官庁に届け出なければならないと定められている。（同法第 89 条）

4 ○　同法第 89 条の各号には，就業規則を作成し，届出をする際に記載しなければならない事項が盛り込まれている。その中には，始業及び終業の時刻（第 1 号），賃金の決定（第 2 号），退職に関する事項（第 3 号）が含まれている。

No.51　労働基準法（労働時間，休憩，年次有給休暇）

【正答　1】

1 ○　使用者は，労働者の過半数で組織する労働組合がある場合にはその労働組合，ない場合には労働者の過半数を代表する者との書面による協定をし，これを行政官庁に届け出た場合においては，その協定で定めるところによって労働時間を延長し，労働させることができると定められている。（労働基準法第 36 条第 1 項）

いわゆる「36（サブロク）協定」に関する選択肢である。

2 ×　使用者は，災害その他避けることのできない事由によって，臨時の必要がある場合においては，行政官庁の許可を受けることで，その必要の限度において労働時間を延長し，労働させることができると定められている。（同法第 33 条第 1 項）

「事前に届け出る」だけでは認められない。また，制限なく労働させることができるわけではないので注意。

3 ×　使用者は，労働時間が 6 時間を超える場合においては少なくとも 45 分，8 時間を超える場合においては少なくとも 1 時間の休憩時間を労働時間の途中に与えなければならないと定められている。（同法第 34 条第 1 項）

4 ×　使用者は，その雇い入れの日から起算して 6 箇月間継続勤務し，全労働日の 8 割以上出勤した労働者に対して，継続し，または分割した 10 労働日の有給休暇を原則として与えなければならないと定められている。（同法第 39 条第 1 項）

No.52　労働安全衛生法（統括安全衛生責任者に統括管理させなければならない事項）

【正答　4】

事業者が統括安全衛生責任者に統括管理させなければならない事項については，労働安全衛生法第 30 条第 1 項に規定がある。

1. 協議組織の設置及び運営を行うこと
2. 作業間の連絡及び調整を行うこと
3. 作業場所を巡視すること
4. 関係請負人が行う労働者の安全または衛生のための教育に対する指導及び援助を行うこと

(5. 一部業種における工程計画，機械設備などの配置計画の作成，作業の指導)

(6. 同規則第 635 条～第 642 条の 3 に規定されている，労働災害を防止するため必要な事項)

1 ○　上記より，「協議組織の設置及び運営を行うこと」は，統括安全衛生責任者に統括管理させなければならない事項に含まれている。

2 ○　上記より，「作業間の連絡及び調整を行うこと」は，統括安全衛生責任者に統括管理させなければならない事項

に含まれている。

3 ○　上記より，「**作業場所の巡視を行うこと**」は，統括安全衛生責任者に統括管理させなければならない事項に含まれている。

4 ×　**店社安全衛生管理者**とは，**統括安全衛生責任者を選任する必要のない中規模の現場**で，一定数の労働者や関係請負人を使用する作業（**ずい道，圧気工法，一定の橋梁では 20 ～ 29 人，それ以外では 20 ～ 49 人**）において選任するものである（同規則第 18 条の 6 第 2 項）。つまり，**統括安全衛生責任者が選任される工事現場においては，店社安全衛生管理者が選任されることはない**ため，誤りである。

No.53　労働安全衛生法（コンクリート造の工作物の解体等作業における危険防止）

【正答　3】

コンクリート造の工作物の解体等の作業における危険の防止のために事業者，または作業主任者が行わなければならない事項については，**労働安全衛生規則第２編第８章の５**に定められている。

1 ○　**事業者**は，**作業を行う区域内には，関係労働者以外の労働者の立入りを禁止すること**と定められている。（同規則第 517 条の 15 第 1 号）

☆令和 7 年 4 月 1 日施行同規則第 517 条の 15 第 1 号の改正により，「当該作業を行う区域内に当該作業に関係する者以外の者が立ち入ることについて，**禁止する旨を見やすい箇所に表示すること**その他の方法により禁止すること」と変更される。

2 ○　**事業者**は，器具，工具等を上げ，または下ろすときは，**つり綱，つり袋等を労働者に使用させること**と定められている。（同規則第 517 条の 15 第 3 号）

3 ×　事業者は，**コンクリート造の工作物の解体等作業主任者技能講習を修了した者のうちから，コンクリート造の工作物の解体等作業主任者を選任しなければならない**と定められている。（同規則第 517 条の 17）

4 ○　事業者は，**強風，大雨，大雪等の悪天候のため，作業の実施について危険が予想されるとき**は，**当該作業を中止しなければならない**と定められている。（同規則第 517 条の 15 第 2 号）

No.54　建設業法（技術者制度）

【正答　2】1

1 ○　**主任技術者及び監理技術者**が，公共工事標準請負契約約款に定められている**現場代理人を兼ねることができないとは特に定められていない。**

2 ×　**特定建設業者が，発注者から直接請け負った工事**で，**下請に出す代金の合計が 4,500 万円以上**（建築一式工事は 7,000 万円以上）の下請契約を締結して施工する建設工事の現場には，**監理技術者を置かなければならない。**（建設業法第 26 条第 2 項，同法第 3 条第 1 項第 2 号，同法施行令第 2 条）

上記の代金の合計を下回る場合は，工事現場に置かなければならないのは**主任技術者**である。

3 ○　**主任技術者及び監理技術者**は，工事現場における建設工事を適正に実施するため，**当該建設工事の施工計画の作成，工程管理，品質管理その他の指導監督の職務を誠実に行わなければなら**

ないと定められている。(同法第 26 条の 4 第 1 項)

4 ○　工事現場における建設工事の施工に従事する者は，主任技術者または監理技術者がその職務として行う指導に従わなければならないと定められている。(同法第 26 条の 4 第 2 項)

No.55　火薬類取締法

【正答　4】

1 ×　製造業者，販売業者，消費者等の火薬類を取り扱う者は，その所有し，または占有する火薬類，譲渡許可証，譲受許可証または運搬証明書を喪失し，または盗取されたときは，遅滞なく警察官または海上保安官にその旨を届け出なければならないと定められている。(火薬類取締法第 46 条第 1 項)

2 ×　発破母線は，点火するまでは点火器に接続する側の端の心線を短絡させ，発破母線の電気雷管の脚線に接続する側は長短不揃にしておくことと定められている。(同法施行規則第 54 条第 4 号)

3 ×　火薬類取扱所の建物の屋根の外面は，金属板，スレート板，かわらその他の不燃性物質を使用することと定められている。また，建物の内面は板張りとし，床面にはできるだけ鉄類を表わさないことと定められている。(同法施行規則第 52 条第 3 項第 3 号，第 4 号)

4 ○　火薬類を運搬するときは，衝撃等に対して安全な措置を講じること，また，工業雷管，電気雷管若しくは導火管付き雷管を坑内や隔離した場所に運搬するときは，背負袋，背負箱等を使用することと定められている。(同法施行規則第 51 条第 3 号)

No.56　道路法（特殊車両の通行許可等）

【正答　1】

1 ×　特殊な車両を通行させようとする者は，通行する一般国道及び県道の道路管理者が複数となる場合，いずれかの道路管理者に通行許可の申請を行うと定められている。(道路法第 47 条の 2 第 2 項)

ただし，道路管理者に市町村と国，都道府県が含まれる場合，市町村は道路管理者になることはできない。

2 ○　道路管理者は，車両に積載する貨物が特殊であるためやむを得ないと認めるときは，必要な条件を付したうえで，政令で定める最高限度を超える車両の通行を許可することができると定められている。(同法第 47 条の 2 第 1 項)

3 ○　特殊な車両の通行許可証の交付を受けた者は，当該車両が通行中は当該許可証を常に当該車両に備え付けていなければならないと定められている。(同法第 47 条の 2 第 6 項)

4 ○　特殊な車両を許可なくまたは通行許可条件に違反して通行させた場合には，運転手に対してだけでなく，その運転手を使用している法人及び事業主に対しても罰則規定が適用されると定められている。(同法第 107 条)

No.57　河川法（河川管理者以外の者が河川区域内で工事を行う場合の手続き）

【正答　3】

1 ○　河川管理者以外の者が管理する民有地であっても，また一時的な仮設工作

物としての現場事務所であっても，河川区域内の土地において**工作物を新築，改築，または除却しようとする場合には，河川管理者の許可を受けなければならない**と定められている。（河川法第26条第1項）

2 ○　**土地の形状の変更を伴う場合**は，民有地であっても**河川管理者の許可を受けなければならない。**（同法第27条第1項）

3 ×　河川区域内の土地の工作物の新築について**河川管理者の許可を既に受けている場合，その工作物の新築等に伴う土地の掘削については，改めて河川管理者の許可を受ける必要はない。**

ただし，河川区域内の土地（河川管理者以外の者がその権原に基づき管理する土地を除く）を占用しようとする者は，国土交通省令で定めるところにより，河川管理者の許可を受けなければならないと定められているため，**土地の占用の許可は受けなくてはならない。**（同法第24条，第26条，第27条）

4 ○　同法第24条の**土地の占用許可**に関する規定，同法第26条の**工作物の新築等の許可**に関する規定は，いずれも**河川の上空や地下に建設されるものに対しても適用される。**したがって，河川管理者が管理する河川区域内の土地の地下を横断して農業用水のサイホンを設置する場合は，**河川管理者の許可を受けなければならない。**

No.58　建築基準法（仮設建築物の制限の緩和）

【正答　4】

建築基準法第85条の規定により，工事現場に設ける現場事務所等の仮設建築物に関しては，建築基準法の適用除外や制限の緩和措置が講じられている。

1 ○　**建築物を建築または除却しようとする場合**は，建築主事を経由して，その旨を**都道府県知事に届け出なければならない。**（同法第15条第1項）

ただし，この規定は，工事現場に設ける**仮設建築物には適用されない。**したがって，本肢の内容には**仮設物に関する制限の緩和が適用されるといえる。**

☆令和6年4月1日施行同法第15条第1項の改正により，「建築主事を経由して」は「**建築主事等**（**建築主事**または**建築副主事**）を経由して」に変更された。

2 ○　**建築物の最下階の居室の床が木造である場合**は，床下がコンクリートやたたきなど，地面からの水蒸気によって腐食しない材料で覆われている場合を除き，**床の高さを直下の地面からその床の上面まで45cm以上としなければならない**と定められている。（同法施行令第22条）

ただし，この規定は，工事現場に設ける**仮設建築物には適用されない。**（同法施行令第147条第1項）

したがって，本肢の内容には**仮設物に関する制限の緩和が適用されるといえる。**

3 ○　建築物の敷地は道路に2m以上接すること（いわゆる**接道義務**。同法第43条第1項）や建築物の延べ面積の敷地面積に対する割合（**容積率**。同法第52条）に関する規定は，工事現場に設ける**仮設建築物には適用されない。**した

がって，本肢の内容には**仮設建築物に関する制限の緩和が適用されるといえる**。

4 × 建築物は，**自重，積載荷重，積雪荷重，風圧，土圧及び地震等に対して安全な構造のものとし，定められた技術基準に適合するものでなければならない**と定められている。（同法第 20 条第 1 項）

上記の規定は，工事現場に設ける**仮設建築物にも適用される**ものである。したがって，本肢の内容には**仮設建築物に関する制限の緩和が適用されない**。

No.59　騒音規制法（特定建設作業）

【正答　1】

騒音規制法上の「特定建設作業」は，同法第 2 条第 3 項，及び同法施行令第 2 条に規定されている。

1 × 指定地域内において特定建設作業を伴う建設工事を施工しようとする者は，**当該特定建設作業の開始の日の 7 日前**までに，環境省令で定めるところにより，**市町村長に届け出なければならない**と定められている。（同法第 14 条第 1 項）

2 ○ 環境大臣は，同法第 15 条第 1 項の規定に基づき，指定地域内において**特定建設作業に伴って発生する騒音に関し**，騒音の大きさ，作業時間，作業禁止日などについて**「特定建設作業に伴って発生する騒音の規制に関する基準」を定めている**。

3 ○ **市町村長**は，指定地域内において行われる特定建設作業に伴って発生する騒音が（中略）環境大臣の定める基準に適合しないことによりその特定建設作業の場所の周辺の生活環境が著しく損なわれると認めるときは，当該建設工事を施工する者に対し，期限を定めて，（中略）**騒音の防止の方法を改善し，または特定建設作業の作業時間を変更すべきことを勧告することができる**と定められている。また，勧告を受けた者がその勧告に従わないときは，期限を定めて，**騒音の防止の方法の改善**または特定建設作業の**作業時間の変更**を命ずることができると定められている。（同法第 15 条第 1 項，第 2 項）

4 ○ 「**特定建設作業**」とは，建設工事として行われる作業のうち，著しい騒音を発生する作業であって政令で定めるものをいう。（同法第 2 条第 3 項）

ただし，**当該作業がその作業を開始した日に終わるものを除く**とされている。（同法施行令第 2 条）

No.60　振動規制法（特定建設作業）

【正答　3】

指定地域内において特定建設作業を伴う建設工事を施工しようとする者は，**当該特定建設作業の開始の日の 7 日前**までに，環境省令で定めるところにより，次の事項を**市町村長に届け出なければならない**と定められている。（振動規制法第 14 条第 1 項）

一　**氏名または名称及び住所並びに法人にあっては，その代表者の氏名**

二　**建設工事の目的に係る施設または工作物の種類**

三　**特定建設作業の種類，場所，実施期間及び作業時間**

四　振動の防止の方法

五　その他環境省令で定める事項

上記のとおり，「建設工事の特記仕様書

及び工事請負契約書の写し」は市町村長に届け出なければならない事項に含まれていない。

したがって，３が正答である。

No.61　港則法（船舶の航行または港長の許可）

【正答　2】

1 ○　**航路外から航路に入り，または航路から航路外に出ようとする船舶は，航路を航行する他の船舶の進路を避けなければならない**と定められている。言い換えると，**航路を出入りしようとする船舶より，航路内を航行している船舶の進路が優先される**。（港則法第13条第1項）

2 ×　船舶は，港内においては，防波堤，ふとうその他の工作物の突端または停泊船舶を**右げんに見て航行するときは，できるだけこれらに近寄り，左げんに見て航行するときは，できるだけこれらから遠ざかって航行しなければならない**と定められている。（同法第17条）

3 ○　特定港内において竹木材を船舶から水上に卸そうとする者は，**港長の許可を受けなければならない**と定められている。（同法第34条第1項）

4 ○　特定港内において使用すべき**私設信号**を定めようとする者は，**港長の許可を受けなければならない**と定められている。（同法第28条）

学科試験　問題Ｂ（必須問題）

No.1　測量（トータルステーション）

【正答　4】

1 ○　TS（トータルステーション）は，デジタルセオドライトと光波測距儀を一体化したもので，**水平角観測，鉛直角観測及び距離測定を1視準で同時に行う**のが原則である。

2 ○　TSでの**鉛直角観測**は，**1視準1読定（1方向をみて，1回角度を観測する），望遠鏡正及び反の観測を1対回（正・反の観測を一対）**とする。

3 ○　基準点測量は，既知点の種類や既知点間の距離及び新点間の距離に応じ，1級から4級までの基準点測量に区分される。TSでの距離測定に伴う気温及び気圧などの測定は，TSを整置した測点で行う。ただし，**3級及び4級基準点測量**においては，既知点間の距離及び新点間の距離が1級や2級と比較して短いことから，**気圧の測定を行わず，標準大気圧を用いて気象補正を行うことができる**。

4 ×　TSでは，水平角観測の必要対回数に合わせ，**取得された鉛直角観測値及び距離測定値は，すべて採用し，その平均値を用いることができる**。

No.2　公共工事標準請負契約約款

【正答　3】

1 ○　施工のため第三者に損害を及ぼしたときは，受注者がその損害を賠償する。ただし，その損害のうち発注者の責めに帰すべき事由により生じたものについては，発注者の負担とすると定められている。（公共工事標準請負契約約

款第 29 条第 1 項)

ただし，受注者が善管注意義務を払っても避けることのできなかった工事の施工に伴う騒音，振動，地盤沈下，地下水の断絶等，**受注者の責によらない要因により第三者に損害を及ぼしたときは，発注者が損害による費用を負担する**と定められている。(同約款第 29 条第 2 項)

2 ○　**「一括委任または一括下請負の禁止」**に関する規定である。**受注者**は，原則として，工事の全部若しくはその主たる部分または他の部分から独立してその機能を発揮する工作物の工事を**一括して第三者に委任し，または請け負わせてはならない**と定められている。(同約款第 6 条)

3 ×　受注者は，設計図書において監督員の検査を受けて使用すべきものと指定された工事材料が検査の結果不合格と決定された場合，**決定を受けた日から契約書に定められた日以内に工事現場外に搬出しなければならない**と定められている。(同約款第 13 条第 5 項)

4 ○　受注者は，**原則として現場代理人を工事現場に常駐させなければならない**が，例外として，工事現場における運営などに支障がなく，かつ，発注者との連絡体制が確保されると**発注者が認めれば，工事現場への常駐を必要としないこととすることができる**と定められている。(同約款第 10 条)

No.3　土積曲線

【正答　2】

土積曲線（マスカーブ）とは，土工工事における切土の土量と盛土の土量とのバランスを検討する際に用いられるグラフである。

各測点の横断面から切土の土量あるいは盛土の土量を計算し，累計の土量をプロットすることにより作成する。

1 ○　**土積曲線が右肩上がりの区間が切土区間，右肩下がりの区間が盛土区間**となる。No.0 から No.2 までは，**土量曲線が右肩下がりになっているため，盛土区間である**ことがわかる。

2 ×　**切土区間**は No.2 ～ 4 の **2 区間**，**盛土区間**は No.0 ～ 2 と No.4 ～ 5 の**計 3 区間**である。したがって，当該工事区間では，**切土区間より盛土区間の方が長い**。

3 ○　**No.0 と No.3 の各測点では，土積曲線の土量がともにゼロであり，等しい**。したがって，No.0 から No.3 までは，**切土量と盛土量が均衡している**といえる。

4 ○　工事の終点である No.5 では，累加土量が約 5,000m^3 であり，プラスであることを示している。したがって，当該工事区間では，使用土量より発生土量の方が多いため，**残土が発生している**ことがわかる。

No.4　建設機械用エンジン

【正答　1】

1 ×　建設機械は，一般に機械的衝撃や振動が激しい，寒冷または高温，傾斜地や水中作業等，過酷な条件下で使用される場合が多い。そのため，一般的に，**負荷に対する即応性，燃料消費率及び保全性などが良好**である**ディーゼルエンジン**がほとんどの建設機械に使用されている。

2 ○　ガソリンは，精製過程で硫黄分が除去されるため，**ディーゼル燃料では発生が懸念される SOx（硫黄酸化物）は排出されない**。また，**ガソリンエンジン**は，エンジン制御システムの改良に加え排出ガスを触媒（三元触媒）に通すことにより，**NOx（窒素酸化物），HC（炭化水素），CO（一酸化炭素）をほぼ 100％近く取り除くことができる**。

3 ○　ディーゼルエンジンとガソリンエンジンを比較すると，エンジンに供給された燃料のもつエネルギーのうち**正味仕事として取り出せるエネルギー**は，**ディーゼルエンジンよりガソリンエンジンの方が小さい**。

4 ○　**ディーゼルエンジン**は，排出ガス中に多量の酸素を含み，かつ，すすや硫黄酸化物も含むことから，**後処理装置によって排出ガス中の各成分を除去することは困難である**。したがって，エンジン自体の改良を主体とした排出ガス対策を行っている。

No.5　施工計画

【正答　3】

1 ○　**施工計画の検討**は，**現場担当者のみで行うのではなく，企業内の組織を最大限に活用し，全社的に高い技術レベルでするものである**。さらには，必要に応じて現場を熟知して実作業を担当する協力業者とも連携しながら検討を行う。

2 ○　施工計画の立案の際に使用する諸資料は，施工過程における**計画変更を検討する際などに参照する資料**や，工事を安全に完成するために必要な**施工管理を行ううえでの参考資料**となる重要なものである。

3 ×　施工手順の検討は，**全体工期，全体工費に及ぼす影響の大きい工種を優先にして行う**必要がある。

4 ○　**施工方法**は，工事現場の十分な事前調査により得た資料に基づき，**契約条件を満足させるための工法を選定**することが基本となる。それと同時に，**請負者自身の適正な利潤の追求**につながるものでなければならない。

No.6　施工計画（関係機関への届出及び許可）

【正答　2】

1 ×　道路上に工事用板囲，足場，詰所その他の工事用施設を設置し，継続して道路を使用する場合は，**道路管理者から道路占用の許可を受けなければならない**と定められている。（道路法第 32 条第 1 項）

2 ○　**型枠支保工の支柱の高さが 3.5m 以上**のコンクリート構造物の工事現場の場合，事業者は，**組立期間の 30 日前**までに所轄の**労働基準監督署長**に計画を届け出なければならないと定められている。（労働安全衛生法第 88 条第 1 項）

3 ×　車両の構造または車両に積載する貨物が**特殊である車両を通行させる場合**は，**道路管理者に申請し特殊車両通行許可を受けなければならない**と定められている。（道路法第 47 条の 2）

4 ×　**つり足場，張出し足場以外の足場**で，**高さが 10m 以上，組立てから解体までの期間が 60 日以上**の場合は，**工事開始日の 30 日前までに**，工事を行う

令和2年解説

場所を管轄する労働基準監督署長に計画を届け出なければならないと定められている。（労働安全衛生法第 88 条第 1 項）

No.7　公共工事における施工体制台帳

【正答　4】

施工体制台帳の作成については，建設業法第 24 条の 8 等に規定されている。

1 ○　発注者から直接工事を請け負った建設業者は，①民間工事の場合は総額 4,500 万円以上（建築一式工事の場合は 7,000 万円以上）の下請契約を締結した場合，②公共工事では下請代金の金額に関わらず下請契約を締結した場合には，施工体制台帳を作成しなければならない。本問は「公共工事における施工体制台帳」に関する問題のため，上記の②に該当する。（同法第 24 条の 8 第 1 項，同法施行令第 7 条の 4，公共工事の入札及び契約の適正化の促進に関する法律第 15 条第 1 項）

2 ○　施工体制台帳を作成する特定建設業者は，当該建設工事に係るすべての建設業者名，技術者名を記載した，工事現場における施工体系図を作成し，これを当該工事現場の見やすいところに掲げなければならないと定められている。（建設業法第 24 条の 8 第 4 項）

3 ○　施工体制台帳には，建設工事の名称，内容及び工期，許可を受けて営む建設業の種類，健康保険等の加入状況などを記載しなければならないと定められている。（同法第 24 条の 8 第 1 項）

4 ×　特定建設業者が施工体制台帳の作成を義務づけられている建設工事において，その下請負人が請け負った工事を再下請に出す場合，下請業者は，施工体制台帳を修正するため，再下請負人の名称などを記した再下請通知書を元請負人に提出しなければならないと定められている。（同法第 24 条の 8 第 2 項）

No.8　施工計画（原価管理）

【正答　1】

1 ×　原価管理は，2 や 4 の解説にあるように，工事受注後に策定した施工計画に基づき，実行予算を作成し，実際原価が実行予算内に収まるように管理することを指す。したがって，天災その他不可抗力による損害や，設計図書と工事現場の不一致，工事の変更・中止，物価・労賃の変動については，実行予算の作成の前段階での設計変更の対象であり，原価管理においては考慮する必要はない。

2 ○　原価管理とは，工事受注後，最も経済的な施工計画を立案し，これに基づいた実行予算の作成時点から始まって，工事中の実行予算の管理を経て，工事決算時点まで実施される。

3 ○　原価管理を実施する体制を整備する際には，各部門がバラバラに原価管理を行うのではなく，工事の規模・内容に応じて担当工事の内容ならびに責任と権限の明確化をはかり，各職場，各部門を有機的・効果的に結合させる必要がある。

4 ○　原価管理の目的は，発生原価（実際原価）と実行予算を比較し，これを分析・検討して適時適切な処置をとることにより，最終予想原価を実行予算の範囲内に収めることにあるといえる。

No.9　建設機械の選定

【正答　3】

1 ○　建設機械の選定にあたっては，作業の種類，工事規模，土質条件，運搬距離などの現場条件だけでなく，その機械の普及度や作業中の安全性を確保できる機械であることなども考慮する。

2 ○　施工計画において施工機械を選定するときは，機種・性能により適用範囲が異なり，同じ機能を持つ機械でも現場条件により施工能力が違うので，工事施工上の制約条件を勘案し，最も適した建設機械を選定するとともに，その機械の最大限の能率を発揮できる施工法とすることが合理的かつ経済的である。

3 ×　組合せ建設機械の能力は，最小の作業能力の建設機械によって決定されるので，各建設機械の作業能力に大きな格差を生じないように建設機械の規格と台数を決めることが必要である。

4 ○　組合せ建設機械の選択においては，主要機械の能力を最大限に発揮させるため作業体系を並列化するとともに，従作業の施工能力を主作業と同等，あるいは若干高めに設定する等，各建設機械の作業能力に大きな格差を生じないように建設機械の規格と台数を決めることが必要である。

No.10　工事の工程管理

【正答　2】

1 ○　工程管理は，品質，原価，安全など工事管理の目的とする要件を総合的に調整したうえで策定された工程計画をもとにして実施する。工程計画は，工事の施工方法と密接に関連しているため，工事条件に適した工法を想定し，その想定した工法を前提に工期内に収まるように検討する必要がある。

2 ×　工程管理は，工事の施工段階を評価測定する基準を時間におき，労働力，機械設備，資材などの生産要素を，最も効果的に活用することを目的とした管理である。

3 ○　工程管理の内容は，施工計画の立案・計画を施工面で実施する統制機能と，施工途中での計画と実績を評価，改善点があれば処置を行う改善機能に大別できる。

4 ○　工程管理を行う場合は，常に工事の進捗状況を把握し，工事の各工程が計画どおりに遂行されているか常に比較対照している必要がある。そして，工程計画と実施のずれを早期に発見し，即座に必要な是正措置が適切に講じられるようにしておかなければならない。

No.11　工程管理（工程表の種類と特徴）

【正答　1】

1 ×　ガントチャートは，横軸に各作業の進捗度，縦軸に工種や作業名をとり，作業完了時が100％となるように表されており，各作業それぞれの進捗度合いはよくわかる。一方で，開始から終了までの所要日数や各作業間の関連性はガントチャートでは明確にはわからない。

2 ○　斜線式工程表は，横軸に区間（距離），縦軸に工期（日数）をとり，各作業を斜線で記入する工程表である。トンネル工事のように工事区間が線上に長く，しかも工事の進行方向が一定の方

向にしか進捗できない工事によく用いられる。

3○　**ネットワーク式工程表**は，作業をアクティビティ（矢線→）で，各作業の結節点をイベント（○）で表す工程表である。工程表作成の作業は煩雑になるが，各作業の関連性を矢線と結節点で明確に表現できるため，**時間的に余裕のない経路（クリティカルパス）の確認が容易**である。また，**1つの作業の遅れや変化が工事全体の工期に影響するかどうかも容易に把握することができるという特徴がある**。ネットワーク式工程表に対し**コンピューターを用いてシステム的処理を行うことにより，必要諸資源の最も経済的な利用計画の立案などを行うことが可能**である。

4○　**グラフ式工程表**は，横軸に工期（日数）を，縦軸に出来高比率をとり，各作業の工程を斜線で記入して用いる工程表である。**予定と実績の差を直観的に比較でき，施工中の作業の進捗状況もよくわかる**。

No.12　工程管理（ネットワーク式工程表）

【正答　4】

1×　**クリティカルパス**は，**各ルートのうちの最長経路**（最も長い日数を要する経路）のことを指す。本問の場合，クリティカルパスとなる最長経路は⓪→①→②→③→⑤→⑨**の28日である**。⓪→①→②→④→⑤→⑨のルートの所要日数は27日のため，クリティカルパスではない。

2×　①→⑥→⑦→⑧の作業所要日数は，作業G，H，Iの合計で，2＋7＋7＝16日である。一方，イベント①～⑧間の最長の作業所要日数は，①→②→③→⑤…→⑧（作業B，C，D＋ダミー作業の合計）で5＋5＋7（＋0）＝17日である。したがって，①→⑥→⑦→⑧の作業余裕日数は，17－16＝**1日**である。

3×　最早開始日は，**先行する作業が終了次第，最も早く作業に着手できる日**を指す。先行作業が複数存在する場合は，最も時間がかかる先行作業が終了して初めて次の作業に着手できるため，作業Kの最早開始日は，**イベント⑧に至るルートのうち，最も時間がかかるルートの完了日**になる。イベント⑧に至る各ルートのうち，最も時間がかかるのは，ルート⓪→①→②→③→⑤…→⑧で，作業所要日数は，作業A, B, C, D＋ダミー作業の合計で，5＋5＋5＋7（＋0）＝22日である。したがって，作業Kの最早開始日は，工事開始後**22日**である。

4○　設問の図における最長経路を参照すると，**1**の解説にあるとおり，28日である。したがって，工事開始から工事完了までの必要日数（工期）も**28日**となる。

No.13　工程管理（バーチャート工程表）

【正答　2】

1○　**バーチャート工程表**は，簡単な工事で作業数が少ない場合の工程表の表記に適している。一方，**複雑な工事**の場合は列記する工事の数も膨大な数になるため，**作成・変更・読取りが難しい**というデメリットがある。

2× バーチャート工程表では，作業の流れが左から右へ移行しているので**作業間の関連は漠然とわかる**が，作業を示す横線は単に並記されているに過ぎないため，**他の工種との相互関係，手順，各工種が全体の工期に及ぼす影響などは明確にはわからない**。

3○ **バーチャート工程表**は，各工種の所要日数がタイムスケールで描かれて見やすく，また作業の工程が左から右に移行しているので，**作業全体の流れのおおよその把握が可能**で，**各部分工事の進捗状況も一目でわかる**。

4○ **バーチャート工程表**では，工事全体の進捗状況を十分表現することができないが，**工程管理曲線を併記**することにより，**全体工程の進捗状況を把握できる**。

No.14　安全管理（元方事業者の講ずべき措置）

【正答　2】

1○ **元方事業者**は，関係請負人及び関係請負人の労働者が，当該仕事に関し，**法律またはこれに基づく命令の規定に違反しないよう必要な指導を行わなければならない**と定められている。（労働安全衛生法第29条第1項）

2× 元方事業者は，関係請負人または関係請負人の労働者が，当該仕事に関し，法律またはこれに基づく命令の規定に違反していると認めるときは，**是正のために必要な指示を行わなければならない**と定められており，**是正のための措置の全てを自ら行わなければならないわけではない**。（同法第29条第2項）

3○ 元方事業者は，**機械等が転倒するおそれのある場所において，関係請負人の労働者が当該事業の仕事の作業を行うとき**は，当該場所に係る危険を防止するための措置が適正に講ぜられるように，**技術上の指導その他の措置を講じなければならない**と定められている。（同法第29条の2）

4○ 元方事業者の講ずべき**技術上の指導その他の必要な措置**の中には，技術上の指導のほか，危険を防止するために必要な**資材等の提供**，元方事業者が自らまたは関係請負人と**共同して危険を防止するための措置を講じること**等が含まれている。（同法第29条の2）

No.15　安全管理（異常気象時の安全対策）

【正答　4】

異常気象時の安全対策については，国土交通省「土木工事安全施工技術指針」の「第2章第7節異常気象時の対策」に指針が規定されている。

1○ 現場における伝達は，現場条件に応じて，**無線機，トランシーバー，拡声器，サイレンなど**を設け，**緊急時に使用できるよう常に点検整備しておく**ことと定められている。（同指針第2章第7節2. 気象情報の収集と対応）

2○ **洪水が予想される場合**は，**各種救命用具**（救命浮器，救命胴衣，救命浮輪，ロープ）などを**緊急の使用に際して即応できるように準備しておく**ことと定められている。（同指針第2章第7節3. 作業の中止，警戒及び各種点検）

3○ 大雨などにより，**大型機械などの設置してある場所への冠水流出，地盤の緩み，転倒のおそれなどがある場合**は，

早めに適切な場所への退避または転倒防止措置をとることと定められている。(同指針第 2 章第 7 節 4. 大雨に対する措置)

4 × 電気発破作業においては，雷光と雷鳴の間隔が短いときは，作業を中止し安全な場所に退避させ，雷雲が直上を通過した後も，雷光と雷鳴の間隔が長くなるまで作業を再開しないことと定められている。(同指針第 2 章第 7 節 7. 雷に対する措置)

No.16 安全管理（労働災害の防止対策）

【正答 2】

1 ○ 作業床の端や開口部などには，必要な強度の囲い，手すり，覆いなどを設置することと定められている。また，床上の開口部の覆い上には，原則として材料などを置かないこととし，その旨を表示することと定められている。(国土交通省「土木工事安全施工技術指針」第 2 章第 5 節 2. 作業床端，開口部からの墜落防止措置)

2 × 土留め支保工内の掘削においては，適宜通路を設けることとし，切ばり，腹起しなどの土留め支保工部材を通路として使用することは禁じられている。(同指針第 2 章第 5 節 3. 掘削作業における墜落防止措置)

3 ○ 上下作業は極力避けることとするが，やむを得ず上下作業を行うときは，両者の作業責任者と場所，内容，時間などを事前によく調整し，安全確保をはかることと定められている。(同指針第 2 章第 6 節 5. 上下作業時の連絡調整)

4 ○ 物体の落下しやすい高所には物を置かないこととするが，やむを得ず足場上に材料などを集積する場合には，集中荷重による足場のたわみなどの影響に留意することと定められている。(同指針第 2 章第 6 節 4. 高所作業・掘削箇所周辺の材料等の集積)

No.17 安全管理（型枠支保工の安全対策）

【正答 1】

1 × 型枠支保工の支柱の継手は，突合せ継手または差込み継手とし，鋼材と鋼材との接合部及び交差部は，ボルト，クランプ等の金具を用いて緊結することと定められている。(労働安全衛生規則第 242 条第 3 号，第 4 号)

2 ○ 型枠支保工については，敷角の使用，コンクリートの打設，くいの打込み等支柱の沈下を防止するための措置を講ずることと定められている。(同規則第 242 条第 1 号)

3 ○ 型枠が曲面のものであるときは，控えの取付け等当該型枠の浮き上がりを防止するための措置を講ずることと定められている。(同規則第 242 条第 5 号)

4 ○ コンクリートの打設については，当該作業箇所の型枠支保工を，その日の作業を開始する前にあらかじめ点検し，異状が認められたときは補修を行うとともに，打設中に異状が認められた際の作業中止のための措置を講じておくことと定められている。(同規則第 244 条)

No.18 安全管理（墜落災害の防止）

【正答 4】

1 × 足場上の労働者が手すりに要求性能墜落制止用器具（安全帯）をかけた状

況であったとしても，移動式足場に労働者を乗せて移動してはならないと定められている。（厚生労働省「移動式足場の安全基準に関する技術上の指針」4－2－3）

2 ×　墜落による危険を防止するためのネットが，人体またはこれと同等以上の重さの落下物による衝撃を受けた場合は，使用してはならないと定められている。（厚生労働省「墜落による危険を防止するためのネットの構造等の安全基準に関する技術上の指針」4－6－(2)）

3 ×　墜落による危険のおそれのある架設通路に設置する手すりは，丈夫な構造で著しい損傷や変形などがなく，高さ85cm以上のものとすると定められている。（労働安全衛生規則第552条第1項第1号，第4号）

4 ○　高さ2m以上の足場の作業床において，墜落により労働者に危険を及ぼすおそれのある箇所には，わく組足場では手すりわくか交さ筋かい及び高さ15cm以上の幅木等を設置する必要があると定められている。また，幅木には，著しい損傷や変形がないものとする。（同規則第563条第1項第3号）

No.19　安全管理（建設機械の災害防止）

【正答　1】

1 ×　運転中のローラやパワーショベル等の車両系建設機械と接触するおそれがある箇所に労働者を立ち入らせる[(1)]場合は，事業者は，誘導者を配置し，その誘導者に当該車両系建設機械を誘導させなければならない。（労働安全衛生規則158条第1項）

ただし，誘導者を含めた労働者を[(2)]，その建設機械の乗車席以外に乗せてはならないと定められている。（同規則第162条）

☆令和7年4月1日施行同規則第158条第1項の改正により，「運転中の車両系建設機械に接触することにより危険が生ずるおそれのある箇所に当該作業場において作業に従事する者が立ち入ることについて，禁止する旨を見やすい箇所に表示することその他の方法により禁止しなければならない」と変更される。（下線(1)）

☆令和7年4月1日施行同規則第162条の改正により，「当該作業場において作業に従事する者」に変更される。（下線(2)）

2 ○　車両系荷役運搬機械のうち，荷台にあおりのある不整地運搬車に労働者を乗車させるときは，事業者は，荷の移動防止の歯止め，滑り止めや，あおりを確実に閉じる等の安全措置を講ずる必要があると定められている。（同規則第151条の51第1項）

3 ○　フォークリフトやショベルローダ等の車両系荷役運搬機械には，作業上で必要な照度が確保されている場合を除き，前照燈及び後照燈を備える必要があると定められている。（同規則第151条の16，第151条の27他）

4 ○　車両系建設機械のうち，コンクリートポンプ車における輸送管路の組立てや解体では，事業者は，作業方法や手順を定めて労働者に周知し，かつ，作業指揮者を指名して直接指揮にあたらせなければならないと定められている。（同規則第171条の3）

No.20　安全管理（移動式クレーンの安全確保）

【正答　2】

1 ×　クレーン機能付き油圧ショベルを小型移動式クレーンとして使用する場合，小型移動式クレーン**運転技能講習を修了している者をクレーン作業の運転者として従事させる必要がある**。（クレーン等安全規則第68条）

2 ○　**移動式クレーンの定格荷重**とは，負荷させることができる**最大荷重から，フックの重量・その他つり具等の重量を**差し引いた**荷重**であると定義されている。（同規則第1条第6号）

3 ×　事業者は，移動式クレーンに係る作業を行うときは，当該**移動式クレーンの上部旋回体と接触することにより労働者に危険が生ずるおそれのある箇所に労働者を**立ち入らせてはならないと定められている。

したがって，上部旋回体の直近に合図者を配置することはできない。（同規則第74条）

☆令和7年4月1日施行同規則第74条の改正により，「当該作業場において作業に従事する者」が移動式クレーンの上部旋回体と接触することにより危険が生ずるおそれのある箇所に「立ち入ることに**ついて，**禁止**する旨を見やすい箇所に表示することその他の方法により**禁止**しなければならない**」と変更される。

4 ×　**強風**のため移動式クレーンの作業の危険が予想される場合，事業者は，**当該作業を**中止しなければならないと定められている。（同規則第74条の3）

No.21　安全管理（明り掘削作業）

【正答　3】

1 ×　地山の崩壊または土石の落下による労働者の危険を防止するため，大雨の後，中震（震度4）以上の地震の後等の際，**作業箇所及びその周辺の地山の状態変化を，事業者が**点検者を指名し**て点検させなければならない**と定められている。（労働安全衛生規則第358条第1号）

2 ×　事業者は，掘削機械，積込機械及び運搬機械の使用による**ガス導管や地中電線路等の損壊により労働者に危険を及ぼすおそれがある場合**は，これらの**機械を**使用してはならないと定められている。（同規則第363条）

3 ○　**地山の崩壊等により労働者に危険を及ぼすおそれのあるとき**は，事業者は，あらかじめ，土止め支保工や防護網の**設置**や，**労働者の**立入禁止**等の措置**を講じなければならないと定められている。（同規則第361条）

☆令和7年4月1日施行同規則第361条の改正により，「地山の崩壊又は土石の落下により危険を及ぼすおそれのあるときは，あらかじめ，土止め支保工を設け，防護網を張り，当該作業場において作業に従事する者の**立入りを禁止する**等当該危険を防止するための措置を講じなければならない」と変更される。

4 ×　運搬機械等が，**労働者の作業箇所に後進して接近するとき，または転落するおそれのあるときは，**誘導者**を配置し，その**誘導者**に運搬機械を**誘導**させなければならない**と定められている。（同規則第365条第1項）

☆令和7年4月1日施行同規則第365条第1項の改正により，「**当該作業箇所**」に変更される。

No.22　安全管理（埋設物，架空線近接工事）

【正答　4】

1 ○　**埋設物が予想される箇所**では，施工に先立ち，台帳に基づいて**試掘を行い，埋設物の種類・位置・規格・構造などを原則として目視により確認する**と定められている。（国土交通省「建設工事公衆災害防止対策要綱（土木工事編）」第42第2項）

2 ○　**事業者**は，**架空線に接触などのおそれがある場合**は，建設機械の運転手へ**架空線の種類や位置について連絡し，ブーム旋回，立入禁止区域等の留意事項について周知徹底を行わなければならない**と定められている。（国土交通省「架空線等上空施設の事故防止マニュアル」）

3 ○　**建設機械のブーム，ダンプトラックのダンプアップ**等により架空線の接触・切断のおそれがある場合は，**防護カバー・現場出入口での高さ制限装置・看板の設置等の保安措置を行う**と定められている。（国土交通省「架空線等上空施設の事故防止マニュアル」）

4 ×　管理者の不明な埋設物を発見した場合には，**調査を再度行って埋設物の管理者に連絡**し，**立会いを求めて安全を確認した後に処置しなければならない**と定められている。（国土交通省「建設工事公衆災害防止対策要綱（土木工事編）」第42第4項）

No.23　安全管理（労働者の疾病予防・健康管理）

【正答　1】

1 ×　**酸素欠乏症等のおそれのある業務に労働者を就かせるときは，当該労働者に対し**，酸素欠乏の発生原因，酸素欠乏症の症状，空気呼吸器等の使用方法，事故の場合の退避及び救急蘇生の方法等に関する**特別の教育を行わなければならない**。（酸素欠乏症等防止規則第12条第1項）

2 ○　**常時使用する労働者の雇い入れ時**は，医師による健康診断から3ヶ月を経過しない者で診断結果を証明する書面の提出を受けた場合を除き，所定の項目について**健康診断を行わなければならない**と定められている。（労働安全衛生規則第43条）

3 ○　**さく岩機等の使用によって身体に著しい振動を与える業務**等に常時従事する労働者に対し，当該業務への**配置替えの際及び6ヶ月以内ごと**に医師による**健康診断を行わなければならない**と定められている。（同規則第45条第1項）

4 ○　**ずい道等の坑内作業等**に常時労働者を従事させる場合は，原則として有効な**呼吸用保護具を使用させなければならない**と定められている。（粉じん障害防止規則第27条第1項）

No.24　安全管理（コンクリート構造物の解体作業）

【正答　3】

コンクリート構造物の解体作業に係る安全管理については，国土交通省「土木工事安全施工技術指針」や建設業労働災害防止

協会「コンクリート工作物解体工事の作業指針」に定められている。

1○　圧砕機及び大型ブレーカによる取壊しでは，解体する構造物からコンクリート片の飛散，落下する範囲及び構造物自体の倒壊，崩落範囲を予測し，作業員，建設機械を安全な作業位置に配置しなければならない。また，建設機械と作業員の接触を防止するため，誘導員を適切な位置に配置しなければならない。

2○　転倒方式による取壊しでは，縁切り，転倒作業は，必ず一連の連続作業で実施し，その日のうちに終了させ，縁切りした状態で放置してはならない。また，大型ブレーカを用いる二次破砕，小割は，静的破砕剤を充てん後，亀裂が発生した後に行う。

3×　カッタによる取壊しでは，ブレード，防護カバーを確実に設置する。また，撤去側躯体ブロックへのカッタ取付けを禁止するとともに，切断面付近へのシートの設置による冷却水の飛散防止をはかる。

4○　ウォータージェットによるコンクリート構造物の取壊し作業において，病院，民家などが隣接している場合は，ノズル付近に防音カバーを使用する，周辺に防音シートを設置するなどの防音対策を実施する。

No.25　品質管理（品質管理の方法）

【正答　2】

1○　品質管理を行う目的は，品質特性や品質基準を決め，作業標準にしたがって実施し，できるだけ早期に異常を見つけることで品質の安定をはかることにある。

2×　品質特性は，工程の状態を総合的に表し，品質に重要な影響を及ぼすものである。品質特性は，その特性を直接的に反映する数値を用いて管理するのが望ましいが，品質特性の中には，具体的かつ測定可能な数値で表現するのが困難なものがある（例：住宅の内壁の「肌触りの良さ」など)。そうした，測定困難な品質特性と関連の深い特性と見なして代用する，測定可能な指標等のことを代用特性と呼ぶ。建設工事においても，品質特性として代用特性を採用することを許容する場合もある。ただし，目的としている品質特性と代用特性との関係が明確でなければならない。

3○　品質標準とは，現場施工の際に実施しようとする品質の目標と定義される。設計値を十分満足するような品質を実現するためには，実際の施工品質のばらつきの度合いも考慮して，余裕を持った品質を目標とする必要がある。

4○　作業標準は，品質標準で定められた品質の目標を実現するために，施工における各段階での作業の具体的な管理方法や試験方法を決めるものである。

No.26　品質管理（アスファルト舗装の品質管理）

【正答　1】

1×　表層，基層の締固め度の管理は，通常切取りコアの密度を測定して行うが，コア採取の頻度は工程の初期は適切な頻度で増やし，混合物の温度と締固め状況に注意して管理を行う。その

後，工程の中期において，管理の限界を十分満足できることが明確になったら，それ以降は工程初期で増やした採取頻度を適宜減らしてもよい。

2 ○　アスファルト舗装の品質管理において，管理の結果を工程能力図にプロットした際に，限界をはずれる，一方に片寄っているなどの結果が生じた場合には，直ちに試験頻度を増して異常の有無を確認する。

3 ○　施工の途中で作業員や施工機械などの組合せを変更する場合は，変更によって異常が生じやすくなるため，品質管理の各項目に関する試験頻度を増し，新たな組合せによる品質の確認を行う。

4 ○　下層路盤の締固め度の管理については，試験施工あるいは工程の初期におけるデータから，所定の締固め度を得るのに必要な転圧回数が求められた場合は，締固め回数や転圧回数でその品質を管理する。

No.27　品質管理（情報化施工における盛土の品質管理）

【正答　4】

1 ○　TS（トータルステーション）・GNSS（衛星測位システム）を用いた盛土の締固め回数の管理は，工法規定方式の１つである。締固め機械の走行位置をリアルタイムに計測することにより，締固め回数を管理する。

2 ○　TS・GNSS を用いた盛土の締固め回数の管理においては，盛土材料を締め固める際に，締固め回数分布図が車載パソコンのモニタに表示される。オペレータは，締固め回数分布図を見ながら，盛土施工範囲の全面にわたって規定回数だけ締め固めたことを示す色になるまで締固めを実施することで，締固め回数の管理を容易に行うことができる。

3 ○　TS・GNSS を用いた盛土の締固め回数の管理においても，従来の品質管理と同様，盛土施工に使用する材料は事前に土質試験で品質を確認し，試験施工でまき出し厚や締固め回数を決定した材料と同じ土質材料であることを確認する。

4 ×　盛土施工のまき出し厚や締固め回数は，使用予定材料の種類ごとに事前に試験施工を実施し，各材料の種類ごとの締固め回数と締固め度・表面沈下量の関係を求めたうえで決定する。

No.28　品質管理（工種，品質特性，試験方法）

【正答　2】

1 ×　コンクリート工において，品質特性としてスランプを求める場合，スランプ試験を実施する。圧縮強度試験は，コンクリートが硬化した後の圧縮強度を求める場合に実施する試験である。

2 ○　路盤工においては，品質特性として締固め度を求める場合は，砂置換法，コアカッター法，RI 計器等による方法で現場密度の測定を行う。

3 ×　アスファルト舗装工においては，品質特性として安定度を求める場合，マーシャル安定度試験を実施する。平坦性試験は，平坦性を求める場合に実施する。

4 ×　土工において，品質特性としてたわみ量を求める場合は，ベンケルマンビ

ームによるたわみ量の測定を実施する。平板載荷試験は，支持力値を求める場合に実施する。

No.29　品質管理（レディーミクストコンクリートの受入れ検査）

【正答　3】

1 ○　土木学会「コンクリート標準示方書」においては，スランプの許容誤差は，スランプ5cm以上8cm未満の場合は±1.5cm，スランプ8cm以上18cm以下の場合は±2.5cmである。したがって，スランプ12.0cmの指定に対して14.0cmの場合，誤差は＋2.0cmであるため合格と判定したのは適切である。

2 ○　スランプ試験において，スランプまたはスランプフロー，空気量の一方または両方が許容範囲を外れた場合，1回に限り再試験を行うことができる。したがって，本肢のように，最初のスランプ試験で許容範囲に入らず，再試験で許容範囲に入った場合は合格と判定して差し支えない。

3 ×　フレッシュコンクリートの空気量の合格基準は，レディーミクストコンクリートの空気量の設定値によらず，±1.5%の範囲である。空気量試験を行った際に，4.5％の指定に対して6.5%であった場合は，＋2.0%なので不合格となる。

4 ○　JIS A 5308においては，塩化物含有量が「荷おろし地点で，塩化物イオン(Cl$^-$）量として0.3kg/m^3以下でなければならない」としている。したがって，塩化物含有量の検査結果が0.3kg/m^3であれば，合格と判定したのは適切である。

No.30　品質管理（鉄筋の継手）

【正答　1】

1 ×　重ね継手は，所定の長さを重ね合わせて，焼なまし鉄線で複数箇所緊結する継手である。継手の信頼度を上げるためには，コンクリートと鉄筋の付着強度が低下しないよう，焼なまし鉄線はできるだけ短くし，必要以上に長くしないようにする。

2 ○　手動ガス圧接の技量資格者の資格は，圧接作業を行う鉄筋の種類及び鉄筋径により，1種から4種まで異なる種別が設けられている。

3 ○　ガス圧接で圧接しようとする鉄筋両端部は，鉄筋冷間直角切断機で切断し，また圧接作業直前に，両側の圧接端面が直角かつ平滑であることを確認すると定められている。（参考資料：日本鉄筋継手協会「鉄筋継手工事標準仕様書　ガス圧接継手工事」）

4 ○　機械式継手のモルタル充てん継手に関しては，継手の施工前に，鉄筋の必要挿入長さを示す挿入マークの位置・長さなどについて，目視または必要に応じて計測により全数確認すると定められている。（参考資料：日本鉄筋継手協会「鉄筋継手工事標準仕様書　機械式継手工事」）

No.31　品質管理（コンクリート構造物の強度推定方法）

【正答　4】

1 ○　通常のコアサンプル（直径100mm程度）よりも小さい小径コア（直径25mm程度）をコンクリートより採取して行う圧縮強度試験は，コンクリ

ートの圧縮強度をはかる試験であるため，**コンクリートの強度推定方法**として適切である。

2 ○　テストハンマー（重錘）でコンクリート表面を打撃し反発度を測定する方法は，いわゆる**リバウンドハンマ法（反発度法）**と呼ばれる，**コンクリート構造物の強度を推定する方法**の１つである。

3 ○　衝撃弾性波のコンクリート表面での伝播速度を測定する方法は，**衝撃弾性波法**と呼ばれる，**コンクリート構造物の強度を推定する方法**の１つである。

4 ×　AE（アコースティック・エミッション）**センサ**を用いてひび割れ発生時の弾性波を検出する方法は，**コンクリート構造物内の劣化やひび割れなどの損傷を推定する方法**の１つである。

No.32　建設工事に伴う騒音・振動対策
【正答　1】

1 ×　既製杭工法は，杭に打撃や強制振動力を与えることで動的に貫入させる打込み工法と，地盤にあらかじめ孔を掘削し，この孔に既製杭を静的に貫入させる埋込み工法に大別される。**騒音・振動対策としては，杭を静的に貫入させる埋込み工法の方が有利であり，採用されることが多い。**

2 ○　土工機械での振動は，運転操作や走行速度によって発生量が異なる。そのため，施工時の**土工機械の使用**にあたっては，**不必要な機械操作や走行は避け，その地盤に合った最も振動の発生量が少ない機械操作を行う**ことを心がけることで，余分な振動の発生を防止する。

3 ○　**建設工事に伴う地盤振動**は，建設機械の種類によって大きく異なり，出力のパワー，走行速度などの機械の能力でも相違する。発生源としての騒音・振動抑制の対策としては，**発生振動レベル値の小さい建設機械を選定する**ことが必要になる。

4 ○　**建設工事に伴う騒音防止対策**は，**発生源での対策**（騒音の少ない建設機械を採用するなど），**伝搬経路での対策**（発生源から受音点の間に遮蔽物を設ける，発生源から受音点までの距離を確保するなど），**受音点での対策**（受音点の家屋を防音構造にするなど）に分類することができる。**騒音防止対策の基本は発生源対策**（発生する騒音そのものを抑制する）であり，**受音点での対策は，受音側である工事現場付近の住民などの第三者の負担が伴うものも少なくないため，一般的ではない。**

No.33　建設工事に伴う水質汚濁対策
【正答　3】

1 ×　**濁水処理設備**は，濁水中のSS（浮遊物質），pH（水素イオン濃度），油分，重金属類などといった**有害物質の濃度を河川または下水の放流基準値以下まで下げるための設備**である。**濁水処理設備**は，建設工事の工事目的物ではなく**仮設備**であるため，**濁水の性質に応じた経済的かつ効果的な処理装置を設置しなければならず，過剰投資は避ける必要がある。**

2 ×　土壌浄化工事においては，投入する土砂の粒度分布によりSS濃度が変動し，洗浄設備の制約からSSは高い値になるため，**脱水設備は大型になる傾**

向がある。

3 ○　雨水や湧水に土砂・セメントなどが混入することにより発生する濁水の処理は，濁水処理装置による**SSの除去**，及び炭酸ガスや希硫酸等の添加による**セメント粒子に由来するアルカリ性分の中和**が主となる。

4 ×　**無機凝集剤及び高分子凝集剤の添加量**は，濁水及びSS濃度が多くなれば多く必要となり，**SSの成分及び水質の影響も受ける**。

No.34　建設リサイクル法

【正答　2】

1 ○　**建設資材廃棄物**とは，解体工事によって生じた**コンクリート塊**，**建設発生木材**等や新設工事によって生じた**コンクリート**，木材の端材等であり，**再資源化が義務づけられている**。（建設工事に係る資材の再資源化等に関する法律第16条）

2 ×　**建設資材**とは，同法上，「**土木建築に関する工事に使用する資材**」と定義されており（同法第2条第1項），**伐採木**，**伐根材**，**梱包材**等は，**建設資材ではない**。

ただし，同法による**分別解体等・再資源化等の義務づけの対象**となっているのは，政令で定める一定規模の工事における**特定建設資材（①コンクリート，②コンクリート及び鉄からなる建設資材，③木材，④アスファルト・コンクリート）**のみである。（同法第9条，第16条，同法施行令第1条）

伐採木，伐根材，梱包材は，建設リサイクル法による分別解体等・再資源化等の義務づけの**対象とはならない**。

3 ○　**解体工事業者**は，工事現場における解体工事の施工の技術上の管理をつかさどる，**技術管理者を選任しなければならない**と定められている。（同法第31条）

4 ○　建設業を営む者は，建設資材の選択や施工方法等の工夫により，**建設資材廃棄物の発生の抑制**に努めると同時に，**分別解体等及び建設資材廃棄物の再資源化等に要する費用の低減**にも努めなければならないと定められている。（同法第5条第1項）

No.35　廃棄物処理法

【正答　4】

1 ○　事業者は，その**産業廃棄物**が運搬されるまでの間，環境省令で定める技術上の基準に従い，**生活環境の保全上支障のないようにこれを保管しなければならない**と定められている。（廃棄物の処理及び清掃に関する法律第12条第2項）

2 ○　**排出事業者**は，産業廃棄物の運搬又は処分を他人に委託する場合には，その受託者に対し**産業廃棄物管理票（マニフェスト）を交付しなければならない**と定められている。（同法第12条の3第1項）

3 ○　**国，地方公共団体，事業者**その他関係者は，**非常災害時における廃棄物の適正な処理**が行われるよう適切に**役割分担，連携，協力**するよう努めなければならないと定められている。（同法第4条の2）

4 ×　**多量排出事業者**は，当該事業場に係る産業廃棄物の減量その他その**処理に関する計画を作成し，都道府県知事に**

提出しなければならないと定められている。(同法第 12 条第 9 項)

実地試験（解答例）

必須問題

問題 1

【重点解説】

〔設問 1〕

受検者が施工管理に関する経験，知識を十分に有していて，しかもそれを的確に表現する能力があるかを判別するための問題である。趣旨を把握して，具体的に簡潔かつ的確に記述することを心掛ける。

なお，〔注意〕にあるように，「経験した土木工事」は，受検者が工事請負者の技術者の場合は，受検者の所属会社が受注した工事について記述すること（所属会社が二次下請業者の場合は，発注者名は一次下請業者名）。また，受検者が発注機関の技術者の場合は，発注者名は所属機関名となる。

(1) **工事名**は，受検者自身が実際に従事して経験した工事，あるいは，受検者が工事請負者の技術者の場合は，受検者の所属会社が受注した工事の名称を記述する。

(2) **工事の内容**は，問題に指示があるとおり，①発注者名，②工事場所，③工期，④主な工種，⑤施工量，を具体的に，明確に記述する。なお，主な工種とは，路体盛土工，コンクリート擁壁工，基礎工，アスファルト舗装工，法面工等，具体的な工事の工種を記述する。

(3) **工事現場における施工管理上のあなたの立場**とは，工事現場における施工管理者としての肩書きのことであり，例えば現場代理人，主任技術者，現場監督員，発注者監督員等のように記述する。会社内での役職，つまり課長，係長，工事担当等ではないので，注意すること。

〔設問 2〕

設問 2 では，公共事業の品質や環境への関心が高まるなど，公共事業に求められる内容が多様化していることが背景となって，より幅広い施工管理上の分野のなかから，受検者が実際に経験した工事において，特に留意した技術的課題の内容と対応を問う問題が出題されている。

過去の問題では，施工管理上の分野として，工程管理や安全管理が出題され，令和 2 年度は，**現場状況から特に留意した品質管理**であった。

品質管理に関する記述をするにあたっては，様々な現場で様々な形態の品質管理が実施されるであろうが，単に設計図や仕様書に定められた形状や規格を満足するためだけでなく，良い品質の目的構造物を施工するために適切な品質管理を行うことが，結果として，無駄を省き，価格を下げ，工期を短縮することにもつながったという観点を盛り込むことが重要である。どのような工事を行い，その工事の現場状況のもとで特に留意して実施した品質管理

について，自身の経験を基に，適切に記述して現場の状況を明確にする。その上で，この品質管理を実施する際にいかなる技術的な課題があったか，その課題に対してどのような検討を行い，どのような対策・処置を採ったのかを整理するとともに，その結果として，実際にどのような効果が現れたのか，ということまでを具体的に簡潔にまとめる。単に施工の状況説明に終始しないように，注意する必要がある。

選択問題（1）

問題２　土工

建設発生土の有効利用に関する留意点を記した文の空所補充問題である。

解答に関連する技術基準を記した典拠としては，日本道路協会「道路土工－盛土工指針」，国土交通省「土木工事安全施工技術指針」などが挙げられる。

(1)　高含水比の材料は，なるべく薄く敷き均した後，十分な放置期間をとり，ばっ気乾燥を行い使用するか，処理材を **(イ) 混合**調整し使用する。

(2)　安定が懸念される材料は，盛土法面 **(ロ) 勾配**の変更，ジオテキスタイル補強盛土やサンドイッチ工法の適用や排水処理などの対策を講じるか，あるいはセメントや石灰による安定処理を行う。

(3)　有用な現場発生土は，可能な限り **(ハ) 仮置き**を行い，土羽土として有効利用する。

(4)　**(ニ) 透水性**のよい砂質土や礫質土は，排水材料への使用をはかる。

(5)　やむを得ずスレーキングしやすい材料を盛土の路体に用いる場合には，施工後の圧縮 **(ホ) 沈下**を軽減するために，空気間隙率が所定の基準内となるように締め固めることが望ましい。

(イ)	(ロ)	(ハ)	(ニ)	(ホ)
混合	勾配	仮置き	透水性	沈下

選択問題（1）

問題3　コンクリート

コンクリートの混和材料に関する文の空所補充問題である。

解答に関連する技術内容を記した資料としては，土木学会「コンクリート標準示方書」，日本規格協会「JIS ハンドブック（生コンクリート）」などがある。

(1) **(イ) フライアッシュ**は，水和熱による温度上昇の低減，長期材齢における強度増進など，優れた効果が期待でき，一般にはⅡ種が用いられることが多い混和材である。

(2) 膨張材は，乾燥収縮や硬化収縮に起因する **(ロ) ひび割れ**の発生を低減できることなど優れた効果が得られる。

(3) **(ハ) 高炉スラグ**微粉末は，硫酸，硫酸塩や海水に対する化学抵抗性の改善，アルカリシリカ反応の抑制，高強度を得ることができる混和材である。

(4) 流動化剤は，主として運搬時間が長い場合に，流動化後の **(ニ) スランプ**ロスを低減させる混和剤である。

(5) 高性能 **(ホ) AE 減水剤**は，ワーカビリティーや圧送性の改善，単位水量の低減，耐凍害性の向上，水密性の改善など，多くの効果が期待でき，標準形と遅延形の2種類に分けられる混和剤である。

(イ)	(ロ)	(ハ)	(ニ)	(ホ)
フライアッシュ	ひび割れ	高炉スラグ	スランプ	AE 減水剤

選択問題（1）

問題４　品質管理

コンクリートの打込み，締固め，養生における品質管理に関する文の空所補充問題である。

解答に関連する技術基準を記した資料としては，国土交通省「土木工事共通仕様書（第１編　共通編)」，土木学会「コンクリート標準示方書」，日本規格協会「JIS ハンドブック（生コンクリート)」などがある。

(1)　コンクリートを２層以上に分けて打ち込む場合，上層と下層が一体となるように施工しなければならない。また，許容打重ね時間間隔は，外気温 25℃以下では **(イ) 2.5** 時間以内を標準とする。

(2)　**(ロ) ブリーディング**が多いコンクリートでは，型枠を取り外した後，コンクリート表面に砂すじを生じることがあるため，**(ロ) ブリーディング**の少ないコンクリートとなるように配合を見直す必要がある。

(3)　壁とスラブとが連続しているコンクリート構造物などでは，コンクリートは断面の変わる箇所でいったん打ち止め，そのコンクリートの **(ハ) 沈下（または沈降）** が落ち着いてから上層コンクリートを打ち込む。

(4)　コンクリートの締固めにおいて，棒状バイブレータは，なるべく鉛直に一様な間隔で差し込む。その間隔は，一般に **(ニ) 50**cm 以下にするとよい。

(5)　コンクリートの養生の目的は，**(ホ) 湿潤**状態に保つこと，温度を制御すること，及び有害な作用に対して保護することである。

(イ)	(ロ)	(ハ)	(ニ)	(ホ)
2.5	ブリーディング	沈下 (または沈降)	50	湿潤

選択問題（1）

問題５　安全管理

労働安全衛生規則に定められている，事業者の行う足場等の点検時期，点検事項及び安全基準に関する文の空所補充問題である。

解答に関連する法規や技術基準としては，足場の組立て等における危険の防止などを規定した「労働安全衛生規則」第２編第10章第２節（第559条－第575条）などが挙げられる。

(1)　足場における作業を行うときは，その日の作業を開始する前に，足場用墜落防止設備の取り外し及び **(イ) 脱落**の有無について点検し，異常を認めたときは，直ちに補修しなければならない。

☆令和５年10月１日施行の同規則第567条第１項の改正により，事業者が**自ら点検**する義務が，**点検者を指名**して，**点検者に点検させる**義務に変更された。

(2)　強風，大雨，大雪等の悪天候若しくは **(ロ) 中震（または震度４）**以上の地震等の後において，足場における作業を行うときは，作業を開始する前に点検し，異常を認めたときは，直ちに補修しなければならない。

☆令和５年10月１日施行の同規則第567条第２項の改正により，事業者が**自ら点検**する義務が，**点検者を指名**して，**点検者に点検させる**義務に変更された。

(3)　鋼製の足場の材料は，著しい損傷，**(ハ) 変形**又は腐食のあるものを使用してはならない。

(4)　架設通路で，墜落の危険のある箇所には，高さ85cm以上の **(ニ) 手すり**又はこれと同等以上の機能を有する設備を設ける。

(5)　足場における高さ2m以上の作業場所で足場板を使用する場合，作業床の幅は **(ホ) 40**cm以上で，床材間の隙間は，3cm以下とする。

(イ)	(ロ)	(ハ)	(ニ)	(ホ)
脱落	中震 (または震度４)	変形	手すり	40

選択問題（1）

問題６　施工計画

土木工事の施工計画作成時に留意すべき事項に関する文の空所補充問題である。

解答に関連する技術基準を記した資料としては，国土交通省「土木工事安全施工技術指針」などがある。

(1) 施工計画は，施工条件などを十分に把握したうえで，**(イ) 工程**，資機材，労務などの一般的事項のほか，工事の難易度を評価する項目を考慮し，工事の **(ロ) 安全**施工が確保されるように総合的な視点で作成すること。

(2) 関係機関などとの協議・調整が必要となるような工事では，その協議・調整内容をよく把握し，特に都市内工事にあっては，**(ハ) 第三者（または公衆）**災害防止上の **(ロ) 安全**確保に十分留意すること。

(3) 現場における組織編成及び **(ニ) 業務分担**，指揮命令系統が明確なものであること。

(4) 作業員については，必要人員を確保するとともに，技術・技能のある人員を確保すること。やむを得ず不足が生じる時は，施工計画，**(イ) 工程**，施工体制，施工機械などについて，対応策を検討すること。

(5) 工事による作業場所及びその周辺への振動，騒音，水質汚濁，粉じんなどを考慮した **(ホ) 環境**対策を講じること。

(イ)	(ロ)	(ハ)	(ニ)	(ホ)
工程	安全	第三者 (または公衆)	業務分担	環境

選択問題（2）

問題7　土工

土工に関する記述問題である。切土法面排水に関し，(1) 切土法面排水の目的，(2) 切土法面施工時における排水処理の留意点について，それぞれ1つずつ，おおよそ下記のような主旨の記述ができればよい。

解答に関連する技術内容を記した資料としては，日本道路協会「道路土工－盛土工指針」，国土交通省「土木工事安全施工技術指針」，国土交通省「土木工事共通仕様書（第1編　共通編）」などがある。

(1) 切土法面排水の目的
・表流水による法面浸食や洗掘を防止する。 ・表流水の法面への集中を防止し，施工環境の保全をはかる。 ・地下水面の上昇による法面のすべり破壊を防止する。 他
(2) 切土法面施工時における排水処理の留意点
・小段排水溝に，5％前後の勾配をつける。 ・暗きょや排水溝等の排水施設を設けて，排水が工事区域に流入しないようにする。 ・雨水等が湛水しないように，切土面の整形時に凹凸を生じないように留意する。 他

選択問題（2）

問題８　コンクリート（コンクリートのひび割れ）

コンクリートのひび割れに関する記述問題である。(1) 初期段階に発生する沈みひび割れ，(2) マスコンクリートの温度ひび割れについて，おおよそ下記のような内容で，発生原因と施工現場における防止対策をそれぞれ１つずつ記述できればよい。

解答に関連する技術基準を記した資料としては，土木学会「コンクリート標準示方書［施工編］」などがある。

	発生原因	施工現場における防止対策
(1) 初期段階に発生する沈みひび割れ	打設終了後のコンクリートが，凝結するまでの過程で徐々に沈下した際に，コンクリートの沈下が鋼材やセパレータにより抑えられることで，鋼材やセパレータ，打重ね面に沿ってひび割れが発生する。	・材料分離が生じないような適切な速度（30 分当たり 1 ～ 1.5m 程度）でコンクリートを打込む。 ・再振動によってコンクリートの締固めが可能な範囲でできるだけ遅い時期に，再振動を行う。 他
(2) マスコンクリートの温度ひび割れ	セメントの水和発熱及び自己収縮に伴うコンクリートの体積変化が拘束されるために発生する温度応力により，コンクリートの収縮時に引張力が発生してひび割れが引き起こされる。	①下記の方法でコンクリートの温度上昇を制御し，コンクリートの体積変化を抑制する。 ・パイプクーリングを行い，コンクリートの温度上昇を抑制する。 ・養生シートなどで打設後のコンクリートを覆う。 ②ひび割れ誘発目地を設置し，引張応力を低減する。 ③水和熱抑制型超遅延剤を使用し，引張応力を低減する。

選択問題（2）

問題 9　品質管理（盛土の締固め管理方式）

品質管理項目のうち，「品質規定方式」，「工法規定方式」について，締固め管理の方法を記述させる問題である。

解答に関連する内容を記した資料としては，国土交通省「TS・GNSS を用いた盛土の締固め管理の監督・検査要領」などがある。

	規定方式名	締固め管理の方法
①	品質規定方式	・**最大乾燥密度**や**締固め強度**といった，施工後の盛土の品質に関する数値的基準によって管理を行う。 ・RI 計器を用いる RI（ラジオアイソトープ）法によって**現場密度試験**を行い，**締固め土**，**飽和度**，**空気間隙率**，**含水量**を測定し管理する。 ・**砂置換法**によって掘り出した土の体積を把握，**湿潤密度**を測定し管理する。
②	工法規定方式	・使用する締固め機械の**種類**，**締固め回数**，**走行軌跡**など，工法によって定められる数値的基準によって管理を行う。 ・**TS（トータルステーション）**や **GNSS（衛星測位システム）**を用いて，締固め機械の走行記録をもとに所定の締固め回数を満たしているかどうか管理する。 ・締固め機械の**走行軌跡**を追跡することによって，**踏み残し箇所**の有無を確認，管理する。

選択問題（2）

問題 10　安全管理（機械掘削及び積込み作業中の事故防止対策）

機械掘削及び積込み作業中の事故防止対策に関する知識を問う問題である。

問題文の指示どおり，「労働安全衛生規則」の規定事項に則して，事業者が実施すべき具体的な安全対策について，下記の解答例の中から 5 つ挙げればよい。

なお，解答に関連する法規や技術基準としては，掘削作業等における危険の防止について規定した労働安全衛生規則第 2 編第 6 章第 1 節第 1 款（第 355 条－第 367 条）の他，国土交通省「土木工事安全施工技術指針」などが挙げられる。

事業者が実施すべき事項
・**点検者**を指名し，その日の作業を開始する前等に，掘削箇所とその周辺の浮石や亀裂，含水，湧水，凍結の状態の変化等を**点検**させる。 ・掘削面の高さが 2m 以上となる場合は，所要の**技能講習**の修了者から**地山の掘削**作業主任者を選任し，作業の指揮等を行わせる。 ・地山の崩壊または土砂の落下の危険がある場所に，**土留め支保工**を設ける，**防護網**を張る，立入禁止にする等の措置を講じる。 ・地下の工作物の損壊により労働者に危険が及ぶおそれがあるときは，機械の使用を中止する。 ・機械の運行経路や土石の積卸し場所への**機械の出入の方法**を定め，労働者に周知する。 ・機械が労働者の作業箇所に**後進**して接近するとき，または**転落**するおそれのあるときは，**誘導者**を配置し，その者に機械を誘導させる。 ・作業現場に，**照明装置**を設置するなど作業を安全に行うために必要な照度を保持する。

選択問題（2）

問題 11　環境保全

建設工事に伴う騒音または振動防止に関する知識を問う問題である。

問題文の指示どおり，建設工事に伴う騒音または振動防止のための具体的対策について，下記の解答例の中から５つ挙げればよい。

なお，解答に関連する技術指針としては，国土交通省「建設工事に伴う騒音振動対策技術指針」などが挙げられる。

騒音又は振動防止のための具体的対策
・建設機械の選定にあたっては，**低騒音型建設機械**の使用を優先的に検討する。 ・できる限り**衝撃力**による施工を避け，不必要な**高速運転**やむだな**空ぶかし**を行わないよう丁寧に運転する。 ・**ブルドーザ**を用いて掘削押し土を行う場合，無理な負荷をかけないようにし，**後進**時の高速走行を避けて，丁寧に運転する。 ・土工における締固め作業にあたっては，**低騒音型建設機械**の使用を原則とする。 ・基礎工法の選定にあたっては，既製杭工法，場所打杭工法，ケーソン工法等について，総合的な検討を行い，現場条件に則した，**騒音**，**振動の影響**の小さい工法を採用する。 ・既製杭の**積み卸し**，**吊り込み作業**等は不必要な騒音，振動の発生を避け，ていねいに行う。 ・**地下連続壁工法**は，土留部材を本体構造に利用できる場合や工事現場の周辺の地盤沈下に対する制限が厳しい場合には，騒音，振動の**低減効果**も考慮し採否を検討する。 ・周辺住民に配慮し，騒音の発生源に近い地点に**遮音壁**や**遮音シート**を設置する。 ・複数の建設機械を作業に使用する場合，**段取り待ち**が少なくなるように作業手順を組む。 他

令和6年度　第一次検定　正答一覧

●配点：1 問 1 点の合計点が得点となる。
●合格基準：70 問のうち 42 問以上の正解，かつ施工管理法（応用能力）の 15 問のうち 9 問以上の正解で合格。
※ 70 問は全101 問のうち，必須及び選択問題を合わせた総解答数。
※施工管理法（応用能力）は，問題 B No.21 ～ 35 の問題。

問題 A　正答

No.1	①②③❹	No.18	①❷③④	No.35	①②❸④	No.52	❶②③④
No.2	①❷③④	No.19	①②③❹	No.36	❶②③④	No.53	①❷③④
No.3	①❷③④	No.20	①②❸④	No.37	①②③❹	No.54	①❷③④
No.4	①②③❹	No.21	①❷③④	No.38	❶②③④	No.55	①②③❹
No.5	❶②③④	No.22	①❷③④	No.39	❶②③④	No.56	①❷③④
No.6	①❷③④	No.23	❶②③④	No.40	①❷③④	No.57	①②❸④
No.7	①②❸④	No.24	①②③❹	No.41	①②❸④	No.58	❶②③④
No.8	①②③❹	No.25	①②❸④	No.42	①②③❹	No.59	①②❸④
No.9	❶②③④	No.26	①❷③④	No.43	①②❸④	No.60	①②③❹
No.10	①②③❹	No.27	①②③❹	No.44	❶②③④	No.61	①②❸④
No.11	①②③❹	No.28	❶②③④	No.45	①❷③④	No.62	①②❸④
No.12	①❷③④	No.29	①②❸④	No.46	❶②③④	No.63	①❷③④
No.13	❶②③④	No.30	❶②③④	No.47	①②❸④	No.64	❶②③④
No.14	①②③❹	No.31	①❷③④	No.48	❶②③④	No.65	①②❸④
No.15	①②❸④	No.32	❶②③④	No.49	①❷③④	No.66	①②❸④
No.16	❶②③④	No.33	①②❸④	No.50	①②③❹		①②③④
No.17	①②③❹	No.34	①❷③④	No.51	①②③❹		①②③④

問題 B　正答

No.1	①❷③④	No.10	❶②③④	No.19	①❷③④	No.28	①②❸④
No.2	①❷③④	No.11	①②❸④	No.20	❶②③④	No.29	①②③❹
No.3	①②❸④	No.12	①②③❹	No.21	①②③❹	No.30	①②❸④
No.4	❶②③④	No.13	①②③❹	No.22	①❷③④	No.31	①②❸④
No.5	①❷③④	No.14	①②❸④	No.23	❶②③④	No.32	①②③❹
No.6	①❷③④	No.15	①②❸④	No.24	①②❸④	No.33	①②③❹
No.7	❶②③④	No.16	❶②③④	No.25	①❷③④	No.34	❶②③④
No.8	❶②③④	No.17	①②❸④	No.26	❶②③④	No.35	①②❸④
No.9	①②③❹	No.18	①②③❹	No.27	①②③❹		①②③④

令和５年度　第一次検定　正答一覧

●配点：１問１点の合計点が得点となる。
●合格基準：65 問のうち 37 問以上の正解，かつ施工管理法（応用能力）の 15 問のうち９問以上の正解で合格。
※ 65 問は全 96 問のうち，必須及び選択問題を合わせた総解答数。
※施工管理法（応用能力）は，問題Ｂ No.21 ～ 35 の問題。

問題Ａ　正答

No.1	①❷③④	No.17	❶②③④	No.33	①❷③④	No.49	①②❸④
No.2	①②③❹	No.18	①②❸④	No.34	①②③❹	No.50	❶②③④
No.3	①②③❹	No.19	❶②③④	No.35	①❷③④	No.51	①②❸④
No.4	❶②③④	No.20	❶②③④	No.36	①②③❹	No.52	①❷③④
No.5	①②③❹	No.21	①②❸④	No.37	①❷③④	No.53	①②❸④
No.6	❶②③④	No.22	①②③❹	No.38	①❷③④	No.54	①❷③④
No.7	①②③❹	No.23	①②❸④	No.39	❶②③④	No.55	❶②③④
No.8	①②❸④	No.24	❶②③④	No.40	①②❸④	No.56	❶②③④
No.9	①②③❹	No.25	①②③❹	No.41	①②③❹	No.57	①❷③④
No.10	①❷③④	No.26	①②③❹	No.42	①❷③④	No.58	①②③❹
No.11	①②❸④	No.27	①❷③④	No.43	①②③❹	No.59	❶②③④
No.12	①❷③④	No.28	①②③❹	No.44	①②❸④	No.60	①②❸④
No.13	①②③❹	No.29	①②❸④	No.45	①②③❹	No.61	①②❸④
No.14	❶②③④	No.30	①❷③④	No.46	①②❸④		①②③④
No.15	❶②③④	No.31	①②❸④	No.47	①❷③④		①②③④
No.16	①❷③④	No.32	❶②③④	No.48	①❷③④		①②③④

問題Ｂ　正答

No.1	❶②③④	No.10	①②③❹	No.19	①②❸④	No.28	①②❸④
No.2	①②❸④	No.11	①②❸④	No.20	①❷③④	No.29	①②③❹
No.3	❶②③④	No.12	①②③❹	No.21	❶②③④	No.30	①❷③④
No.4	①❷③④	No.13	①❷③④	No.22	①②❸④	No.31	①❷③④
No.5	①②❸④	No.14	①②③❹	No.23	①❷③④	No.32	①❷③④
No.6	①❷③④	No.15	❶②③④	No.24	①②❸④	No.33	①②❸④
No.7	①②③❹	No.16	①②③❹	No.25	①②③❹	No.34	①②❸④
No.8	①②③❹	No.17	❶②③④	No.26	❶②③④	No.35	①❷③④
No.9	①❷③④	No.18	❶②③④	No.27	①②③❹		①②③④

令和４年度　第一次検定　正答一覧

●配点：1 問 1 点の合計点が得点となる。
●合格基準：65 問のうち 39 問以上の正解，かつ施工管理法（応用能力）の 15 問のうち 9 問以上の正解で合格。
※ 65 問は全 96 問のうち，必須及び選択問題を合わせた総解答数。
※施工管理法（応用能力）は，問題 B No.21 ～ 35 の問題。

問題 A　正答

No.1	①②❸④	No.17	①②❸④	No.33	①❷③④	No.49	①②❸④
No.2	❶②③④	No.18	①②③❹	No.34	①②③❹	No.50	①❷③④
No.3	①②❸④	No.19	①❷③④	No.35	①②③❹	No.51	❶②③④
No.4	①②③❹	No.20	①❷③④	No.36	❶②③④	No.52	①❷③④
No.5	❶②③④	No.21	①②③❹	No.37	①❷③④	No.53	①②❸④
No.6	①❷③④	No.22	①②❸④	No.38	❶②③④	No.54	①②③❹
No.7	❶②③④	No.23	①❷③④	No.39	①②❸④	No.55	①②❸④
No.8	①②③❹	No.24	①❷③④	No.40	❶②③④	No.56	①②❸④
No.9	①②❸④	No.25	❶②③④	No.41	①②③❹	No.57	①②③❹
No.10	❶②③④	No.26	①②❸④	No.42	①❷③④	No.58	①②③❹
No.11	①②③❹	No.27	①②❸④	No.43	①②③❹	No.59	①❷③④
No.12	❶②③④	No.28	❶②③④	No.44	①②❸④	No.60	①②❸④
No.13	①②❸④	No.29	①❷③④	No.45	①②❸④	No.61	❶②③④
No.14	①❷③④	No.30	①❷③④	No.46	①❷③④		①②③④
No.15	❶②③④	No.31	①②③❹	No.47	①②③❹		①②③④
No.16	❶②③④	No.32	①❷③④	No.48	①②③❹		①②③④

問題 B　正答

No.1	①②❸④	No.10	①❷③④	No.19	❶②③④	No.28	①②③❹
No.2	❶②③④	No.11	❶②③④	No.20	❶②③④	No.29	①❷③④
No.3	①②❸④	No.12	①❷③④	No.21	①❷③④	No.30	①②③❹
No.4	①②③❹	No.13	①②❸④	No.22	①②❸④	No.31	❶②③④
No.5	①❷③④	No.14	①②❸④	No.23	①❷③④	No.32	①②❸④
No.6	❶②③④	No.15	①②③❹	No.24	①②③❹	No.33	①②③❹
No.7	❶②③④	No.16	①②❸④	No.25	①②❸④	No.34	①②❸④
No.8	①②③❹	No.17	①②③❹	No.26	①②③❹	No.35	❶②③④
No.9	❶②③④	No.18	①❷③④	No.27	①❷③④		①②③④

令和3年度　第一次検定　正答一覧

●配点：1 問 1 点の合計点が得点となる。
●合格基準：65 問のうち 39 問以上の正解，かつ施工管理法（応用能力）の 15 問のうち 9 問以上の正解で合格。
※ 65 問は全 96 問のうち，必須及び選択問題を合わせた総解答数。
※施工管理法（応用能力）は，問題 B No.21 ～ 35 の問題。

問題 A　正答

No.1	①②❸④	No.17	①❷③④	No.33	❶②③④	No.49	①❷③④
No.2	①❷③④	No.18	①②❸④	No.34	①②③❹	No.50	①②③❹
No.3	①②③❹	No.19	❶②③④	No.35	①❷③④	No.51	❶②③④
No.4	①❷③④	No.20	①❷③④	No.36	①②❸④	No.52	①②③❹
No.5	①②③❹	No.21	①②③❹	No.37	①❷③④	No.53	①②③❹
No.6	❶②③④	No.22	①②❸④	No.38	❶②③④	No.54	①②❸④
No.7	①②❸④	No.23	❶②③④	No.39	①❷③④	No.55	①②③❹
No.8	①②❸④	No.24	①②❸④	No.40	❶②③④	No.56	①②❸④
No.9	❶②③④	No.25	①②❸④	No.41	①②③❹	No.57	❶②③④
No.10	①❷③④	No.26	①②③❹	No.42	①②❸④	No.58	①②③❹
No.11	①②❸④	No.27	①②③❹	No.43	❶②③④	No.59	①②❸④
No.12	①②③❹	No.28	❶②③④	No.44	①❷③④	No.60	①❷③④
No.13	①②❸④	No.29	①②❸④	No.45	❶②③④	No.61	①②❸④
No.14	①②❸④	No.30	❶②③④	No.46	①❷③④		①②③④
No.15	❶②③④	No.31	①②③❹	No.47	①②③❹		①②③④
No.16	①❷③④	No.32	①❷③④	No.48	❶②③④		①②③④

問題 B　正答

No.1	①❷③④	No.10	①②③❹	No.19	①②❸④	No.28	①❷③④
No.2	❶②③④	No.11	①❷③④	No.20	①②③❹	No.29	①②③❹
No.3	①❷③④	No.12	❶②③④	No.21	①②❸④	No.30	❶②③④
No.4	❶②③④	No.13	❶②③④	No.22	①❷③④	No.31	①❷③④
No.5	①②❸④	No.14	①②③❹	No.23	①②❸④	No.32	❶②③④
No.6	①❷③④	No.15	①②③❹	No.24	①②③❹	No.33	①❷③④
No.7	①❷③④	No.16	①②❸④	No.25	①②❸④	No.34	①②③❹
No.8	①②❸④	No.17	❶②③④	No.26	❶②③④	No.35	①②❸④
No.9	❶②③④	No.18	①②③❹	No.27	①❷③④		①②③④

令和2年度　学科試験　正答一覧

●配点：1 問 1 点の合計点が得点となる。
●合格基準：65 問のうち，39 問以上の正解で合格。
※ 65 問は全 96 問のうち，必須及び選択問題を合わせた総解答数。

問題 A　正答

No.1	①②❸④	No.17	①②③❹	No.33	❶②③④	No.49	①❷③④
No.2	①❷③④	No.18	①❷③④	No.34	①②❸④	No.50	①❷③④
No.3	❶②③④	No.19	①②❸④	No.35	❶②③④	No.51	❶②③④
No.4	①②③❹	No.20	❶②③④	No.36	①❷③④	No.52	①②③❹
No.5	①❷③④	No.21	①❷③④	No.37	❶②③④	No.53	①②❸④
No.6	❶②③④	No.22	❶②③④	No.38	①②❸④	No.54	①❷③④
No.7	①❷③④	No.23	①②❸④	No.39	①②③❹	No.55	①②③❹
No.8	①②③❹	No.24	①②③❹	No.40	①❷③④	No.56	❶②③④
No.9	①❷③④	No.25	①②❸④	No.41	①②③❹	No.57	①②❸④
No.10	❶②③④	No.26	①❷③④	No.42	①❷③④	No.58	①②③❹
No.11	①②❸④	No.27	①②③❹	No.43	①②❸④	No.59	❶②③④
No.12	❶②③④	No.28	①②❸④	No.44	❶②③④	No.60	①②❸④
No.13	①❷③④	No.29	①②③❹	No.45	①②③❹	No.61	①❷③④
No.14	①②③❹	No.30	①❷③④	No.46	①❷③④		①②③④
No.15	①②❸④	No.31	①②③❹	No.47	❶②③④		①②③④
No.16	❶②③④	No.32	①②❸④	No.48	①②❸④		①②③④

問題 B　正答

No.1	①②③❹	No.10	①❷③④	No.19	❶②③④	No.28	①❷③④
No.2	①②❸④	No.11	❶②③④	No.20	①❷③④	No.29	①②❸④
No.3	①❷③④	No.12	①②③❹	No.21	①②❸④	No.30	❶②③④
No.4	❶②③④	No.13	①❷③④	No.22	①②③❹	No.31	①②③❹
No.5	①②❸④	No.14	①❷③④	No.23	❶②③④	No.32	❶②③④
No.6	①❷③④	No.15	①②③❹	No.24	①②❸④	No.33	①②❸④
No.7	①②③❹	No.16	①❷③④	No.25	①❷③④	No.34	①❷③④
No.8	❶②③④	No.17	❶②③④	No.26	❶②③④	No.35	①②③❹
No.9	①②❸④	No.18	①②③❹	No.27	①②③❹		①②③④

※矢印の方向に引くと正答・解説編が取り外せます。